Geschichte der Frauen

Georges Duby · Michelle Perrot

4

19. Jahrhundert

Im 19. Jahrhundert, so die gängige Vorstellung, waren Frauen eingeschlossen in die Privatheit ihrer Familie, bevormundet von ihren Vätern und Ehemännern, abgeschnitten von den einschneidenden Entwicklungen in der von Männern gestalteten Öffentlichkeit. Wie ein Verstoß gegen die bestehende Geschlechterordnung erscheint dann die große Zahl außerhäuslich erwerbstätiger Frauen. Dieser Band zeigt, wie trügerisch dieses Bild ist, das einseitig ausgewählte Zuschreibungen als Wirklichkeit mißversteht. Frauen bewältigten schon damals mit ihren Arbeiten in Haushalt und Familie die akuten Herausforderungen, die durch Urbanisierung, Industrialisierung und Kommerzialisierung entstanden waren, und forderten bessere Ausbildungsmöglichkeiten, angemessene Erwerbschancen und gleiche Bürgerrechte. Vor diesem Hintergrund wird verständlich, daß gerade in diesem Jahrhundert die Frauenbewegung als neue politische Kraft zu wirken beginnt.

Geschichte der Frauen

Georges Duby · Michelle Perrot

Editorische Betreuung
der deutschen Gesamtausgabe
Heide Wunder

1
Antike
Herausgegeben von Pauline Schmitt Pantel
Editorische Betreuung der deutschen Ausgabe Beate Wagner-Hasel

2
Mittelalter
Herausgegeben von Christiane Klapisch-Zuber
Editorische Betreuung der deutschen Ausgabe Claudia Opitz

3
Frühe Neuzeit
Herausgegeben von Arlette Farge und Natalie Zemon Davis
Editorische Betreuung der deutschen Ausgabe Heide Wunder und Rebekka Habermas

4
19. Jahrhundert
Herausgegeben von Geneviève Fraisse und Michelle Perrot
Editorische Betreuung der deutschen Ausgabe Karin Hausen

5
20. Jahrhundert
Herausgegeben von Françoise Thébaud
Editorische Betreuung der deutschen Ausgabe Gisela Bock

19. Jahrhundert

Herausgegeben von
Geneviève Fraisse und Michelle Perrot

Die Originalausgabe
STORIA DELLE DONNE IN OCCIDENTE,
VOL. 4 L'OTTOCENTO erschien 1991 bei Editori Laterza, Rom.

Dieses Buch erschien erstmals im Rahmen
eines 1985 getroffenen Abkommens zwischen der Wirtschaftsstiftung
Maison des Sciences de l'Homme und dem Campus Verlag.
Das Abkommen beinhaltet die Übersetzung und gemeinsame Publikation
deutscher und französischer geistes- und sozialwissenschaftlicher Werke,
die in enger Zusammenarbeit mit Forschungseinrichtungen beider Länder
ausgewählt werden.

Lizenzausgabe mit freundlicher Genehmigung
von EULAMA Srl, Rom, www.eulama.com.
Für die Übersetzung: Campus Verlag GmbH, Frankfurt/Main
für Haffmans & Tolkemitt Verlag, Alexanderstraße 7 D - 10178 Berlin
www.haffmans-tolkemitt.de

Umschlagmotiv: Max Liebermann, Der Hof des Waisenhauses in Amsterdam, 1881/82,
Frankfurt a. M., Städelsches Kunstinstitut. Photo: Artothek.
Produktion: Urs Jakob, Werkstatt im Grünen Winkel, CH-8400 Winterthur.
Druck und Bindung: Ebner und Spiegel in Ulm.
Printed in Germany.

ISBN: 978-3-942989-10-7

Sonderausgabe ISBN: 978-3-86800-508-0

Inhalt

Die bürgerliche, die öffentliche und die private Frau

Neuerungen

Stimmen der Frauen

NACHWORT

ANHANG

Vorwort
Eine Geschichte der Frauen schreiben

Georges Duby und Michelle Perrot

Die Frauen sind lange im Schatten der Geschichte gelassen worden. Der Aufstieg der Anthropologie und die zunehmende Bedeutung, die der Familie beigemessen wurde, haben ebenso wie die Geschichte der »Mentalitäten«, die dem täglichen Leben, dem Privaten und dem Individuellen eine größere Aufmerksamkeit schenkte, dazu beigetragen, sie aus dem Schatten herauszuholen. Am meisten hat dazu aber die Frauenbewegung beigetragen mit den vielen Fragen, die sie aufgeworfen hat. »Woher kommen wir? Wohin gehen wir?« fragten sich die Frauen, und sie stellten innerhalb und außerhalb der Universitäten Nachforschungen an, um die Spuren ihrer historischen Vorläuferinnen zu finden, vor allem aber, um die Ursprünge ihrer Unterdrückung und die Entwicklung der Beziehungen zwischen den Geschlechtern zu verstehen.

Denn genau darum geht es. Der Titel »Geschichte der Frauen« ist kurz und bündig. Aber wir möchten damit nicht die Vorstellung verbinden, Frauen für sich seien ein Gegenstand der Geschichte. Wir wollen vielmehr ihre Lebenswelten, ihre Rollen und ihre Macht, ihre Handlungsweisen, ihr Schweigen und ihr Sprechen erforschen; wir wollen die unterschiedlichen Bilder von der Frau – Göttin, Madonna, Hexe ... – in ihrer Beständigkeit und in ihrem Wandel erfassen. Deshalb verstehen wir die Geschichte als sozialen Wandel grundlegender Beziehungen; deshalb ist unsere Geschichte der Frauen auch ebenso die der Männer.

Es ist eine Geschichte der *langen Dauer*: Von der Antike bis heute greifen fünf Bände die chronologischen Zäsuren auf, die die Geschichte des Abendlandes unterteilen. Denn nur um sie geht es. Das Mittelmeer und der Atlantik sind unsere Ufer. Wir wünschen uns gewiß auch eine Geschichte der Frauen des Orients oder Afrikas. Doch es bleibt den Frauen und Männern dieser Länder vorbehalten, sie eines Tages zu schreiben.

Diese Geschichte ist insofern »feministisch« orientiert, als sie von einer grundsätzlichen Gleichheit ausgeht; sie versteht sich aber als offen für verschiedene Deutungen: Wir wollen Fragen aufwerfen, ohne sofort mit formelhaften Antworten bei der Hand zu sein; wir öffnen uns in dieser Geschichte grundsätzlich der Vielfalt, der Vielfalt der Gestalten und Interpretationen.

Unter der Gesamtregie von Georges Duby und Michelle Perrot wurde jeder Band von ein oder zwei Herausgeberinnen eigenverantwortlich betreut. Sie haben die Themen des jeweiligen Bandes zusammengestellt und die Autorinnen und Autoren ausgesucht – eine wohl repräsentative Auswahl unter all jenen, die auf diesem Gebiet in Europa und den Vereinigten Staaten arbeiten.

Mag dieses Werk als vorläufige Bilanz, als Arbeitsmittel, als Ort des Gedächtnisses oder einfach aus Interesse an der Geschichte gelesen werden, diese Geschichte der Frauen im Abendland sollte an der Schwelle des werdenden Europa ihren geistigen Ort haben.

Wir widmen sie unseren Verlegern, deren Unternehmergeist, Aufgeschlossenheit und Großzügigkeit wir dankbar anerkennen.

Aus dem Französischen von Heide Musahl

Einleitung
Ordnungen und Freiheiten

Geneviève Fraisse und Michelle Perrot

Mit dem 19. Jahrhundert verbindet sich gewöhnlich die Vorstellung, es sei für Frauen eine düstere, freudlose und beengende Zeit gewesen. In der Tat ist gerade in diesem Jahrhundert das Leben von Frauen neu überdacht worden mit dem Ziel, deren je persönliche Lebensgeschichte einer gesellschaftlich geschaffenen, präzisen kollektiven Ordnung einzupassen. Dennoch wäre die Annahme falsch, diese Epoche hätte ausschließlich im Zeichen der Herrschaft, der vollständigen Unterdrückung der Frauen gestanden. Denn in diesem Jahrhundert entstand auch der Feminismus. Mit dem Begriff Feminismus sind hier sowohl bedeutende strukturelle Veränderungen (Lohnarbeit, Autonomie des bürgerlichen Individuums, Recht auf Bildung) als auch das kollektive Auftreten von Frauen auf der politischen Bühne gemeint. Insofern ist es richtiger zu betonen, daß sich in diesem Jahrhundert das Leben von Frauen, oder genauer gesagt, die Lebensperspektive von Frauen tiefgreifend veränderte. Die Moderne eröffnete überhaupt erst die Möglichkeit, daß Frauen einen Platz als Subjekt, als eigenständiges Individuum, als politische Akteurin und Staatsbürgerin beanspruchen konnten. Trotz der extremen normativen Kodifizierung ihres Alltagslebens erweiterte sich für Frauen in dieser Zeit der Bereich des Möglichen, und neue kühne Aussichten rückten in greifbare Nähe.

Das von Historikern ausgemessene lange 19. Jahrhundert begann und endete mit zwei herausragenden Ereignissen: mit der Revolution von 1789 und mit dem Krieg von 1914; das soll allerdings nicht besagen, diese beiden Ereignisse könnten die gesamte historische Bedeutung der

Epoche erschließen. Doch sei im Hinblick auf Frauen zumindest angemerkt, daß Frauen üblicherweise sowohl in einer Revolution als auch im Krieg in die Pflicht genommen und anschließend, sobald sie ihre Schuldigkeit getan haben, schnellstens wieder entlassen werden. Wir werden später auf diese von Männern in Gang gehaltene subtile Dynamik von Aufforderung und Abweisung, von Ausschluß und Teilhabe der Frauen, wo immer es um die Belange von Staat und Nation geht, noch einmal zurückkommen.

Die Moderne erwies sich für Frauen als eine Chance; denn die für das 19. Jahrhundert charakteristischen wirtschaftlichen und politischen, gesellschaftlichen und kulturellen Veränderungen waren in ihren Auswirkungen für Frauen letztlich von Vorteil. Dafür gaben verschiedene Faktoren den Ausschlag.

Zunächst einmal schloß die Idee der Menschheitsgeschichte die Annahme ein, daß auch Frauen eine Geschichte haben, daß deren Stellung als Gefährtin des Mannes und Erzeugerin der nachwachsenden Generation weniger unveränderlich war, als es den Anschein hatte, und daß das sogenannte Ewig-Weibliche offenbar vielfältigen Wandlungen unterliegen und selbst das Versprechen eines neuen Lebens in sich bergen konnte. So stellten die sozialistischen Utopien, auch wenn ihr Ort gerade nicht die Geschichte war, dennoch eine von der Gegenwart verschiedene Zukunft in Aussicht; denn in ihnen wurde das Funktionieren der Familie, die Liebesbeziehung, die Mutterschaft und das weibliche Handeln in der Gesellschaft neu überdacht. Ähnliches gilt auch für die Evolutionstheorien, die sich mit den Ursprüngen der menschlichen Gesellschaft und insbesondere mit den Ursprüngen von Familie und Patriarchat (bzw. Matriarchat) beschäftigten. Die Vorstellung, daß die Menschheit eine Geschichte hat (einen Ursprung, eine Vergangenheit, eine Zukunft), enthielt für Frauen in jedem Fall eine Verheißung.

Zum zweiten eröffneten die industrielle Revolution und die allmähliche Ausweitung des politisch-demokratischen Bereiches neben aller Gewalt, welche den Frauen angetan wurde, auch neue soziale Räume, in denen das selbständige Individuum privilegiert war. Insofern konnte das weibliche Individuum dem männlichen, dem Arbeiter und Bürger immer ähnlicher werden und die Fesseln wirtschaftlicher und symbolischer Abhängigkeit, die es an Vater und Ehemann gebunden hatten, sprengen. Gewiß, der Weg dahin war weit. So kann eine Frau z. B. erst im 20. Jahrhundert frei über ihr Einkommen verfügen. Aber gerade diese Ambivalenz, daß Arbeitsplätze für Frauen sowohl Orte höchster Ausbeutung als auch der Emanzipation waren, daß die Staatsbürgergesellschaft sowohl ein Raum des Ausschlusses als auch der Anerkennung war, gilt es zu begreifen. Das führt zum dritten Punkt. Das Ausrufen der demokratischen Ära gereichte den Frauen nicht automatisch zum Vorteil.[1] Zunächst einmal wurde als Grundprinzip bekräftigt, daß Frauen generell von allen öffentlichen Angelegenheiten ausgeschlossen und auf den häuslichen Bereich beschränkt bleiben sollten. Der Grund dafür läßt sich unschwer erkennen. Während es im Feudalsystem undenkbar war, daß Rechte oder besser gesagt Privilegien, die einzelnen Frauen zustanden, allen Frauen zukommen müßten, beruhte die demokratische Ordnung auf dem Grundsatz, daß das, was für den einen gilt, für alle zu gelten hat. Die damit eröffnete Perspektive, nun möglicherweise allen Frauen Rechte einräumen zu müssen und damit eine als unsinnig erachtete Rivalität zwischen Mann und Frau zu riskieren, galt als Gefahr. Um diese abzuwenden, erschien es nun als höchst erstrebenswert, prinzipiell keiner einzigen Frau Rechte zu gewähren. Dementsprechend zielten Debatten um die Frau im allgemeinen jetzt nicht länger nur auf einzelne, sondern auf alle Frauen.

Allerdings hat die Demokratie den Ausschluß von Frauen niemals zum System erhoben; ja, ein prinzipieller Ausschluß stand sogar im Widerspruch zum demokratischen System selbst, das die Gleichberechtigung befürwortete und eine republikanische Form der Politik einführte. Eben deshalb konnte in der gesamten westlichen Welt der Feminismus entstehen, dessen erklärtes Ziel die Gleichberechtigung der Geschlechter und dessen Praxis die kollektive, soziale und politische Bewegung war. Feministische Aktivitäten und Schriften gab es auch schon vor dem 19. Jahrhundert; doch der Feminismus, der sich in den revolutionären Praktiken von 1789 bereits angekündigt hatte, kam erst nach 1830 wirkungsvoll zum Zuge.

Das 19. Jahrhundert erscheint demnach als Wendepunkt in der langen Geschichte der Frauen. Die traditionellen Karten wurden neu verteilt. Diese Karten waren schon immer ausgespielt worden zwischen der Arbeit in Werkstatt oder Haushalt und der Familie, die ebenso als Ideal des häuslichen Lebens wie als nützliche Einrichtung für soziale Dienste hochgeschätzt wurde; zwischen der Welt der Äußerlichkeiten, des Putzes, der Vergnügungen und der Welt der Subsistenzsicherung, des Erlernens und Ausübens eines Berufes; zwischen dem Ort der religiösen Praxis, der spirituellen Übungen, der sozialen Regeln und dem neuen Ort der Erziehung und der weltlichen Schulen. Die Karten wurden nun nicht nur anders verteilt, es kamen auch neue Einsätze ins Spiel. Das Leben der Frauen veränderte sich ganz offensichtlich. Aber wie können wir erfahren, was sie selbst davon hielten? Dies herauszufinden ist ebenso schwierig, wie die vielfältigen Arten von Widerstand, Verweigerung und Zuwiderhandlung aufzudecken. Selbst wenn die moderne Frau in bezug auf Stand und Besitz, Familiengeschäfte und Wohnform Macht einbüßte, selbst wenn das Leben einer viktorianischen Hausfrau vielleicht ungleich eingeschränkter gewesen sein mag als das einer Aristokratin zur Zeit der Aufklärung, nach deren Freiheit sich Madame de Staël zurücksehnte – sie erwarb im Gegenzug auch neue Macht, und zwar insbesondere in Verbindung mit der Mutterschaft. Man sollte in der über die Maßen hohen Bewertung der Mutterschaft nicht einfach nur die Zuschreibung der Fortpflanzungsfunktion sehen. Es ging auch um das »Erschaffen neuer Menschen«, wie Joseph de Maistre schrieb, »um die großartige Geburt eines neuen Menschengeschlechts, das sich von dem Fluch des alten befreit hat«. Ob in gehorsamer Unterwerfung oder im Streben nach Emanzipation, die Frauen wußten sich der ihnen überantworteten Aufgabe der Mutterschaft sehr wohl auch im eigenen Interesse zu bedienen. Sie konnten Mütterlichkeit als Zuflucht wählen oder als ein Mittel einsetzen, um ihren Einfluß in der Gesellschaft zu vergrößern. Das Bild der Lehrerin, die der Gesellschaft ihre mütterlichen Qualitäten andient, bringt diesen Übergang von der »Mutter als Lehrerin« zur »Lehrerin als Mutter« beredt zum Ausdruck.

In der Tat ist es undenkbar, daß nur ein einziges Frauenbild Geltung erlangte und keinerlei Ausbruchsversuche den Rahmen des häuslichen Daseins, die Grenzen des bürgerlichen Frauenlebens, das Verbot, die Welt der Politik zu betreten, sprengten. Teils naiv, teils bewußt wehrten sich Frauen gegen die behauptete Normalität einer Existenz, die ihnen in der Form eines Ideals vorgestellt wurde; selbst wenn sie an dieses Ideal glaubten und sich ihm zu nähern versuchten, mußten sie es dennoch verändern. Manche Frauen kultivierten ihren Verstand und taten dieses nicht nur mit der Absicht, in Gesellschaft geistreich zu erscheinen; andere traten in missionarischer Absicht oder aus Abenteuerlust Reisen an, wieder andere zogen in die Stadt, um eine Anstellung zu suchen und verloren damit die Unterstützung der Familie. Einige gingen schließlich auch auf die Straße und in politische Versammlungen, um das Unrecht, das ihrem Geschlecht, ihrer Klasse oder auch den Sklaven angetan wurde, öffentlich anzuprangern. Zweifel ist außerdem angebracht, ob das 19. Jahrhundert wirklich so prüde war, wie behauptet wird, und ob das Sexualleben tatsächlich so überschaubar war, wie man es gerne gehabt hätte. Denn selbst wenn Un-Ordnung, und zumal organisierte Un-Ordnung, meistens von Männern ausging, die vom schwangeren Arbeitermädchen bis zur tuberkulösen Prostituierten die Frauen ausnutzten, selbst wenn sich freie Liebe für Frauen nur allzu oft als Falle erwies und ausgegrenztes Sexualverhalten wie das der Homosexuellen nur unter größten Risiken gelebt werden konnte: Frauen waren dennoch keineswegs nur Opfer.

Das Spannungsverhältnis zwischen Abhängigkeit und Freiheit herauszuarbeiten reicht allerdings bei weitem nicht aus, um einen zutreffenden

Eindruck vom Leben der Frauen im 19. Jahrhundert zu vermitteln. Auch die Vielfalt der sozialen und beruflichen Gruppen gilt es zu berücksichtigen. Wie groß war die Zahl der Bäuerinnen, deren Alltag sich innerhalb jener hundert Jahre kaum veränderte? Zu ihnen gehörten mehr als drei Viertel der weiblichen Bevölkerung, das sollte nicht übersehen werden. Aber die hier erzählte Geschichte der Frauen will nicht in erster Linie die Geschichte der äußerst langsam veränderten Arbeits- und Lebensverhältnisse von Frauen in das Zentrum rücken, wie es häufig in der Frauengeschichte geschieht. Das Interesse richtet sich vielmehr auf Veränderungen, also auf das, was die Geschichte der Frauen relevant macht, was die Frauen nicht nur als Statistinnen, sondern als historische Akteurinnen der Geschichte zeigt. Eine weitere Auslassung, die in den Beiträgen bisweilen auffällt, ist weniger leicht zu erläutern. Sie läßt sich umschreiben als Problem mit der konkreten Wirklichkeit, mit den materiellen und sozialen Fakten im Leben der Frauen. Die wirtschaftlichen Strukturen, die Arbeitsweise beispielsweise von religiösen Institutionen und die Interaktion zwischen verschiedenen Klassen bleiben in den Analysen meistens unberücksichtigt. Sie tauchen in den Texten, wenn überhaupt, dann gemeinsam mit anderen Faktoren auf, die der symbolischen, der bildlichen oder der Ebene des Diskurses angehören. Das ist weder Zufall noch allein Ausdruck des derzeit ausgeprägten Forschungsinteresses an den Mechanismen der Wahrnehmung, die die Sicht von Männern auf Frauen und von Frauen auf sich selbst leiteten. Es hat den Anschein, als gehöre die Ebene der Bilder und Vorstellungen unabdingbar zur Geschichte der Frauen dazu, existiert doch eine Frau niemals unabhängig von dem ihr zugeschriebenen Bild der Frau. Frauen gibt es als Symbole: die Marianne der französischen Republik, die Musen der schönen Künste; Frauen sind Illustrationen, Romangestalten, Modestiche, Reflex und Spiegel des Anderen, wie die Philosophen sagen. Frauen setzten an diesen Bildern an, um sich selbst zu verändern, denn sie wußten, daß diese Bilder eine Falle waren. Gleichzeitig aber gibt es keinen Feminismus ohne die Karikatur des Feminismus, ohne daß der Feminismus wegen seiner Exzesse in Ausdruck und Verhalten, wegen Vermännlichung, Grobheit, Zorn denunziert worden wäre. Wir haben deshalb dem Buch einen Bildteil beigegeben und diesen mit einem argumentierenden Kommentar ausgestattet, um so eine möglichst große Distanz zur gewohnten Vorstellungswelt herzustellen.

Unsere Geschichte der Frauen will ernst machen mit einer überfälligen Geschichte der Bilder und Vorstellungen. Eben deshalb weist sie immer wieder darauf hin, daß es in der Geschichte der Frauen auch um die Geschichte der Männer und die Geschichte der Verhältnisse und Unterschiede zwischen den Geschlechtern gehen muß. Diese Zusammenhänge werden in den einzelnen Beiträgen je nach Thema und Interesse der Autorin unterschiedlich ausgeleuchtet. Körper und Seele einer Frau wurden stets im Vergleich zu denen des Mannes beschrieben; Recht und Philosophie befaßten sich zwangsläufig auch mit dem Geschlechterverhältnis. Religiöse Setzungen, literarische und ikonographische Darstellungen wurden ebenfalls aus dem Blickwinkel der Geschlechterdifferenz betrachtet. Gleiches gilt für die Diskurse über politische Ökonomie, für welche die Konfusion zwischen der natürlichen und der sozialen Ordnung, zwischen der geschlechtsspezifischen Arbeitsteilung und dem Arbeitsmarkt für männliche und weibliche Arbeitskräfte besonders symptomatisch ist. Bei genauerer Analyse zeigt sich, daß typische Frauenberufe, die scheinbar auf »natürlicher« Qualifikation beruhen, reine Produkte von Spracharbeit sind.

Das Bestreben, die Geschichte der Frauen als eine Geschichte der westlichen Welt zu schreiben, ist für das 19. Jahrhundert mehr als gerechtfertigt, zugleich aber angesichts der ausgeprägten nationalen Besonderheiten und der Vielzahl neuerer Forschungen auch vermessen. In den letzten zwei Jahrzehnten ist eine kaum mehr überschaubare Zahl von Untersuchungen veröffentlicht worden, und diese Zahl steigt von Tag zu Tag weiter. Auch wenn es eine Binsenwahrheit ist, sei noch einmal daran erinnert, daß zum Westen nicht nur die verschiedenen Länder und Nationen Europas zählen – vom Atlantik bis zum Ural, von der Ostsee bis zum Mittelmeer –, sondern auch Nordamerika. Immer wieder gibt es historische und kulturelle Ungleichzeitigkeiten und Unterschiede zwischen England und Frankreich, Italien und Deutschland, zwischen den USA und Belgien oder der Schweiz. Experimente mit politischen Transformationen kamen zuerst in Frankreich mit seinen Revolutionen und seiner laizistischen Republik zum Zuge. Gleiches gilt für die großen Entwicklungen in der Religion, bei denen es vornehmlich um eine Neudefinition der katholischen Frau ging. Demgegenüber scheinen die großen kulturellen Neuerungen eher angelsächsischen und deutschen Ursprungs zu sein. So waren der deutsche und der britische Feminismus zwar nicht sonderlich politisch, dafür aber in ihren Praktiken weitaus innovativer als andernorts. Die Beispiele für nationale Unterschiede sind zahlreich. Während der französische Code civil ein Modell für moderne Gesetzgebung war, gaben in der Philosophie die Deutschen während des ganzen Jahrhunderts den Ton an. Auch verlagerte sich das Zentrum der Neuerungen bereits von Europa nach Nordamerika. Die seit dem Unabhängigkeitskrieg schöpferischen Amerikaner entwickelten sehr bald neue, aus der protestantischen Erweckungsbewegung stammende Modelle und Praktiken der Demokratie. Ergänzt wurden diese Impulse durch Erfahrungen aus der Expansion nach Westen und aus dem Zustrom der Einwanderer. Der nordamerikanische Kontinent war eine neue Welt auch im Hinblick auf das Verhältnis zwischen den Geschlechtern. Die »neue Frau« entstand aus den Erfahrungen der Boston-Frauen und der New Yorker Jüdinnen. Die »neue Frau« kam dann im Triumph zurück nach Europa und hielt dort ihren Einzug in die Debatten um die Identität der Geschlechter.

In dem dergestalt erweiterten Westen, der sowohl homogener als auch verschiedenartiger war als der Westen früherer Jahrhunderte, gab es Unterschiede im Verhalten und Nuancen im Ausdruck, die auch in der Mannigfaltigkeit der Feminismen zutage traten. Um so überraschender ist die internationale Dimension und wechselseitige Kommunikation im Feminismus. Damit setzte ein Wandel in den Beziehungen zwischen den Geschlechtern ein, der als kontinuierlicher und vielleicht endloser Prozeß andauert und uns noch heute so beschäftigt wie damals die Männer und Frauen der Belle Époque, ebenfalls einer Zeit der Krisen und der großen sexuellen Ängste.

Aus dem Französischen von Harald Riemann

de la garde National de paris pour aller
garde National de paris, pour aller a
es quelles distrie et y avois Beaucoup de

Der politische Bruch und die Neuordnung des Diskurses

Marsch der Pariser Nationalgarde nach Versailles, an dem viele Frauen teilnahmen, 5. Oktober 1789, anonymer Stich; Ende des 18. Jahrhunderts. *Paris, Bibliothèque Nationale.*

Frau, die auf den Champs-Élysées einen Wagen zieht, anonyme Photographie; um 1900. *Paris, Sammlung Viollet.*

Zwischen der Revolution als Ereignis und dem Code civil als Text vollzog sich ein historischer Bruch, und selbst diejenigen Länder, in denen der Wandel nicht so genau datiert werden kann wie in Frankreich und in den Vereinigten Staaten, blieben nicht unberührt von diesem Übergang zur Moderne, vom Ende der Monarchie und dem Beginn der demokratischen Ära, von der Trennung zwischen bürgerlicher Gesellschaft und politischer Sphäre.

Was kennzeichnete diesen Bruch? Er war vielfältig, und die in Gang gesetzten Veränderungen hatten widersprüchliche Auswirkungen auf Frauen. Einerseits schufen sowohl die Französische als auch die Amerikanische Revolution einen Raum, in welchem Frauen auch für sich das Recht beanspruchen konnten, an kollektiven Handlungen teilzunehmen; sich mit ihren Geschlechtsgenossinnen auch außerhalb der privaten Räume, an denen sie sonst zusammenkamen, zu versammeln. Die Interventionen der Frauen waren in Frankreich zweifellos politischer als in den Vereinigten Staaten; aber das heißt nicht, daß sie auch radikaler waren. In jedem Falle ist zu beobachten, daß das Ereignis der Revolution Zusammenkünfte von Frauen hervorbrachte und daß Frauen sich dort als Angehörige des weiblichen Geschlechts begriffen. Aber diese Vorläufer der feministischen Praxis des 19. Jahrhunderts hatten noch keine Zukunft und es folgten Jahrzehnte des Schweigens. Denn andererseits begründete der um die Jahrhundertwende vollzogene Bruch auch den Ausschluß der Frauen aus dem politischen Gemeinwesen, ein Ausschluß, der sehr viel radikaler war als im Feudalsystem. Jede moderne Revolution hat bis heute die Frauen auf die Straßen gehen und politische Clubs gründen lassen. Sie hat es aber ebenso stets auch verstanden, diese Clubs wieder zu schließen und die Frauen an den häuslichen Herd zurückzurufen. Zu den Folgen einer Revolution gehörte immer auch, daß sich die Trennung zwischen öffentlicher und privater Sphäre konsolidierte. Es wurde peinlich genau zwischen privatem und öffentlichem Leben, bürgerlicher und politischer Gesellschaft unterschieden. Es war letztlich diese Unterscheidung, die die Frauen auf Distanz zur Politik und innerhalb der bürgerlichen Gesellschaft in einem Abhängigkeitsverhältnis hielt.

Diese durch die Französische Revolution eingeführte Ambivalenz ist andernorts weniger offensichtlich, aber gleichermaßen gegenwärtig. Das Ereignis allein reicht indes nicht aus, um zu erklären, weshalb der Anbruch der Moderne im Leben der Frauen lediglich einen moderaten Fortschritt mit sich brachte. Der Text besiegelte, was die politischen Handlungen der Männer bereits vorbereitet hatten: Die Entstehung des Code civil war ebenso wie die Revolution ein beispielloses Ereignis. Das beweist nicht zuletzt sein Einfluß auf ganz Europa. Manche sehen in ihm einzig ein Monument, das die Unterwerfung der Frauen verewigt. Das mag zutreffen. Aber auch hier herrscht Zweideutigkeit. Ganz ohne Frage wurde die Frau, und zwar besonders die Ehefrau, in einem konkreten Abhängigkeitsverhältnis zu Vater, Ehemann und der gesamten Familie gehalten. Doch gleichzeitig sah sich die Tochter dem Sohn gleichgestellt, da das Erstgeburtsrecht zugunsten der gleichberechtigten Erbschaft abgeschafft wurde. Dieser ersten Widersprüchlichkeit sollten zahlreiche andere folgen. Für volljährige unverheiratete Töchter galten einige Bestimmungen des Code civil nicht, während für verheiratete Frauen, denen das Interesse des Gesetzgebers vorrangig galt, die verschiedensten Hemmnisse aufgerichtet wurden. Die spätere Entwicklung der Gesetzgebung belegt deutlich den Zerfall der Ausgangsidee des Code civil, daß nämlich Frauen in Abhängigkeit zu halten seien, was wiederum die Vorstellung von deren Minderwertigkeit voraussetzte und bestätigte.

Während des gesamten 19. Jahrhunderts erfuhren die Gesetze Verbesserungen, regionale Angleichungen, innovative Auslegungen und feministische Korrekturen. Dies beweist, wie wenig eine Gesetzgebung endgültig oder statisch ist. In dieser Hinsicht ist eine Auseinandersetzung mit den Philosophen höchst aufschlußreich. Schon wenn man nur die Werke der anerkannt großen Philosophen, unter denen sich übrigens keine einzige Frau befindet, durchmustert, zeigt sich ein fundamentaler Wandel in dem, was philosophische Texte jeweils als Norm vorstellten. Zu Beginn des Jahrhunderts war man sich einig, daß alle Frauen einzig und allein die Bestimmung und Aufgabe der Ehefrau und Mutter hatten. Hier findet der demokratische Gedanke, daß unter der Frau im allgemeinen »alle Frauen« zu verstehen sind, seinen Niederschlag. Statt zu Bürgerinnen wurden nun alle Frauen zu Erhalterinnen der Art gemacht. Gegen Ende des Jahrhunderts entwickelten die führenden Philosophen angesichts der offensichtlichen Überwindung normativer Grenzen und der tatsächlichen Vielfalt weiblicher Wahlmöglichkeiten subtilere Maßstäbe. Die Geschichte ihres Lebens wurde dadurch für jede einzelne Frau zur Meisterung der vorgegebenen Bestimmung. Dies könnte man als Überantwortung der Freiheit an das weibliche Individuum werten, dem man nun die Entscheidung über das eigene Leben zubilligte. Aber trifft diese Deutung auch wirklich zu? Zweifel sind angebracht, denn die Geschicke einer Frau sollten nun einer sorgfältig komponierten Partitur folgen, an der Medizin, Soziologie, Psychoanalyse und Ästhetik gemeinsam arbeiteten, um der Frau das Wesen ihrer Weiblichkeit zu erläutern.

G.F.–M.P.

1
Töchter der Freiheit und revolutionäre Bürgerinnen

Dominique Godineau

Das Ende des 18. Jahrhunderts steht im Zeichen einer ganzen Kette von Umbrüchen. Revolution folgte auf Revolution, sie waren allerdings nach Bedeutung und Gewicht durchaus unterschiedlich. Es genügt nicht, einfach festzustellen, daß Frauen beteiligt waren oder auch nicht. Es genügt auch nicht, den Stellenwert des männlichen oder weiblichen Faktors hervorzuheben. Vielmehr gilt es, die Geschichte zu hinterfragen, um zu erfahren, welche Wechselwirkungen es zwischen dem Geschlechterverhältnis und den tatsächlichen Ereignissen gab: Welchen Einfluß hatten die Mann-Frau-Beziehungen auf die Ereignisse, und welche Auswirkungen hatten die Ereignisse auf diese Beziehungen? Wie beeinflußten die institutionellen, politischen, gesellschaftlichen und ideologischen Umwälzungen die Rollen und Repräsentation, die ein jedes Geschlecht innerhalb der Gesellschaft zu haben glaubte oder beanspruchte? Die wirtschaftlichen Veränderungen, deren Implikationen nicht außer acht gelassen werden sollten, können im folgenden leider nicht berücksichtigt werden.

Frauen und Männer in Aufruhr

Die vergleichende Geschichtsbetrachtung kann uns helfen, auf diese Fragen Antworten zu finden. Die revolutionären Erschütterungen in Europa und Nordamerika ereigneten sich in unterschiedlichen Kontexten. Trotz des gemeinsamen Erbes der Aufklärung gingen die Auseinandersetzungen auf den beiden Kontinenten um verschiedene Themen: Die Franzosen suchten die Gesellschaft völlig neu zu gestalten und die Welt von Grund auf zu erneuern; sie schufen einen neuen politischen Raum, in welchem Männer und Frauen als mächtige Volksbewegung intervenierten. Die Amerikaner dagegen verzichteten, nachdem sie die Unabhängigkeit erkämpft hatten, darauf, noch weiter an den gesellschaftlichen Fundamenten des Landes zu rühren. Die Belgier erhoben sich gegen die Reformen eines »aufgeklärten Despoten« und verlangten nach Wiederherstellung ihrer früheren Autonomie. Wenn auch eine erschöpfende Darstellung der komplexen Situation unmöglich ist, so läßt sich herausarbeiten, was in bezug auf die Geschlechterverhältnisse in den verschiedenen Ländern annähernd gleich und was höchst unterschiedlich war. Es ist zu hoffen, daß es mit diesem Vorgehen gelingt, das Ineinandergreifen zwischen einer Gesellschaft mit ihren Entwicklungen und Wertvorstellungen auf der einen und den Beziehungen, die die Männer und Frauen in dieser Gesellschaft für sich selbst ausgestalten, auf der anderen Seite genauer zu bestimmen.

Die »Brandstifter«

Ohne rebellische Massen kann es keine Revolution geben. Aus dem Europa der Frühen Neuzeit ist bekannt, daß Frauen traditionsgemäß die Rolle der Aufständischen zu spielen verstanden.[1] Es ist also keineswegs verwunderlich, Frauen wieder an der Spitze der Pariser Aufstände zu sehen. Sie waren die ersten, die sich am 5. Oktober 1789 zusammenschlossen und nach Versailles marschierten; ihnen folgte am Nachmittag die Nationalgarde. Auch Erhebungen vom Frühjahr 1795 wurden durch Frauendemonstrationen eingeleitet. Sie läuteten die Sturmglocke, schlugen die Trommeln in den Straßen von Paris, verhöhnten Behörden und das Militär, rissen Passanten mit sich fort, drangen in Läden und Werkstätten ein, stiegen in den Häusern von Stockwerk zu Stockwerk, um zögernde Schwestern zu zwingen, mit ihnen zum Konvent zu marschieren, wo sie in wachsenden Mengen anlangten und wo schließlich auch bewaffnete Männer zu ihnen stießen. Sie spielten die Rolle der »Brandstifterinnen«, wie die Autoritäten später schreiben werden.[2]

Wie bereits 1789 und im Mai 1793, besetzten Frauen auch in den Wochen vor den Aufständen von 1795 die Straße. Sie formierten sich zu Gruppen – am 23. Mai wurde ihnen von den Deputierten bei Strafe des Arrests untersagt, sich in Gruppen von mehr als fünf Personen zusammenzurotten – und riefen die Männer zum Handeln auf, indem sie sie als Feiglinge beschimpften. Wo die Männer zögerten, verständigten sich die Frauen, daß sie offenbar »den Tanz eröffnen müßten«, und die Männer würden ihnen dann schon folgen. Bevor der Mai-Juni-Aufstand 1793 losbrach, rief ein Abgeordneter im Konvent aus: »Die Frauen werden die Bewegung beginnen, (...) die Männer werden den Frauen zu Hilfe kommen.« In Wirklichkeit wurde der Aufstand nicht von den Frauen in Gang gesetzt, aber diese Bemerkung, die keinesfalls die einzige ihrer Art war, zeigt deutlich, wozu man Frauen in diesen bewegten Zeiten für fähig hielt. In explosiven Situationen wandten sich politische Aktivisten zuweilen an Frauen, um so die Lunte an das Pulverfaß zu legen. Der Grund dieses Vorgehens war keineswegs nur der Versuch, sich der Frauen als Schutzschild zu bedienen. Die zahlreichen Appelle, die die Anführer und Anführerinnen an die Frauen richteten, entsprachen auch der Vorstellung von den Rollen, die Männer und Frauen im Aufstand hatten. Frauen wurden als notwendige Vermittler zwischen den Anführern und den übrigen Männern angesehen. Ihre Stimmen und ihr Handeln vermochten eine Revolte auszulösen. Wenn diese einmal losgebrochen war, kehrten sich die Geschlechterrollen wieder um. In der aufständischen Massenbewegung war es dann Aufgabe der Frauen – wie sie selbst sagten –, »den Männern nun beizustehen«. Denn die männlichen Bürger waren als Nationalgarde organisiert und mit Kanonen bewaffnet. Inmitten der Kämpfe agierten die Frauen auch weiterhin in der Rolle der »Brandstifterin«: »Es sind im wesentlichen die Frauen, gegen die man vorzugehen hat; denn sie übertragen ihre wilde Raserei durch aufwieglerische Äußerungen auf den Geist der Männer; sie versetzen diese in Erregung und bringen deren ungestüme Gewalttätigkeit in Wallung«, verzeichnet ein Polizist während des Maiaufstandes 1795. Doch auch wenn die Frauen stets ein Auge auf ihre Männer hatten und gegebenenfalls deren Kampfgeist anheizten, so blieben es letztlich doch die Männer, die mit ihren Waffen das Geschehen lenkten. Zuerst waren es Männer, die den Frauen sekundierten, dann waren es Frauen, die ihren Männern beistanden: Hinter der anscheinenden Spontaneität der Menschenmenge ist deutlich eine ungleiche Verteilung der Geschlechterrollen erkennbar. Für die Bevölkerung war dies eine der als selbstverständlich erachteten Gegebenheiten eines Volksaufstandes.

Tradition und Innovation

Die Ära der Revolution ist so faszinierend, weil sie Altes und Neues eng miteinander verwob, weil sie das Erbe vergangener Jahrhunderte mit den rudimentären Vorboten künftiger Formen der politischen Aktion verband. Von daher ist es möglich, ein wenig besser zu begreifen, wie sich das Verhältnis zwischen den Geschlechtern herausbildete bzw. in neue Richtungen entwickelte. Das oben genannte Schema *spiegelte* eine alte Ordnung wider, die noch nicht ganz abgedankt hatte. Vom 16. bis zum 18. Jahrhundert trifft man zwischen Amsterdam und Neapel auf Frauen, die die Männer zur Revolte aufriefen. Die aufwieglerische Rhetorik der französischen Revolutionärinnen war in einer langen Tradition verankert: der Trommelwirbel, die karnevalistischen Rituale, die die Obrigkeit dem allgemeinen Spott preisgaben, die Berufung auf Mütterlichkeit als Legitimation des weiblichen Handelns – all das war nichts Neues. Doch selbst wenn die Rebellinnen der Französischen Revolution dieselben alten Lumpen wie ihre Vorfahrinnen trugen, so waren sie dennoch nicht ganz und gar dieselben Frauen. Sie trugen stolz die Erklärung der Menschenrechte den aufständischen Massen voran und bekräftigten, daß das souveräne Volk in dem von den Aufständischen besetzten Konvent zu Hause sei. Damit signalisierten sie, daß sie ungeachtet ihrer traditionellen Rollen und Gesten die von der Revolution neu eröffnete politische Arena betreten hatten. Diese neue Arena aber war von Männern für Männer errichtet und strukturell ihnen allein vorbehalten worden. Und obgleich die Frauen Frankreichs es verstanden hatten, als Bürgerinnen in Erscheinung zu treten und sich Gehör zu verschaffen, stießen sie schon bald ebenso wie die Frauen anderer Länder an die Grenzen ihres Status als Nicht-Staatsbürger. Man hatte es bereits 1789 erkannt: Eine Revolution ist mehr als eine bloße Rebellion; sie erfordert eine Organisationsstruktur. Von eben dieser aber blieben Frauen überall ausgeschlossen. Sie gehörten nirgendwo zur Bürgerwehr: weder zur französischen Nationalgarde noch zum batavischen *vrijcorps* oder zur amerikanischen Miliz; sie waren auch nicht Mitglieder der beratenden Versammlungen, Ortskomitees und politischen Gruppierungen. Die Beziehungen zwischen den Geschlechtern veränderten sich also im Verlauf des Aufstandes. Während der mehr oder weniger spontanen Aufstände wirkten die Frauen als Antriebskraft; sobald aber revolutionäre Vereinigungen die Führung des Geschehens übernahmen, wurden Frauen an den Rand gedrängt. Im niederländischen Bürgerkrieg, in dem sich zwischen 1784 und 1787 die Oranier und die Patrioten gegenüberstanden, tauchten die Frauen vor allem in den Reihen der Oranier auf. War dies wirklich eine Manifestation der dem weiblichen Geschlecht so gerne zugeschriebenen reaktionären Neigungen? Bei genauerem Hinsehen zeigt sich, daß die Oranier den Frauen Gelegenheit gaben, ihre traditionelle Rolle im Aufstand zu übernehmen und mit althergebrachten Formen (Krawalle, Appelle an den Pöbel) die Mobilmachung anzufeuern. Frauen standen auch hier an vorderster Front. So stellte sich beispielsweise Kaat

Mussel, eine Muschelverkäuferin, an die Spitze des Rotterdamer Aufstands im Jahre 1784. Zweifellos gab es auch bei den Patrioten Frauen, aber sie sind weniger sichtbar, da sie im Schatten jener Organisationen operierten, die die Revolution lenkten. Nach 1787 legten sich auch die Oranier eine eigene politische Organisation zu. Das hatte zur Folge, daß Frauen während der zweiten Revolutionsepisode 1795 auch bei den Oraniern nicht mehr dieselbe Rolle spielten.[3]

In Frankreich liefert der Aufstand zwischen dem 1. und 4. Prairial des Jahres III (20.–23. Mai 1795) ein beredtes Zeugnis für den Einfluß, den politische Organisationen für die Konstruktion der Geschlechterverhältnisse hatten. Während Augenzeugen den Frauen für die Ereignisse des ersten Tages eine führende Rolle beimaßen, werden Frauen in den Berichten über den folgenden Tag, der im Zeichen der Bezirksversammlungen und der Nationalgarde stand, nicht mehr erwähnt. Frauen waren gezwungen, das Rampenlicht zu verlassen; sie kehrten dorthin nur zurück für Sonderaktionen wie die Freilassung eines Gefangenen oder um den Widerstand anzufechten. Zu Beginn eines Aufstandes gab es Platz genug für beide Geschlechter, solange beide unorganisiert waren. Das änderte sich aber, sobald das eine Geschlecht eine wirkungsvolle und, trotz des zur Legitimation wichtigen Anspruchs, das gesamte souveräne Volk zu vertreten, eine exklusive politische Struktur aufgebaut hatte. Die Ökonomie des Aufstandes funktionierte von nun an nicht mehr nach dem früheren System der Geschlechterbeziehungen.

Der Alltag der Revolution

Die Teilnahme der Frauen an den Revolutionen des ausgehenden 18. Jahrhunderts beschränkte sich keineswegs auf die Momente des Aufruhrs. Ihr tägliches Engagement variierte je nach den Traditionen und Situationen eines Landes. Zweifellos war ihre Beteiligung in Frankreich am umfassendsten; dort vermochten die weiblichen Sansculotten, die in die politische Arena drängten, ihren Aktivitäten eine nationale Dimension zu geben. Ihr militantes Vorgehen ergab sich weitgehend aus ihrem ambivalenten Status als Bürgerinnen ohne Staatsbürgerschaft. Manche politische Handlungsweisen von Frauen waren offensichtlich ein Versuch, den rechtlichen Ausschluß aus dem politischen Gemeinwesen zu kompensieren und sich als Mitglieder des Volkes souverän zu bestätigen.

Tribünen, Clubs und Salons

Obgleich Frauen sich nicht an den Entscheidungsfindungen politischer Gremien beteiligen durften, drängten sie doch in großer Zahl auf die für das Publikum offenen Zuschauerränge. Zeitgenossen kommentierten die Mehrheit von Frauen im Publikum und kritisierten den fieberhaften Eifer, mit dem Frauen den politischen Versammlungen beiwohnten. Die Frauen blieben als Publikum keineswegs stumm. Schreie, Zwischenrufe und Applaus störten oft den Verlauf der Debatten. Bei solchen Anlässen erwarben Frauen 1795 den Spitznamen *tricoteuses* (»Strickerinnen«). Sie wurden beschrieben als Zuschauerinnen, die »auf den Tribünen Posten bezogen haben und mit ihren heiseren Stimmen Einfluß auf die gesetzgebende Versammlung nehmen«. Für die Frauen war ihre Anwesenheit auf den Tribünen eine Möglichkeit, sich konkret und symbolisch in die politische Sphäre einzubringen. In der Tat erfüllten diese Zuschauerränge in der Vorstellung des Volkes eine wesentliche politische Funktion: Sie überwachten die Aktivitäten der Gewählten. Indem eine Frau auf den öffentlichen Rängen Platz nahm, bekundete sie, daß sie an der politischen Herrschaft teilhatte, auch ohne dazu gesetzlich berechtigt zu sein.

Trotz alledem und trotz der Existenz einiger weniger gemischter Volksvereine erhielten Frauen keine vollgültige Mitgliedschaft in den revolutionären Organisationen. In mindestens dreißig Städten gründeten Frauen ihre eigenen politischen Clubs. Deren Anhängerinnen, oftmals Verwandte angesehener Revolutionäre, hielten regelmäßige Sitzungen ab, in denen sie die Gesetze und Zeitungen lasen, über lokale oder nationale politische Probleme debattierten, sich mit philanthropischen Aufgaben befaßten und den konstitutionellen Klerus gegenüber ihren Mitbürgerinnen verteidigten. Nach 1792 wurden diese Gesellschaften zunehmend radikaler und übernahmen eine aktive Rolle im politischen Leben ihrer Gemeinden, meistens an der Seite der Jakobiner. In Paris tauchten zwei Frauenclubs in rascher Folge auf. Die Société patriotique et de bienfaisance des Amies de la vérité (1791–1792), gegründet von Etta Palm d'Aelders, interessierte sich für die Ausbildung mittelloser Mädchen, das Recht auf Scheidung und die Gewährung politischer Rechte für Frauen. Der Club des citoyennes républicaines révolutionaires (10. Mai–30. Oktober 1793), der sich aus militanten Frauen aus dem Volk (Verkäuferinnen, Näherinnen und Industriearbeiterinnen) zusammensetzte, die der Sansculottenbewegung nahestanden, griff engagiert in den Konflikt zwischen Girondisten und Montagnarden sowie in die politische Debatte des Sommers 1793 ein, bevor er am 30. Oktober 1793 zusammen mit anderen Frauenclubs vom Konvent verboten wurde. Der Abgeordnete Amar hatte in seinem einleitenden

Bericht zu diesem Dekret zunächst das Thema der sozialen und politischen Rollenverteilung unter den Geschlechtern angesprochen und dann kategorisch erklärt: »Es ist nicht möglich, daß Frauen politische Rechte haben.« Dieses gebieterische Urteil konnte Frauen jedoch nicht davon abhalten, weiterhin politisch mitzumischen, sowohl auf den Straßen und Zuschauerrängen als auch bei den regierungsfeindlichen Verschwörungen des Jahres 1795 und verschiedenen anderen aufständischen Bewegungen.

Die militante Praxis trägt auch in revolutionären Zeiten oftmals den Stempel der gesellschaftlichen Praxis von ruhigeren Zeiten. Für die ärmeren Stadtviertel war im 18. Jahrhundert der rege soziale Austausch zwischen den Frauen kennzeichnend. Frauen trafen sich zum Schwatz und um Neuigkeiten (zuweilen auch Schläge!) auszutauschen, und verliehen auf diese Weise einer Frauenwelt Konturen, die gegenüber der Welt der Männer relativ autonom war. Während der Revolution erhielten diese Treffen eine politische Färbung. Die Wäscherinnen, die sich nach getaner Arbeit in den Schenken trafen, suchten gemeinsam die Diskurse der revolutionären Redner aufzuschlüsseln. Nachbarinnen, die ihren Stuhl vor die Haustür gestellt hatten, um die lauen Sommerabende zu genießen, wurden handgreiflich, wenn es darum ging, die Sache der Girondisten oder der Montagnarden zu verteidigen. Frauen teilten ihr politisches Leben häufiger mit ihren Nachbarinnen als mit ihren Ehemännern. Arm in Arm zogen sie vergnügt oder zornig auf die Versammlungen. Die zahlreichen militanten Paare agierten keineswegs immer einvernehmlich. Diese durch den Krieg noch zugespitzte revolutionäre Situation war nichts anderes als eine Übertragung der sozialen Beziehungen zwischen Männern und Frauen auf den politischen Bereich. Wenn Ehemänner zum politischen Verhalten ihrer Frauen befragt wurden, antwortete so mancher, das gehe ihn nichts an. Gelegentlich fügten sie noch verächtlich hinzu, sie würden nicht viel auf »Weibergeschichten« geben. In den Aussagen von Frauen deutete sich immer wieder Aufmerksamkeit für die eigene Unabhängigkeit an. In ihre Angelegenheiten sollten sich die Männer gefälligst nicht einmischen. Ihre handgreiflichen Zänkereien auf der Straße, die durch politische Meinungsverschiedenheiten hervorgerufen wurden, regelten Frauen für gewöhnlich unter sich; die Männer sahen zu, wohl wissend, daß sie sich nicht in einen Streit unter Frauen einzumischen hatten, sei er nun privater oder politischer Natur. Die Aufteilung der Haushaltspflichten innerhalb der Familie beeinflußte ebenfalls die revolutionäre Praxis beider Geschlechter. Während der militante Mann ein Familienvater um die Vierzig war, war die militante Frau entweder unter Dreißig oder hatte die Fünfzig bereits überschritten; kurzum, eine Frau, die nicht mehrere Kinder aufzuziehen hatte.

Der weibliche Militarismus, der sich auf der Bühne des städtischen Lebens abspielte, war vor allem volkstümlich und pariserisch. Wenn wir die revolutionäre Hauptstadt, in welcher Wut und Begeisterung tobten, verlassen und uns auf die staubigen Landstraßen begeben, werden wir kaum mehr auf Frauengruppen stoßen, die über Politik diskutierten, und wir werden hinter den Fenstern verräucherter Kneipen auch keine Frauen mehr entdecken. Die Frauen auf dem Land wählten andere, weniger sichtbare Wege, um ihre revolutionäre Anteilnahme kundzutun. Manche schickten Spenden, andere kauften Gewehre für die Nationalgarde oder legten zusammen mit ihren Männern den Eid ab. Sie schlossen sich allenfalls zusammen, um ihren Gemeindepfarrer zu schützen, das Abhängen der Kirchenglocken zu verhindern oder die Wiedereröffnung der Kirchen zu fordern.

Frauen der Führungsschicht engagierten sich auf gänzlich andere politische Art in einem Grenzbereich zwischen Privatem und Öffentlichem – in ihren Salons. Privat waren die Zusammenkünfte insofern, als sie im eigenen Haus abgehalten wurden, zu dem nicht jeder Zutritt hatte. Sie waren zugleich auch öffentlich, da sich Männer der Öffentlichkeit dort versammelten. In der gleichen Weise, wie sie im Club der Jakobiner zusammenkamen, trafen sich die Abgeordneten in den privaten Salons, um sich in einem inoffiziellen Rahmen auf künftige Sitzungen der Versammlung vorzubereiten. Von Frauen geführte Salons wie der von Madame Roland oder Madame de Condorcet waren gleichermaßen Orte für den politischen Meinungsaustausch zwischen den Geschlechtern. Politiker aus gegnerischen Lagern konnten dort in einer entspannten Atmosphäre miteinander streiten. Bevor die Kluft zwischen den Girondisten und den Montagnarden unüberbrückbar wurde, besuchte der Montagnard Robespierre regelmäßig den Salon von Manon Roland, der »Muse der Girondisten«. Sein halb privater, halb öffentlicher Charakter verlieh dem Salon eine strategische Bedeutung. Im Frühstadium der belgischen Revolution von 1789 wurden im Salon der berühmten Gräfin d'Yves Kontakte zwischen den Zunftführern und dem Adel, den Demokraten und den Traditionalisten geknüpft.

An der gemeinsamen Sache spinnen

Auch die Amerikanerinnen mußten wie die Französinnen ihren Wunsch nach politischem Engagement den ihnen zugestandenen Möglichkeiten anpassen. Aber diese waren andere. Die Amerikanerinnen, die in Mann-Frau-Beziehungen aus der Kolonialgesellschaft lebten, lassen die ideologischen und formellen Unterschiede zwischen den beiden Revolutionen besonders deutlich hervortreten. Im Amerika des

18. Jahrhunderts beteiligten sich Frauen nicht am politischen Leben; lediglich die Religion bot ihnen Raum für öffentliche Betätigung. Sie standen der methodistischen Bewegung besonders nahe und zögerten nicht, bei kirchlichen Zusammenkünften ihre Meinung zu äußern, ja gegebenenfalls sogar neue Sekten zu gründen. Überdies erlangte der revolutionäre Bruch in Amerika nicht die gleichen populären und politischen Dimensionen wie in Frankreich. Demzufolge standen die Amerikanerinnen weder an der Spitze der revolutionären Massen, noch gründeten sie Clubs, und sie beteiligten sich auch nicht als Zuschauerinnen an den gesetzgebenden Versammlungen, da diese ihre Sitzungen nicht unter den aufmerksamen Augen der als Kontrolle verstandenen Öffentlichkeit abhielten.

Bereits 1765 war in den rebellischen Kolonien eine Parole im Umlauf: »Boykott der aus England importierten Ware. Wir fabrizieren und kaufen amerikanisch.« Die »Söhne der Freiheit« richteten sich im Namen des Patriotismus an die Frauen, die im Mittelpunkt dieser Aktion standen: Sie sollten ihre Bestellungen nicht mehr bei Importeuren aufgeben, keinen Tee mehr trinken, auf die eleganten Luxusgüter des alten Kontinents zugunsten der eingestandenermaßen einfacheren und gröberen, dafür aber amerikanischen Waren verzichten. Und es lag bei ihnen, Importprodukte in eigener Arbeit zu ersetzen! Amerikanerin zu sein bedeutete, Wolle für die patriotische Sache zu spinnen. Allein oder zu mehreren kamen die Frauen im Hause eines Patrioten, meistens eines Pastors, zusammen, um Garn zu spinnen, und in der damals in den Kolonien blühenden Tradition weiblicher Gebetsgruppen dabei einer Predigt zu lauschen oder Kirchenlieder zu singen. Die religiöse Geselligkeit von Frauen gewann somit eine politische Bedeutung. Während militante französische Praktiken ihren Ausdruck auf öffentlicher Bühne und in einer politischen Sprache fanden, spielte sich das Engagement der Amerikanerinnen im privaten Bereich ab. Der öffentliche Raum blieb eine Domäne der Männer. Spinnen lernen, sich amerikanisch zu kleiden oder keinen Tee mehr zu trinken waren individuelle Entscheidungen, die einen militanten Sinn hatten; es waren staatsbürgerliche Handlungen, die der Amerikanerin das Bewußtsein vermittelten, eine »Tochter der Freiheit« zu sein, die für die gemeinsame Sache eintrat.

Häusliche Arbeiten gehörten insgesamt zu den wesentlichen Aufgaben der Frauen während des Unabhängigkeitskrieges: Es galt, so gut wie möglich den von den Männern verlassenen Familienbetrieb zu führen und in Gang zu halten. Nur vereinzelt beteiligten sich Frauen direkt an der Revolution. Solche Frauen lieferten der patriotischen Armee dann Informationen, arbeiteten als Köchin oder Wäscherin oder zeichneten finanzielle Anleihen. Ihre einzige kollektive Aktion von größerer Reichweite war eine Geldsammlung für die Truppen, die 1780 von weiblichen Angehörigen der Politiker in Philadelphia initiiert und durch die Ladies Association organisiert wurde.

Die weibliche Art zu schreiben und zu sprechen

Wo immer eine Revolution das Land aufwühlte, haben Frauen ihre Meinung über den Verlauf der Geschehnisse kundgetan. Aber auch in diesen weiblichen Ausdrucksformen fanden die nationalen Unterschiede der Aufteilung von Rollen und Tätigkeitsbereichen ihren Niederschlag.

Briefwechsel, Pamphlete und Petitionen

Einige Amerikanerinnen, wie u. a. Mercy Otis Warren, Judith Sargent Murray und die schwarze Sklavin Wheatley, verschafften sich öffentlich Gehör. Die meisten Frauen jedoch artikulierten sich vor allem gegenüber Verwandten und Freunden. Die in den führenden Kreisen ausgetauschte Korrespondenz knüpfte ein enges Netz. Briefe gingen an den Bruder, den Vater, den Ehemann, die als Abgeordnete tätig waren, oder auch an eine Freundin, die wiederum mit einem Politiker verwandt war. Abigail Adams, die ganz allein den Hof der Familie führte, fand dennoch die Zeit zu einem regelmäßigen Briefwechsel mit ihrer Freundin M. O. Warren und mit ihrem Ehemann. Wenn sie glaubte, von den örtlichen Angelegenheiten genug berichtet zu haben, ging sie nicht selten zu politischen und bisweilen feministischen Bemerkungen über. So bat sie im März 1776 Adams, der damals Abgeordneter im Kongreß war, bei der Verabschiedung neuer Gesetze keinesfalls die Frauen zu vergessen, andernfalls hätte er mit einer weiblichen Rebellion zu rechnen. Diese Forderung gibt uns Aufschluß über die geistige Verfassung der Frauen, aber sie gelangte nicht an die Öffentlichkeit und blieb eine individuelle Meinung. Individuell blieben ebenfalls die Petitionen von Witwen oder Frauen, die sich, nachdem sie den Krieg unterstützt hatten, nun in einer prekären wirtschaftlichen Situation befanden und um Entschädigungen ersuchten. Der Stil ihrer Bittschreiben war eher unterwürfig und bittend als fordernd; ihre Anfragen bezogen sich nicht auf die allgemeine Politik, sondern auf konkrete materielle Einzelfälle.

Wenn sich demgegenüber in Frankreich Frauen zur Revolution äußerten, dann taten sie dies in der Regel in aller Öffentlichkeit. Mit ihren gedruckten oder handschriftlichen Texten und öffentlichen Reden richteten sie sich an ein relativ großes Publikum und nicht nur an den engeren Familien- und Freundeskreis. Ihre Äußerungen, ganz gleich, ob sie kollektiv oder individuell vorgetragen wurden, galten selten einem Einzelfall, und wenn, dann wurde er in die weitere Vision eingeordnet. In Broschüren und Petitionen formulierten Frauen ab 1789 ihre Hoffnungen und Forderungen gegenüber der revolutionären Gesellschaft und ihre Vorschläge für Reformen. Ob schüchtern oder radikal, ihre Aufrufe an die Nation waren von ein und demselben Wunsch getragen: nicht aus dem politischen Leben ausgeschlossen zu werden und, auch ohne im Besitz formaler Staatsbürgerrechte zu sein, etwas zum Aufbau des entstehenden politischen Gemeinwesens beizusteuern. Diese von einer einzigen oder mehreren Frauen verfaßten Schriften sprachen häufig im Namen des gesamten weiblichen Geschlechts. Sie waren durch und durch politisch, sowohl im Inhalt (Themen und Sprache) als auch in bezug auf ihre Adressaten (Mitbürger/innen bzw. häufiger die Gesetzgeber). Auch die Art und Weise, wie diese Schriften in Umlauf gebracht wurden, verstärkte den angemeldeten Anspruch auf Teilhabe an der Staatsbürgergesellschaft. Viele dieser Texte wurden vorher von revolutionären Organisationen überprüft. Gelangten sie dann zum Druck, wurden sie anschließend von Zeitungshändlern feilgeboten und von militanten Frauen gekauft, die sie an andere weitergaben. Einige Autorinnen, beispielsweise die Einzelgängerin Olympe de Gouges oder die »Demokratin Dubois«, die im Frühjahr 1795 die Menschen zum Aufstand aufrief, schlugen ihre Flugschriften an Häuserwänden an, wo sie von den davor versammelten Passanten laut vorgelesen wurden.

Petitionen hatten im Verlauf der Revolution bei Männern und Frauen Hochkonjunktur. Diese oft kollektiven Petitionen forderten die Regierung gelegentlich auch mit drohender Gebärde dazu auf, weitreichende Maßnahmen zu treffen. Sie wurden aus der Provinz an die Versammlung gesandt oder auch von den Verfasserinnen vor den Abgeordneten verlesen. Die Liste der revolutionären Petitionen ist endlos und füllt Bände. Hier seien zumindest einige, die besonders eindrucksvoll zeigen, auf welchen Wegen Frauen ihre Teilhabe am politischen Gemeinwesen durchzusetzen suchten, vorgestellt. Die eingeschlagenen Wege waren nicht selten Seitenwege, mußten die Frauen doch die politische Ungleichheit zwischen den Geschlechtern zu umgehen versuchen. Wie sollte man sich als Bürgerin behaupten können, wenn man keinerlei staatsbürgerliche Rechte besaß? Welche angelehnten Türen galt es weit aufzustoßen, um politisches Mitbestimmungsrecht zu erlangen? So lauteten die Fragen, auf die die verschiedenen Vorstöße von Frauen eine Antwort zu finden versuchten.

Die symbolische Sprache

Am 6. März 1792 verlas Pauline Léon vor der gesetzgebenden Versammlung eine von 300 Pariserinnen unterzeichnete Petition, mit der die Frauen ihr »natürliches Recht«, sich ebenfalls zur Nationalgarde zu formieren, einklagten. Die Teilhabe an den bewaffneten Organisationen des souveränen Volkes war ein fundamentales Staatsbürgerrecht. Der Empfang, der den petitionierenden Frauen bereitet wurde, verdeutlicht die Tragweite ihres Handelns. Der Präsident der Versammlung erinnerte sie an die unterschiedlichen Rollen, die jedem Geschlecht zugeteilt seien. »Hüten wir uns davor, in die Ordnung der Natur einzugreifen«, rügte er, indem er sich auf eines der Leitmotive der Gegner der politischen Gleichheit zwischen den Geschlechtern stützte. Mit demselben Argument wurde auch das Verbot der Frauenclubs gerechtfertigt. Durch die bis 1793 häufig wiederholte Forderung nach Zulassung zur Nationalgarde machten jene militanten Frauen ihren Anspruch auf ein staatsbürgerliches Recht und somit auf einen Platz im politischen Gemeinwesen geltend. Ihr Wille, sich zu bewaffnen, war nicht – wie bei den etwa hundert Frauen, die auf eigene Faust der Armee als Soldaten beitraten – eine Sache der patriotischen Gesinnung. Die Forderung zielte auf die Frage der Macht, der Staatsbürgerrechte und der Gleichberechtigung der Frauen.

Die vom Konvent am 24. Juni 1793 beschlossene Verfassung wurde anschließend einem Volksentscheid unterzogen, der exklusiv allen Angehörigen des männlichen Geschlechts vorbehalten war. Einige Frauen wiesen das Ansinnen einer derart geschlechtlich polarisierten Nation zurück. Sie schlossen sich zusammen, um ebenfalls zu wählen, den Eid abzulegen und den Vertretern des Volkes (der Nation) ihre Zustimmung zur »Verfassung« kundzutun. Diese Bewegung erlangte zwar keine überwältigenden Ausmaße, aber die Adressen der Frauen waren doch zahlreich genug, um Eindruck zu machen. Die Texte hatten keinen ausdrücklich feministischen Inhalt: Nur zwei Bürgerinnen und drei Clubs verurteilten die politische Ungleichheit zwischen den Geschlechtern. Dennoch spiegelte diese Petitionswelle nicht nur die Unterstützung militanter Frauen für die Montagnarden wider. Indem sie sich versammelten und den Konvent über ihr Einverständnis informierten, verwandelten sie einen privaten Akt – die Zustimmung zur Verfassung durch Frauen, die keine formalen politischen Rechte besaßen – in einen öffentlichen Akt, durch den sich die Bürgerinnen zu Mitgliedern des Gemeinwesens erklärten. Ihre Beharrlichkeit, die Gesetzgeber offiziell davon in Kenntnis zu setzen, daß auch sie, obwohl »das Gesetz sie von dem kostbaren Wahlrecht ausschließt«, die Verfassung ratifizieren, die dem souveränen Volk zur Abstimmung vorgelegt wurde, kennzeichnet ihren Wunsch, an der Macht des Volkes trotz der ausschließlich männlichen Wählerschaft teilzuhaben.

Ein weiteres Beispiel dafür, welche Bedeutung kollektive symbolische Handlungen für die Geschlechterbeziehungen hatten, war der »Kokardenkrieg«. Im September 1793 initiierten die Sansculottenfrauen eine Kampagne für ein Gesetz, das alle Frauen verpflichten sollte, die Trikolore-Kokarde zu tragen. Bevor die von Bürgerinnen eines gemischten Vereins abgefaßte Petition in den Konvent kam, wurde sie in den Versammlungen der Sektionen und Clubs verlesen und bestätigt. Der Club des Cordeliers erkannte an, daß »Bürgerinnen, die unsere Arbeit teilen, auch diesen Vorzug mit uns teilen sollen«. Auf den Straßen und Märkten kam es zwischen denjenigen Frauen, die das pflichtgemäße Tragen der Kokarde befürworteten, und denen, die dies ablehnten, zu gewalttätigen Auseinandersetzungen. Besorgt über das Ausmaß der Unruhen, gab der Konvent am 21. September nach. Die Kokarde war seit Juli 1789 eines der bestimmenden Symbole der Staatsbürgerschaft; nun auch die Frauen zu zwingen, die Kokarde zu tragen, hieß, sie als Bürgerinnen anzuerkennen. Während des Sommers 1793 wuchs innerhalb der Sansculottenbewegung der Einfluß der militanten Frauen; zur gleichen Zeit kritisierten immer mehr Frauen und Männer den Grad der politischen Ungleichheit in einem »Staat, in dem das Gesetz die Gleichheit heiligt«. In diesem Zusammenhang erscheint das Dekret vom 21. September wie ein Angriff auf den Status quo. Wie die Cordeliers richtig erkannten, war es eine Frage des Teilens. Im Augenblick betraf das Teilen nur eines der Symbole der Staatsbürgerschaft; auf längere Sicht aber vielleicht sogar die Macht insgesamt. Die Kommentare zum Dekret lassen vermuten, daß die Mehrzahl der Männer den Ernst der Situation erkannte: nach der Kokarde würden die Frauen auch nach dem roten Barrett, den Waffen und dem Wahlrecht verlangen. Die Gespräche in den Kneipen kreisten ebenso wie die Reden des Abgeordneten Fabre d'Eglantine um die Angst, die Gesellschaft werde durch die Verwirrung der Geschlechter destabilisiert und unweigerlich in ein Chaos gestürzt. Durch die Gleichberechtigung würden Frauen zu Männern mit kurzen Haaren, die Hosen trügen und munter Pfeife rauchten. Ließe sich die Macht im übrigen zwischen den Geschlechtern aufteilen? Für einige Männer war dies völlig undenkbar und unvorstellbar. Sie dachten lediglich – und mit durchaus verständlicher Angst – an einen Rollentausch (der »die natürliche Ordnung auf den Kopf stellen«, »das Geschlecht vertauschen« würde). Wenn die Frauen aus diesem Prozeß als Siegerinnen hervorgingen, würden sie ihren Gefährten die Kehle durchschneiden und die Herrschaft »einer Katharina von Medici, die sämtliche Männer in Ketten legt«, einläuten. Um sich gegenseitig das Fürchten zu lehren, spielten die Stammgäste in den Schenken nach Verabschiedung des Dekrets über die Kokarde mit apokalyptischen Visionen von Frauen, die zu den Waffen griffen, um die Männer im Verlauf einer Art sexueller Bartholomäusnacht zu ermorden. Solche Visionen tauchten periodisch immer wieder auf und offenbarten die Bedeutung des Symbolischen und Imaginären beim Aufbau politischer Beziehungen zwischen den Geschlechtern in Phasen des radikalen Wandels. Während sie um ein dreifarbiges kleines Band kämpften, um es an ihren Hut zu stecken, ging es den militanten Frauen mitnichten um eine »typisch weibliche« Modeangelegenheit; sie versuchten vielmehr, die Geschlechtsaxiome des politischen Lebens umzustürzen.

Ein neues Geschlechterverhältnis

Briefe, Artikel, Broschüren und Reden zeichnen mit feinen Pinselstrichen gleichsam das Porträt einer mythischen Frau, welche die Träume all jener Frauen verkörpert, die gehofft hatten, der revolutionäre Einschnitt werde, indem er ein Vorher und ein Nachher, ein Altes und ein Neues definierte, auch ihren Platz in der Gesellschaft und ihr Verhältnis zu den Männern neu gestalten.

Amerikanische Penelope

»Ich hoffe, daß unsere jungen Frauen eine neue Ära in der Geschichte der Frauen begründen werden«, schrieb Judith Sargent Murray im Jahre 1798. Wie die junge Republik der Vereinigten Staaten von Amerika wurde auch die Republikanerin während des Unabhängkeitskrieges geboren. Denn der Krieg stürzte sämtliche Regeln um, brutalisierte das Leben, setzte auch jeglichem sorglosen Dasein von Frauen ein Ende, die nun anstelle ihrer Ehemänner, die in den Krieg gezogen waren, vor der Aufgabe standen, allein für das Überleben der Familien zu sorgen. Judith Sargent, eine Frau aus der religiösen Dissidenzbewegung, gehörte zu dieser »Generation der Überlebenden«[4], die in diesen stürmischen Zeiten zum Bewußtsein ihrer Kraft und ihres Wertes als Individuum gelangt. Ausgehend von persönlichen Erfahrungen schuf sie ein Modell für die neue amerikanische Frau; diese nannte sie Penelope, in Anlehnung an die Frau des Odysseus, die ebenfalls während der langen Abwesenheit ihres Mannes die Geschicke ihrer Familie hatte in die Hand nehmen müssen. In ihrem um 1790 veröffentlichten Essays suchte Judith Sargent ihr Publikum von den intellektuellen Fähigkeiten der Frauen zu überzeugen und von der Notwendigkeit, ihnen eine angemessene schulische Ausbildung zu gewähren, um die jungen Mädchen auf die Wechselfälle des Lebens vorzubereiten. Ihre Penelope war eine pragmatische junge Frau, die Mode und Frivolität verachtete und ihre Persönlichkeit nicht im Hinblick auf einen zukünftigen Ehemann zuschnitt. Anstatt in ihrem weichen Bett vom Traumprinzen zu träumen und die Kunst der körperlichen Verführung zu erlernen, stand sie lieber bei Sonnenaufgang auf und widmete sich tagsüber ihren Studien, aus denen sie sowohl Vergnügen als auch Unabhängigkeit zog. Auf diese Weise war sie für eventuelle Schicksalsschläge gewappnet, und ihre Ehe würde sich um so harmonischer gestalten. Der Krieg, den beide Geschlechter auf unterschiedliche Weise erlebten, verstärkte die Bindung der Frauen an die typischen Grundsätze protestantischer Ethik. Sie sahen sich aufgerufen, die eigenen Begabungen herauszubilden, sich »die edle Glut der Unabhängigkeit« zu bewahren und Selbstachtung zu behalten. Die Gewißheit, daß nur eine solche Penelope in schwierigen Zeiten überleben würde, spiegelt sich in verschiedenen literarischen Werken wider. Unter den Heldinnen von M. O. Warren (*The Ladies of Castille,* 1790) und C. Brown (*Ormond,* 1799) werden diejenigen, die ignorant und nur mit ihren Liebschaften beschäftigt sind, durch ein Unglück, dessen sie sich nicht zu erwehren wissen, in den Selbstmord getrieben; diejenigen aber, die gebildet, stolz, stark, voller Selbstachtung und Selbstvertrauen sind, gehen aus Krisensituationen gefestigter hervor. Solche Frauen brauchte Amerika.

Allerdings brauchte Amerika seine Frauen einzig und allein im Hause, inmitten ihrer Familien. Dort gehörten sie hin, und niemand wollte dies ändern. Das republikanische Modell der Frau war die Mutter. Ihre Kompetenz, die Kraft, die sie aus ihrer Selbstachtung gewann, wurden in den Dienst der Familie gestellt und erstreckten sich nicht auf den Bereich öffentlicher Entscheidungen. Dennoch spielte die republikanische Mutter durchaus eine wesentliche Rolle im bürgerlichen Leben. Indem sie ihre Söhne zu aufrechten Bürgern erzog, »stärkt sie die bürgerliche Ordnung, in der sie lebt«.[5] Auch wenn sie die politische Bühne nicht betrat, trug sie doch politische Verantwortung; diese reichte allerdings nicht über den häuslichen Kreis hinaus. Die Amerikanerinnen beanspruchten zwar keine öffentliche Funktion, aber sie wiesen ihre Männer darauf hin, daß sie sich nicht mehr als Quantité négligeable behandeln ließen, da der revolutionäre Umbruch auch ihrer Rolle innerhalb der Familie einen neuen Sinn gegeben habe. Sie holten das Politische in das Privatleben hinein und gaben ihren häuslichen Funktionen einen staatsbürgerlichen Sinn.

Noch eine weitere Aufgabe war den Frauen beim Aufbau des Landes vorbehalten. Sie waren die Wächterinnen über Tugend und Moral, also über Werte, durch die der Krieg gewonnen werden konnte und ohne die die Republik nicht überleben würde. Tugend und Moral waren individuelle und religiöse Eigenschaften, für die jeder einzelne vor Gott Rechenschaft abzulegen hatte, und nicht, wie in der Französischen Revolution, öffentlich eingesetzte, politische Eigenschaften, für die jedes Individuum vor der menschlichen Gemeinschaft verantwortlich war. Diese Eigenschaften, die für eine von Puritanern gegründete Gesellschaft entscheidende Bedeutung hatten, waren im Modell der »republikanischen Mutter« inbegriffen: Die Tugend der Mutter ruft immer erneut dem Ehemann und den Söhnen diese sittliche Dimension des guten Staatsbürgers ins Gedächtnis. Das Rollenkonzept war in dem Pamphlet *Women Invited to War* noch radikaler formuliert.[6] Dieser Text beginnt wie ein politischer Text, nimmt dann aber sehr schnell einen religiösen Ton an und behauptet, daß der hauptsächliche Feind der jungen Nation immer noch Satan sei. Es sei an den Frauen, die weniger dem Laster (Trinken, Fluchen) verfallen seien als Männer, gegen diesen diabolischen Gegner zu Felde zu ziehen. Der Kampf der Männer sollte politisch und öffentlich sein: Sie errichten die Fundamente des Gemeinwesens und sorgen für das Funktionieren der Institutionen. Dagegen sollte der Kampf der Frauen geistig sein und privat ausgetragen werden. Frauen sollten die Seele des Gemeinwesens retten, indem sie um Vergebung für dessen Sünden beteten, dessen Betragen läuterten und die Männer aufforderten, dasselbe zu tun. Diese Schrift hat feministisch-religiöse Untertöne, wenn ausdrücklich gesagt wird, daß Männer und Frauen vor Gott gleich sind, und Eva nicht erschaffen wurde, um mit Füßen getreten zu werden. Die Amerikanerinnen, die während der Revolution keine politischen Clubs gebildet hatten, schlossen sich im Anschluß an den Krieg in Vereinen zusammen, die häufig den Kirchen angeschlossen waren, um die Witwen und Waisen zu unterstützen. Diese Gruppen, in denen sich kollektive öffentliche Aktivitäten entwickelten, bildeten später die Ausgangsbasis für die Abolitionisten und die Frauenbewegung des 19. Jahrhunderts. Auch hier legitimierten die Amerikanerinnen ihr politisches Engagement mit der ihnen übertragenen religiösen und moralischen Verantwortung.

Bürgerinnen

Die »republikanische Mutter« war auch in der französischen Gesellschaft das weibliche Ideal. Auch hier sollte es Aufgabe der Frauen sein, die Kinder zu guten Republikanern heranzuziehen und in ihnen die Liebe zu Freiheit und Gleichheit zu erwecken. Eben deshalb war es Frauen auch gestattet, wenn schon nicht aktiv an den Debatten teilzuhaben, so doch die politischen Versammlungen zu besuchen, um dort die Prinzipien der Revolution zu erlernen. Weder richtig einbezogen noch völlig ausgeschlossen, hatten sie ihren Platz an der Peripherie. Es war schwierig, ihnen als Bürgerinnen ohne politische Rechte einen genauen Platz zuzuweisen. Manche Frauen nutzten diesen zweideutigen Status, um ihre eigenen politischen Ambitionen zu rechtfertigen. Die geschlechtsspezifische Rollenteilung wurde nicht völlig zurückgewiesen, jedoch wurde die Trennung der politischen Sphäre keineswegs strikt gehandhabt: Frauen waren zwar dazu bestimmt, für die Familie zu sorgen, doch in ihrer Rolle als Bürgerinnen mußten sie sich darüber hinaus auch um die Interessen des Gemeinwohls kümmern. Im April 1793 schreibt der Abgeordnete Guyomar: Die Frau »kümmert sich um die inneren, der Mann um die äußeren Angelegenheiten (. . .). Aber die große Familie muß die Oberhand über die kleine Familie eines jeden einzelnen behalten, sonst untergräbt das Privatinteresse bald das Allgemeininteresse.« Das revolutionäre Konzept der Unterordnung des Besonderen unter das Allgemeine diente als Grundlage für die Forderung, daß politisches Engagement und staatsbürgerliche Rechte in der neuen Gesellschaft beiden Geschlechtern zukommen müssen. Die Frauen wurden als Mitglieder der menschlichen, gesellschaftlichen und politischen Gemeinschaft definiert. Um die Notwendigkeit der Gründung von Frauenclubs zu demonstrieren, argumentierte die Präsidentin eines dieser Clubs in Dijon, daß in einer Republik »jedes Individuum unbedingter Bestandteil des Ganzen ist« und in öffentlichen Angelegenheiten mitwirken müsse.

Die Republik leitete eine neue Annäherung der veränderten individuellen Beziehungen zwischen Männern und Frauen ein. In einem Punkt ähnelten die Bestrebungen der Französinnen denen der Amerikanerinnen: die Zeiten waren vorbei, in denen die Frauen »durch einen falschen, frivolen Kult herabgesetzt und erniedrigt wurden«, wie es für die »Höfe von Despoten« angemessen schien. Republikanische Frauen warfen die Bänder und den Schmuck, diese Zeichen nicht nur ihrer eigenen Unterdrückung, sondern der eines ganzen Volkes, fort. Die früher unternommenen Anstrengungen, das andere Geschlecht zu verführen, verloren an Wert, wenn es – wie in Amerika – darum ging, innere Werte geltend zu machen, um aktiv an der »öffentlichen Sache« mitzuwirken. Auch hier wiederum betrachteten sich die Französinnen eher als Teil einer Gesamtheit denn als Individuen. So entstand die Fiktion von der »freien Frau« als Mitglied eines »freien Volkes«, die im Interesse der Allgemeinheit handelt und aktiv an der Eroberung kollektiver Freiheit teilnimmt. Im Gegensatz zur »freien Frau« stand die »versklavte Frau«, Mitglied eines »versklavten Volkes«, eines Volkes ohne Rechte, dazu bestimmt, die Anweisungen von ebenfalls »versklavten

Männern« zu befolgen. Ziel der Frauen war es nicht, das weibliche Geschlecht an die Stelle des männlichen zu setzen, sondern die gesamte Bandbreite ihrer menschlichen Eigenschaften in einem allen zugänglichen Raum zu entwickeln. Zudem erlaubte es das Bild von der »freien Frau«, mit einem Paradoxon zu spielen: Frauen waren Mitglieder eines »freien Volkes«, aber dem »Despotismus« der Männer unterworfen. Somit konnte eine Parallele zum Despotismus des Königs und des Adels während des Ancien Régime gezogen werden. Die Amerikanerinnen bedienten sich derselben Rhetorik, um die Tyrannei, die ein Mann über seine Ehefrau ausüben konnte, mit der Englands über seine Kolonien zu vergleichen. Aber die von den Französinnen kritisierte Sklaverei war nicht nur privater, sondern auch politischer Natur: Solange sich die Frauen nicht vollständig sämtlicher Bürgerrechte erfreuen, sind sie Sklavinnen. Und »überall, wo die Frauen Sklavinnen sind, werden Männer durch das Joch des Despotismus verbogen«, so die Präsidentin des Frauenclubs von Dijon. Die Unterdrückung der Frau durch den Mann wird im wechselseitigen Zusammenhang mit dem Konzept der Freiheit der gesamten Menschheit gesehen, und stets als einer der wesentlichen Züge des politischen Wesens einer Gesellschaft verstanden: entweder Demokratie für alle oder Despotismus für alle.

Stellung, Rolle und Lebensentwürfe der Frauen waren also nicht auf beiden Seiten des Atlantiks gleich. Das zeigt einmal mehr, wie sehr die Beziehungen zwischen den Geschlechtern die jeweiligen gesellschaftlichen Verhältnisse widerspiegeln. In beiden Fällen jedoch war die Ordnung der Geschlechterverhältnisse für diejenigen, die sich damit auseinandersetzten, ein zentrales Thema beim Aufbau des Gemeinwesens.

Die Unabhängigkeit des einzelnen stand im Zentrum der amerikanischen Ideologie. Das staatliche Gemeinwesen wurde als Summe aller einzelnen Mitglieder gedacht, nicht aber als deren Verschmelzung zu einer Gemeinschaft: Die Stärke einer jeden Persönlichkeit sichert die der ganzen Republik. Gleichzeitig erlaubt die Gesellschaft jedoch den einzelnen, im persönlichen Leben materiell und geistig voranzukommen (*self-reliant*, *self-respect*). Traditionell aus der Öffentlichkeit ausgeschlossen, erkannten die Amerikanerinnen während des Unabhängigkeitskrieges ihre individuellen Fähigkeiten. Ihre Töchter und Enkelinnen konnten später, gestützt auf diese während des politischen Umbruchs definierte Rolle als Garanten von Tugend und Moral, Einfluß auf das politische Geschehen nehmen.

Im Unterschied dazu verstanden die französischen Revolutionäre Macht ausdrücklich im Sinne von »kollektiver Aneignung«[7]. Es ist also nicht verwunderlich, daß die Französinnen sich nicht in erster Linie als unabhängige Individuen begriffen, sondern als Mitglieder einer Gemeinschaft, in der das Allgemeine über das Besondere gestellt werden sollte. Diese Denkweise war typisch für ihr Land und eröffnete ihnen einen Weg, den sie zu ihrem eigenen Vorteil nutzen konnten. Sie agierten auf der öffentlichen Bühne des 18. Jahrhunderts und sie verließen diese auch nicht, als sie zur politischen Bühne wurde. Zwar verweigerte man ihnen die Staatsbürgerrechte, nannte sie aber dennoch Bürgerinnen *(citoyennes)*. Dieser Widerspruch in der Sprache, entstanden aus dem Verhältnis der Geschlechter, das im Gegensatz zu den Gründungsprinzipien der Republik stand, offenbarte das Wesen und die Eigenheit der Französischen Revolution: Da die Nation als souverän galt, war es unmöglich, Frauen eine andere Bezeichnung zukommen zu lassen. Die Feministinnen des 19. Jahrhunderts bezogen sich daher nicht von ungefähr auf die Episode der Revolution als den eigentlichen Gründungsakt der Demokratie.

Aus dem Französischen von Harald Riemann

2
Die Französische Revolution als Wendepunkt

Elisabeth G. Sledziewski

Oft wird behauptet, Frauen hätten von der Französischen Revolution keinerlei Vorteil gehabt. Die Revolution habe die Situation der Frauen entweder überhaupt nicht oder aber nur zum Schlechteren verändert. Diese beiden konvergierenden und zugleich antagonistischen Sichtweisen berücksichtigen jedoch nicht hinreichend das Ausmaß des revolutionären Umbruchs. Dieser Umbruch war viel zu tiefgreifend und viel zu umfassend, als daß ein Bereich der Gesellschaft oder eine Gruppe gesellschaftlicher Akteure davon hätte verschont bleiben können; der Umbruch war schöpferisch und trotz aller Verheerungen voller Verheißungen.

Die Französische Revolution brachte auch für die Geschichte der Frauen entscheidende Veränderungen. Davon wird man auszugehen haben. Denn zum einen war die Revolution keineswegs nur für die Geschichte der Männer, sondern für die Geschichte der Menschheit insgesamt höchst bedeutsam. Zum anderen stellte die Revolution auch die Ordnung der Geschlechterverhältnisse und die Beziehungen zwischen den Geschlechtern von Grund auf in Frage. Frauen wurden keineswegs nur dadurch von den Ereignissen mit betroffen, daß alles im Wandel begriffen war, weil der revolutionäre Sturm nichts unberührt ließ. Ihre Situation veränderte sich vielmehr auch dadurch tiefgreifend, daß die Revolution die »Frauenfrage« erstmals überhaupt formulierte und in den Mittelpunkt der *politischen* Verständigung über Gesellschaft rückte.

Das war die große Neuerung. Alle, die an der Revolution mitwirkten, sie bekämpften oder nur beobachteten – ganz gleich, ob innerhalb oder außerhalb von Frankreich –, konnten das revolutionäre Gemeinwesen und den revolutionären Akt nur begreifen, indem sie dabei auch die Rolle der Frauen mit definierten. Dies ist ein sicheres Indiz für die enorme Tragweite der Umwälzungen. Eine ganze Zivilisation wurde bis in ihre häuslichen Fundamente erschüttert. Die Französische Revolution war daher nicht von ungefähr – ebenso wie bereits vor ihr das frühe Christentum, die Reformation und der Staatsrationalismus – um die Beziehung zwischen den Geschlechtern bemüht. Jetzt aber wurden neue Fragen aufgeworfen. Insbesondere kam es erstmals zur Diskussion über die Rolle der Frau nicht nur im häuslichen Bereich, sondern auch im staatlichen Gemeinwesen. Die Französische Revolution war der historische Augenblick, in dem die westliche Zivilisation begriff, daß Frauen einen Platz innerhalb des Gemeinwesens einnehmen können. Bis dahin waren weder die europäische Aufklärung noch die Amerikanische Revolution ein Anlaß gewesen, die uralte »Frauenfrage« in dieser Weise zu politisieren und damit offenzulegen, daß es um mehr als nur um eine Frage der Sitten ging.

Warum kam es zu einer solchen Entdeckung zu eben diesem Zeitpunkt? Wodurch wurde während der Französischen Revolution die sexistische Abriegelung der Politik erstmals in Frage gestellt? Wie ging dies vonstatten, und was folgte daraus?

Die revolutionäre Debatte über den möglichen neuen Platz von Frauen im Gemeinwesen führte nicht zwangsläufig dazu, diesen Platz nun auch tatsächlich revolutionär auszugestalten. Festzustellen, daß Frauen eine politische Rolle spielen können, bedeutete nicht, daß man ihnen diese Rolle auch zubilligen wollte. Allein die Möglichkeit einer solchen Folgerung mag selbst denjenigen, die das Thema aufgebracht hatten, so skandalös erschienen sein, daß sie eher auf Abwehr denn auf Realisierung hinarbeiteten. Nicht die denkbaren Innovationen, sondern ein reaktionärer Diskurs über Frauen hat sich schließlich durchgesetzt.

Diese beiden Seiten der Revolution gilt es im Blick zu behalten: die Kühnheit der Entwürfe ebenso wie das historische Zurückweichen vor deren Realisierung. Die Revolution hat eine Auseinandersetzung mit den Geschlechterverhältnissen im politischen Gemeinwesen verweigert, so als sei sie im nachhinein darüber erschrocken gewesen, diesen Punkt überhaupt auf die Tagesordnung gesetzt zu haben. Aber daß es die Revolution selbst war, die dieses Thema überhaupt erst auf die Tagesordnung gesetzt hat, sollte darüber nicht in Vergessenheit geraten.

Frauen im politischen Gemeinwesen

Die Revolution – in diesem Punkt waren sich ihre zeitgenössischen und späteren Gegner einig – habe insbesondere Schuld auf sich geladen, indem sie die Frauen emanzipiert und damit das Laster in das Herz der sozialen Ordnung hineingetragen habe. Angefangen beim Bild der *tricoteuses* und anderer Furien der Guillotine bis hin zum Bild von der *citoyenne*, die sich von ihrem Ehemann scheiden läßt, Waffen trägt, debattiert oder schreibt, wurde in allen konterrevolutionären Diskursen den Phantasien über subversive Frauen freier Lauf gelassen. Allein der Einbruch des »schwachen Geschlechts« in Räume und Rollen, die ihm vormals versperrt waren, galt als Ausdruck für den Vormarsch aller Schwachen, und diese den Frauen unterstellte Wirkung reichte aus, um zu behaupten, die Welt werde auf den Kopf gestellt.

Subversive Frauen

Der monarchistische Theoretiker Bonald machte zu Recht den Revolutionären den Vorwurf, sie hätten die »Naturgesellschaft« zerstört, in der die Frau »Untertan und der Mann der Herr ist«. »Mann« und »Frau« werden hier als Gegensätze verstanden; die Frau als »Untertan« ist ein dem Manne untergebenes Wesen, unfähig, sich als autonomes Subjekt mit eigenen Handlungen zu definieren, und somit selbstverständlich jeglicher staatsbürgerlicher Rechte entkleidet. Nach Bonald ist also alles in Ordnung, »solange der Mann als Verkörperung der Macht in dieser Gesellschaft, in der Position bleibt, die ihm die Natur zugewiesen hat; wenn ihn die Schwäche von dort herabholt, wenn er derjenigen, die er befehligen muß, gehorcht, wird er selbst dem zuwiderhandeln, dem er gehorchen muß«. Mit anderen Worten, ein Mann, der die Zügel der Frau überläßt, kommt seinen natürlichen Pflichten gegenüber Gott und dem König nicht nach; schlimmer noch, er gibt das Signal zur allgemeinen Subversion: »Was für eine Lektion erteilen dem Universum die erbärmlichen Folgen, die aus der Schwäche der Macht und dem Stolz des Subjekts entstehen! Indem er in den Augen der schwächsten Partei der Gesellschaft den falschen Glanz von Freiheit und Gleichheit aufblitzen läßt, wiegelt ihn ein bösartiger Geist gegen die legitime Autorität auf.«[1] Für Bonald waren die Dinge also ganz klar: Die Revolution wäre nicht so revolutionär verlaufen, wenn die Frauen herausgehalten worden wären.

Dieselbe Schlußfolgerung zog der Engländer Edmund Burke, ein Liberaler, der nicht weniger feindselig gegenüber der Revolution eingestellt war. Die Revolution, schrieb er 1796, habe das schamloseste, verderbteste und zugleich gröbste, wildeste und grausamste System der Sitten eingeführt, das die Welt je gekannt habe. Ein System, das namentlich die Frauen befreite, das die Fesseln der Ehe löste und das gegen die unwandelbaren Gesetze der geschlechtsspezifischen Rollenteilung in einem Maße verstieß, daß sogar die Londoner Prostituierten, die an Verrufenheit ihresgleichen suchen, dies als schamlos empfinden könnten. Die Revolution habe die Grenzen der Zivilisation ausgelöscht, indem sie »fünf- bis sechshundert betrunkene Frauen vor der Versammlung erscheinen ließ, um das Blut ihrer Kinder zu fordern«, oder die Ehe auf die Stufe eines bürgerlichen Vertrages herabsetzte und die Scheidung erleichterte. »Bei den Jakobinern wird die Vermischung der Geschlechter dem Zufall überlassen«, entrüstete sich Burke. Und er wetterte gegen das »gräßliche Prinzip der Billigkeit«, auf das sich dieses System beruft, das »den Frauen das Recht einräumt, ebenso verderbt zu sein wie wir«.

Diese erstaunlichen Sätze lassen das Ausmaß des Skandals erahnen. Kein anderes Regime hatte es je vorher gewagt, mit einer politischen Entscheidung die Hierarchie der Geschlechter zu widerrufen. Selbst wenn dies, wie manche Gegner annahmen, lediglich eine Kriegslist darstellte, »um die öffentliche Ordnung zu stören«, eröffnete sie doch leichtfertig den Frauen einen unbegrenzten politischen Kredit, und davon würden alle naturgemäß zur Unterwerfung bestimmten Wesen künftig profitieren. »Man sagt, die Frauen hätten sich so lange unter das Joch der Männer beugen müssen. Es ist nicht nötig«, fügt Burke hinzu, »daß ich mich lang und breit über die unseligen Folgen auslasse, die ein Gesetz nach sich ziehen mag, das der Hälfte unserer Gattung den Schutz der anderen Hälfte von unten her entzieht.«[2] Diese Folgen seien nicht nur unheilvoll für den häuslichen Frieden, sondern für die Gesellschaft insgesamt.

Bürgerinnen

Burke hatte recht. Die Revolution hat den Frauen klargemacht, daß sie keine Kinder sind. Sie hat ihnen eine bürgerliche Persönlichkeit zugestanden, die ihnen vom Ancien Régime verweigert worden war. Frauen wurden nun zu Individuen, d. h. zu eigenständigen menschlichen Wesen, die sich eigener Rechte erfreuten und befähigt wurden, diese auch selbständig wahrzunehmen.

Die *Déclaration* von 1789 gestand jedem Individuum das unantastbare Recht auf »Freiheit, Eigentum, Widerstand gegen Unterdrückung« zu.[3] Folglich konnte nun jede Frau, ebenso wie jeder Mann, ihre Meinung frei äußern und ihre Entscheidungen frei treffen; die Unversehrtheit ihrer Person und ihrer Habe wurde garantiert. Töchter durften bei der Erbteilung nicht länger benachteiligt werden. »Hat mich meine Mutter nicht ebenso wie ihre anderen Kinder unter dem Herzen getragen?«[4] rief Mutter Duchêne im März 1791 aus, als die verfassunggebende Versammlung die Gleichheit im Erbrecht *ab intestat* beschloß und im Begriff war, das Privileg der Männlichkeit abzuschaffen. Die Verfassung vom September 1791 legte in identischer Form für Frauen und Männer die bürgerliche Volljährigkeit fest. Darüber hinaus wurde Frauen die erforderliche Vernunft und Unabhängigkeit zuerkannt, um standesamtliche Handlungen zu bezeugen und aus freien Stücken vertragliche Pflichten zu übernehmen (1792). Sie hatten Anrecht auf die Zuteilung gemeinschaftlichen Besitzes (1793). Im ersten Entwurf des Code civil, der 1793 von Cambacérès dem Konvent vorgelegt wurde, erfreuten sich Mütter derselben Privilegien wie Väter bei der Ausübung der elterlichen Autorität.

Doch vor allem die großen Gesetze vom September 1792 über den bürgerlichen Status und die Scheidung führten die Gleichheit beider Ehepartner ein und schufen zwischen ihnen eine strikte Symmetrie, sowohl vor dem Gesetz als auch im Wortlaut der Verfahren. Die Ehe als Vertrag, eine Innovation, die Burke so entsetzte, fußte auf der Idee, daß beide Ehepartner gleichermaßen verantwortlich und imstande waren, selbst zu überprüfen, ob die beiderseitig vereinbarten Verpflichtungen korrekt eingehalten wurden. Sollte dies nicht der Fall sein, stand es ihnen frei, den Vertrag aufzukündigen. Sie mußten deshalb nicht einmal vor den Richter treten, wenn es ihnen gelang, sich über Unstimmigkeiten zu verständigen. Das Gesetz verfügte, daß eine Ehe bei Unverträglichkeit oder im gegenseitigen Einverständnis durch Scheidung aufgelöst werden konnte. Selbst die von einem Partner angefochtenen Scheidungen konnten vollzogen werden, vorausgesetzt, daß alle Versuche, ein Einverständnis zu erzielen, nicht fruchteten. Die Gesellschaft griff mit anderen Worten also erst dann in die Auseinandersetzungen zwischen Eheleuten ein, wenn die Partner nicht selbst in der Lage waren, ihre Streitigkeiten beizulegen, und zwar nur auf ausdrückliches Ersuchen der Beteiligten hin. Die Ehe war kein Zweck an sich, sondern ein Mittel zum individuellen Glück. Sollte sie diesem Zweck nicht mehr zuträglich sein oder gar zum Hindernis für das persönliche Glück werden, hatte sie ihren Sinn verloren.

Warum sind diese gesetzlichen Verfügungen von Bedeutung? In welcher Weise markieren sie einen Wendepunkt in der Geschichte der Frauen?

Zunächst einmal erlangten die Französinnen zum ersten Mal den vollen Status einer Rechtsperson, und dies war eine durchaus wesentliche Veränderung ihrer gesellschaftlichen Position. Sie erhielten den

Status von Bürgerinnen, d. h. sie wurden als freie und vernünftige Individuen angesehen, die imstande waren, ihre Geschicke selbst in die Hand zu nehmen.

Allerdings schloß dieser Erwerb bürgerlicher Freiheiten nicht bereits die staatsbürgerlichen, d. h. politischen Rechte ein; doch in jedem Fall waren die errungenen Rechte eine notwendige Bedingung für die noch fehlenden Rechte, deren Fehlen um so unannehmbarer erscheinen mußte. Als mündige Mitglieder der bürgerlichen Gesellschaft und des Rechtsstaats konnten Frauen logischerweise annehmen, daß ihnen auch im staatlichen Gemeinwesen, in der politischen Gesellschaft ein Platz zustand. Und in der Tat handelten sie dementsprechend. Das beweisen die spektakulären Auftritte militanter Frauen bei öffentlichen Debatten während der Revolution. Tatsächlich war es schwer, zwischen sozialer und politischer Bewegung zu unterscheiden. Wenn Hausfrauen wirtschaftliche Maßnahmen forderten und Ehefrauen den Gesetzgeber dazu beglückwünschten, die Scheidung eingeführt zu haben, dann waren dies durchaus politische Interventionen und wurden auch als solche wahrgenommen.

Die Antifeministen des 19. Jahrhunderts hatten in diesem Sinne nicht ganz unrecht, wenn sie behaupteten, die Revolution habe durch die Destabilisierung der Ehe und der häuslichen Ordnung eine Büchse der Pandora voll politischer Forderungen für Frauen geöffnet. Wer den Ehemann aussuchen und sich scheiden lassen kann, kann zweifellos auch Anspruch darauf erheben, eine Regierung zu wählen. Die Revolution hatte den Frauen schlechte Angewohnheiten beigebracht. Das jedenfalls beklagten weniger als zehn Jahre nach der progressiven Gesetzgebung von 1792–1793 die Verfasser des Code civil. Als Gegenstück zu den machohaften Tiraden Bonapartes beschäftigte sich der Conseil d'Etat (Staatsrat) nahezu zwanghaft mit dem Thema des weiblichen Sittenverfalls und dem Niedergang der Autorität des Ehemanns. So beharrte am 5. Vendémiaire im Jahre X (27. September 1801) beispielsweise Portalis darauf, daß die Gehorsamkeit der Ehefrauen und Töchter nicht etwa im Sinne einer politischen, sondern im Sinne einer naturbedingten Unterwerfung zu verstehen sei. Der mindere gesellschaftliche Status von Frauen sei ein körperbedingtes Erfordernis und bedeute daher keinesfalls, daß Frauen unterjocht oder um ihre legitime Autorität gebracht würden. Im Gegenteil, die Gesellschaft hole sich ihr Recht wieder und gebe den Frauen ihren natürlichen Status, den die Revolution ihnen so fahrlässig genommen habe, zurück. »Es ist also keinesfalls eine von uns getroffene Ungerechtigkeit«, ruft Portalis aus, »sondern entspricht der natürlichen Berufung der Frauen, daß ihr Streben gerichtet sein muß auf das Prinzip strengerer Pflichten, die ihnen zu ihrem eigenen größten Vorteil und zum Nutzen der Gesellschaft auferlegt worden sind.« Man hatte sich weit entfernt von der Zeit, da die Abgeordneten das Vorrecht des Mannes abgeschafft, die Ehe revolutioniert und Petitionen revolutionärer Bürgerinnen in Empfang genommen hatten. Auch wenn jene Männer damals keine Feministen waren, so gingen sie immerhin davon aus, daß auch Frauen durch die Revolution etwas zu gewinnen hatten und somit selbstverständlich daran teilnehmen wollten.

Staatsbürgerinnen

Die Revolution eröffnete eine Ära der Politisierung aller Lebensbereiche. Im Verlauf weniger Wochen machte sich im Frühjahr 1789 ein in politischen Angelegenheiten völlig unbedarftes Volk mit Leidenschaft daran, das Ruder der Politik zu übernehmen. Der deutsche Reisende Joachim Heinrich Campe berichtete seinen Landsleuten aus Paris, wie ihn erstaunte »zu sehn, welchen warmen Anteil sogar auch diese Leute, die größtenteils weder lesen noch schreiben können, jetzt an den öffentlichen Angelegenheiten nehmen«, und beschrieb die befremdlichen Bräuche einer Nation, in der die »Theilnahme Aller« erforderlich zu sein schien, um über jedwedes Thema zu diskutieren: Überall sehe man »ein unendlich buntes und vermischtes Publicum von Lastträgern und feinen Herrn, von Fischweibern und artigen Damen, von Soldaten und Priestern«, die gemeinsam zuhörten, wie Plakate, Broschüren und Flugblätter vorgelesen wurden. Die Frauen waren also mit von der Partie. Sie nahmen in der modernen Agora keinen speziellen Platz ein, sondern mischten sich unter die Angehörigen des anderen Geschlechts. Unser preußischer Beobachter hatte keinerlei Zweifel über das, was er erlebte. In einer solchen Schule für Staatsbürgerkunde macht ein Volk Fortschritte, steigert seine Fähigkeiten. »Denken Sie sich, wie diese Publicität, diese Theilnahme Aller an allem, auf die Entwickelung der menschlichen Seelenkräfte, besonders auf die Verstandes- und Vernunftausbildung der Leute wirken muß!«[5] Bezieht man diese Aussagen auf Fischweiber und Bürgersfrauen, denen man einen Platz im öffentlichen Forum eingeräumt hat, dann wird deutlich, welchen entscheidenden Schritt das für sie bedeutete, und warum noch während der Revolution die Abwehrreaktion gegen die »Staatsbürgerin« derartig vehement, der auf Ungleichheit zielende Wunsch, die Frauen wieder einzusperren, so laut war. Es mochte zwar noch angehen, daß das gemeine Volk plötzlich zu Geist und Verstand gekommen war, aber nicht die Frauen. Viele von denen, die sich heldenhaft für das allgemeine Recht auf Bildung einsetzten, für das universelle Wahlrecht und dafür, daß der einfachste Bauer die Möglichkeit erhielt, zum aufgeklärten Bürger zu werden, lehnten es kategorisch ab, den Frauen dasselbe zuzugestehen, und es grauste ihnen bei dem Gedanken, der Lauf der Dinge könnte Frauen eines Tages auch die Macht überlassen. Denn Bürgerinnen in das staatliche Gemeinwesen zu integrieren würde bedeuten, sie zu aktiven, dem Mann gleichgestellten Subjekten der Revolution mit Entscheidungsgewalt zu machen. Für viele damalige Zeitgenossen war dies eine unerträgliche Perspektive. Dagegen war die Vorstellung, daß Männer emanzipatorische bürgerliche Gesetze für Frauen schufen, schon beruhigender, da letztere dadurch ihre Stellung als Objekte beibehielten: Objekte einer fortschrittlichen Gesetzgebung zwar, aber dennoch Objekte.

Eine überwältigende Mehrheit der Revolutionäre, darunter die Jakobiner, befürwortete bis auf wenige Ausnahmen den Rückzug der Frauen ins häusliche Leben. Der weiter links stehende Agitator Chaumette geißelte schonungslos die politischen Frauenclubs, die bereits zwei Wochen verboten waren, während er gleichzeitig die Scheidung und die Anmut einer Frau im Haus rühmte: »Seit wann ist es üblich mitanzusehen, wie die Frau ihre fromme Sorge für den Haushalt und die Wiege ihrer Kinder verläßt, um in der Öffentlichkeit von den Tribünen aus die Reden zu verfolgen?«[6] Eineinhalb Jahre früher, am 13. April 1792, beklagte sich der Bierbrauer Santerre, eine bekannte Persönlichkeit der demokratischen Bewegung, mit den gleichen Worten über den staatsbürgerlichen Eifer der Pariserinnen: »Diesen Männern aus der Vorstadt gefällt es besser, wenn sie von der Arbeit nach Hause kommen, einen ordentlichen Haushalt vorzufinden, als ihre Frauen von einer Versammlung, bei der diese nicht gerade an Sanftmut dazugewinnen, zurückkehren zu sehen. Sie haben allen Grund, diese dreimal wöchentlich stattfindenen Versammlungen mit scheelem Auge zu betrachten . . .«

Aber um die Ursache der allgemeinen Begeisterung für den sexistischen Status quo zu entdecken, muß man zum September des Jahres 1791 zurückgehen, zur Zeit der konstitutionellen Monarchie und der triumphierenden Mäßigung. Frankreich hatte sich gerade eine Regierung gegeben, die das Glück aller anstrebte. Ging es dabei auch um das Glück der Frauen? Ja, antwortete Talleyrand, »vor allem das der Frauen«, unter der Bedingung, daß »sie keinerlei politische Rechte und Funktionen anstreben«. Folge man dem »abstrakten Prinzip, dann erscheine es zwar unmöglich zu erklären, warum« im Namen von Freiheit und Gleichheit »eine Hälfte der Menschheit von jeglicher Teilnahme an der Regierung durch die andere Hälfte ausgeschlossen« wird, und warum allen Frauen – den Revolutionärinnen der ersten Stunde – die Staatsbürgerrechte vorenthalten bleiben. Doch es gebe, versicherte Talleyrand, »eine weitere Ordnung der Ideen, innerhalb derer sich die Frage verändert«. Diese Ordnung war die Ordnung der Natur, oder vielmehr das, was die Männer der Französischen Revolution unablässig als Natur beschworen, wenn ihnen vor den Auswirkungen einer bürgerlichen Emanzipation der Frauen, für die sich einst fast alle von ihnen ausgesprochen hatten, schwindelte. Die Natur, so sagten sie, fordere, daß diese Auswirkungen strikt auf das Privatrecht beschränkt bleiben müßten. Die Natur selbst müsse die allzu begeisterten *citoyennes* daran erinnern, daß sie sich innerhalb der Geborgenheit ihres Heimes in umfassender und ehrenwerter Weise an den Segnungen der Revolution erfreuen sollten.

Die Existenz der Staatsbürgerin schien also durch die Existenz der Revolutionsbürgerin gleichzeitig impliziert und ausgeschlossen worden zu sein. Impliziert war sie insofern, als die mündigen Französinnen an der Seite ihrer Ehemänner zweifellos für immer ein historisches Bewußtsein erlangten und nun wußten, daß sie durchaus in der Lage waren, eine Rolle im Gemeinwesen zu übernehmen. Niemand dachte im übrigen daran, ihnen dieses abzusprechen. Es bleibt jedoch zu erörtern, welche spezielle Rolle den Frauen zugewiesen wurde, und ob eine Staatsbürgerschaft, die sich im politischen Bereich auf bloße Ratgeberfunktion und Zustimmung beschränkte, überhaupt als Staatsbürgerschaft anzusehen war. In diesem Sinne konnte die zivilrechtliche Besserstellung der Frau ein Mittel sein, um in einer Zivilisation, die sich auf die Menschen- und Staatsbürgerrechte berief, den Ausschluß der Frauen aus der Politik akzeptabel erscheinen zu lassen. Die Bürgerinnen, so Talleyrand, sollten unterrichtet, angehört, respektiert und »unter die Herrschaft von Freiheit und Gleichheit« gestellt werden. »In dem Moment, in dem sie auf alle politischen Rechte verzichten, erwerben sie die Gewißheit, daß sich ihre Bürgerrechte festigen und sogar erweitern.«[7]

Die Heloten der Republik

Es war ausgerechnet Talleyrand, dem die Engländerin Mary Wollstonecraft ihre berühmte *Verteidigung der Rechte der Frauen*, erschienen 1792, widmete. Dieses »unvergängliche Buch«, wie es ein halbes Jahrhundert später von Flora Tristan genannt wird, war ein Echo auf die *Erklärung der Rechte der Frau und Bürgerin*, verfaßt von Olympe de Gouges im September 1791, und auf die Broschüre *Sur l'admission des femmes au droit de cité* von Condorcet im Juli 1790. Diese drei Schriften verdienen besondere Aufmerksamkeit. Sie entwerfen drei verschiedene Argumentationen zugunsten der Frauenrechte. Alle drei berufen sich auf die Prinzipien von Freiheit und Gleichheit und kritisieren Institutionen, die diese Prinzipien verhöhnen. Sie zeigen nicht zuletzt höchst unterschiedliche Ansichten und Stellungnahmen zur Revolutionierung der Beziehungen zwischen Männern und Frauen. Alle drei stimmen allerdings darin überein, daß die Französische Revolution auch die Geschlechterverhältnisse revolutionieren müsse.

Plädoyers für die Frau

Welche Prioritäten gab es? Wollte man jede dieser exemplarischen Stellungnahmen charakterisieren, könnte man sagen, daß sich Condorcet für den juristischen Status, Gouges für die politische Rolle und Wollstonecraft für die soziale Situation von Frauen vorrangig interessierten. Alle drei waren sich über die Dringlichkeit einer expliziten Formulierung der Rechte der Frauen einig. Diese Übereinstimmung spiegelt eine Gemeinsamkeit aller revolutionären Forderungen wider: Nahezu jeder Aspekt der Französischen Revolution schloß die Vorstellung ein, daß es neue Rechte zu erobern gelte. Aber die Bedeutung dieser Rechte sahen alle drei unterschiedlich. Während Condorcet aus Gründen der politischen Vernunft und als Korrektiv für die unselige Asymmetrie innerhalb der Geometrie der Verfassung nach gleichen Rechten verlangte, sah Olympe de Gouges ihr Ziel in der historischen Mobilisierung der Frauen, und Mary Wollstonecraft erwartete, daß der Anspruch auf Rechte dem unterdrückten Geschlecht die Gelegenheit zu einer wirklichen Veränderung böte. Die Ansichten Condorcets blieben rein theoretisch, ihnen folgten keine speziellen legislativen Schritte im Kampf gegen den politischen Ausschluß der Frauen. Olympe de Gouges verfocht demgegenüber mit militantem Engagement den Befreiungskampf gegen die Tyrannei der Männer. Mary Wollstonecraft richtete ihre Aufmerksamkeit radikaler und zugleich programmatischer auf die kulturelle Dimension der Unterdrückung der Frauen und der Forderung nach Gleichberechtigung. Sie hielt sich aus den politischen Konflikten weitgehend heraus. Alle drei Ansätze, der philosophische, der politische und der ethische, finden sich noch heute in den Debatten über die Rechte der Frauen wieder.

Condorcet stellte in seiner Analyse, die am 3. Juli 1790 in der Nr. 5 des *Journal de la Société de 1789* erschien, die Frage nach dem Ausschluß der Frauen von den staatsbürgerlichen Rechten. Dabei behandelte er diesen Ausschluß als einen Sonderfall des allgemeinen Problems der Ungleichheit: »Entweder hat kein Individuum der menschlichen Gattung wirkliche Rechte oder aber alle haben dieselben; und derjenige, der gegen das Recht eines anderen stimmt, welche Religion, Hautfarbe und Geschlechtszugehörigkeit er auch haben möge, hat von dem Augenblick an auch seinen eigenen Rechten abgeschworen.« Die Weigerung, die Frauen in das bürgerliche Gemeinwesen zu integrieren, unterscheide sich in nichts von ideologischer oder rassischer Ächtung und falle somit ebenfalls unter die Kritik der Diskriminierung. Jegliche Form von Diskriminierung, die aus Gewohnheit und Vorurteil nach wie vor gedeihe, ohne den Zorn derer zu erregen, die an der Durchsetzung der Gleichberechtigung als »dem einzigen Fundament der politischen Institutionen« arbeiten, gelte es zu bekämpfen. Condorcet selbst war bis 1789 Anhänger des Klassenwahlrechts gewesen.

Der Ausschluß der Frauen war insofern ein Versäumnis, eine Verzögerung im Bewußtsein. Wenn aufgeklärte Männer ihre eigenen Grundsätze verraten konnten, indem sie seelenruhig der Hälfte der menschlichen Gattung die Rechte, die sie gleichzeitig jedem vernünftigen Wesen zugestanden, versagten, geschah dies aus Mangel an Wachsamkeit. Für Condorcet war dieser Fehler verzeihlich, denn »bei allen in der Geschichte bekannten Völkern hatte es zwischen Männern und Frauen gesetzliche Ungleichheit gegeben«, und die Welt konnte nicht an einem Tag von Grund auf neu geschaffen werden. Dennoch war der Philosoph optimistisch. Es gebe keinen Grund, den Frauen die Gleichberechtigung zu verweigern, weil es keine vernünftige Rechtfertigung für die weitere Aufrechterhaltung von Ungleichheit gebe. Mit anderen Worten, eine intellektuell unhaltbare Position war historisch dazu verurteilt, innerhalb einer kurzen Frist zu verschwinden. Eine entwaffnende Vorstellung, die belächelt werden könnte, hätte Condorcet sein politisches Engagement nicht mit dem Leben bezahlen müssen. In jedem Fall sei betont, daß seine zugleich mutige und idealistische Argumentation ein Paradoxon einschließt: Sie formuliert explizit eine Frage, die bis dahin alle Naturrechtstheoretiker ohne den Anflug eines schlechten Gewissens verdrängt hatten. Doch die Frage wird aufgeworfen, um aufzuzeigen, daß sie von der allgemeineren Problematik der Gleichberechtigung nicht abgesondert werden darf und daß es sich hier nicht um einen Gegenstand handelt, der nach einer spezifischen Doktrin verlangt. Das Problem des Geschlechterverhältnisses sei dann geregelt, wenn die Gleichberechtigung kein Problem mehr darstelle. Condorcet, der hier lediglich auf rein konzeptioneller Ebene argumentierte und dabei die besondere Dimension des Sexismus verkannte, entschärfte am Ende die feministische Bombe, zu deren Bau er selbst beigetragen hatte. Seine Stellungnahmen zugunsten der Frauen sind vor allem Aussagen über den Schwachsinn der Diskriminierung im allgemeinen: »Warum sollten Wesen, die der Schwangerschaft und vorübergehenden Unpäßlichkeiten ausgesetzt sind, nicht die Rechte ausüben dürfen, die man niemals allen Leuten, die jeden Winter das Zipperlein befällt und die sich leicht erkälten, vorzuenthalten gedachte?«

Der revolutionäre Akademiker täuschte sich, wenn er hierin nur eine Frage von juristischer Logik sah; aber es ist sein Verdienst, *das Thema* überhaupt angesprochen zu haben.

Olympe de Gouges' Einwände unterschieden sich in Ton und Inhalt von denen Condorcets. Ihr ging es nicht darum, die neuen Gesetze, die die politische Partizipation regelten, zu überarbeiten. Sie wollte für den Kampf gegen die Ungerechtigkeit, die seitens der Männer hartnäckig verteidigt und durch die Revolution nur noch unannehmbarer gemacht wurde, mobilisieren. Frauen gegen Männer: Die Offenbarung der Rechte einer vernunftbegabten Menschheit enthülle den Skandal des Kampfes zwischen den Geschlechtern, der in der Welt tobt und den zu beenden es an der Zeit sei. Im Gegensatz zu Condorcet, für den der Sexismus nur eine der Formen von Diskriminierung darstellte, glaubte Olympe de Gouges, daß die über Frauen ausgeübte Tyrannei der eigentliche Ursprung sämtlicher Arten der Diskriminierung sei. Der Französischen Revolution sei es noch nicht gelungen, zusammen mit deren Mauerwerk auch die Grundfesten der Bastille einzureißen. Sie habe das Prinzip des Despotismus intakt belassen. Die Revolution habe den Männern die Macht übergeben, die Männer aber hätten sich das Prinzip des Despotismus zu eigen gemacht, während sie gleichzeitig dessen Auswirkungen, die nicht mehr tolerabel waren, bekämpften. Sie hätten den Krieg zwischen den Geschlechtern weiter geführt, ja sogar neu entfacht, nachdem es ihnen – mit Hilfe der Frauen – gelungen war, die sozialen und politischen Ketten zu zerreißen. So viele Kämpfe, so viele Hoffnungen, empörte sich Olympe de Gouges, um letzten Endes lediglich zur Ablösung der einen Tyrannei durch eine andere zu gelangen, statt deren völlige Abschaffung zu erreichen.

Man müsse daher den revolutionären Kampf an einer neuen Front weiterführen, an der Front der Verteidigung der Frauen gegen die Männer. An dieser neuen Front gelte es, die Revolution politisch weiterzuentwickeln und zunächst einmal die Unzulänglichkeiten und Inkonsequenz der Revolution anzuprangern. »Oh Frauen! Ihr Frauen, wann wird eure Verblendung ein Ende haben? Sagt zu, welche Vorteile sind euch aus der Revolution erwachsen? Man bringt euch eine noch tiefere Verachtung, eine noch unverhohlenere Geringschätzung entgegen. In den Zeitaltern der Korruption habt ihr wenigstens über die Schwächen der Männer geherrscht. Dies Imperium liegt nun in Trümmern, was bleibt euch denn noch? Das Wissen um die Ungerechtigkeit des Mannes, die Forderung nach eurem Erbe, die sich auf die weisen Gesetze der Natur beruft.«

Ähnlich wie Marx fünfzig Jahre später hinsichtlich der Ausbeutung des Menschen durch den Menschen, so sah Olympe de Gouges mit der Französischen Revolution hinsichtlich der Ausbeutung der Frau durch den Mann das Ende der Illusionen gekommen. Sie betonte die moralische Grausamkeit ebenso wie die historische Heilsamkeit dieses Übergangs von der galanten Idylle zum Zeitalter der Geringschätzung. Die Stunde der Mobilmachung sei gekommen. »Frau erwache: Die Stimme der Vernunft erschallt über unsern Erdball; erkenne deine Rechte!« Das erste dieser Rechte sei, vom Feind Rechenschaft zu fordern. »Mann, bist du fähig, gerecht zu sein? (...) wer hat dir die selbstherrliche Macht verliehen, mein Geschlecht zu unterdrücken?« Diese mahnende Frage könne mit keiner Antwort rechnen. Denn welche Argumente vermöchte der Despotismus vorzubringen, da nur blinde Gewalt ihm Recht verlieh? Es sei an den Bürgerinnen, selbst eine Antwort zu geben, indem sie ihre Rechte als Frau und Bürgerin verkündeten und darauf insistierten, daß diese im Gesetz verankert würden.

Olympe de Gouges umrahmte ihre Erklärung der Frauenrechte zwar mit Aufrufen zum Kampf gegen die Männer, hielt sich aber ansonsten bei der Präambel und den siebzehn Artikeln ihrer *Erklärung der Rechte der Frau und Bürgerin* strikt an das Modell der *Déclaration des droits de l'homme et du citoyen* vom 26. August 1789. Sie übertrug lediglich die Privilegien des Rechtsstaats auch auf die Frauen, indem sie beharrlich den zweigeschlechtlichen Charakter des bürgerlichen und politischen Gemeinwesens hervorhob. Es gab also wenig Originelles in dieser provokanten Schrift außer dem Geist der Provokation, der sie beseelte. Darauf hinzuweisen, daß die *droits de l'homme* (Menschen-/Mannesrechte) auch weiblich durchdekliniert werden müssen und darauf zu achten, daß diese Deklination effektiv geschehe, bedeute klarzustellen, daß der behauptete Universalismus der Rechte ein Schwindel war und daß Männer, wenn sie vorgaben, im Namen der ganzen Menschheit zu sprechen, nur für ihr eigenes Geschlecht sprachen. Durch ihre explizite, fast aufdringliche »Feminisierung« der Deklaration von 1789 setzte Olympe de Gouges der Männerpolitik Widerstand entgegen: Sie demaskierte deren implizite Formen der Ausgrenzung und stellte die verheerenden Zweideutigkeiten eines angeblich über jeden Zweifel erhabenen Universalismus bloß. »Die Fackel der Wahrheit hat das dunkle Gewölk der Dummheit und Gewalt zerteilt«, proklamierte die zwar mittelmäßige Dichterin, aber wahre Verfechterin der Aufklärung. Es sei nicht mehr erlaubt, sich übertölpeln zu lassen. Einzig die politische Wachsamkeit der Frauen könne die Männer daran hindern, die Revolution ganz für sich zu beanspruchen. Es sei nun an den Frauen, die befreiende Kraft dieser Revolution zu enthüllen.

In Artikel X ihrer *Erklärung* schrieb Olympe de Gouges: »Die Frau hat das Recht, das Schafott zu besteigen, gleichermaßen muß ihr das Recht zugestanden werden, eine Rednertribüne zu besteigen (...).« Zwei Jahre später fiel sie selbst – nur wenige Tage vor Madame Roland –

als Girondistin der Guillotine zum Opfer. Bis zum Schluß galt ihr Engagement der Politik.

Mary Wollstonecraft schlug einen anderen Ton an. Bei ihr, wie auch bei dem Amerikaner Thomas Paine, war die Begeisterung über die Erklärung der Menschenrechte ebenso wie die Ablehnung der aristokratischen Werte der englischen Zivilisation vor allem moralischer Natur. Trotz ihres anhaltenden Interesses für die Französische Revolution, deren Geschichte sie 1794 veröffentlichte, war in ihren Augen nicht der politische Bereich der entscheidene Ort für die Emanzipation der Frauen. Mary Wollstonecraft verkündete zwar beredt, der von den französischen Verfassungsgebern verfügte ausdrückliche Ausschluß des weiblichen Geschlechts sei untragbar, und sie bezichtigte Talleyrand des »Wankelmuts« und der »Ungerechtigkeit«, weil er eine solche Lücke in der neuen Verfassung duldete. Aber daß der Frau politische Rechte verweigert wurden, sei lediglich das vergleichsweise unbedeutende Symptom einer weitaus beunruhigenderen Tendenz. Der Mann wurde zum einzigen wahren Vertreter der Gattung gemacht, »indem Angehörige des weiblichen Geschlechts mehr als Frauen, denn als Menschen angesehen werden«. Auf der Grundlage dieser Geschlechtertrennung entwickele sich eine ganze Zivilisation der Verleugnung, die unablässig so tue, als gehörten Frauen nicht in die Kategorie vernunftbegabte Wesen. Dies sei der eigentliche Skandal, nicht zu akzeptieren, daß die Menschheit doppelt sei, in zwei geschlechtlichen Formen existiere, von denen die eine ebensosehr Mensch sei wie die andere. Der Skandal setze sich fort, wenn die Gesellschaft in ihrer Gesamtheit sich um den Grundsatz organisiert, nur ein Geschlecht bewahre das Monopol der Vernunft. Sämtliche gesellschaftliche Institutionen hatten dann die Funktion, die Frauen aus dem öffentlichen Leben auszuschließen, sie zu entmenschlichen und zu beweisen, daß ihnen etwas Wesentliches fehle.

Die Verteidigung der Rechte der Frauen ist eher ein Traktat über den Status der Geschlechterdifferenz der im Umbruch befindlichen westlichen Gesellschaft, denn ein militantes politisches Programm. Sein hauptsächliches Ziel war nicht, die Frauen gleichberechtigt mit den Männern zu politischen Akteurinnen zu machen, sondern ihnen zur Anerkennung ihrer Verantwortung für das Gemeinwesen zu verhelfen. Es sollte ihnen freistehen, über ihr Schicksal selbst zu bestimmen und zu entscheiden, welchen Beitrag zur Gesellschaft sie unter den gegebenen Bedingungen leisten wollten. Dieser Beitrag sollte spezifisch weiblich und in Übereinstimmung mit der Natur sein. Aber selbst wenn Mary Wollstonecraft für eine Teilung der gemeinsamen Aufgaben optierte und ihre Schwärmerei für die Aufgaben der Mutterschaft mit Rousseau-Anklängen ausstattete, beharrte sie gleichwohl darauf, daß es notwendig sei, die Bereitschaft der Frauen, sich auf die Sorge für die Privatsphäre zu spezialisieren, um der Akzeptanz willen in der Vernunft zu verankern. Es bestehe ein gewaltiger Unterschied zwischen der häuslichen Sklavin, die sich in der Enge ihres Heims verkriecht und überzeugt davon ist, dieses sei der Tribut für ihre Unwissenheit, und der aufgeklärten Bürgerin, die den Aufgaben einer republikanischen Hausherrin und Mutter nachkommt. Die Mutterschaft solle als staatsbürgerliche Pflicht verstanden werden und nicht als Antithese von Bildung und Geist. Im übrigen deute es auf eine fehlgeleitete Auffassung ihrer häuslichen Mission, wenn sich Frauen zuweilen ihren Familien entfremdeten. Dafür seien allerdings wiederum die Männer verantwortlich, da sie niemals das Wagnis auf sich nehmen wollten, die Frauen über ihre eigene Berufung nachdenken zu lassen, statt sie ihnen wie eine Strafe aufzuerlegen.

Es mag den Anschein erwecken, als sei der Anspruch von Mary Wollstonecraft, verglichen mit der forschen Militanz einer Olympe de Gouges, eher bescheiden. Alles, was sie für die Frau forderte, war das Recht, die eigene Rolle begreifen zu lernen, statt sich unterwürfig in sie zu fügen. Die Rolle an sich aber wollte sie nicht ändern. Doch der wichtigste Beitrag dieser Autorin liegt in dem Gedanken, daß die Emanzipation des unterdrückten Geschlechts nicht die Verleugnung seiner Identität erfordere. Für Mary Wollstonecraft konnte es für Frauen keine authentische Freiheit geben, solange die Freiheit nur um den Preis der Absage an die weibliche Eigenart, das heißt an ihre Qualität als vernunftbegabtes und gleichzeitig geschlechtlich festgelegtes Wesen, zu haben war. »Wer hat den Mann zum alleinigen Richter erklärt, wenn doch die Frau die Gabe der Vernunft mit ihm teilt?« Diese zu Beginn der *Verteidigung* gestellte Frage zielt in zwei Richtungen. Sie stellt die Tyrannei der Männer in Frage und eröffnet neue Horizonte für die weibliche Vernunft, für die weibliche Art zu urteilen – kurzum, für eine rationalistische Alternative zur männlichen Logik, die bis dahin die Zivilisation beherrscht hat. Diese Einsicht macht Mary Wollstonecraft zur Revolutionärin. Ihr hat die spätere feministische Bewegung viel zu verdanken.

Plädoyer für die Demokratie

Die Vorstellung, daß die Menschheit doppelt ist und daß das Wort »homme« (Mann/Mensch) aufgrund seiner tückischen Zweideutigkeit nicht als Referenz für einen wahren politischen Humanismus ausreiche, war die Grundlage für die im Frühjahr 1793 angefertigte Analyse des Abgeordneten der Bergpartei, Guyomar. Der Titel der Schrift lautete: *Le partisan de l'égalité politique entre les individus ou problème très important de l'égalité en droits et de l'inégalité en fait* (Der Partisan politischer Gleichheit zwischen den Individuen oder: das bedeutende Problem rechtlicher Gleichheit und tatsächlicher Ungleichheit). Dies war während der revolutionären Phase das wohl umfassendste, aber auch tiefgreifendste und modernste Traktat über die notwendige Integration der Frauen in das demokratische System. In seinem Auftritt vor dem Konvent griff Guyomar die bereits von anderen vorgebrachten grundsätzlichen Argumente zugunsten von politischen Rechten für Frauen auf. Außer der Tatsache, daß er in seiner Eigenschaft als Abgeordneter sprach (Condorcet war zu dem Zeitpunkt, als er seine *Admission des femmes* veröffentlichte, nicht Abgeordneter), bestand Guyomars Besonderheit darin, die politische Partizipation der Bürgerinnen zu einer notwendigen Bedingung der Demokratie zu erklären. Ihr Ausschluß sei nicht nur ein Verstoß gegen die Grundsätze der Menschenrechtserklärung von 1789 und der für Ende April 1793 vorbereiteten Erklärung; er sei auch die Negation der Demokratie; er sei schlicht und einfach eine Störung ihres Mechanismus. Die Frauen, so Guyomar, sind die »Heloten der Republik«. Die Existenz von Heloten, dieser Parias der spartanischen Gesellschaft, aber sei mit den Prinzipien einer Demokratie nicht vereinbar. Es sei undenkbar, daß eine Nation, die behaupte, die Grundlagen für eine moderne demokratische Gesellschaft zu legen, einen solchen Mißstand innerhalb ihres Systems fortbestehen lassen wolle. Der Ausschluß der Frauen aus dem öffentlichen Leben könne wohl kaum mit deren unverzichtbarer Anwesenheit im Haushalt begründet werden. Denn dann, spottete Guyomar, müsse »man einen solchen auch gegen die Männer aussprechen, deren Anwesenheit in den Werkstätten ebenfalls dringend erforderlich ist«. Wo Demokratie herrsche, wo es aktive Bürger gebe, müsse »die große Familie den Sieg über die kleine Familie davontragen«. Dies gelte für Frauen ebenso wie für Männer. Denn Demokratie bedeute nicht nur Gleichberechtigung, wie sie Condorcet verfocht, sondern vielmehr die effektive Ausübung der Macht durch das Volk *(demos)*, der größtmögliche dynamische Einsatz seines *kratos,* des ganzen Ausmaßes seiner Fähigkeiten. Eine wahre Demokratie erfordere also die Beteiligung des gesamten Volkes. Man müsse daher die »Anzahl der Kinder des Vaterlandes verdoppeln«, also die Frauen einbeziehen und so die Masse der Aufklärung im Gemeinwesen vergrößern. Guyomars Position ist weniger formalistisch als die von Condorcet. Sie bewegt sich auch nicht auf der Ebene der noch vor Anbruch der feministischen Ära formulierten feministischen Forderungen von Olympe de Gouges oder Mary Wollstonecraft. Guyomar argumentierte im Sinne einer politischen Demographie; er begriff die Demokratie als einen Kampf, der sowohl qualitativ als auch quantitativ nach dem äußersten Engagement aller Bürger verlange, also auch nach dem der Frauen. Eine halbherzige Demokratie ergebe keinen Sinn. Kein politischer Humanismus könne sich ernsthaft auf eine solche berufen. Wenn man Frauen von der Politik ausschließen wolle, so Guyomar, dann solle man sie auch nicht als Bürgerinnen bezeichnen. »Dann müßte man sie *Frauen* oder *Töchter* von Bürgern nennen, jedoch niemals *Bürgerinnen*. Laßt dieses Wort entweder wegfallen oder bewilligt die Sache.« In der Tat werde der politische Humanismus dieser Pseudodemokratie den Kampf ansagen, und dieser Kampf werde Teil des Kampfes um Demokratie sein und erfordere dann logischerweise die Beteiligung der Frauen. Insofern war die Gründung des Club des citoyennes révolutionnaires am 10. Mai 1793 die Antwort der Frauen auf Guyomars Rede vom 29. April.

Aus dem Französischen von Harald Riemann

3

Von der sozialen Bestimmung zum individuellen Schicksal

Philosophiegeschichte zur Geschlechterdifferenz

Geneviève Fraisse

Der philosophische Diskurs über Frauen und die Geschlechterdifferenz befindet sich am Kreuzweg von Geschichte – des politischen Umbruchs und des wirtschaftlichen Wandels der Moderne – und der immerwährenden philosophischen Auseinandersetzung mit der Dualität von Körper und Geist, dem Gegensatz zwischen Natur und Zivilisation, dem Gleichgewicht zwischen Privatheit und Öffentlichkeit. Ich möchte im folgenden zeigen, in welcher Weise diese alten und traditionellen Fragen von Philosophen erörtert werden, die in der Zeit zwischen den letzten Jahren von Kant und den ersten Schriften von Freud schreiben.[1] Im 19. Jahrhundert wird die Menschheit in ihrer Geschichte wahrgenommen, und zwar in zweifacher Weise: zum einen im Hinblick auf den revolutionären Wandel und zum anderen im Hinblick auf die Idee, daß der Mensch selbst sich mit der Zeit verändere. Die alten Strukturen im Verhältnis von Mann und Welt lösen sich auf, und dies wirkt sich auch auf Frauen aus. Trotz aller Rigidität des Frauenbildes ist der Zerfall der alten Geschlechterordnung im 19. Jahrhundert real, und dies spüren auch die Philosophen. Die durch den historischen Wandel notwendig gewordene Neuformulierung des Geschlechterverhältnisses und das entstehende Bewußtsein einer möglichen Emanzipation der Frau und damit das Infragestellen der Ungleichheit der Geschlechter lassen philosophische Reflexionen entstehen, die bestimmte Gewißheiten verkünden oder eine Reihe von Ungereimtheiten ausstrahlen, in jedem Fall aber alle metaphysischen Register ziehen, um das Identische und das Andere in Gestalt des Geschlechterunterschieds auftreten und sich befragen zu lassen.

Das Infragestellen der Ungleichheit zwischen den Geschlechtern folgt notwendig aus dem Postulat der neuen Ära, welches die individuelle Freiheit und die Autonomie des Subjekts begründet. Männer und Frauen gelten nun als vernunftbegabte Wesen. Das aber eröffnet die kontroverse Debatte, ob beide potentiell auch Subjekt sind. Wenn man vom autonomen und individuellen Subjekt ausgeht, dann stellt sich auf neue Weise die Frage nach den Geschlechterbeziehungen und nach dem Verhältnis von Körper und Geist für ein jedes der beiden Geschlechter. Damit aber steht gleichzeitig auch der Platz der Natur in der Welt des Menschen und die Bedeutung der »Andersartigkeit« in der Arbeit des Denkens auf neue Weise zur Debatte.

Die philosophische Diskussion über die Vorstellung von der Frau als Subjekt kreist um drei zentrale Themen, und jedes von ihnen gibt Anlaß zu ausführlichen Abhandlungen: erstens die Familie, verstanden sowohl als Herleitung aus der Heirat wie auch als Keimzelle der Gesellschaft; alsdann die Gattung, deren Fortbestand als Zweck des menschlichen Lebens angesehen wird; schließlich das Eigentum mit Arbeit und Freiheit als seinen Begleiterscheinungen.

Die Philosophen, selbstverständlich nur Männer, arbeiten sich ab an der Aussicht auf eine Emanzipation der Frauen, die notwendigerweise aus dem Entstehen des individuellen Subjekts folgen muß. Die anstehenden Fragen werden erörtert als Fragen der Beziehung zwischen zwei Lebewesen, zwei Subjekten, Mann und Frau. Dabei teilen sich die Philosophen in zwei Lager. Die einen rechnen a priori mit der Ausbildung harmonischer Beziehungen zwischen den Geschlechtern, die anderen setzen a priori auf Konflikt, die einen gehen von Frieden, die anderen von Krieg aus. Beide Gruppen allerdings denken nach über eine Definition der Liebe als Brennpunkt aller höheren Freuden des Lebens und Ursache tiefster Leiden. Fichte erklärt das Problem der Ungleichheit oder Gleichheit der Geschlechter zu einer Frage von höchster Dringlichkeit an der Schwelle zum 19. Jahrhundert.

In der Tat produziert das 19. Jahrhundert eine Fülle von neuen Texten über Frauen und die Geschlechterdifferenz. Beide Themen überschneiden sich, ohne sich zu decken. Ich habe meine Verwunderung über diese Texte, die ich hoffe mitteilen zu können, in der Darstellung produktiv umzusetzen versucht. Dabei mußte ich zwei Einschränkungen vornehmen. Ich habe mich erstens auf die sogenannten »großen« Philosophen konzentriert, eine Auswahl zu treffen war bei der Zahl von Texten, die für diese Thematik relevant sind, unerläßlich; zweitens habe ich meine Untersuchung auf den konkreten Gehalt der Geschlechterdifferenz beschränkt, d. h. auf das weibliche Subjekt und sein Verhältnis zum männlichen. Wie sich der Platz und die Rolle der Geschlechterdifferenz in der Gesamtheit einer jeden einzelnen Philosophie niederschlägt, kann allenfalls angedeutet, aber nicht ausgeführt werden. Um die Sache etwas zu vereinfachen, werde ich mein Hauptargument auf die Überschneidung von Politischem und Metaphysischem richten.

Die Familie, das Subjekt und die geschlechtliche Teilung der Welt

Die Philosophen des frühen 19. Jahrhunderts setzen an der Stelle an, wo die postrevolutionären Schriften des 18. Jahrhunderts aufgehört haben. Ihr Interesse gilt vor allem der Frage des Rechts. Dabei geht es nicht direkt um Frauenrechte, sondern vielmehr darum, ob das Verhältnis zwischen Mann und Frau (die Ehe) einen Rechtsstatus habe oder nicht. Die Frage, ob die Frau im juristischen Sinne als Subjekt zu betrachten sei oder lediglich als Untergebene des Mannes – d. h. als freies Rechtssubjekt oder als Abhängige –, ist dabei von zweitrangiger Bedeutung. Fichte, Kant und Hegel können als Vertreter der Grundpositionen dieser Debatte gelten.

Fichte benennt die Problematik in aller Deutlichkeit: Anders als in den sonstigen Rechtsbeziehungen ist eine »Deduction der Ehe« aus dem Naturrecht nicht möglich. Denn »die Ehe ist gar nicht bloss eine juridische Gesellschaft, wie etwa der Staat; sie ist eine natürliche und moralische Gesellschaft« (Bd. 3, S. 304). Wenn sie dennoch innerhalb der Doktrinen des Rechts definiert werden müsse, so allein deshalb, weil die Ehe »notwendig« ist.

Die Ehe, so Fichte, sei eine »vollkommene Vereinigung«, die auf dem geschlechtlichen Instinkt beider Geschlechter beruhe und keinerlei Zweck außerhalb ihrer selbst verfolge; sie stelle nichts anderes als eine »Bindung« zwischen zwei Personen her. Diese Bindung sei Liebe, und »Liebe ist der innigste Vereinigungspunct der Natur und Vernunft«. Eben dieses Verhältnis zwischen Natur und Vernunft schaffe juristischen Raum. Das Gesetz greife nur in eine bereits bestehende Ehe ein. Noch bevor das Gesetz zum Zuge kommt, hat sich die Frau dem Mann in einem freien Akt unterworfen.

In diesem Punkt weicht Fichte eindeutig von der Position seines Zeitgenossen Kant ab, der die Ehe als einen »Vertrag« auffaßt. Für Kant ist die Ehe nicht »die natürliche Geschlechtsgemeinschaft (. . .) nach der bloßen tierischen Natur«. (Bd. 8, S. 390f.) Sie ist gesetzlich geregelt. Der wechselseitige Gebrauch der Geschlechtseigenschaften von Mann und Frau sei nur durch die Wechselseitigkeit eines rechtmäßigen Besitzanspruchs vertretbar. Deshalb ist ein Vertrag erforderlich. Daran schließe das Gesetz an und schreibe außerdem vor, daß der Mann befiehlt und die Frau zu gehorchen hat.

Hegel äußert einige Jahre später sein Entsetzen über Kants Theorie und beschreibt die Ehe als das »unmittelbare sittliche Verhältnis«, innerhalb dessen die »*natürliche* Lebendigkeit« in »eine *geistige,* in selbstbewußte Liebe, umgewandelt« werde. Die Ehe ist weder Vereinigung noch vertragliche Vereinbarung, sondern die Konstituierung »einer Person« aus zwei erwachsenen Partnern. Sie sei daher vor allem eine moralische Bindung. Das Recht interveniere erst, wenn eine Familie, im Sinne einer »Rechtsperson«, auseinanderbricht und jedes ihrer Mitglieder zu einer »unabhängigen Person« wird. Die Ehe findet im wesentlichen im Bereich der Sittlichkeit statt, sie ist wesentlich ein sittliches Verhältnis und mehr als die unmittelbare Vereinigung von natürlichen Individuen und ihren Instinkten. Der Mann als Familienoberhaupt ist die juristische Person.

Diese drei Philosophen haben unterschiedliche Ansichten über die Natur des Geschlechts, die Rolle des Rechts in den Beziehungen zwischen Mann und Frau und die Sittlichkeit, die sich in diese Beziehungen mischt. Nichtsdestotrotz sind sie sich völlig einig in ihrer Akzeptanz der weiblichen Abhängigkeit und der Selbstaufgabe der Frauen in Ehe und Familie. Gleichzeitig jedoch suchen Kant und besonders Fichte ihre Argumentation durch die entscheidende Aussage zu stützen, daß Männer und Frauen gleichermaßen freie und vernünftige Wesen seien. Für Kant wird diese Gleichheit durch die Wechselseitigkeit des rechtmäßigen ehelichen Besitzanspruchs garantiert, der wiederum als Beweis ihrer Freiheit auf der Einwilligung beider Partner basiert. Ein freies Wesen ist notwendigerweise ein vernünftiges Wesen. An anderer Stelle in seiner *Anthropologie* sagt Kant, es sei das Vernunftwesen in der Frau, das sie für ihre einzigartige Mission als Erhalterin der Art weihe. Die Abhängigkeit der Frau von ihrem Ehemann und ihre Unterordnung unter das Fortpflanzungsgebot seien demnach durchaus vereinbar mit Freiheit und Vernunft; sie stünden sogar im Einklang mit der Gleichheit aller Menschen, insbesondere mit der zwischen Mann und Frau.

Fichte argumentiert mit der Strenge dessen, der ein Problem direkt angeht und sich nicht, wie manch anderer Philosoph, damit begnügt, die Schwierigkeiten nebenbei abzuhandeln: Die Frau behauptet (und schützt) ihre Würde als menschliches Wesen, indem sie Mittel zum Zweck wird (der darin besteht, den Mann zu befriedigen) und somit aufhört, Zweck für sich selbst zu sein. Dies tut sie aus freien Stücken. Der Name für diese Handlung ist Liebe, »die Gestalt, unter welcher der Geschlechtstrieb im Weibe sich zeigt«, denn im Gegensatz zum Mann kann sich die Frau ihren geschlechtlichen Instinkt nicht selbst eingestehen, denn dazu müßte sie ihrer Würde entsagen. Die Würde der Vernunft erlegt der Frau auf, zur Erfüllung ihrer selbst ein Mittel zu werden. Es wäre falsch, hierin einen Zirkelschluß zu sehen. »Auf diese einzige Verschiedenheit gründet sich der ganze übrige Unterschied der Geschlechter.« (Ebd., S. 309f.)

Von alldem kann abgeleitet werden, daß der Frau aufgrund ihrer Abhängigkeit keine eigenständige bürgerliche Persönlichkeit zukommt (Kant). Wenn sie als Staatsbürgerin anerkannt wird (worauf Fichte besteht), muß sie notwendigerweise dem Mann die gemeinsame Vertretung dieser Staatsbürgerschaft anvertrauen. Beide Philosophen nehmen die Existenz lediger erwachsener Frauen und Witwen wahr. Fichte gesteht diesen zwar eine Staatsbürgerschaft zu, ohne daß diese an einen Mann übergehen muß, doch er verweigert ihnen die Ausübung eines öffentlichen Amtes. Das öffentliche Amt einer Frau sei noch schlimmer als deren Partizipation am Staatsleben. Frauen hätten ihren Platz innerhalb der Familie; ihr Bereich sei der der Häuslichkeit.

Hegel bedenkt ausführlich diese Unterteilung in häusliche und öffentliche Sphäre, die er als Aufteilung in zwei Arten von Vernunft versteht: die eine zielt auf Autonomie und Universalität, während die andere in der Passivität und konkreten Individualität verharrt; die eine richtet sich auf den Staat, die Wissenschaft und die Arbeit, die andere auf die Familie und die Entstehung des moralischen Bewußtseins. Antigone, Hegels bevorzugtes Beispiel, symbolisiert diese Aufteilung in das Gesetz des Mannes und das der Frau, das Gesetz des Staates und das der Familie, das menschliche Gesetz und das göttliche. Dem dialektischen Moment gemäß ist diese Aufteilung entweder harmonisch oder konfliktär. In jedem Fall aber ist es notwendigerweise ein Wechselspiel zwischen beiden Gesetzen überall dort, wo es um das Zusammenspiel zwischen Familie und Staat in der Gesellschaft insgesamt geht, wo sich die Person gegenüber dem zufälligen Individuum abzuheben beginnt.

Über die Gleichheit oder Ungleichheit zwischen den Geschlechtern ist folgendes zu sagen: Eine Frau kann Tochter, Ehefrau, Mutter oder Schwester sein; nur in der letztgenannten Beziehung zum Mann (erinnern wir uns an Antigone) kann sie als Gleichberechtigte gelten. Die Trennlinie zwischen Familie und Gemeinwesen darf nur vom Mann überwunden werden. Insofern kann der Mann in seiner Person die Universalität seiner Staatsbürgerschaft und Singularität seines Begehrens trennen und gleichzeitig beide realisieren. Das eröffnet eine Freiheit und Anerkennung des Selbst, zu denen die Frau keinen Zugang hat. Sie hat einzig die Universalität ihrer familiären Situation (als Ehefrau und Mutter), nicht jedoch die Singularität ihres Begehrens. Letztlich basiert die dialektische Gegenüberstellung von Familie und bürgerlicher Gesellschaft auf der positiven Repression von Weiblichkeit, welche allerdings nicht einfach verschwindet, sondern als »ewige Ironie der Gemeinschaft« fortbesteht.

Im Nachdenken über die Aufteilung der Räume zwischen Männern und Frauen vollzieht sich die Unterscheidung von weiblich und männlich. Fichte spricht vom »Gesetz der Trennung beider Geschlechter«. Diese gleichsam naturwüchsige Zweiteilung wird von anderen Philosophen ins Metaphysische gehoben. Werfen wir einen Blick auf Hegels philosophischen Umgang mit dem Geschlechterunterschied. Ausgehend von der geschlechtlichen Beziehung, Kopulation und Fortpflanzung, erarbeitet er ein Spiel der Anerkennung des Selbst im Anderen, des Mannes in der Frau und umgekehrt im Rahmen der Logik der Differenz, wobei der Sinn in der Herstellung von Einheit durch Differenz besteht. Alle Naturphilosophien, besonders die von Hegels Zeitgenossen Schelling, gründen auf der Vorstellung von Dualität und ihrer Auflösung in Einheit, insbesondere auf der Vorstellung von der Aufhebung des Spannungsverhältnisses zwischen Endlichem und Unendlichem. Die Scheidung der Natur in zwei Geschlechter spiegelt die Tatsache wider, daß das (endliche) Individuum im Dienste der (unendlichen) Gattung steht. Die Problematik dieser Trennung hat teil an einer weiterreichenden philosophischen Reflexion, worin sie gleichzeitig als Notwendigkeit für das Leben der Natur anerkannt und als Herausforderung für den idealistischen Blick wahrgenommen wird. Darin begründet sich die Arbeit der Dialektik. Die Metaphysik des 19. Jahrhunderts nährt sich vom Konzept der Dualität, von der Beziehung und Einheit der Gegensätze, worin die Geschlechterdifferenz eine der möglichen Darstellungen, vielleicht sogar eine grundlegende Metapher ist.

Um 1800 scheinen in Deutschland die Romantiker, allen voran Friedrich Schlegel, im Gegensatz zu den bislang erwähnten Philosophen vom Wind der Freiheit erfaßt worden zu sein. In seinem Brief *Über die Philosophie,* den er an seine Frau Dorothea richtete, wie auch in seinem Roman *Lucinde* verwirft Schlegel die normativen Vorstellungen seiner Zeit. Seine konsequente Ablehnung der Vorurteile gegen Frauen in bezug auf die Ehe und den weiblichen Intellekt gestatten es ihm, die weibliche Lust (sowohl die des Fleisches als auch die des Geistes) und die Gleichheit der Geschlechter hinsichtlich der Freiheit neu zum Thema zu machen. Schlegels moderner Diskurs löst seinerzeit einen wahren Skandal aus und behält später noch seine provozierende Wirkung. Der Theologe und Philosoph Schleiermacher verteidigt Schlegels Auffassungen und gibt seiner Hoffnung Ausdruck, daß die Frau sich von den Fesseln ihres Geschlechts befreien möge, wohingegen Kierkegaard noch vierzig Jahre später den Immoralismus dieser romantischen Schriften, die seine Zeitgenossen noch immer begeistern, angreift. Es ist nicht etwa nur »die Rehabilitierung des Fleisches«, die dem dänischen Philosophen ein Dorn im Auge ist. Die mit dieser romantischen Demarche in poetischer Gestalt vorgetragene Forderung ist für ihn zweifellos die weitaus größere Gefahr. Kierkegaard erkennt in der Tat scharfsinnig, wie brisant der von Schlegel betonte intellektuelle Austausch zwischen den Geschlechtern ist, der die Trennung zwischen Sinnlichkeit und Verstand unterläuft und so die Ehe unmoralisch und unreligiös werden läßt.

Das Bedürfnis nach Abschwächung des Widerspruchs zwischen Fleischlichem und Geistigem und der Wunsch, daß Mann und Frau gemeinsam »alle Stufen des Menschseins«, von der überschwenglichsten Sinnlichkeit bis zur höchsten Geistigkeit durchlaufen mögen, wog schwerer als die Begeisterung für die Fleischeslust auf der einen und die ausschließliche Verherrlichung des Geistes auf der anderen Seite. Der Gedanke, daß Parität im Austausch zwischen Mann und Frau gerade wegen ihrer geschlechtlichen Differenz herrschen könne (Geben oder Nehmen als eine einzige Form, ebenso wie Poesie oder Philosophie), ist schwindelerregender als die Erklärung der absoluten und gleichberechtigten Identität beider Geschlechter. Die Behauptung schließlich, die Differenz der Geschlechter sei nur ein äußeres Merkmal, ein »angeborener, naturgegebener Stand«, und dieser Unterschied müsse in einer Beziehung der Umkehrung überspielt werden (»nur sanfte Männlichkeit, nur selbständige Weiblichkeit ist die wahre und schöne«), treibt den Skandal auf die Spitze.

In Frankreich ist es Charles Fourier, der den Skandal auslöst. Er erhält allerdings erheblich weniger öffentliche Aufmerksamkeit. Bis 1830 bleiben seine Schriften nahezu unbekannt. Dann werden sie zur Quelle aller nachfolgenden libertären Theorien über Frauen. Das Denken Fouriers richtet sich mehr auf Freiheit als auf Gleichheit, mehr auf Befreiung als auf Emanzipation. Er verzichtet darauf, von den Rechten des Mannes auszugehen und den Gesellschaftsvertrag als Garanten für den Schutz des modernen Individuums einzuführen. Seiner Meinung nach verdecken die Menschenrechte die entscheidenden Dinge, zuallererst die Wirtschaft und offensichtlich das Recht auf Arbeit. Unterdrückung und Erniedrigung der Frau in der Zivilisation würden im Bild der Ehe, die Fourier heftig kritisiert, noch verdichtet. Noch vor aller moralischen

Kritik der Ehe und der Vorurteile, mit der die Ehe in der modernen Moral umgeben ist, betont er deren Krämerwirklichkeit und ökonomische Fundierung (Geld und Eigentum). Darin ist Fourier ein Wegbereiter, wie Marx wenig später anerkennen wird. Fourier läßt im übrigen keine Gelegenheit ungenutzt, um die Verantwortung der Philosophen anzuprangern, »die sich um die häusliche Ordnung nur dann kümmern, wenn sie die Ketten des schwachen Geschlechts anziehen wollen«. Die deutschen Rechtsphilosophen haben dem nichts entgegenzusetzen; aber auch andere, wie beispielsweise der Ideologe Cabanis, der eine wissenschaftliche Theorie der Ungleichheit der Geschlechter entworfen hat, derzufolge der Einfluß des Körperlichen auf das Moralische im wesentlichen die gesellschaftliche Rolle der Frau bestimmt.

Fouriers Utopie ist eine Utopie der Freiheit: der Freiheit der Frau als Individuum (nur ein Viertel der Frauen ist seiner Überzeugung nach für das häusliche Leben geeignet); der Freiheit, mit dem Mann in Wettstreit zu treten (Rivalität sei gesund, behauptet er im Gegensatz zu den meisten seiner Zeitgenossen); und der Freiheit, die ihre Verwirklichung in der »leidenschaftlichen Anziehung« und »Verbindung« zwischen Mann und Frau finde. Die sexuelle Beziehung solle nach Fourier weder zu einem Vertrag noch zu einem Bund führen und die Natur solle allein in der Spontaneität des Begehrens, aber nicht etwa als Grundlage der Familie ins Spiel kommen.

Fouriers Utopie ist auch eine soziale Utopie, da bei ihm der Fortschritt und das Glück der gesamten Menschheit in direktem Zusammenhang mit dem Freiheitsgrad der Frauen stehen. Das ist eine für das 19. Jahrhundert bedeutsame Formulierung. Die entscheidende Frage ist, ob die Entfaltung der Moderne die Frauen integriert oder nicht. In der postrevolutionären Ära gehören Frauen zwar prinzipiell dazu, werden jedoch faktisch ausgeschlossen. Dieser Widerspruch setzt die Geschichte der Frauenemanzipation in Gang.

Auch die englischen Philosophen entwickeln in diesem Punkt widersprüchliche Positionen. Der Utilitarist Jeremy Bentham zögert, die Staatsbürgerschaft der Frauen zu definieren. Sobald die Identität der Individualinteressen für grundlegender erachtet werde als die Identität der Menschenrechte, sei das universelle Wahlrecht (der Kernpunkt der Diskussion) keine Selbstverständlichkeit mehr. Denn die Interessen von mehreren Personen könnten dann auch von einer einzigen Person wahrgenommen werden. Die natürliche Unterordnung der Frau sei ebensogut ein Grund, den Frauen die politische Gleichberechtigung zu verweigern, wie sie ihnen zu gewähren. Nach anfänglichem Zögern gelangt Bentham allmählich dazu, das demokratische Prinzip des allgemeinen Wahlrechts zu befürworten. Im Gegensatz dazu schreibt James Mill, der zunächst demokratischer denkt als Bentham, in einem Artikel von 1820, vom Wahlrecht sollten diejenigen ausgeschlossen werden, deren Interessen unbestreitbar in denen anderer Individuen einbegriffen seien. Die Interessen einer Ehefrau (oder eines Kindes) seien unter denen des Ehemannes zusammengefaßt, und daher benötige sie kein eigenes Wahlrecht. Offensichtlich bieten also die utilitaristischen Philosophien mehr Spielraum, die Gleichheit der Geschlechter abzulehnen, als die Rechtsphilosophien. In die philosophische Debatte mischt sich schließlich auch William Thompson, ein Freund Benthams und Robert Owens, ein mit seinem *Appeal of One Half of the Human Race, Women, against the Pretensions of the Other Half, Men, to retain them in political, and thence in civil and domestic slavery* (Plädoyer einer Hälfte der menschlichen Rasse, der Frauen, gegen die Anmaßungen der anderen Hälfte, der Männer, sie in politischer, und damit in bürgerlicher sowie häuslicher Sklaverei zu halten). Damit beginnt die Ära des Feminismus mit den Utopisten und mit John Stuart Mill, dem Sohn James Mills, auf dessen philosophisches Engagement für die Gleichheit der Geschlechter wir später zurückkommen werden.

Liebe, Konflikt und Metaphysik des Geschlechts

Bevor sich die Philosophen explizit der Frauenemanzipation zuwenden, um diese entweder mit Argumenten oder übellauniger Rhetorik abzulehnen oder sich auf theoretischer Grundlage für sie auszusprechen, gibt es eine Phase des Stillstands der Diskussion. In dieser Zeit wird statt dessen über Liebe, Verführung und Keuschheit, über die Metaphysik der Sexualität und die Dualität der Geschlechter sowie über eine ontologische Komplementarität, die ebensosehr im gesellschaftlichen Leben wie im Gattungsleben verwurzelt sei, verhandelt. Die aktuelle feministische Frage lauert währenddessen im Hintergrund. Schopenhauer, Kierkegaard oder Auguste Comte halten es für nützlich, diese Frage zumindest mit einigen Zeilen als absurd und nichtig abzutun. Für sie liegt das eigentliche Problem offensichtlich woanders.

Wirft man einen Blick auf die jeweiligen Biographien dieser drei Philosophen, so fällt auf, daß ihr Einstieg in das philosophische Denken mit ihrem Eintritt in das aktive Geschlechtsleben zusammenfällt. Bei allen drei Philosophen tauchen biographische Momente in ihren philosophischen Texten auf, wo es um ihren Widerstreit mit Frauen geht. Schopenhauer bricht nach dem Tode seines Vaters endgültig mit seiner Mutter. Kierkegaard löst seine Verlobung auf spektakuläre Weise.

Die Gegenwart des Privaten in beider Schriften ist über den anekdotischen Effekt hinaus von Interesse. Abgesehen davon, daß biographische Elemente zum Verständnis ihres Denkens beitragen können, ist wichtig, daß Philosophen auch geschlechtliche Wesen sind und ihr Leben als solche offenbaren. Auguste Comte ist hierfür ein exemplarischer Fall. Seine Frau Clotilde de Vaux und später auch seine Hausangestellte tragen ausdrücklich nicht nur zu dessen Gedanken über Frauen bei, sondern auch zu seinem philosophischen System insgesamt. Es könnte durchaus sein, daß sexuelle Beziehungen ein fester Bestandteil des philosophischen Erkennens sind.

Kierkegaards zahlreiche Texte über Liebe, Verlobung, Ehe, Eheleben etc. scheinen dies zu bestätigen. Diese Vermutung wird dadurch erhärtet, daß er sein Denken nicht nur aus der Sicht der menschlichen Gattung oder Menschheit im allgemeinen entwickelt, sondern auch aus der subjektiven Sicht des Individuums in seiner einzigartigen sexuellen Beziehung. Man könnte dies als die existentielle Dimension einer Philosophie bezeichnen, die die Hegelschen Absoluta hinter sich gelassen hat. Was Schopenhauer betrifft, so ist er sich dieser Neuerung völlig bewußt: »Statt sich zu wundern, daß auch ein Philosoph dieses beständige Thema aller Dichter einmal zu dem seinigen macht, sollte man sich darüber wundern, daß eine Sache, welche im Menschenleben durchweg eine so bedeutende Rolle spielt, von den Philosophen bisher so gut wie gar nicht in Betrachtung genommen ist.« (Bd. IV, S. 623)

Schopenhauer schreibt eine »Metaphysik der Geschlechtsliebe«. Ausgehend vom geschlechtlichen Instinkt, entwickelt sich die Liebe und findet ihren Ausdruck im individuellen Bewußtsein; sie gedeiht zwischen zwei Extremen: der Frivolität der Beziehung, der Liebesaffäre, und dem imperativen Interesse der Gattung, dem unerschütterlichen Willen der Natur. Genauer gesagt, ist die Liebe die Maske des geschlechtlichen Instinkts, eine List der Natur, damit diese ihr Ziel erreicht. Und das Individuum ist in dieser Angelegenheit der Geprellte, von der Illusion getäuscht. Der hinlänglich bekannte Pessimismus Schopenhauers läßt in diesem metaphysischen Text die Frage nach dem Individuum in der Schwebe. Man erfährt nur, daß es zu keiner Zufriedenheit gelangt. In anderen Texten wird das Individuum, egal ob Mann oder Frau, auf andere Weise abgehandelt: Während der Mann imstande ist, über den Willen der Natur hinauszugehen, um in einen Zustand der Askese einzutreten, in dem die Keuschheit reichhaltige Möglichkeiten verheißt, soll die Frau ausschließlich zur Erhaltung der Art geschaffen sein.

Trotzdem ist die *Metaphysik der Geschlechtsliebe* eine Betrachtung über das Verhältnis der Geschlechter zueinander, über die Entsprechung und Ergänzung von Mann und Frau. Über die List der Natur hinaus, die den Willen zum Leben, das grundlegende Prinzip der Schopenhauerschen Metaphysik, perpetuiert, teilen sich die Geschlechter ihre Verantwortung für die Nachkommenschaft: der Vater bestimmt den Charakter und Willen des Kindes, die Mutter dessen Intellekt. Es mag verwundern, daß die rationale Gabe ausgerechnet von der Frau vermittelt wird, wenn man bedenkt, wie häufig die Philosophen den Frauen die Vernunft abzusprechen und deren minderen Status eben damit zu rechtfertigen pflegten, daß der weibliche Verstand schwächer sei. Schopenhauer selbst bemerkt zu diesem Punkt, alle Philosophen hätten fälschlicherweise das metaphysische Prinzip, das unzerstörbar und ewig sei, im Intellekt des Mannes angesiedelt. In der Tat lebe und sterbe der Intellekt, der vom Gehirn abhängig sei, auch mit diesem. Einzig der Wille sei übertragbar; nur der Wille der Natur, der Wille zum Leben, bleibe vom Tode verschont. Damit gibt Schopenhauer, der seine Metaphysik nicht im Ideenhimmel, sondern im Prinzip des ewigen Lebens durch Fortpflanzung festzumachen sucht, dem Konzept der Geschlechterdifferenz eine überraschende Wendung, indem er der Frau das zugesteht, was viele andere Philosophen ihr verweigerten.

Gleichwohl ändert sich sein Ton, sobald er nicht mehr über die Liebe, sondern über den Unterschied der Geschlechter und über die Metaphysik der Geschlechtsspezifizierung der Welt schreibt, wenn er Frauen als Objekte im Diskurs eines Mannes betrachtet; dann gewinnt das Misogyne die Oberhand. So besitzt für Schopenhauer die Frau, zwischen Mann und Kind situiert, bestenfalls eine vergängliche Schönheit, die lediglich eine jener Listen der Natur ist, um den Mann zu verführen und die Art zu erhalten. Aber die Frau kann nicht das schöne Geschlecht sein, sie kann keine Beziehung zum Schönen an sich geltend machen. Sie ist das andere, zweite Geschlecht, ohne jedwede Parität mit dem ersten. Und ihr schwacher Verstand existiert in einem Zustand der Unmittelbarkeit, zwischen Frivolität und Schicklichkeit. Das Christentum germanischer Prägung hatte den Irrtum begangen, die Frau in den Stand einer »Dame« zu erheben, statt ihr einen Meister zu geben und die Polygamie einzuführen. Die Art und Weise, wie Schopenhauer die Metaphysik des Geschlechts von der Meinung über Frauen trennte, wird sich als höchst einflußreich erweisen. Darauf wird zurückzukommen sein. Mit Schopenhauers metaphysischer Sprache, in der die Frauen lediglich zur Erhaltung der Art dienen, wird den früheren rechtsphilosophischen Analysen des Geschlechterunterschieds der Boden entzogen. Durch eine solche Entpolitisierung des Problems verschwinden gewisse Stützen, beispielsweise das abstrakte Zugeständnis der Gleichheit der Geschlechter, das innerhalb des rechtsphilosophischen Rahmens fast selbstverständlich scheint. Damit kann sich der Frauenhaß ungehemmt entfalten und wird später noch zusätzlich ideologisch verbrämt.

Kierkegaard stellt die Ehe in den Mittelpunkt seines *philosophischen* Denkens. Er meditiert über Liebe – zunächst über die Liebe zum Anderen, danach über die Liebe zum Wahren (und darüber hinaus zu Gott) sowie über fleischliche und philosophische Erotik. Sowohl das sexuelle als auch das geschlechtsspezifische Begehren werden von ihm mit bemerkenswerter Eindringlichkeit befragt, beschrieben und nach allen Seiten hin beleuchtet. Kierkegaard bearbeitet im philosophischen Diskurs eine subjektivistische Position, indem er von seiner eigenen Geschichte ausgeht und sich anderer Subjektivitäten bedient (zuweilen benutzt er sogar Pseudonyme). Sein Werk kann in erster Linie als ein philosophisches Erkennen des menschlichen Begehrens verstanden werden. In dieser Hinsicht geht Kierkegaard neue Wege, sowohl in den Themen als auch im Stil seiner philosophischen Betrachtungen.

Kierkegaard äußert sich kritisch über Schlegels Verherrlichung der romantischen Liebe in *Lucinde*. Sie sei auf Sinnlichkeit, jener Quelle falscher Ewigkeit, gegründet. Diese trügerische Liebe nähre bei Frauen zudem den verwerflichen Wunsch nach Emanzipation. Sie sei um so mehr eine Illusion, weil sie die grundlegende Bedeutung des Christentums für unsere Zivilisation ignoriere, insbesondere die der Feindschaft zwischen Körper und Geist. Die Spannung zwischen dem Sinnlichen und dem Geistigen präge unser Verhältnis zur Liebe und könne daher nicht außer acht gelassen werden. Deshalb bemüht Kierkegaard sich in ausführlichen Analysen von Verlobung und Ehe um eine Unterscheidung zwischen drei verschiedenen Ebenen, auf denen sich die Liebe entfalten kann: auf der Ebene des Ästhetischen ist die Liebe an den Moment, auf der des Ethischen ist sie an die Zeit und auf der des Religiösen an die Ewigkeit gebunden. Ohne sich selbst zu schaden, kann der Mensch nicht auf sein Verhältnis zur Ewigkeit verzichten; seine Endlichkeit ist nur in Anbetracht des Unendlichen erträglich – ein Paradoxon, das seinen konkreten Ausdruck im Konflikt zwischen Körper und Geist findet. Man kann somit Ewigkeit im Ästhetischen und im Ethischen finden (oftmals der Ehestand), und das Ästhetische im Religiösen. Das gelingt aber erst nach langwierigen Überlegungen, die zum Beispiel das *Tagebuch des Verführers* zu einem äußerst detaillierten Text über Liebesstrategien werden lassen. Kierkegaard kommt zu dem nicht überraschenden Schluß, daß eine der Möglichkeiten zur Versöhnung dieser widerstreitenden Impulse die Entscheidung für die Keuschheit sei.

Wie aber sieht Kierkegaard den Unterschied zwischen Mann und Frau? Wenn man ihn nicht in Form einer Regel, sondern im Diskurs über das Begehren zu erfassen versucht, ist der Unterschied wesentlich einfacher in seinen Wandlungen wahrnehmbar. Insofern ist das Vorhandensein des Weiblichen im Männlichen, der Bisexualität des

Menschen, Bestandteil des Zusammenspiels beider Geschlechter. Desgleichen kann es keine Verführung ohne gegenseitige Freiheit bzw. keinen Besitz des anderen ohne dessen Anerkennung geben. Dennoch weicht Kierkegaards Liebesdialektik lediglich in einem Punkt von der traditionellen Darstellung der Frau ab: Die Erhaltung der Art ist für die Ehe nur ein Zweck unter anderen, und damit beschränkt sich das Dasein der Frau nicht auf ihre Rolle bei der Fortpflanzung. Die Frau wird bei Kierkegaard zum »Traum des Mannes«, zur »Vollkommenheit in der Unvollkommenheit«, zur Natur, Erscheinung, Unmittelbarkeit – sie ist all das, was den Mann daran hindert, direkten Kontakt zum Absoluten zu haben. Die Frau drückt das Endliche aus, der Mann läuft dem Unendlichen hinterher. Wenn die Schlange der Emanzipation Besitz von seiner Frau ergriffen habe, müßte das den Mut des Mannes brechen. Ihm bliebe nichts anderes, als sich auf einen öffentlichen Platz zu stellen und zu heulen, wie ein Künstler, dessen Werk zerstört wurde und der sich selbst nicht einmal mehr daran erinnern kann, was jenes darstellte.

Die Verschiedenheit der Geschlechter impliziert die Existenz des Anderen, und da der Mann das Subjekt des philosophischen Diskurses ist, muß dessen Objekt, das Andere, notgedrungen die Frau sein.

Das Paar, das aus dem Einen und dem Anderen, dem Mann und der Frau besteht, ist nicht von ungefähr von entscheidender Bedeutung für die Arbeit des metaphysischen Denkens. Die Vorstellung des Zwei-Seins – des Dualismus von Geist und Körper im Menschen, des Dualismus von Natur und Gott außerhalb des Menschen – hat ihren Ursprung im Konzept der geschlechtlichen Differenz. Das hat die Hegelsche Dialektik bereits hervorgehoben.

Mit Ludwig Feuerbach und Auguste Comte gelangen wir kurz vor der Mitte des 19. Jahrhunderts zur Kritik der Metaphysik. Bei beiden ist der Geschlechterunterschied von grundlegender Bedeutung für ihr philosophisches System und die darin entwickelte Kritik.

Feuerbach ist ein entschiedener Kritiker der christlichen Religion, Auguste Comte der Prophet einer neuen Religion; beide jedoch gründen ihre Kritik auf der Mann-Frau-Dichotomie. In *Das Wesen des Christentums* stellt Feuerbach den Menschen als Geschlechtswesen dem christlichen Mann gegenüber, der asexuell bzw. kastriert sei. Er entlarvt die Religion als eine Produktion des Mannes, der Gott nach seinem Bilde geschaffen hat – ein Bild, in dem alle Besonderheiten, namentlich der geschlechtliche Unterschied, zugunsten einer universellen Leere weggelassen worden seien: »Das ehelose, überhaupt asketische Leben ist der direkte Weg zum himmlischen unsterblichen Leben, denn der Himmel ist nichts andres als das übernatürliche, gattungsfreie, geschlechtslose, absolut subjektive Leben. Dem Glauben an die persönliche Unsterblichkeit liegt der Glaube zugrunde, daß die Geschlechtsdifferenz nur ein äußerlicher Anflug der Individualität, daß *an sich* das Individuum ein geschlechtsloses, für sich selbst vollständiges, *absolutes* Wesen ist.« (Bd. 5, S. 200)

Die geschlechtliche Bestimmung ist hier »ein inniger, ein chemischer Bestandteil« des menschlichen Wesens. Ebenso ist das menschliche Wesen nichts ohne seinen Leib, der den »Grund, das Subjekt der Persönlichkeit« bildet. »Aber der Leib ist nichts *ohne Fleisch und Blut* ... Aber Fleisch und Blut ist nichts ohne den *Sauerstoff der Geschlechtsdifferenz*. Die Geschlechtsdifferenz ist keine oberflächliche oder nur auf gewisse Körperteile beschränkte; sie ist eine wesentliche. Sie durchdringt *Mark und Bein* ... Die Persönlichkeit unterscheidet sich *wesentlich* in männliche und weibliche Persönlichkeiten. Wo kein Du, ist kein Ich.« (Ebd., S. 109)

Im Gegensatz zum Christentum mit seiner Furcht vor der geschlechtlichen Differenz und dem Fleisch glaubt Feuerbach an wahre Differenz sowie deren Entsprechung, die Komplementarität von Ich und Du, von Männlichem und Weiblichem. Es ist offensichtlich, daß die Keuschheit für Feuerbach keine Tugend darstellt, wenn er über das aus dem christlichen Glauben hervorgegangene Zölibat für wenige, nämlich die Priester, und die Ehe für viele spottet: Die Ehe gestattet es, die Natur zu verleugnen, während man ihr Genüge tut, und von daher erklärt sich, warum das Mysterium der Erbsünde das Mysterium des geschlechtlichen Vergnügens ist. Alle Menschen werden in Sünde empfangen, weil sie in Vergnügung und Sinnesfreude empfangen werden. Einzig die Ehe erlaubt es den Christen, diesen Widerspruch zu ertragen. Feuerbach hat sich vom Konzept der Liebe und Ehe als Einrichtungen zur Fortpflanzung weit entfernt und die Bedeutung von Sinnlichkeit und Lust betont. Er hält aber fest an der Komplementarität der Geschlechter. Er bedient sich der traditionellen Opposition zwischen Männlichem und Weiblichem, Aktivem und Passivem, Denken und emotionaler Intuition, jedoch vor allem um aufzuzeigen, daß der Unterschied keinen Bestand haben kann ohne Vereinigung und Ergänzung um einer zukünftigen Harmonie willen. Der Gedanke der geschlechtlichen Dualität wird durch den der gegenseitigen Ergänzung aufgehoben, so daß die Freiheit beider Geschlechter ein streng geregeltes Spiel bleibt.

Die Vorstellung eines komplementären Paars findet sich auch im Denken Auguste Comtes, wo sie zugleich in gesellschaftlichen wie auch religiösen Kontexten erscheint. Die Biologie dient ihm dabei als verbindliche Grundlage für seine Argumentation. Die Berufung der positivistischen Philosophie auf die Naturwissenschaft ist bekannt. Gleichwohl sei daran erinnnert, daß die Biologie überhaupt erst in den 1840er Jahren als Wissenschaft anerkannt wird. Die Biologie bestätige endgültig die »Hierarchie der Geschlechter«, schreibt Comte 1843 an John Stuart Mill. Vor dem Hintergrund einer unwandelbaren Natur, in der der Frau das Gefühl und dem Mann der Intellekt zugeschrieben werden, verändert Auguste Comte im Laufe seines Schaffens das männlich-weibliche Paar. Er ändert die Definition der Frau, ohne damit sein differentielles System insgesamt wirklich zu modifizieren. In Comtes letztem Gesellschaftsentwurf werden Frauen nicht länger wie große Kinder behandelt, sondern zu Göttinnen erhoben, äußert John Stuart Mill während der Arbeit an seiner eigenen Abhandlung über die Unterwerfung der Frauen. Das ist etwa fünfundzwanzig Jahre später, nachdem seine umfangreiche Korrespondenz mit Comte aufgrund von Meinungsverschiedenheiten über die Frage der Gleichheit der Geschlechter unterbrochen worden ist.

Für Comte leben die Frauen in einem Stadium der radikalen Kindlichkeit; sie gehören der Familie, dem häuslichen Leben an, und diese basieren auf der Geschlechterhierarchie. Frauen sind dem Mann nicht gleichwertig, sondern dessen Begleiterinnen. Außer in mütterlichen Funktionen wirken sie als Quelle sozialer Empfindungen, und für den aufkommenden Positivismus haben sie eine Mission als geistliche Hilfskräfte zu erfüllen. Frauen verkörpern »das gefühlvolle Geschlecht« und sollen deshalb in der zukünftigen Religion eine Rolle spielen, also nicht völlig eingeschlossen nur im häuslichen Bereich leben. Dem Positivismus konnte man sich in der Tat ebensogut mit dem Kopf wie mit dem Herzen nähern.

Die Beziehung zwischen Comte und Clotilde de Vaux, deren Tod und der anschließend von Comte betriebene Kult um ihr Gedenken verändern diese Struktur nicht grundlegend; im Gegenteil, sie verleihen ihr eher neue Tragweite. Der Wandel vollzieht sich im wesentlichen in der Sprache: Die Frau, Tochter, Mutter und Schwester wird für den Mann zu einem »Engel« und für die Menschheit zu einer Göttin. Diese neue Religion, die das alte Christentum ersetzen soll, stellt die jungfräuliche Mutter in den Vordergrund. Der Gedanke von der geschlechtlichen Komplementarität gelangt damit zu einer hypertrophen Vorstellung vom Weiblichen.

Auguste Comte läßt sein privates Leben in seine Schriften einfließen, und keine post mortem Analyse ist erforderlich, um dafür den Beweis anzutreten: Frauen stehen im Mittelpunkt seiner philosophischen Betrachtungen. Dieses ist wiederum nicht als Anekdote von Interesse, sondern im Hinblick auf Comtes Aussagen. Er selbst spricht von der »grundlegenden Verbindung zwischen meinem privaten und meinem öffentlichen Leben«. Mehr noch als die Existenz der Frau und des

Weiblichen in der Philosophie macht sich die Verbindung zwischen Mann und Frau im Denken bemerkbar. Dieser Punkt kann nicht genug gewürdigt werden: »Mit Mann und Frau haben wir das gesellschaftliche Individuum«, befindet Saint-Simon und bahnt damit um 1830 den Weg für die Vorstellungen der utopischen Sozialisten, vor allem der Saint-Simonisten. Zu ihnen zählt auch Auguste Comte, der zu jener Zeit sein Sekretär ist. Die Darstellung des Paares folgt allerdings ebenso strengen Regeln wie im dualistischen Denken. Abweichungen jedweder Art erweisen sich als undenkbar. So findet sich bei Comte die Apologie der Ehe, das Verbot jeglicher Teilhabe von Frauen am öffentlichen Leben, die Zufriedenheit mit ihrem »heilsamen Ausschluß« vom gesellschaftlichen und politischen Leben, das ihnen nur über indirekte Partizipation zugänglich sein soll. Comte ist Molière dankbar, daß dieser es so gut verstanden hat, gute Argumente für eine Einschränkung der Bildungsmöglichkeiten von Frauen zu liefern, und brandmarkt den entstehenden Feminismus als einen »Aufruhr« ohne Zukunft.

Autonomie, Emanzipation und Gerechtigkeit

Mitte des 19. Jahrhunderts scheinen sich die Einsätze zu klären; die politische und die philosophische Geschichte verändern die Problematik. Nach der Revolution von 1848 verläßt das Nachdenken über die Frauenfrage sowohl den Bereich des Rechts als auch den der Natur und entwickelt sich in Form eines Diskurses zum einen über Liebe, menschliches Begehren und Transzendenz, und zum andern über die Metaphysik der Differenz. Das bedeutet eine Rückkehr zu Fragen der Familie, der bürgerlichen Gesellschaft und generell der Immanenz. Die sozialen Probleme und die Religionskritik treten in den Vordergrund, die Sorge über die Erhaltung der Art wird in den Hintergrund gedrängt.

Gleichzeitig erfährt die Misogynie der Philosophen im Kern einen Wandel. Das liegt zweifellos daran, daß sich die Emanzipation der Frauen konkret absehen läßt und daß der Feminismus als soziale und politische Bewegung zur öffentlichen Realität wird. Während Philosophen wie Pierre Leroux, Marx oder Mill sich wohlwollend über Frauen äußern, schreiben sich andere wie Proudhon in die Tradition Kants und Schopenhauers sowie der französischen Revolutionsideologie ein, indem sie unentschieden sind zwischen dem völligen Ausschluß des weiblichen Geschlechts aus Gesellschaft und Politik und dessen Einstufung als unheilbringende Kraft. Das Infragestellen der Metaphysik zeitigt ambivalente und widersprüchliche Wirkungen auf die Vorstellungen über die Geschlechterdifferenz.

Pierre Leroux, einer der Theoretiker der Emanzipation, befaßte sich sowohl mit Rechtsfragen als auch mit Liebe, sexueller Identität sowie mit geschlechtlicher Differenz. Er kann als Übergangsfigur zwischen den älteren utopischen Sozialisten, den Anhängern Saint-Simons und Fouriers, und den Theoretikern der Revolution, Marx und Proudhon, gewertet werden. Mit seiner Befürwortung der Religion ist Leroux noch ein Mann der Jahrhundertwende. Sein Appell an die Gerechtigkeit hingegen stellt ihn an die Seite der neuen Kämpfer. Unter dem zentralen Begriff der Liebe sucht er bestimmte neue Elemente in die Diskussionen seiner Zeit hineinzutragen.

Leroux betrachtet die Liebe weder als Sexualität und Fortpflanzung noch als Beziehung zwischen Begehren und Verfügung. Vielmehr definiert er sie als »Gerechtigkeit in ihrer göttlichsten Gestalt«. Gottes Gerechtigkeit könne nicht einfach Gleichgewicht sein, sondern müsse sich auf einen dritten Begriff, die Liebe, beziehen. Gott sei weder Mann noch Frau, wie die Anhänger Saint-Simons behaupteten: »Gott wird erst offenbar, wenn das Er und das Sie, die in ihm als Möglichkeit sind, durch ein drittes Prinzip, die Liebe, vereinigt werden; und dann, nur dann offenbaren sich die beiden Prinzipien, die ihr unterscheidet. Und gleichermaßen erweisen sich Mann und Frau nur dann als Geschlechter, wenn Liebe sie vereint. Vor der Liebe und dem Paar gibt es die Frau nicht; denn sie existiert nicht als Frau, sie ist nur menschliche Person.«

Verdeutlichen wir uns diese verschiedenen Punkte noch einmal: Es ist nicht die Metaphysik der Zweiheit, sondern der Triade, die Leroux für relevant erklärt. Das ist seine Antwort auf die Frage des Jahrhunderts, die Frage der Dialektik. Die Zweiheit findet unter Umständen in einem dritten Begriff zusammen. Mit Hilfe der Triade kann Pierre Leroux zugleich die geschlechtliche Identität und die geschlechtliche Differenz begrifflich denken, und er kann darüber hinaus die Möglichkeit einer wirklichen Gleichheit zwischen Mann und Frau bekräftigen. Das ist das Neue und Interessante seiner Überlegungen. Er unterscheidet im Mann-Frau-Verhältnis zwei Sphären: die der sexuellen und amourösen Beziehungen und die der sozialen Situation der Frauen als Individuen. Die erste Sphäre ist geprägt durch den Geschlechterunterschied, die zweite nicht. Das Weibliche ist eine Möglichkeit und nur eine von vielen Besonderheiten des Individuums. Es ist eine Möglichkeit, deren sich die Frau gewahr wird oder auch nicht; wenn ja, bringt sie diese gegebenenfalls zum Ausdruck, indem sie Ehefrau und Mutter wird. Infolgedessen muß zwischen der Frau, der Ehefrau und dem Menschen unterschieden werden. Erstere wird durch die Geschlechterdifferenz im Kontext der klassischen Komplementarität der Liebesbeziehung geprägt, die zweite macht die gesellschaftliche Realität dieses Ergänzungsverhältnisses offenkundig, wobei sie jedoch die »Parität« zwischen Mann und Frau respektiert; die dritte trägt lediglich der Ähnlichkeit beider Geschlechter Rechnung, insofern als beide Personen sind.

Es besteht ein zweifaches Interesse an dieser subtilen Unterscheidung: Zunächst gestattet sie es Leroux, die irreführenden Versprechungen der Gleichberechtigung zu kritisieren, und zwar sowohl die formale Gleichheit im Code civil, die in Wirklichkeit die Abhängigkeit der Ehefrau festschreibt, als auch die reale Gleichheit der Saint-Simonisten, die die freie Liebe predigen und in dieser die Frauen unterwerfen. Wahre Gleichheit sei aber eine Beziehung der Gerechtigkeit und Billigkeit, und diese erwachse nicht aus leeren Abstraktionen. Der Geschlechterunterschied und die Last der traditionellen Hörigkeit der Frau verböten simple Erklärungen und machten Präzisierungen erforderlich.

Da es für ihn die Liebe ist, die als der dritte Begriff die geschlechtliche Dualität transzendiert, kann Leroux den Krieg der Geschlechter, der zu seiner Zeit die Gestalt des offenen »Aufstandes« anzunehmen beginnt, nicht akzeptieren. Die Frau werde den Mann emanzipieren und umgekehrt; dies sei der egalitäre Horizont, der vor beiden Geschlechtern liege: für die Frau als geschlechtliches Wesen sei Gleichheit unwesentlich, für die Frau als Ehefrau und als Mensch hingegen unbedingt erforderlich.

Max Stirner zieht gegen Pierre Lerouxs Auffassungen zu Felde, die, wie er vermutet, auch von seinem Landsmann und Diskussionspartner Feuerbach geteilt werden. Er kritisiert an beiden Theoretikern deren Heiligsprechung der Liebe und Wiederherstellung des Göttlichen ungeachtet der von beiden vorgetragenen Kritik an Gott und Religion. Stirner kritisiert mit anderen Worten, daß deren Humanismus die Werte, die einstmals Gott anheimgegeben waren, nun einfach dem Menschen übergebe. Zu diesen Werten zählten vor allem anderen Liebe, Familie, Menschlichkeit, Männlichkeit und Weiblichkeit. Wenn man statt dessen zuerst das Individuum setze, was Stirner vorschlägt, dann werde deutlich, daß das Individuum zugleich einzigartig und egoistisch, d. h. durch sein Selbst definiert sei, bevor es durch männliche und weibliche Werte bestimmt werde.

Menschen sind geschlechtlich festgelegt, aber weder Mann noch Frau gehorchen immer der »wahren Männlichkeit« bzw. der »wahren Weiblichkeit«. Das Geschlecht ist eine naturgegebene Eigenschaft, kein Ideal, das es zu erstreben gilt. Es ist in jedem einzelnen einmalig und unvergleichlich. Das ist für Feuerbach nicht nachvollziehbar, und in seinen Diskussionen mit Stirner handelt er das von diesem propagierte Ich als ein »ergo nicht geschlechtlich festgelegtes Ich« ab. Stirner weiß dagegen sehr wohl, worauf er hinaus will. Indem er vorgebliche Werte zurückweist, gibt er dem einzigartigen Willen des Individuums den Vorrang. Weder die Gattung noch die Familie bestimmten den Zweck des einzelnen, Individuen sind eher sich selbst zugehörig als irgendwelchen über sie hinausgehenden Entitäten. Einzelne bilden keine Gesellschaften, ganz gleich ob als Ehe, Familie oder Staat. Da eine jede Gesellschaft Abhängigkeitsverhältnisse schafft, hält Stirner den »Verein der Einzigen« für die einzige Möglichkeit, Individuen auf interessante Weise zu verbinden.

Diese Betonung des unabhängigen Individuums verlagert den Schwerpunkt des Diskurses auf die Geschlechterdifferenz: Menschen sind geschlechtsbestimmt, sogar bis in ihr Denken hinein, allerdings drückt sich diese Geschlechtsbestimmung nicht in Gestalt von Komplementarität bzw. in der Zuweisung bestimmter Rollen aus. Der Dualismus als Konzept wird aufgegeben, und das abstrakte Menschheitskonzept des Humanismus stößt ebenfalls auf Skepsis. Wiederum hat sich ein Wandel in der Diskussion über Geschlechterbeziehungen vollzogen. Jetzt gilt das Interesse verstärkt dem Individuum und der Gesellschaft, mehr der Familie als dem Paar und der Ehe. Die Frage der Geschlechterbeziehungen wird nun entweder im Hinblick auf das autonome Individuum oder im Hinblick auf das Individuum, welches in der Familie eine Gesellschaft bildet, formuliert.

Karl Marx verwirft in seinen frühen Schriften sowohl Feuerbachs Essentialismus als auch Max Stirners Individualismus. Marx zufolge spielen beide lediglich mit Konzepten, während es darum gehen müsse, sich den Tatsachen zuzuwenden, genauer gesagt, den gesellschaftlichen Gegebenheiten. So sei beispielsweise die bürgerliche Familie keineswegs gleichzusetzen mit der proletarischen Familie. Stirner kritisiere die dominante bürgerliche Familie, doch es gebe noch die andere, durch den Kapitalismus dem Zerfall ausgesetzte Familie. Letztere zeige gänzlich andere, weniger geschäftliche Beziehungsformen. Innerhalb der bürgerlichen Familie seien Eigentum und Geschäft die treibenden Elemente sowohl hinsichtlich der Frauen und Kinder als auch hinsichtlich des materiellen Besitzes. Marx preist Fourier als den ersten, der es verstanden hat, Ehe und Familie als ein System von Besitzverhältnissen, im Rahmen dessen die Frau als Handelsware angesehen werde, bloßzustellen.

Für Marx ist die Familie also immer eine historische Realität. In seinem Werk *Die deutsche Ideologie* kritisiert er an Stirner dessen eher abstraktes als historisches Konzept der Familie. Die Familie durchlaufe mit der Zeit verschiedene Entwicklungsstufen, und es sei absurd zu glauben, sie abschaffen zu müssen. Bereits in seinen frühesten Schriften aus dem Jahre 1842 spricht sich Marx für Monogamie und das Recht auf Scheidung aus (im Gegensatz zu Hegel und dessen Heiligsprechung der Familie), und wiederholt weist er primitive Kommunismusvorstellungen sowie deren Idee einer »Frauengemeinschaft« zurück. Eine solche Gemeinschaft existiere bereits unter dem Namen »Prostitution« in Form des Warenhandels mit Frauen, die von Männern wie Gegenstände in Besitz genommen würden.

Der moderne Kapitalismus löse die proletarische Familie auf, weil er Frauen auf den Arbeitsmarkt zwinge und damit aus dem privaten Bereich der Familie heraushole. Auf diese Weise leite er, ohne es zu wissen, den Prozeß der Befreiung der Frauen ein. In der Tat sei Lohnarbeit der erste Schritt zu einer Autonomie der Frauen, die der Kommunismus mit der Abschaffung des Privatbesitzes und den Veränderungen der Produktionsverhältnisse vollständig durchsetzen werde. Insofern schaffe die Ökonomie und nicht das Gesetz die Grundlage für die Befreiung der Frau sowie für eine neue Familienstruktur.

In den *Ökonomisch-philosophischen Manuskripten* von 1844 versucht Marx, die Familie als primäre gesellschaftliche Beziehung zu definieren und die Frau als das natürliche Wesen, das es dem Mann gestatte, diese primäre gesellschaftliche Beziehung aufzubauen. Es entwickele sich eine menschliche, über die bloße Natur hinaus führende Beziehung, die Familie sei die Brücke zwischen Natur und Gesellschaft, die Keimzelle einer jeden Gesellschaft. Innerhalb dieses Prozesses werde die Frau zum ersten Besitz des Mannes (gemeinsam mit den Kindern zur Sklavin). Folglich sei es logisch, daß sie in der kapitalistischen Gesellschaft zur Ware degradiert werde. Ursprünglich Naturwesen, entwickele sich die Frau nun zum Handelsobjekt: Die stufenweise Veränderung familiärer und gesamtgesellschaftlicher Beziehungen allein konnte es der Frau ermöglichen, ihre Menschlichkeit wiederzuerlangen.

Engels nimmt dieses Thema – die Evolution der Familie, deren Ursprung und Zukunft – zu einem Zeitpunkt wieder auf, als die Vorstellung von der historischen Entwicklung der Familie als Keimzelle der Gesellschaft weiter ausgearbeitet worden ist. Gegen Mitte des 19. Jahrhunderts wird die Familie noch als unveränderliche Größe betrachtet. Nur Fourier steht allein mit seinem Versuch, sie anders zu definieren und eine wirtschaftliche Analyse von Ehe und Familie zu entwerfen. Marx gibt der Debatte nun eine konkrete Richtung, indem er darlegt, daß die Frau aufhören könne, Instrument der familiären und gesellschaftlichen Produktion zu sein, um zur Arbeiterin innerhalb eines Produktionssystems und zu einem unabhängigen Wesen im Privatleben zu werden.

Tatsächlich ist die Zeit für eine Geschichte der Familie noch nicht reif. Proudhon, ein Zeitgenosse (und Gegner) von Marx, sieht in Ehe und Familie die eigentliche Verkörperung der unveränderlichen Beziehung zwischen Mann und Frau. Gleichzeitig sind es nun wirtschaftliche und nicht nur metaphysische Argumente, die die Unveränderlichkeit der Familie und der Geschlechterbeziehungen bestätigen. Man muß wiederum bei dem Verhältnis zwischen Familie und Gesellschaft ansetzen.

Das Ziel Proudhons ist es, der wirtschaftlichen und sozialen Ungerechtigkeit ein Ende zu bereiten. Einen ersten Schritt sieht er darin, den Ort der Gerechtigkeit zu definieren. Der Dualismus, so argumentiert er, sei eine organische Bedingung für Gerechtigkeit, und die primäre Form des Dualismus sei die des Paares als Grundlage der Familie. Ableitungen davon seien beispielsweise der wirtschaftliche Dualismus mit der Produktion auf der einen und der Konsumtion auf der anderen Seite sowie der Arbeitsdualismus, bei dem die Frau für die Reproduktion (Haushalt, Konsum, Sparen) und der Mann für die Produktion (Werkstatt, Herstellung, Handel) zuständig ist.

Die Familie ist für Proudhon die Inkarnation der Gerechtigkeit; das heißt aber noch lange nicht, daß sie für ihn auch die Keimzelle der Gesellschaft ist. Im Gegensatz zu Marx und Bonald (die trotz der bestehenden politischen Differenzen einen starken Einfluß auf sein Denken haben), macht Proudhon die Werkstatt und nicht die Familie zur Grundeinheit der Gesellschaft. Die Familie unterscheidet sich vom übrigen gesellschaftlichen Leben. In ihr herrscht ein auf Ungleichheit gegründeter Frieden, der unberührt ist von jeglichem Konflikt oder Antagonismus und der auf dem Respekt vor der Dualität der Geschlechter basiert. Konflikt und Konkurrenz gehören in den Bereich von Wirtschaft und Politik und werden erst aufhören, wenn Gerechtigkeit anderswo, und zwar in der gesellschaftlichen Dualität, entstehe. Das Paar ist somit der Zusammenschluß zweier Individuen (keineswegs eine Verbindung), der Ausdruck eines einzigen (sozialen) Individuums, das man durchaus als androgyn bezeichnen könnte.

Die Gerechtigkeit soll nach Proudhon dasjenige vereinigen, was sich sonst nur zu streiten vermag, und sie tut dieses in anderer Weise als durch die gefährliche Kraft der Liebe: »Verändert, verwandelt oder stellt das Verhältnis der Geschlechter auf den Kopf, durch welches Mittel auch immer, und ihr werdet die Ehe in ihrem Wesen zerstören; aus einer Gesellschaft mit Vorherrschaft der Gerechtigkeit macht ihr eine Gesellschaft, in der die Liebe die Vorherrschaft übernimmt.« Im Gegensatz zu Pierre Leroux trennt Proudhon Liebe und Gerechtigkeit. Er knüpft subtile Verbindungen zwischen Ökonomie und Metaphysik, um seine Behauptung von der Minderwertigkeit des weiblichen Geschlechts zu beweisen.

Einige Kommentatoren gehen mit wenigen Bemerkungen auf die Frauen in Proudhons Leben (Mutter, Ehefrau, Töchter) ein; viel aufschlußreicher aber ist es, die Aufmerksamkeit auf seine endlosen Polemiken gegen die Feministinnen seiner Zeit (Jeanne Deroin, Juliette Lamber und vor allem Jenny d'Héricourt) zu lenken. Denn seine Theorie der Gerechtigkeit hat für seine Auffassung von Frauen katastrophale Folgen. »Haushälterin oder Kurtisane (und nicht Dienerin)«, so lautet der Proudhonsche Grundsatz, der in der äußerst antifeministischen, französischen Arbeiterbewegung Furore macht. Dieser Grundsatz bedenkt: Im häuslichen Leben übt die Hausfrau eine Tätigkeit aus, die zwar nicht entlohnt wird, aber auch nicht unterwürfig ist; in der Öffentlichkeit ist die Frau dagegen in den Marktverhältnissen gefangen, innerhalb derer sie praktisch selbst zur Ware wird. Der geschlechtliche Dualismus des Ehepaares hingegen ist, trotz der Ungleichheit zwischen Mann und Frau, auf gegenseitigen Respekt gegründet.

Den Diskurs über die Komplementarität und Gleichwertigkeit der Geschlechter, der zumindest den Anschein von Fairneß erweckt, gibt Proudhon allmählich auf zugunsten einer grenzenlos frauenfeindlichen Position, auch wenn das weibliche Geschlecht im allgemeinen die Verliererrolle hat. Die Frau sieht er als »Ergänzung« des Mannes, die ihre Schönheit der Stärke des Mannes zugesellt; die Schönheit erachtet er allerdings als Stillstand der Entwicklung. Sie stelle die Frau nahezu auf eine Stufe mit ihren Kindern. Folglich sei sie unmündig, ein minderwertiges Wesen, Materie, der Aristoteles zufolge erst Gestalt verliehen werden müsse, und deshalb suche das Weibliche das Männliche. Schließlich stuft Proudhon die Frau als Übergangswesen zwischen Mensch und Tier ein, in ihrer gewöhnlichen Stellung eine Variante zwischen Natur und Gesellschaft, aber eine Variante von verhängnisvoller Bedeutung: »Zwischen Frau und Mann kann es Liebe, Leidenschaft, Gewohnheitsbeziehung und was immer man will geben, aber nicht wirklich Gesellschaft. Mann und Frau bilden keine Gesellschaft. Die Differenz der Geschlechter errichtet zwischen ihnen ebenso eine Trennung wie es die Differenz der Rassen zwischen den Tieren tut. Daher kann ich dem, was man heute Emanzipation der Frau nennt, keinen Beifall zollen. Ja, sollte es zum Äußersten kommen, dann wäre ich eher geneigt, die Frau einzusperren.«

John Stuart Mill nimmt geradezu die entgegengesetzte Position zu Proudhon ein. Dieses beweist nicht zuletzt seine Korrespondenz mit Auguste Comte, denn dessen Antifeminismus führt schließlich zum Bruch ihrer Beziehung. Andere Details seiner Biographie sind gleichermaßen aufschlußreich. In seiner Autobiographie berichtet er, wie er sich mit seinem Vater gestritten habe, als dieser den Frauen das Wahlrecht verweigern wollte, und wie entscheidend für ihn seine

Begegnung mit Harriet Taylor gewesen sei. Zwanzig Jahre sind sie eng befreundet, bevor der Tod von Taylors Ehemann ihnen schließlich die Heirat ermöglicht; die Hochzeit nimmt Mill zum Anlaß, eine Erklärung abzugeben, in der er sich verpflichtet, niemals Gebrauch von den »unrechten Rechten« des Ehemannes über die Frau zu machen. Ihre intellektuelle Zusammenarbeit ist besonders bemerkenswert. Sie veröffentlichen drei gemeinsame Schriften: über Ehe und Scheidung (1832), über die Emanzipation der Frau (1851) und über die Unterwerfung der Frau (1869). Mill und Taylor schreiben beide, sie tauschen sich bei ihrer Arbeit ständig aus, und der Einfluß reicht über den Tod hinaus. Noch bemerkenswerter ist indes, was Mill dieser Zusammenarbeit zu verdanken behauptet. Ihre Zusammenarbeit erstreckt sich nicht nur auf ihr gemeinsames Anliegen, einen Beweis für die mögliche Gleichheit zwischen den Geschlechtern zu liefern. Mill anerkennt darüber hinaus den entscheidenden Einfluß von Harriet Taylor bei der Erarbeitung seines philosophischen Gesamtwerkes (mit Ausnahme seiner Arbeiten über Logik). Sie leben und arbeiten in einer intellektuellen Gemeinschaft, die weit über das gemeinsame Engagement für Ideen hinausgeht und den eigentlichen Prozeß philosophischer Erkenntnis einschließt.

Die Frage nach der intellektuellen Produktion ist im Hinblick auf den Geschlechterunterschied zweifellos hochinteressant und wichtig. Gleichwohl werde ich mich im folgenden auf Mills Vorstellungen über die Gleichberechtigung der Geschlechter beschränken. Diese lassen sich in drei Gruppen unterteilen: zunächst diejenigen über die Geschichtlichkeit der Beziehungen und die gegenwärtige Ungleichheit der Geschlechter; dann die Überlegungen zur modernen Politik und insbesondere zu Wahlrecht und Selbstbestimmung von männlichen und weiblichen Staatsbürgern; schließlich Betrachtungen über das Eherecht, d. h. die Rechte der Individuen im Ehestand.

Mills Auseinandersetzungen mit Auguste Comte beziehen sich auf die erste Gruppe: Die Biologie könne nicht die letzte Wahrheit über die Beziehungen zwischen den Geschlechtern sein, Frauen seien bereits das Produkt von Erziehung, und diese sei selbst veränderbar. Dieses schon von Condorcet benutzte klassische Argument betont den Unterschied zwischen Frauen als historisch ausgebildeten Personen und einem vorgeblich naturgegebenen Wesen des weiblichen Geschlechts. Mit Mill allerdings ändert sich allein die Tonart dieses Arguments: Er benutzt Begriffe wie »Unterwerfung« und »Befreiung« und beschreibt die Lage der Frauen als eine Form der »Sklaverei«. Dasselbe tun Fourier und Marx zum Entsetzen von Auguste Comte und später auch Freud, der als junger Mann einige der Millschen Texte übersetzt. Das Gegenteil von Sklaverei ist Freiheit, und John Stuart Mill ist ein Philosoph der

Freiheit. Deshalb kritisiert er die Behauptung seines Vaters, die Interessen der Frau stünden in Einklang mit denen ihres Mannes, der allein fähig und vor allem über das Wahlrecht auch befugt sei, an öffentlichen Angelegenheiten teilzuhaben. Freiheit, sofern es sie überhaupt gibt, könne nicht delegiert werden, und jeder einzelne habe Anteil daran: Männer ebenso wie Frauen, im öffentlichen Recht ebenso wie im bürgerlichen Recht, in der Öffentlichkeit ebenso wie zu Hause. Eine Heirat könne demnach die Rechte der Frau nicht aufheben. Das Ende der Sklaverei kündige die Freiheit und Emanzipation jedes einzelnen an. Als Verteidiger der individuellen Freiheit setzt sich Mill entschieden von der großen Zahl seiner Zeitgenossen ab, die sich der Metaphysik der Liebe und der Analyse der Familie als gesellschaftlicher Mikrokosmos verschreiben. Geschlechtliche Liebe und Mutterschaft interessieren ihn kaum. Sein Denken konzentriert sich, darin Stirner ähnlich, auf das Individuum und den Staatsbürger. Allerdings ist dieser Verteidiger der Freiheit gleichzeitig auch Logiker: Er ist entschlossen, die Gleichheit zu beweisen, und die Aufgabe stellt sich als äußerst schwierig heraus. Kann es tatsächlich etwas wie einen Beweis für die Gleichheit, insbesondere für eine Gleichheit der Geschlechter geben? Mill hat seine Zweifel darüber und teilt sie seinen Lesern in aller Schärfe mit.

In der Schweiz kommt Charles Secrétan wenig später, ausgehend von einer Moralphilosophie, die der sogenannten protestantischen Erweckungsbewegung nahesteht, zu ähnlichen Schlußfolgerungen: »Die Frau ist eine Person, denn sie hat Pflichten.« Auch wenn das Konzept der »Persönlichkeit« noch unklar ist, steht es doch mit Sicherheit im Widerspruch zur damaligen »Sklaverei der Frau«. Und die offensichtliche Verschiedenheit der Geschlechter, die seit Condorcet von den Theoretikern des Frauenrechts nie mehr bestritten worden ist, stellt kein unüberwindbares Hindernis dar: »Die geistige Minderwertigkeit berechtigt also ebensowenig wie die muskuläre Minderwertigkeit dazu, die juristische Persönlichkeit von der moralischen zu trennen und die erstere denen zu verweigern, die durch die Natur zur moralischen Persönlichkeit bestimmt sind. Wenn die Frau eine Person ist, ist sie juristisch gesehen ein Zweck in sich: Das Gesetz muß sie entsprechend behandeln und ihr die Rechte zuerkennen. Wenn sie eine Person ist, ist sie auch Staatsbürgerin: Wir fordern das Wahlrecht für die Frau, damit ihr endlich Gerechtigkeit widerfährt.«

Das Individuum, die Geschichte der Familie und das weibliche Übel

Im späten 19. Jahrhundert verstärkt sich das Nachdenken über das Individuum. Es wird auf mannigfache Weise untersucht: als sozialer Akteur, als moralische und politische Person, als Mensch im Sinne Nietzsches, als Thema der Psychologie. Männer und Frauen werden dies alles, allerdings auf verschiedene Weise. Die Geschlechter werden weniger in ihrer Komplementarität gesehen, obgleich die obligatorische Bipolarität zwischen Männlichem und Weiblichem fortbesteht. Die während des gesamten Jahrhunderts vieldiskutierte Familienfrage wird insofern neu formuliert, als nun der Familie Geschichtlichkeit zuerkannt wird. Althergebrachte Gewißheiten über das Wesen von Mann und Frau fallen in sich zusammen und gleichzeitig werden wirkliche Männer und Frauen einer immer subtileren Analyse unterzogen. Die Psychoanalyse markiert einen bedeutenden historischen Einschnitt. Sie macht die Geschlechter und die Geschlechtlichkeit erstmals zum Mittelpunkt eines Denksystems. Aber die zunehmend sichtbare Geschlechterdifferenz löst eine Welle phantastischer und angsterfüllter Interpretationen aus. Die Frau kann zur Trägerin alles Negativen werden, beispielsweise zur Quelle der Dekadenz. Die Misogynie stattet sich mit einer für die Frauen besonders gewaltsamen Sicht der Welt aus.

Die »Bestimmung«, die der Frau noch zu Beginn des Jahrhunderts in Aussicht gestellt wurde, war farbloser, aber auch weniger zweideutig als das »Schicksal«, das man ihr am Vorabend des 20. Jahrhunderts anbietet.

Paradoxerweise findet die Betonung des Individuums vor dem Hintergrund neuer Überlegungen zur Familie ihren Ausdruck. Die Familie erhält nun eine historische Gestalt, und diese eröffnet beiden Geschlechtern größere Freiheiten. Bis zu diesem Zeitpunkt haben sich die Diskussionen über den Ursprung der Familie auf die biblische Überlieferung gegründet, und damit erscheint das Patriarchat unumstößlich. Auf diesen Punkt hat Friedrich Engels in seiner Schrift *Der Ursprung der Familie* hingegen hingewiesen und das Aufkommen der neuen Familiengeschichte mit Bachofens 1861 erschienenem Buch *Das Mutterrecht* datiert. Wenn die Familie eine Geschichte hat, dann kann sie zu einem früheren Zeitpunkt durchaus auch matriarchalisch strukturiert, eine Gynaikokratie gewesen sein. Die Geschichte der Familie verweist also auf das Gewaltverhältnis zwischen Männern und Frauen.

Der von Bachofen entwickelte Begriff des Matriarchats, der in späteren Jahren zum politischen Programm einer Alternative wird, eröffnet vor allem die Sicht auf einen mythischen und realen Ursprung, auf einen Zustand, der schließlich durch das Patriarchat überwunden wurde: »Wie auf die Periode des Mutterrechts die Herrschaft der Paternität folgt, so geht jener eine Zeit des regellosen Hetärismus voran. Die demetrisch geordnete Gynaikokratie erhält dadurch jene Mittelstellung, in welcher sie als Durchgangspunkt der Menschheit aus der tiefsten Stufe des Daseins zu der höchsten sich darstellt.« (S. XVIII)

Dieser Übergang wird in Aischylos' *Orestie* geschildert, in der das Recht Orestes, seine Mutter Klytaimnestra zu töten, mit dem Recht Klytaimnestras, ihren Gemahl Agamemnon zu töten, in Konflikt gerät; das Recht eines Mannes steht dem Recht einer Frau gegenüber. Mehr noch als die Gynaikokratie, die Vorherrschaft der Frauen, erweckt das Matriarchat oder Mutterrecht Bachofens Aufmerksamkeit. Das Recht geht ihm über die Macht. Die Vorherrschaft der Frauen stellt ein extremes Experiment dar, während das Mutterrecht, gegründet auf die Evidenz der weiblichen Filiation, einfach die früheste Regelung ist, die einer primitiven Unordnung entgegengesetzt wird. Die Ehe, die auf diese Regelung folgt, macht die Vaterschaft rechtsgültig, und die Frauen verlieren dementsprechend an Ansehen. Da aber das Mutterrecht in die Geschichte eingegangen ist, können sich Frauen bei ihrer Forderung nach gleichen Rechten (sowohl auf individuelle Autonomie als auch auf gesellschaftliche Emanzipation) darauf berufen.

Engels ist sich der Folgen einer solchen Argumentation deutlich bewußt. Die Relativierung des Vaterrechts erschüttert dessen Fundament; da es nicht von Anfang an bestanden hat, kann es ebenso eines Tages wieder verschwinden. Ganz offensichtlich ist Engels Sicht realistischer, »materialistischer« als die Bachofens, von dem er sich die »Fakten« und gewisse vorläufige Interpretationen entleiht: »Es ist eine der absurdesten, aus der Aufklärung des 18. Jahrhunderts überkommenen Vorstellungen, das Weib sei im Anfang der Gesellschaft Sklavin des Mannes gewesen. Das Weib hat bei allen Wilden und allen Barbaren der Unter- und Mittelstufe, teilweise noch der Oberstufe, eine nicht nur freie, sondern hochgeachtete Stellung.« (Bd. 21, S. 53)

Darauf sei eine Art linearer Fortschritt mit gelegentlichen Rückschritten gefolgt. Gewiß habe das Mutterrecht den Frauen eine starke gesellschaftliche Stellung gegeben. Doch die geschlechtliche Teilung der Arbeit in Produktion und Fortpflanzung sowie die Forderung der Frauen nach Monogamie habe dem ein Ende gesetzt. So sei aus einer Mischung von Ökonomie und Recht die »Einzelehe« entstanden, die den Übergang zum Patriarchat besiegelte. Das Patriarchat kombinierte die Gewißheit der männlichen Filiation mit der Möglichkeit, die vom Mann akkumulierten Besitztümer auf die Nachkommenschaft zu übertragen. Das genaue Datum dieser Revolution sei nicht bekannt; doch sie sei »die weltgeschichtliche Niederlage des weiblichen Geschlechts«. Die »Einzelehe« ist also kein Ideal; sie »tritt (...) keineswegs in die Geschichte als die Versöhnung von Mann und Weib, noch viel weniger als ihre höchste Form. Im Gegenteil: Sie tritt auf als Unterjochung des einen Geschlechts durch das andere, als Proklamation des bisher in der ganzen Vorgeschichte unbekannten Widerstreits der Geschlechter.« (Ebd., S. 68)

Nach Engels führt die Auflösung der Familie durch den Kapitalismus diesen Konflikt an sein Ende; gleichzeitig aber zeichnet sich seine Lösung ab in Gestalt neuer Rechte und der Lohnarbeit. Engels teilt diese Ansichten mit Marx und einigen Spezialisten, beispielsweise August Bebel (*Die Frau und der Sozialismus*, 1883). Er schließt seine Betrachtungen mit dem Bild einer durch die künftige Revolution neugeschaffenen Familie. Es sei kaum möglich, von ihr eine genauere Vorstellung zu haben, gleichwohl sei sicher, daß die geschlechtliche Liebe darin eine wesentliche Rolle spielen werde.

Die Geschichte der Familie und des Geschlechterverhältnisses erlaubt es, zwei Ideen zu entwickeln, nämlich erstens die Vorstellung eines Ursprungs und einer von der Gegenwart deutlich verschiedenen Zukunft der Familie und zweitens die Vorstellung, daß der Geschlechterkonflikt ein zu regelndes Probem sei. Der Diskurs über die Komplementarität verliert zweifellos an Glaubwürdigkeit, da er die Dialektik zwischen Macht und Begehren und die Dynamik der Beziehungen zwischen Männern und Frauen außer acht läßt. Sehr bald gibt es eine Vielzahl historischer Analysen des Geschlechterkonfliktes. Diese kreuzen sich mit ebenfalls neuen Theorien, über die Evolution der Menschlichkeit einerseits und die natürliche bzw. geschlechtliche Selektion andererseits. Allerdings scheinen weder Herbert Spencer, der Philosoph des Evolutionismus, noch Charles Darwin, der Theoretiker des Ursprungs der Arten, der Geschlechterfrage große Bedeutung beigemessen zu haben. Gleichwohl dienen ihre Ideen verschiedenen Denkern als Vorlage, um den wissenschaftlichen Beweis zu erbringen, daß die Gleichheit der Geschlechter unmöglich sei. Der alte, vornehmlich von philosophierenden Medizinern zu Beginn des Jahrhunderts geführte Diskurs findet damit neue Belege für die These, daß es die natürliche Berufung der Frauen zur Fortpflanzung schwierig, ja unmöglich mache, sich höheren Aufgaben zu widmen. Herbert Spencer zufolge kommt es darauf an, die Gesetze der Evolution, den Evolutionismus, als Mechanismus des Fortschritts zu erkennen. Bei diesem Fortschritt handele es sich um ein Gleichgewicht zwischen der Bevölkerungszahl und der Menge der Subsistenzmittel, also um ein Gleichgewicht zwischen Produktion und Reproduktion. Die Gesetze der Evolution sollten nach

Spencer auch für das Geschlechterverhältnis gelten. Der Konflikt zwischen Fortpflanzung bzw. Reproduktion und Individuation bzw. Selbstverwirklichung sei für die Frau ein Konflikt zwischen Fruchtbarkeit und geistiger Aktivität. Von daher gelte ganz offensichtlich, daß die Frau als Ganzes von der Rolle, die sie innerhalb der Art einzunehmen habe, vereinnahmt sei und deshalb weder ihr Ich noch ihren Verstand entwickeln könne. Einzig der Arbeit für die Gattung geweiht, könne sie sich dennoch verbessern: Bildung werde es ihr eines Tages gestatten, das Wahlrecht zu erlangen. Spencer, der zu Zeiten seiner Freundschaft mit John Stuart Mill der Geschlechtergleichheit als junger Mann wohlwollend gegenübergestanden hat, ändert seine Meinung angesichts der Emanzipationsbewegung.

Darwin macht trotz eines gewissen Unbehagens in seiner *Abstammung des Menschen* keinen Hehl aus seiner Überzeugung: Die durch geschlechtliche Selektion verstärkte natürliche Selektion habe den Mann privilegiert und ihn der Frau überlegen sein lassen. Auch auf die Frage, ob sich diese Ungleichheit im Laufe der Menschheitsentwicklung auflösen könne, fällt seine Antwort negativ aus: In seiner Theorie von der Vererbung erworbener Eigenschaften (die im übrigen falsch ist) geht er davon aus, daß die im Erwachsenenalter gemachten Fortschritte sich nur von Geschlecht zu Geschlecht vererben würden. Die Frauen würden also immer hinter den Männern zurückbleiben und die Ungleichheit somit fortbestehen.

Das von Geschichtlichkeit ausgehende Denken garantiert also ebensowenig eine Rechtfertigung der Geschlechtergleichheit wie das dem Recht verpflichtete Denken. Jeder Denkansatz scheint a priori den Frauen Chancen zu eröffnen und den Weg zu einer Gleichheit der Geschlechter zu ebnen. Letzten Endes aber bleiben beide diese Wirkung schuldig. Recht und Geschichte sind die beiden zentralen Achsen des Denkens im 19. Jahrhundert. Wenn es um die Gleichheit zwischen den Geschlechtern geht, lassen beide die Entscheidung offen.

Am Ende des Jahrhunderts bleibt die Frage der Gleichheit in der Schwebe. Man widmet sich jetzt statt dessen verstärkt der Geschlechterdifferenz. Nietzsches Werk beschäftigt sich eindringlich mit dieser Frage. Und Freud ist aus der Sicht der Philosophiegeschichte der erste, der den Geschlechterunterschied zum Gegenstand der Erkenntnis macht. Da die Psychoanalyse zugleich Praxis und Theorie ist, bewerkstelligt sie eine bemerkenswerte Rückkehr zum Realen. Die Überprüfung der Theorie anhand der Fakten wird generell zum zentralen Thema der neuen Humanwissenschaften. Das gilt insbesondere für die von Durkheim begründete Soziologie. So beginnt das 20. Jahrhundert als Ära des »fundierten« Wissens über die Geschlechter. Der Antifeminismus findet nun seinen bedeutendsten Denker in Otto Weininger, der weder eindeutig der Vergangenheit noch der Zukunft zuzurechnen ist.

Bei Nietzsche durchziehen geschlechtliche Metaphern zahlreiche seiner Diskurse. Mehr noch als eine bloße Metapher ist für ihn der Geschlechterunterschied, in den Bildern vom Männlichen und Weiblichen, vom Mann und von der Frau, eine Form des Denkens. Er bezeichnet eine Epoche als »männlich« oder die Wahrheit als »Frau«, ohne jemals »Männlichkeit« oder »Frau« zu definieren. Die Schwierigkeit zu definieren ist jedoch keine Schwierigkeit zu qualifizieren. Nietzsche spricht beispielsweise von Schönheit und Intelligenz und von deren seit der Antike bekannten Aufteilung zwischen Männern und Frauen. Das spezifische Wesen eines jeden Geschlechts hingegen bleibt bei ihm undurchsichtig. Man könnte sagen, daß es für ihn nicht Männer und Frauen im allgemeinen gibt, sondern nur bestimmte Männer und bestimmte Frauen. Das binäre System der Sexualität gestaltet sich um so geschmeidiger, je mehr das Räsonieren feste Kategorien zurückweist und sich an das Individuum selbst hält: »Diese Frau ist schön und klug: ach, wie viel klüger aber würde sie geworden sein, wenn sie nicht schön wäre!« (*Morgenröte,* § 282, Bd. 2, S. 184) Ein jedes Individuum ist genauso wahr wie ein jedes andere; und eine jede Frau ist ebenso *die* Frau wie die Frauen. Denn man kann immer noch darüber hinaus gelangen: »So will ich Mann und Weib: kriegstüchtig den einen, gebärtüchtig das andere, beide aber tanztüchtig mit Kopf und Beinen.« (*Also sprach Zarathustra,* Dritter Teil, § 23, Bd. 2, S. 457)

Aber das »Gesetz der Geschlechter« existiert nichtsdestotrotz, und es ist »ein hartes Gesetz für das Weib!« (*Die fröhliche Wissenschaft,* § 68, Bd. 2, S. 356). Nietzsche zieht die Klarheit der Illusion vor und die Anerkennung der Ungleichheit der Geschlechter einer unmöglichen Identität: »Die Leidenschaft des Weibes in ihrem unbedingten Verzichtleisten auf eigene Rechte hat gerade zur Voraussetzung, daß auf der anderen Seite nicht ein gleiches Pathos, ein gleiches Verzichtleistenwollen besteht: denn wenn beide aus Liebe auf sich selbst verzichteten, so entstünde daraus – nun, ich weiß nicht was, vielleicht ein leerer Raum?« (*Die fröhliche Wissenschaft,* § 68, Bd. 2, S. 237)

Solchermaßen ist das Gesetz der Liebe beschaffen, welches ebenso wie die Tatsache des Geschlechterkonfliktes selbst jegliche Gleichheit undenkbar und unwahrscheinlich macht. So bleibt den um das Liebesspiel betrogenen Frauen nur noch »die Nachsicht«; darüber hinaus das Mißtrauen gegenüber der Emanzipation: »Man kann in den drei oder vier zivilisierten Ländern Europas aus den Frauen durch einige Jahrhunderte von Erziehung alles machen, was man will, selbst Männer, freilich nicht in geschlechtlichem Sinne, aber doch in jedem anderen Sinne (. . .). Diese Zeit wird es sein, in welcher der Zorn den eigentlich männlichen Affekt ausmacht, der Zorn darüber, daß alle Künste und Wissenschaften durch einen unerhörten Dilettantismus überschwemmt und verschlammt sind, die Philosophie durch sinnverwirrendes Geschwätz zu Tode geredet, die Politik phantastischer und parteiischer als je, die Gesellschaft in voller Auflösung ist (. . .).« (*Menschliches, Allzumenschliches*, § 425, Bd. 1, S. 658f)

Und Nietzsche erklärt auch, warum das so ist: Die Frauen besitzen große Macht »in den Grenzen der Sitte«; wenn sie darauf verzichten, wie könnten sie dann eine gleichbedeutende Macht erlangen? Die Identität der Geschlechter und die Macht des einen oder des anderen sind die beiden Schlüssel zum Nachdenken über die Geschlechter. Nietzsche geht diesen Fragen mit ungewöhnlichem Scharfsinn nach, zweifellos dank seiner Fähigkeit, die Frauen aus den verschiedensten Blickwinkeln zu betrachten.

Die Wahrheit ist Frau, ebenso sind die Natur und das Leben Frauen. Da der Mann den Diskurs produziert, übernimmt die Frau die Rolle des anderen innerhalb dieses Diskurses. Aber deshalb wird die Frau noch nicht Objekt; sie vertritt vielmehr das für ewig unzugängliche Objekt, die Wahrheit. Im übrigen interessiert Nietzsche die Intelligenz der Frauen. Sie spiele eine bedeutende Rolle in der Liebe, und die Ehe könne ein »langes Gespräch« sein (*Menschliches, Allzumenschliches*, § 406, Bd. 1, S. 651). Nietzsche greift Schopenhauers Unterscheidung zwischen dem weiblichen Intellekt und dem männlichen Willen wieder auf (§ 411); allerdings vermischt er unentwegt die Eigenschaften beider Geschlechter. Er ist dabei vielleicht immer noch vom Bild der Schwangerschaft (der »intellektuellen Schwangerschaft«) fasziniert, von dieser gewaltigen Vorstellung von der Überwindung des Seins.

Der Vermännlichung Europas, von Napoleons Taten bis hin zu den künftigen Kriegen, steht das gefährliche Konzept des »Künstlers« gegenüber, in dem sich Komödianten, Juden und Frauen in der ihnen gemeinsamen Schwäche und Falschheit zusammenfinden. Diese konzeptuelle Nähe von Jude und Frau kennzeichnet das deutsche Denken jener Zeit, besonders das des Österreichers Otto Weininger. Dieses Denken läßt sowohl die Frau als auch den Juden über sich hinauswachsen und eine zugleich präzise und diffuse Bedrohung verkörpern. Die Vorstellungen werden später für die Juden zur tragischen Realität und für die Frauen zur Phantasiewelt.

Die Wirklichkeit der Frauen ist fern von diesen schwindelerregenden Spekulationen. Die neuen Wissenschaften der Soziologie und der Psychoanalyse befassen sich mit konkreten Fakten und Individuen. Durkheims Ziel ist es, Strenge und Disziplin in die Beschreibung gesellschaftlicher Fakten einzuführen. Man findet dieselbe Beharrlichkeit in seinen Betrachtungen über Familie und Scheidung, d. h. über die »Krise« der Familie. Die historische Entwicklung der Familie gilt nun als erwiesen. Durkheim analysiert als gesellschaftliche Keimzelle die »Kernfamilie«, deren wesentliches Element die Ehe ist. Die frühere Familie sei eine »häusliche Gesellschaft« gewesen, eine Stätte der Produktion und der Vererbung von Gütern. Heute werde bei Heirat und ehelicher Gemeinschaft der öffentliche Charakter dieses Bundes betont und durch »Gütergemeinschaft« die Gleichheit der Eheleute ermöglicht, gleichzeitig aber auch die Vergangenheit und Perspektivlosigkeit der Ehe unterstrichen. Die Familie erfülle nicht mehr ihre wirtschaftliche und moralische Funktion, und die Berufsgruppe werde zunehmend als Ersatz dienen. Desgleichen werde die Gleichberechtigung der Geschlechter ein wesentlich stärker nach außen gerichtetes Leben der Frauen herausfordern.

»Die Heirat begründet die Familie und leitet sich von ihr ab.« Allein die eheliche Verbindung schaffe eine moralische Gesellschaft. Durkheim weist eine Scheidung im gegenseitigen Einverständnis zurück. Nur eine Scheidung aus festgelegten Gründen könne legal sein, da nur sie an Recht und Gerechtigkeit appelliere, während erstere einzig und allein auf dem Willen, dem Wunsch der beteiligten Parteien beruhe. Als Angriff auf die Institution der Ehe und die gesellschaftliche Moral werde diese Art der Scheidung eine »schwerwiegende gesellschaftliche Krankheit« auslösen. Durkheims Analyse, die zeitgleich mit der von Engels entsteht, ist dessen Gesellschaftsentwurf genau entgegengesetzt. Ihre divergierenden Ansichten lassen sich nicht auf einen Unterschied zwischen Wissenschaftler und Revolutionär reduzieren. Auch Soziologen können bisweilen mit ihrem utopischen Denken über die Regeln des Sozialen hinausweisen. Solches leistet beispielsweise Georg Simmel, als er im frühen 20. Jahrhundert über die Möglichkeit einer »weiblichen Kultur« innerhalb der modernen Welt nachsinnt.

Die Entstehung der Psychoanalyse geht ebenfalls auf die Beschäftigung mit Krankheit zurück. Ihr Ausgangspunkt ist die Hysterie, eine Krankheit der Frauen und des Geschlechts, aber auch eine Krankheit der Beziehung zwischen Körper und Geist. Die Psychoanalyse bedeutet einen doppelten Bruch in der Philosophie. Sie entwirft eine Theorie der Sexualität, d. h. eine Reihe kohärenter Thesen über die Geschlechterdifferenz, und eine neue Theorie der Erkenntnis, die sich auf das Unbewußte gründet. Zweifellos hat das Konzept des Unbewußten die bisherigen Vorstellungen über die dem Menschen mögliche Selbst- und Welterkenntnis grundlegend verändert. Dagegen ist die Sexualtheorie vielleicht weniger originell, als dies den Anschein hat; einige ihrer Thesen erinnern auffallend an die philosophische Medizin zu Beginn des

19. Jahrhunderts und an alle Versuche, den Frauen ihre »Bestimmung« zuzuschreiben. Indes bringt die Psychoanalyse mit der Verschiebung der Diskussion von »Geschlecht« zu »Sexualität« wesentliche Impulse in die Debatte. Sexualität ist nun allen zu eigen, Männern und Frauen, Erwachsenen und Kindern; bei der Frau wird zwischen Sexualität und Fortpflanzung unterschieden; Menschen gelten grundsätzlich als bisexuell; das Sexualleben ist nicht länger nur Biologie, Instinkt und Trieb. All das ist um 1900 noch ein vager Entwurf, aber was auf dem Spiel steht, ist bereits klar: Die Menschheitsgeschichte muß um die Geschichte des Individuums erweitert werden; die Analyse der Familie muß vertieft werden, um eine jede einzelne Person und deren gemeinsamen Familienroman sichtbar zu machen. Damit aber hören die Frauen auf, nur das »schöne Geschlecht« zu sein. Auch ihnen muß nun eine Geschichte, ein je eigenes, durch die geschlechtliche Anatomie bestimmtes »Schicksal« zuerkannt werden, wie Freud sagt. Der Begriff »Schicksal« ist zweideutig: Ist das »Schicksal« reicher als die »soziale Bestimmung«, die den Frauen ein Jahrhundert vorher angedient worden ist, bereichert durch die Einzigartigkeit eines jeden Individuums? Oder ist es armseliger als die vorgeblich damit verbundene gesellschaftliche Rolle, die Aussicht auf ein Leben ohne vollständige Freiheit?

Gleichheit oder Freiheit der Frauen. Alles Wissen der Welt reicht nicht aus, um Endgültiges darüber auszusagen. Otto Weininger muß dies zu seinem Bedauern erfahren, und sein Selbstmord kurz nach der Veröffentlichung von *Geschlecht und Charakter* (1903) läßt die Risiken seines philosophischen Unterfangens erahnen. In der Tat nennt er das, was er tut, Philosophie – er studiere nicht Fakten, sondern Prinzipien –, Philosophie mit dem Ziel, die »Existenz« von Frauen in Abrede zu stellen, »antifeministisch« zu sein. Dies, so erkennt er, werde niemandem so recht gefallen: »Wo die Darstellung antifeministisch ist – und das ist sie fast immer – dort werden auch die Männer ihr nie gerne und mit voller Überzeugung zustimmen: ihr sexueller Egoismus läßt sie das Weib immer lieber so sehen, wie sie es haben wollen, wie sie es lieben wollen.« (S. VI) In diesem Paradoxon, die Männer als »feministisch« einzustufen, verbirgt sich das Geheimnis seines Denkens. Es ist besser, die Kastration der Frauen (und der Juden) anzuerkennen, als sie zu leugnen. »Wird aber das Weib sich entschließen können, die Sklaverei aufzugeben, um unglücklich zu werden?« (S. 472), fragt er am Ende. Nein, gewiß nicht; es sei denn, die Emanzipation der Frau, die ihn in erster Linie beschäftigt, bewirke eine Rückkehr des Menschen zum Kantschen kategorischen Imperativ, zur Abkehr vom Sex zugunsten der Keuschheit. Da die Frau nur Geschlecht sei, könne sie dem nicht entkommen; der Mann dagegen sehr wohl.

Geschlecht oder Sexualität: Weininger ist einer der wenigen, die diese Unterscheidung treffen. Sie macht es möglich, das eine und das andere zu behandeln, anstatt das eine für beides oder eines anstelle des anderen zu erörtern. Von daher erklärt sich bei ihm die sonst seltene Betonung, er wolle über den Unterschied der Geschlechter philosophieren.

Seine Theorie über die Sexualität ist eine Theorie der Bisexualität, ähnlich der von Freuds frühem Mitarbeiter Wilhelm Fliess. Bisexualität ist für Weininger keine Ausnahme, sondern die Regel: »Es gibt in der Erfahrung nicht Mann noch Weib, könnte man sagen, sondern nur männlich und weiblich.« (S. 10) So verstehen sich »die Gesetze sexueller Anziehung« (einschließlich der homosexuellen) als Gesetze einer Verhältnismäßigkeit der Komponenten von M(ann) und W(eib) in jedem einzelnen. Von daher ist die Emanzipation im Sinne des männlichen Anteils der Frau zu sehen. Weininger begnügt sich nicht damit, die Befreiung der Frau grundsätzlich einfach abzulehnen, er begründet seine Ablehnung und stellt eine Gegentheorie auf. Zweifellos erklärt sich daraus die Faszination, die er auf seine Zeitgenossen ausübt. Er sucht nach Gründen für etwas, was andere schlicht als Unsinn abtun. Sein Antifeminismus hat durchaus Zwischentöne: »Die Emanzipation, die ich im Sinne habe, ist auch nicht der Wunsch nach der äußerlichen Gleichstellung mit dem Manne, sondern problematisch ist dem vorliegenden Versuche, zur Klarheit in der Frauenfrage zu gelangen, der Wille eines Weibes, dem Manne innerlich gleich zu werden, zu seiner geistigen und moralischen Freiheit, zu seinen Interessen und seiner Schaffenskraft zu gelangen.« (S. 80)

Die juristische Gleichheit ist ebenso notwendig, wie die moralische und intellektuelle unerträglich ist. Man muß um jeden Preis den unauflösbaren Unterschied zwischen den Geschlechtern aufrechterhalten, auch wenn dadurch Frauenfeindlichkeit als Antifeminismus durchgeht. Die »männlichen« Frauen sind ein Fortschritt und nicht, wie Moebius glaubt, ein Zeichen von Entartung der Gesellschaft *(Vom physiologischen Schwachsinn des Weibes*, 1900*)*; das Böse ist weiblich, es stammt vom Weiblichen in der Frau: Die Frau ist ein Wesen ohne moralische Fähigkeit.

Dies also ist der Weg, den die Darstellung der Frau in der Epoche der aufkommenden Frauenbewegung nimmt: von ihrer sozialen Bestimmung als Verantwortliche gegenüber der Gattung zu ihrem individuellen Schicksal im sexuellen und familiären Leben. Dieser Übergang ist zwar kennzeichnend für die allgemeine Entwicklung des Jahrhunderts, hier aber ist er auch geprägt durch die Reaktionen auf die mögliche Autonomie des weiblichen Subjekts.

Aus dem Französischen von Harald Riemann

4

Die Widersprüche des Gesetzes

Nicole Arnaud-Duc

Juristischer und moralischer Diskurs wirken zusammen, um männliche und weibliche Sphären vernunftgemäß gegeneinander abzugrenzen. Als symbolisches Steuerungsinstrument legt das Recht die Normen einer Gesellschaft fest und bestimmt die gesellschaftlichen Rollen. Kann man die Erfolge der Frauen auf diesem besonders exponierten Gebiet der Auseinandersetzung als historischen Wandel der Geschlechterbeziehungen ansehen? Das Recht, dieser Schauplatz interner Auseinandersetzungen, stößt bei seiner Umsetzung auch auf mentalitätsbedingten Widerstand, auf Unwissenheit oder das Desinteresse, das die meisten Menschen allem Juristischen entgegenbringen, so daß dieser Bereich ganz und gar von den Fachleuten als ihr eigenes Revier beansprucht wird. Das Kräfteverhältnis zwischen Frau und Mann ist Teil eines Wechselspiels, einer gegenseitigen Durchdringung gesellschaftlicher und rechtlicher Systeme, und kann vielleicht sogar als zentraler Widerspruch gelten.

Seit Aristoteles ist das Prinzip juristischer Gleichheit mit der Behauptung konfrontiert, daß gewisse Ungleichheiten naturgegeben seien. Zu den angeblich naturbedingten Unzulänglichkeiten der Frauen gehörten körperliche Unterlegenheit und mangelnde Urteilskraft. Die vorherrschende Rechtstheorie im 19. Jahrhundert gründete sich auf den freien Willen des Individuums. Doch in Frankreich war die Gesetzgebung eine autoritäre. Eine solche Fiktion des autonomen Willens, vom individualistischen Liberalismus propagiert, brachte das Konzept in Umlauf, die Frau befürworte einen Status, der sie zu einem abhängigen Wesen mache. Sie könne nur als Tochter, Gattin oder Mutter existieren, in sekundären Gestalten also, die allein durch ihre Beziehungen zum Manne, dem einzigen wirklichen Rechtssubjekt, definiert waren. Das Recht jedoch mußte seinen Diskurs und sogar seine Inhalte an die Evolution der Sitten anpassen, die mit den ökonomischen und politischen Umwälzungen verbunden war. Daher versuchten die Juristen, die ungleiche Behandlung der Geschlechter mit der Behauptung zu legitimieren, die Frauen wünschten im Grunde, vor sich selbst beschützt zu werden. Dabei deuteten sie die Möglichkeit von Reformen an, wenn die Frauen einmal soweit wären, ihre eigenen Angelegenheiten selbständig zu regeln (von denen man sie jedoch von Anfang an fernhielt). Es ist daher verständlich, daß die Frauen, indem sie ihre Rechte einklagten, zugleich versicherten, ihr einziges Ziel sei es, bessere Ehefrauen und Mütter zu werden.

So traten neue Widersprüche zutage. Gewiß blieben die meisten Frauen dem Idealbild verhaftet, das man ihnen als Spiegel vorhielt – der Verkörperung von Sanftmut und Mitleid –, einer Vorstellung von der bürgerlichen Ehefrau und Mutter, die die Sphäre des Rechts als natürliche Domäne ihres Ehegatten auffaßt. Die Macht der Gewohnheit drängte wohlhabendere Frauen kaum dazu, einen Status aufzugeben, der ihnen lebenslange Sicherheit versprach. Als sie sich gegen Ende des Jahrhunderts in manchen Lebensbereichen emanzipierten, geschah dies größtenteils, um bestimmte ihnen auferlegte Zwänge und Verhaltensvorschriften abzuschütteln. Das Desinteresse, das die Mehrheit der Frauen, nämlich die Frauen aus dem Volk, für das Recht – das ohnehin nicht für ihresgleichen konzipiert war – bekundeten, war auf ihre soziale Situation zurückzuführen. Niedergedrückt von ihrer schweren Arbeit, früh bereits verbraucht, waren sie im wesentlichen bloße Manövriermasse und oft die Opfer der weitreichenden ökonomischen Umwälzungsprozesse. Was kümmerte es sie, daß sie nicht wählen oder einen Besitz verwalten konnten, den sie sowieso nicht hatten? Während das Gesetz die verheiratete Frau mit seinem willkürlichen Schutz geradezu bedrängte, war die Frau, die außerhalb einer Familiengemeinschaft lebte, ganz auf sich selbst gestellt. So standen Frauen inmitten der rechtlichen Ambivalenzen; eine Folge der Kluft zwischen dem juristischen Diskurs und der sozialen Realität, über die er gebieten wollte. Welche Rechte hatten Frauen im 19. Jahrhundert? Wie sollten sie diese innerhalb der Familie, dem Zentrum der Geschlechterbeziehungen und der Grundlage der gesellschaftlichen Ordnung, also am Kreuzungspunkt zwischen öffentlicher und privater Sphäre, ausüben?

Der vorenthaltene Bürgerstatus

Einen Platz im staatlichen Gemeinwesen einzunehmen heißt, durch das Wahlrecht an der allgemeinen Herrschaft teilzuhaben und erfordert das Recht auf Bildung, auf Arbeit und auf den Schutz durch das Gesetz.

Bürgerin oder Frau und Tochter eines Bürgers?

Mittels ihrer politischen Rechte können die Bürger Einfluß auf die Prioritäten des Staats nehmen und öffentliche Ämter ausüben. Das Wahlrecht kann ein nationales (föderales), kommunales oder ein auf bestimmte Ämter beschränktes sein. Aufgrund dieser Hierarchie gelang es den Frauen allmählich, ihre volle Staatsbürgerschaft zu erlangen. Am Ende des 18. Jahrhunderts war keine Frau politisch gleichberechtigt; kurz nach dem Ersten Weltkrieg gab es in Mittel- und Südamerika, in Griechenland, Österreich, Italien, Spanien und in der Provinz Quebec immer noch keine Frauenemanzipation. In Frankreich dauerte es noch bis 1946 und in der Schweiz gar bis 1971, um Frauen das Wahlrecht zu erkämpfen. Hundert Jahre Kampf und über 82 »Volksabstimmungen« waren in der Eidgenossenschaft dafür nötig!

Die Französische Revolution hatte erstmals die Frage der rechtlichen und politischen Stellung der als Individuum anerkannten Frau in der Bürgerschaft aufgeworfen. Historisch betrachtet ist das Verhalten der Männer an der Macht entmutigend. Das Trauma, das dadurch entstanden war, daß Frauen eine Bresche in das Monopol der Männer schlugen, nährte und erregte reaktionäre politische Debatten während des gesamten 19. Jahrhunderts, vor allem im Hinblick auf den juristischen Diskurs. Frauen, denen man bereits eine Rechtspersönlichkeit zuerkannt hatte, zahlten nun anscheinend den Preis für das entstandene subversive Bild der Revolutionärin, die sich in Paris widerrechtlich einen Raum eroberte, der den Männern vorbehalten bleiben sollte. Der Ausschluß des weiblichen Geschlechts aus der Politik fällt zusammen mit dem Ausschluß der unteren Gesellschaftsschichten: Beide störten die neue bürgerliche Ordnung. Medizinische und religiöse Lehrmeinungen schürten die Angst – die sich auch in juristischen Texten niederschlug –, die Frauen ließen sich nicht mehr bändigen, wenn sie einmal an die Macht gekommen seien. Die Frage, warum die Frauen von der Politik ausgeschlossen blieben, erfordert eine komplexe Antwort, die an die Fundamente der Geschlechterbeziehungen rührt. Jede der vorgebrachten Meinungen konnte sich einerseits als Schutz der als äußerst empfindsam charakterisierten Geschöpfe darstellen und zugleich die irrationale Furcht verraten, die man angesichts jener weiblichen Macht empfand, die erahnbar wurde. In Ländern, die eine Trennung zwischen Kirche und Staat praktizierten, befürchtete man außerdem, daß die Frauen den Konservativen Stimmen bringen würden – eine Folge ihrer Verbannung in die Bereiche des Privaten und der Kirche. Doch selbst wenn das Recht die unterschiedliche Behandlung der Geschlechter rational zu begründen suchte, mußte der Ausschluß der Frauen – der Hand in Hand ging mit ihrer Verherrlichung als Mutter, Muse oder Madonna – im Rahmen der neuen öffentlichen Ordnung in einen neuen Zusammenhang gebracht werden.

Im Europa der Feudalzeit konnten Frauen in Adelskreisen ihre Repräsentanten ernennen. Doch bei diesem Recht handelte es sich weniger um ein politisches Recht als um einen Effekt des Eigentumsrechts.

Vom 18. Jahrhundert an wurden feministische Forderungen im allgemeinen von einer kühnen und im öffentlichen Leben engagierten Avantgarde artikuliert, von gebildeten Frauen aus dem mittleren und Kleinbürgertum. Die Arbeiterinnen sahen in der Lohnarbeit keine Befreiung, sondern nur eine zusätzliche Ausbeutung, und die aufkommende sozialistische Bewegung kämpfte in erster Linie für die soziale Revolution und die Einführung des allgemeinen Wahlrechts. Da die Frauen an der Erarbeitung von Gesetzen nicht beteiligt waren, konnten sie nur versuchen, durch Demonstrationen, Petitionen und Zeitungsartikel überzeugend auf diejenigen einzuwirken, die diese Gesetze verabschiedeten. Sie suchten sich Verbündete bei politischen und religiösen Gruppierungen. So schlossen sie sich in Frankreich mit Freidenkern, den Freimaurern und Republikanern zusammen. In Deutschland spielten die Freikirchen eine große Rolle. Im allgemeinen kann man sagen, daß in Europa laizistische Demokraten, Republikaner und Linksliberale sie in ihrem Anliegen unterstützten.

Die ersten Frauenforderungen wurden in Frankreich gleichzeitig mit der Einführung des allgemeinen Wahlrechts im Jahre 1848 erhoben. Man schenkte ihnen jedoch kein Gehör, und Pierre Leroux wurde ausgepfiffen, als er das Kommunalwahlrecht für Frauen forderte.[1] Auch als 1879 endgültig die Republik errichtet wurde, wies man die Forderungen der Frauen weiterhin ab, da die Regierung angeblich nicht stabil genug für einen solchen radikalen Wandel war. Gegen Ende des Jahrhunderts hatten die Frauen begriffen, daß sie sich nur noch auf sich selbst verlassen konnten. Sie spalteten sich in Radikale, die nach vollständiger Gleichberechtigung strebten, und Gemäßigte, die, ausgehend von der »Komplementarität« der Geschlechter, der Ansicht waren, man müsse Frauen zunächst auf die Ausübung öffentlicher Rechte vorbereiten. (Für Männer war nirgendwo etwas vergleichbares verlangt worden.) Die Bewegung für das Frauenstimmrecht erfreute sich keiner großen Popularität, und Hubertine Auclert konnte keinen einzigen wirklichen Erfolg verzeichnen. Auch die Versuche von Frauen, sich in Wählerlisten einzutragen, stießen auf wenig Sympathie. Von den Parlamenten abgewiesen, versuchten es die Frauen vor den Gerichten. Sie argumentierten auf der Grundlage der Gesetzestexte, die das neutrale Maskulinum verwendeten, und schlugen vor, dieses neutrale Maskulinum auf alle Bürger auszudehnen. Auch dieser Vorstoß blieb vergebens.[2] Im übrigen zögerten die Richter nicht, einer »Kupplerin«[3] und einer nicht registrierten Zeitungsverkäuferin per Gerichtsurteil die politischen Rechte abzuerkennen, obwohl sie diese gar nicht besaßen.[4] Zur Lösung dieses Problems bediente sich ein berühmter Jurist einer juristischen Konstruktion. Er unterschied zwischen *ungültigen* und *nichtexistierenden* Rechtshandlungen; das erlaubte ihm eine Trennung zwischen Fällen, in denen die Ungleichheit anfechtbar war, und solchen, in denen sie eklatant zutage trat: Eine Frau sei ein »nicht existierender Bürger, der nicht einmal die Substanz eines Bürgers hat (...) das Geschlecht eines Kandidaten ist nach der Gewohnheit unserer Sitten eine Tatsache, deren Feststellung zu keinerlei Disput Anlaß gibt«.[5]

Das Jahr 1914 begann in Frankreich vielversprechend. Die Frauenbewegung hatte sich aus taktischen Gründen zusammengeschlossen; 300 Abgeordnete waren ihr wohlgesonnen. Dann aber waren die Parlamentarier plötzlich mit anderen Dingen beschäftigt. Erst nach dem Zweiten Weltkrieg wurde den Französinnen das Wahlrecht zugestanden, ohne daß dazu die Legislative noch befragt worden wäre.

Sämtliche romanischen Länder mit katholischer Tradition opponierten vehement dagegen, den Frauen politische Rechte zuzuerkennen. In Ländern dagegen, in denen ein im wesentlichen protestantisch geprägter moralphilosophischer Liberalismus herrschte und insbesondere dort, wo die Quäker Einfluß hatten, konnten die Frauen weitaus schneller lokale politische Macht erlangen. Das war in England der Fall und stärker noch in seinen ehemaligen Kolonien. In England kann man die Reform Bill von 1832 als Ausgangspunkt für die Suffragettenbewegung ansehen. In diesem Gesetz wurde anstelle von *male* der Begriff *person* verwendet, um für das Zensuswahlrecht neue Wählerkategorien zu bilden. Im Jahre 1835 aber war in der Wahlordnung für Stadträte wieder von *males* die Rede; damit nahm man den Frauen die Rechte, die ihnen in einigen Kommunalverfassungen bereits zuerkannt waren. 1851 berichtete John Stuart Mill in der *Westminster Review* über die Vereinbarung von Worcester, die 1850 in den Vereinigten Staaten zustande gekommen war. Im selben Jahr richtete die Frauenvereinigung von Sheffield die erste Petition zum Frauenstimmrecht an das Oberhaus. Bis 1873 kam es im Parlament zu heftigen Agitationen, die sich um die Veröffentlichung von Mills einflußreicher Schrift *Die Unterwerfung der*

Frauen (1869) kristallisierten. Als gewählter Abgeordneter machte Mill sich im Unterhaus zum Sprecher der Frauen. Als sein Antrag auf Gesetzesänderung zurückgewiesen wurde, verstärkte sich die Agitation. Waren die Frauen steuerpflichtig, übten sie auf lokaler Ebene die gleichen Funktionen aus wie Männer, vor allem in den Bereichen Hygiene, Fürsorge, Schulbildung und in der Pfarrgemeinde. Sie durften offizielle Urkunden ausstellen und hatten verantwortungsvolle Posten inne, besonders in der Kommission für die Londoner Armenhäuser. Doch der Forderung nach dem Frauenstimmrecht auf nationaler Ebene setzte das Parlament hartnäckigen Widerstand entgegen. Als man das Stimmrecht in den Grafschaften, das in den Marktflecken bisher lediglich Gutsbesitzer und Pächter innegehabt hatten, auf sämtliche männlichen Familienoberhäupter erweiterte, fühlten sich die Frauen obendrein durch ein Gesetz beleidigt, das analphabetischen Landarbeitern das Wahlrecht einräumte, es ihnen selbst jedoch verweigerte. Gleichwohl gelang es den Britinnen im Laufe der Jahre, bedeutende Rechte zu erringen: das Stimmrecht bei Stadtratswahlen (1869, in Schottland 1882), aktives und passives Wahlrecht in den School Boards (Schulbehörden) und Boards of Guardians (Vormundschaftsämtern), das Stimmrecht in den County Councils (Grafschaftsräten), in denen sie ab 1907 auch gewählt werden konnten. Aus Erbitterung über die anhaltende Verweigerung des nationalen Stimmrechts wandten sich die Feministinnen, vor allem die des Mittelstands, einer gewaltsameren Taktik zu. Im Jahre 1903 gründete Mrs. Pankhurst die Women's Social and Political Union. Die 1906 konstituierte Labour Party wollte dagegen wie alle sozialistischen Parteien zuvorderst soziale Ziele durchsetzen. Als die Konservativen erneut ins Parlament kamen, verschärften sie die Repressalien gegen die Suffragetten (Black Friday, 1911). Bis 1914 wurden militante Feministinnen immer wieder eingesperrt (Cat and Mouse Act). 1913 wurde zum letzten Mal ein Gesetzentwurf zum Frauenstimmrecht – es war der fünfzigste – abgelehnt. In den im Jahr 1900 zum australischen Staatenbund zusammengeschlossenen Gebieten gab es bereits ab 1867 das kommunale Wahlrecht. Im Jahre 1895 stimmten die Frauen in zahlreichen kommunalen Parlamenten und ab 1902 erhielten sie das aktive und passive Wahlrecht auf Bundesebene. Dieselben Rechte wurden Grundeigentümerinnen in Neuseeland 1886 und 1893 zugestanden. In Kanada entfalteten die Frauen zwar rege philanthropische Aktivitäten, aber die Wahlrechtsbewegung war noch wenig fortgeschritten. Stimmrecht besaßen sie jedoch auf kommunaler und schulbehördlicher Ebene, wo sie mit gewissen Einschränkungen auch gewählt werden konnten.

In Amerika – ein Vorbild, dem die Frauen in Europa und vor allem die Britinnen nacheiferten – wurde eine andere Strategie eingeschlagen. Im Westen eröffnete der herrschende Pioniergeist den Frauen notwendigerweise eine herausgehobene Stellung. Um 1850 bemühte sich ein reformerischer Feminismus, alle Institutionen auf der Basis von Gleichberechtigung und Zusammenarbeit neu aufzubauen. Die breit entfaltete mittelständische Clubkultur trug entscheidend dazu bei, den bürgerlichen Status der Frauen zu verbessern, auch wenn die Trennung der Geschlechter weiter fortbestand. Seit den Anfängen der amerikanischen Union hatten Frauen das Wahlrecht gefordert, doch 1808 wurde es allein den Männern vorbehalten. Allerdings blieb jeder Staat in seiner eigenen Gesetzgebung souverän. Die Suffragettenbewegung entstand in New York. Um 1833 verbanden die Feministinnen ihre eigene Sache mit der der Schwarzen. Der amerikanischen Delegation wurde jedoch – aufgrund ihres Geschlechts – die Teilnahme an der Anti-Sklaverei-Konferenz in London verweigert. Frauen knüpften alsbald Kontakte zur Presse. Der erste internationale Frauenkongreß fand im Jahre 1850 in Worcester (Massachusetts) statt. Im Anschluß an den Bürgerkrieg mußten die Frauen, die für die Rechte der Sklaven gekämpft hatten, mitansehen, wie man diesen neuen Bürgern politische Rechte zuerkannte, die ihrem eigenen Geschlecht hartnäckig vorenthalten wurden. Sie gaben sich nicht mehr mit dem Einfluß zufrieden, den sie in kommunalen Gremien, in Fragen der Fürsorge und des Schulwesens sowie in manchen steuerlichen Bereichen (besonders wenn es um die Lizenzen zum Verkauf alkoholischer Getränke ging) hatten. Von 1870 an intervenierten Frauen beharrlich in den Versammlungen der einzelnen Bundesstaaten und im Kongreß: *Die Damen aus Boston* von Henry James zeigt die männlichen Reaktionen auf die feministische Entschlossenheit in ebenso ambivalenter wie faszinierender Weise.

Um die Verfassung zu ändern, gab es zwei mögliche Wege: die Bundesebene (Annahme durch beide Kammern des Kongresses und drei Viertel der Bundesversammlungen oder der Repräsentanten der einzelnen Staaten) oder die kommunale Ebene (Zustimmung einer Zweidrittelmehrheit der lokalen Gesetzgeber und Bestätigung durch einen Volksentscheid). Sämtliche Versuche scheiterten aus verschiedenen Gründen. Vor allem die Volksabstimmungen waren, trotz ansonsten beeindruckender Mehrheiten für das Frauenwahlrecht, überall negativ. Gastwirte und Schnapsbrenner, die sich durch den energischen Kampf, den Frauen gegen die Verheerungen des Alkoholismus führten, bedroht fühlten, hetzten die Menge gegen die Feministinnen auf. Immerhin erzielten die Temperenzlergesellschaften mit ihren veritablen sozialen Kreuzzügen auch in Europa großen Widerhall. Die Frauen fanden Verbündete bei den Abgeordneten aus bereits lange im Land verwurzelten Familien. Wyoming schlug als erstes eine Bresche: Das Frauenwahlrecht war eines der Mittel, um das nötige Quorum zu erreichen, das für die Bildung eines selbständigen Bundesstaates erforderlich war. Seit 1869 wurde Wyoming den europäischen Zeitungslesern als Modell, als Versuchslabor und Kuriosität vorgestellt. Kurz vor dem Ersten Weltkrieg hatten die Amerikanerinnen in zahlreichen Bundesstaaten, vor allem im Westen, ihre politischen Rechte erobert. Fast überall besaßen sie für sämtliche öffentlichen Funktionen das aktive und passive Wahlrecht. Auf kommunaler Ebene war ihre aktive Partizipation häufig der Grund für die Durchsetzung humanitärer Gesetze. 1889 gab es nur noch zwölf Staaten, die Frauen von Abstimmungen in Schulangelegenheiten ausschlossen. Da kein Gesetz es verbot, daß eine Frau Präsidentin wurde, war die Freude französischer Kommentatoren grenzenlos, als 1884 »eine hübsche vierzigjährige Witwe, Rechtsanwältin, auf dem Fahrrad strampelnd, Aktenmappe und Tabaksdose unter dem Arm (...) mit Silberhaaren und Goldbrille«, einen dynamischen Wahlkampf führte. Allerdings ließen die Kommentare keinerlei Zweifel über die wahre Geisteshaltung der französischen Männer: Man machte sich lustig, spürte aber auch bereits eine gewisse Beklemmung angesichts der Tatsache, daß in diesen neuen Rollen keine vermännlichten Ungeheuer zu sehen waren, sondern Frauen, die alle erforderlichen weiblichen Qualitäten besaßen. Hatte die fragliche Dame nicht »nähen, stricken, waschen, bügeln, Brot backen und sich allein frisieren gelernt, bevor sie das Alphabet beherrschte«?[6]

Um 1890 begann eine dritte Phase, die schließlich zur Zulassung von Frauen in Parlamentsausschüsse und sogar ins Parlament selbst führte, wo sie ihre Anliegen und Beschwerden vorbringen konnten. Berühmte Rednerinnen taten sich im Kampf um Gleichberechtigung hervor, darunter insbesondere die damals fünfundsiebzig Jahre alte Mrs. Stanton. Die neunzehnte Verfassungsänderung von 1919 gestand den Frauen schließlich uneingeschränkte Bürgerrechte zu.

In Nordeuropa machten die isländischen Frauen ihr Land zu einer der ersten Hochburgen des Feminismus, nachdem es im Jahre 1872 die staatliche Unabhängigkeit erlangt hatte. 1882 bekamen sie das Stimmrecht bei Kommunalwahlen, ab 1902 konnten sie auch selbst als Kandidatinnen aufgestellt werden; die vollen Bürgerrechte wurden 1915 zunächst Frauen über vierzig, 1920 schließlich allen Frauen zuerkannt. In Schweden standen den Frauen Stadt- und Gemeinderäte ab der Mitte des 19. Jahrhunderts offen. Ab 1909 waren sie wählbar, 1924 erhielten sie die volle politische Handlungsfähigkeit. In Dänemark, wo auch die Landbevölkerung bemerkenswert aufgeklärt war, durften Frauen ab 1883 bei Kommunalwahlen abstimmen, bei Parlamentswahlen ab 1915. Norwegen war die erste europäische Nation, die die politische Gleichberechtigung einführte. Die feministische Bewegung hatte hier im Jahre 1830 ihren Anfang genommen. Das allgemeine Wahlrecht wurde 1910 zuerkannt. Damit erfreuten sich die Norwegerinnen sämtlicher Bürgerrechte. Von 1912 an konnten sie in alle Staatsfunktionen gewählt werden, mit Ausnahme des königlichen Rats, dem Kreis der kirchlichen Würdenträger, der Diplomatie und bestimmten anderen, den Männern vorbehaltenen Posten. In Finnland, das in der Mitte des 18. Jahrhunderts an Rußland angeschlossen worden war, kämpften die Frauen gegen den Zaren. 1906 wurde der finnische Reichstag von beiden Geschlechtern nach allgemeinem Wahlrecht gewählt. Die Macht dieser Versammlung war zwar begrenzt, aber immerhin gehörten ihr 1910 neunzehn Frauen an.

Wie bereits erwähnt, waren die Errungenschaften der Frauen in den romanischen und germanischen Ländern mager, und das römische Recht hatte seine Spuren hinterlassen. Zieht man das Beispiel Frankreich heran, das in keinem Fall außergewöhnlich ist, kann man folgende Bilanz aufstellen: ab 1880 konnten Frauen die Mitglieder des Conseil supérieur de l'Instruction publique (Oberster Rat des Erziehungsministeriums) wählen; ab 1886 besaßen sie das aktive und passive Wahlrecht für die Conseils départementaux de l'enseignement primaire (Departementsräte für das Grundschulwesen), ab 1898 für den Conseil supérieur de la mutualité (Oberster Rat der Versicherungsgesellschaften), ab 1903 für den Conseil supérieur du travail (Oberster Rat des Handelsministerium), ab 1905 für die Commissions communales d'assistance (Kommunaler Ausschuß der öffentlichen Fürsorge), ab 1905 für den Conseil supérieur du conservatoire (Oberster Rat des Konservatoriums), für den Conseil de prudhommes (Paritätischer Arbeitsschiedsausschuß; aktives Wahlrecht 1907; passives Wahlrecht 1908), ab 1908 für die Chambres consultatives des Arts et Manufactures (Interessenverband der Industrieberufe). Geschäftsfrauen konnten allerdings erst ab 1898 die Mitglieder der Kammer für Handelsangelegenheiten wählen.

Hinzuzufügen ist, daß es auf dem europäischen Kontinent, vor allem in den Ländern, die unter römischer Herrschaft gestanden hatten, weitere sogenannte »männliche« Funktionen gab, die Frauen nicht ausüben durften. Dabei handelte es sich um Ämter, die zwar nicht direkt erforderten, daß man in das öffentliche Leben trat, aber doch zumindest, daß man den häuslichen Bereich verließ. 1792 wurden Frauen in Frankreich als Zeugen zugelassen, doch bereits 1803 wurde ihnen dieses Recht wieder entzogen. In krassem Widerspruch dazu wurden Frauen jedoch weiterhin von der Justiz als Zeuginnen benannt. So konnte man etwa, wenn man keine Geburtsurkunde besaß, eine eidesstattliche Versicherung beibringen, die von einem Richter ausgestellt und von sieben männlichen oder weiblichen Zeugen bestätigt wurde.

Am Ende einer zehnjährigen Kampagne führte der Antrag auf eine diesbezügliche Gesetzesänderung 1897 schließlich zum Erfolg. Ähnliche

Modifikationen erfolgten 1877 in Italien, 1897 in Genf und 1900 in Deutschland. Österreich ließ weibliche Zeugenschaft zu, wenn es darum ging, auf hoher See ein Testament aufzusetzen, Spanien gestattete dies zu Zeiten großer Epidemien.

Lange Zeit blieben Frauen von Geschworenengerichten ausgeschlossen, mit Ausnahme einiger amerikanischer Bundesstaaten. Ebensowenig konnten sie als Vormund oder Treuhänder eingesetzt werden. In Frankreich gestand man ihnen im Jahre 1907 das Recht zu, die Vormundschaft für ihre eigenen Kinder zu übernehmen. Allerdings hatte man bis dahin ohnehin festgelegt, daß dies ihre natürliche Bestimmung sei: Eine Frau ohne staatsbürgerliche Rechte war gerade gut genug für ein uneheliches Kind. 1917 befähigte sie ein Ausnahmegesetz auch zu anderen Vormundschaften, die nicht kraft des Gesetzes eintraten. In Deutschland wurden die Beschränkungen weiblicher Vormundschaft 1900 aufgehoben, in Belgien 1909, in den Niederlanden und der Schweiz 1901. Das vorherige Verbot hatte unter anderem auch bedeutet, daß Frauen im Familienrat ohne Stimme waren.

Doppelte Unterdrückung: Die Ungleichheit in Bildung und Arbeit

Es wäre ein Anachronismus, das Problem mit Begriffen wie Recht auf Arbeit oder Recht auf Bildung anzugehen. Überall jedoch war angemessene Schulbildung für Mädchen eine der grundlegenden feministischen Forderungen. Die französischen Revolutionäre hatten ihr egalitäres Programm nicht umsetzen können. Ein nicht zwingendes Gesetz vom 28. Juni 1836 forderte die Kommunen auf, Mädchenschulen zu eröffnen. Doch die meisten Bürgermeister hielten sich lieber an die Tradition und begnügten sich mit den kirchlichen Schulen, deren Personal sie nicht bezahlen mußten. Erst das Gesetz Falloux vom 15. März 1850 und vor allem das Gesetz Duruy vom 10. April 1867 verpflichteten jede Gemeinde mit über 500 Einwohnern dazu, eine Grundschule für Mädchen einzurichten. Von 1863 an versuchte man, auch höhere Schulen zu organisieren. Das Gesetz vom 8. August 1879 begründete 67 Normalschulen für Frauen; das Gesetz Camille Sée vom 21. Dezember 1881 beschloß die Einrichtung von Realschulen und Gymnasien für Mädchen; 1883 folgte die Hochschule für die Ausbildung von Gymnasiallehrerinnen in Sèvres. Erst 1925 wurde endlich die gleiche Schulbildung für Jungen und Mädchen gesetzlich festgelegt.

Im romanischen Sprachraum Europas war die Frauenbildung auch ein Streitobjekt im Machtkampf zwischen Kirche und Staat. In Deutschland und in England fand das Grundschulwesen wenig Anklang, höhere Schulen und Hochschulen waren im wesentlichen privat, wie auch in den Vereinigten Staaten. Dort wurde allerdings der gemischte Volksschulunterricht sehr früh organisiert. Rußland konzentrierte sich auf die Bildung des Bürgertums. Als die Universitäten den Töchtern der Bourgeoisie aus politischen Gründen verschlossen blieben, fanden sich russische Frauen zusammen mit anderen begüterten Europäerinnen an der Züricher Universität ein. Die Notwendigkeit, die Frauen durch höhere Bildung auf dem Arbeitsmarkt konkurrenzfähig zu machen, wurde von nur wenigen Familien empfunden oder zumindest nicht umgesetzt, wenn nicht gar gänzlich verworfen. Die Zulassung zu Prüfungen und Universitäten sorgte in den aufgeklärtesten bürgerlichen Milieus Europas weiterhin für Konflikte.

Hinsichtlich der Arbeitsgesetzgebung ist wichtig, daß eine der goldenen Regeln des liberalen Staats im 19. Jahrhundert lautete, sich nicht in das Verhältnis zwischen Unternehmern und Arbeitern einzumischen. Doch im letzten Drittel des Jahrhunderts begann Europa den Sozialstaat zu entdecken. Es entstanden sozialreformerische Initiativen, die die Ausbeutung von Frauen und Kindern in der Industrie anprangerten und sich für Gesetze zu deren Schutz einsetzten. Feministinnen protestierten im Namen der Gleichheit gegen solche potentiell diskriminierenden Maßnahmen, die auf dem Geschlechterunterschied beharren, die Frau in ihrem historischen Status als Unmündige belassen und ihre Arbeitsmöglichkeiten einschränken wollten. Zugleich schürten sie damit Ressentiments bei den Arbeitern, die die Frauen als Konkurrenz fürchteten und vom Arbeitsmarkt zu verdrängen suchten. Sicher verrieten die Männer damit ihren Wunsch, die Frau am heimischen Herd zu sehen. Aber ebenso kämpften sie gegen die Politik der Unternehmer, die Arbeiterinnen ausbeuteten, indem sie sie schlechter bezahlten, und sie so als Erpressungsmittel gegen die Arbeiter einsetzten. Man muß gelesen haben, wie in überaus seriösen wissenschaftlichen Werken mit geradezu mathematischer Genauigkeit bewiesen wurde, daß Frauen weniger Nahrung brauchten und von Natur aus nicht geeignet seien, außer Haus zu arbeiten. Den Autoren solcher Schriften war die Realität der Frauenarbeit durchaus bekannt. Manche Anhänger von Frauenschutzgesetzen waren oft mehr von philanthropischen Erwartungen denn von Gerechtigkeitssinn geleitet. Später wurden dieselben Schutzmaßnahmen auch auf Männer ausgedehnt, vor allem in Frankreich unter dem Einfluß der »Solidaritätsbewegung«.[7] Diese Maßnahmen waren zwar nicht unerheblich, aber zunächst doch kaum mehr als ein Notbehelf..Da es nicht darum ging, die Gleichberechtigung im Arbeitsprozeß zu festigen, waren sie notwendigerweise begrenzt. Die neuen Gesetze galten allein für Fabriken, in denen die »gefährlichen Klassen« beschäftigt waren. Der nach wie vor umfangreichen Arbeit in der Landwirtschaft schenkte man ebensowenig Beachtung wie der Heimarbeit, der Arbeit in Werkstätten, in Kaufhäusern und im häuslichen Dienst.

In Frankreich schloß das Gesetz vom 3. Juni 1874 Frauen und Kinder von der Arbeit unter Tage aus. Aber es war vor allem das Gesetz vom 2. November 1892, das zum ersten Mal eine Geschlechterdiskriminierung in der Arbeitswelt bewirkte. Es galt nicht nur für alle Kinder unter achtzehn Jahren, sondern auch für alle Fabrikarbeiterinnen. Es wurde verboten, Frauen und Kinder in gesundheitsschädigenden Betrieben, unter gefährlichen Arbeitsbedingungen oder in Druckereien bei der Herstellung von Texten und Illustrationen zu beschäftigen. In der Hauptsache aber regelte das neue Gesetz die Arbeitszeiten je nach Geschlecht vollkommen unterschiedlich. Im Interesse der Familie »begünstigte« man die Frauen, während man ihnen zugleich den Zugang zu qualifizierten Arbeiten versperrte. Nachtarbeit wurde ihnen prinzipiell verboten, und spätere Gesetze, vor allem das vom 15. Juli 1908, das die internationalen Vereinbarungen von Bern (26. September 1906 und 22. Dezember 1911) bestätigte, bauten dieses Prinzip noch weiter aus.

Eine Kampagne der Zeitung *La Fronde,* die eine verbesserte, aber für beide Geschlechter *gleiche* Gesetzgebung zum Ziel hatte, wurde von den Arbeiterinnen, die lediglich eine bessere Anwendung der bereits bestehenden Gesetze wünschten, nicht unterstützt. Es gab auch tatsächlich beträchtliche Hindernisse, die sich einer vernünftigen Gesetzgebung entgegenstellten. Ausnahmen waren vom Gesetz vorgesehen, vor allem was die abendlichen Überstunden der Frauen insbesondere in der Modebranche betraf. Das Gesetz von 1911 verbot Nachtarbeit nach 22 Uhr für Frauen. Die Kontrollen wurden allerdings äußerst lax gehandhabt. Das galt vor allem in Wohlfahrtseinrichtungen wie Bon-Pasteur, die vor 1902 kaum überwacht wurden. Man baute einen Stab von Kontrolleuren und Kontrolleurinnen auf, deren Zahl jedoch nicht genügte. Ein solches Verfahren war zudem völlig illusorisch, da die Arbeiterinnen aus Angst vor Entlassung ihre Arbeitgeber deckten und sogar abends noch Arbeit mit nach Hause nahmen. Ab 1892 durften auch Inspektorinnen Betriebe besichtigen, allerdings nur solche, in denen ausschließlich Frauen arbeiteten und kein mechanischer Motor benutzt wurde (1908 wurden ihre Befugnisse ausgeweitet). Das Gesetz vom 2. November 1892 setzte eine größere Zahl von wöchentlichen Ruhetagen und Feiertagen fest, die es für Schulkinder bereits gab. Am 13. Juli 1906 wurde die Sonntagsruhe festgeschrieben – das erste nichtdiskriminierende Gesetz im Arbeitsrecht, das jedoch zahlreiche Ausnahmeregelungen enthielt. Eine erste gesetzliche Regelung der Arbeitszeit stammt aus dem Jahre 1848. Sie erstreckte sich im Prinzip auf alle Erwachsenen. Die Länge des Arbeitstags sollte maximal zehn Stunden in Paris und elf in der Provinz betragen. Später wurde sie für alle auf zwölf Stunden erhöht. Das Gesetz vom 2. November 1892 verbot es nun allein Frauen, länger als elf Stunden zu arbeiten, und schrieb eine Stunde Pause am Tag vor. Das wirkte sich störend auf die Arbeitsorganisation aus, und der Lohn der Frauen wurde beschnitten, denn die Entlohnung erfolgte in der Regel nach Stückzahl. Oft wurden Fabrikfrauen durch Heimarbeiterinnen ersetzt, die nicht durch das Gesetz geschützt waren und deren Arbeit von ihren Ehemännern zumeist gutgeheißen wurde. Das Gesetz vom 30. März 1900 verstärkte noch die Bindung der Frauen an die Familie, denn es regelte ihre Arbeitszeit so, daß sie zusätzliche Pausenzeiten bekamen, um zu Hause das Essen zu kochen. Eine Verfügung vom 29. September 1900, das sogenannte »Sitzgesetz«, verpflichtete Unternehmer, ihren weiblichen Beschäftigten Sitzgelegenheiten zur Verfügung zu stellen.

Von den Maßnahmen, die ausschließlich Frauen zugedacht waren, bezogen sich die wichtigsten auf die Mutterschaft. Im Vergleich zum restlichen Europa wurde der vierwöchige Mutterschaftsurlaub, der von den fünfzehn Teilnehmerländern der internationalen Konferenz von Berlin am 15. März 1890 empfohlen wurde, in Frankreich erst sehr spät zugestanden. Dabei war die Lage von Frauen und Neugeborenen dort dramatisch. Im Jahre 1886 initiierten Feministinnen eine Kampagne. Erst das Gesetz vom 27. November 1909 legte in Frankreich fest, daß es kein Bruch des Arbeitsvertrags sei, wenn eine Frau in den acht Wochen vor oder nach der Niederkunft unbezahlten Urlaub nahm. 1910 und 1911 gewährte der Staat Lehrerinnen, Werftarbeiterinnen und weiblichen Postangestellten bezahlten Mutterschaftsurlaub. Am 27. März 1913 stellt der Kassationshof klar, daß diese Maßnahmen auch für ledige Mütter galten. Aber das Gericht machte gleichzeitig darauf aufmerksam, daß der Unternehmer selbstverständlich das Recht behalte, der Angestellten wegen ihrer Schwangerschaft zu kündigen, wenn ihr »Fehltritt« dem Ruf seiner Firma zu schaden drohe. Die Gesetze vom 17. Juni und 30. Juli 1913 gestatteten werdenden Müttern, vor der Niederkunft mit der Arbeit auszusetzen, und verpflichteten sie – auch die Heimarbeiterinnen –, nach der Geburt vier Wochen lang nicht zu arbeiten. Erst vom 30. Juli 1915 an war ein täglicher Zuschuß für junge Mütter vorgesehen, der im Falle einer Fehlgeburt jedoch nicht ausgezahlt wurde und sehr viel niedriger war als der Arbeitslohn.

Der Gesetzgeber sprach nie von einem Ausschluß der Frauen von der Arbeitswelt, doch aus Gründen des Familienschutzes wurde die Arbeitszeit so festgelegt, daß die weiblichen Arbeitskräfte in ungeschützte Arbeitsverhältnisse abgedrängt wurden. Diese Maßnahmen, die zu Arbeitslosigkeit und Diskriminierung in der Arbeit führten, benachteiligten ganz besonders ledige Arbeiterinnen, für die das Argument, ihre Einkünfte seien ja lediglich ein Nebenverdienst, keinen Sinn ergab. Trotz aller Mängel bleibt festzuhalten, daß diese schützende Gesetzgebung mit dem Prinzip brach, der Staat hätte kein Recht, sich in private Arbeitsverträge einzumischen. Das Recht, ihren Beruf auch gegen den Widerstand der Männer ausüben zu dürfen, mußten sich Frauen in den verschiedenen Berufsgruppen durch die Anrufung von Gerichten sowie durch Appelle an den Gesetzgeber hart erkämpfen. Zwei Beispiele seien stellvertretend dafür genannt. 1908 wies man eine Klage von Medizinstudenten ab, die forderte, daß ein Beschluß der staatlichen Fürsorge in Paris, wonach sich Frauen ebenfalls bereits nach dem dritten Studienjahr um eine Stelle im Krankenhaus bewerben konnten, aufgehoben würde.[8] Der Streit um die Zulassung zum Anwaltsberuf sorgte in der juristischen Welt Europas für beträchtliche Aufregung. In der Polemik wurden sämtliche Vorurteile gegen die weibliche Berufstätigkeit zusammengetragen, von der »*pudicitia*, die die Natur gebietet«,[9] bis hin zur Unmöglichkeit, eine Frau in die Schranken zu weisen, da kein Richter ihrer Geschwätzigkeit Herr werden könne. Alle nur erdenklichen Behauptungen wurden aufgestellt: körperliche Schwäche; die Schwierigkeiten von Frauen bei der Verteidigung ihrer Mandanten auf Lateinisch – ein Mangel, der in Amerika anscheinend unerheblich war, da dort Frauen als Anwältinnen zugelassen waren; die Gefahr, daß die Richter den Verführungskünsten der Frauen erlägen, da diese von Natur aus kokett seien. Um so erstaunlicher ist es, daß in Frankreich mit dem Gesetz vom 1. Dezember 1900 Frauen zum Anwaltsberuf zugelassen wurden.[10] Allerdings konnte man sich damals auf zahlreiche Präzedenzfälle in der ganzen Welt berufen: Rußland, Japan, Rumänien, Schweiz, Finnland, Norwegen, Neuseeland, die Vereinigten Staaten (die erste Anwältin ließ sich 1869 in Iowa nieder; 1879 erhielten amerikanische Frauen das Recht, vor dem Bundesgericht zu plädieren). In manchen Bundesstaaten wirkten sie als Friedensrichterinnen, und die sogenannten weiblichen *court clerks* übten gleichzeitig die Funktionen eines Richters wie eines Verwaltungsbeamten, eines Notars wie eines Gerichtsschreibers aus.

Frauen und Strafrecht

Man zweifelte zwar auf vielen Gebieten an den Fähigkeiten der Frauen, aber im allgemeinen traute man ihnen sehr wohl zu, Straftaten zu begehen und sich vor Gericht dafür zu verantworten. In England war allerdings der Ehemann für die Delikte seiner Frau verantwortlich, bis man die Frau 1870 zum Rechtssubjekt erklärte. Obwohl Michelets Auffassung, die Frau sei zu schwach, um strafrechtlich zur Verantwortung gezogen zu werden, im allgemeinen nicht unterstützt wurde, gab es im Rahmen des Gewohnheitsrechts gewisse Ausnahmen. Todesurteile wurden selten vollstreckt, und eine schwangere Frau mußte ihre Strafe erst nach der Niederkunft abbüßen. Das französische Strafgesetzbuch von 1791 ersetzte die Bestrafung mit dem Halseisen durch die Aberkennung der bürgerlichen Rechte, und Straftäterinnen kamen ins Zuchthaus, anstatt in Eisen gelegt zu werden. Schon im alten Strafrecht verbüßten Frauen ihre Strafen versteckt hinter Gefängnismauern. Das Gesetz vom 19. Juli 1907 modifizierte das vom 27. Mai 1885; rückfällige Frauen wurden nun von der Verbannung in Strafkolonien auf Guayana oder in Neukaledonien dispensiert. Im großen und ganzen blieben Frauen ebenso wie Minderjährige oder über Siebzigjährige von der Schuldhaft befreit (Gesetz vom 15. Germinal im Jahr IV). Nicht betroffen von dieser Ausnahmeregelung waren Geschäftsfrauen oder Frauen, die in betrügerischer Absicht Immobilien, die ihnen nicht gehörten oder die sie als nicht belastet erklärten, verkauft oder mit Hypotheken belastet hatten. In der Praxis bedeutete diese Bestimmung, daß die Kreditfähigkeit von Frauen und deren Möglichkeiten, Geschäfte zu tätigen, gravierend beeinträchtigt war. Überdies konnten Frauen vor dem Gesetz vom 17. April 1832 bzw. seiner erweiterten Fassung vom 22. Juli 1867 keine öffentlichen Gelder verwalten und waren so von zahlreichen Arbeitsbereichen ausgeschlossen.

Was die Prostitution anbelangt, so florierte das Gewerbe in jedem der zahlreichen Länder, die dessen freie Ausübung unterdrückten. In Frankreich wurde allerdings rechtlich besonders heuchlerisch mit der Prostitution verfahren. Seit dem Konsulat und der Rückkehr zu größerer sexueller Freizügigkeit war die Prostitution bis zum Jahre 1946 nicht verboten. Sie wurde toleriert, was allerdings nicht hieß, daß man sie nicht reglementiert hätte. Die Prostitution galt für Männer als unentbehrlich, als notwendiger Faktor bei der Aufrechterhaltung der öffentlichen Ordnung und als Schutz für junge Mädchen. Doch sie sollte sich in einem geschlossenen Milieu abspielen, fern vom Blick ehrbarer Frauen, aber unter der »panoptischen« Kontrolle der Behörden. Als offizielle Dirnen (im Gegensatz zu den nichtregistrierten) amtlich anerkannt, übten die Prostituierten ihr Gewerbe entweder einzeln oder in einem Bordell aus. Der Staat gab sich gemeinhin nicht damit ab, die Orte, an denen Prostituierte ihrem Gewerbe nachgingen, gesetzlich festzulegen. Die Prostitution vollzog sich im Verborgenen und in Schande. Dieses »französische System« war ein regelrechter Angriff auf das weibliche Geschlecht, das allein die Folgen der »Unzucht«, die von beiden Geschlechtern praktiziert wurde, zu tragen hatte. Nicht einmal in England oder in den Vereinigten Staaten mit ihren äußerst energischen Kampagnen gegen die Prostitution gab es so minutiöse und für die Frauen so erniedrigende Bestimmungen. Reglementierung, Heuchelei und Verachtung waren kennzeichnend für die Art, wie man in Frankreich mit dem gesellschaftlichen Problem der Prostitution umging. In Krankenhäusern, Gefängnissen, »Zufluchtsstätten der Reue« und Bordellen herrschte polizeiliche, medizinische und religiöse Willkür. Frauen, die sich dieser Behandlung unterziehen mußten, wurden den übelsten Schikanen ausgesetzt, ohne daß die Repräsentanten der öffentlichen Ordnung die geringste Strafe hätten fürchten müssen.[11]

Die Ausbreitung der »wilden« Prostitution und die zahlreichen Veröffentlichungen über Geschlechtskrankheiten sowie die wahnhaften Vorstellungen über das weibliche Sexualverhalten lösten zwischen 1876 und 1884 eine Bewegung der Anteilnahme für die Prostituierten aus, die Opfer dieser Misere waren. Es kam zu einer Reihe von Enqueten und zu verstärkten Bemühungen um neue Wege in der Sozialpolitik. Die Protestbewegung gegen das »französische System« begann in protestantischen Kreisen Englands und der Schweiz (Genf und Neuchâtel). Die Contagious Diseases Acts (Gesetze über ansteckende Krankheiten) von 1866, 1867 und 1869 führten in England zu einer minimalen Reglementierung, indem nun in einzelnen Städten und Häfen die Prostitution offiziell kontrolliert wurde. Josephine Butler initiierte damals nach US-amerikanischem Beispiel gemeinsam mit Ärzten und Quäkern eine internationale Protestbewegung. Diese in erster Linie moralische Bewegung zielte darauf ab, die außereheliche Sexualität generell zu unterbinden; von 1870 bis 1879 wurden 9667 Petitionen mit insgesamt 2150941 Unterschriften eingereicht.[12] Im Gegensatz dazu kämpften Feministinnen und Radikale vor allem in Paris im Namen der Freiheit und der Menschenrechte gegen die Sittenpolizei und die Festnahmen von Prostituierten. Verschiedene Petitionen wurden von der Deputiertenkammer abgelehnt. Als nach den Wahlen von 1902 der Linksblock die Regierung übernahm, verbanden sich ordnungspolizeiliche mit gesundheitspolizeilichen Bemühungen, was den Ruf nach Reglementierung verstärkte. Ein Gesetz vom 11. April 1908 verfügte, daß Prostituierte unter achtzehn Jahren in Anstalten untergebracht werden sollten.

Ende des 19. Jahrhunderts beflügelte der »weiße Sklavenhandel« die Phantasie der Leser. Das Thema wurde zu einem wahren Verkaufsschlager für die Presse. Vor allem in England und Belgien veranlaßten die Parlamente sorgfältige Untersuchungen. Auch Ungarn und Österreich zeigten sich über das Problem beunruhigt. 1881 wurde der Frauenhandel in Genf offiziell angeprangert. 1895 verabschiedete der französische Senat einen Gesetzentwurf gegen Personen, die Frauen zur Prostitution zwangen, doch die Abgeordneten nahmen ihn nicht an. Nur in Deutschland wurden konkrete Maßnahmen getroffen. Von 1897 an riskierten Frauenhändler Gefängnis- bzw. Geldstrafen; Auslieferungsverträge wurden unterzeichnet. 1899 trafen sich Vertreter der europäischen Staaten (mit Ausnahme Spaniens und Italiens) auf einem Kongreß. Die wissenschaftlichen Dokumente dieses Kongresses belegen, daß – genährt von der Presse – ein regelrechter Mythos entstanden war, der gleichermaßen Angst vor einer sexuellen Befreiung der Frau, aggressive Fremdenfeindlichkeit und bösartigen Rassismus schürte. Der Frauenhandel erreichte nie das Ausmaß, das man ihm nachsagte. Viele Frauen dürften sehr wohl Bescheid gewußt haben über die Art der »Verträge«, die sie abschlossen, um nach Amerika, Australien, in den Orient oder während des Krieges in Transvaal nach Südafrika zu gelangen. Lediglich Schweden scheint sich diesem Handel entzogen zu haben. Mit dieser Richtigstellung soll im übrigen weder das soziale Problem, noch dessen Ursachen negiert werden.

Ein 1902 in Paris abgehaltener Kongreß wandte sich nicht gegen das französische System der Reglementierung. Am 3. April 1903 verabschiedete das französische Parlament ein Gesetz, das den Handel mit Frauen lediglich dann unter Strafe stellte, wenn diese durch Anwendung von Gewalt, Täuschung oder Drohungen zur Prostitution gezwungen wurden. Die internationale Übereinkunft vom 4. Mai 1910 übernahm den Wortlaut des französischen Gesetzes. Bereits vorher waren durch das internationale Abkommen vom 8. Mai 1904 Schutzmaßnahmen und die Rückführung der Frauen in ihr Heimatland geregelt worden.

Opfer zu sein, bedeutete für Frauen, an den Rand der Gesellschaft gedrängt zu werden. Zu Unrecht von einer Frau zu behaupten, sie sei vergewaltigt worden, wurde als Angriff auf ihre Ehre betrachtet, die zu einer finanziellen Entschädigung berechtigte.[13] Der Begriff »Sittlichkeitsdelikt« verrät, daß die öffentliche Ordnung dabei stärker im Blickfeld stand als das Opfer. Das französische Strafgesetzbuch von 1791 unterschied nur zwei Arten der Vergewaltigung: die einfache Vergewaltigung (bestraft mit sechs Jahren in Eisen) und die Vergewaltigung unter erschwerenden Umständen, die vom Alter des Opfers, der Anwendung von Gewalt sowie der Anwesenheit von Mittätern abhing (bis zu zwölf Jahre in Eisen). Auf die Entführung einer Minderjährigen unter 15 Jahren zum Zweck der Vergewaltigung oder Prostitution stand dieselbe Strafe. Das Strafgesetzbuch von 1810 unterschied nicht zwischen Vergewaltigung und gewaltsam erzwungener Unzucht, die mit Gefängnis bestraft wurde (Art. 330). War das Opfer jünger als fünfzehn Jahre, riskierte der Schuldige einige Jahre Zwangsarbeit; mit lebenslänglicher Zwangsarbeit wurde er bestraft, wenn das Opfer in einem Abhängigkeitsverhältnis zu ihm stand oder wenn ein Mittäter beteiligt war (Art. 332). Wer die Prostitution einer Minderjährigen unter einundzwanzig Jahren begünstigte, wurde mit Gefängnis zwischen sechs Monaten und zwei Jahren sowie einer Geldbuße bestraft; wenn der Schuldige die Vormundschaft über das Opfer hatte, konnte dies um bis zu fünf Jahre verlängert werden (Art. 332–334). Das Gesetz vom 28. April 1832, das bis zur Neufassung vom 23. Dezember 1984 fast unverändert blieb, modifizierte Art. 331: Jegliche Unzucht mit Kindern unter elf Jahren wurde mit Zuchthaus geahndet (seit dem 13. Mai 1863 unter dreizehn Jahren).

Wichtig ist vor allem, daß im Gesetz Vergewaltigung als Verbrechen galt, ohne jedoch wirklich definiert zu werden. Für die Rechtsprechung war Vergewaltigung ein Akt männlicher Gewalt, der sich auf den vaginalen Koitus beschränkte, und die Gerichte interessierten sich besonders für den tatsächlichen Grad der Gewaltanwendung. Frauen, die behaupteten, einer Gewaltdrohung nachgegeben zu haben, wurden der Lüge verdächtigt.[14] Als Bestrafung vorgesehen war eine Zuchthausstrafe, die verschärft wurde, wenn das Opfer jünger war als fünfzehn Jahre.

Weitere Formen der Kriminalität, die insbesondere Frauen betrafen, waren Abtreibung und Kindsmord. Von der neomalthusianischen Bewegung, die Ende des 19. Jahrhunderts vor allem in England, Deutschland und den USA, also Ländern mit protestantischer Tradition aufkam, hielten französische Frauen nicht viel. Sie nutzten statt dessen das in den Grauzonen von Moral und Recht herrschende geheime Einverständnis: Nachbarinnen, Freundinnen und Verwandte gaben Verhütungspraktiken weiter, tauschten Adressen aus, um einen gefährdeten guten Ruf wiederherzustellen und praktizierten insgeheim Geburtenkontrolle, vor allem Frauen, die bereits mehrere Kinder hatten.[15] Um die Jahrhundertwende, als viele Staaten bereits zur pronatalistischen Politik übergegangen waren, stieg die Zahl der Abtreibungen. Möglicherweise war dies Ausdruck eines populären Feminismus.[16] Das Strafgesetzbuch von 1791 sah für jemanden, der eine Abtreibung vornahm, zwanzig Jahre in Ketten vor. Ab 1810 war für diesen sowie die betreffende Frau – egal ob sie dem Eingriff zugestimmt hatte oder nicht – eine Zuchthausstrafe vorgesehen. Kindsmord wurde mit der Todesstrafe geahndet. In der Realität widerstrebte es jedoch den Geschworenen, allzu strenge Strafen zu verhängen.

Das Gesetz vom 21. November 1901 definierte den Kindsmord nicht länger als Verbrechen (Schwurgericht), sondern als Vergehen (Strafgericht), so daß die Schuldigen vor Berufsrichtern und nicht vor Geschworenen erscheinen mußten. Auf diese Weise versuchte der Gesetzgeber, die große Zahl der Freisprüche und die sehr häufig akzeptierten mildernden Umstände zu reduzieren. In Frankreich bestand kein Unterschied zwischen der Tötung eines ehelichen und der eines unehelichen Kindes. Demgegenüber sahen die meisten anderen europäischen Strafgesetze der Neuzeit eine mildere Strafe vor, wenn der Kindsmord mit dem Ziel begangen wurde, die Ehre der Mutter zu retten. In der Tat waren die meisten des Kindsmords Angeklagten mittellose ledige Frauen, häufig weibliche Dienstboten.

Die Familie als Falle

Die Auseinandersetzung um die Rechtsfähigkeit der Frau beschäftigte am Ende des 19. Jahrhunderts Literaten, Bühnenautoren, Feministinnen und parlamentarische Instanzen weit mehr als das einfache Volk. Überall in der abendländischen Welt war die Frau ihrem Mann rechtlich untergeordnet. Wie läßt sich der Widerspruch erklären, daß aus einer volljährigen und rechtsfähigen ledigen Frau, sobald sie heiratete, ein Wesen wurde, das aus dem rechtlichen Leben ausgeschlossen war und sich auf derselben Stufe wiederfand wie geistig Behinderte und Minderjährige? Und wie läßt sich der hohe Stellenwert rechtfertigen, den der Staat in einem Bereich des Rechts, der die Beziehungen zwischen Individuen regelte, für sich beanspruchte? Nicht zu unterschätzen ist die Bedeutung, die man der Familie als Fundament der Gesellschaft beimaß. Gute Väter, gute Ehegatten, gute Söhne – nur sie waren gute Bürger.[17] In Frankreich war es unmöglich, die Regeln, nach denen Ehe und Familie organisiert waren, zu umgehen, denn diese Regeln waren Teil der öffentlichen Ordnung.

Es ist wichtig, zwischen dem *Besitz* und der *Ausübung* eines Rechtes zu unterscheiden. Die Frau hatte zwar Rechte, war aber unfähig, diese selbst *auszuüben*. Das ist eine bedeutsame juristische Spitzfindigkeit. Nicht umsonst zählt die Rechtfertigung der männlichen Autorität in der Ehe zu den schönsten Blüten juristischer Rhetorik. Die Autorität des Ehemannes hatte einen praktischen Zweck: Er soll nach der traditionellen Rollenverteilung die eheliche Gemeinschaft verwalten und Frau und Kinder leiten. Ende des 18. Jahrhunderts waren die Philosophen der Ansicht, diese Autorität entspreche dem Naturrecht; manche jedoch, so etwa Burlamaqui, wollten sie im Sinne einer natürlichen Gleichheit ein wenig mäßigen. Rousseau dagegen konnte sich die Frau nur als vom Mann abhängig vorstellen. Auch in diesem Bereich waren die Errungenschaften der Revolution zweifelhaft: die Frau wurde als Individuum anerkannt, das Prinzip der tyrannischen Macht des Ehemannes abgeschafft, aber die Ehegatten dennoch nicht als gleichberechtigt angesehen. Das in Frankreich entwickelte Ehe- und Familienrecht galt bis in das 20. Jahrhundert als Modell, denn die der Ehefrau zugewiesene Rolle war in allen patriarchalisch organisierten Gesellschaften im wesentlichen gleich. Auch in Frankreich hatte das Rechtssystem einen gemischten Ursprung, wobei der Code Napoléon von 1804 dem vorrevolutionären Pariser Gewohnheitsrecht einen erheblichen Stellenwert einräumte. Die von den Juristen im 18. Jahrhundert neu überarbeiteten Maximen des römischen Rechts und Maximen des germanisch inspirierten Gewohnheitsrechts begründeten gemeinsam die Abhängigkeit der Frau und deren Rechtsunfähigkeit. Die verheiratete Frau existierte lediglich in der und durch die Familie; das Recht bezog sich überall auf die bürgerliche Frau. Und dieses Recht bestimmte noch über das Ende einer Ehe hinaus das Leben einer Frau und den Umgang mit ihrem Besitz.

Die Unterwerfung unter die Ziele der Ehe

Die Vormachtstellung des Ehemannes »ist eine Huldigung der Frau an die Macht, die sie schützt«.[18] In der Tat leitete sich die Überlegenheit des Mannes von einer angenommenen Schwäche des weiblichen Geschlechts ab. Diese *fragilitas,* übernommen aus dem römischen Recht, war eigentlich keine naturgegebene Schwäche, sondern eher der Beweggrund für den Schutz Unmündiger. Eben dies führt zur auffälligen Inkohärenz des Rechts. Statt die Vormachtstellung des Ehemannes direkt zu bekräftigen, wird die physische Unterlegenheit der Frau, die allerdings nur bei verheirateten Frauen von Belang war, zur Rechtfertigung herangezogen. Der Ehemann »muß als oberster und absoluter Richter über die Familienehre gelten«.[19]

So galt z. B. jede Ansteckung mit Syphilis durch die Ehefrau, sofern erwiesen war (wie?), daß die Frau die Krankheit als erste hatte, als schwere Verfehlung und Scheidungsgrund; denn die Syphilis ließ die Frau als Ehebrecherin erscheinen. Umgekehrt wurde ein Mann nur schuldig gesprochen, wenn er die Krankheit wissentlich und wiederholt unbescholtenen Frauen übertragen hatte. Ebenso konnten Anschuldigungen, eine Frau hätte bei ihrer Eheschließung gewisse Tatsachen verheimlicht (zum Beispiel Schwangerschaft oder die polizeiliche Registrierung als Prostituierte), gegen sie verwendet werden.

Die Gehorsamspflicht

»Der Mann schuldet seiner Frau Schutz, die Frau schuldet ihrem Mann Gehorsam«, besagt Artikel 213 des bürgerlichen Gesetzbuches in Frankreich. Eine solche Formulierung war im Abendland durchaus üblich, auch wenn einige Rechtssysteme, so etwa das norwegische, italienische oder deutsche des späten 19. Jahrhunderts, eine weniger direkte Sprache bevorzugten. Doch ob mehr oder weniger explizit, die Idee lag einer jeden Gesetzgebung zugrunde. »Diese Worte klingen hart, aber sie stammen vom Apostel Paulus, und seine Autorität ist ebensogut wie jede andere«, meinte einer der Verfasser des Code civil.[20] In den Ländern jüdisch-christlicher Tradition hat die Vorstellung vom Primat der Schöpfung des Mannes und der Schuld der Frau im Sündenfall großen Schaden angerichtet. Nach Napoléon Bonaparte hätte dieser Text bei der Eheschließung öffentlich verlesen werden sollen: Denn in einem Jahrhundert, in dem die Frauen »das Bewußtsein ihrer Unterlegenheit vergessen, muß man sie in aller Offenheit an die Ergebenheit erinnern, die sie dem Manne schulden, welcher Herr über ihr Geschick sein wird«.[21] Die antifeministische Einstellung des Ersten Konsuls ist hinlänglich bekannt. Aber es wäre falsch, in diesen Worten einzig und allein die Laune und Rache eines eitlen, betrogenen Generals zu sehen. Hier ist vielmehr auf militärisch knappe Weise formuliert, was Männer dachten und nahezu jede Frau akzeptierte.

Eine Frau nahm grundsätzlich die Nationalität des Mannes an, es sei denn, diese stand in Konflikt mit staatlichen Interessen. Das war in Frankreich ab 1899 der Fall, wo man um die Reinheit der Rasse fürchtete. Auch in England wurde die Gesetzgebung als Reaktion auf »Mißbräuche« im Zusammenhang mit Prostitution strenger. Eine Französin gab gewöhnlich ihren Mädchennamen auf, ohne daß ein Gesetz sie ausdrücklich dazu gezwungen hätte. Nach einer Scheidung konnte der Mann seiner Frau verbieten, weiterhin seinen Namen zu tragen: Er hatte ihn ihr gewissermaßen nur geliehen. Dagegen mußte im angelsächsischen Sprachraum die Frau den Namen des Mannes auch nach einer Scheidung behalten. In wieder anderen Ländern waren Doppelnamen üblich.

Der Mann hatte die edle Pflicht, über das Betragen seiner Gattin zu wachen. Der »häusliche Richter [muß] in Maßen zu seiner Autorität auch die Gewalt gesellen [können], um sich Respekt zu verschaffen«.[22] Und nicht immer könne man die Disziplinarmaßnahmen oder die Wutausbrüche eines Mannes verurteilen: »Die Autorität, die dem Mann von der Natur und vom Gesetz verliehen ist, hat das Ziel, die Frau in ihrem Betragen zu leiten.«[23] Englische Ehemänner waren sicherlich nicht grausamer als andere, aber nur sie genossen bis 1870 eine völlige, aus der absoluten Ohnmacht der verheirateten Frau hergeleitete Straffreiheit. 1840 ermächtigte ein Richter, der sich auf Bacon berief, einen Ehemann, seine Frau zu schlagen und einzusperren, solange er dies ohne Grausamkeit tat.[24] Als Antwort auf die Veröffentlichung des Artikels »Wife Torture in England« und nach mehreren Jahren Propaganda in der Zeitschrift *English Women's Review* wurde endlich 1878 per Gesetz den Engländerinnen im Falle von Mißhandlungen die Trennung von Tisch und Bett erlaubt. 1893 wurde auch »fortgesetzte Grausamkeit« als Scheidungsgrund eingeführt, eine Regelung, die Gerichte recht großzügig interpretierten, ähnlich wie im Falle von *injure grave* in Frankreich oder von *faltas* in Spanien.

Ein Ehemann muß »über den Grundtenor der Gespräche seiner Frau und deren außerhalb und unabhängig von ihm ausgeübten Einflüsse Bescheid wissen«. So stellte ein Briefwechsel »einen Vertragsbruch, eine Art moralischer Untreue dar, [und der Ehemann kann] solchen Absonderungsbestrebungen einen Riegel vorschieben«.[25] Er war ermächtigt, Briefe, die seine Frau schrieb oder erhielt, abzufangen; er konnte die Post anweisen, ihm diese zurückzugeben und verbieten, daß sie an den Adressat ausgehändigt wurden. Wenn der Ehemann sich dieser Korrespondenz kraft seiner Autorität bemächtigt oder sie mit List unterschlagen hatte, konnte er sie bei einem Scheidungsprozeß vorlegen. Seine Ehefrau dagegen hatte nicht das Recht, sich der Briefe ihres Mannes zu bemächtigen oder von diesen gar im Prozeß Gebrauch zu machen.[26] Doch die französische Rechtsprechung entwickelte sich ein wenig weiter: So wurden Briefe der Ehefrau an eine Freundin dann nicht berücksichtigt, wenn diese um die Briefe nur gebeten hatte, um sie dem Ehemann auszuhändigen – ein solches Vorgehen galt als unsittlich. Das Briefgeheimnis war im übrigen auch für Anwältinnen, Ärztinnen, Geschäftsfrauen und Beamtinnen ein Problem. Das französische Recht blieb weit entfernt von den englischen Prinzipien, die die Individualität der Ehefrau anerkannten und ihr ab 1870 auch das Briefgeheimnis zugestanden. Viele französische Juristen waren der Ansicht, solche Regeln unterminierten die Autorität des Ehemannes und bedrohten den Zusammenhalt der Familie.[27]

Die Ehegatten schuldeten sich gegenseitig Unterstützung und Hilfe, doch die Unterwerfung der Frau hatte zur Folge, daß im wesentlichen der Ehemann leistungspflichtig war. Es war seine Pflicht, seine Frau mit dem Notwendigen (Nahrung, Wohnung, Kleidung, Arzneien) zu versorgen. Darunter fiel auch, wie bei einem Kind, das Taschengeld (*Nadelgeld*, wie man in der Schweiz sagte). Die Frau trug mit ihrem Einkommen zu den Haushaltskosten bei, hatte aber keinen Zugriff auf das Vermögen. In England konnte sie bis 1857 keinerlei Privatklage gegen ihren Mann erheben, um sich eine Art Rente zu sichern; danach gestattete man ihr, zur Bestreitung ihres Unterhalts einen Teil des Besitzes, der ihr womöglich zugesprochen würde, wenn der Ehemann sie verließe, zu behalten. Ab 1886 konnte ein Mann dazu verurteilt werden, eine geringfügige wöchentliche Rente an seine getrennt von ihm lebende Ehefrau zu zahlen. Im Falle »fortgesetzter Grausamkeit« oder wenn kein Unterhalt geleistet wurde, war die Rechtsprechung ab 1895 dazu befugt, Ehemänner zur Zahlung von Alimenten zu zwingen. Ebenso wurde es in den USA gehandhabt. In Frankreich wurde das Eheverlassen erst ab 1924 gesetzlich verfolgt.

Die Ehefrau mußte in der Wohnung leben, die der Mann ausgesucht hatte, vorausgesetzt diese entsprach dem sozialen Status des Paares. Das sollte ihr die Möglichkeit geben, »nach außen hin zumindest ihre Würde zu wahren, selbst wenn sie im Innern all ihr Glück verloren hatte«.[28] Ein Ehemann konnte Zwang anwenden, um seine Frau nach Hause zurückzuholen. Zahlreiche Gerichtsurteile befanden, eine Ehefrau sei *manu militari* zurückzubringen, d. h. in der Begleitung eines Amtsdieners, der bewaffnete Beamte zu Hilfe rufen konnte, »damit es nicht von den Launen oder gar einem Verbrechen der Ehefrau abhängt, daß eine neue Art der Trennung von Tisch und Bett entsteht, die das allgemeine Recht der Gesellschaft zersetzt«.[29] Der Richter konnte, ohne dabei die Mobilien untersuchen zu müssen, anordnen, daß man die Einkünfte der Frau, ja sogar ihre Kleider beschlagnahmte. Der Ehemann seinerseits hatte das Recht, seiner Ehefrau den »Unterhalt« zu verweigern, wenn sie die eheliche Gemeinschaft verlassen hatte. In Deutschland wurde die Zwangsvollstreckung, die bis 1900 erlaubt war, schließlich durch das Recht auf Klage, die eheliche Gemeinschaft wiederherzustellen, abgelöst. Männer verfügten über die verschiedensten Mittel, mit denen sie ihre Frauen zwingen konnten, in der vom Mann gewählten Wohnung zu leben.

Die Aufrechterhaltung der rechtmäßigen Familie

Die »eheliche Pflicht« gestattete es dem Ehemann, innerhalb der Grenzen von Natur, Sitten und Gesetzen Gewalt anzuwenden, solange es nicht um Handlungen ging, die dem »legitimen Zwecke der Ehe«[30] entgegengesetzt waren. Es konnte daher weder auf Vergewaltigung noch auf Verstoß gegen die Sittlichkeit geklagt werden oder Scham geltend gemacht werden, wenn der Ehemann seine Frau zu normalen sexuellen Beziehungen zwang, ohne sie dabei schwer zu mißhandeln.[31] Gegen Ende des Jahrhunderts bestanden die Gerichte darauf, daß der Ehemann seine Frau nicht »wie eine Dirne« behandeln und durch »widernatürliche Berührungen«[32] beschmutzen dürfe. Dementsprechend galt es als kränkend und beleidigend, wenn ein Mann gegen den Willen seiner Frau über längere Zeit Präservative benutzte.[33]

Um sicherzustellen, daß die Nachkommenschaft rechtmäßig war, wurde weibliche Untreue streng geahndet. Im übrigen betrachtete das Recht jegliche außereheliche Zuneigung mit Mißtrauen. Die leidenschaftliche Freundschaft eines verheirateten Mannes zu einem anderen wurde als »geistige Gemeinschaft« angesehen, es sei denn, der Freund legte eine »krankhafte Empfindlichkeit«, eine »Art Hysterie im Gehirn« an den Tag; dies war dann eine »schwere Verfehlung«.[34] Wie man sieht, begegnete das Recht auch bei Männern jeder abweichenden Sexualität mit Argwohn. Doch die Untreue einer Frau brachte die Gefahr mit sich, daß ein Fremder in die Familie eindrang und die gerechte Verteilung des Besitzes vereitelte. Daher wurde sie weit strenger geahndet als die des Mannes. Ehebruch war ein Vergehen, bei dem nur die Ehegatten Klage erheben konnten. Das geschah vor allem, wenn der Ehebruch als Scheidungsgrund oder Grund für die Auflösung der ehelichen Gemeinschaft angegeben wurde. Eine solche Klage bietet dem Zivilgericht im französischen Prozeßrecht die einzige Gelegenheit, eine Strafe für dieses Vergehen zu verhängen. Ehebruch wurde fast überall vor Gericht als Trennungsgrund anerkannt, aber nur in manchen Ländern, vor allem im romanischen Kulturbereich, wurde er bestraft. Das moderne Zivilrecht, in Deutschland das Bürgerliche Gesetzbuch aus dem Jahre 1900, und das Eherecht in den angelsächsischen und skandinavischen Ländern tendierten eher zu einer Entkriminalisierung.

Die je nach Geschlecht unterschiedliche Behandlung vor Gericht zeigt sich in der Art der Beweisführung, in der Ungleichheit der Strafen, die die schuldige Partei nebst Komplizen zu erwarten hatten, sowie in gewissen Rechten, derer sich nur der Ehemann erfreute. So galt in Frankreich bis 1884 schon ein einmaliger Ehebruch der Frau als ein Vergehen, das mit allen zur Verfügung stehenden Mitteln, einschließlich unterschlagener Briefe, bewiesen werden durfte. Der Mann dagegen machte sich des Ehebruches nur schuldig, wenn er diesen wiederholt beging und seine Konkubine im ehelichen Domizil aushielt: Das kam dann der Schändung einer heiligen Stätte durch das Sakrileg der Bigamie gleich! Als erwiesen galt der Ehebruch nur dann, wenn der Ehemann in flagranti ertappt wurde oder wenn Briefe vorlagen, die der Ehegattin zufällig in die Hände gefallen waren. Kontrovers diskutiert wurde die Frage, ob das Aushalten einer Konkubine zeitgleich mit der Klage der rechtmäßigen Ehefrau sein mußte oder nicht. Unter ehelichem Domizil verstand man die gemeinsame Wohnung im engeren Sinn. Hielt ein Mann seine Geliebte an einem geheimen Ort aus, machte er sich nicht strafbar. Die Rechtsprechung wertete ein solches Betragen als »schwere Verfehlung«. Im gesamten romanischen Sprachraum beschäftigte sich das Gesetz mit der Verfehlung eines Mannes erst dann, wenn sie einen öffentlichen Skandal darstellte oder wenn erschwerende Umstände hinzukamen. In England konnte ein Mann des Ehebruches nur im Zusammenhang mit Bigamie, Inzest, einem »Verbrechen gegen die Natur«, einer Entführung oder einer Vergewaltigung angeklagt werden.

Artikel 337 des französischen Strafgesetzbuchs sah für den Ehebruch seitens einer Frau eine Gefängnisstrafe von drei Monaten bis zu zwei Jahren vor. Während des überwiegenden Teils des 19. Jahrhunderts wurde die Höchststrafe durchaus häufig verhängt.[35] Die Strafe lag um 1880 noch im Durchschnitt zwischen 14 Tagen und vier Monaten, um 1890 bei 14 Tagen und um 1910 war meist nur noch eine Geldbuße fällig.[36] Bevor Artikel 463 des Strafgesetzbuchs modifiziert wurde, herrschte die Meinung vor, die Minimalstrafe von drei Monaten könne man nicht weiter reduzieren. Bei einem Vergehen, welches Gesetz, öffentliche Moral und Religion zugleich beleidigte, dürften keine mildernden Umstände geltend gemacht werden. Wie bei jeder Straftat war der Staatsanwalt befugt, Berufung einzulegen, wenn ihm das Urteil zu milde erschien.

Ein ehebrecherischer Mann riskierte lediglich eine Geldstrafe von 100 bis 2000 Francs (Art. 339); der Mitschuldige der Ehebrecherin, in flagranti ertappt oder durch seine eigenen Briefe überführt, hatte mit derselben Gefängnisstrafe wie seine Geliebte und zusätzlich mit einer Geldbuße von 100 bis 2000 Francs zu rechnen (Art. 338). Theoretisch war der Staatsanwalt nicht berechtigt, ein Verfahren zu eröffnen, wenn der betrogene Ehemann keine Klage gegen seine Frau erhob, aber dieser Punkt blieb heftig umstritten. Viele Gesetzesinterpreten waren außerdem der Meinung, daß im Falle fehlenden schriftlichen Beweismaterials die Konkubine nicht bestraft werden könne. Ausgefeilte Kalkulationen wurden auch darüber angestellt, wessen Ehre mehr Schaden erlitten hätte – die des Ehemannes der Konkubine oder die der betrogenen Ehefrau. Gewöhnlich wurde zugunsten der betrogenen Ehefrau entschieden. Demgegenüber hatte die Konkubine nicht »die Entschuldigung, verführt worden zu sein oder eine einmalige Verfehlung begangen zu haben, wie es bei einer ehebrecherischen Frau im allgemeinen der Fall ist, denn sie führt ein Leben in entschiedener Pflichtvergessenheit«.[37] Dem Ehemann wurde das »unumschränkte Privileg zu verzeihen« übertragen. Er konnte die Strafe aufheben, indem er seine Frau wieder zu sich nahm.[38] Diese Möglichkeit der Vergeltung galt jedoch nicht für den Komplizen der Frau.

All diese Ungleichheiten von Mann und Frau im Ehe- und Strafrecht werden noch übertroffen von einer besonders skandalösen Regelung: Tötete ein Ehemann seine Frau oder ihren Liebhaber, wenn er sie in flagranti in der ehelichen Wohnung ertappte, so war dies laut dem »Blutartikel« des französischen Strafgesetzbuches (Art. 324) entschuldbar. Das bedeutete, daß der Ehemann bei seiner Tat rechtlich keinerlei Risiken einging. Dem »eher unglücklichen als schuldigen« Täter sollte nur eine »leichte Strafe« auferlegt werden.[39] Diese Auffassung kam der allgemeinen Mentalität in den Mittelmeerländern entgegen. Auch im bürgerlichen Gesetzbuch Kolumbiens war der Vater oder der Ehemann in einem solchen Fall gleichermaßen unschuldig. Rufen wir uns nur die Affäre ins Gedächtnis, die Gabriel García Márquez in der *Chronik eines angekündigten Todes* schildert. Während die übrigen europäischen Länder ihr Strafrecht modifizierten, behielt allein Frankreich diese gesetzliche Verfügung bis 1975 bei.[40] In Belgien, Italien, Spanien, Portugal und im Tessin konnten sich beide Ehegatten auf die Klausel des entschuldbaren Mordes berufen. Da das Gesetz in vielen Ländern eine spätere Heirat zwischen zwei Ehebrechern untersagte, stellten die Erleichterungen, die man Ehemännern beim Nachweis des Ehebruchs ihrer Frauen einräumte, eine zusätzliche Strafe für die Frauen dar. Diese Klausel wurde in Frankreich erst 1904 abgeschafft.

Rechte über das Kind

Am Vorabend des Ersten Weltkrieges propagierten libertäre Kreise in Europa die freie Liebe. Dieses Modell stieß allerdings nur bei einer intellektuellen und künstlerischen Elite sowie beim emanzipierten Bürgertum auf positive Resonanz. Das Gesetz ignorierte die »wilde Ehe« völlig. Da die Treue der Ehefrauen vorausgesetzt wurde, entschied man die Vaterschaft zumeist zugunsten des rechtmäßigen Ehemannes. Die Klage zur Anfechtung der Vaterschaft, eine Möglichkeit für den Ehemann und seine Erben, war nur solchen Fällen vorbehalten, in denen die Unmöglichkeit der Vaterschaft offenkundig, um nicht zu sagen stadtbekannt war. Der Paterfamilias war somit »Eigentümer« eines jeden Kindes, das seine Frau gebar. Bis 1964 gab es in Frankreich und einigen anderen Ländern die »Vormundschaft über die Leibesfrucht«, eine Einrichtung, die das postume Kind eines Mannes gegen die eigene Mutter schützen sollte.

Der Ehemann konnte aber auch auf eine Klage zur Anfechtung der Vaterschaft verzichten und damit seine Frau und den leiblichen Vater daran hindern, das Kind nach einer Scheidung und Wiederverheiratung zu legitimieren. Das Vorurteil zugunsten der ehelichen Vaterschaft war so stark, daß es als Beweis für Ehebruch, nicht aber für Vaterschaft galt, wenn ein Mann das Kind seiner verheirateten Geliebten offiziell anerkannte.[41] Diese paradoxe Situation war eine Folge der Rechte des Familienoberhauptes. Die elterliche Gewalt wurde, selbst wenn unterstellt wurde, sie stehe beiden Elternteilen zu, in der Ehe rechtlich allein vom Manne ausgeübt. Auch das war eine subtile juristische Unterscheidung. War der Vater allerdings abwesend, entmündigt oder seiner Rechte verlustig gegangen, trat die Mutter an seine Stelle. Starb der Vater, war die Mutter der gesetzliche Vormund, sofern der Verstorbene nicht anders verfügt hatte. In Frankreich und anderen Ländern konnte der Mann für seine Witwe einen Berater bestimmen; wenn sie wieder heiratete, mußte ihr erst der (männliche) Familienrat gestatten, die Vormundschaft weiterhin zu behalten; dazu war erforderlich, daß der neue Ehemann als Nebenvormund ernannt wurde. Unter französischem Recht waren die Vollmachten der Mutter gegenüber denen des Vaters eingeschränkt. Wurde ihr nach einer Scheidung das Sorgerecht übertragen, behielt der Vater das Recht, die Erziehung der Kinder zu überwachen; auch für deren Heiratserlaubnis war seine Zustimmung entscheidend. In Deutschland verlor der schuldig geschiedene Vater nicht sein Privileg, den Besitz seiner minderjährigen Kinder zu verwalten. Dramatisch war die Lage der Frauen vor 1870 in England, da die väterliche Allmacht ihnen keinerlei Rechte auf ihre Kinder einräumte und sie so den erpresserischen Methoden ihrer Ehemänner aussetzte (Thackeray, *Barry Lindon*). Der Vater besaß hier die uneingeschränkte Befugnis, seine Kinder zu sich zu nehmen und einer Person seiner Wahl anzuvertrauen. Eine erste vorsichtige Maßnahme im Jahre 1839, die es dem Richter gestattete, eine Untersuchung anzuordnen, verursachte einen Skandal.

Gemäß dem hohen Stellenwert, den man der Familie beimaß, wurde Unehelichkeit aufs schärfste verurteilt. Feministinnen forderten einen straf- und zivilrechtlichen Schutz für verführte Mädchen sowie das Recht auf Vaterschaftsermittlung. In den Vereinigten Staaten wurde dank der politischen Aktivitäten amerikanischer Frauen, die sich ihrer neu erlangten staatsbürgerlichen Rechte bedienten, die Verführung junger Mädchen streng bestraft. Im Fall eines Ehebruchs war der Mann verpflichtet, seine Geliebte, sofern sie noch ledig war, zu heiraten. In Frankreich führte dagegen eine höchst einseitige Interpretation des alten Rechts im nachrevolutionären Recht zum Verbot der Ermittlung der natürlichen Vaterschaft. Vor 1789 konnte eine verführte Frau den »Vater« angeben, doch der Richter erkannte dessen Vaterschaft nicht in vollem Umfang an, d. h. das Kind wurde nicht in die väterliche Familie aufgenommen. Bestand eine berechtigte Vermutung, wer der Vater war, mußte dieser dem Kind einen bescheidenen Unterhalt gewähren, der allerdings nur schwer einzutreiben war. Im 19. Jahrhundert gingen die Gerichte in Frankreich bei überzeugender Beweislage allmählich dazu über, der geschwängerten Frau zu gestatten, von ihrem Schwängerer auf der Rechtsgrundlage von Artikel 1382 des Code civil eine Entschädigung zu verlangen. Ende des Jahrhunderts war es in den meisten europäischen Ländern, sogar in Spanien, möglich, eine Vaterschaftsklage zu führen. In Frankreich kam es erst am 16. November 1912 zu einer nach wie vor sehr restriktiven Novellierung des alten Rechts. Demnach mußte die Schwangerschaft Folge einer Vergewaltigung, einer Entführung, eines offenkundigen Zusammenlebens, einer Täuschung oder eines klaren Autoritätsmißbrauchs sein, damit auf Entschädigung geklagt werden konnte; die Vaterschaft mußte vom Mann schriftlich und unmißverständlich anerkannt oder das Kind vom Vater unterhalten werden. Dieses Gesetz galt nicht in den Kolonien, was für die Situation von Nebenfrauen bezeichnend ist. Jede Vaterschaft wurde automatisch abgewiesen, wenn es Zweifel an der moralischen Untadeligkeit der Mutter gab.

Die Rechtsunfähigkeit verheirateter Frauen

Bis zum Vorabend des Zweiten Weltkriegs (in Frankreich bis zum Jahre 1965) bedurften Frauen im allgemeinen der Zustimmung ihres Ehemannes, um einen Beruf ausüben zu können, »weil niemand sonst den Grad ihrer Intelligenz besser einzuschätzen wüßte«.[42] Diese Erlaubnis war entweder explizit erforderlich (wie etwa in Frankreich) oder wurde stillschweigend vorausgesetzt, d. h. der Ehemann mußte Einspruch erheben, wollte er die Frau an einer Berufsausübung hindern. Um 1900 konnten Frauen sich im Falle einer Ablehnung zwar an ein Gericht oder eine Vormundschaftsinstanz wenden, aber diese waren gewöhnlich rasch mit der Berufung auf das Familieninteresse bei der Hand, um die Klage zurückzuweisen. Eine Ehefrau konnte ohne diese Einwilligung keine Prüfung ablegen, sich nicht an der Universität immatrikulieren, kein Konto eröffnen, sich keinen Paß ausstellen lassen, keinen Führerschein machen und sich in keinem Krankenhaus behandeln lassen. Diese Liste ließe sich fortsetzen. Eine Frau war auch rechtlich nicht handlungsfähig. Das französische Recht ging sogar so weit zu fordern, daß eine Frau, selbst wenn sie ihre Ehe annullieren lassen wollte, nicht von diesem »Akt der Ehrerbietung und des Gehorsams«[43] gegenüber ihrem Ehemann befreit werden dürfte. Auch konnte eine Frau ihren Mann nicht strafrechtlich verfolgen lassen. Für die Unterzeichnung eines juristischen Dokuments mußte sie um eine Sondergenehmigung ersuchen, es sei denn, sie übte mit Erlaubnis ihres Mannes ein eigenes und zugelassenes Gewerbe aus. Ab 1896 konnte ein Mann seiner Frau in Italien eine Pauschalbevollmächtigung ausstellen. In den meisten westlichen Ländern konnten Frauen nötigenfalls einen Prozeß anstrengen bzw. Klage erheben (außer in Spanien). In Portugal war die Ehefrau seit 1867 bei den meisten Rechtsgeschäften, die beide Gatten betrafen, die Partnerin des Mannes. Wenn der Mann verhindert, entmündigt oder abwesend war, übernahm die Frau im allgemeinen seine Rechtsfähigkeit.

In den westlichen Ländern hatte es historisch stets zwei Typen patrimonialer Beziehungen zwischen Ehegatten gegeben: das germanisch inspirierte Gewohnheitsrecht, das jeglichen Besitz dem Mann zuwies, und das römische Recht, das die Unabhängigkeit der Ehefrau zwar nominell einräumte, diese aber mit so vielen Einschränkungen versah, daß sie real kaum vorhanden war.[44] Die ehelichen Besitzverhältnisse gestalteten sich somit nach zwei unterschiedlichen Prinzipien: entweder vollständige bzw. teilweise Gütertrennung oder Gütergemeinschaft. Ebenso wie juristisch zwischen dem Besitz eines Rechts und der Fähigkeit, es auszuüben, unterschieden werden muß, gliederten sich auch Rechtshandlungen in *Verfügungs*geschäfte, die den Wert des Erbes verändern konnten, und *Verwaltungs*geschäfte, die den Wert des Besitzes zu wahren hatten. Sein Eigentumsrecht auszuüben, bedeutete demzufolge, fähig zu sein, über das Eigentum zu verfügen, es zu verwalten, Einkünfte aus ihm zu beziehen und es sogar zu ruinieren. In einem System teilweiser Gütergemeinschaft behielten beide Ehegatten auch nach der Eheschließung ihr Eigentum an Immobilien, an Schenkungen und Erbschaften. Zur gemeinsamen Besitzmasse gehörten Einkünfte aus Immobilienvermögen, Mobiliar, Wertpapiere und Verdienst. Unter dem System der vollständigen Gütertrennung behielten beide Ehegatten ihren Besitz als Eigentum und trugen zu den Haushaltskosten bei. Das Dotalsystem war ein System der Gütertrennung mit dem Ziel, einen Teil des Vermögens der Frau während der Ehe zu bewahren.

Im allgemeinen entschieden sich die meisten Paare für eines der beiden Systeme, was einen Ehevertrag gewöhnlich überflüssig machte. Unter dem System der Gütergemeinschaft war seit dem Code Napoléon in Frankreich der Ehemann Herr über das gemeinsame Eigentum und besaß sämtliche Vollmachten. Nur bei Schenkungen wurden diese bisweilen eingeschränkt. Er verwaltete auch das Erbe der Ehefrau, konnte allerdings nur mit deren Einwilligung darüber verfügen. In Schweden und Schottland hatte die Ehefrau eine Verwaltungsvollmacht über den gemeinsamen Besitz. In Italien, Rußland und den meisten angelsächsischen Ländern war das meistverbreitete System die Gütertrennung.

England stellt jedoch eine Ausnahme dar und verdient daher eine nähere Betrachtung. Bis 1870 verlor die Frau unter dem *common law* durch die Heirat ihre Rechtspersönlichkeit; diese ging in der des Mannes auf *(feme covert)*. Nach Blackstones Formulierung »sind Mann und Frau eins, und dieses Eine ist der Mann«. Der Mann wurde Eigentümer des persönlichen Vermögens seiner Frau, ohne je darüber Rechenschaft ablegen zu müssen. Gegenüber diesem System existierte ein zweites, das auf dem Konzept von *equity* (Billigkeit) beruhte und durch die Gerichte ins Leben gerufen wurde. Danach genoß die Frau ein angemessenes Eigentumsrecht über ihre Güter, das sie in aller Freiheit nutzen konnte. Um der Ehefrau eine Einflußnahme zu ermöglichen, wurden also nicht die Vollmachten des Mannes beschnitten, sondern es wurde der Besitzanteil erweitert, über den er nicht verfügen konnte. Die kontinentaleuropäische Auffassung, daß eine Frau Rechte besaß, die sie aber nur unter Leitung ihres Mannes ausüben konnte, war dem angelsächsischen Recht fremd. Nichtsdestoweniger führten Feministinnen eine heftige Kampagne für eine Modifizierung des Gesetzes, da das Konzept von *equity* nur wohlhabenden Frauen zugute kam. Der Matrimonial Causes Act von 1857 gestand den Frauen, die getrennt von ihrem Ehegatten lebten oder von ihm verlassen worden waren, durch eine sogenannte Protection Order das gesetzlich getrennte Eigentum an ihrem Besitz zu. Eine Französin, die getrennt von ihrem Mann lebte, erhielt dieses Recht erst im Jahre 1894.[45] Ab 1870 bzw. 1874 war die patrimoniale Unabhängigkeit englischer Eheleute vollkommen hergestellt, 1893 erhielten englische Frauen auch das Recht, ein Testament zu machen, was Frauen in den meisten Ländern bereits durften.

In den USA waren die Prinzipien des *common law* schon vor der Jahrhundertmitte, ohne den Rekurs auf *equity*, modifiziert worden. Ein weitreichendes Gesetz des Staates New York von 1840 gestand der Ehefrau die volle Rechtsfähigkeit über ihr Eigentum und die Einkünfte aus ihrer Berufstätigkeit zu. In einem System der Gütertrennung konnte sie ihre Rechte frei ausüben. Nach und nach verabschiedeten zahlreiche andere Bundesstaaten ähnliche Gesetze. Lediglich diejenigen, die ehemals unter spanischem oder französischem Einfluß gestanden hatten, behielten die Gütergemeinschaft teilweise bei. Das gilt vor allem für Louisiana, wo ebenso wie in Quebec noch das durch den Code Napoléon modifizierte Pariser Gewohnheitsrecht angewandt wurde.

Im Dotalsystem – gebräuchlich in Italien, Chile, Peru und Südfrankreich – verwaltete oft der Ehemann das Eigentum seiner Frau. Dieses System der Trennung konnte, wie etwa in Südwestfrankreich und im Tessin, durch die Vereinbarung einer Zugewinngemeinschaft etwas gelockert werden. Die Unveräußerlichkeit der Mitgift behinderte geschäftliche Transaktionen. Daher gab es Ausnahmeregelungen in Ehekontrakten bzw. gerichtliche Genehmigungen im Interesse der Erbschaftsverwaltung oder der Familie. In Frankreich allerdings verschärfte die Rechtsprechung die Situation noch, indem sie die Unveräußerlichkeit auch auf Mobiliar und Wertpapiere ausdehnte. Der Code Napoléon beschränkte die Rechtsfähigkeit, die verheiratete Frauen unter dem Dotalsystem hatten und wohlhabende Frauen im Ancien Régime vor allem in der Provence klug zu nutzen verstanden.

Das System der Gütergemeinschaft war typisch für die Schweiz und für Teile Deutschlands (Preußen, Oldenburg, Sachsen) sowie die baltischen Provinzen. Es wurde offiziell mit der Aufnahme in die Gesetzbücher von 1900 und 1907 sanktioniert. Der Ehemann verwaltete als

Oberhaupt der ehelichen Gemeinschaft den Besitz und bezog die Einkünfte daraus, ohne daß das jeweilige Eigentum der Ehegatten miteinander verschmolzen wurde. Er benötigte die Zustimmung seiner Frau, um über das von ihr eingebrachte Gut zu verfügen, und die Frau besaß über ihren Besitz die volle Geschäftsfähigkeit. Bei Meinungsverschiedenheiten konnten sich beide Ehegatten an das Treuhandschaftsgericht wenden, und seit 1900 hatte eine Ehefrau gegebenenfalls die Möglichkeit, ihren Mann wegen Rechtsmißbrauch anzuklagen.

Die geschlechtsspezifische Rollenverteilung erforderte es, daß eine Frau in der Lage war, die nötigen Dinge für das tägliche Leben der Familie kaufen. Die Ehefrau verfügte daher in Frankreich über ein *mandat* (Vollmacht) bzw. in England über eine *agency of necessity*, um den Ehemann zu vertreten und sein Vermögen und das der Ehegemeinschaft im Hinblick auf das Haushaltseinkommen angemessen zu bewirtschaften. Letzteres war eine grundlegende Einschränkung, die es den Gerichten ermöglichte, als übertrieben erachtete Ausgaben für ungültig zu erklären. Natürlich konnte der Ehemann diese Vollmacht widerrufen. Dann stellte sich allerdings das ernste Problem der Information Dritter. In Arbeiterhaushalten war es im allgemeinen die Frau, die über das Familieneinkommen verfügte und ihrem Ehemann das Taschengeld aushändigte. Aber dabei handelte es sich lediglich um eine gesellschaftliche Praxis und nicht um ein Recht, selbst wenn es hier und da sogar zu einer Abmachung zwischen Ehefrau und Unternehmer kam, den Lohn des Mannes direkt an die Frau auszubezahlen.[46] In den Mittelschichten war die Ehefrau als Verwalterin der Familienersparnisse rechtlich anerkannt. In Frankreich waren Frauen vom 9. April 1881 an berechtigt, Geld auf Sparkonten einzuzahlen, und nach und nach war es ihnen auch erlaubt, Geld abzuheben. Das Bestreben der Regierungen, dieses Geld wieder in den Konsumkreislauf fließen zu lassen, relativiert den scheinbar rein feministischen Stellenwert mancher Gesetze. Auf die Pensionskassen traf dieselbe Logik zu.

Feministinnen forderten für Frauen das Recht, über die Einkünfte aus ihrer Arbeit frei zu verfügen. Das Gesetz vom 13. Juli 1907[47] organisierte ein System von »Vorbehaltsgütern« (Gehalt, Ersparnisse sowie deren Zinsen). Diese Mittel mußten in erster Linie für die Bedürfnisse des Haushalts verwendet werden, jedoch konnte die Frau frei darüber verfügen. Allerdings behielt der Mann das Recht, sich an ein Gericht zu wenden, wenn er der Ansicht war, die Frau mißbrauche diese Möglichkeit. Diese Bestimmung liefert für Frankreich ein perfektes Beispiel für die Grenzen eines Rechts, welches der logischen Kohärenz entbehrt. Denn solange die allgemeine Geschäftsunfähigkeit von Frauen nicht aufgehoben wurde, gab es kaum Bestrebungen, das Gesetz vom 13. Juli auch in die Praxis umzusetzen.

Ähnliche Gesetze wurden Ende des 19. Jahrhunderts verabschiedet und in Ländern mit weniger restriktiven Ansichten über Frauenrechte auch effektiv angewandt. Italien nahm ein solches Gesetz im Jahre 1865, die Schweiz im Jahre 1894 an.

Frauen ohne Männer

Diese Überschrift trifft exakt das Problem. Frauen, die nie geheiratet hatten, galten als gesellschaftliche Ausnahme, auch wenn die Zahl der ledigen Frauen im 19. Jahrhundert sehr groß war. Eine Frau ohne Mann war daher für das Recht nicht von Interesse. Als Minderjährige war sie abhängig von ihrem Vater. Blieb sie unverheiratet, war sie juristisch gesehen rechtsfähig, sozial jedoch – mit Ausnahme der seltenen und glanzvollen Beispiele in intellektuellen und künstlerischen Kreisen – eine Randexistenz. In allen westlichen Gesellschaften gaben die alleinstehenden Frauen ein eher düsteres Bild ab, dem nur die ledigen Frauen in den USA, die sich in Clubs zusammenschlossen und einen gewissen Einfluß ausübten, eine etwas hellere Note verleihen. Unverheiratete Frauen sollten ebenso wie verheiratete Frauen zumindest im Prinzip Zeit ihres Lebens einem Vormund unterstehen. Eine solche Regelung gab es in Teilen Skandinaviens, in Deutschland und der Schweiz bis in das letzte Drittel des Jahrhunderts. Rechtsfreiheit erhielten Frauen erst mit der Auflösung ihrer Ehe, Scheidung, Tod des Ehegatten oder äußerst selten auch durch Ehe-Annulierung. In den römisch-katholischen Ländern gab es lange Zeit keine Scheidung, sondern lediglich die Trennung der Ehepartner. Eine Trennung ließ die Pflichten der Ehe fortbestehen. Dazu gehörte auch die Treuepflicht, die zunehmend in Widerspruch geriet zu einer Politik der Geburtenförderung. Ehescheidungen waren in Frankreich von 1816 bis 1884 ebenso wie in Spanien, Portugal, Italien, Mittel- und Südamerika nicht erlaubt. In allen übrigen Ländern sah das Recht Ehescheidungen vor.

Die französische Verfassung von 1791 hatte die Ehe dem konfessionellen Einfluß entzogen und die Frauen von der Last der christlichen Tradition befreit. Frauen wurden 1791 ebenso wie die Männer mit einundzwanzig Jahren volljährig, für sie galt nun dieselbe Erbberechtigung wie für ihre Brüder, sie konnten nun ebenfalls Verträge abschließen bzw. brechen. Auch das Scheidungsgesetz vom 20.–25. September 1792 war bemerkenswert. Beiden Ehepartnern wurde absolute Gleichheit zuerkannt, insbesondere bei der Scheidung in gegenseitigem Einverständnis. Doch diese Regelung der Ehescheidung galt bald als Bedrohung der Familie. Das Recht auf einvernehmliche Ehescheidung wurde daraufhin in Frankreich derartig eingeschränkt, daß es bis 1975 in der Praxis nahezu keine Bedeutung mehr hatte. Das revolutionäre Recht hatte zusätzlich zwei weitere Scheidungsgründe eingeräumt. Außer der Unvereinbarkeit der Charaktere waren als Gründe definiert: Demenz, Verurteilung aufgrund eines schweren Verbrechens, Mißhandlungen, schwere Verfehlungen, notorisch sittenloser Lebenswandel, mehr als zweijährige Abwesenheit und Emigration. Der hier nicht aufgezählte Ehebruch wurde meistens zum Schaden der Frau unter den Stichworten »sittenloser Lebenswandel« oder »schwere Verfehlung« subsumiert. Der Code civil, der die Scheidung in gegenseitigem Einverständnis nahezu illusorisch machte, erlaubte noch die schuldhafte Scheidung als Folge von Ehebruch, Mißhandlungen, schweren Verfehlungen oder einer Verurteilung zu einer entehrenden Strafe. Das Scheidungsrecht anderer Länder läßt sich einteilen in Gesetze, die alle plausiblen Scheidungsgründe einzeln aufzählen, und solche, die es dem jeweiligen Richter überlassen, ob die vorgebrachten Klagen die Beendigung einer Ehe ausreichend begründen.

Scheidungen wurden in den Gesellschaften des 19. Jahrhunderts sowohl juristisch als auch gesellschaftlich streng beurteilt. Sie wurden nicht nur erschwert und zu einer Gerichtssache gemacht, sondern zusätzlich zu den generell härteren Bestimmungen für die Frauen wurden beide geschiedenen Eheleute auch noch mit bestimmten Verboten konfrontiert. Häufig durften sie einander nicht ein zweites Mal heiraten oder es galt im Falle eines Ehebruches für das ehebrecherische Paar ein Heiratsverbot. Frauen mußten zudem nach Auflösung der Ehe durch Tod oder Scheidung eine gesetzliche Frist von etwa 300 Tagen bis zur Wiederverheiratung einhalten, damit die legitime Nachkommenschaft gesichert war.

In Italien gab es ein Recht auf Scheidung zwischen 1796 und 1815, in Frankreich wurde die Ehescheidung am 8. Mai 1816 aus religiösen Gründen abgeschafft und erst nach langen Kämpfen am 27. Juli 1884 wieder erlaubt (Gesetz Naquet). Die anerkannten Scheidungsgründe waren dieselben wie im Code civil von 1804. Doch im Falle von Ehebruch wurden nun beide Geschlechter gleich behandelt. Das Gesetz vom 6. Juni 1908 eröffnete die Möglichkeit, eine Trennung von Tisch und Bett nach mindestens drei Jahren Dauer in eine Scheidung umzuwandeln.

In England blieb die Scheidung bis 1857 ungesetzlich; es gab allerdings die religiös motivierte Trennung mit begrenzter Wirkung. Eine »Luxus-Scheidung« konnte außerdem in Ausnahmefällen vom Parlament durch Einzelentscheidung gewährt werden. Der Divorce Act von 1857 machte die Ehescheidung gesetzlich, und sein Einfluß war auch in Englands ehemaligen Kolonien spürbar, trotz der in den USA von Staat zu Staat unterschiedlichen Gesetzgebung.

In Frankreich waren es vor allem die Frauen, die – insbesondere während der Revolution und nach der Einführung des Armenrechts 1851 (zu dieser Zeit gab es lediglich die Trennung von Tisch und Bett) – die Möglichkeit zur Scheidung nutzten, wenn sie verlassen worden waren oder mißhandelt wurden. Dennoch blieben Scheidungen selten; auf dem Land waren sie praktisch unbekannt und ansonsten vorwiegend in den Mittelschichten verbreitet. Denn wenn die Scheidung eine Frau auch vor den Exzessen eines tyrannischen Ehemanns bewahrte, so war eine geschiedene Frau danach ganz auf sich allein gestellt, ohne einen Platz in der Gesellschaft, selbst wenn sie Unterhaltszahlungen erhielt. Dies ist das Paradoxe an einer Situation, in der die rechtlichen Folgen nicht ausreichen, um die sozialen Folgen angemessen zu kompensieren.

Auf den ersten Blick sollte man meinen, daß Witwen eine bessere Behandlung widerfuhr als Geschiedenen. Aus der Literatur kennen wir das Bild der habgierigen Witwe, die von der Bekanntheit ihres verstorbenen Mannes profitiert. Die Realität sah anders aus. Sicher konnten einige reiche, gut beratene Witwen vor allem auf dem Land ihre Position als Familienoberhaupt festigen oder die Geschäfte ihres Ehegatten weiterführen. Die meisten Witwen aber hatten nichts aufzuteilen und mußten äußerst eingeschränkt leben, gleichermaßen beschützt und eingeengt durch ihre Familien.

Eine Witwe konnte plötzlich in heftige Auseinandersetzungen mit gierigen Erben und fordernden Gläubigern geraten. Unter dem vorrevolutionären Recht wurden ihr gewisse Vergünstigungen zuerkannt. Sie erhielt das Nutzungsrecht auf den Besitz des Gatten sowie auf das gemeinsame Eigentum. Der französische Code civil regelte im Unterschied zu anderen Gesetzbüchern des 19. Jahrhunderts erst im Jahre 1891 die Rechte des überlebenden Ehegatten. Bis zu diesem Datum war der überlebende Ehepartner als letzter vor dem Staat erbberechtigt. Einige Rechte wurden den überlebenden Ehegatten auf Beamtenpensionen und Urheberrechte eingeräumt (Gesetz vom 14. Juli 1866). Die Witwe hatte drei Monate und vierzig Tage lang Anspruch auf »Unterhalt«, auf Wohnung und Kleidung. Wenn ihr Erbanspruch anerkannt wurde, handelte es sich in der Regel um ein lebenslängliches Nutzungsrecht; nur wenn keine Kinder vorhanden waren, wurde ihr gewöhnlich auch der volle Besitz zugesprochen.

Wie konnte sich eine verheiratete Frau gegen die inkompetente oder unehrliche Besitzverwaltung ihres allmächtigen Gatten schützen? Im allgemeinen konnte sie sich an die Justiz oder eine Aufsichtsbehörde wenden, um – in der Regel zu spät – zu verlangen, daß Schutzmaßnahmen, beispielsweise die Verwaltung durch einen Treuhänder oder eine Gütertrennung, eingeleitet wurden. Die Frau konnte eine Hypothek auf den Besitz des Mannes eintragen, wenn eine solche, wie etwa in Frankreich, nicht im Gesetz vorgesehen war. Doch ein solcher Schritt konnte unter Umständen die Handlungsfähigkeit ihres Mannes lähmen. Daher gab es Klauseln, die es der Frau gestatteten, zugunsten von Käufern eines Hauses, das dem Ehemann gehörte, oder zugunsten seiner Gläubiger auf die Hypothek zu verzichten (in Frankreich die Gesetze vom 23. März 1855 und vom 13. Februar 1889). Infolgedessen begannen Notare zu fordern, daß beide Ehegatten Verträge unterzeichneten, die den Besitz des Mannes betrafen. In England konnte die Frau eine Klausel festlegen lassen, die jede Rechtshandlung untersagte, die sich auf bestimmte Besitztümer bezog. Häufig konnte sie die Gütergemeinschaft auflösen lassen oder sie nur dann akzeptieren, wenn die Vermögenswerte hoch genug waren, um die Schulden zu decken.

Auch wenn die modernen Gesetze am Vorabend des Ersten Weltkriegs im allgemeinen an der Vormachtstellung des Ehemannes festhielten, scheinen sie doch auf eine größere rechtliche Zusammenarbeit zwischen den Ehepartnern abzuzielen – je nach vorherrschendem Rechtssystem mit unterschiedlichen Methoden. Angesichts der sprunghaften Entwicklung des Kreditwesens, der Mobilität von Vermögenswerten, der Schnelligkeit der Transaktionen und der immer größeren Zahl von Frauen, die berufstätig waren, konnte das Recht nicht unverändert bleiben. Doch die Veränderungen erfaßten nicht die Armen. Erwerbsarbeit wurde nur bei unverheirateten Frauen als Notwendigkeit und bei Ehefrauen als bloßes Zubrot betrachtet. Im Bereich des Privatrechts scheinen die angelsächsischen Länder das Problem am angemessensten gelöst zu haben, indem sie eine völlige Vermögenstrennung sicherten. Ob das auch für den sozialen Bereich galt, ist in einer Wettbewerbsgesellschaft, die Frauen nicht mit den nötigen Waffen ausrüstete, um unter gleichen Bedingungen kämpfen zu können, sehr zu bezweifeln. Auf der anderen Seite handelte es sich in vielen Ländern und vor allem in Frankreich zunächst lediglich um winzige Zugeständnisse. Den rechtlichen Handicaps von verheirateten Frauen steht zu Beginn des 20. Jahrhunderts noch eine lange Lebensdauer in Aussicht.

Im öffentlichen Recht springen die inneren Widersprüche ins Auge. Politische Rechte wurden den Frauen zunächst in den skandinavischen Ländern und vor allem in den ehemaligen englischen Kolonien zugestanden, die damit das englische Vorbild überholten.

Der rechtliche Status der Frau ist äußerst aufschlußreich hinsichtlich der Spannungen zwischen Staat und Gesellschaft. Auch innere Ungereimtheiten im juristischen Diskurs werden deutlich und offenbaren, daß auch das konservative Milieu von Zweifel erfaßt wurde. Der rechtliche Status der Frauen mußte Empörung auslösen zu einer Zeit, da Frauen massenhaft auf die am wenigsten qualifizierten Posten der neuen Produktionssektoren strömten, während der kleinen Zahl gebildeter Frauen allein unter dem Vorwand des Geschlechts der Zugang zu Berufen verwehrt wurde. Die meisten Frauen kämpften in ihrem Alltagsbereich, weit entfernt von rechtlichen Auseinandersetzungen. Solange der wesentliche Teil ihrer Aktivitäten darin bestand, hart für ihren Lebensunterhalt zu arbeiten, sich außerhalb der Ehe und ohne Vermögen durchzuschlagen, lebten die Frauen in ihrer Mehrheit ohne Berührung mit den Gesetzen. Für sie war das Recht kaum etwas anderes als ein Mittel des Zwanges.

Man kann das Los der Frauen jedoch nicht von dem der Männer trennen. Ihre Rechtssituation war mit der der Männer verknüpft, und das Recht, das in erster Linie soziale Beziehungen regelt, regelte zwangsläufig auch die Geschlechterbeziehungen. Stärker als die Vorstellung von *Gleichheit* hat sich im Laufe der Entwicklung das Konzept einer *Komplementarität* der Geschlechter herausgebildet. Das Beispiel Amerikas erinnert daran, daß die vielgeschmähte »Macht der Mütter« genau die Konsequenz einer Geschlechtertrennung – im Namen der spezifischen sozialen Rollen bei juristischer Gleichheit – ist, die zu einer Art sozialer Ungleichheit führt und spürbar macht, wie widernatürlich ein Recht sein muß, das sich von der sozialen und ökonomischen Realität abkoppelt.

Aus dem Französischen von Gabriele Krüger-Wirrer

Das Schweigen, Gemälde, Odilon Redon. *New York, Museum of Modern Art.*

Die Produktion imaginärer und wirklicher Frauen

Die Prüfungen der Mädchen im Rathaus, Illustration aus dem *Petit Journal* vom 28. Juli 1895. *Privatsammlung*.

Produktion im Sinne von »produzieren« wird hier in doppeltem Sinne aufgefaßt, einerseits passiv – welche Art von Frauen produziert werden – und andererseits aktiv – was sie selber produzieren. Frauen sind nämlich nicht einfache Trägerinnen der Reproduktion, sondern Subjekte ebenso wie Objekte der Produktion. Sie sind nicht nur Geschöpfe, sondern auch Schöpferinnen, und sie verändern ständig auch den Prozeß, der sie formt.

Geformt wurden die Frauen das ganze 19. Jahrhundert hindurch von den religiösen Geboten und Ritualen, von einer Erziehung, die etwas anderes sein wollte als Ausbildung, und von einem Unterricht, der nie über die engen Grenzen des unmittelbar Nützlichen, des Schicklichen, des Hauswirtschaftlichen und des Benimms hinausgehen sollte. Die Erziehung veränderte sich kaum; sie blieb an die Aufgaben und Pflichten von Gattin, Mutter, Hausfrau gebunden, und ihre Inhalte und Ziele wurden vom Chor der Pfarrer, Philosophen, Moralisten und Staatsmänner fast einstimmig und ohne Unterlaß immer erneut bekräftigt; der Unterricht war dagegen eher entwicklungsfähig, weil er sich auf ein Allgemeinniveau und auf veränderte politische Vorgaben beziehen mußte.

Im Jahrhundert der Pädagogik wuchs das Bewußtsein dafür, wie einflußreich die Erziehung und wie wichtig die Rolle der Familie und vor allem der Mutter für das Kleinkind waren; dementsprechend richteten sich nun die pädagogischen Diskurse und Handlungen verstärkt auch auf Mädchen aus. Allenthalben wurden Mädchenschulen, Pensionate, Abendschulen eingerichtet; sie standen manchmal in Konkurrenz zueinander, aber alle richteten sich exklusiv an Mädchen, so entschieden war der Wille, die Geschlechtsunterschiede herauszuarbeiten. Die Alphabetisierung der Frauen geriet nach der Französischen Revolution nicht nur in Frankreich ins Stocken; später kam sie wieder voran und holte ihren Rückstand auf. Zunächst privat und weithin konfessionell betrieben, wurde die Mädchenerziehung später zur Sache des Staates, zumindest in denjenigen Ländern (Frankreich, Belgien), in denen das Modell einer überkonfessionellen Schule entstand, das eine relative Förderung von Frauen intendierte. Der interessanteste Aspekt ist dabei der Entwurf einer neuen Moral, die um so höhere Ansprüche stellte, als sie ihre Rechtfertigung in sich selbst finden mußte. Tugendhaftigkeit ersetzte Gott.

In der Mädchenerziehung ging es um kontroverse konfessionelle, politische und, in einem Europa der Nationalitäten, auch um ethnische Ziele.

Überall, in Athen ebenso wie in Budapest, in Österreich-Ungarn ebenso wie im russischen Zarenreich – das als erstes seine Universitäten für junge Frauen öffnete –, wurden in heftig umstrittenen Reformen Inhalte umgestaltet, Anforderungen erhöht; aber immer wieder wurden solche Reformen gehemmt und gebremst von der Furcht, Frauen könnten zuviel Bildung erwerben, den Haushalt vernächlässigen und den Männern Konkurrenz machen. Institutionell und theoretisch wurden schließlich auch für Frauen die Grenzen des Wissens immer mehr verschoben, allerdings nie aufgehoben.

Da das 19. Jahrhundert wußte, wie stark Bilder wirken können, wie sehr sie zur Nachahmung und zum Normbruch reizen, fürchtete es, den Frauen, denen von Wahnsinn überschattete Köpfe und schwache Nerven zu eigen sein sollten, einen freien Zugang zur Schrift zu erlauben. Schon seit der Renaissance tobte der Kampf um das Buch in verschiedenen Ausformungen, auf die zu achten sich lohnt: Protestanten, und vor allem Protestanten in den Erweckungsbewegungen, trauten auch den Frauen Urteilskraft zu. Das erklärt den Kulturvorsprung der Frauen in Ländern reformierten Glaubens, und auch die wichtige Rolle der französischen Protestanten bei der Schaffung der überkonfessionellen Mädchenschule ist bekannt. Pastoren und Laien überboten einander mit Leseangeboten, legten erlaubte Literaturgattungen fest, sparten nicht mit Vorschlägen, trugen Sammlungen »wertvoller Bücher« und besonderer Journale zusammen, die alles in allem Horizonte weiteten.

Das führte auch zu einer differenzierteren Behandlung der verschiedenen Altersstufen: Neben ihren schon lange ernstgenommenen männlichen Konkurrenten traten nun auch kleine Mädchen, Heranwachsende, junge Mädchen, junge Frauen in den Kreis der Gesprächspartner ein. Sie sollten nun nicht nur erzogen, sondern auch gebildet werden, mit allem, was das an Positivem und an Öffnung zur Welt mit sich brachte. Da die Tätigkeit des Übersetzens als Aufgabe von Frauen galt, lernten Frauen Fremdsprachen. Sie machten sich mit anderen Kulturen vertraut und wurden zu deren Mittlerinnen. Da den Frauen Reisebeschreibungen als Lektüre eher zugestanden wurden als Romane, entwickelten sie Reiselust. Als Sekretärinnen »großer Männer« stießen sie in schöpferische Kreise vor.

Frauen wußten sich zu eigen zu machen, was ihrem Interesse oder ihrer Leselust geboten oder zugestanden wurde; und sie wurden ihrerseits zu Wissensproduzentinnen. Diese Formen von Aneignung und Rückerstattung, die kleinen Improvisationen, mit denen sich Unterdrückte der Worte und Dinge bemächtigten, verdienen genaue Betrachtung, denn sie geben Auskunft über die Geschlechtergeschichte der Kultur als Praxis. Es gilt herauszufinden, wie und womit Frauen zu Lesenden wurden und dem Bild von der Frau mit dem Buch, das aus Erbauungsbüchern, Träumen vom häuslichen Glück und erotischen Phantasien gewoben war, Substanz gaben; wie und womit Frauen zu Schreibenden wurden und sich in einem Jahrhundert, das die Korrespondenz zur bevorzugten Kommunikationsform erhoben hatte, vor allem im stillen Kämmerlein als eifrige Verfasserinnen von Briefen betätigten, und wie manche von ihnen schließlich zu Schriftstellerinnen wurden; wie und womit Frauen zu Künstlerinnen wurden. Zwar blieb die Musik als Sprache der Götter ihrer Erfindungsgabe weithin verschlossen, doch etliche Frauen führten Stift und Pinsel als professionelle Illustratorinnen, Modezeichnerinnen, als begabte Malerinnen, die ihre Werke in Ausstellungen zeigten – auch wenn es keine Meisterwerke waren; denn die Behinderungen ihres Schaffens waren groß. Sollte der Skandal einmal eintreten, daß eine Frau eine »große« Künstlerin oder Schriftstellerin war, wurde sie abwertend klassifiziert (wie Berthe Morisot als kindgemäß, George Sand als rustikal), verleumdet oder eingesperrt (wie Camille Claudel). Genialität, dieses göttliche oder biologische Mysterium, konnte und durfte nur männlich sein.

Der schöpferische Ehrgeiz konnte nicht nur Männer, sondern sehr viel krasser auch Frauen ins Unglück stürzen. Denn gründete die Genialität der Frauen nicht doch in der Harmonie und Einheitlichkeit ihres Lebens? Viele, und darunter die größten der Künstlerinnen, dachten so. Als Behinderung ihrer schöpferischen Möglichkeiten wirkte sich ganz ohne Zweifel auch aus, daß sie selbst die Unterschiedlichkeit der Geschlechterrollen und die Bilder und Vorstellungen, die diese Rollen begründeten, vollauf akzeptierten. Sie bewegten sich in der Ordnung des Symbolischen, die die Teilungen regiert, in der Ordnung der Sprache, die die Teilungen immer schon ausdrückt.

G.F.–M.P.

5
Idolatrie

Darstellungen in Kunst und Literatur

Stéphane Michaud

Nie zuvor hat man so viel über Frauen gesprochen wie im 19. Jahrhundert. Das Thema taucht überall auf: in Katechismen, Gesetzbüchern, Anstandsbüchern, in Werken der Philosophie, der Medizin, in theologischen Traktaten und natürlich in der Literatur. Kaum jemals hat es so zahlreiche Gesetze, eine solche Fülle dogmatischer Abhandlungen oder derart viele Phantasien über Frauen gegeben. Die Französische Revolution feiert die Frau als »Gottheit des häuslichen Heiligtums«, und die katholische Kirche erhebt die Unbefleckte Empfängnis Mariens zum Dogma. Am 8. Dezember 1854 erklärt Pius IX. feierlich, die Mutter Gottes sei als einzige unter allen Geschöpfen von der Erbsünde frei. Im Lauf des Jahrhunderts kommt es zwischen katholischer Kirche und laizistischem Staat, diesen als antagonistisch erachteten Institutionen, in diesem Punkt zu einer bemerkenswerten Annäherung. Sie kündigt sich bereits in republikanischen Gravuren an, die die Göttin der Vernunft nach Gemälden der italienischen Renaissance als Madonna oder als Frau mit vier Brüsten, die die vier Jahreszeiten symbolisieren, darstellt. Was aber gibt die Kraft, dergestalt die Gräben zwischen den Ideologien zu überwinden und die Frau vollständig aus dem Reich der Wirklichkeit zu entrücken? Es ist wohl kaum die Macht der Natur, wie in der damaligen Epoche mit verwegener Beharrlichkeit behauptet wird. Wirksam ist vielmehr die Macht der Bilder. Die imaginierte Frau, die Frau als Idol fasziniert das Jahrhundert.

DER KULT DER BILDER

Literatur und Kunst stehen im Zentrum dieser Metamorphose der Frau. Kaum eine andere Literatur hat die Macht der Bilder, deren verführerisches Potential und Eigenleben so aufmerksam reflektiert wie die Literatur des 19. Jahrhunderts. Bilder können das Verhalten des Menschen bestimmen und selbst seine Identität bedrohen. Von den Romantikern in Deutschland über Offenbach und Villiers de l'Isle-Adam in den achtziger Jahren in Frankreich bis zu Oscar Wilde in den neunziger Jahrer in England ist das 19. Jahrhundert voll von Geschichten über die gefährliche und trügerische Macht der Bilder. Ob sinnlich erfaßbar oder imaginär, Bilder sind alles andere als bedeutungslos. Sie teilen dem Menschen seine Sehnsüchte mit, aber auch seine Unfähigkeit, das Objekt seiner Begierde zu besitzen. Wehe dem, der sich diesem Gesetz zu widersetzen sucht. Peter Schlemihl muß dafür, daß er sich von seinem Schatten getrennt hat, mit ewigem Umherirren büßen; Dorian Gray zahlt mit seiner Seele dafür, daß er sich die unwandelbare Schönheit seines eigenen, auf die Leinwand gebannten Abbilds angeeignet hat. Am häufigsten dargestellt wird die ergreifende Tragödie der weiblichen Statue oder Puppe, deren illusionärer Liebreiz den Tod herausfordert. Die Oper *Hoffmanns Erzählungen* bringt diese Thematik exemplarisch auf die Bühne. Der prägende Einfluß des Bildes kann nicht verwundern in einem Jahrhundert, das die Imagination, diese höchste aller Gaben, die den begnadeten Künstler auszeichnet, mit großem Aufwand verherrlicht. Für Goethe und Novalis, Coleridge und Baudelaire ist die Phantasie die Königsgabe, die alle anderen entzündet und einschließt: Sie erhebt den Künstler in den Rang eines Demiurgen, eines Mittlers zwischen Weltenharmonie und Sinnenwelt. Im Deutschen und Englischen wird zwischen Einbildungskraft und Phantasie, *imagination* und *fancy*, unterschieden, doch auch diese Unterscheidung erlaubt nur eine unzulängliche Annäherung an das Unendliche. Freud lehrt uns in seiner *Traumdeutung* (1899), daß die Energie des Unbewußten, die im Halbdunkel der Seelen pulsiert, einen Urgrund von Bildern – Wunschbildern oder Urphantasien – mobilisiert, ohne die jeder Zugang zu dem Rätsel, das wir uns selbst sind, versperrt wäre.

Kann man aber die Leitbilder, die die Gesellschaft den Frauen anbietet, streng genommen noch als Bilder bezeichnen? Lebendige Beziehungen im Bild dauerhaft erstarren zu lassen, ist eine Degradierung. Die Tyrannei, die Unendlichkeit des Bildes auf die Knechtschaft für das Tatsächliche zurückzustutzen, ist so brutal, und die Absicht, die Frauen zu verherrlichen, um damit ihre Unterwerfung um so sicherer zu erkaufen, ist so zynisch, daß die ganze Energie der Bilder mit der lächerlichen Gleichung, die Männer in ihrer Selbstgefälligkeit aufzustellen suchen, versiegt: Frau ist Madonna, Engel oder Teufel. Vor allem soll sie Madonna sein. Die Vollkommenheit der Gemälde Raffaels, die überall in Europa bewundert werden, hat die Vorstellung der Mutter, der Frau, die ihre erhabenste Erfüllung in der Selbstdarstellung ihrer Mutterschaft findet, mit dem Nimbus der sinnlichen Vollkommenheit umgeben. In der Abgeschlossenheit ihres Heims als Mütter verherrlicht, müssen die Frauen den Preis der Restauration zahlen. Die Revolution hat den König abzusetzen und den Bürger zu erfinden vermocht; die Bürgerin hat sie nicht geschaffen. Die Lehren der Kirche sind noch deutlicher. Seit der Gegenreformation ist der Marienkult militant geworden; er kennzeichnet den Willen zur Rückeroberung und die Weigerung, mit dem Zeitgeist zu paktieren. Die wohlüberlegte Entscheidung, das Marien-Dogma zu verkündigen, kommt einem »Medien-Coup« gleich. Pius IX. hat bereits aufgrund der wachsenden religiösen Gleichgültigkeit in Europa an spirituellem Einfluß verloren, und nun tangieren die ersten Anzeichen einer Einigung Italiens – er ist zeitweise aus seinen Papsttümern vertrieben worden – auch seine politische Autorität. Um den Glanz seines päpstlichen Zeichens aufzupolieren, läßt er barocken Prunk wiedererstehen: Die Erhöhung der Herrlichkeit Marias solle ihrem Sohn und der heiligen Kirche zum Vorteil gereichen. Die zum Symbol gemachte Frau wird zum wertvollsten Einsatz und Instrument im Machtkampf. Die Marienfigur hat die leibhaftigen Frauen vertrieben. Diese Tyrannei beläßt nichts mehr da, wo es hingehört.

Ein pragmatisches, gelassenes Herangehen an die »Frauenfrage« ist ausgeschlossen: Nach damaliger Ansicht ist bereits die Thematisierung dieser Frage gleichbedeutend mit einer Erschütterung der Grundfesten der Zivilisation. Diese Angst gibt Aufschluß über die Brüchigkeit des gesamten Gebäudes. Als Olympe de Gouges, Mary Wollstonecraft und Flora Tristan öffentlich ihre Stimmen erheben, um daran zu erinnern, daß das Wesen des Menschen die Unterschiede zwischen den Geschlechtern transzendiert, scheitern sie an der Starrheit einer Ordnung, die Vorrechte umklammert. »Zuerst werde ich nun die Weiber als *menschliche Geschöpfe* betrachten, die ebensogut als die Männer auf die Erde gesetzt wurden, um ihre Kräfte und Fähigkeiten zu entwickeln«[1] – diese Forderung, die Mary Wollstonecraft 1792 in ihrer *Verteidigung der Rechte der Frauen* formuliert, verhallt wirkungslos, blieb jedoch das ganze Jahrhundert hindurch eine Provokation. Die Frau, vom Mann als schweigsames Idol erschaffen, soll keine eigene Freiheit erringen. Balzac spricht das unverblümt aus: »Die Frau ist eine Sklavin, die man auf einen Thron zu setzen wissen muß.«

Die Gesellschaft hat entschieden. Alle Anstrengungen werden gemacht, um jegliche emanzipatorische Bestrebungen zu ersticken. Man stellt sich taub gegenüber den Stimmen, die während der Ereignisse von 1789, 1848 und 1870/71 laut werden, als die Frauen auf die Straßen und Barrikaden gehen. Die von ehrwürdigen Institutionen wie die der Medizin, Jurisprudenz und Religion wirksam unterstützten Manöver überdeckt der Schleier der Poesie. Alle drei Instanzen versehen das priesterliche Amt, die Schwäche des Weibes zu bewahren.

Die Literatur beeinflußt die gesellschaftliche Imagination; doch das Bewußtsein ihrer eigenen Macht trennt sie von einer Gesellschaft, die dem Leben gegenüber blind ist. So wie Baudelaire, der in seinen Tagebüchern über die verborgenen Triebkräfte seiner Kunst vermerkt: »Den Kult der Bilder preisen (meine große, meine einzige, meine ursprünglichste Leidenschaft)«[2], hat sich ein Teil der Literatur um ihrer selbst willen dem Imaginären verschrieben. »Das Höchste in der Kunst (und das Schwierigste)«, schreibt Flaubert, der führende Kopf, auf den sich eine ganze Generation realistischer und naturalistischer Schriftsteller beruft, besteht darin, »träumen zu lassen«. Für diesen Mystiker der Literatur bedeutet Erlösung, dem Wort seine schimmernde Kraft zurückzugeben, so daß es wie ein gefiederter Pfeil ins Herz des Seins treffen kann. Das Schreiben, das die *abwesende* Frau zum Thema macht – diese außerordentlich aufnahmebereite und zweifellos überladene symbolische Heimstatt, in der Männer wider Willen vor ihren Widersprüchen und ihren Träumen Zuflucht suchen –, bringt Bewegung in eine erstarrte Welt. In dieser Rolle muß das Schreiben zwangsläufig maskulin sein und das innere Exil der Frau noch verschärfen. Als Produkt der Phantasie wird die geliebte Frau zur Matrix allen Zaubers, aller Metamorphosen. Sie steckt um ihres Partners willen die Grenzen des Ich zurück, ist die Kristallisation seiner Kindheitsträume und wildesten Erwachsenenphantasien; sie aktualisiert das von Madame de Staël so tief empfundene Gesetz, daß »sich die Leidenschaften mit aller Kraft nur an das Objekt klammern, das man verloren hat«. Die Literatur des 19. Jahrhunderts liefert wohl gerade deshalb, weil sie die Leidenschaften als Träume erkannt hat, den Schlüssel zu den ältesten Träumen. Die Frau entfacht im Geiste eine Feuersbrunst und reißt damit eine nie heilende Wunde auf; die Frau ist es, die das Leben zum Geheimnis seines Ursprungs zurückführt.

Zum anderen – und das ist vielleicht ein zweites Merkmal des Jahrhunderts – genügt bisweilen ein flüchtiger, ja, selbst ein kalter Blick, um Probleme, die die Gesellschaft nicht zur Sprache zu bringen wagt, aufzuwerfen und in Schicksalsfragen zu verwandeln. Nicht mehr nur die schmerzhaft allgegenwärtige männliche Sehnsucht aufzuzeigen und zu inszenieren, sondern auch die Freiheit der Frauen und die Klippen, an denen diese Freiheit scheitert; oder zu zeigen, welch eine unglaubliche Herausforderung die Freiheit der Frauen für all diejenigen war, die an deren Existenz zweifelten; dies alles (gegen den Widerstand der Institutionen, die »eilig einen Riegel« vorzuschieben versuchen) darzustellen bedeutet, einen Raum der Klarheit, der Sympathie und sogar der Zärtlichkeit zu öffnen. Die Frauen haben dieses Mal ihren Platz an der Seite der Männer, selbst wenn sie diesen Platz Schritt für Schritt verteidigen müssen und ihre Entfaltung an der aufgezwungenen Verteidigung zerbricht.

Der Spiegel, den die Literatur vorhält (der seinerseits unmittelbar auf den Künstler verweist, der den Spiegel hält und darüber entscheidet, was als wirklich angesehen wird), spricht somit eine unerwartete oder im Verborgenen gehaltene Wahrheit aus. Mehr noch vielleicht als in vorangegangenen Perioden klärt die Literatur die Gesellschaft über sich selbst auf. Dieses ist nicht nur der stark anwachsenden lesenden Öffentlichkeit geschuldet, die ihrerseits eine Folge der gestiegenen Bildungschancen und der immer breiteren Verfügbarkeit von Druckerzeugnissen ist. Die tiefgreifendere Veränderung besteht vielmehr darin, daß sich der Schriftsteller von nun an bewußt ist, allein mit der schöpferischen Kraft der Sprache eine ganze Welt regieren zu können. Seine Freiheit fordert die Gesellschaft heraus, sie stellt deren armselige Listen bloß und lockt eine unfreiwillige Grimasse hinter deren mühsam beherrschter Maske hervor. Die Mittel, mit denen sich die Gesellschaft dieser Einmischung zu erwehren sucht, erweisen sich als unzureichend und unwirksam; sie erschöpfen sich darin, den Künstler der Unmoral zu bezichtigen, ihn in Verruf zu bringen oder ihn in einer Pose, die ihn verrät, zur Statue zu machen. Das Genie jedoch läßt sich nicht zähmen: Der Kritik wird es niemals gelingen, es auf eingefahrenen Wegen traben zu lassen. Wenn die Kunst unbezähmbar ist, stellt sich der Skandal unvermeidlich ein: Flaubert und Baudelaire zeigen das für das Frankreich des Zweiten Kaiserreichs, und nach ihnen zeigt es eine ganze Generation von Schriftstellern, die seit den achtziger Jahren überall in Europa – von Stockholm bis London über Paris bis Madrid und Wien – die Scheinheiligkeit attackiert.

Schon 1793 heftet Blake dem Jahrhundert ein Schandurteil auf die Pforte: »Bordelle (baut man) mit den Ziegeln der Religion.«[3] Er geißelt die unfreie und erniedrigte Liebe und die Verlogenheit in den Beziehungen zwischen den Geschlechtern. Es ist sicherlich angemessen, an den berühmten Ausspruch Flauberts über seine Heldin zu erinnern: »Madame Bovary, c'est moi.« Sicher, der Satz bleibt rätselhaft und das Scheitern, mit dem der Roman schließt, ist offensichtlich. Klar ist jedoch auch, daß Madame Bovary, die Ehebrecherin, die schuldig geworden ist und ihre Träume verloren hat, über den Gemeinheiten steht, mit denen sie zur Strecke gebracht wird. Der sie erschuf, scheut sich nicht vor der Verantwortung: Weit entfernt, sie dem Zorn der Selbstgerechten auszuliefern, identifiziert er sich mit ihrem Los.

Erst seit kurzem hat die Literaturkritik damit begonnen, die haarsträubende Unaufrichtigkeit der damaligen Literatur aufzudecken, die am Ende des Jahrhunderts wahrscheinlich noch ausgeprägter ist als an dessen Anfang. Mit den Worten eines der schärfsten Beobachter jener Epoche sind die Beispiele Legion, »daß Frauen, die die Opfer sind, die Schuldigen zu sein scheinen, und nicht zu Worte kommen, um sich verständlich zu machen«.[4] Die Literatur stellt sich hinter ein System von Trug und Täuschungen und legt Fallstricke, die um so gefährlicher sind, je geschickter sie konstruiert werden. Wer vermag zu sagen, wieviel Schaden das Frauenbild – Engel oder Madonna – angerichtet hat, das das Jahrhundert beherrschte? Aber sind trotz der tiefgreifenden Veränderungen in unseren Sitten und Gebräuchen die Heldinnen des 19. Jahrhunderts nicht immer noch fähig, unsere Aufmerksamkeit auf sich zu ziehen? Wenn sie auf der Leinwand so häufig zu neuem Leben erweckt werden, geschieht das dann nicht gerade wegen ihres Wunsches nach Glück, wegen ihrer inneren Widersprüche und wegen ihres Schicksals, gegen das sie sich aufbäumen? Da Freiheit unteilbar ist, sind uns ihre Sehnsüchte nur allzu vertraut.

Die Zauberwelten der Oper wenden oft die trügerischen und niederträchtigen Kompromisse der bürgerlichen Moral ins Lyrische. Das wohl berühmteste Beispiel ist Verdis *La Traviata*, in der die Geschichte einer Wandlung von der rührenden Prostituierten zur Heiligen nach der literarischen Vorlage Alexandre Dumas' *(Die Kameliendame)* geschildert wird. Das für das Theater jener Zeit beherrschende Handlungsschema der Erlösung durch Liebe übt abermals seinen Zauber aus. Nur daß diesmal der Schuft nicht durch die Fürsprache einer reinen Frau gerettet wird, sondern durch die höchst unwahrscheinliche Unterwerfung der sündigen Dame unter die Gesetze der Familie. Die Notwendigkeit der Entsagung drängt sich Violettas Gewissen auf, nachdem sie durch die Enthüllungen des Vaters und des Geliebten aufgeklärt worden ist. Das Opfer der Kurtisane auf dem Altar von Familie und Patrimonium, die von ihrer Vergangenheit bedroht wurden, besiegelte ihre Erlösung. »Sie ist im Himmel«, erklingt es sieghaft im Schlußchor.

Es ist kaum möglich, zuverlässiger, als es hier geschieht, die Erwartungen eines Publikums zu erfüllen, das für Vergnügungen und Ordnung schwärmt, aber mythische Antworten auf eines der drängendsten sozialen Probleme des industriellen Zeitalters zurückweist, das sich gleichgültig zeigt gegenüber den Legionen von Entwurzelten, die es geschaffen hat – solange diese die gesellschaftliche Stabilität nicht bedrohen. Unschuldig Verführte (für die Margarethe in Gounods *Faust* das Modell sein könnte) oder männermordende Weiber (die *Salome* von Strauss etwa, der die von Oscar Wilde ins Theater eingeführte Gestalt getreulich übernimmt) erscheinen auf der Bühne; sie sind fügsam oder furchterregend, in jedem Falle aber die reinsten Spiegelungen von Männerphantasien. Wagner ist die beherrschende Figur des Jahrhunderts. Sein Aufstieg beruht nicht nur auf der Neuartigkeit seines Musikstils. »Wagner est une névrose« (Wagner ist eine Neurose), notierte Nietzsche in französischer Sprache. Seine Musik bewirkt ein »Theater-Lourdes«, behauptet Thomas Mann. Wagners in schwere, mythologische Faltenwürfe gehüllte, wie aus einem Block gehauene Personen, Engel oder Hexen, unterstützen das Kunstwerk seiner vergifteten Musik. Auf eine Brünnhilde – die jungfräuliche Kriegerin, die auf die Unsterblichkeit verzichtet, zur Frau wird und Siegfried in seinen irdischen Kümmernissen beisteht, auf die Gefahr hin, ihrerseits verraten und verlassen zu werden – kommen soundso viele Sentas, Elisabeths und Kundrys, blind fixiert auf einen Mann, den es zu retten oder zu verderben gilt. Isolde, die vielleicht großartigste all dieser Liebenden in einem Drama, das das Universum auf zwei verzückte Seelen reduziert, verstrickt sich so in den Gefahren narzißtischer Liebe, daß sie ihre Beute ins Nichts entführt und, berauscht von Leitmotiven, in der Exstase untergeht.

Alle diese Beispiele sprechen allein vom männlichen Begehren. Der Selbstrausch romantischer Leidenschaft und die moralisierenden Mythen vermitteln sehr viel weniger über das Leben der Frauen in der Wirklichkeit, als jene Stimmen, die in den Werken des frühen 19. Jahrhunderts mit wachsender Beharrlichkeit und thematischer Vielfalt von der Ernüchterung sprechen. Das Glück – worunter wir die Entfaltung der Persönlichkeit sowie deren Selbstverwirklichung und nicht das Trugbild aus Selbstverleugnung und Hingabe im Dienst an anderen verstehen sollten – bleibt für Frauen unerreichbar. Aber kann man sich ein persönlicheres Abenteuer vorstellen, als die Suche nach dem Glück? Sie mobilisiert die tausend Reserven des weiblichen Geistes. Selbst die Niederlage erweist sich als ein riesiges Erkundungsfeld, gleich ob man sich gegen sie aufbäumt oder sie still hinnimmt. Wenn der Sieg der etablierten Ordnung gehört und nur durch widerliche Intrigen errungen werden kann, dann sind die Niederlagen das Zeichen eines außerordentlichen Schicksals. Der Roman hat sie immer wieder in ihren verschiedenen Ausprägungen dargestellt, selbst wenn der Fin-de-siècle-Pessimismus mit düsterer Stimme beide Geschlechter Rücken an Rücken einer fundamentalen Nicht-Kommunikation ausliefert.

Zwar ist die generelle Geschlossenheit jenes Zeitalters offenkundig (es geht dabei eher um den Zeitraum zwischen den zwei Erschütterungen von 1789 und 1914, als um das streng chronologisch eingeteilte

Jahrhundert), doch bleibt es gleichwohl ein gewagtes Vorhaben, für die gesamte Periode die Bilder und literarischen Vorstellungen des Abendlandes zu beschreiben, vor allem, wenn man die Literatur nicht willkürlich von ihrem natürlichen Milieu und ihren verbündeten Künsten trennen will. Ein solches Vorhaben widerspricht den Gewohnheiten der Literaturgeschichte, die zu Recht vor so umfassenden Synthesen zurückschreckt und überdies kaum daran gewöhnt ist, mit den radikalen Fragen umzugehen, die seitens der Frauen an sie herangetragen werden. Die Epoche ist voller Widersprüche, die sie uns auf Gedeih und Verderb vererbt hat, und es gibt kaum Anhaltspunkte, um sie zu verstehen. Der Fortschrittsbegriff, eine allzu bequeme Vorstellung, die den kritischen Geist des Jahrhunderts eingeschläfert hat, hilft uns nicht weiter. Die Ängste dagegen, die die Ländergrenzen überschreiten und keine literarischen Schulen kennen, haben eine Geschichte. Sie liefern eine anpassungsfähige und dauerhafte Matrix, aus der ein Teil der Modellvorstellungen entstehen, die die gemalten Frauenbilder inspirieren. Außer den gesellschaftlichen und politischen Veränderungen erlangen auch Sittlichkeitserwägungen entscheidenden Einfluß. So erschüttert die Entdeckung sexueller Energien das Ende des Jahrhunderts, während die im Gegensatz dazu christlich genannte Geringschätzung des Körpers (obwohl sie sich dummerweise aus stoischen und gnostischen Traditionen speiste, die den Kern der sogenannten Inkarnationsreligion gefährdeten) in früheren Jahren jegliche Äußerung strikt reglementiert hat.

Wie läßt sich vermeiden, daß bei diesem Porträt die zuweilen so kontrastreichen Züge ausgelöscht werden, die das Gesicht einer jeden Generation zeichnen; und wie kann man außerdem – auch das ist nicht ohne Bedeutung – die Besonderheiten von Sprache (und Mundarten) berücksichtigen, die literarischen Gestalten erst ihre unverkennbare Präsenz verleihen; die die Heldinnen von Fontane in Brandenburg und die von Thomas Hardy im ländlichen Süden Englands verankern, und die die Nuancen aufzeigen, die Amerika von Europa – auch dem englischsprachigen – unterscheiden und bei Henry James zur Quelle der Beunruhigung für seine Personen werden? Die einzige Chance wird sein, sich so eng wie möglich am Leben zu orientieren, das gegen den systematischen Geist rebelliert, Kraftlinien ausfindig zu machen und deren Zusammenwirken zu begreifen versuchen, und sich vielleicht gar in den Bann von einer jener imaginären Frauen ziehen zu lassen.

DIE VORRANGSTELLUNG DER IMAGINÄREN FRAU

»Die Frauen sind silberne Schalen, in die wir goldene Äpfel legen. Meine Idee von den Frauen ist nicht von den Erscheinungen der Wirklichkeit abstrahiert, sondern sie ist mir angeboren, oder in mir entstanden . . .«

Goethe an Eckermann, 22. Oktober 1828

»Und so ist es das Weib, das den stärksten Schatten und das stärkste Licht in unsere Träume wirft . . . Es lebt in den Einbildungen, in denen es befruchtend umgeht.«

Baudelaire, *Die künstlichen Paradiese* (1861)[5]

Wenn Rousseau, im Jahrhundert der Aufklärung, als erster die Frauen den unzähligen Zufälligkeiten und Situationen des Lebens entreißt, um sie im Empyreum der Einbildungskraft anzusiedeln, so ist er auch der erste, der am eigenen Leib die Gefahr verspürt, die daraus erwächst, sich in den eigenen Träumen zu verlieren. Tatsächlich dem Charme der romantischen Heldin erliegend, die er in der *Neuen Heloïse* (1761) geschaffen hat, ist der Zauberer von dieser Julie hingerissen, die er nach Herzenslust mit allen Vorzügen ausgestattet hat, und träumt einen Augenblick lang, daß sie ihn in Gestalt der Madame d'Houdetot begegnet sei. Eine süße Verwirrung, die ihm noch teuer zu stehen kommen wird. In gewisser Weise wiederholt sich dieses Abenteuer bei *Emile*. Jean-Jacques verliert die Gelassenheit des Pädagogen. Überwältigt von den Reizen Sophies, dem weiblichen Gegenstück zu Emile in dieser umfangreichen Abhandlung über die Erziehung, verliert Jean-Jacques seine pädagogische Fassung. Er tut mehr, als nur die Fäden des Plots so miteinander zu verbinden, daß Sophie zur Ehe bestimmt wird; er mischt sich außerdem zu ihren Gunsten ein und preist ihre Vollkommenheit. Der Philosoph offenbart damit, welche Macht die Bilder und Vorstellungen auf ihn ausüben. Aus dieser Bedrängnis kann er sich nicht befreien. Für ihn ist die Frau im wesentlichen ein Bild: Sie magnetisiert und elektrisiert die männlichen Energien. Sie ist zugleich Ursache der Degeneration in der Gesellschaft und Mittel zu deren Gesundung.

Reich an all den Paradoxen, die die Vorstellung vom Glück heraufbeschwört, läßt der lyrische Gedankenflug von Saint-Preux den Zauber der Frau kurz aufleuchten:

»Frauen, Frauen! Teure und verhängnisvolle Objekte, die die Natur zu unserer Pein geschmückt hat, die ihr straft, wenn man euch die Stirn bietet, die ihr verfolgt, wenn man euch fürchtet, deren Haß und deren Liebe gleich schädlich sind, und die man nicht ungestraft sucht noch flieht! Schönheit, Charme, Anziehung, Sympathie! Unbegreifliches Wesen oder Chimäre, Abgrund der Schmerzen und der Wonnen! Schönheit, die schrecklicher ist für die Sterblichen, als das Element, aus dem du geboren bist, unglücklich derjenige, der sich deiner trügerischen Ruhe ausliefert! Du bist es, die die Stürme hervorruft, die das Menschengeschlecht peinigen!«

Gelingt es der Beredsamkeit der Leidenschaften, über den außergewöhnlichen Charakter des Vorhabens hinwegzutäuschen, das der Roman beschreibt und das der Tod glücklicherweise vor dem Scheitern bewahrt? Julie stirbt, bevor sie sich ehrlich eingesteht, daß es eine trügerische Hoffnung war, aus der Liebe ein rein geistiges Prinzip zu machen, das der Obhut der Tugend anvertraut ist. Wenn die *Neue Heloïse* somit im Hinblick auf das Glück und das Leben die Frage eines geistigen Priesteramtes absolut offen läßt, das Rousseau entgegen seinem Jahrhundert der Frau zuteil werden läßt, so setzt sie doch Phantasien in Umlauf, von denen die Leser noch bis hin zu den Surrealisten fasziniert sind. Diese wirken um so heimtückischer, als Rousseaus Denken aufgrund seines Umfangs, seines gestalterischen und musikalischen Vermögens neue Welten eröffnet. Die Krankheit der Menschheit, behauptet Rousseau, sitzt tief: Sie erfaßt das Leben selbst. Die Verantwortung dafür muß der Gesellschaft angelastet werden, da sie sich vom Naturzustand entfernt hat. Das Heilmittel liegt daher im Bauprinzip der Gesellschaft selbst. Das Vorhaben der Genesung setzt, da man nicht zum Naturzustand zurückkehren kann, als Grundlage die Existenz gesicherter Werte voraus. Und was gibt es Wirksameres als das Heilmittel der Weiblichkeit? Mehr als nur ein Gegengift ist nach Jean Starobinski die Frau; sie – das rettende Anderssein – ist das Heilsversprechen. »Sie verkörpert die höchste Chance für den Mann; sie sollte, wie im Denken Goethes, als der Schlußstein im Gewölbe eines Gebäudes angesehen werden«, schreibt André Breton noch Mitte des 20. Jahrhunderts.

Selbst als die Romantik langsam verblaßt, lebt die Epoche noch weiterhin von der romantischen Illusion. Denn zweifellos ist das Anderssein der Frau eine reine Erfindung, eine Konstruktion des Mannes. Rousseau, der im *Emile* eine Theorie über die Unterwerfung der Frau unter die Natur und unter die konservativen Instinkte der Gesellschaft entwickelt und damit ein Arsenal gefährlicher Waffen hinterläßt, das seine Nachfolger durchaus zu nutzen bereit sind, bestätigt das. Das Wesen der Frau zu offenbaren ist die Tat des Mannes. »Wer bist du, Eva? Kennst du denn deine Natur?« fragt Vigny seine Gefährtin in *La maison du berger* (1844). Aber der Frau zu offenbaren, wer sie selbst ist, heißt immer nur sie zu erträumen, sie zu formen (vorzugsweise gefügig und kindlich), ja sie gegen die finsteren Mächte zu schützen, die ihr innewohnen (Schwachheit, Unreinheit, Hysterie). Baudelaire weiß das besser als jeder andere, wenn er betont: »Das Weib ist natürlich, das heißt abscheulich.«[6] Man könne sie kaum vom Affen unterscheiden! Aber wenn sich erst Schmuck, Parfums, Kosmetika ihrer bemächtigen, sei die Verwandlung vollkommen. Selbst ihre Torheit leiste der Idolatrie Vorschub. Die um ihr Selbst betrogene Frau nimmt die unerträgliche Last der Existenz hinweg und gibt dem Dichter das Paradies seiner Träume zurück. Baudelaires Kurzerzählung mit dem Titel *La Fanfarlo* (1847) stellt dies anschaulich dar: Noch in dem Augenblick, wo er die Geliebte in Besitz nimmt, verlangt ihr Liebhaber von ihr, daß sie aus dem Theater das Kostüm hole, in dem sie wenige Stunden zuvor als begnadete Tänzerin aufgetreten war, und mahnt sie, auch das Rouge nicht zu vergessen, das sie dafür aufgelegt hatte. Für den Dandy war das Liebesobjekt ein Bild, eine Idee.

Wohlgemerkt: Die Dichtung bedient sich solcher Mittel, um die Tiefen des menschlichen Wesens auszuloten. In diesem exzentrischen, zuweilen auch qualvollen Streben löst sich die Frau von ihrem minderwertigen Status als selbstverständliche Gefährtin des Mannes sowie von der zweckmäßigen und falschen messianischen Figur, für die sich der Sozialismus eine Zeitlang erwärmt. Gegebenenfalls auch grausam, sucht sie sich jeder Vereinnahmung als ein Ewiges, Transzendentes zu entziehen, sei es der Abgrund des Bösen oder die Unberechenbarkeit des Lebens, per Definition fähig, sich zu geben, aber nicht zurückzuhalten. Das männliche Begehren, das unablässig den Traum von der Frau als dessen Spiegelung zu neuem Leben erweckt, als Chimäre oder Automat, verbrennt an der unerreichbaren Flamme, die es plagt. Die bedeutendsten Künstler begnügen sich nicht damit, die Selbstgefälligkeit des Jahrhunderts zu geißeln. Man möchte fast behaupten, daß sich die Literatur auf dem höchsten Punkt ihrer Bewußtheit über die Künstlichkeit, um die sie sich so verzweifelt bemüht (was wäre Baudelaire zum Beispiel ohne das Dogma von der Erbsünde, das ihn unter den Fluch eines schlechten Gewissens stellt?), in den Rang einer blasphemischen Huldigung an die unreduzierbare Freiheit erhebt.

Das allerdings ist ein Spiel, in dem Frauen bestenfalls als Vorwand dienen und immer Opfer bleiben. Wie sollten lebende Frauen unter solchen Umständen unbeschadet davonkommen? Es ist bekannt, mit welchen Worten Baudelaire von Madame Sabatier, der er lange Zeit mit mystischen Sonetten den Hof gemacht hatte, am Morgen nach einer Liebesnacht Abschied nimmt: »Vor einigen Tagen warst du eine Göttin . . . Jetzt bist du eine Frau.« Der Fall kommt plötzlich, unwiderruflich, kaum gemildert durch die Warnung, die er noch zu Zeiten seiner Ergebenheit ihr gegenüber ausgesprochen hat: »Ich bin ein Egoist – ich benutze Sie.«

Um den Preis solch extremer Erfahrungen jedoch erzielt die Epoche einen revolutionären Durchbruch auf den unterschiedlichsten Gebieten des Kunstschaffens und des Denkens. Denn wenn unter Hölderlins Feder die Dichtung zum kritischen Bewußtsein ihrer Zeit wird, oder nach den Worten seines Freundes Hegel zur »Lehrerin der Menschheit«, wenn sie mit Baudelaire und Nerval ehemals unantastbare Grenzen überschreiten, deren Intensität blendet, dann tut sie dies durch den Kult der höchsten Weiblichkeit, ohne Zweifel nur eine reine Vorstellung, die in ihrem Ursprung mit der Dichtung selbst verschmilzt. Noch zu einer Zeit, in der die alte Gesellschaft zerfällt, um einer neuen Platz zu machen, deren Selbstbewußtsein noch ungewiß ist nach dem Verlust der althergebrachten Werte, betrieb die Poesie einen verzweifelten Kult um sich selbst.

Der Roman, dessen große Meister – Balzac, Dickens, Zola, um aufs Geratewohl ein paar Namen zu nennen – das Ziel verfolgen, die gesellschaftliche Wirklichkeit abzubilden und dabei manchmal mit der kühlen Exaktheit der Wissenschaft konkurrieren möchten, gerät selbst in die Klauen der Dämonen des Jahrhunderts. Dickens stellt einen Extremfall dar. Er ist ein Beweis dafür, in welchem Maße die scharfe Beobachtung des sozialen Elends und die Darstellung der Frau getrennte Bereiche sind. Der Erfolg auf dem ersten Gebiet wird erkauft durch unglaubliche Stereotype auf dem zweiten. Wie viele andere Männer so erzittert auch Balzac vor der Ungeheuerlichkeit einer schreibenden Frau: Eine Autorin sei ein Hohn auf die Naturgesetze, sie werde durch »irgendwas Jungfräuliches, Unbezähmbares« alles in Furcht und Schrecken versetzen. Und indem er sich lebhaft von dem biblischen Vorbild distanziert, fügt er hinzu: »Eine starke Frau darf es nur als Symbol geben, in der Wirklichkeit macht sie angst.« Die Alpträume, die die Theologen und ihre weltlichen Schüler (beispielsweise Proudhon) ob der Vorstellung einer Frau quälen, die dem Mann nicht vollkommen unterworfen ist, suchen auch die Brüder Goncourt heim, obgleich diese doch in ihrer Darstellung von Frauen Neuland erobern. Tatsächlich heben sie eines der letzten literarischen Tabus auf. Sie öffnen den Roman den »Gefallenen« – den ledigen Müttern wie Germaine Lacerteux (in dem gleichnamigen Roman von 1865), die in »Dienstmädchenhysterie« verfällt und an der Schwindsucht stirbt; und den Prostituierten, die dem Verbrechen anheimgefallen sind, wie die Heldin in *Die Dirne Elisa* (1877), deren Wille durch das unmenschliche Redeverbot in den Frauengefängnissen gebrochen wird, so daß sie dem Wahnsinn verfällt und schließlich stirbt. Die Darstellungen der beiden Brüder beruhen auf eigenen Untersuchungen und Auswertungen von Dokumenten und sind noch unter dem Eindruck des erschütternden Erlebnisses einer Besichtigung des Zuchthauses von Clermont-de-L'Oise entstanden. Als Initiatoren der großen Reise in die Welt der Arbeiterinnen, der Kriminalität und der Halbwelt, ebnen die Goncourt-Brüder den Weg für den selbstzerstörerischen Epos der Gervaise in *Die Schnapsbude* von Zola (1877); und sie waren ebenfalls Vorreiter für die zahlreichen Schilderungen schwer arbeitender Frauen, die die naturalistischen Theaterstücke und Romane in ganz Europa bevölkern. Gleichzeitig aber sind sie Zeugen für die allgemeine Mißachtung, mit der Frauen belegt werden, und für deren grausame Herabsetzung zum Sexualobjekt oder zur Ware. Ihr *Journal* ist voll mit Aufzeichnungen damals gängiger antifeministischer Schmähungen. Es wimmelt von bösartigen Bemerkungen über die angebliche Unmenschlichkeit der Frau, die die Natur »zur Gebärmutter herabgestuft« habe. Die Zeiten, in denen die Frau für Baudelaire noch den Zauber der Unendlichkeit in sich birgt, sind längst vorbei.

Zola, dessen Einfluß in den 1880er Jahren so entscheidend wird, liefert das Bindeglied. Nana, das schamlose, verzehrende Biest, gehört mehr dem Mythos als der Sozialgeschichte an. Von ihren Anfängen als ausgehaltene Frau, die die Begierden einer vergnügungssüchtigen Gesellschaft befriedigt, steigt sie in den Rang eines Symbols auf. Sie veranschaulicht die Destruktivität einer von der Fortpflanzungsfunktion abgelösten Sexualität und ist eine Verkörperung des gesellschaftlichen Verfalls, der das Zweite Kaiserreich untergräbt. Selbst der eher gelassene Maupassant bringt seinen Horror vor allem Mütterlichen zum Ausdruck, während er sich gänzlich der Vorstellung einer unerreichbaren Traumfrau – dem Symbol seiner eigenen Obsessionen – hingibt. Und wie steht es mit dem Ästhetizismus des Joris-Karl Huysmans? Der Romancier hat gut lästern über den »Idealismus alter Trottel«, die »Hohlheit der zölibatsbesessenen alten Jungfer«, in denen die Literatur bis zum Naturalismus geschwelgt habe. Danach kann er selbst nicht verhindern, daß in seinen eigenen Schriften Gestalten wie die Salomé (*Gegen den Strich*, 1884) auftauchen, die eine geradezu kosmische Angst verraten.

Die anderen europäischen Länder standen Frankreich in dieser Hinsicht in nichts nach. Das Bild der Frau als Sphinx oder Chimäre verfolgt bereits Heine, bevor es gegen Ende des Jahrhunderts die Phantasie von Malern wie Gustave Moreau und Félicien Rops beeinflußt. Die unversöhnliche Jungfrau sät im Theater Hauptmanns und Hofmannsthals Furcht und Schrecken, ebenso wie die Kurtisane bei Wedekind, dem Schöpfer der furchterregenden Lulu, die Berg 1935 in die Opernwelt einführt. Die Präraffaeliten in England, Klimt in Wien, der Norweger Edvard Munch sowie Alfred Kubin in Österreich-Ungarn beschwören in ihren Bildern nicht weniger beunruhigende Visionen. Aber Frankreich bekundet vielleicht am deutlichsten und früher als andere Länder, in welchem Ausmaß sich ein gesamter Teil des künstlerischen und intellektuellen Schaffens von einer geschlechtsbestimmten Darstellung nährt, die dem Mann die Bändigung der fremden weiblichen Natur zum Ziel setzt. Michelets kraftvoller und intuitiver Geist überträgt grobe und ungehobelte Vorstellungen auf seine äußerst lyrisch angelegte Prosa. Mit seinem maskulinen Denken befruchtet er das Territorium der Geschichtsschreibung und beherrscht es auf ähnlich liebevoll-tyrannische Weise wie im Privatleben seine zweite Frau. Einem Visionär gleich entschlüsselt er die Geschicke Frankreichs und des französischen Volkes, feiert die heilsamen Energien der Hexe und Mutter, stellt jedoch den Einfluß der Frauen als einen entscheidenden Faktor dar, der die Revolution in die falsche Richtung gelenkt hat (*Die Frauen der Revolution*, 1854). Paradoxerweise ist es die Wissenschaft, ob sie sich nun Soziologie nennt wie bei Comte oder Religionsgeschichte wie bei Renan, welche die Logik des Jahrhunderts zu ihrem Abschluß führt. Sie träumt vom Kommen einer höheren Form der Menschheit, bei der die Parthenogenese endlich der skandalösen Notwendigkeit ein Ende setzen wird, das Überleben der Gattung einem so unzulänglichen Geschlecht wie dem weiblichen anvertrauen zu müssen.

Der schwarze Kontinent der Frau flößt Furcht ein, und jeder Wahnsinn ist ihrer skandalösen und nackten Präsenz vorzuziehen. Der deutsche Idealismus hat sich ebenso wie später Wagner an diesem Thema abgearbeitet. Glücklicherweise werden Wagners dürftige dogmatische Erklärungen, mit denen er vergebens versucht, »das ewige Weib« auf eine dem Manne ergebene, dienende Natur festzulegen, von der Musik überwältigt. Wagners verstiegenes Bestreben, Goethe zu überbieten, unterstreicht nur die Originalität des Vorbilds. So maskulin Goethes Denkweise auch gewesen sein mochte, für ihn erschöpft sich das Wesen der Frau nicht allein im Lieben. Wie seine Zeitgenossin Rahel Varnhagen, eine der aufgeklärten Frauen der Romantik, die in Berlin einen Salon führte, bemerkt, ist es kein Zufall, daß unter den zahlreichen Frauengestalten, die er in *Wilhelm Meisters Lehrjahre* geschaffen hat, diejenigen, deren Leben allein der Liebe gewidmet ist, zu Tode kommen. Das Ewig-Weibliche, dieser höchste Wert, mit dem *Faust II* schließt, stellt gewiß eine Krönung dar. Der Dichter überantwortet seine Weisheit dem Geleit der Musik und des Symbolismus. »Das Ewig-Weibliche / zieht uns hinan«, verkündet der Chor. Die Knappheit dieses Schlußsatzes faßt das Schicksalhafte bündig zusammen und registriert die Kontinuität von Zeit und Ewigkeit. Faust hat mehrere Frauen getroffen: Gretchen, die Kleinbürgerin, die er ins Verderben stürzt, und Helena, die Gestalt aus der Antike, die für einen Augenblick in ihrer unwandelbaren Perfektion wieder zum Leben erweckt wird. Zusammen mit Maria, der Gottesmutter (die Gretchen in jener Schlußszene anfleht, die den Aufstieg des unsterblichen Teils Fausts vor dem Hintergrund eines Hochgebirges zeigt, das von Engeln und mystischen Gestalten bevölkert ist), bilden die Frauen doch nur einen Teil des Symbols, dessen Wunder der Dichter in kühner Sprache beschreibt. Das Symbol existiert in der Tat nur, wenn es durchdrungen ist von den beweglichen Energien des Traums, der Schönheit und der Natur. Diese Energien, die Faust auf seinem Weg geleitet haben, vereinigen sich nun in höchster Erfüllung. Gleichgültig gegenüber jeglichen Besitztümern, zurückgegeben an die Freiheit eines ungebundenen Daseins und geöffnet für die Wohltat der Meditation gehört Faust völlig zu Recht dem Seienden an. Goethe feiert eine Sehnsucht, die sich in das Gesetz des Lebens fügt.

Wie kann man sich in solchen Höhen bewegen, wenn das Jahrhundert blanke Scheinheiligkeit predigt? Die offizielle Wahrheit der siegreichen Menschheit, die auf dem Gipfel ihrer Errungenschaften die Früchte der Zivilisation genießt, wird untergraben durch die Auflösung des Bewußtseins und des Individuums. Dies zeigt sich an Ibsens Stück *Das Puppenheim* (1879), das sofort auf allen Bühnen Europas großen Erfolg hat. Es endet mit der Szene eines endgültigen Abschieds: Nora wirft die Tür hinter ihrem Eheleben zu, um endlich allein zu leben. Sie hat sich ihrem Mann aufgeopfert, ihn vor dem Tod bewahrt und ihm zwei Kinder geschenkt. Er aber ist zu unbeständig und unfähig, in ihr etwas anderes zu sehen als die Puppen-Frau, derer er bedarf. Deshalb gibt es für Nora nur eine Rettung, die Flucht: Das Leben beginnt jenseits von Heim und Familie. Welche Gewißheit wird bleiben, fragt Schnitzler zu Beginn des 20. Jahrhunderts? Seine Theaterstücke und seine Erzählungen erkunden die verborgenen Winkel der Seele und befassen sich immer wieder mit deren Ängsten und ewiger Unschlüssigkeit. Er zieht die Realität der gelebten Wirklichkeit in Zweifel; Wirklichkeitserfahrung sei letztlich bedeutungslos, da Menschen von der Phantasie beherrscht und in törichte gesellschaftliche Mechanismen verstrickt seien. Schnitzler veranschaulicht in seiner unnachahmlichen Art sowohl den mächtigen Einfluß als auch das Versagen des Imaginären. Mann und Frau lösen sich in der Vorstellung auf und werden auf den Wogen des Unbewußten fortgetragen. Ein anderer Wiener ist ihm nah, Sigmund Freud, der sich in Schnitzlers düsterer Klarheit wiedererkannte.

VERHÄNGNISSE

»Es ist unabdingbar, daß die Existenz von sich ausgeht (. . .) und daß man, ohne je der Mittelpunkt zu sein, doch immer die treibende Kraft beim eigenen Geschick ist.«

Madame de Staël, *Über den Einfluß der Leidenschaften* (1796)

»Als sie merkte, wie das starre System sie einzuschließen begann (. . .), ergriff sie ein Gefühl von Finsternis und von Erstickenmüssen.«

Henry James, *Bildnis einer Dame* (1881)

Wie kann man für die Freiheit geboren sein in einer Gesellschaft, die sie nicht toleriert? Wie kann man das Glück erlangen in einer Welt, in der der Raum für weibliches Handeln immer enger wird? Die Beschränkung der Frau auf Heim und Herd, so wollen es die viktorianischen Abhandlungen, soll die Grundlage ihrer moralischen Autorität sein. »You have deep responsibility: you have urgent claims; a nation's moral worth is in your keeping« (Ihr tragt große Verantwortung; ihr habt dringende Ansprüche; der sittliche Wert einer Nation liegt in eurer Obhut), erklärt Sarah Ellis ihren Leserinnen in *The Women of England* (1839), einem der unzähligen Traktate, mit denen das siegreiche Industriebürgertum sein Gesetz vorschreibt. Eine jede Nation verteidigt so mit der immer gleichen Fadheit ihr je eigenes Modell. Es versteht sich, daß die den Frauen zugestandene Macht abhängig ist von der Einhaltung eines Vertrags, demzufolge Frauen jeglichen persönlichen, politischen und gesellschaftlichen Anspruch aufgeben. Sobald Frauen diesen Vertrag zerreißen, verzichten die Männer auf frühere Ritterlichkeit, nun nur noch eine Don Quichotterie, ein vorgegaukeltes Blendwerk. C'est la guerre.

Die Literatur wird zum unmittelbaren Kampfplatz. Noch bis zum Ende des 18. Jahrhunderts konnte das Schreiben als Bestandteil weiblicher Freiheit gelten. Das Briefeschreiben – eine Tätigkeit, die sich für den unterbrochenen Tagesrhythmus derjenigen besonders eignet, die sich dem Haushalt und der Familie widmen – ist als literarische Form anerkannt worden und hat auch den Roman beeinflußt. Mit den ersten Jahren des 19. Jahrhunderts wird die Lage zunehmend angespannter. Die Aufrechterhaltung des Status quo bereitet Probleme. Paradoxerweise ist England vielleicht dasjenige Land, das Schriftstellerinnen am ehesten toleriert. Aber ist dieses vergleichsweise tolerante Klima nicht allein darin begründet, daß Jane Austen, die Brontë-Schwestern oder auch George Eliot nicht ausdrücklich gegen die etablierte Ordnung anschreiben? Die Ehe bleibt für sie das entscheidende Geschehen. Jane Austen hat ihren Optimismus nicht verloren, und Charlotte Brontë kann den Triumph Jane Eyres zeigen: Mittellos und verwaist, gelingt es Jane schließlich, ihren Verführer zur Heirat zu verpflichten. Somit erreicht sie wenigstens einen Teil dessen, was sie sich erhofft hat (auch wenn das Leben selbst ihr grausam die Flügel gestutzt hat).

Andernorts tobt ein erbitterter Kampf. Im Jahre 1800 äußert Madame de Staël die schmerzliche Erkenntnis, daß eine Literatin ein ebenso erbärmliches Leben führe wie die Parias in Indien. Zurückgewiesen und verflucht, muß sie dafür bezahlen, daß sie das Tabu gebrochen hat: Sie hat sich in die Männer-Domäne gewagt und Anspruch auf ihr eigenes Leben erhoben. George Sand, die wie so viele ihrer Generation von der Schreibwut, dem ersten Weg zur Emanzipation, gepackt ist, kann sich nur mit Mühe durchsetzen. Wegen der Fülle ihres literarischen Schaffens und ihres schöpferischen Genies kam das Jahrhundert nicht umhin, sie zu dulden; jedoch erspart es ihr auch nicht die Schmerzen der Verfolgung: War es offensichtlich zu spät, in ihrem Fall noch Einhalt zu gebieten, kommt nun alles darauf an zu verhindern, daß dieser Fall sich zum zweiten Mal wiederholt. Die deutschsprachigen Länder bieten kein erfreulicheres Bild: Die Metternichsche Restauration erstickt alle früheren Initiativen bereits im Keim. Rahel Varnhagen, die die Freiheit gekostet hat, zieht sich zurück. Ihre Korrespondenz bleibt nun privat. Sie zu veröffentlichen hätte vorausgesetzt, daß sie sich maskiert, sich in die Rollen fügt, die ihr von Männern aufgezwungen werden. Nichts verdeutlicht besser die herrschende Ungleichheit, als die Geschichte zweier blutsverwandter Schriftsteller, Clemens und Bettina Brentano. Er ist ein gefeierter Dichter. Als sie dagegen um 1835 zu veröffentlichen beginnt, ist sie schon fünfzig Jahre alt und außerdem Witwe sowie Mutter von sieben Kindern und eine bedeutende Berliner Persönlichkeit; dennoch muß sie sich die Vorwürfe ihres Bruders gefallen lassen, sie habe die gebotene Schamhaftigkeit verletzt, indem sie so dreist an die Öffentlichkeit getreten sei. Gewiß hat Bettina ihre Lage noch dadurch verschlimmert, daß sie sich ausgerechnet mit dem sozialen Elend in den Berliner Armenvierteln befaßt hat. Der anschließende gesellschaftliche Skandal verstärkt den literarischen Skandal, und das Buch wird verboten. »Warum war ich kein Mann!« fragte sich bereits die unglückliche Karoline von Günderode, jene leidenschaftliche Frau, die von der Verantwortungslosigkeit ihrer Partner in den Selbstmord getrieben wurde.

Die von Frauen geschriebenen Romane schildern daher selbstverständlich die Desillusionierung und das zerbrochene Glück. Sehen wir uns das Werk Madame de Staëls an. Corinne, eine hochbegabte Dichterin, kann sich keine größere Erfüllung vorstellen, als den errungenen Ruhm ihrem Geliebten Oswald zu Füßen zu legen. Aber dieser entzieht sich, Opfer eines falschen Pflichtgefühls. Corinne bleibt nichts anderes als der Tod. »Das Los einer Frau ist besiegelt«, so das Fazit ihres früheren Romans *Delphine*, »wenn sie nicht den geheiratet hat, den sie liebt; die Gesellschaft hat für das Schicksal der Frauen nur eine Hoffnung gelassen; wenn die Würfel gefallen sind und man verloren hat, ist alles entschieden.« Diese Aussage spiegelt eine schreckliche Wahrheit dieser Epoche. Es gibt für die Frau keine Möglichkeit der Entfaltung in einer misogynen Welt. Sie kann sich allenfalls mit anderen Außenseitern zusammentun und sich dem Volk, dem der Sieg versprochen ist, anschließen auf der Suche nach Erlösung – ein Ausweg, den George Sand in *Consuelo* ihren Leserinnen anbietet. Zu dieser Zeit (1844) hellt sich der Himmel für einen kurzen Augenblick auf. Die Solidarität mit den Unterdrückten beginnt, konkrete Formen anzunehmen, zum Beispiel im sozialen Engagement Flora Tristans, die auf ihrer Tour durch Frankreich die Arbeiterschaft organisiert. Aber die zarten Hoffnungen werden mit der blutigen Unterdrückung der Aufstände von 1848 zerschlagen.

Nehmen wir den denkbar abgelegensten Ort der Welt, das Refugium des Aristokraten Clochegourde in einem Tal der Touraine, am Ufer des Indre, und nehmen wir eine Frau, die in ihrer Berufung als Mutter vollkommen aufgeht, beflügelt vielleicht durch eine innere Religiosität, wie sie nur den reinen Seelen eigen ist – und schon haben wir einen neuen Stoff für einen Roman über das Drama des Privatlebens. Es gibt keinen Ort auf dieser Erde ohne geheime Wunden. Ist *Die Lilie im Tal* von Balzac (1836) wirklich der Roman einer Aufopferung? Madame de Mortsauf bebt vor Leidenschaft, die Felix, der Geliebte, in ihr entfacht, obwohl sie sich, im Irrtum befangen, zwingt, ihn wie einen Sohn zu betrachten. Die schreckliche Eifersucht, von der sie gepackt wird, als ihre Rivalin Erfolg hat, verrät eine tiefe Erkenntnis: Felix' Untreue läßt sie mit ihrem unerfüllten Verlangen allein. Zugegeben, Balzac hat sich einer Selbstzensur unterworfen. Das Aufbegehren dieser Frau, das sie auf dem Sterbebett angesichts ihres nicht gelebten Lebens verspürt, war im Manuskript prägnanter herausgearbeitet. Der Romancier opferte das Herz seiner Erzählung, um seine Geliebte zufriedenzustellen, die sich zweifellos darüber beunruhigte, was die Erkundung seelischer Abgründe zutage förderte. Dennoch, selbst so wie der Text nun vorliegt, spricht er eine deutliche Sprache und wird überdies erhellt durch das Ineinandergreifen der Erzählteile, die den Roman bilden. Wenn *Die Lilie* eine Lektion in Moral darstellt, dann ist diese Lektion sicherlich nicht an die Frauen gerichtet. In Wirklichkeit erteilt eine Frau dem Erzähler, der sich herausnimmt, sein eigenes Abenteuer in eine Liebeserklärung umzuwandeln, die eigentliche Lektion: Nathalie de Mannerville weist den unrühmlichen Bewerber, der gegenüber dem Verlangen der Madame de Mortsauf blind war, ab. Eine Frau zerstört zu haben, so teilt sie ihm mit, ist eine erbärmliche Empfehlung für die Verführung einer anderen.

Wo Balzac sich noch zügelte, fallen seit den sechziger Jahren des Jahrhunderts viele Hindernisse. Am Ende des Jahrhunderts wird das Schauspiel des unerbittlichen Schicksals, das die Frauen verfolgt, breit entfaltet. Der Realismus in der Malerei dient als eines der Vehikel. Aufschlußreich ist der Skandal, den Manets Bilder *Frühstück im Freien* und *Olympia* (1863 und 1865) hervorriefen. Der Maler hat gewagt, eine zeitgenössische Prostituierte, die höchst repräsentativ war für die Moral des Zweiten Kaiserreiches, als Akt darzustellen. Zunächst war es Zola in Frankreich, dann nach und nach Autoren in ganz Europa, die die Literatur für die Darstellung aller sozialen Schichten öffneten. Auch die letzten Tabus wurden nun angegriffen. So bezichtigen die Spanier Pérez Galdós und Clarin und etwas zurückhaltender auch Thomas Hardy in England die Kirche der Machtgier und des Unverständnisses gegenüber den Problemen von Frauen. Die kirchliche Obrigkeit kümmere sich weniger um die Moral als darum, Ehepaare in religiöser Zeremonie zu vereinen, ein ebenso kurzes wie erfolgloses Verfahren. Eine Vielzahl neuer Sehnsüchte und Wünsche gerät ins Blickfeld. Die Frauen können weder von den anderen Belangen einer in Bewegung geratenen Gesellschaft abgetrennt, noch mit einem Archetypus gleichgesetzt werden. Die beiden Heldinnen Fortunata und Jacinta gehören im gleichnamigen Roman von Galdós (1887) nicht derselben Welt an. Sie mögen beide aus Madrid kommen und Opfer desselben Mannes sein. Jedoch gehört die eine der Unterschicht an, deren robuste Gesundheit, Leidenschaftlichkeit und eifersüchtigen Stolz sie verkörpert, und letzterer veranlaßt sie, sich als Ehefrau des Mannes zu betrachten, dem sie ein Kind geboren hat. Die andere dagegen genießt die tristen Vorteile der Bourgeoisie – Geld, Ehrbarkeit –, die ihr nichts nützen, als ihr Mann sie verläßt und sie kinderlos zurückbleibt. Es wäre müßig, hier die Vielfalt der Romansituationen zu beschreiben. Vom Rußland Tolstois bis zum Portugal des Eça de Queirós (dessen Luisa im *Vetter Basilio* von 1878 im Gedächtnis haftet: sie ist eine ehrbare Bürgerin, die sich allmählich zur Ehebrecherin entwickelt), der Roman bleibt durchzogen von Sehnsüchten, in denen endlich das weibliche Geschlecht und die Gegenwart sprechen: Sehnsucht nach Glück, nach sinnlicher und intellektueller Erfüllung, nach Selbstbestimmung, anstatt sich einem abwesenden oder gleichgültigen Ehemann anzuvertrauen. Auch schwingt in der Literatur das Verlangen des Fleisches mit, dem Frauen auch gegen den sie umgebenden Idealismus eine Sprache geben. Das ist zum Beispiel in Juan Valeras *Pepita Jimenez* (1874) der Fall. Der Roman erzählt, wie eine junge Witwe die Liebe eines Seminaristen kurz vor seiner Ordination gewinnt und ihn veranlaßt, sie zu heiraten und das Priesteramt aufzugeben. Dieser Roman führt zu einem glücklichen Ende; viele andere jedoch enden in der Katastrophe, herbeigeführt durch die unerbittliche Trägheit der Gesellschaft. Maupassant, der sich des Urteils enthält, unterstreicht mit der Kälte seines Schreibens die gesellschaftliche Grausamkeit. Der Schwede Strindberg führt mit *Fräulein Julie* (1888) und anderen Theaterstücken in die endgültige Ausweglosigkeit. Liebe ist eine Illusion, der Kampf der Geschlechter wie der Klassen hoffnungslos. Es wäre besser, nie geboren zu sein, heißt es in *Ein Traumspiel* (1901).

Der Roman ist im 19. Jahrhundert das wohl unbestritten lebendigste literarische Genre und zudem dasjenige, das am angemessensten die

Sehnsucht der Frauen nach Glück und die Hindernisse, gegen die sie ankämpfen, beschreibt. Zwei Romanciers, der Engländer Thomas Hardy und der Amerikaner Henry James, seien kurz vorgestellt. Mit ihnen nimmt unsere Welt ihren Anfang. Welches sind die Hindernisse, an denen die stolze, rechtschaffene Tess in *Tess von d'Urbervilles* (1891) und die noble, unabhängige Sue Bridehead in *Juda der Unberühmte* (1895) zerbrechen? Beide Romangestalten glauben einem vorbestimmten Schicksal oder auch der Ordnung der Dinge erlegen zu sein, wenn sie ihr Elend mit den Worten Hiobs beschreiben. In Wirklichkeit sind sie zu empfindsam, ihrer Zeit zu weit voraus in ihrem Bestreben, nach dem inneren Gesetz zu leben und sich dem Starrsinn und den Konventionen entgegenzustellen. Sie geraten in die Fallen einer Freiheit, gegen die sich alles verschworen hat. Lediglich Batseba, die Heldin aus *Fern der rasenden Menge* (1874), überwindet den Dämon im Dämmerlicht der Freiheit und entwindet sich dem Zugriff des Schicksals. Dies gelingt ihr nur, weil sie sich der unerschütterlichen Treue Gabriel Oaks, eines Mannes, der aus demselben Holz wie sie geschnitzt ist, sicher weiß. Das Scheitern von Tess und die Entsagungen Sues, die von der Gesellschaft gezwungen werden, in die Falschheit, der sie entkommen wollten, zurückzukehren, hinterläßt einen bitteren Geschmack: Wie viele Verheißungen wurden einer brüchigen bunten Ordnung geopfert!

Henry James ist ein ebenso scharfsinniger Beobachter der oberen Gesellschaftsschichten wie Hardy es für das bäuerliche Milieu ist. Er läßt den Hang zur Unabhängigkeit, die Gabe der Intelligenz und die Schönheit für Frauen immer dann zur Bedrohung werden, wenn ihr extremes Selbstbewußtsein es nicht zuläßt, Unterstützung anzunehmen. *Die Damen aus Boston* (1888) ist eine unbarmherzige Satire auf den Feminismus in Amerikas intellektueller Metropole. Sicher ist es unvermeidlich, daß das Leben sich an den Höhen eines so abstrakten und weltfremden Kultes der Humanität rächt, wenn ihm Frauen, die sich in ihrer Haut nicht wohl fühlen, als militante Streiterinnen dienen. Aber das moralische Gefängnis, das im *Bildnis einer Dame* (1882) Isabel Archer umschließt und dessen Realität sie physisch erfährt, und ebenso der Tod, den die allzu unbekümmerte Daisy Miller im gleichnamigen Roman erleidet, signalisieren auf subtile Weise eine Gefahr: Angesichts der neuen und berauschenden Herausforderungen der Freiheit und des Glücks kann die geringste Fehleinschätzung fatal sein. Wie aber können Irrtümer vermieden werden, wenn es in der »Neuen Welt« für die Jagd nach dem Glück Regeln gibt, die mit den Gepflogenheiten der »Alten Welt« in Konflikt geraten?

DAS LEBEN ANNEHMEN: LOU ANDREAS-SALOMÉ

»Die Welt, sie wird dich schlecht begaben, glaube mir's: Sofern du willst ein Leben haben: raube dir's!«

Lou Andreas-Salomé, *Lebensrückblick*[7]

»Nun liegt es mir eigentlich ferner, von Tugenden und Leistungen zu reden, als von dem, worin ich mich kompetenter fühle: vom Glück.«

Lou Andreas-Salomé, »Zum Typus Weib« (1914)[8]

Es steht außer Frage, daß Henry James sich seinen Gestalten mit einer zutiefst weiblichen Sympathie annähert. Gleichwohl ist es an der Zeit, daß wir uns wieder den Frauen selbst zuwenden. Die Aufmerksamkeit soll nun dem Leben einer einzelnen Frau gelten, einem Leben, welches Schritt für Schritt seiner selbst bewußt wird und, befreit von aller den Elan fesselnden Last des Protestes, sich seiner Autonomie vergewissert. Ungestüm in ihrer Bereitschaft, alle Risiken des Ungebundenseins auf sich zu nehmen; rätselhaft selbst für ihre Freunde, die sie selten dort antreffen, wo sie sie vermuten; verliebt in ein Glück, dessen Geheimnis sich mischt mit dem sprühenden Leben, dem sie mit Leib und Seele verbunden ist, hat Lou Andreas-Salomé (1861–1937) wie keine andere die Debatten des 19. Jahrhunderts hinter sich gelassen. Wenn sie es ist, die einen Weg weist, dann weniger durch den Glanz ihrer vor Unabhängigkeit, Kultur und Schönheit sprühenden Persönlichkeit, als durch ihre innere Richtschnur, die es ihr ermöglicht, souverän und unvoreingenommen dem nur als Geschenk erfahrenen Leben gegenüberzutreten.

»Ich kann weder Vorbildern nachleben, noch werde ich jemals ein Vorbild darstellen können, für wen es auch sei; hingegen mein eigenes Leben nach mir selber bilden, das werde ich ganz gewiß, mag es nun damit gehn wie es mag. Damit habe ich ja kein Prinzip zu vertreten, sondern etwas viel Wundervolleres – etwas, das in Einem selber steckt und ganz heiß vor lauter Leben ist und jauchzt und heraus will ... Glücklicher als ich jetzt bin, kann man bestimmt nicht werden ...«[9]

Die junge Frau, die diesen Brief schreibt, ist gerade 21 Jahre alt. Sie lebt in Rom, wohin sie sich aufgrund ihrer gefährdeten Gesundheit zurückgezogen hat. Sie träumt von einer Art Lebens- und Arbeitsgemeinschaft mit zwei brillanten, jedoch wesentlich älteren Intellektuellen, deren Bekanntschaft sie soeben geschlossen hat: Friedrich Nietzsche und Paul Rée. Mit unerschütterlicher Gelassenheit reagiert sie auf die entrüsteten Einwände, von seiten ihrer Mutter, aber auch von Feministinnen, die ihr aus ihrem heimatlichen Rußland übermittelt werden durch den Mann, der ihr erster Lehrer gewesen ist und der sie geliebt hat mit einer Liebe, die zu erwidern Lou außerstande war: Pastor Gillot. Lou aber weicht nicht von ihrem Weg ab, weder zu diesem noch zu einem anderen Zeitpunkt ihres Lebens. Die Kraft, die sie vorantreibt und sie unempfindlich macht für das Gerede der Leute, ist nicht die Kraft der Rebellion, denn auch die Revolte hat ihre Konformismen. Jedes Freiheitsbegehren, so wird sie später über Ibsens Heldinnen sagen, ist zum Scheitern verurteilt, wenn es über das Stadium der Negation nicht hinausgeht, wenn es ihm nicht gelingt, seine eigenen Verhaltensregeln zu entwerfen. Eine innere, gleichsam stendhalische Überzeugung gibt der jungen Frau die Sicherheit, daß ihre Entscheidungen richtig sind. Lou wird mehr als einen Partner durch dieses Verhalten zerstören, angefangen bei Nietzsche und Rée, den abgewiesenen Liebhabern, die sich verzehren nach dieser Frau, die sich ihnen verweigert und ihnen nur eine intellektuelle Partnerin und Lebensgefährtin zu sein gedachte – eine Rolle, die sie später in ihrer platonischen Verbindung mit ihrem Ehemann Andreas ausleben kann. Aber aus diesem Leben, das sie mit solcher Intensität zu erfassen versucht, dessen Fülle der Sinnenlust sie 1897 in der Liebe zum jungen Rilke entdeckt, schöpft sie auch die Kraft, dem späteren Dichter der *Duineser Elegien* beizustehen, ihn zur Reife seines Genies zu führen, selbst auf die Gefahr hin, mit einer zu exklusiven Beziehung ihre Kraft zu überdehnen.

Diese unverbrüchliche Treue veranlaßt Lou Andreas-Salomé auch, sich mit ihren gründlichen philosophischen und medizinischen Kenntnissen und ihrem Vertrautsein mit den großen Strömungen des europäischen literarischen Lebens nun dem verheißungsvollen neuen Feld der Psychoanalyse zu öffnen. Bereits vor dem Ersten Weltkrieg ist Lou für Freud eine bevorzugte Partnerin. Sie bereichert die Psychoanalyse mit ihrer kreativen, warmen und poetischen Intelligenz, die es ermöglicht, Blockierungen zu überwinden und eine höhere Synthese zu erreichen, wo Freud zu sehr der Mann der Wissenschaft blieb, der analysiert und zergliedert. Spätestens seit der Jahrhundertwende beschäftigt sich Lou Andreas-Salomé mit den Verbindungen, die sich beim Liebeserlebnis zwischen Geist und Körper einstellen, und sie sucht in den jüngsten biologischen Erkenntnissen nach einem neuen Zugang zu diesen Bereichen. Wie könnte die Psyche unberührt bleiben von den Energien, die aus den Tiefen des Körpers aufsteigen? Wie könnte sie weiterhin dem überirdischen Romantizismus anhängen, der an die Verschmelzung zweier Seelen glaubt, wenn die Trunkenheit der fleischlichen Lust möglicherweise an die Wurzeln des menschlichen Seins rührt? Zum Verdruß der Feministinnen sucht Lou Andreas-Salomé in der Biologie, aber auch in den Symbolen, die das Leben der Frauen reglementieren – vor allem in der Gestalt der Madonna, die, wie wir gesehen haben, die Vorstellungswelt beherrscht –, einen Zugang zu einem freien Verständnis der Frau. Die zynische Verschiebung von

Werten, die die Gesellschaft vorgenommen hat, als sie die Fülle des Weiblichen auf hysterische Unterwerfung reduzierte und die Frau zum Weibchen machte, darf nach Lou Andreas-Salomé nicht als Vorwand dienen, um die in der Sprache aufgehobenen Werte insgesamt zu verwerfen. Angemessen interpretiert, könnten sie die Frauen und die Gesellschaft allgemein vor dem Chaos und der Orientierungslosigkeit bewahren, die mit dem Zusammenbruch der Werte drohen.

Diese Überlegungen könnten ehrgeiziger und dringlicher kaum sein. Sie zielen darauf, sich selbst zu versöhnen und ein noch unbekanntes Verhältnis zum Körper, zur Sprache und zur Poesie auszuloten. Lou, die über die Bilder von der Frau nachgedacht hat (bei Ibsen, Strindberg, aber auch bei ihren feministischen Schwestern), leistet zweifellos einen entscheidenden Beitrag, als sie im Anschluß an Freud auf den Narzißmusbegriff zurückkommt. Narzißmus ist in ihren Augen nicht nur ein strukturierendes Prinzip in dem Sinn, daß er über die Liebe des Individuums zu seinem Selbstbild auch die Selbstliebe bezeichnet. Er verankert vielmehr im Erwachsenenalter etwas von den frühkindlichen Wünschen aus der Zeit, in der das Kleinkind sich noch nicht von seiner Umgebung unterscheidet. Es ist diese kraftspendende Energie, die insbesondere Künstler besser als alle anderen einzufangen wissen, Künstler, deren Schöpfungen das gesamte Sein durchqueren und die aus Quellen schöpfen, die den meisten von uns kaum zugänglich sind. Mit dieser Deutung weist Lou Andreas-Salomé einen Weg, der besser kaum gedacht werden kann, um der Ausgrenzung eines Geschlechts, das allein auf die Inkonsistenz von Bildern verwiesen war, ein Ende zu setzen. Sie gibt den Bildern ihre Prägekraft, die sie für die Menschheit insgesamt haben, zurück.

Lou Andreas-Salomé ist sicherlich nicht die größte Schriftstellerin des 19. Jahrhunderts. Wie ausgeprägt ihre Empfindsamkeit auch ist, wie entscheidend auch ihr Anteil am Werk Rilkes (das undenkbar ist ohne ihre briefliche Unterstützung) gewesen sein mag, am deutlichsten ist ihre Spur auf dem Gebiet der Philosophie und der Psychoanalyse. Eine allzu trennende Beurteilung würde jedoch weder ihrer außerordentlichen Großzügigkeit gerecht noch ihrer stilistischen und dichterischen Begabung, die sie so klar im *Lebensrückblick* unter Beweis stellt, den sie am Ende ihres Lebens in den Jahren 1933–34 abfaßt. Diese Frau, die ihr Leben mehr als jede andere selbst bestimmt hat, legt jegliche Eitelkeit, die sie besessen haben mag, ab, um von den ungewöhnlichen Begegnungen zu erzählen, die sie geprägt haben, und darüber, wie sich ihr Leben in Dichtung verwandelt hat, nicht etwa, weil sie es von eigener Hand gemeistert hat, sondern durch das Wirken einer Energie, die über uns hinausreicht und uns durchdringt.

Künstlerinnen haben keine leichte Aufgabe. Oft müssen sie zusehen, wie ihre Arbeit geopfert wird: Etwa Alice James, deren *Journal* lediglich auf Gleichgültigkeit, wenn nicht Feindseligkeit bei ihrem Bruder Henry stößt, der zum großen Teil für dessen verspätete Veröffentlichung im Jahre 1934 verantwortlich ist – vierzig Jahre nach dem Tod der Autorin; ebenso Camille Claudel, Bildhauerin, deren Karriere durch die Feigheit ihres Liebhabers Rodin und ihres Bruders, des Schriftstellers Paul Claudel zerstört wird. Unter diesen Bedingungen gelingt es Frauen kaum, Einfluß zu nehmen auf das Bild, welches Kunst und Literatur von ihnen entwerfen. In unserer Abhandlung kamen notwendigerweise abwechselnd männliche und weibliche Stimmen zu Wort, Stimmen, die sich klar und unverwechselbar unterscheiden. Aller Widrigkeit zum Trotz aber gibt es einige wenige Neuerungen. Neu ist zum Beispiel die literarische Figur des kleinen Mädchens, die unterschieden wird vom universellen männlichen Modell des Kindes. Diese Gestalt taucht in den 1860er Jahren auf. Sie trägt zweifellos Züge eines Opfers, wie zum Beispiel Cosette oder die Waise, die in Victor Hugos *Die Elenden* im Haus der Thénardiers ausgebeutet wird. Aber vor allem erringt sie mit Sophie, der kleinen Schelmin, die die Gräfin de Ségur in *Les malheurs de Sophie* (1864) entwirft, und noch mehr mit der charmanten und ungewöhnlich unabhängigen, gewitzten Alice in Lewis Carrolls *Alice im Wunderland* (1865) ein besonders eigenständiges Profil: als logisch denkender und wißbegieriger Widerspruchsgeist.[10] Hat Lou Andreas-Salomé, zur selben Zeit geboren wie Alice, von der Bresche profitiert, die Carrolls Figur geschlagen hat? Als Frau von Fleisch und Blut, von Geist und Feder gibt sie dem bisherigen Bild einen Hauch von Frische.

Aus dem Französischen von Anne Hamilton und Karin Hausen

6

Lesen und Schreiben in Deutschland

Marie-Claire Hoock-Demarle

Wie der weibliche Teil der Bevölkerung in Deutschland, Frankreich oder in anderen Ländern alphabetisiert worden ist, war lange Zeit schwer zu ermitteln, und noch heute läßt sich der Prozeß aus unterschiedlichsten Gründen nur unscharf charakterisieren. Schon wenn man in Volkszählungstabellen oder Gesetzestexten vom Ende des 18. Jahrhunderts nachschlägt, enthalten diese zwar Angaben über Bevölkerungszahlen im Kindes- und Jugendalter, über bestimmte Alterskohorten oder Vermögensklassen, jedoch keine über geschlechtsspezifische Unterschiede. Manche avantgardistischen Schriften gehen zwar darauf ein, aber nur mit der Klage, wie kraß die Ungleichheit sei.

Auch über »schreibende Frauen« etwas herauszufinden ist nicht einfach. Hier ist es weniger das Thema an sich, das sich gegen die Forschung sperrt, als der besondere Diskurs des 19. Jahrhunderts, der das Phänomen verschleiert und der Analyse entzieht, indem er es als beschämende und unschickliche Sache vorstellt. Hat eine Frau – sozusagen in schreibender Notwehr – ihre dichterische Begabung entdeckt, versucht sie sich für die Sünde des Schreibens zu entschuldigen, als wäre es ein Seitensprung: »Mein Mann ahnt nicht, daß ich Verse schmiede, und ich habe ihm nie etwas von meinen poetischen Versuchen erzählt«, gesteht Louise Ackermann 1885.[1]

Dennoch legen die Frauen binnen eines Jahrhunderts, etwa zwischen 1780 und 1880, als die wichtigsten Länder Europas die Mädchenerziehung an Volks- und Oberschulen bereits eingeführt haben oder im Begriff sind, sie einzuführen,[2] einen ungeheuren Weg zurück. Das läßt sich anhand ihrer autobiographischen und sozialpolitischen Schriften ermessen. Lesen und Schreiben zu lernen ist der rasch getane erste Schritt; doch dann folgen die Schwierigkeiten mit der Qual der Wahl der Lektüre und dem Nachdenken über das Gelesene. Eine schriftstellerische Betätigung riskieren nur wenige Frauen. Aber Lesen und Schreiben eröffnen den Frauen Mittel und Wege, sich in die moderne Welt zu integrieren. Schon das Lesen erfordert eine soziale Organisation, und das eigene Schreiben verlangt nach einem privilegierten Zugang zur Öffentlichkeit. Beides zusammen bringt einen neuen Bezug zur Gesellschaft hervor, der die Frauen verstärkt über sich selbst, ihre eigenen Ausdrucksmittel, über selbständige Formen der Darstellung und eine unabhängige Wahrnehmung von Zeit und Raum nachdenken läßt.

Hier soll von der Zeit zwischen 1789 und 1848 die Rede sein, der Epoche zwischen zwei Revolutionen, die auch die Frauen mitrissen. Beide Ereignisse strahlen auf ganz Europa aus. Die Zeitspanne umfaßt das Leben mehrerer Frauengenerationen, und die Epoche ist ereignisreich genug, um für die Frauen den gewaltigen, manchmal gewaltsamen Wandel von Verhalten und Mentalitäten nachzeichnen zu können. Diese hochbedeutsame Etappe in der Geschichte der Frauen soll am Beispiel von Deutschland vorgestellt werden. Zweifellos vollzieht sich eine ähnliche Entwicklung auch anderswo und unter bisweilen ganz anderen Vorzeichen. Doch im besonderen Fall Deutschland entfalten soziale, politische und vor allem religiöse Strömungen eine ganz einzigartige Wirkung. Im übrigen wirft die Debatte um Kriterien der Alphabetisierung im Vergleich zu gewissen französischen Forschungen nicht nur wegen der unterschiedlichen Quellenlage für Deutschland von vornherein eine Reihe von Fragen auf, die weit über einen simplen Methodenstreit hinausgehen.[3]

Deutschland ist gerade wegen seiner Besonderheiten von großem Interesse. Mit seinen geographischen Unterschieden, grundverschiedenen politischen Systemen und Konfessionskonflikten bildet es das Europa der damaligen Zeit gleichsam im Kleinen ab. Hier finden sich in konzentrierter Form die Faktoren, die mit wechselndem Erfolg die Entwicklung der Frauen in puncto Schulbesuch, Lesen und Schreiben in ganz Europa bestimmt haben. Außerdem gibt es in etlichen deutschen Staaten schon recht früh eine gesetzliche allgemeine Schulpflicht. Das macht es möglich zu untersuchen, welche Rolle staatlicher Gestaltungswille bei der Alphabetisierung gespielt hat.

Will man den Weg untersuchen, den die Frauen im 19. Jahrhundert von den Grundkenntnissen des Lesens bis zur literarischen Selbstdarstellung und selbständigen Themengestaltung zurückgelegt haben, dann erheben sich zwei Fragen:

– Wie konnten Frauen über diese Faktoren der Akkulturation, über die Lesekultur und die Sprache der Literatur, Zugang zur sogenannten Moderne finden?
– Welche Hindernisse mußten sie auf diesem Weg überwinden und welche Strategien entwickelten sie, um sie zu umgehen oder sich gar zunehmend frontal mit ihnen auseinanderzusetzen?

Lernsituationen. Von der Mädchenerziehung zur Frau als Erzieherin

Alphabetisierung ist in erster Linie der Erwerb von Grundwissen: fließend lesen, schreiben und in geringerem Maß rechnen lernen. Diese Definition, bescheiden und unpräzise zugleich, fordert Kritik heraus. Was soll das Kriterium der Alphabetisierung sein: Ob eine Person ihren Namen schreiben oder ob sie einen Text ohne Stocken vorlesen kann? Beide Male mag es willkürlich scheinen, hieraus auf den Umfang der Alphabetisierung einer Gruppe der Gesellschaft zu schließen, ob es sich nun um Rekruten, Dienstboten oder Frauen handelt; in den Kirchenregistern haben nämlich die Frauen nicht immer mitunterschrieben, und fließendes Lesen kann auch dadurch zustandekommen, daß ein Text, meist aus der Bibel, unzählige Male laut vorgetragen und Wort für Wort auswendig gelernt worden ist.

Dennoch werden Frauen Ende des 18. Jahrhunderts zunehmend in die Alphabetisierung einbezogen. In Frankreich steigt ihre Alphabetisierungsquote von 14 auf 17 Prozent, was die Formulierung berechtigt scheinen läßt, daß »die Teilhabe von Mann und Frau an der Schriftkultur zum Gleichtakt findet«.[4] In Deutschland, wo Statistiken erst später erhoben werden und zur Suche nach anderen Kriterien zwingen, vermelden bestimmte norddeutsche Landstriche bereits 1750 bei Mädchen einen Schulbesuch von 87,5 Prozent.

Es liegt also ein echtes Gesellschaftsphänomen vor, eine Kulturrevolution aus einer Vielzahl von Gründen und mit anhaltenden und zugleich gesamteuropäischen Folgen.

In Deutschland und besonders Norddeutschland geht diese Revolution des Lernens auf Faktoren zurück, die völlig verschieden sein mögen, aber durch eine Art Grundkonsens aus der Aufklärung miteinander verbunden sind.[5] Als erstes ist da der Faktor Staat, der erklärte Wille bestimmter Landesregierungen und besonders derjenige Preußens, die allgemeine Schulpflicht für alle Kinder zwischen sechs und vierzehn Jahren gesetzlich vorzuschreiben. In Preußen wird sie schon 1717 dekretiert, in Bayern allerdings erst 1802 eingeführt. Das verweist bereits auf das zweite wichtige Moment bei der Durchsetzung einer allgemeinen Schulbildung für die Gesamtbevölkerung: die Konfession. Unter den deutschen Staaten, in denen der Landesherr zugleich Kirchenoberhaupt ist und so direkt in das geistlich dominierte Bildungswesen eingreifen kann, erlangen die protestantischen Länder einen klaren Vorsprung vor dem katholischen Süddeutschland, wo Bildung eher Knaben vorbehalten bleibt und Mädchen bei den Nonnen über Jahre hinweg meist nur Beten und sogenannte »Weiberarbeiten« lernen.

Die allgemeine Schulpflicht ist nicht immer nur hohle Phrase. Durch Pastoren überwacht die Staatsmacht, ob das Gesetz eingehalten wird. Im Herzogtum Oldenburg etwa, damals zur dänischen Krone gehörig, wurden Aufzeichnungen von Dorfpfarrern über »Hausvisitationen« gefunden, die sie auf Geheiß der Behörde mindestens zweimal jährlich durchführen mußten. Dort sind neben Bücherlisten für die jeweiligen Haushalte auch die schulischen Fleißnoten der Kinder beiderlei Geschlechts erhalten geblieben. 1750 sind nur noch 1,5 Prozent der Frauen Analphabetinnen, 98,5 Prozent können Lesen, 43,8 Prozent Lesen und Schreiben und 6,6 Prozent verblüffenderweise obendrein Rechnen. Das trifft nicht nur auf Mädchen aus besseren Familien zu, auf die Töchter kleinstädtischer Beamter oder reicher Bauern, sondern auch von den Dienstmädchen können 64 Prozent Lesen und immerhin 2 Prozent Rechnen. Diese fortgeschrittene Alphabetisierung der Mädchen seit Mitte des 18. Jahrhunderts ist um so bemerkenswerter, als der Schulbesuch auf dem Land bei Mädchen häufig kürzer ausfällt als bei Knaben: generell werden sie ein Jahr später eingeschult, ungefähr mit sieben Jahren (weil sie daheim mithelfen müssen); sie verlassen mit etwa elf Jahren die Schule, um als Magd in Stellung zu gehen. Während das Lesen bereits im ersten Schuljahr gelernt wird, machen die Kinder erst als Achtjährige Bekanntschaft mit dem Schreiben. Das Rechnen indes kommt nicht nur äußerst spät an die Reihe, im zwölften oder dreizehnten Lebensjahr, sondern kostet obendrein Schulgeld. Daß es jedenfalls als sinnvoll erachtet wurde, 7 Prozent der Mädchen dieses Landstrichs die Grundkenntnisse des Rechnens beizubringen, ist der Hervorhebung wert. Denn auch wenn sich dieser Befund nicht verallgemeinern läßt, macht er doch deutlich, daß Frauen später imstande sein werden, das Haushaltsgeld in eigener Regie zu verwalten.

Die obige Untersuchung Wilhelm Nordens bezieht sich auf ländliche Regionen, die von Kriegsnöten des 18. Jahrhunderts weitgehend verschont geblieben sind. Wieviele Mädchen in den Städten die Schule besuchten, ist ab Ende des 18. und vor allem nach Beginn des 19. Jahrhunderts nur noch sehr schwer festzustellen.

Soziale Mobilität, Verdrängung der Armen an den Stadtrand, kaum dokumentierte Arbeiterghettos, Aufgehen der einzelnen in einer immer gedrängteren städtischen Masse, das alles macht es schwierig, das Ausmaß von Alphabetisierung und Schulbesuch im Laufe des 19. Jahrhunderts statistisch zu ermitteln.

Die Alphabetisierung, zunächst unter dem gemeinsamen Einfluß eines gefestigten Protestantismus und der pädagogisch aufgeschlossenen Aufklärung eine der großen Errungenschaften des 18. Jahrhunderts, verliert im Laufe der ersten Hälfte des 19. an Schwung. Von Rückläufigkeit zu sprechen wäre gewiß verfehlt, doch eine gewisse Stagnation ist unverkennbar. Für 1818 etwa weisen die preußischen Statistiken für Berlin aus, daß 30 Prozent der Kinder nicht zur Schule gingen, obwohl die allgemeine Schulpflicht bereits bestand. In Bremen, im 18. Jahrhundert noch eine Hochburg von pädagogischer Aufklärung und pietistischem Einfluß auf die Mädchenerziehung,[6] gingen 1838 von 107 Mädchen im schulpflichtigen Alter 35 nicht zur Schule, weil sie bereits in der Fabrik arbeiten mußten. Erst im März 1839 verbot ein Erlaß Fabrikarbeit vor dem neunten Lebensjahr und schrieb außerdem ein schriftliches Zeugnis über einen dreijährigen Schulbesuch vor. Es dauerte allerdings Jahre, bevor der Erlaß zu greifen begann. Lernen, im 18. Jahrhundert noch als echte persönliche Chance verstanden, bietet jetzt mitunter nur noch für die Kinder Hoffnung auf eine bessere Zukunft. Ein Leitmotiv, das auch Bettina von Arnim in ihrem Bericht von 1843 über das Vogtland mit dem Titel *Dies Buch gehört dem König* gebührend hervorhebt:

»Die Mutter hielt das kleinste Kind auf der Schürze und trieb das Spulrad. Dabei erzählte sie vergnügt, daß zwei Kinder die Schule besuchen und recht viel lernen. Es zeigt sich auch hier, daß die Armen ihre größte Freude an den Kindern haben und fest darauf rechnen, daß diese durch den Schulunterricht aus dem Elende gerissen werden.«[7]

Der Bildungsstand – vor allem der Mädchen – ist jedoch nicht allein am Schulbesuch abzulesen, der im übrigen nur dem Elementarunterricht an Volks- und Mittelschulen gilt. Mädchenoberschulen, also Lyzeen für höhere Bildung, entstanden als Institution auch in Preußen erst 1872, und zwar in Berlin. Bei der Einweihung des nach der Kronprinzessin benannten Viktoria-Lyzeums empörte sich Fanny Lewald, von deren Zugehörigkeit zur Minorität der »Schriftstellerinnen« noch die Rede sein wird:

»Das Victoria-Lyceum ist, ich wiederhole das ausdrücklich, ein sehr gutes Institut, aber es ist in gewissem Sinne ein Luxusinstitut. Was uns fehlt, ist jedoch nicht die Turmspitze, sondern ein ordentliches Fundament. Wir brauchen Schulen, Realschulen für die Frauen wie für die Männer.«[8]

Das Abitur und damit die Zulassungsvoraussetzung zur Universität konnten deutsche Frauen erst nach 1900 erlangen. Die gleichfalls seit Ende des 18. Jahrhunderts geforderte Zulassung zum Lehrerberuf dagegen erreichten die Frauen nur für die Grundschule, und dies auch nur unter der Bedingung, daß sie unverheiratet waren und erklärten, dies auch bleiben zu wollen. Erst 1890 – nach einem kurzen Zwischenspiel um 1849 – wurde von Helene Lange der Allgemeine Deutsche Lehrerinnenverein gegründet, der dann um die Jahrhundertwende mehr als 15 000 Mitglieder umfaßte.

Ein krasser Widerspruch: Einerseits erfaßte die Alphabetisierung durch die allgemeine Schulpflicht im Prinzip alle Mädchen: Lesen, Schreiben oder in geringerem Umfang auch Rechnen lernten sowohl die in der Stadt wie die auf dem Land lebenden, die aus wohlhabenden wie die aus ärmeren Schichten stammenden Mädchen. Doch die spezielle Heuchelei des 19. Jahrhunderts verwehrte der überwältigenden Mehrheit der weiblichen Bevölkerung den Zugang zu höherer Bildung. Angesichts der Rolle der Metternichschen Restauration und der Rückorientierung auf Haus und Herd läßt sich sogar sagen, daß die erste Hälfte des 19. Jahrhunderts auf diesem Gebiet besonders vom Rückschritt gekennzeichnet war. Jeder Reform, die sich an gleichen Bildungschancen für alle orientiert, erwachsen Gegner, die ihre feindselige Abwehr mitnichten verhehlen. So sah sich der preußische Bildungsreformer von Süvern 1818 wegen seiner Vorschläge beschuldigt, »die Grundlage der natürlichen Verschiedenheit und damit zugleich die unveräußerliche, naturgegebene Ungleichheit« in Frage stellen zu wollen. Für die Gleichheit von Bildungschancen zu plädieren heißt also soviel wie das Fundament der Gesellschaft zu untergraben.

Angesichts dieser Abwehr hatten die Frauen schon lange begriffen, daß wahres Lernen nur auf Nebengleisen möglich war. Den größten Bildungswillen hatten die Autodidaktinnen, wie sich manche Frauen freimütig selbst nannten, wenn sie allein ihren Weg gemacht hatten und in Einzelfällen Schriftstellerinnen geworden waren. Anna Luise Karsch, eine der großen Autorinnen des 18. Jahrhunderts, hatte es vorgemacht. Bitter arm, hatte sie sich beim Viehhüten auf der Weide selbst das Lesen beigebracht. Zu Beginn des 19. Jahrhunderts gibt es verschiedentlich solche selbstgebildeten Romanschriftstellerinnen, die stolz verkünden, wie sie aus alten Bibeln oder *Todtengesprächen* vom Speicher des Pfarrers von ganz allein Lesen und Schreiben gelernt hatten.[9] Konnte man ihnen da einen Vorwurf daraus machen, daß dieses improvisierte Lernen auf ihren Stil abgefärbt hat?

Außerhalb der staatlichen und privaten Schulen, vor allem der Klosterschulen, die Mädchen zur Ausbildung aufnahmen, fand die eigentliche Erziehung, in der die Persönlichkeit geformt und das Fragen gelernt wird, in der Geborgenheit des Hauses statt, was die Mädchen nach überkommener Ansicht mancher Pädagogen und Männer vor einem Übermaß an Wissen verschonen sollte. Mit einer Widersprüchlichkeit, die schon damals von Feministinnen – Mary Wollstonecraft, Betty Gleim – und vielen ihrer Geschlechtsgenossinnen angeprangert wurde, bleibt die Frau ausgeschlossen von der Kultur, soll aber zugleich als heilige Pflicht die Erziehung der Kinder im zarten Alter übernehmen und die der Mädchen noch viel länger. Zur »geborenen Erzieherin« auf einem Gebiet erhoben, von dem sie im Grunde keine Ahnung hat, widmet sie sich ihrer Aufgabe mit großem Ernst. Wilhelm von Kügelgen notiert in seinen *Jugenderinnerungen* zu den Jahren 1806 und 1807 über seine Mutter:

»Mit ihren Kindern beschäftigte sie sich treu und unablässig und war gewissenhaft bemüht, nichts zu versäumen, was zu unserer Menschenbildung dienlich schien. Aus diesem Grunde studirte sie auch fleißig die gepriesensten pädagogischen Werke ihrer Zeit, aus denen sie freilich wenig Nutzen ziehen mochte: denn eine halbwegs gescheute Mutter weiß schon allein, wie sie ihre Kinder zieht – wo nicht, so lernt sie schwerlich, weder von Campe, noch von Pestalozzi.«[10]

Man denke nur an die »Großmuttertöchter« George Sand oder Bettina von Arnim. Erzogen wurden sie weniger in den Klosterschulen, in die sie als kleine Mädchen kamen, als später von ihren Großmüttern. Diese chaotische, bisweilen anachronistische Erziehung schlägt übrigens den Bogen zur Geschichte der Frauen und zeichnet sozusagen eine »weibliche Linie« vor. Christa Wolf ordnet sich als moderne Autorin in diese Tradition ein, wenn sie mit Wärme und Bewunderung von ihren Vorfahrinnen schreibt, den Pionierinnen, den »Frauen von 1800«.[11] Es war bestimmt ein böses Erwachen, wenn die Großmutter die Enkelin pädagogisch unter ihre Fittiche nahm. Das junge Mädchen, frisch aus der Klosterschule entlassen, kann lesen, schreiben und vor allem Gebete leiern, die Großmutter aber lebt und atmet die Philosophie der Aufklärung und hat Leibniz' Universalgeschichte, Plutarch im Original oder die *Briefe* Madame de Sévignés als Bildungsideal im Kopf. Für George Sand wie auch für Bettina von Arnim – und man könnte hinzufügen, Madame de Staël, obgleich eine Generation früher geboren und von ihrer Mutter erzogen – kommt dabei eine kuriose Mischung von Klassik und Moderne heraus, von Lateinübungen und lautem Vorlesen aus den Reden Mirabeaus, alten Geschichtsschwarten und Tagesgazetten. Letztendlich läßt sich behaupten, Mädchen seien in diesen so seltenen, später berühmt gewordenen Fällen viel liberaler erzogen worden als gemeinhin die Knaben, die in ein Lehrplankorsett eingezwängt waren, Lateinisch sprechen mußten und mit dem Rohrstock traktiert wurden. Hier haben wir einen begrenzten Freiraum, aus dem feminines Empfinden und später eine eigene weibliche Weltsicht erwächst.

Die größte Angst haben männliche wie weibliche Volksaufklärer vor dem Schreckgespenst der Büchergelehrtheit. Schon die *Moralischen Wochenschriften,* Zeitschriften für die Damen mit pädagogischem Auftrag, warnen ihre Leserinnen vor allem Bücherwissen, das gegen den gesunden Menschenverstand verstoße. Sophie von La Roche, Großmutter und Erzieherin Bettina von Arnims, wettert in ihren Zeitschriften »für die deutschen Mädchen« ständig gegen die höchst gefährliche »Besserwisserei«, von der man nur Neurosen bekomme und zwangsläufig zur alten Jungfer werde. Die gebildete Frau verbreite Angst, sie sei eine »Ausnahme«, eigentlich schon keine richtige Frau mehr, beziehungsweise in Männeraugen eine Witzfigur, ein Schreckgespenst, das so manchem »kalte Schauer« über den Rücken jage.

Noch ein weiterer Faktor spielt in der Entwicklung dieser privaten Formen der Mädchenerziehung eine erhebliche Rolle: der Pietismus. Indem er Männer und Frauen zum gemeinsamen Gottesdienst und zur Gewissenserforschung vereint, entwickelt sich der pietistische »Konventikel« schließlich zu einem Ort gemeinsamen Interesses und kultureller Geselligkeit, wo die Selbstfindung allmählich das Religiöse verdrängt. Klassisches Beispiel für den Einfluß dieses Pietismus auf die Frauen ist die »schöne Seele«, deren Bekenntnisse Goethe in *Wilhelm Meisters Lehrjahre* (1796) aufgreift. Das Fräulein von Klettenberg, eine alte Frankfurter Bekannte des Dichters, nach der er die Figur gestaltete, ist zwar inbrünstig gläubig, doch bekennt sie auch den Wunsch, aus einem festgelegten Frauenschicksal auszubrechen, und dies in erstaunlich moderner Sprache: »Ich erkannte auf einmal, daß es nur eine Glasglocke sei, die mich in den luftleeren Raum sperrte; nur noch soviel Kraft, sie entzweizuschlagen, und du bist gerettet!«[12]

Diese Einstellung haben nicht nur Protestanten. Es gibt auch eine katholische Spielart des Pietismus, und auch in ihr betätigten sich die Frauen als Neuerinnen. Das zeigt sich unter anderem am Münsteraner Zirkel um die Fürstin Galitzin oder am Spätwerk der Dichterin Annette von Droste-Hülshoff.

Der Pietismus blieb als Verhaltenssteuerung keineswegs nur wohlhabenden Kreisen vorbehalten; in vielen Texten ist vom »mächtigsten und heilsamen Einfluß (des Predigers) auf die intellektuelle und religiöse Bildung« der Frauen und besonders der Mütter die Rede.[13] Wenn man bedenkt, daß Frauen ihre Kinder beiderlei Geschlechts von klein auf erziehen, läßt sich der Einfluß des Pietismus auf das Bildungsverhalten der deutschen Nation ermessen. Dieser Einfluß resultierte auch aus dem besonderen Verhältnis des Pietismus zum Buch: Das Vorgelesene, anfangs noch biblisch und sakral, wird immer profaner und löst Nachdenken und Diskussionen aus, in denen die Frauen frei ihre Meinung sagen können. Das Gefühl der Geborgenheit in einer geistigen

Gemeinschaft wird zu einem neuen Verstandeserlebnis und setzt einen Prozeß der Akkulturation in Gang, der seltsamerweise über den Weg der Selbstbetrachtung verläuft. Der Pietismus bringt über Tagebuch, Briefwechsel und Wechselgespräch eine Literatur der Innerlichkeit hervor, die bei Frauen Lebendigkeit und Eigenart gewinnt:

»Ich beschloß, ein Tagebuch zu führen, worin ich nun wie vor einem Gewissen von meinem innersten Leben Rechnung ablegte und meine Gedanken und Urteile, so wie sie in mir aufstiegen, der Reihe nach zu meiner eigenen Belehrung und Prüfung aufstellte.«[14]

Das geht weit über den Unterricht in Schule, Kloster oder durch einen Hauslehrer hinaus. Es überschreitet selbst die Grenzen einer zum Nutzen von Frauen entwickelten Volkspädagogik, die anfangs traditionell und passiv bleibt, dann aber in Anpassung an die Bedürfnisse der nachwachsenden Generationen revidiert und verlebendigt wird.

Die Formen und Verfahren des Lesens und Schreibens werden auf breiter Front durch Lernen erworben. Klein bleibt demgegenüber die Gruppe derjenigen jungen Frauen, die aus Bildungshunger lesen, und noch seltener sind Frauen, die über den Inhalt ihres Lesestoffs eigenständig nachdenken.

Lesestoffe. Vom Fluchtmittel zum Denkanstoss

Ihr Wissen erwerben Mädchen, wie wir gesehen haben, hauptsächlich aus der Bibel, und zwar auf allen Ebenen. Das Lesen wird durch Blättern in der Bibel, das Leben durch Moralisieren nach Bibelversen gelernt. Zwar nimmt der Anteil religiöser Erbauungsschriften in den Katalogen vor allem der Leipziger Buchmesse Ende des 18. Jahrhunderts stetig ab, doch ist er immer noch beträchtlich. 1770 machen religiöse Werke 25 Prozent der Neuerscheinungen aus, im Jahr 1800 noch 13,5 Prozent. Umgekehrt zeigt sich bei den Werken der sogenannten »schöngeistigen Literatur« eine steigende Tendenz: von 16,5 Prozent 1770 klettert ihr Anteil bis 1800 auf 21,5 Prozent. An beiden Kurven ist klar abzulesen, was ein zeitgenössischer Buchhändler und weltgewandter Geschäftsmann »die große Revolution der Bibliotheken« genannt hat.[15]

In dieser »Revolution« spielen häufig Frauen mehr oder minder bewußt die Rolle der Kulturträgerinnen. Lesen wird in gewissen Frauenkreisen fast zu einer Sucht; die Gouvernante einer prominenten Pietistenfamilie nennt in ihren Briefen mehr als acht Arten täglicher Lektüre und fügt hinzu: »Gelesen wird, wie man Mastgänse nudelt.«

Nachdem sie gelernt haben, Glaubenstexte tagsüber und manchmal auch nachts zu lesen und darüber zu sinnieren, beginnen die Frauen um die Wende zum 19. Jahrhundert allmählich, einen ganz persönlichen Gebrauch von der Lesefreiheit zu machen, die ihnen von den Philosophen und Pädagogen der Aufklärung möglicherweise unbedacht zugestanden und nach dem erklärten Willen mancher Souveräne sogar auferlegt worden ist. So kann man sehen, wie sich die »Lesewut« der Frauen austobt, und zugleich, mit welch heftiger Mißbilligung männliche Zeitgenossen darauf reagieren.[16] Ein junges Mädchen, das sich der Romanlektüre hingebe – Lyrik könne freilich genauso gefährlich werden –, verleugne seine Unschuld und schaffe sich eine Phantasiewelt. Doch sei überhaupt kein Vergleich zwischen diesem Vorgriff auf das Leben im Roman und dem Schaden, ja den widernatürlichen Verhältnissen, die angerichtet würden, wenn sich eine (unglücklich) verheiratete Frau der Sucht nach Romanlektüre hingebe. Madame Bovary ist allgegenwärtig und überall. Das Buch als einfaches Fluchtmittel werde so zum Ersatz, dem Alltag zu entfliehen, und bedeute das Ende des Hausfriedens. Die Gesellschaft sei in Gefahr, denn die Romanleserin komme weder ihrer wahren Berufung als Hausfrau und Mutter noch ihrer heiligen Pflicht nach, als Weib über Zucht und Ordnung in der Familie zu wachen. Kurz: Lesen gilt als träumen, also flüchten, sich den Forderungen, Normen und Konventionen zu entziehen, also genau das Gegenteil dessen, was einer Frau in der (besseren) Gesellschaft des 19. Jahrhunderts erlaubt ist.

Die Frauen als Hauptbetroffene sehen das anders. In der Einsamkeit ihrer vier Wände wird die Lektüre häufig zur Rettung aus einer von den Eltern gestifteten und inzwischen gescheiterten Frühehe. Caroline Schlegel-Schelling, eine der großen Frauengestalten der deutschen Frühromantik, ist zunächst nur die junge Frau eines biederen Provinzarztes; ihre einzige Verbindung zur Außenwelt sind die Bücher, die ihr aus ihrer Heimatstadt Göttingen zugesandt werden. Bleibt eine Sendung aus, bettelt sie erregt: »Ich vertrockne seit einiger Zeit, weil alle meine Bücherquellen sich verstopfen«, und schickt Bücherlisten zur dringenden Erledigung: »Nun bitte ich Meyern, erstlich um etwas Amüsantes, gut zu lesen, wenn man auf dem Sofa liegt (...) zweitens möchte ich etwas zu lesen, wenn man auf dem Sofa sitzt und einen Tisch vor sich hat.«[17] Es handelt sich schon lange nicht mehr um die Bibel oder um Erbauungsschriften, sondern um eine bunte Mischung aus Romanen und Erzählungen, Zeitschriften und historischen Schmökern. Die Einstellung der Frauen zum Lesen wandelt sich ständig, während sich zugleich der Inhalt ihrer Lektüre verändert. Die Auswahl wird vielseitiger und bisweilen zum Lesefutter, und es wird nicht länger ein einziger Text, der einen unumstößlichen moralischen und religiösen Rahmen setzt, laut vorgelesen. Noch ist Caroline nicht zu politischen Texten vorgedrungen, doch entdeckt sie die Literatur des Auslands: Shakespeare, dessen Werke sie später übersetzt, Mirabeaus *Lettres écrites du donjon de Vincennes*, und dann einige Essays von Condorcet. 1796 schreibt sie an ihren Schwager Friedrich Schlegel: »Fritz, es gibt zwei Bücher, die Sie lesen müssen, und das Eine (...), das ist Condorcet (...). Daß Sie mir nicht versäumen, dies und die Werke eines gewissen Fulda zu lesen, der ein Magister mit recht originellem Menschengefühl gewesen sein muß.«[18]

Solange sie sich mit Schöngeistigem und mit dem Sammeln geflügelter Worte für ihren Zitatenschatz begnügt, kann ein Verlobter oder Gatte stolz seine »gebildete« Frau herumzeigen. Sobald sie aber versucht, ihre Erkenntnisse zu erweitern, und die Inhalte ihrer Lektüre analysiert, vergleicht sie sie mit der Wirklichkeit um sich herum, und wieder erhebt die Büchergelehrte ihr Gorgonenhaupt. Diesmal in einer neuen, noch stärker verunsichernden und in einer vom Ruch der Revolution umwaberten Gestalt. So jedenfalls sieht es Barbey d'Aurevilly, wenn er klarstellt, der Blaustrumpf sei »die literarische Revolution, denn der Blaustrumpf ist für die Frau, was für den Mann die rote Jakobinermütze«.[19] Das trifft den Nagel auf den Kopf, denn die Frauen des 19. Jahrhunderts sind es allmählich leid, sentimentale Romane zu lesen, die manche ihrer Geschlechtsgenossinnen geschickt nach englischem Vorbild gestrickt haben. Die deutschen Imitationen von Richardsons Romanen *Pamela* oder *Clarissa* sind passé, und sogar ein »Bestseller« wie die *Geschichte des Fräuleins von Sternheim*, der Triumph Sophie von La Roches in den siebziger Jahren des 18. Jahrhunderts, hat inzwischen Patina angesetzt.

Zwei Faktoren beeinflussen den Wandel der Frauenlektüre. Erstens entwickelt das weibliche Lesepublikum einen Hunger nach Meldungen über Tagesereignisse, Wissenschaft, Neuerungen und Erfindungen. Interessanterweise wird in den Schriften von Frauen dieser Zeit leitmotivartig immer wieder auf das *Konversationslexikon* verwiesen. Als kostbarer, allem voran zu rettender Hausschatz bietet das Lexikon Rat in allen Lebenslagen: man kann nachschlagen, wie man im Wilden Westen eine Blockhütte errichtet und sich mit den dort herumtobenden Indianern verständigt; wie man unter primitivsten Umständen ein Kind auf die Welt bringt oder wie man als Frau seine eigenen Kinder alleine durchfüttern und erziehen kann.

Ein zweiter Faktor verstärkt diesen Lesehunger. Die Französische Revolution konfrontiert die Frauen ohne Zweifel erstmals direkt und fortdauernd mit Gegenwartsgeschichte. Ein Vierteljahrhundert lang, von 1790 bis 1815, sind sie meist ganz allein für die Ernährung und Erziehung der Familie zuständig und durch nichts darauf vorbereitet. Interesse am Tagesgeschehen und an politischen Ereignissen verschmelzen und treiben eine regelrechte »Kulturrevolution« der Frauen hervor, speziell in Deutschland. Bemerkenswert ist allerdings, daß es nicht zu politischen Forderungen wie in Mary Wollstonecrafts *Verteidigung der Rechte der Frauen* (1792) oder Olympe de Gouges' *Erklärung der Rechte der Frau und Bürgerin* (1790) kommt. Doch Lektüre und Literatur gehen fortan ineinander über: Das Zeitunglesen und das Entstehen dessen, was man »Gegenwartsromane« mit unmittelbarem Bezug auf das politische Geschehen nennen könnte, sind zwei Seiten derselben Medaille. Der Roman spiegelt wider, was Frauen damals in Frankreich oder Deutschland durchmachen. Er ist nicht länger ein Synonym für Flucht, sondern im Gegenteil ein Medium für die Bewußtwerdung, daß es in Europa eine Welt von Frauen gibt, die alle mit denselben Problemen zu tun haben. Aus der Lektüre entsteht eine weibliche Solidarität, die Frauen aller sozialen Schichten und Generationen vereint. Als fünfundsiebzigjährige Dame genießt es Goethes Mutter, Frauenromane zu lesen, in denen Tagesfragen behandelt werden: »Sie können kein Beßeres und verdinstlicheres Werck an Ihrer Sie liebenden Mutter thun, als daß Sie die Güte haben, wenn Ihnen solche liebliche Sachen zukommen, mich in meiner Geistesarmuth theil daran nehmen zu laßen . . .«[20]

Das Buch, zunächst Lektüre im stillen Kämmerlein, Seelentröster und Fluchtmittel, ist zum Denkanstoß geworden, zum Ausgangspunkt eines Nachdenkens über sich und die anderen.

Im ersten Stadium wird das Buch durch die notwendig gewordenen Lesegesellschaften zum wirksamen Mittel einer Sozialisation, wie sie eine bestimmte Leserinnenschaft will. Denn diese Öffentlichkeit gibt es, und das florierende Buchgewerbe ist bemüht, ihre immer anspruchsvollere Nachfrage zu decken. Auf Aktualität spezialisierte Konversationslexika lassen sich für die Damen immer neue Rubriken einfallen. Da gibt es je nach Inhalt »Klostergeschichten, Robinsonaden, Emigranten- und andere Revolutionsromane, Räuber- und ähnliche Romane«, oder nach Genre »philosophische, besonders moralische, pädagogische u. a. Romane«.[21] Manchen Männern geht das gegen den Strich, und sie sehnen sich nach den noch nicht lange vergangenen Zeiten zurück, als die Frauen nur »erbauliche Werke, ein paar Märchen und Kochbücher« gelesen hatten.

Dieses Lesefutter verändert die Lesestruktur. Die intensive Beschäftigung mit einem einzigen, unendlich oft wiedergelesenen Buch wird durch eine Form des Lesens ersetzt, die als »extensiv« bezeichnet worden ist.[22] Die Leserin beschafft sich eine Vielzahl von Texten und liest diese nur noch einmal: Also muß das Lesen organisiert erfolgen, damit sie ständig an die unaufhörlich wachsende Titelproduktion herankommt.

Das Lesen wird zu einer festen gesellschaftlichen Einrichtung. Genau hierin besteht der zweite Faktor der Sozialisation durch Lesen. In Deutschland wird Lesen wie nirgendwo sonst im zeitgenössischen Europa zur Selbstverständlichkeit. Das Land überzieht sich förmlich mit Lesegesellschaften, Leihbüchereien, Lesestuben und anderen mehr oder minder privaten Formen der Leseorganisation. Abgesehen von einigen reinen Herrengesellschaften sind die meisten auch für Frauen offen. Die Mitgliederstruktur ist keineswegs rein städtisch und bürgerlich; es finden sich durchaus auch dörfliche, ja bäuerliche Lesegesellschaften.[23] Diese schließen auch niemanden aus; manche dieser Gesellschaften verfügen zwar wie die »Harmonie« in Hamburg über prunkvolle Lesesäle, aber in anderen verleihen Ärzte, Amtsrichter oder Lebensphilosophen schlicht ihre eigenen Bücher an Nachbarn.[24]

Das Buch kursiert auf allen Ebenen. Friedrich Schlegel mokiert sich darüber, wie das Dienstmädchen wohl unter dem Gewicht der Bücher stöhnen mag, die seine Frau aus der Jenenser Bibliothek ausleiht, weiß aber nur zu gut, daß dieser Bücherumlauf Motor einer neuen Form von Geselligkeit ist, bei der die Frau im Mittelpunkt steht. Sogar in den Briefen, der eigentlich femininen Literatur, spiegelt sich dieser Wandel. Die Häuslichkeit wird verlassen und das literarische Urteil riskiert. Wovon leben die romantischen Zirkel von Jena oder die jüdischen Salons der Berlinerinnen Rahel Varnhagen oder Henriette Herz, wenn nicht davon, daß die Neuerscheinungen durchgehechelt werden. Sogar Madame de Staël, immerhin Expertin für literarische Salons, zeigt sich erstaunt über das lebendige Kulturleben dieses ansonsten sehr provinziellen Berlins »mitten im brandenburgischen Sand«. Der Übergang vom Lesen zur Geselligkeit verläuft über mehrere Stufen, wie Henriette Herz in ihren *Erinnerungen* beschreibt:

> »Etwas später bildete sich ein sogenanntes Teekränzchen (...). In den letzten Jahren des vorigen Jahrhunderts endlich wurde eine Lesegesellschaft gegründet (...). Ihr Gründer war Fessler (...). Auch an ihr nahmen gleich anfangs Männer der verschiedensten Fächer teil, Gelehrte, Künstler, Staatsmänner. Aber Frauen waren auch hier nicht ausgeschlossen, ja sie waren tätige und gern gesehene Mitwirkende.«[25]

Das Revolutionäre an der Lesegesellschaft ist, daß sie neben dem Theater und manchen Bürgersalons praktisch die einzige Öffentlichkeit darstellt, in der beide Geschlechter aus gemeinschaftlichem Interesse zusammenfinden. In diesen profanen »Kränzchen« wird die Leserin zur selbständigen Einzelperson, deren Urteil gefragt und maßgebend ist.

Beflügelt von der historischen Umbruchsituation, gehen die Frauen rasch zur Lektüre politischer Schriften über und fangen an, über Politik nachzudenken. Über das Buch wagen sich die Frauen auf ein

Gebiet vor, das bisher strikt den Männern vorbehalten war. Der Vorstoß ist kurz, aber folgenreich.

Im ersten Jahrzehnt des 19. Jahrhunderts ist in Frauenbriefwechseln viel von Mirabeau, Condorcet oder Sieyès die Rede. Das Zeitunglesen erlangt erstaunliche Verbreitung. Zeitschriften für Damen werden immer zahlreicher und verteilen sich über ganz Europa, wie das *Journal des Luxus und der Moden* von 1786 oder die *Revue London und Paris* von 1816 mit Helmina von Chézy als Pariser Sonderkorrespondentin. Doch das Frauenpublikum will auch die maßgebenden Zeitungen der Epoche zu lesen bekommen, den *Hamburger Korrespondent* oder den Pariser *Moniteur*, wobei die Sprache nebensächlich ist:

»Lafayette! Mirabeau! Pétion! Bailly! und so viele noch, deren damals auf allen Zungen schwebende Namen jetzt verklungen sind! Wie erglühe ich in freudiger Begeisterung, wenn ich in stillen Abendstunden meinem Manne und etwa noch zweien oder dreien seiner vertrautesten Freunde ihre Reden vorlas, welche der Moniteur uns getreulich mitteilte!«

notiert Johanna Schopenhauer, die Mutter des Philosophen, in ihren Erinnerungen von 1839.[26]

Die Zeit zwischen 1790 und 1815, die den deutschen Frauen allerlei Gebiete zugänglich macht, die bis dahin weithin den Männern vorbehalten waren, ist ein einzigartiger Abschnitt in der Geschichte der Frauen. Jetzt trägt die allgemeine Schulpflicht, so lückenhaft sie auch gewesen sein mag, die ersten Früchte, und eine erste Frauengeneration verlegt sich aufs Lesen, um auch die höheren Stufen zu erklimmen, die ihnen in ihrer Schule vorenthalten wurden. Leserinnen, die über das Buch und seinen immer besser organisierten Umlauf ins soziale Gefüge eingedrungen sind, nutzen das Lesen nun regelrecht als Werkzeug ihrer gesellschaftlichen Integration. Manche Frauen sind schon froh über die faktische Gleichstellung im Geiste, die ihnen in den Lesegesellschaften eingeräumt wird. Andere jedoch wollen mehr und setzen, immer noch unter Berufung auf die vom Buch gestiftete Gemeinsamkeit, mit ihren Zirkeln und Salons der Romantik spezifische Formen der Geselligkeit durch.

Dünn gesät aber sind noch immer die Frauen, die ihren Drang zu Tagesnachrichten und ihre Auswahl an Bücherlektüre zu einem Akt politischer Emanzipation gestalten, die ihnen weder die Gesetze noch die Männer zu gewähren bereit sind. So wird verständlich, warum sich manche männliche Beobachter getrieben fühlen, wahre Schreckensbilder von den Leseweibern zu entwerfen:

»Ich tadle nicht, daß ein Frauenzimmer ihre Schreib-Art und ihre mündliche Unterredung durch einiges Studium und durch keuschgewählte Lektur zu verfeinern suche, daß sie sich bemühe, nicht ganz ohne wissenschaftliche Kenntnisse zu seyn;

aber sie soll kein Handwerk aus der Literatur machen; sie soll nicht umherschweifen in allen Theilen der Gelehrsamkeit.«[27]

Trotz des gravitätischen Tons ist die Argumentation verzweifelt rückständig und läßt sich in der Aussage zusammenfassen, daß ein bißchen Wissen nichts schaden kann, aber ein Zuviel nicht gut ist.

Diese Argumentation wird nach 1815 sehr viel vehementer aufgegriffen. In einer Zeit, in der die Entwicklung der Mädchenerziehung infolge tiefgreifender sozialer Umwälzungen – Massenaufbruch in die Städte, Fabrikarbeit im Kindesalter – gebremst wird, stellen sich der »Lesewut« der Frauen immer konkretere Hindernisse entgegen. Die Metternichsche Staatenordnung und die Restauration überlassen es nicht länger der freien Entscheidung des einzelnen, was gelesen werden darf. Reglementiert, gesteuert, der Zensur unterworfen, gerät das Lesen unter staatliche Vormundschaft, und auch im stillen Kämmerlein können sich die Frauen den herrschenden Verhältnissen nicht mehr entziehen. Sie verfallen in großes Schweigen, und gegen diese Zustände empören sich erst um die Jahrhundertwende einige wenige Frauen, die marginalisiert werden.

Erst gegen Ende des Jahrhunderts erhebt sich »die Stimme der Frauen« erneut. Sie wird unterstützt von manchen männlichen Autoren, so von August Bebel mit seinem Werk *Die Frau und der Sozialismus* (1879). Doch die deutsche Frauenbewegung, gespalten in eine bürgerliche und eine proletarische Strömung, agiert nur noch auf der schmalen Bühne der Politik und findet bei ihrer »Öffentlichkeit« nicht mehr das gleiche Echo. Selbst der Begriff »Öffentlichkeit« erscheint zunehmend unpassend, denn bei Frauen wird alles, womit sie zu tun haben und was mit ihnen zu tun hat, zum »Privaten« gerechnet. Selbst wenn man davon ausgeht, daß ein weibliches Lesepublikum weiterhin in nennenswerter Zahl vorhanden ist, hat sich doch sein Anspruch sehr gewandelt. Obsiegt hat das wohlfeile Fluchtmittel, von amtlichen und selbsternannten Zensoren pflichtschuldigst unter Kuratel gehalten, mit einer Schwemme von historischen Schmökern ohne jeden Gegenwartsbezug, mit Fortsetzungskolportagen in Riesenauflagen im Feuilleton von Frauenzeitschriften wie der berühmt-berüchtigten *Gartenlaube*. Autorinnen wie Eugenia Marlitt oder Hedwig Courths-Mahler feiern rauschende Erfolge, ein Fortsetzungsroman der Marlitt aus der *Gartenlaube* von 1866 erlebt in zwanzig Jahren dreiundzwanzig Auflagen!

Doch zugleich beginnen andere Frauen ihre Meinung zu äußern über Fragen, die sich ihnen aufdrängen. Seit der Jahrhundertmitte, und obwohl bürgerliche Tugenden und Konventionen durch Restauration und Zensur geschützt werden, spaltet sich die von Frauen gelesene und geschriebene Literatur in die Gruppen der Fluchtmittel und der

Denkanstöße, und diese Spaltung wird immer ausgeprägter. In einer jener Ungleichzeitigkeiten, deren Geheimnis in der Geistesgeschichte verborgen liegt, verschaffen sich zur selben Zeit, als das Buch »jedes religiösen oder sonstigen Meinungsstreits ostentativ entsagt«[28] und die weibliche »Öffentlichkeit« mit ebenso gefälligen wie süßlichen Machwerken abgefüttert wird, allmählich ein paar Frauen Gehör, die sich weder von Zensur noch von Verleumdung oder Gleichgültigkeit den Mund stopfen lassen, nicht einmal vom augenfälligen Scheitern der 48er-Revolution. Von der Jahrhundertmitte an erheben diese Frauen in der allgemeinen »Friedhofsruhe« ihre Stimme, die sie selbst als »die Stimme der Frauen« bezeichnen.

Ausdrucksformen. Vom Schreiben für sich zum Schreiben für andere

Der Übergang zum Schreiben erfolgt bei den deutschen Frauen ziemlich genau um 1800, am Rande der von Christa Wolf so bezeichneten »Zwischenzeit«, einer Schwebe zwischen zwei Jahrhunderten, aber auch zwischen zwei grundverschiedenen Politik-, Sozial- und Kulturwelten. Zwar gab es damals durchaus schon eine Frauenliteratur, im wesentlichen eine moralisierende, pädagogische oder sentimentale, doch nun entsteht eine ganz andere Art Frauenliteratur, weil behandelt werden muß, welchen Bruch die Französische Revolution bedeutet. Sie wird sehr schnell zur literarischen Manifestation einer Selbstdarstellung, die sich durch das ganze Jahrhundert zieht, bis sie unter dem Druck der sozialen Frage schließlich die konkrete Wirklichkeit formuliert, mit der *alle* Frauen konfrontiert sind.

Das Phänomen ist insofern aufschlußreich, als genau zu der Zeit, da die politische Meinungsäußerung am schmerzlichsten entbehrt wird, ja verboten ist, aus dem politischen Geschehen das Bedürfnis erwächst, sich auf dem Umweg über Literatur öffentlich zu äußern. In Deutschland gibt es zwar keinen Text einer Frau, der wie Theodor von Hippel »die bürgerliche Verbesserung der Weiber« einfordert. Indes entstehen unter den politischen Verhältnissen zwischen 1790 und 1815 eine Anzahl Frauenromane, die typischerweise auf die Gegenwart bezogen sind, auf die Französische Revolution und ihre unmittelbaren Folgen. Das Recht der Frauen auf Teilhabe an der Öffentlichkeit, welches das ganze 19. Jahrhundert hindurch gesellschaftlich *nicht* anerkannt wird, muß vorerst durch indirekte Einmischung in die Männerbereiche der Politik und Geschichte über die vorgeblich wertneutrale Literatur erschlichen werden.

Allerdings sind diejenigen Frauen, die die Hürde nehmen und sich auf im Umbruch befindliche Gattungen wie Roman oder Drama einlassen, nicht gerade Legion. Sie laufen Gefahr, von ihren männlichen Kollegen mit Hohn und Spott überschüttet zu werden:

»Unter den vierzig bis fünfzig Damen, die man jetzt in Teutschland als Schriftstellerinnen zählt – die Legionen derer ungerechnet, die keinen Unsinn haben drucken lassen –, sind vielleicht kaum ein halbes Dutzend, die als privilegirte Genies höherer Art, wahren Beruf haben, sich in das Fach der Wissenschaften zu werfen, (. . .) welche weder die Natur, noch die bürgerliche Verfassung ihnen angewiesen hat.«[29]

Diese an der Wende zum 19. Jahrhundert formulierte Bemerkung bringt treffend die allgemeine Einstellung zu »Schriftstellerinnen« zum Ausdruck, die das ganze 19. Jahrhundert hindurch herrscht: Kritisch, ja mißbilligend ist der Blick auf alle, die skrupellos ihre Weiblichkeit unter Mißachtung des Doppeltabus zum Schutze von Kultur und Gesellschaft zur Schau stellen. Das positivistische und pseudowissenschaftliche 19. Jahrhundert formuliert später noch ein drittes Tabu und bezieht sich dabei auf eine naturgesetzliche biologische Minderwertigkeit von Wesen und Hirn der Frau: »Die Schriftstellerin gibt es nicht; sie ist ein Widerspruch in sich. Die Rolle der Frau in der Literatur ist die gleiche wie in der Manufaktur; sie werkelt dort, wo das Genie nicht mehr dienstbar ist . . .«[30] Der Frauenhaß kennt, wie man sieht, keine Grenzen, und er erkennt außerdem bei Schriftstellerinnen auch kein Genie oder Talent an. Als dem alternden Dichter Clemens Brentano zu Ohren kommt, auch seine Schwester habe sich auf das Abenteuer Schreiben eingelassen, schimpft er: »Es ist ein Elend mit diesem Geschöpf ... Bettina hätte ihre Engelsrolle sehr gut gespielt, wenn sie nicht ihr Bestes, ihr Intimstes in der Öffentlichkeit ausgebreitet hätte.«[31] Bevorzugte Zielscheibe spitzer Bemerkungen ist und bleibt George Sand: »In der Zigarette und den Romanen von Madame Dudevant finden wir nur die allertiefste und allerverächtlichste Vulgarität.«[32] In einem so unfreundlichen Klima – das im Laufe des Jahrhunderts noch frostiger wird – sind es häufig so konkrete Anlässe wie die materielle Herausforderung, »die Familie zu ernähren«, oder die Wechselfälle der Emigration – in der manche Frauen die Lesefrüchte einer auf diese neue Aufgabe schwerlich ausgerichteten Erziehung nutzen müssen, um ihren Lebensunterhalt zu fristen –, die die Frauen zu schriftstellerischer Arbeit bringen. Parallel jedoch gibt es den starken Drang zu schreiben: Viele Frauen veröffentlichen ihre Texte unter Pseudonym oder dem Namen des Ehegatten, was zu allerhand Ehestreitigkeiten führt, weil es nicht immer als Ehre betrachtet wird. Manche lüften später ihr Pseudonym und argumentieren dazu so merkwürdig wie Therese Huber 1820 im Vorwort zu dem erstmals unter ihrem richtigen Namen erschienenen Roman *Emilie:*

»Daß die Schriftstellerin eine ruhige Hausmutter sein könnte, wird *dem Publikum* zu glauben sehr schwer – deswegen verschwieg ich meine literarische Beschäftigung (...). Die greisende Matrone hat nun keinen Hausstand mehr, sie kann jetzt noch Mutterpflichten erfüllen, indem sie schreibt, nicht sie vernachlässigen.«[33]

Eine der wirksamsten und raffiniertesten Strategien, zum eigenen Schreiben zu kommen, ist und bleibt das Übersetzen. Dieses wird nämlich aus naheliegenden Gründen als Frauenarbeit par excellence betrachtet. Übersetzt wird zu Hause, im stillen: Man setzt sich also nicht dem unschicklichen literarischen Jahrmarkt aus. Das Übersetzen, obwohl damals bisweilen recht gut bezahlt, bleibt anonym: Man prostituiert weder den Namen des Gatten noch bringt man Schande über die Familie. Schließlich ist es als Tätigkeit auch mit den sogenannten häuslichen Pflichten vereinbar: Eine Frau kann die Arbeit an einer Übersetzung nach Belieben unterbrechen und wieder aufnehmen, ihre »Arbeit« dem Rhythmus des Haushalts unterwerfen statt umgekehrt. Doch da ist noch etwas anderes, was nicht allen klar ist, die das Übersetzen für einen den Frauen angenehmen Zeitvertreib halten: Übersetzen heißt, erworbenes Wissen konkret anwenden, und manchen Frauen, die sich dessen bewußt sind, bietet es in der Auswahl der Texte einen Freiraum und sogar die Möglichkeit, in die Übersetzung wie zufällig eigene Reflexionen und Akzente einfließen zu lassen, die ansonsten nirgends unterzubringen sind. Warum wählen Frauen, die erst Übersetzerin, dann Schriftstellerin werden, systematisch zur Übersetzung Briefwechsel von Frauen wie Ninon de Lenclos oder Theaterstücke und Romane über die Revolutionswirklichkeit?[34] Therese Huber selbst offenbart das Geheimnis dieses Übergangs vom Übersetzen zum eigenen Schreiben, indem sie einer ihrer Übersetzungen des Modeschriftstellers Louvet de Couvray hinzufügt:

»Ich komponirte ein Ende zu *Divorce nécessaire* ... ich schrieb au courant de la plume, was meine damals reiche Einbildungskraft eingab; in den Nachtstunden (...) an Hubers Krankenbett – mehr wie einmal mit dem säugenden Kind an der Brust –, so ward ich Verfasserin der Erzählungen.«

Zwar gehört Übersetzen zu den von Proudhon so bezeichneten »dienenden Tätigkeiten«, doch verschafft es den Übersetzerinnen den nötigen Antrieb zum eigenen Schreiben. Französische wie deutsche Schriftstellerinnen wagen sich kaum ans Theater, das ihnen im übrigen auch geringe Erfolgsaussichten eröffnet. Typisch dafür ist Marie von Ebner-Eschenbach: Als bekannte Romanschriftstellerin am Ende des Jahrhunderts riskiert sie ein eigenes Drama über Madame Roland, schafft es aber nicht, es auf die Bretter zu bringen.[35] Im Roman und in der Novelle bietet sich den Frauen Gelegenheit, in der Literatur Fuß zu fassen, mit der vorhersehbaren Folge, daß diese Genres von Männern zur

Handwerkelei herabgewürdigt werden: »Es sind Frauen, die die meisten Romane verschlingen, und sie sind es auch, die die meisten fabrizieren (...). Ich meine daher, man solle sie ihr Roman- und ihr Stopf und Flickwerk machen lassen.«[36] Bedenken wir, daß ein Teil der Romanproduktion von Frauen solche Klischees bestätigt: Als schwülstige Epigoninnen Walter Scotts und unermüdliche Verfasserinnen von Ritter- oder Schauerromanen richten sich manche Schriftstellerinnen im Genre nach dem, was gerade gefragt ist, und produzieren für ihr Publikum eine immer läppischere Literatur, die in der zweiten Hälfte des Jahrhunderts im Fortsetzungsfeuilleton der *Gartenlaube* Triumphe feiert. Doch obwohl es diese Literaturgattung gibt und sie mit wohlwollender Duldung der Behörden im 19. Jahrhundert synonym für Frauenliteratur wird, kann sie doch nicht eine ganz andere weibliche Literatur verdecken, die im Gegensatz dazu mit Zensur, Spott und Verachtung überzogen wird.

Briefwechsel als erste Äußerungsform schaffen eine Art Parallelöffentlichkeit, in der sich die Frauen von Begabung und Geist hervortun. Als Herzensergüsse getarnt gehen Briefe herum und werden zugleich zum Mitteilungsorgan, zum Ort der Nachdenklichkeit und zur Spielwiese für alle möglichen Genres. Die Korrespondenz Rahel Varnhagens ist dafür das subtilste Beispiel, doch Bettina von Arnim zeigt in der Art, wie sie ihre früheren Briefwechsel dichterisch umsetzt und daraus eine eigene Gattung macht, ebenfalls schöpferisches Genie.[37] Das Phänomen ist einzigartig und unterstreicht die Bedeutung und Kontinuität dieser Literatur der Innerlichkeit, die auch Tagebücher, Lebensbeschreibungen, Autobiographien und andere Erinnerungen umfaßt. Sie wird in den vierziger Jahren des 19. Jahrhunderts gedruckt und setzt einer Jugendzeit ein Denkmal, die in den ersten Jahren des Jahrhunderts in jener so kurzen wie intensiven Zwischenzeit erlebt wurde und sich tief ins Gedächtnis der Frauen eingegraben hat.[38] Doch weitergehende Perspektiven zeichnen sich bereits ab; couragierte Frauen mischen sich trotz alledem in politische Auseinandersetzungen ein, so Bettina von Arnim, deren schriftstellerisches Schaffen erst begonnen hat und die 1837 Partei für die »Göttinger Sieben« ergreift, nachdem diese Universitätsprofessoren entlassen wurden, weil sie den Herzog von Hannover an sein Verfassungsversprechen zu erinnern gewagt hatten. Doch erst der wachsende Druck der sozialen Frage bringt die latente Spaltung in der Frauenliteratur voll zum Vorschein.

Soziales Engagement verleiht dem Werk mancher Autorinnen der vierziger Jahre des 19. Jahrhunderts Ursprünglichkeit und Kraft. Man sieht, wie sie das Feld der schöngeistigen Literatur hinter sich lassen, auf dem sie sich allmählich einen Namen gemacht haben, und sich auf das Gebiet der Sozialkritik vorwagen.

Das Erscheinen von Flora Tristans *Promenades dans Londres* 1839 und von Bettina von Arnims *Dies Buch gehört dem König* 1843 belegt zugleich die europäische Tragweite einer Frauenliteratur, die von den unmittelbar gegebenen sozialen Verhältnissen ausgeht und sich mit den tiefen sozialen Umwälzungen befaßt. Unter dem Gewicht der sozialen Frage, die sie zu behandeln trachtet, entledigt sich diese Literatur zunehmend hergebrachter Attribute – Erfundenes, Schwülstiges, Phantasiefiguren – zugunsten von Statistiken, Armenlisten oder Dokumentarischem. Daraus entstehen überzeugende, von den Zeitgenossen kaum wahrgenommene Werke, ein fast dokumentarischer Stil und ein politischer und gesellschaftlicher Diskurs, den nach Meinung mancher männlicher Schriftsteller, denen die Zensur einen Maulkorb umgehängt hat, nur noch die Frauen weiterzuführen imstande sind. Zu belegen scheint das auch die Unterredung der Schriftstellerin Louise Aston mit dem Berliner Polizeipräsidenten vom März 1846:

»Ich: Aber meiner schriftstellerischen Karriere wegen ist mir der Aufenthalt in Berlin wünschenswert, wo ich stets neue geistige Anregungen finde. – Minister: In unserem Interesse ist es keineswegs, daß Sie Ihre künftigen Schriften, die gewiß so frei wie Ihre Ansichten sind, hier verbreiten. – Ich: Nun, Exzellenz, wenn sich erst der Preußische Staat vor einer Frau fürchtet, dann ist es weit genug mit ihm gekommen!«[39]

Das Scheitern der 48er Revolution in Deutschland wird zum entscheidenden Wendepunkt. Die für den Vormärz[40] typische sozialkritische Literatur verschwindet von der Bildfläche. Bezeichnend ist, daß manche Schriftstellerinnen nun ihr früheres Engagement rundweg verleugnen und sich in sichere Werte flüchten: Luise Mühlbach, die mit ihrem Roman *Aphra Behn* – die Biographie der ersten hauptberuflichen englischen Schriftstellerin – noch 1849 eine Kampfschrift für wahre Frauenemanzipation veröffentlichte, schreibt nur noch Histörchen aus Sanssouci zur Zeit Friedrichs II. und andere pseudohistorische Schmonzetten. Sogar die Emanzipiertesten haben insgeheim Angst, sich auf das Schreiben als Herstellung von Öffentlichkeit einzulassen. Fanny Lewald, emanzipierte Jüdin und stille Ratgeberin des literarischen Berlin, gesteht in ihrer *Lebensgeschichte* (1861/1862):

»(. . .) an Abhängigkeit und Unterordnung mehr gewöhnt, als ich es selber wußte, [betrieb ich] meine literarische Beschäftigung immer noch wie ein mir Zugestandenes, gleichsam auf Widerruf Erlaubtes (. . .), daß ich mich für verpflichtet hielt, eine Menge von Handarbeiten zu verrichten, weil es früher meine Aufgabe war, sie zu machen (. . .).«[41]

Eine bestimmte neue Art von Frauenliteratur kommt in der zweiten Hälfte des 19. Jahrhunderts auf. Deren Ansätze liegen nun außerhalb der aristokratischen Kreise oder wohlhabenden Schichten. Gewiß veröffentlichen Bürgerliche und Aristokratinnen weiter, etwa Louise Otto-Peters, 1849 Gründerin der ersten *Frauen-Zeitung*, Lily Braun, geb. Kretschman und Verfasserin der bemerkenswerten *Memoiren einer Sozialistin*, oder auch Hedwig Dohm, die für das Frauenstimmrecht kämpft.[42] Doch eine genauso starke und viel neuere Bewegung zeichnet sich bei den Proletarierfrauen ab. Der Bruch zwischen den beiden Strömungen in der sogenannten »Frauenfrage« erfolgt 1894. Das Ergebnis ist eine Reihe von Autobiographien von Arbeiterinnen, deren berühmteste Adelheid Popps *Jugend einer Arbeiterin* bleibt. Hier handelt es sich um eine jener »Biographien von unten«, wie sie Goethe nannte, und die Verfasserin unterstreicht von vornherein den exemplarischen Charakter: »Ich schrieb die Jugendgeschichte (...), weil ich in meinem Schicksal das von Hunderttausenden Frauen und Mädchen des Proletariats erkannte.«[43] Dreizehn Kinder in der Familie, drei Jahre Schulbesuch mit Unterbrechungen, mit zehn Jahren Fabrikarbeiterin, Spitalaufenthalt mit dreizehn und Entdeckung der Klassiker, dieser Lebensweg wird nicht als individuell bedeutsam nachgezeichnet, sondern weil er Vorbild für andere ist. Das Schreiben über sich selbst wird zum Schreiben im Dienste der anderen, und die Frauenliteratur findet zum Ende des Jahrhunderts zurück zu einer Rolle, die derjenigen ähnlich ist, die sie ein Jahrhundert früher in Erbauungsschriften, in den *Moralischen Wochenschriften* und Liebesromanen spielte. Nur ist nun aus der moralischen Mahnung der Literatur an die Leserinnenschaft eine soziale geworden.

So stellt die kurze und unvollständige Geschichte von Lebensbahnen, die Frauen vom Elementarunterricht über das Schreiben zum öffentlichen Engagement führen, eine Art Gleichnis für die Sozialgeschichte im großen dar: »Wenn Stil Ausdruck des einzelnen ist, ist Literatur Ausdruck der Gesellschaft«, hatte Bonald bereits 1812 geschrieben. Unabweisbar drängten die Frauen über eine fortwährende Alphabetisierung in die öffentliche Kultur, die sich durch keine gesetzlichen Schranken mehr wirklich hemmen läßt.

Anderes gilt für die Stellung von Schriftstellerinnen im Hauptberuf. Während Verfasserinnen von Flucht- und Illusionsliteratur wohlwollend von einem Frauenpublikum aufgenommen werden, das sich lammfromm wieder in die Gesellschaftsordnung der Restauration fügt, stoßen Frauen, die die Literatur in eine wahre »Stimme der Frauen« zu den Problemen und Fragen der Zeit verwandeln wollen, mehr denn je auf Verbote, Hohn und Sarkasmus. Aber sie lassen sich den Schneid nicht abkaufen, sondern bahnen mit ihren Schriften neue Wege,[44] wobei sie sich den Verlauf der Kulturgeschichte der Menschheit, die sie auch für sich in Anspruch nehmen, etwas unkonventionell erklären:

»Es ist den Frauen unaufhörlich eingeschärft worden: für Euch denken die Männer, – daß sie schließlich aufgehört haben zu denken. Lange Reihen von Frauengenerationen sind unter dem Drucke der Verachtung ihrer Intelligenz aufgewachsen, und natürlich haben sie Manches gethan um diese Verachtung zu rechtfertigen. (...) Der gelehrte Herr spricht der Frau die Fähigkeit ab, auf dem Gebiete der Kunst, Wissenschaft und Politik etwas Bedeutsames und Epochemachendes zu leisten ... Dasjenige Buch, das in unserem Jahrhundert den weitgreifendsten Einfluß auf die soziale Welt geübt hat, ist das Buch einer Frau gewesen: *Onkel Toms Hütte* ... Der Größte Prosaiker unseres Jahrhunderts vielleicht ist eine Frau: George Sand. Der größte Romanschriftsteller der Gegenwart ist, wenigstens meiner Meinung nach, George Eliot, eine Frau. (...) Das Zeitalter der Ruinen und Alterthümer-Sentimentalität ist vorüber; die ältesten Pyramiden werden erbrochen, und die morschen, vergilbten Gedanken, die fossilen Vorstellungen müssen heraus ans Licht der sonnigen Wahrheit.«[45]

Aus dem Französischen von Günter Seib

7
Das katholische Modell

Michela De Giorgio

Weiblichkeit und Gegenrevolution

Die Tugenden des edlen Geschlechts

Im Jahre 1866 verknüpfte Anna Maria Mozzoni, die bedeutendste Vertreterin des italienischen Feminismus, eine für das katholische Frauenbild der Restaurationsära charakteristische aristokratische Genealogie weiblicher Tugenden mit emanzipatorischen Idealen. Die »edle Kühnheit« der Marie-Antoinette von Frankreich, die sittliche Größe der Herzogin d'Angoulême und die Energie der Marie-Caroline de Berry werden zu Pfeilern, auf denen der Beweis für die sittliche Überlegenheit des Charakters der Frauen beruht. Der feministische Traum der Emanzipation – die Frauen sollten verdientermaßen, d. h. »aufgrund ihrer moralischen Tugenden«, die Stellung der Männer einnehmen – appelliert an die Geschichte: Sie stehe über den parteilichen Leidenschaften und »weist jedem (Geschlecht) die ihm gebührende Rolle zu«.[1] Von der Überlegenheit der Frauen ist auch der Theatiner Pater Gioacchino Ventura überzeugt. Im Vergleich zu ihnen seien die Bourbonen als das erkennbar, was sie sind, nämlich »nichtswürdige Männer«, ohne jegliche männliche moralische Kraft.

Die Feministin und der Priester sind sich also einig in dem Vorhaben, die Frauen zu adeln. Gewiß, Pater Ventura ist ein untypischer Vertreter des Klerus im 19. Jahrhundert. Er ist ein Gefolgsmann von Lamennais, lebt seit 1848 aufgrund von Zwistigkeiten mit Papst Pius IX. im Exil in Frankreich und ist Verfasser der weit verbreiteten Schrift

La donna cattolica (1855)[2], die ein Grundpfeiler für die moralische Erziehung des weiblichen Geschlechts war. Sein entschiedenes Eingreifen zugunsten der moralischen Tugenden der Frauen (»man muß heutzutage die Frau nicht nur in den Augen des Mannes, sondern auch in ihren eigenen Augen erhöhen«) unterscheidet sich kaum von dem ungeachtet unterschiedlicher politischer und religiöser Positionen vorherrschenden erbaulichen Ton der gesamten europäischen Kultur des 19. Jahrhunderts. Venturas Modell bezieht sich auf den Archetypus der »Mutter als Lehrerin und Erzieherin«, der während der Französischen Revolution im Zuge der Debatte um die weibliche Erziehung entstanden ist. Die »neue« Mutter sollte in den Herzen der Kinder und auch der Männer die sozialen und individuellen Tugenden entwickeln und bestärken. Das ist die klassische Vorstellung des pädagogischen Denkens der Revolution von Lakanal bis zum Italiener Buonarroti.

Die katholische Kultur der Restauration übernimmt problemlos dieses Modell und wird dabei durch die Wissenschaft unterstützt. In Frankreich hatte sich unter dem Einfluß der Schriften von Georges Stahl Ende des 18. Jahrhunderts die Überzeugung vom Primat der Seele über den Körper durchgesetzt. Die von Pierre Roussel 1775 verfaßte Schrift *Système physique et moral de la femme,* die über ein Jahrhundert als grundlegend galt, stellte heraus, daß das Wesen der Weiblichkeit über die physiologische Beschränkung durch die Geschlechtsorgane hinausreiche. Schwäche und Sensibilität der Frauen seien keine negativen Folgen der Beziehung zwischen Leib und Seele, sondern vielmehr positive Attribute des Geschlechts. Auch die Seele genieße die Extension der Zeichen der Weiblichkeit: von den Muskelfasern bis hin zum moralischen Verhalten.[3]

Seit Beginn des 19. Jahrhunderts entwickeln viele katholische Autoren die Theorie einer besonderen »historischen« Fähigkeit des Christentums, diese »empfindsamen« Charakteristika der Weiblichkeit anzuleiten und sie von allen körperlichen, ja fleischlichen Äußerungen zu lösen.[4] Befreit von aller Abhängigkeit zwischen physiologischer Struktur und psychologischer Substanz verbreitet sich dieses Idealmodell des Weiblichen im gesamten nachrevolutionären Europa. Die weibliche Seele, die sich von der männlichen unterscheiden und diese ergänzen soll, wird für die Kirche der Restauration zu einer Quelle der Zivilisierung und Bekehrungsmöglichkeiten. Ebenso erachtet der klassische Idealismus die weibliche Seele als erforderlich, um die volle Humanität zu erlangen (die Familie als Kern der Sittlichkeit in der Hegelschen Rechtsphilosophie). Dasselbe gilt auch für die Romantik mit ihrem Ideal der harmonischen Komplementarität der Liebe.

»Dieses Geschlecht, dem nur Sanftheit und Geduld zuteil geworden zu sein scheint, hat häufig den tatkräftigsten Eifer, die unerschrockenste Hingabe, die erstaunlichste Selbstbeherrschung gezeigt«, schreibt zu Anfang der zwanziger Jahre des 19. Jahrhunderts das katholische Tagesblatt *L'Ami*. In dieser Zeitung gilt die Überlegenheit des weiblichen Lebens gegenüber dem männlichen bereits als Faktum.[5] In den Augen der Katholiken der Restauration ist es einer der wenigen Verdienste der Revolution, daß sie die Dialektik von weiblicher Stärke und Schwäche voll ins Bewußtsein gehoben hat. Die Frau als neues soziales Subjekt scheint unverdorben durch politische Leidenschaften und durchdrungen von christlichen Gefühlen, so daß sie schon allein dadurch zum moralischen Beispiel wird. Auf dem Gipfel strahlen – als unmittelbarer politischer Bezugspunkt – die Frauen der Königsfamilie mit ihren strategischen Heldentaten, doch weiter unten gibt es ein unerschöpfliches Netz weiblicher Ressourcen ohne Klassenschranken.

»Gebete, Zärtlichkeiten, Klagen, Liebkosungen« sind die Waffen weiblicher Überredungskunst, der intime Weg der Frauen, um in Frankreich auf das öffentliche Leben wirkungsvoll Einfluß zu nehmen. Joseph de Maistre faßt nahezu perfekt die Ansichten seiner Epoche zusammen: »Im Guten wie im Schlechten ist der Einfluß eures Geschlechts groß.« Er meint damit allerdings nur den Einfluß der Frauen im erweiterten Familienkreis: »Ihre Kinder, ihre Freunde, ihre Hausangestellten sind mehr oder weniger ihre Untertanen.« Ein »empirisches« Beispiel liefert hierfür Pater Pierre Alexandre Mercier. Er nimmt in Fourvières von 1850 bis 1857 20000 Reumütigen die Beichte ab, also im Schnitt vierzehn Beichten pro Tag. Der Anteil der Frauen ist leider nicht bekannt. Der Pater hat seine Erfahrungen mit diesen Berichten über Tugend und Sünde in einer Reihe von Vorträgen unter dem Titel »De l'influence salutaire ou pernicieuse qu'exerce la femme dans la société« (Über den heilsamen oder verderblichen Einfluß der Frau in der Gesellschaft) zusammengetragen. Der Text wird als Beispielsammlung für Predigten empfohlen.[6]

Gott wechselt das Geschlecht

Die katholische Erschaffung einer weiblichen Gegenmacht, die auf Gefühlsressourcen als moralisches Korrektiv wider die Männer zurückgreifen kann, gelingt in Frankreich um so leichter, als dort die »Weiblichkeit des Herzens« bereits zur literarischen Tradition gehört. Von Madame de Sévigné bis zu Madame de Lafayette schildern Autorinnen in ihren herausragenden literarischen Werken den weisen und leichten Zugriff der Frauen im Geflecht der privaten Beziehungen. In Italien war die Situation anders. Es gab weder einen Nationalstaat noch eine nationale Gesellschaft. Was das bedeutet, zeigt unter anderem die Verbreitung allgemeiner Verhaltens-Ratgeber. »Das bloße Fehlen von Gesellschaft (...) führt natürlich dazu, daß es in Italien einen Stil, einen bestimmten italienischen Ton nicht gibt«, klagte schon Leopardi.[7] Es ist letztlich die Kirche, die eine Vereinheitlichung der Sitten und damit eine herrschende zivilisatorische Tradition durchsetzt, indem sie die Tugenden des aristokratischen Benehmens mit denen des guten Christen zusammenfügt.[8] In den ersten Jahrzehnten des 19. Jahrhunderts bricht die bis zu Boccaccio und Filippo da Bergamo reichende Tradition unverschämter Abhandlungen über Frauen endgültig ab. Die Kirche dehnt ihre Hegemonie aus. Wenn italienische Autoren jetzt beispielhafte Frauenleben darstellen, dann orientieren sie sich an katholischen Lehrbüchern aus Frankreich. Dieser Einfluß ist von anhaltender Wirkung. Gegen Ende der 80er Jahre zog die *Civiltà Cattolica* gegen den (von einer Frauenzeitschrift begangenen) Frevel zu Felde, berühmte Italienerinnen wie Mathilde von Canossa und Katharina von Siena neben zwei Märtyrerinnen der neapolitanischen Revolution von 1789, Eleonora Fonseca Pimentel und Luisa Sanfelice, auf der gleichen Ehrengalerie zu plazieren.[9] Die weibliche soziale Identitätsbildung verlangt jetzt auch nach eigenen Leitbildern wie sie im Katholizismus von der literarischen Ikonographie und einer Fülle an weiblichen Heiligen reichlich angeboten werden.[10]

Die Abwendung von der Kirche und der Antiklerikalismus sind im 19. Jahrhundert ausschließlich eine Sache von Männern. Priester klagen allgemein, daß in ihren Gemeinden die Männer wegblieben. Ihre Religion geht nicht verloren, aber sie erhält einen anderen Status. War die Religion vorher eine umfassende, absolute Geisteshaltung, so erhält sie nun Züge der Relativität bloßer religiöser Meinungen. Vor allem der Glaube der Männer drückt sich zunehmend in »politischen Positionen« aus, während er bei den Frauen noch als »Geisteshaltung« erhalten bleibt. Bei Frauen drückt sich die Stärke des Glaubens mehr denn je durch »faktisches Verhalten« aus. Der Katholizismus des 19. Jahrhunderts steht also im Zeichen des weiblichen Geschlechts. Die Feminisierung der Praktiken, der Frömmigkeit wie auch des Klerus sind offensichtlich. »Gott hat das Geschlecht gewechselt«, konstatiert um die Mitte des Jahrhunderts Michelet, der noch heute als Wegbereiter einer geschlechtsspezifischen Sprache für religiöse Glaubensinhalte gilt.

Von Frauen war selten die Rede, wenn französische Seelsorger nach dem Sturm der Revolution die beherrschenden Laster auflisteten, als da sind: zunehmende Sonntagsarbeit, Fernbleiben von der Messe, Nichtbeachtung der Pflicht zur Osterkommunion. Frauen praktizieren ihre Religion aufmerksamer und sie sind denn strenggläubiger als die Männer. Versucht man trotz des regional sehr unterschiedlichen Verhaltens eine nationale Gesamtbeurteilung zu formulieren, so dürften von vier praktizierenden Katholiken wohl drei Frauen gewesen sein.[11] Zu Beginn des 19. Jahrhunderts notierte Aegidius Jais, daß er während seiner jahrzehntelangen Sorge um die Seelen im Salzburger Umland nur auf einen einzigen Ort gestoßen sei, in dem nicht überwiegend Frauen den Beichtstuhl aufsuchten.[12] Aussagen über die nach Geschlecht differenzierten religiösen Praktiken stützen sich häufig allein auf die impressionistischen Berichte der Pfarrer. Doch auch die Andachtsbücher verweisen auf das Überwiegen der Frauen. »Die Religion steht, da sie eine Angelegenheit des Gefühls ist, den Frauen näher als dem Mann«, schreibt 1814 der deutsche Benediktiner C. Gartner in einem speziell an die Frauen gerichteten Lesebuch. Um die Mitte des Jahrhunderts bestätigt die *Civiltà Cattolica* die Feminisierung der Andachtspraktiken als »unbestritten und offenbar«. Überall in den Kirchen ist das »weibliche Geschlecht« gegenüber dem »männlichen« in der Überzahl.[13] In Rom sind im Heiligen Jahr 1825 zwar nur 38 Prozent der Pilger Frauen.[14] Aber in der Masse der Gläubigen, die aus ganz Frankreich nach Ars ziehen, dem ersten und meistbesuchten Wallfahrtsort um die Mitte des 19. Jahrhunderts (60000 bis 80000 Pilger pro Jahr), ist das Übergewicht der Frauen deutlich: von den 397 namentlich identifizierten Pilgern sind 64,5 Prozent Frauen. Sie zeigen, daß sie die katholische Religion nicht nur praktizieren, sondern auch mehrheitlich von religiöser Inbrunst beseelt sind.

Identifikation der katholischen Frau

Eine »Völkerpsychologie« der Geschlechter

In der ersten Hälfte des 19. Jahrhunderts beschreiben die Pfarrer ihre Gemeinden – unter anderem mangels statistischer Verfahren – noch, ohne nach dem Geschlecht der Gläubigen zu differenzieren. Auch sonst sind ihre Kategorien reichlich vage und ungenau. So wird die »Völkerpsychologie« gewissermaßen auf die Größe der Kirchengemeinde verkleinert: Wir erfahren einiges über das jeweilige »Temperament« eines Dorfes – fromm, arbeitsam, gleichgültig, störrisch –, womit es sich für die Pfarrer erübrigt, die ganz konkreten Tugenden der verschiedenen Gläubigen zu beschreiben. Dieses territoriale »Abstecken« von psychologischen Menschentypen – ihre Zuordnung nach Gemeinde oder Region, wie es etwa Philippe Boutry für die Diözese von Ars beobachtet hat[15] – wird dann umgekehrt auch auf ganze Nationen ausgedehnt. Und das erlaubt wiederum die Identifikation *aller* gesellschaftlichen und moralischen Eigenschaften des »typisch« Weiblichen dieser oder jener Nation. Die Neigung zu derartiger Typenbildung war keineswegs eine Eigenart der Kirche: Auch Stendhal, Michelet und ihre italienischen Nachfolger, der humanistische Gelehrte Tomaseo ebenso wie der Anthropologe Mantegazza, teilen die Frauen in »nationale Typen« ein. Daraus leiten sie spezifische moralische Verhaltensweisen ab: unterschiedliche Grade an Leidenschaft, Emotionalität, Opfergeist, Bereitschaft zum ehelichen Gehorsam usw.

Erst in den letzten Jahrzehnten des 19. Jahrhunderts ist die Kirche unter dem Druck von Industrialisierung, Verstädterung, Alphabetisierung und schließlich Politisierung der Frauen gezwungen, sich den Standards der weltlichen Sozialwissenschaften anzunähern, den undifferenzierten Kosmos der Frau aufzugeben und präzisere Typologien unter Einbeziehung von Klasse, Familienstand, Altersgruppe und Beruf zu entwickeln.[16] Das Verblassen einer scharfen und antagonistischen Unterscheidung zwischen katholischen und nichtkatholischen Frauen ist eine der positiven Folgen dieser weniger summarischen Erfassungsmethoden. »Wir müssen die Gewohnheit ablegen, eindeutige und absolute Typen zurechtzuzimmern, und wir sollten möglichst nicht im Singular sprechen, wie etwa: ›die christliche Frau, die nichtchristliche Frau‹«, schreibt am Ende des Jahrhunderts Pater Gabriel d'Azambuya.[17]

Ebensowenig wissenschaftlich ist die im 19. Jahrhundert übliche, höchst impressionistische Einordnung ganzer Nationen nach unterschiedlichen katholischen »Temperamenten«. Als Elisabeth Galitzin 1828 im Gefolge von Mutter Oberin Sophie Barat durch Italien nach Rom reist, »spürt« sie, daß sie das Land der Katholizität durchquert. In der heiligen Stadt ist sie aufgewühlt vor Freude: Selbst die Luft ist »durchtränkt von der Nähe des Heiligen Stuhls Petri«. Die Straßen sind von Kreuzen gesäumt und mit Marienbildern geschmückt, vor denen Männer wie Frauen niederknien (»Maria ist die Herrin, vor der ganz Italien auf den Knien liegt«, schrieb Hippolyte Taine), die Städte und Dörfer sind mit Heiligenstatuen übersät: ein Beweis für die Frömmigkeit der Italiener.[18] Félicité de Lamennais dehnte zur gleichen Zeit jene heilige Topographie gläubiger Folgsamkeit auf nahezu die gesamte Bevölkerung des Kirchenstaates aus.

1862 fühlt sich die zweifellos emanzipierte Louise Colet im Dom von Mailand umfangen von einer »himmlisch volkstümlichen Atmosphäre (...), die mit der Seele dieses Volkes untrennbar verbunden ist«.[19] Ihre anhaltende Sympathie für das Risorgimento (als Kind hatte sie sich nach der Lektüre von *Le mie prigioni* in Silvio Pellico verliebt) trägt dazu bei, sie in der Gewißheit zu bestärken, daß der höchste

Grad an Katholizität bei den Italienerinnen und Italienern zu finden sei.

Die Gestalt der zugleich nationalen und katholischen »Italienerin« entsteht in den 1830er Jahren, unter dem Einfluß von liberalen politischen Idealen: Sie wird als kulturelles Vorbild entworfen, das nicht auf das Hinterland eines in den Grundzügen gemeinsamen »Nationalcharakters« zurückgreifen kann. Schließlich war es in Italien schwierig, derart gegensätzliche Haltungen auf einen Nenner zu bringen wie etwa das spöttisch aggressive Verhalten gegenüber dem Klerus, wie Goethe es bei der jungen neapolitanischen Aristokratie beobachtet hatte[20], oder die starke Loyalität gegenüber dem katholischen Glauben und dem Königshaus beim Piemonteser Adel, der sich sehr bewußt vom restlichen, »in Goldonis Florindo- und Rosaura-Gestalten getreulich porträtierten«[21] italienischen Adel abgrenzte. Die erste Typisierung des Ideals der nationalen »Italienerin« stammt von Niccolò Tomaseo: »Die italienische Frau, die zu inspirieren vermag, die zu gehorchen und zu befehlen weiß, wo es nötig ist, ist uns eine Gewähr für ein weniger hartes Schicksal. Wo immer Männer verdorben und schwach sind, dort sind die Frauen weniger schwach und weniger verdorben.«[22] Für die *Civiltà Cattolica* ist dieser Text zu liberal (»obgleich er viel Gutes enthält«); sie empfiehlt für die christliche Bildung der weiblichen Seelen zuverlässigere Autoren, und diese stammen allesamt aus den Reihen des Klerus. Aber Tomaseos Modell der »neuen« patriotischen und gleichzeitig durch und durch katholischen »Italienerin« lebt fort in den zahlreichen Traktaten und moralischen Abhandlungen der zweiten Hälfte des 19. Jahrhunderts.

Auch die Kirche entwickelt ihre eigene »Völkerpsychologie«. Sie tut dies natürlich auf religiöser Grundlage. Die Vertreibung der englischen Frauen vom Sockel der moralischen Autorität, auf den der Katholizismus sie gestellt hatte, ist ein Topos der Auseinandersetzung mit dem Protestantismus: »Die englische Frau (...) erregt keine Bewunderung mehr; kaum noch empfängt sie die ihrem Geschlecht geschuldete Achtung«, schreibt 1844 der Anti-Engels Abbé Gaume, als er untersucht, in welcher Weise die unterschiedlichen religiösen Bekenntnisse die Ausübung familiärer Macht und Gegenmacht der Frauen schützen.[23]

Das 19. Jahrhundert mit seinem Primat des männlichen Diskurses bleibt sich in seiner Rhetorik durchaus treu bei dieser üppigen Produktion von Modellgestalten. Frauen werden bedacht mit einem »Gegendiskurs«, der sich im wesentlichen auf die Eigenart ihrer Religiosität bezieht. Diese erscheint als »empfindsame« Frömmigkeit und strahlt von den Andachtsstätten auf das alltägliche Familienleben aus. Das Gefühl der Selbstbestätigung (so typisch für die Rolle der Frau im 19. Jahrhundert) erwächst den Frauen aus dem bewußten Einsatz ihrer moralischen Souveränität im häuslichen Leben und aus der Erziehung der Kinder. Selbstverständlich gibt es die vielen Unzulänglichkeiten des realen Lebens. Sie werden jedoch abgeschwächt durch die feste Überzeugung, daß die menschlichen Gefühle nichts anderes sind als üblicherweise enttäuschende Reflexe der religiösen Gefühle, die ihrerseits tragfähige Vorbilder und Ausdrucksmittel für das irdische Gefühlsleben liefern.

Die Entwicklung der religiösen Empfindsamkeit im 19. Jahrhundert steht in engem Zusammenhang mit dem familiären Gefühlshaushalt. Das vom Katholizismus propagierte weibliche Modell war ausschließlich das der Ehefrau und Mutter. Von der Ehefrau verlangt die Kirche Unterwerfung und Bereitschaft zur Entsagung. Die Welt ist ein Jammertal für alle, insbesondere jedoch für die Frauen. Die emotionalen, und erst recht die sexuellen Aspekte der ehelichen Liebe werden von der schamhaften katholischen Literatur des 19. Jahrhunderts ausgespart, ein Schweigen, das bis in die ersten Jahrzehnte des 20. Jahrhunderts anhielt. Selten und nur knapp werden die »ehelichen Pflichten« angedeutet, die stets zu erfüllen sind, ohne jede Enthaltung, auch nicht »um der Tugend willen«. Der Ehemann ist eine Gabe Gottes, er führt die Frau durch ihr Opfer zur Heiligkeit.[24]

Der Code der Gefühle

Mit der Enzyklika *Arcanum* antwortet die Kirche 1880 auf die weltlichen Angriffe gegen die Ehe. Papst Leo XIII. bekräftigt die Autorität des Ehemanns: »Der Mann ist Herr über die Frau: wie Christus der Herr der Kirche ist.« Die Ehefrau »soll sich dem Ehemann unterwerfen und ihm gehorchen, nicht in der Art einer Magd, sondern als Gefährtin, das heißt dergestalt, daß sie die Unterwerfung immer noch mit Anstand und Würde leistet«.[25]

Die Enzyklika Leos XIII. bestätigt und verlangt die Würde der Frau in der Ehe, obgleich der eheliche Schutz sich bisweilen als blutrünstig erweist. Die scharfe Verurteilung eines Ehemannes, der seine ehebrecherische Frau tötet, enthüllt das dramatische klassenübergreifende Hintergrundgeschehen der unauflöslichen Institution Ehe. Für den übergroßen Teil der um die Mitte des 19. Jahrhunderts geborenen bürgerlichen und aristokratischen Italienerinnen ist eine Ehe nach dem Willen der Familie noch immer die Norm. Die selbständige, vom Gefühl bestimmte Wahl des Ehegatten gehört in eine andere, von feministischen Pamphleten geschilderte mythische Welt »des freien Amerika« mit seiner Gleichberechtigung auf dem Heiratsmarkt. Gegen Ende des 19. Jahrhunderts entfalten die Romane der katholischen Schriftstellerinnen zum Lieblingsthema »Ehe« viele der moralischen Reformvorschläge, für die sich die internationalen Vorkämpfer einer Soziologie der ehelichen Beziehungen begeisterten (Legouvé, Letourneau, Mantegazza, Lombroso, Lhotzky, Werner, Carpenter, etc.). Die passiv hingenommene Verheiratung mit sehr viel älteren Männern ist eines der am heftigsten debattierten Themen der Erneuerung. Den Erbhygienikern war dieser ungleiche Handel – ästhetisches Kapital der Frau gegen ökonomisches Kapital des Mannes – ein Dorn im Auge. In den Texten der katholischen Schriftstellerinnen aber wird das ungleiche Heiratsalter sehr viel seltener kritisiert als das System der doppelten Moral, das den Heiratsmarkt beherrscht. Die aus dem Alter des Ehemanns herrührenden Schwierigkeiten lösen sich in den Geschichten meistens im Happy-End auf.[26] Man darf nicht vergessen, daß das Bestreben, unter die Haube zu kommen, und die bis zum Ersten Weltkrieg vorherrschende Auffassung, daß die Frau lediglich in der Ehe zu einer würdigen sozialen Existenz gelangen kann, nicht nur in der katholischen Publizistik zu finden ist. Die aus Vernunft und nicht aus Leidenschaft oder um des Trostes willen geschlossene Ehe, zu der die Presse der Gioventù Femminile der Azione Cattolica noch in den 1920er Jahren rät, hat eine lange Tradition antiemotionaler Pädagogik. Die nur von den Augen oder vom Herzen geleitete Wahl des Ehepartners führt zu instabiler und vergänglicher Ehe. Vom Ehemann der praktizierenden Katholikin wird lediglich verlangt, daß er ein guter Christ sei.

»Sie hat sich ferngehalten vom Murren in Weiberkreisen über die Niedertracht der Männer«, heißt es in der Lobpreisung auf Rita da Cascia, verlesen in Rom während der Zeremonie ihrer Heiligsprechung (1900). Das lange Erdulden der von einem »rohen, bestialischen« Mann auferlegten ehelichen Strafen und die würdevolle Distanz zu anderen Frauen, die ebenfalls Opfer ihrer Ehe waren, sind Themen, die einen großen Teil der Heiligenbiographien des 20. Jahrhunderts beherrschen.[27] Das ist das kirchliche Gegenstück zur zahlreichen weltlichen Literatur über die schlechte Ehe, die bis in die Details Ritas Leiden im Eheleben enthüllt. Mit der Heiligsprechung von Rita schafft die Kirche ein Vorbild, mit dem sie eingesteht, daß das Eheleben für Frauen eine Last oder gar ein Martyrium sein kann. Um 1900 taucht in den spärlichen Beispielen katholischer Autobiographien über unglückliche Ehen auch die Sexualität auf. Jaqueline Vincent – 25 Jahre lang Dienstmagd und Geliebte eines brutalen und atheistischen Ehemannes, dann ab 1925 Karmeliter-Terziarin – schreibt ein erschütterndes *Livre de l'amour*, in welchem sie eheliche Beziehungen als mystische Folter bezeichnet.[28]

HORTUS CLAUSUS

Berufungen

Ehefrau und Mutter, das sind die dominanten Bilder, die die unverheiratete Frau in den Hintergrund drängen. Die ledige Frau mit ihrem Platz außerhalb der Familie ist ein soziales Problem, welches das Fin de siècle beschäftigt. Zwischen der ledigen Frau als Problem und der stark zunehmenden »Feminisierung des Klerus« besteht ein enger Zusammenhang. In Frankreich steigt die Anzahl der Frauen, die in alte und neue religiöse Kongregationen eintreten, zwischen 1808 und 1880 von unter 13000 auf über 130000 an. Im Jahre 1830 war das Verhältnis von Frauen zu Männern im Ordensklerus zwei zu drei. 1878 dreht sich das Verhältnis um: drei Frauen kommen auf zwei Männer. Zwei Drittel der Gründerinnen neuer Kongregationen stammen aus den oberen Klassen. Vor der Revolution kamen 29 Prozent aus dem Adel und 33 Prozent aus dem Bürgertum. Im 19. Jahrhundert steigt der Anteil der Bürgerlichen auf 46 Prozent, der des Adels sinkt auf 19 Prozent. Die übrigen Mitglieder dieses machtvollen Heeres kommen aus den Familien kleiner Bauern, Handwerker und Lohnabhängiger.[29] Claude Langlois hat betont, daß dieses Phänomen der Feminisierung des Klerus eine einzigartige Neuerung darstellt. Die neuen Ordensgemeinschaften unterstanden der Autorität ihres Gründers, vor allem aber der der Gründerin und der Generaloberin. Diese institutionelle Autonomie der neuen Frauenorden kommt insbesondere bei der Mädchenerziehung zur Geltung. 1876 stehen 80 Prozent der 500000 französischen Kinder, die den Kindergarten besuchen, unter der Obhut religiöser Gemeinschaften. Schwieriger ist es, die katholische Vorherrschaft über die Erziehungsanstalten (in Frankreich wie in Italien) in Zahlen auszudrücken. Die erste nationale statistische Erhebung Italiens von 1872 zeigt, daß Ordensgemeinschaften und religiöse Kongregationen ein absolutes Monopol über 570 erfaßte Internate haben. Dreißig Jahre später kann der Staat lediglich 86 öffentliche Institute den insgesamt 1429 privaten Schulen und Internaten entgegensetzen. Zu letzteren zählen ca. 800 Hilfswerke und Wohlfahrtseinrichtungen mit 48677 Internats- und 59179 externen Schülerinnen.[30] Diese Zahlen sind ein Beleg für das unerschütterliche Vertrauen, das auch die nichtkirchlichen Eliten in die Prägung der weiblichen Rolle durch die katholischen Mädchenschulen setzen.[31]

Die beeindruckende Feminisierung des französischen Klerus ist ein wahrhaft nationales Phänomen. Es erreicht die anderen katholischen Länder mit unterschiedlicher Geschwindigkeit und Intensität. In Frankreich liegt die Blütezeit der Ordensneugründungen mit einer Generaloberin als Leiterin zwischen 1820 und 1830. In Italien, wo die Kirchenpolitik in den Einzelstaaten extrem unterschiedlich war, erlauben die verfügbaren Daten vor der nationalen Einigung noch kein Gesamtbild. Die Zunahme der weiblichen religiösen Einrichtungen scheint ein Jahrzehnt später als in Frankreich eingesetzt zu haben. 1861 erfaßt die erste Zählung im Königreich Italien 42664 »Nonnen«, ohne jedoch dabei zwischen »Nonnen« und »Schwestern«, zwischen Klöstern mit Klausur, Konservatorien, Oblatenschulen oder neuen zentralisierten Instituten zu unterscheiden. Auch in Italien ist die Feminisierung des Klerus eine wohlbekannte Tatsache; schließlich gibt es nur 30632 männliche Ordensmitglieder. Es gibt 1,95 Nonnen pro Tausend der Bevölkerung. Das ist weniger als in Belgien, wo die Zahl bei 2,70, und mehr als in Spanien, wo sie bei 1,20 liegt. Die höchsten Prozentsätze sind in Umbrien und den Marken zu verzeichnen, zwei Provinzen des ehemaligen Vatikanstaates. Doch die übergroße Mehrheit der Ordensfrauen – in Zahlen 22619 – findet sich im Süden, in den Provinzen Neapels (13651) und in Sizilien (8968).[32]

In einem der neapolitanischen Klöster schrieb Enrichetta Caracciolo über ihren erzwungenen Klostereintritt. Die *Misteri del chiostro napoletano* (1864)[33] – die private und politische Autobiographie einer Adligen, die durch den unbeugsamen Willen der Mutter der Gefräßigkeit des »levitischen Landes par excellence« übergeben wurde – ist die antihagiographische, vom Risorgimento inspirierte und patriotische Kehrseite einer Nonnenbiographie.[34] Diese *Misteri,* diese Geheimnisse, waren den Spitzen der Hierarchie des römischen Klerus im übrigen wohlbekannt, welche sie dem bourbonischen Königshaus in die Schuhe schoben. Die »Berichte der Bischöfe an den Heiligen Stuhl« sprachen von Einkleidungen, die in der Art von Karnevalsparaden vorgenommen wurden, mit Tänzen und Festen; von der Wahl der Oberin, die wie in einer Massenversammlung mit Beifallsrufen begleitet wurde; von unkontrolliertem Kommen und Gehen von Ärzten, Hausangestellten und Priestern in den Klöstern der neapolitanischen Aristokratie.[35]

Alle bekannten Vermutungen über die Extreme »religiöser Hingabe« in Sizilien lassen sich erahnen, wenn man in den Seiten eines weitverbreiteten Handbuchs für klösterliches Verhalten blättert. Hier ist der Körper der offensichtliche und charakteristische Ort der Sünde. Im Körper entsteht sie, dort hat sie ihren Sitz: die Sünde der Zunge (üble Nachrede), des Auges (Neid), und des Gaumens.[36] Der Leib ist also in dieser Verhaltenslehre niemals ein bloß abstrakter Begriff, sondern wird konkret dazu angehalten, die analogen heiligenden Körperhaltungen nachzuahmen. In Wirklichkeit schwächt aber dieses absolute Übergewicht der realistischen Vorstellung von Körperlichkeit die Strenge einer auf den Willen zur Entkörperlichung abzielenden Pädagogik, wie sie Odile Arnold für die französischen Klöster in der zweiten Jahrhunderthälfte beschrieben hat.[37]

Oberinnen mit Unternehmergeist

Ein hohes Maß an Emanzipation – am Ende des 19. Jahrhunderts stehen die Engländerinnen an zweiter Stelle hinter den Amerikanerinnen – erlaubt es den Stifterinnen neuer religiöser Orden in der englischen Terra incognita, fiktionale und nichtfiktionale »katholische« Literatur für Bekehrung und Eigenfinanzierung zu benutzen. Lady Georgiana Fullerton (*Ellen Middleton,* 1844) und Fanny Taylor (*Tyborne,* 1857) verwenden die Erträge aus ihren Bestsellern zur Förderung der Poor Servants of the Mother of God. Das ist die erste »gewerbliche, sich selbst tragende« Kongregation; sie betrieb u. a. eine gewerbliche Wäscherei.[38] In England und Amerika[39] entwickelt sich die Feminisierung des Klerus im Zeichen einer praktisch-karitativen Religiosität, deren Betätigungsfeld das soziale Elend ist. Auch das starke »Selbstbewußtsein« der englischen Ordensfrauen ist an eine karitative Praxis gebunden; bewußt überschreiten sie die zum Schutze der Frauenehre erlassenen Beschränkungen der Bewegungsmöglichkeiten für weibliche Bettelorden. Auch die Französin Jeanne Jugan erhält ihr Charisma durch Almosensammeln entlang der Straßen Westfrankreichs, um mit dem Geld Vagabunden in den Instituten ihrer Kongregation beherbergen zu können. »Ich bin Jeanne Jugan«, sagt die von Tür zu Tür gehende Stifterin der 1843 gegründeten Petites Sœurs des Pauvres, welche in den 80er Jahren nach Sacré-Cœur die an Immobilienbesitz zweitwichtigste Kongregation wird. Das Wanderleben der Jeanne Jugan dauert dreizehn Jahre. 1852 erkennt der Bischof von Rennes die Kongregation an und verpflichtet die Petites Sœurs des Pauvres zur klösterlichen Tugend des festen Wohnsitzes im Ordenshaus.[40]

Die Idee, Frauen durch ihre sozialen Tätigkeiten den Zugang zur Welt zu öffnen, wirkt lange Zeit beunruhigend. Die verbreitete Angst, daß die moralische Integrität einer Frau *außerhalb* des Schutzes der Familie und des häuslichen Herdes Schaden nehmen könne, findet ihren Niederschlag in traditionellen Verhaltensweisen wie der sowohl in katholischen wie laizistischen Familien üblichen strengen Überwachung von Frauen. Noch unmittelbar nach dem Ersten Weltkrieg kostet es Armida Barelli, die Gründerin der Gioventù femminile italiana der Azione Cattolica, viel Mühe, die höchst katholischen Widerstände des Vaters der zweiundreißigjährigen Marchese-Tochter Teresa Pallavicino zu brechen: »Papa läßt mich einfach nicht alleine reisen.« In Parma (der

Stadt der Pallavicino) ist es nicht anders als in Palermo: »In Sizilien gehen die jungen Mädchen und Frauen nicht einmal nach der Hochzeit allein aus, und Ihr wollt sie auf Propagandareise durchs Land schicken, um Vereinigungen zu gründen?« So lautet der Einwand der kirchlichen Hierarchie von Palermo gegen Barellis Organisiereifer. Ohne Zweifel trägt die intensive Reisetätigkeit der Leiterinnen der Gioventù Femminile, die damit erfolgreich ein soziales Verbot umstoßen, das das gesamte weibliche Geschlecht betrifft, zu ihrem Charisma bei. Armida Barelli, die Präsidentin, und Teresa Pallavicino, die Vizepräsidentin, diese katholischen »neuen Frauen«, fahren im Auto durch Italien, und wo immer sie auftauchen, werden sie triumphal begrüßt. Sie gelten als Symbol für ein Höchstmaß an Emanzipation und Selbstbestimmung »des Geschlechts«. Sie begeistern auch die Mitglieder an der Basis, die selbst von einem solchen innovativen Verhalten noch weit entfernt sind.[41]

Die von der offiziellen politischen Bühne ausgeschlossenen katholischen Frauen finden ein Betätigungsfeld in der Wohltätigkeit. Adelige Frauen sind die ersten, die sich direkt auf das soziale Elend einlassen. Für einige von ihnen werden in Italien wie in Spanien[42] sogar die Regeln des mediterranen Ehrenkodex gelockert. Ihre bedingungslose, »von Tugend geleitete Leidenschaft« führt zu enthusiastischen Briefwechseln und dauerhaften Freundschaften – die dann später in Biographien verewigt worden sind. Ein bekanntes Beispiel hierfür sind die international in der Wohltätigkeit aktiven Paolina Craven und Georgiana Fullerton. Der mächtige Wunsch, allen Elenden zu helfen, wird auch in historischen Rekonstruktionen dokumentiert. So schreibt Teresa Ravaschieri, selbst berühmt als Begründerin von Wohltätigkeitseinrichtungen in Neapel, in der zweiten Hälfte des 19. Jahrhunderts eine monumentale *Storia della carità napoletana*. Selbst in Vorstellungen über den idealen Ehemann kann das Interesse für wohltätige Aufgaben einen Niederschlag finden: »Ich möchte auch, daß er reich wäre, um viel Gutes für die Armen tun zu können.« Nicht selten erwächst der Wunsch zu heilen aus dem selbst erfahrenen Schmerz und dessen Vergleich mit dem Schmerz anderer Menschen. Häufig geben die Wohltäterinnen den Hospitälern oder Fürsorgeeinrichtungen den Namen ihrer in zartem Alter verstorbenen Kinder. Doch diese Art der sozialen Praxis war meistens auch der bewußte Versuch, der männlichen Machtausübung alternative Werte entgegenzusetzen. In diesem Sinn deuten die Wohltäterinnen der jüngeren Generation das Werk der Ravaschieri nach ihrem Tod. »Ihrem Feingefühl, ihrer Unabhängigkeit von jeglichem Cliquenwesen (...) ist es zu danken, daß heute jede Frau, auch ohne sich als Feministin zu fühlen, bei uns eintreten kann, um wohltätig zu wirken.«[43]

In Paris steht während der Regierungszeit von Jules Ferry Mademoiselle David-Nillet unter dem strengen Schutz eines Onkels; nur zur Sonntagsmesse darf sie aus dem Haus gehen. Mit ihrer Heirat wird sie zu Albertine Duhamel. Die Änderung des Familienstandes legt bei ihr organisatorische Fähigkeiten frei, die man der ehemals so abgeschieden Lebenden nicht zugetraut hätte. Nach 1910 führen ihre sozialen Aktivitäten sie kreuz und quer durch Frankreich. In zehn Jahren besucht sie rund 3400 Einrichtungen, das ist im Vergleich mit dem *cursus honorum* der auch schon sehr aktiven Wohltätigkeitsdamen des 19. Jahrhunderts eine beispiellose Leistung.[44] Seit Beginn des 20. Jahrhunderts lassen sich die Katholiken auf die Herausforderung des Feminismus mit seinen sozialen Laienaktivitäten ein; sie beginnen, die Werte und Erfahrungen zu aktualisieren, um davon ausgehend den Frauen einen neuen Sinn für Identität anzubieten. Die »kämpferische Frau« (*donna militante*) – ein von Papst Pius XI. eingeführter Begriff – tritt nun an die Stelle der Wohltätigkeitsdame. Die Frauenabteilungen von Azione Cattolica finden überall in Europa Zustimmung. Es sind stark hierarchisch gegliederte Strukturen, auf die sich das nationale Charisma ihrer Leiterinnen stützt. 1910 hat die Ligue patriotique des Françaises 450 000 Anhänger. Die 1908 gegründete UDACI (Unione donne di azione cattolica italiana) umfaßt im ersten Jahr ihres Bestehens über hundert Komitees mit 15 000 Mitgliedern.[45] Die »neue Frau« des militanten Katholizismus ist eine Frau der Tat, allerdings ohne die männer-ähnlichen Züge, mit denen das katholische Feuilleton (in *Civiltà Cattolica*) die Feministin karikiert.[46]

Das Selbstbewußtsein der katholischen Führerinnen ist gewaltig. Es mag noch bei den Aktivistinnen unter Kontrolle gehalten werden, aber bei Frauen in höheren Ämtern tritt es deutlich hervor. Es erwächst aus den Schwierigkeiten, die bei der persönlichen »Emanzipation« zu meistern waren. »Was mich betrifft, so bin ich zu aufrecht, um Opportunistin zu sein: Solange mein Gewissen es zuläßt, konziliant zu sein, bin ich es; darüber hinaus werde ich es nie sein können (...) Eure Eminenz hat auch meinen schlechten Charakter angesprochen, und darin könnte Eure Eminenz recht haben. Ich habe einen unnachgiebigen Charakter«, schreibt 1914 die Prinzessin Cristina Giustiniani Bandini (1866–1959) an Pius X. Sie war Gründerin und von 1909 bis 1917 unermüdliche Präsidentin der Union der katholischen Frauen in Italien. Nach der Erziehung – natürlich beim Sacré-Cœur – tritt sie mit 18 Jahren ins Kloster ein. Sie verläßt es nach einem Jahrzehnt gegen den Willen ihres Vaters. Um zu leben, muß sie jetzt arbeiten. Die alte römische Aristokratie ist unnachgiebig gegenüber selbständigen Entscheidungen ihrer Töchter, wenn diese sich außerhalb der vorgeschriebenen Wege der Ehe oder des Klosters bewegen.[47]

Verbote und Lektüre

Wenig lesen, gut lesen

Während des gesamten 19. Jahrhunderts – und im 20. Jahrhundert bis zur Zeit nach dem Ersten Weltkrieg – ist die Lektüre der Frauen Gegenstand aufmerksamer Kontrolle. Dem Roman wird der höchste Grad an Gefährlichkeit zugeschrieben. Die Verdammung durch die Kirche folgt bei ihren Urteilskriterien Rousseauschen Ideen – »Ein anständiges Mädchen liest keine Bücher über Liebe« –; damit können sich Katholiken und Laien gleichermaßen identifizieren. Die junge Mailänderin, die im Oktober 1787 dem durch Italien reisenden Goethe gesteht: »Man lehrt uns nicht schreiben, (...) weil man fürchtet, wir würden die Feder zu Liebesbriefen benutzen; man würde uns nicht lesen lassen, wenn wir uns nicht mit dem Gebetbuch beschäftigen müßten«,[48] braucht dieses »man« nicht zu spezifizieren; denn was die Ausbildung der Frauen angeht, folgt die weltliche Gesellschaft dem Standpunkt der Kirche. Und doch bewegt sich die betrübte Halbanalphabetin gemäß den Regeln der zeitgenössischen Modernität: sie reist, plaudert, verführt (sie ist eine von Goethes italienischen Geliebten). Aber Bücher sind ihr strengstens verboten.

Wir können vermuten, daß es viele weibliche Strategien zur Umgehung der strengen Verbote gab. Der Roman ist so sehr Verkörperung der Sünde, daß die Leserin sich schon schuldig macht, wenn sie ein solches Buch nur in die Hand nimmt. Gegen Ende des 18. Jahrhunderts suchte Harlowes Buch *Clarissa* die ländlichen Gebiete der Bourgogne heim. Nicht einmal das aufmerksame Auge ihrer jansenistischen Mutter schützt Sophie Barat, die aus einer wohlhabenden Bauernfamilie stammende künftige Gründerin der Kongregation des Sacré-Cœur, vor diesem Roman. Obwohl er sich wie ein Lauffeuer verbreitet, kann Sophie die Schuld für ihre Lesesünde nicht nach außen abwälzen. Ihr ganzes Leben lang empfand sie Reue wegen dieser Lektüre. Zu Beginn des 19. Jahrhunderts nennen pädagogische Unterweisungen den Ursprung dieser Ansteckungsgefahr beim Namen. Der besorgte Blick, dem im 19. Jahrhundert die Jugend ausgesetzt ist, entdeckt als Brutstätte für die Versuchung eben gerade jener Altersgruppe Freundinnen, ältere Schwestern und vor allem Brüder, welche der aufmerksamen Überwachung durch die Eltern weniger streng ausgesetzt sind. Die Intensität weiblicher Freundschaften basiert auch auf dem Austausch verbotener Bücher. Um der Kontrolle einer »ultra-rigorosen« Mutter, einem wahren Auswuchs an christlicher Perfektion, zu entgehen, bittet 1831 Paolina Leopardi eine Freundin aus Bologna um Stendhal und Walter Scott.

Die soziale Ehre, die die bürgerliche Gesellschaft des 19. Jahrhunderts der Rolle der Ehefrau zugesteht, mildert die Strenge dieser Vorschriften und handhabt sie nach der Heirat wesentlich lockerer. In Frankreich entschärfen die in der Nachfolge von Baronin Staffe oder Madame de Genlis schreibenden Verfasserinnen von Verhaltensanleitungen die Kontrolle der Lektüre, sobald es um verheiratete Frauen geht. In Italien dagegen konstatieren die katholischen Handbücher zur Lebensführung noch am Ende des 19. Jahrhunderts mit Bestürzung, daß im Ehestand die Einhaltung von Lektüreverboten nicht mehr eine unumstößliche Gewissenssache ist.

Das Ausmaß der empfohlenen oder verbotenen Frauenlektüre ist schwieriger zu definieren. Der im 19. und bis in die ersten Jahrzehnte des 20. Jahrhunderts in größeren Mengen produzierte katholische Lesestoff ist von der Forschung noch nicht mit der »Quantität« der weiblichen Lektüre korreliert worden. Die erlaubten Titel wiederholen sich. Eine der seltenen Informationen über den Bücherbesitz in der städtischen Mittelschicht Italiens ist beeindruckend. In Neapel, der bevölkerungsreichsten Stadt Italiens, in der die Tageszeitungen eine Auflage von 50 000 haben, sind in den 1870er Jahren Haushalte, die keine Bücher besitzen, in der Mehrzahl.[49] Im Italien des frühen 19. Jahrhunderts repräsentiert eine Frau mit einem Buch in der Hand – das kein Andachtsbuch ist – alles andere als die angesehene und gesellschaftlich geschätzte Verbindung von ästhetischen und kulturellen Werten. Es gibt nur wenige liberale und aufgeklärte Katholiken, die von Büchern träumen, die »ausdrücklich mit Blick auf den Intellekt der Frauen geschrieben sind« und keine Andachtsbücher sind. Für Silvio Pellico sollen darin »süße Gefühle«, »häusliche Fürsorge« und »heroische Begeisterung für die Liebe, die privaten Tugenden und Religion« vorkommen, und sie sollen sich auf weibliche Genealogien stützen: auf Familiengeschichten von Töchtern, Ehefrauen und Müttern.[50] Ein seinen Vorstellungen entsprechendes Buch ist eine unvorstellbare Ware für die Buchläden mit ihren Andachts- und Zuchtbüchern, die die lombardische Produktion im frühen 19. Jahrhundert beherrscht.[51] Erst in den 70er Jahren erhält das italienische Verlagswesen von der ersten Generation nationaler Romanschriftsteller eigene »Gemälde der privaten Gefühle«. Vorher ist Italien das Land der Übersetzungen: Abgesehen von einer gewissen Zahl an Andachtsbüchern kommen insbesondere die Romane und die Benimmratgeber aus Frankreich.

Mit einem großen zeitlichen Vorsprung gegenüber den Italienerinnen gehen die katholischen Schriftstellerinnen Frankreichs und Englands den doppelten Weg der Erziehungsschriften und des Romans. Diese literarische Gattung gilt für die Kirche nach wie vor als sündhaft. Das erklärt die vielen absichernden Erklärungen der Autorinnen.

Die bekannte Madame Bourdon (Mathilde Froment, 1817–1888) unterscheidet ihr Buch *Souvenirs d'une institutrice* (1869) – »Alltagsszenen aus der wirklichen Welt« – von einem echten Roman wie *Jane Eyre* der allseits bewunderten Charlotte Brontë. Sie trägt auf ihre Weise dazu bei, die strenge Trennung zwischen guten und schlechten Romanen aufzubrechen. Sie macht nicht nur die ruhmreichen Beispiele einer weiblichen literarischen Tradition bekannt, sondern sie befördert darüber hinaus den Übergang von der Leselust zur Schreiblust. Eine gehorsame Schülerin händigt, wie es die Internatsregeln vorschreiben, der Erzieherin, der Hauptfigur der *Souvenirs*, das Buch *Corinne* von Madame de Staël zur Kontrolle aus. Entflammt vom Wunsch nach literarischem Ruhm – »vielleicht gefährlich, aber verlockend!« –, sieht sich die Erzieherin nun als Schriftstellerin, die »den Einbildungen, die durch unsere Phantasie schweben«[52] eine literarische Beständigkeit zu geben vermag. Die »Phantasie« der Frauen, die die katholische Erziehung des 19. Jahrhunderts zu zügeln versuchte, ist nicht mehr zu bremsen: Es ist ein reicher Fundus, aus dem sich das literarische Schreiben der Frau entwickeln kann.

In Italien bieten die Autoren, die den katholischen Leserinnen um die Mitte des Jahrhunderts empfohlen werden – philosophische Abhandlungen von Plutarch, Diskurse von Sokrates, Werke von Cicero, von Augustin Thierry oder von Muratori –, keine geschlechtsspezifischen Identifikationsmodelle an.[53] Die streng klassische Lektüre soll eine anti-romantische Funktion erfüllen. Monsignor Dupanloup hat 1879 für eine wesentlich jüngere Altersgruppe ähnliches vorgeschlagen. »Um den weiblichen Verstand zu stärken«, schreibt der Bischof von Orléans die Lektüre der großen französischen Autoren des 17. Jahrhunderts vor – Pascal, Bossuet, Fénelon, Racine, Corneille, La Bruyère, Madame de Sévigné. Das 18. Jahrhundert läßt er ganz aus, für das 19. Jahrhundert erwähnt er nur einige christliche Poeten. Er verbannt die exakten Wissenschaften und die Literatur: In seinem durchaus innovativen Programm steht literarische Disziplin an erster Stelle.

Lest wenig und dafür Gutes, lautet die Maxime.[54] Wieder lesen, zurückblättern (»nie ein Buch beiseite legen, bevor es zu Ende gelesen ist«), Zusammenfassungen erstellen, die wichtigsten Abschnitte abschreiben, keine Abschweifung: Lesen ist eine Gewissensprüfung mit Hilfe eines Textes. Durch Bücher kann man eher Charakterzüge aufbauen und verändern als sie kennenlernen. Die Instrumente der geistigen Orthopädie von Madame Swetchine, die sich sagt, sie sei »mit wenig Charakterstärke geboren«, sind Bleistift und Papier. »Mit dem Bleistift schreiben, (...) das ist wie leise sprechen.« Man markiert die Seiten, liest sie erneut, schreibt Zusammenfassungen ab und verfaßt (dieses Mal mit der Feder) Kritiken und Reflexionen.[55]

Lesestile und Strategien des Eigensinns

Überzeugender als die Vorschriften von Dupanloup vermitteln die intellektuellen Autobiographien von Frauen Einblicke in das Leben einer wirklichen »mit Studien befaßten Frau«: Eine solche Möglichkeit können sich nur wenige adlige Frauen in wohlwollenden familiären Situationen verschaffen. Zu Beginn des 19. Jahrhunderts ist weibliche Ausbildung häufig nur Gedächtnistraining; die bloße Wiedergabe dient als Gegengift gegen innere Abschweifungen durch »Einbildungskraft«. Einen Text auswendig zu kennen, erleichtert das laute Vorlesen, eine Form der Familien- und Salonunterhaltung, deren Protagonisten bis zum Ende des Jahrhunderts die Frauen der oberen Klassen sind. Diese Lernmethode wendet die sechzehnjährige Turiner Baronesse Olimpia Savio (1816–1889) ausschließlich auf französische Autoren an: »Racine, Corneille, Mignet, Marmontel, Bouilly, Berquin, Bossuet, Fénelon, Madame de Maintenon, Madame de Sévigné, Massillon«, aber »nichts Italienisches«. Für das Königreich Sardinien und Piemont in den 30er Jahren ist Olimpia Savio durchaus ein Beispiel für eine »gehobene« mütterliche Erziehung: »Ich bin die einzige Tochter und wurde deshalb immer an der Seite meiner Mutter erzogen.« Sie ist das insbesondere für Frauen seltene Beispiel eines hartnäckigen Willens zur kulturellen Befreiung. Olimpias Mutter war eine Pionierin, eine nächtliche Autodidaktin, die ihre Bücher unter der Matratze versteckte, eine Kämpferin gegen ihre Mutter und Großmutter, die ihre Lektüre auf Andachtsbücher beschränkt sehen wollten.[56]

Erst Ende des 19. Jahrhunderts erhalten Frauen bzw. Mädchen allmählich Zutritt zu höheren Schulen. Zu Beginn des 20. Jahrhunderts gibt es 233 Schülerinnen in den staatlichen Lyzeen, aber 12 605 Schüler – jetzt entdeckt die katholische Hagiographie rückblickend den Wert der Hartnäckigkeit von Frauen, die sich autodidaktisch etwas beigebracht haben. Gerade die Strenge der Arbeitsmethode schützt sie gegen den Ruch des Ungehorsams. Die seliggesprochene Elena Guerra (1835–1914), Gründerin eines Erziehungsinstituts für Mädchen in Lucca, studierte nachts Latein beim Lichte von kleinen, aus Nußschalen gefertigten Lämpchen, um sich nicht durch den Kerzenverbrauch zu verraten.[57] Die Außergewöhnlichkeit solcher Vorbilder wird durch unzählige Nacheiferinnen keineswegs geschmälert und läßt ihnen den hagiographischen Charakter.

Doch zu Beginn des 20. Jahrhunderts erhoben sowohl die medizinische Wissenschaft als auch die kirchliche Predigt ihre warnende Stimme. Sie zeigen sich besorgt über die täglichen Anstrengungen des Schulalltags, denen sich eine immer größere Zahl von Schülerinnen aussetzt, und über das weibliche Streben nach der Abschlußprüfung samt allen belastenden Folgen des Konkurrenzverhaltens. Die pathologische Sequenz des im 19. Jahrhundert beliebten Modells der seelisch-körperlichen weiblichen Schwäche – Bronchozöle, Bleichsucht, Schäden der Wirbelsäule, Hysterie – kennt als einzige Ursache den schädlichen Erwerb von Buchwissen. Dieselbe Erklärung findet sich noch im 20. Jahrhundert in der katholischen Presse, die jedoch einen Ausgleich durch Leibeserziehung für Mädchen strikt ablehnt. Gleichzeitig tauchen allerdings am Horizont des neuen Jahrhunderts die ersten katholischen Theoretiker einer »neuen« weiblichen Erziehung auf, die sich – wie der spanische Jesuit Ramon Ruiz Amado – die Lehren der amerikanischen Hygieneschule zu eigen machen. Sie kritisieren von der Kanzel herab Formen des im 19. Jahrhundert beliebten weiblichen Zeitvertreibs wie »die langen Zusammenkünfte am Klavier, weitverbreitet bei den spanischen *Señoritas*«, und schlagen eine intensive sportliche Betätigung auch für Mädchen vor.[58] Auf dem Land hält sich die Gewohnheit des Vorlesens aus den Andachtsbüchern noch bis nach dem Ersten Weltkrieg. Es war eine Form, den Katechismus zu lernen, wurde aber seit Beginn des 20. Jahrhunderts das Banner der Bekehrungsversuche von seiten der katholischen Frauenorganisationen. In Nivernais wurde Ende der 50er Jahre mit dem Gebetbuch Lesen und Schreiben gelernt; zur Übung wurden die Vokale des Symbols der Apostel gesucht und abgeschrieben.[59] Das abendliche Lesen der Gebete mündete ein in eine Form des Lernens. Die Gebete wurden eher vom Rhythmus der andächtig umgeblätterten Seiten »geleitet« als vom Inhalt der Botschaft.

Die Kirche hält an ihrer Klassifizierung der Bücher in gute und schlechte Bücher fest. Sie hat es dabei mittlerweile mit einer ständig wachsenden Produktion von populären Romanen zu tun. 1905 bringt das Werk des Abbé Bethléem *Romans à lire et à proscrire* Ordnung in die üppig sprießende Kultur der populären Romane in Frankreich. *Bonne Presse* konzentriert sich auf junge Mädchen als Leserinnen. Doch jeden Samstag gibt es die Groschenromane für 65 Centimes, und sie sind schon längst kein heimliches Vergnügen mehr. Die jungen Mädchen liegen den ganzen Sonntag ausgestreckt auf dem Bett und vergessen ihre religiösen Pflichten.[60] Das weibliche Bewußtsein, daß das Lesen schlechter Bücher Sünde ist, läßt nach. Das unschuldige Erstaunen beichtender Mädchen, die bestraft werden für eine Lektüre, die ihr Beichtvater für schlüpfrig hält, zeigt die Problematik der Selbstkontrolle in einer Gesellschaft, in der das Buch den Charakter moralischer Erziehung verloren hat und statt dessen Gefährte der Freizeit geworden ist.

Für die »militante« Katholikin, diesen neuen sozialen Typus des 20. Jahrhunderts, werden die Bücher zu obligatorischen Instrumenten ihrer Ausbildung. 1927 schenkt Papst Pius XI. der Nichte der Marchesa Maddalena Patrizi, Präsidentin der UDACI, zur Hochzeit eine ideale Bibliothek, die ca. achtzig Bände umfaßt: »Lauter Bücher eigens für sie«, ganz wie Dupanloup es gewollt hatte. Von 37 Autoren sind 25 Franzosen (Dupanloup, Gratry, Tissier etc.); zu den italienischen Werken gehörte eine Kunstgeschichte, ein Verhaltenshandbuch, das Gesamtwerk von Manzoni und das *Sillabario del Cristianesimo* von Olgiati aus der Mailänder Gruppe der Università Cattolica.[61] Diese Büchersammlung bringt sowohl die anhaltende kulturelle Abhängigkeit Italiens von Frankreich in der Rezeption geistlicher Literatur deutlich zum Ausdruck als auch die Rigidität des religiösen Verlagswesens. Nach Claude Savart gilt letztere, auch außerhalb Frankreichs, noch über das 19. Jahrhundert hinaus.[62]

Die Frömmigkeit: Praktiken und Einstellungen

Die weibliche Privatisierung der Verehrung

Gebete, die leichter faßbaren *gesprochenen* Gebete ebenso wie die nicht greifbaren *mentalen* Gebete – eine Unterscheidung von Brèmond –, bestimmen den Rhythmus des Alltagslebens von Frauen. Die Zeit der Restauration verändert den Grundton des Gebets. Das beherrschende Gefühl von Angst und göttlicher Vergeltung, das im 18. Jahrhundert das Beten durchzog, verschwindet allmählich. Die für die Frömmigkeit des 19. Jahrhunderts typischen zielgerichteten Gebete – die Schutz und göttliches Wohlwollen für Gesundheit, geschäftlichen Wohlstand, Reisen oder Kriege erbitten – sind sowohl durch den wachsenden Individualismus der Epoche geprägt als auch durch den Willen der Theologie, sich gegen den Mystizismus zu wappnen.

Im klassenübergreifenden System der doppelten Moral, auf dem viele Ehen des 19. Jahrhunderts basieren, hat das Gebet auch friedensstiftende Funktion. Die zeitgleichen Gebete von Maria Adelaide von Savoyen, königliches Vorbild für eheliche Ergebenheit (von Pius IX. 1847 mit der »Goldenen Rose« ausgezeichnet, einer päpstlichen Ehrung für die tugendhaftesten Herrscherinnen und Prinzessinnen der katholischen Welt), und des Herzogs Vittorio Emanuele (zukünftiger König von Italien) adeln eine unvollkommene Ehe. Das Gebet erhebt sich über das wohlbekannte und offen gezeigte ehebrecherische Verhalten des Ehemanns und stellt zu Kriegszeiten in der raum-zeitlichen Einheit der Anrufungen Gottes den Frieden der Beziehung wieder her. »Wenn ich erfahren kann, an welchem Tag Ihr kämpfen werdet, werde ich am

Morgen meine Gebete für Euch sprechen«, schreibt die Herzogin. Vittorio Emanuele bestätigt ihr, daß in Peschiera durch ihre Fürbitte die feindlichen Kugeln umgeleitet worden seien.[63]

Die durch die Moralauffassung Alfons von Liguoris beeinflußte italienische Frömmigkeit eröffnet eine neue Dimension der Vertrautheit mit dem Heiligen und verändert die religiöse Empfindsamkeit völlig. Ob maßlose Emotionalisierung, krankhafte Intensität und unkontrollierter Mystizismus oder im Gegenteil gewohnheitsmäßige Wiederholung und kurzes häusliches Gebet, alle diese charakteristischen Merkmale des Gebets im 19. Jahrhundert sind auch Zeichen für die fortschreitende Feminisierung des Heers der Gläubigen. Die Kirche nimmt dieses Phänomen zur Kenntnis und stellt die Mutter stärker heraus. Wie ein »Pfarrer am häuslichen Herd« wünscht sie sich der Abbé Pichenot. Wie Marie-Françoise Lévy gezeigt hat, geben die für Mütter geschriebenen Andachtsbücher des 19. Jahrhunderts der Liebe Gottes mehr Gewicht als der Angst vor der Verdammnis.[64]

Gott ist Gegenstand der Liebe, er unterhält mit den Gläubigen seit ihrer Mädchenzeit persönliche Beziehungen. Das Jesuskind ist in der romantischen Ikonographie als Inbegriff des Leidens dargestellt, mit dem von Dornen bekränzten kleinen Herzen. In der zweiten Hälfte des Jahrhunderts werden die Jungfrau und das Kind in vertrauteren, nicht mehr schmerzensreichen Bildern der Mutterschaft dargestellt. Das vom Schwert durchbohrte und von Dornen bekränzte Herz verlagert sich weg vom organischen Zentrum. Es liegt in der Hand des kleinen Jesuskindes wie ein Apfel oder ein Spielzeug und ist nicht länger eine offene und anklagende Wunde.

Eine frühkindliche Neigung zum Gebet – glückliches Ergebnis mütterlicher Initiation – taucht in einem großen Teil der Hagiographie des 19. Jahrhunderts auf und bleibt unberührt vom Verdacht, es könne sich um eine natürliche kindliche Bereitschaft zur spielerischen Wiederholung gehandelt haben. Mit sechs Monaten ist Jean-Baptiste-Marie Vianney, der zukünftige heilige Pfarrer von Ars, bereits das wachsame Gewissen der Mutter, die ihn dazu erzogen hat, sich vor dem Essen zu bekreuzigen: Er ermahnt sie, falls sie es vergessen sollte.[65] Die geistlichen Ratschläge an die kleinen Gläubigen gebieten Maßhalten: Monsignor Dufêtre betont, daß es keine quantitative Beziehung zwischen wahrer Andacht und äußeren Praktiken gibt, und er empfiehlt, bei Gebeten und frommen Exerzitien nicht zu übertreiben.[66]

Ab der zweiten Hälfte des 19. Jahrhunderts werden die Andachtsübungen für Mädchen aktiver und sorgfältiger ausgestaltet. Sie orientieren sich an dem durch den Marienkult gesteigerten Glauben der Erwachsenen. Die Altersgrenze für individuelle religiöse Handlungen sinkt. Im Monat Mai errichten auch die Mädchen und Halbwüchsigen kleine Marienaltäre in ihren Zimmern. Viele haben wie Caroline Brame ein persönliches »kleines Oratorium«.[67] Auch die Heiligenbilder werden weiblicher. Die mit leidenschaftlicher Manie betriebene Dekoration entdeckt die *canivets*, feinste Spitzen aus Papier, mit denen die Darstellungen der Jungfrau mit dem Kind umrahmt werden. Die Meßbücher werden dicker. Für fromme Sammlerinnen wird ihr Besitz doppelt wünschenswert als Beweise des Glaubens und als Freundschaftspfande. Das päpstliche Dekret *Quam singulari* erlaubt 1910 die private Kommunion und fördert deren Ausbreitung. Ein Heiligenbild – mit dem Namen und einem Spruch aus dem Evangelium, passend zum jugendlichen Alter der Kommunikantin – ist Teil des Ereignisses. Die Kommunion ist eine erste bewußte Etappe nicht nur des spirituellen Lebens, sondern auch der gesamten gesellschaftlichen wie emotionalen Existenz: »Das Leben der Frau spielt sich in ihrer ersten Phase ganz und gar zwischen zwei weißen Schleiern ab: dem Schleier der Erstkommunion und dem Hochzeitsschleier.« Dieses Zitat aus dem bekanntesten italienischen Ratgeber zu Beginn des 20. Jahrhunderts ist ein Beispiel unter vielen für die Verbreitung dieser chromatisch-literarischen Synthese auch in Kreisen, die nicht im strengen Sinne konfessionell sind.[68]

Tempel der Ehe und unbefleckte Jugend

Embleme religiöser Frömmigkeit finden sich vor allem im Schlafzimmer. In der zweiten Hälfte des 19. Jahrhunderts schützen die neapolitanischen Bürgerinnen und Bürger den Tempel ihrer Ehe mit Kruzifixen, Madonnenstatuen und Gemälden mit heiligen Sujets (manchmal gibt es bis zu elf in einem Zimmer).[69] Ob solche ikonographischen Modelle, die schon lange zur alltäglichen Dekoration gehören, zur intensiven Andacht Anlaß geben, ist nur schwer zu beurteilen. Für Mädchen und Halbwüchsige wird daraus eine lebende, ehrfürchtige Selbstikonographie, indem sie die Haltung des betenden Engels einnehmen. Das ist die erste Ebene körperlicher Selbstkontrolle, mit deren Hilfe die katholische Lehre die Regeln des moralischen Verhaltens von Frauen aufzwingt. Bilder mit so deutlichem Signalcharakter – weißgekleideter Körper in aufwärts gerichteter Haltung, Blick nach oben: Inbrunst; gesenkter Blick: Bescheidenheit – sind die Grundlage für die herrschende »dogmatische Engelslehre«; so nennt Paolo Mantegazza die obsessive soziale Ehrfurcht vor den Normen, die die weibliche Reinheit verteidigen.

Die sechzehnjährige russische Adlige Marie Bashkirtseff, die im Leben wie im Tode (sie starb 1884 im Alter von 26 Jahren an Schwindsucht) die kosmopolitische *jeune fille* verkörperte, fügt der spätromantischen existentialistischen Maxime »leben, leiden, weinen, kämpfen« ein hartnäckiges »und eine gute Portion Ehrgeiz haben« hinzu. Beim Gebet in der St.-Peter-Kirche in Nizza, das Kinn in die schönen weißen Hände gestützt, weist sie den Versuch zurück, Weiblichkeit in engelhaften Formen zu ritualisieren. »Ich mache mich häßlich, als eine Form der Buße«.[70] Auch darin war sie Pionierin, denn die Ratgeberliteratur betrachtet noch bis ins neue Jahrhundert hinein Kirchen und Gottesdienst als optimale Orte, um – mit dem Ziel, einen Heiratskandidaten zu finden – die weiblichen Tugenden herauszustellen. Das *Vaterunser*, das *Ave Maria*, das *Credo*, das *Angelus* sind die Morgen- und Abendgebete der Mädchen ab sieben, acht Jahren und der jungen Frauen. Nach Abschluß der mütterlichen Einweisung geht das Ritual weiter mit Anforderungen an die Person. »Notwendig« im Gebet eines halbwüchsigen Mädchens im 19. Jahrhundert sind Bitten um schönes Aussehen, eine schöne Stimme und eine glückliche Ehe. Und daß das Gebet die Pocken und den Tod von der Mutter fernhalte. So ist sich auch Marie Bashkirtseff bewußt, daß »es über das Notwendige hinaus geht«, wenn sie im unausbleiblichen Nachsatz ihrer Gebete um eine Begegnung mit dem gerade aktuellen Geliebten bittet.

Die Entdeckung des 19. Jahrhunderts, daß die weibliche Adoleszenz eine Quelle schwer kontrollierbarer Träumereien in sich birgt, beunruhigt nicht nur die Katholiken. Die Kirche wählt nicht zufällig den Monat Mai für die Marienverehrung. Die Madonna muß darüber wachen, daß die weibliche Unschuld »inmitten der Versuchungen, die in der schönen Jahreszeit haufenweise auftreten«, bewahrt bleibt. Der Marienkult im Mai wird von italienischen Jesuiten zu Beginn des 18. Jahrhunderts (Dionisi, 1726; Liguori, 1750; Lalomia, 1785; Muzzarelli, 1785) vorgeschlagen und breitet sich im katholischen Europa in der ersten Hälfte des 19. Jahrhunderts aus. Diese vorbeugende religiöse Praxis sollte die jugendlichen Liebesgefühle, die in ländlichen Gesellschaften schwierig zu kontrollieren sind, ins Übernatürliche sublimieren. Die Reinheit der Jungfrau wird zum Identifikationsmodell, zum Zentrum der weiblichen Erziehung. Nach der Erstkommunion geht die Aufgabe des Schutzes der jungen Katholikinnen auf die Kongregationen der Figlie di Maria (Töchter Marias) über. In Frankreich entsteht 1820 die erste Congrégation des Enfants de Marie du Sacré-Cœur in Paris. In Italien entstehen zusätzlich zu den Figlie di Maria nach 1854 (dem Jahr des Dogmas) weitere weibliche Vereinigungen, die sich der unbefleckten Jungfrau weihen.

In der explosiven Ausbreitung dieses Kultes zeigt sich eine spezifische und komplexe Übereinstimmung mit den Wünschen und Projektionen der Frauen. Die beeindruckende Analyse von Luisa Accati führt die symbolische Kraft der unbefleckten Maria darauf zurück, daß es sich um »eine Inszenierung des (weiblichen) Verführungswunsches« handle. Die jungen Mädchen träumen von und sehnen sich nach der Liebe, aber sie fürchten die mit der Entjungferung verbundenen sozialen Verbote und den physischen Schmerz. Die Verehrung der unbefleckten Jungfrau ermöglichte es, so Accati, »sich des sexuellen Begehrens bewußt zu werden, ohne es zu akzeptieren«. Es ist nicht nur der »Wunsch, das Vergnügen zu genießen, ohne Schuld zu empfinden«, wie Isidor Sadger sagte, sondern die »Suche nach Vergnügen ohne Schmerz«. Ein Kult also, der die narzißtische Selbstgenügsamkeit der Frau festigt, indem er sie an jene primäre Erfahrung in der Pubertät kettet. Dieser Theorie zufolge suchen die Frauen die einzige Selbstbestätigung im tugendhaften Verhalten und in der angenehmen Erscheinung, während sie all ihren anderen Fähigkeiten mißtrauen.[71]

Tugend und Erscheinung

Sichtbar gemachte Jungfräulichkeit

In den Dörfern Frankreichs sind die *rosières* ein Beispiel für das soziale Abmessen der weiblichen Tugenden. Die im Mai mit Kränzen aus Rosen gekrönten jungen Mädchen (ungefähr Tausend im 19. Jahrhundert) stehen als Beispiel für eine Jugend, die im gerechten Kampf für die Verbesserung der eigenen Situation das Kapital der Jungfräulichkeit nicht aufgibt. Vor einer Kommission, bestehend aus Bürgermeister, Pfarrer und Lehrer, müssen sie mit einem ärztlichen Attest beweisen, daß sie Jungfrauen sind, in bescheidenen Verhältnissen leben und eine gute Arbeitshaltung haben. Als Prämie winken 1500 Franken als kirchlich-staatliche Mitgift, die die Jury der *rosière* zwei Monate vor ihrer Hochzeit aushändigen wird.[72]

Ein solcher Wettbewerb ist für kein anderes Land als Frankreich denkbar. Mehr als jede andere in Europa bedient sich die französische Gesellschaft für politisch-pädagogische Ziele der »Geschlechter-Allegorie«. Die *rosière* ist die demonstrative Antwort auf den gegen Ende des Jahrhunderts durch Umfragen und literarische Reportagen – wie *Les Demi-Vierges* von Marcel Prévost (1895) oder *Les jeunes filles peintes par elles-mêmes* von Remy de Gourmont (1901) – ausgerufenen sozialen Notstand in Sachen weiblicher Reinheit. Die Übersetzung dieser Werke ruft auch in Italien Unruhe hervor. Aber hier bestätigt Antonio Marro mit seinen Untersuchungen zur Adoleszenz schon bei Jugendlichen das Erwachen sexueller Triebe.[73] Zeitgleich mit dem physiologischen Realismus der aufkommenden *scientia sexualis* vermeiden es die italienischen katholischen Abhandlungen tunlichst, die Jungfräulichkeit in ihrer genauen, körperlichen Definition zu benennen.

In der zweiten Hälfte des 19. Jahrhunderts verändert sich die Form der Kontrolle über die weibliche Ehre: Diese entzieht sich mehr und mehr der gemeinsamen Obhut von Staat, Kirche und Familie. Wir erinnern daran, daß in Neapel in der Zeit vor der Einigung Italiens die in Heimen untergebrachten ledigen Frauen und Witwen 3,8 Prozent der weiblichen Bevölkerung ausmachten. Je nach dem Grad an Ehrbarkeit – rechtschaffen, anfällig, gefährdet, Prostituierte – wurden sie in streng voneinander getrennten Gruppen untergebracht.[74]

Das weibliche Modell der jungfräulichen Vollkommenheit basiert auf dem Wert der Reinheit. Diese individuelle, im »Inneren« der Seele befestigte Tugend basiert auf den Grundsätzen moralischer Autonomie, die durch die Praxis des Bußsakraments bestärkt werden. Aber der massenweise Eintritt der Frauen in den industriellen Arbeitsmarkt bringt eine Menge neuer Versuchungen mit sich. Die Einheit muß sich nun als Wert und moralische Pflicht an Orten voller Gefahren und Risiken bewähren. Auch solche sozialen Schichten sind jetzt bedroht, die vorher von der normativen Ehrenpädagogik ausgeschlossen waren. Auch für die adligen und bürgerlichen Frauen wird die weibliche Tugend vor allem zu einer Frage des eigenen »Erscheinungsbildes« auf der Straße, im Theater, auf den Bällen, an den Buden bei Wohltätigkeitsveranstaltungen und den zunehmend zwielichtigen Treffpunkten der jugendlichen Gesellschaft. In dieser Situation empfiehlt Professor Rodolfo Bettazzi, der Gründer der katholischen Liga für öffentliche Moral in Turin 1894, daß Frauen, wenn sie an den Bällen teilnehmen, an ihrem Gürtel eine weiße Rose – eine Anspielung auf die in der Stadt nicht länger von den jungen Frauen gepflegten Marien-Andachten – tragen sollen als ebenso dekoratives wie demonstratives Zeichen des Schutzes und als Bekundung des Willens, den Ball »mit unversehrter Rose wieder zu verlassen«.[75]

Die Gefahr gemischter Gesellschaft

Im frühen 20. Jahrhundert wird der Wert der Jungfräulichkeit gegenüber den Versuchen einer zunehmend säkularisierten Moral nur um so stärker betont. Den Anreiz zur Nachahmung emanzipierter Verhaltensweisen (Kleidung, gesellschaftlicher Umgang, Lektüre etc.) liefern lebende Vorbilder auf der Straße oder in den Sensationsnachrichten der weltlichen Presse. Da gibt es Liebesdramen, die mit Selbstmord oder Verbrechen enden und Symptome sind für die Widerstände gegen eine

Änderung des weiblichen Ehrenkodex. Die katholische Presse verurteilte dieses entschieden als »verfluchte und blutige Nachrichten, die unser Land entehren«. Doch 1902 wird die Ermordung der zwölfjährigen Maria Goretti, die sich gegen einen Vergewaltigungsversuch wehrte – ein beliebtes Thema der gerügten Sensationsnachrichten – durch die Massenmedien zu einem spektakulären Fall von hagiographischer Bedeutung hochstilisiert.[76]

Die moderne Rettung der auf Abwege geratenen jungen Mädchen, die in die Nähe oder bereits in den Sog der Kinder-Prostitution geraten sind, stellt – wie Annarita Buttafuoco gezeigt hat – eine Herausforderung dar, die der weltliche an den katholischen Feminismus in Italien heranträgt.[77] Letzterem gelingt es nicht, neue Lösungen zu finden für das Dilemma, das sich zwischen dem Höchstmaß an tatsächlicher Verderbnis (z. B. in den Strafanstalten mit religiösem Personal) und seinen mutmaßlichen Ursachen auftut. Die Trennung der Geschlechter – in Weiterführung der separaten Erziehungseinrichtungen – bleibt für die katholischen Frauenorganisationen die zuverlässigste Garantie für die Kontrolle der Reinheit der Frau. Diese Haltung sollte in Italien bis zur Mitte des 20. Jahrhunderts andauern.

Um die Barriere zwischen den Geschlechtern aufrechtzuerhalten, bejubelt die katholische Frauenpresse die Vorteile getrennter Geselligkeit. »Das Mädchen findet die höchste Zufriedenheit des Herzens und die beste Erholung des Geistes, wenn sie bei den Vergnügungen unter ihresgleichen bleibt. Wenn jedoch junge Männer dabei sind, kommt es zu Aufregung, Neid, Verwirrung und Unvorsichtigkeiten«, schreibt 1912 *Vita femminile*, eine zweiwöchentliche Zeitschrift für Arbeiterinnen. Die gemischte Geselligkeit gehört zu den umstrittenen Situationen, in denen ein neues weibliches Sozialverhalten praktiziert wird und sich bewähren muß. Unter dem besorgten Kontrollblick der Katholiken lösen sich die schützenden Strukturen des Geschlechtsdimorphismus auf, die gleichermaßen Erscheinung und Substanz, Kleidung und Seele der christlichen Weiblichkeit sind. In der sozialen Nachahmung, die im Zusammenhang steht mit dem vermehrten Zugang der Frauen zu öffentlichen Schulen, sehen die katholischen Frauenorganisationen die Ursache für den Zerfall der festgeschriebenen öffentlichen und privaten Rollen und für das Chaos in der sozialen Identitätsbildung der Frau. Die Bäuerinnen wollen Lehrerinnen werden, die Lehrerinnen Doktorinnen und »die Doktorinnen und Professorinnen setzen sich in Bewegung, um den Männern möglichst ähnlich zu werden, zumindest was die sozialen Rechte angeht. Da haben wir den Ursprung der Entwicklung des Feminismus in Italien«; so kommentiert die Unione Donne Cattoliche d'Italia 1911 den sozialen Wandel.[78]

Der verlorene Kreuzzug gegen die Mode

Auch die Katholikinnen werden gezwungen, die soziale Dimension des Körperverhaltens anzuerkennen, als die Kleidung zum wunderbaren Schlüssel für soziale Mobilität wird. Die Mode transportiert das Ethos der Veränderung und den Kult der Modernität, sie wird mehr ein sozialer kategorischer Imperativ denn ein klassenübergreifendes Recht. Nach dem Ersten Weltkrieg starten Frauenorganisationen wahre »Kreuzzüge gegen die unanständige Mode« und »Wettbewerbe für eine saubere Mode«. Die Mobilisierung gegen das verderbte Äußere der Frau erreicht ganz Europa, sie bleibt allerdings trotz der Unterstützung durch Papst Benedikt XV. wirkungslos.[79] Die Integrität der Frauen wird von den katholischen Frauenorganisationen nach der Länge der Kleider und Haare beurteilt. In den 1920er Jahren erkennt und verhöhnt die weltliche Presse die Aktivistinnen der Gioventù Femminile Cattolica gerade wegen der mißverständlichen Merkmale einer strengen, schlichten und nachlässigen Kleidung.[80] Sie verkörpern einen »puritanischen« Typ (wie J. C. Flugel[81] es nennt) des traditionalistischen Beginentums und ziehen damit den Spott auf sich. Militante Katholikinnen sind herausgefordert, ein nicht länger ausgrenzendes und auf den familiären Bereich beschränktes Modell zu entwerfen und als Alternative zu dem extremen Bild der stets verdammten feministischen »Vermännlichung« ein eigenständiges ästhetisches »Erscheinungsbild« zu entwickeln.

Im 20. Jahrhundert sind die Ressourcen der »Ästhetik der Frömmigkeit«, die sich strikt an die Dogmen des strengen Geschlechtsdimorphismus des 19. Jahrhunderts hält, erschöpft. Deren funkelndes Flittergold waren die Tränen. Das weibliche Andachtsverhalten hatte die rhetorische Tradition des tränenseligen 18. Jahrhunderts weitergeführt. Marcelline Pauper, eine der ersten der Sœurs de la Charité von Nevers in der ersten Hälfte des 19. Jahrhunderts, schildert glücklich die göttliche Gabe der Tränen, die ihre Gebete überschwemmten: als ein Beweis der heiligen Verbindung mit dem Göttlichen. Auch Bernardette Soubirous weint viel, bemerkt G. Thuillier.[82] Tränen waren ein Beweis des wahren Glaubens, und durch die Tränen des armen und ungebildeten Mädchens wurde zugleich auch die Lebendigkeit des Volksglaubens bezeugt, der in den Marienerscheinungen des 19. Jahrhunderts seine typische Ausdrucksform fand. In den oberen Klassen drohte hingegen der spirituelle Wert der Tränen zu einer rein äußerlichen Geste zu verkümmern. »Die jungen Mädchen lieben die Tränen so sehr, daß ich einige gesehen habe, die zum Weinen vor einen Spiegel traten, um diesen Zustand doppelt zu genießen«, beobachtete Monsignor Dupanloup. In pädagogischer Weitsicht entwickelt die Kongregation des Sacré-Cœur als erste eine »Tränenordnung«. Angesichts einer Gefühlsäußerung, die – was Überfluß und Nichtkontrollierbarkeit angeht – einem Stereotyp der Weiblichkeit des 19. Jahrhunderts entspricht, begegnet die Kongregation der übermäßigen und manierierten Sentimentalität mit jesuitischem Mißtrauen.

Zeit und Ordnung

Die Rationalisierung der Tugenden

Das Gebet gibt der weiblichen Existenz im zeitlichen Gerüst der häuslichen Disziplin eine neue Legitimität. Als im Jahre 1810 Giulia Manzoni Beccaria sich wieder den Sakramenten zuwendet, schickt sie ihrem geistlichen Beistand, dem jansenistischen Pater Tosi, einen »Fragenkatalog zur Art und Weise, den Tag zu verbringen«. Sie bekennt, daß es ihr schwerfällt, Alltagsleben und Gebet miteinander in Einklang zu bringen. Der Pater präzisiert (mit einem gewissen Spielraum) nach Stunden und Minuten die strengen Bestimmungen, die Giulia in den *Regolamenti* gelesen hat. »Euer Hochwürden hatten mir als Übung christlicher Buße empfohlen, nachts aufzustehen, um wenigstens einige Augenblicke lang zu beten; ich habe außer ein paarmal nie den Mut gehabt, das zu tun.« Und Pater Tosi: »Auch die Übung, nachts aufzustehen, ist zwar nicht unbedingt nötig, jedoch durchaus angebracht für Sie. Beginnen Sie ein oder zwei Nächte pro Woche damit, wobei Sie in der kalten Jahreszeit das Bett nicht verlassen müssen, sondern sich nur gut zugedeckt aufsetzen oder sich zumindest in eine Lage bringen, daß Sie Ihr Kruzifix in den Händen halten können.« Die flexible Dosierungsanleitung für Gebete und kleine Kasteiungen – Schokolade ist erlaubt, Kaffee verboten – zeigt das verhandlungsfähige Wesen der Frömmigkeit: Sie kann lockerer oder strenger praktiziert werden, je nach den individuellen Aufnahmemöglichkeiten.[83]

Die Utopie des friedlichen, perfekten Zusammenlebens der Geschlechter (wie auch der Klassen), die sich in den auf zeitlicher Disziplin basierenden Verhaltenstheorien findet – ein Topos der Zivilisation im 19. Jahrhundert: von Fouriers Phalanstère bis zum Selphismus des Willens bei Payot –, hält Einzug in die Verhaltensratgeber. In Frankreich wie in Italien propagieren die katholischen Autorinnen eine Disziplin, die häuslichen Fleiß mit geistigem Eifer verknüpft – dabei zeigen sie sich im Vergleich zu einem Beichtvater als weitaus kompetenter, diese Disziplin zu präzisieren. Die kosmologische Maxime »Gott ist Ordnung und Regel« beherrscht noch die kleinsten täglichen Beschäftigungen der Frau in der *Journée chrétienne de la jeune fille*

(1867) von Madame Bourdon; dieses Werk wurde des öfteren neu aufgelegt und ins Italienische übersetzt. Alles, von großen Ereignissen bis hin zu Banalitäten, erhält seinen Platz in dieser Ordnung, die den Stempel der höchsten heiligen Exaktheit trägt.

Es ist symptomatisch, daß das goldene Zeitalter der Industrialisierung in einer weit verbreiteten Literatur, die die Einteilung und Verwendung der täglichen Zeit zum Thema hat, ihre Entsprechung findet. »In unseren Zeiten lebt man in Eile: Die Tage reichen nicht aus für all das, was man unternimmt, Geschäfte, Beziehungen, Reisen, Vergnügen, und auch Studien«, schreibt Madame Bourdon.[84] Ihr Buch ist besonders beliebt bei den Arbeiterinnen der großen Textilindustrie Nordfrankreichs. Die Frauen sind Hüterinnen einer häuslichen Arbeitsmoral, die erforderlich war, um Haushaltsgeschäfte mit Bilanzen, Organisation der Dienerschaft, Sorge um die Kinder (ihre mittlere Geburtenrate steigt von 1840 bis 1900 von 5 auf 7 Kinder) zu bewältigen.[85]

Der Brief, den Giulietta Manzoni, die erstgeborene Tochter von Alessandro und Enrichetta Blondel im Oktober 1833 von ihrer Schwiegermutter, der Marchesa Cristina d'Azeglio erhält, ist ein deutliches Beispiel dafür, wie die perfekte Organisation von Andachtspraktiken und Haushaltsarbeiten die ethische Garantie für den sozialen Wert der Frau abgibt. Die nachlässige Sorge Giuliettas für die kranke Mutter, die schlechte Lektüre, die »leichtsinnigen Einkäufe«: fertige Kleidchen für die Tochter (»den Stoff kauft man, aber man näht zu Hause«), Möbel, Teppiche, Nippes im Übermaß, solch eine unzuverlässige Haushaltsführung ist das Gegenteil von jenem »ostentativen Niedrigkonsum« und dem nötigen Mißtrauen gegenüber allem Überflüssigen, das die Tochter einer konvertierten Calvinistin im Blut haben müßte.[86] Es gibt keine Zweifel über die Ursache der Verirrung: »Du gehst zur Kirche wie die Protestanten ins Gotteshaus, einmal am Sonntag und Schluß.«[87]

Der schöne Tod in eigener Regie

Die neue Moraltheologie der Heiligen Alfons von Liguori und Franz von Sales dämmte die angsterfüllte Identifizierung des Todes mit den Leiden Christi ein. In den Andachtsbüchern und asketischen Abhandlungen über den schönen Tod – das am meisten nachgeahmte Vorbild war die *Philotea* des Heiligen Franz von Sales – wird das *memento mori* mit einem Katalog von Fragen über Tag, Ort, Jahreszeit und Stunde des Austritts der Seele aus dem Körper präzisiert. Novizinnen, die in der Kongregation des Sacré-Cœur erzogen worden sind, drücken Vertrautheit mit dem Tod als einer erfaßbaren Realität aus. Ihre Kultur des Gefühls läßt sich problemlos in die Nähe der weiblichen Empfindsamkeit der Romantik rücken. Heiter begegnen sie dem Sterben und froh erwarten sie das himmlische Wiedersehen mit den Mitschwestern. All dieses beweist die Wirksamkeit der Lehren des Franz von Sales. Ein solches »Dürsten nach dem Tod« (ein endemisches Phänomen in vielen Noviziaten, wie O. Arnold anmerkt), erklärt die Lebenspädagogik der Mutter Oberin Barat, der Gründerin des Ordens: »Leben um zu leiden und um Herzen für Jesus Christus zu gewinnen ist eine edlere Sache als das Leiden um des Genusses willen zu ersehnen« (1829).[88]

Diese Kultur des Todes, die in der heiteren Sprache des Abschiednehmens zum Ausdruck kommt, ist nicht nur den Spezialisten des Gebets eigen, deren Status die Pflicht zum Gebet einschließt. Auf weltlicher Seite äußert sie sich in der Reihe schöner Tode der Familie La Ferronnays, auf die Philippe Ariès hingewiesen hat.[89] Deren Komplizenschaft mit dem Tod kennt keine Grenzen des Geschlechts. Eugénie, die jung an Schwindsucht sterben wird, singt in Neapel in den 30er Jahren in klassisch Lamartinescher Szenerie mit Rosen, Orangenhainen und Sternennächten für ihre Freunde »fröhlich wie ein Vogel, leuchtend wie ein Sonnenstrahl«; für sie ist der Tod ein unvergleichliches Gut. »Oh (...) wie schön ist das Leben! Wie wird dann erst der Himmel sein? *Ist der Tod also besser als all dies?*«, fragt sie mit glücklicher Leichtigkeit ihre Schwester Pauline.[90]

Selten ist der letzte Gruß im 19. Jahrhundert wortkarg: »Ich bin glücklich über meinen Zustand«, sagt die sechsundzwanzigjährige Cristina Manzoni 1841, während sie ihren Mann umarmt, kurz bevor sie stirbt: ein Genrebild des schönen Todes. Aber kurz zuvor hat sie Sakramente und Beichtvater abgewiesen. Nur durch die Vermittlung des Vaters überwindet sie schließlich den Widerwillen gegen das heilige Öl. Es ist schwierig, spezifisch weibliche Antworten auf das Nahen des Todes auszumachen. Denn die Haltung im Angesicht des Todes ist bereits in einem inneren Code familiärer Erfahrungen stilisiert worden. Mehr als die salesianischen Schriften über einen guten Tod bestimmt das innige Vertrautsein mit vorzeitigem Sterben und die Verzweiflung darüber, Waisen zu hinterlassen, die weiblichen Formen des Abschiednehmens. Doch über die Toten der Familie Manzoni – die wie die zeitgenössischen La Ferronnays in wenig mehr als zehn Jahren sechs Sterbefälle zu beklagen haben – gibt es keinen Familienroman, der dem *Récit d'une sœur* von Pauline Craven La Ferronnays gleichkäme. Dort werden, wie Ariès anmerkte, Geburten und Hochzeiten nur knapp angedeutet als Bezugspunkte in der unaufhörlichen Reihe von Todesfällen.

Die Korrespondenz der Frauen aus dem Hause Manzoni spricht von Krankheiten und Todesfällen, ohne daß ein vorzeitiges Streben nach dem Jenseits erkennbar wäre. Sie berichten voller Vertrauen von Aderlässen, diese in Italien noch verbreitete fatale Heilmethode, von Medikamenten und Diäten. Die Grabinschriften sind knapp: Für Enrichetta Manzoni, geborene Blondel: »Unvergleichliche Schwiegertochter, Ehefrau und Mutter/Schwiegermutter, Ehemann und Kinder/beten mit heißen Tränen, aber mit lebhaftem Vertrauen/für die himmlische Seligkeit« (1933); für Giulia d'Azeglio Manzoni: »Gestorben im Frieden des Herrn/der betrübte Ehemann und die Verwandten empfehlen sie seiner Barmherzigkeit/und den Gebeten der Gläubigen an« (1834). Auf den makabren Erotismus des 18. Jahrhunderts, mit dem Giulia Manzoni Beccaria 1805 ihren Schmerz über den Tod des Geliebten Carlo Imbonati zu lindern versucht, indem sie ihn einbalsamieren ließ, folgen die klassischen und verhaltenen Formeln der Grabinschriften des 19. Jahrhunderts ohne jegliche literarische Sublimierung des »seligen Hinübergehens«, wie Enrichetta Blondel es nannte.

Mütter

Die bedrohte mütterliche Autorität

Das 19. Jahrhundert gilt als das Jahrhundert der Mutter. Die Familie wandelt sich und mit ihr die Rollen der Familienmitglieder. Väter und Ehemänner bleiben zwar die dominanten Gestalten. Doch der soziale Abstand zwischend den Ehegatten wie auch Eltern und Kindern wird geringer. Ernest Legouvé sah in der zweiten Hälfte des 19. Jahrhunderts in den neuen Gefühlen des intensiveren Zusammenlebens zwischen Eltern und Kindern, in der »verdoppelten Fürsorge«, verbunden mit »Schwäche und gelockerter Autorität«, die Ursache für jene unerhörte Rebellion der »Damen und Herren Kinder«, die sich gegen die für ihr Alter geltenden Regeln auflehnen und die rituelle Ordnung der Übergänge umgehen.[91] Es könnte sehr wohl sein, daß diese »neuen Töchter und Söhne« auch ein Ergebnis der Feminisierung der familiären Erziehung sind. Schon zu Beginn des 19. Jahrhunderts hat ein aufmerksamer (weltlicher) Beobachter der italienischen Sitten dieses vermutet. Die Mütter seien den Töchtern keine starken Vorbilder. Sie hätten »die Antriebsfeder des Respekts zerbrochen, ohne größeren Gehorsam durchzusetzen. »Heutzutage duzt ein Mädchen, das das Alter der Vernunft erreicht hat, die Mutter, und anstatt sie Mutter zu nennen, nennt sie sie *Freundin*.«[92]

Die katholische Kultur des 19. Jahrhunderts gründet die Mutterrolle auf das für die weibliche Andacht typische Verhalten der Gefühlsfrömmigkeit. Die Mutterschaft der Jungfrau Maria hat die Schande Evas ausgelöscht. Dieses Bild ist die Quelle sowohl für Marienverehrung wie für die Aufwertung der Mutterschaft. Für die Kirche in Italien ist die Mutter von Don Bosco das ideale Vorbild. Sie folgt 1846 dem Sohn nach Valdocco und organisiert das praktische Leben des Oratoriums. »Sie dachte und sorgte für alles«, und beweist, daß die häuslichen Fähigkeiten über den kleinen Kreis der Familie hinausreichen können.[93] Zu Beginn des Jahrhunderts sorgen selbst einflußreiche Väter dafür, den Keim für die geistige Mutterschaft zu legen: »Wie du irrst, mein liebes Kind«, schreibt Joseph de Maistre an seine zweitgeborene Tochter Constance, »wenn du von dem ein wenig vulgären Verdienst, Kinder zu machen, sprichst! Das Verdienst der Frau besteht darin, das Haus zu versorgen, den Ehemann glücklich zu machen, indem sie ihn tröstet und ermutigt, und seine Kinder zu erziehen; das heißt *Menschen zu machen*, das ist das große Gebären, das nicht verflucht worden ist wie das andere.«[94]

Worin lag tatsächlich der »Fluch« des Frauenlebens? Die hohe Sterblichkeit bei der Geburt und die Kindersterblichkeit machten die Mutterschaft zu einem ebenso natürlichen wie beängstigenden Risiko. Im habsburgischen Venetien lag zwischen 1839 und 1845 die Geburtenrate bei 40 pro Tausend, die Sterberate bei 31. Die Kindersterblichkeit machte mehr als ein Drittel aller Todesfälle aus. Die Gläubigen verlangten deshalb, die Taufe am ersten oder innerhalb der ersten beiden Tage nach der Geburt vorzunehmen. Die Pflichten einer katholischen Mutter im 19. Jahrhundert – Ergebenheit, Opferbereitschaft und religiöse Erziehung – werden erfüllt im Bewußtsein, daß die Mutter-Kind-Beziehung an einem dünnen Lebensfaden hängt.

»Ich habe aus nächster Nähe eine Familienmutter kennengelernt, die nicht abergläubisch, sondern solide und exakt im christlichen Glauben und bei den religiösen Exerzitien war. Sie hatte nicht nur kein Mitleid für Eltern, die ihre Kinder in zartem Alter verloren, sondern sie beneidete sie zutiefst und aufrichtig, weil deren Kinder ohne Gefahren ins Paradies geflogen waren und so die Eltern von der Last, die Kinder aufzuziehen, befreit hatten. Da sie des öfteren in Gefahr war, ihre Kinder im gleichen Alter zu verlieren, betete sie zwar nicht zu Gott, daß er sie sterben ließe, weil die Religion das nicht zuläßt, doch sie freute sich von Herzen; und wenn sie den Ehemann weinen oder betrübt sah, zog sie sich in sich selbst zurück und empfand einen wirklichen und fühlbaren Ärger.«[95] Diese italienische Anti-Mutter, die Giacomo Leopardi im *Zibaldone* geschildert hat, läßt keine generalisierenden Aussagen über die Substanz der Mutter-Kind-Beziehung zu. Es handelt sich eher um eine mütterliche Pathologie angesichts der überwältigenden statistischen Wahrscheinlichkeit des Todes. Die Aussage bezieht sich auf die von der Haushaltsführung besessene Marchesa Adelaide Antici Leopardi (1778–1857).

Die 1841 jung verstorbene Melania d'Azeglio (aus dem piemontesischen Hochadel) bezwingt die Angst vor dem letzten Gang, indem sie ihrem Töchterchen Costanza einen Abschiedsbrief schreibt, der wörtlich den brieflichen Abschied wiederaufnimmt, den ihr die Großmutter mütterlicherseits im Jahre 1805 hinterließ. Sie gibt der kleinen Tochter zwei Empfehlungen mit auf den Weg: stets bescheidene Kleidung zu tragen und täglich ein Kapitel aus der christlichen Lehre zu lesen. Die Möglichkeit, auf eine familiäre briefliche Quelle zurückgreifen zu können, tröstet in bezug auf die Unvermeidlichkeit und festigt das weibliche Bewußtsein der hauchdünnen irdischen Bindungen an die Kinder.[96]

Für Thérèse Martin (die heilige Therese von Lisieux, 1873–1897), Jüngste von neun Kindern eines Elternpaares, das zwei Jungen und zwei Mädchen verloren hat, ist der vorzeitige Tod von Kindheit an eine konkrete Erfahrung. Auf mystischer Ebene sieht sich die kleine Therese als Lieblingskind der Mutter. Als sie mit vier Jahren Waise wird, entwickelt sie ihr Modell der Heiligkeit auf der Basis der nur kurze Zeit währenden Zuwendung der Mutter.[97] Die katholische Kultur des 19. Jahrhunderts weist der Mutter im Zeichen einer unbeschränkten Opferbereitschaft die Funktionen der religiösen Erziehung und des moralischen Korrektivs zu. *La femme et la famille. Journal de la vie domestique*, diese 1862 von Felicita Bottaro in Genua gegründete und 1867 nach Paris verlegte und bis 1917 weitergeführte Zeitschrift, ist eines der dauerhaftesten Beispiele für diese Kultur. Die Erziehung der Frau und der Kinder, die Verherrlichung der Familie als einzigem Ort des Glücks und seit den 70er Jahren die Polemik gegen das staatliche Schulwesen sind darin stets wiederkehrende Themen. Den »armen Träumerinnen«, den Emanzipierten, die die Kinder verlassen, um »das verhaßte System« der Rollenteilung zu zerstören, werden die guten, arbeitsamen und wohltätigen Frauen gegenüber gestellt, die fähig sind, »sich schweigend für eine Idee, einen Schicksalsschlag aufzuopfern« und unbesiegbar sind in der Kraft ihrer Liebe und ihres Leidens.[98]

Die Kraft der Liebe

Es ist möglich, zwischen dem katholischen und dem laizistischen Verständnis der Ideologie der natürlichen Opferbereitschaft der Frau feine Unterschiede auszumachen. Michelet nennt jene grenzenlose Berufung »amour«. »Sie ist der Altar«, sagt er von der Frau. Sie lebt für die anderen, und »es ist dieser Beziehungscharakter, der sie über den Mann stellt und aus ihr eine Religion macht«.[99] Auf dieser den Frauen des 19. Jahrhunderts eigenen Qualität – Altruismus und Selbstaufopferung für die anderen – wird eine Reihe von »Prinzipien«, »Idealtypen« und »intuitiven Abstraktionen« des Weiblichen aufgebaut, die mit großer Intensität auch in die Kulturgeschichte des 20. Jahrhunderts hineinreichen. Wieviele Frauen mag *L'éternelle sacrifiée* (1906) der französischen Feministin Nelly Roussel erreicht haben? »Eure Ergebenheit soll freiwillig sein«, mahnt sie, aber es wird die Form, nicht die Substanz der opferwilligen Ergebenheit angegriffen. Nach dem Ersten Weltkrieg schlägt die Italienerin Gina Lombroso das Konzept der »alterozentrischen Frau« vor. Nach diesem Konzept soll der an den Pflegeberufen erläuterte Altruismus das Merkmal der weiblichen Psychologie sein.[100] Die deutsche Theologin Gertrud von Le Fort, auf die sich Papst Pius XII. häufig berief (*Die ewige Frau*, 1936), übersetzt eben diesen Alterozentrismus in eine existentielle Maxime: »Der andere sein, für den anderen, durch den anderen.« Das »soziale« Wesen des Weiblichen gilt ihr als Beweis eines privilegierten Verhältnisses der Frauen zu Gott.

Aus dem Italienischen von Gesa Schröder

8

Die protestantische Frau

Jean Baubérot

Gab es einen spezifischen Typus der protestantischen Frau? Einen solchen gab es sicherlich nicht in dem Sinne, daß das Protestantische der maßgebliche Wesenszug einer weiblichen Persönlichkeit war. Aber wie in früheren Epochen war Religion auch im 19. Jahrhundert ein wirksamer Faktor bei der Bildung der Frauen gewesen. Allerdings ist es unmöglich, deren Einfluß unter verschiedenen, in der Realität untrennbar miteinander verbundenen anderen Faktoren wie soziale Klasse, Land, Region zu isolieren.

Die Reformation schuf ein neues Frauenbild. Es definierte sich vor allem durch den Bruch mit dem katholischen Ideal, das Jungfräulichkeit und Klosterleben aufwertete. Seit seinen Anfängen betrachtete der Protestantismus das Leben in der Welt und das eheliche Leben als den bevorzugten Rahmen, um die »christliche Treue« zu verwirklichen. Dabei blieb die Frau eingegliedert in das patriarchalische System, das auch in den protestantischen Ländern weiterhin Bestand hatte. Ähnlich wie später das »allgemeine Wahlrecht« lange Zeit nur als »Männerwahlrecht« realisiert wurde, so verlieh auch die Lehre vom »allgemeinen Priestertum« (jeder Gläubige ist kraft seiner Taufe selbst Priester) bis ins 20. Jahrhundert in erster Linie dem Familienvater die Rolle des religiösen Oberhauptes, selbst wenn dessen Ehefrau einen nicht geringen (unter manchen Umständen sogar entscheidenden) Anteil an der Vermittlung von Glaubensinhalten hatte.

In der Tat gedachte die Lehre vom allgemeinen Priestertum, eine wesensmäßige Gleichheit mit den funktionsmäßigen Unterschieden zu versöhnen. Luthers Lehre besagte: Jeder getaufte Christ kann sich zwar rühmen, zum Priester, Bischof oder Papst geweiht zu sein, dennoch kommt es nicht jedem gleichermaßen zu, eine solche Funktion auch auszuüben. Dieser Übergang vom Wesen zur Funktion konnte eine Möglichkeit zu Mobilität und sozialem Aufstieg eröffnen. De facto konnte dies aber auch heißen, ohne Rücksicht auf die geistliche Wesenheit in der kirchlichen Gesellschaft dieselben Unterschiede zu reproduzieren.

Die Stellung der Frau im Protestantismus war daher von einer gewissen Ambivalenz geprägt. Einerseits führte die Aufwertung der Laien und gewöhnlichen Christen zu einem frühzeitigen Interesse auch an Frauenbildung, und zwar nicht nur für Frauen der Oberschicht, selbst wenn gesellschaftliche Unterschiede de facto durchaus eine Rolle spielten. Demzufolge war im 19. Jahrhundert die Ausbildung von Frauen in protestantischen Regionen und Staaten häufig weiter entwickelt als in katholischen, und dies hatte bestimmte Konsequenzen. Andererseits teilten auch die Protestanten die vorherrschende gesellschaftliche Auffassung von einer Rollenteilung zwischen Mann und Frau. Auch im Protestantismus blieb daher den Frauen der Zugang zu bestimmten Ämtern, vor allem kirchlichen Ämtern, versperrt.

In vielen Fällen wurde dieser Widerspruch gelöst, indem man die protestantische Frau mit der Aufgabe betraute, ihrem Ehemann hilfreich zur Seite zu stehen. Größtenteils erschien sie als mitverantwortlich sowohl für das emotionale Gelingen der Ehe wie für den kulturellen und sozialen Aufstieg des Paares und der Familie. Diese Haltung zeigte sich besonders deutlich bei den angelsächsischen Puritanern und den Pietisten in der deutschsprachigen und skandinavischen Welt.

Die Erweckungsbewegung – Ein Aufbruch der Frauen

Zu Beginn des 19. Jahrhunderts liefert die Erweckungsbewegung, und hier vor allem der Methodismus, die interessantesten Hinweise auf eine – wenn auch begrenzte – Weiterentwicklung der religiösen Situation protestantischer Frauen. John Wesley (1703–1791), der Begründer des Methodismus, war in diesem Punkt wie in vielen anderen durchaus ein Anhänger von Tradition und Ordnung. Lange Zeit hielt er es für undenkbar, daß Frauen religiöse Autorität ausüben könnten. Anfangs teilten die meisten der Männer, die am Ende des 18. und 19. Jahrhunderts für eine Wiederbelebung des Christentums eintraten, seine Ansichten. Diese schienen durch zahlreiche Passagen in den Briefen des Apostel Paulus über die Frauen gerechtfertigt. Aber aus verschiedenen Gründen kam es in den religiösen Gepflogenheiten der Erwecker zu einem Wandel und zur Aufwertung des den Frauen zugewiesenen Platzes.

Die Erweckungsbewegung strebte keinen Bruch an und wollte auch keine neue protestantische Religionsgemeinschaft gründen. Ihr Ziel war vielmehr, die bestehenden protestantischen Kirchen, vor allem den Anglikanismus und die presbyterianischen bzw. reformierten Kirchen, erneut mit dem Geist der Reformation zu erfüllen. Der Name »Erweckung« ist an sich schon bezeichnend. Aber wo immer die Erweckungsprediger auftraten, mußte es zu Spaltungen kommen zwischen den Gläubigen, die sie guthießen, und jenen, die sie ablehnten. Unter den Befürwortern fanden sich viele, die mehr oder weniger zu den Randgruppen der Gesellschaft gehörten oder in Abhängigkeit lebten. So gehörten auch zahlreiche verheiratete Frauen und junge Mädchen zu den ersten »Erweckten«.

Die Ehegatten und Väter im einfachen Volk sahen diesen religiösen Enthusiasmus ihrer Frauen nicht unbedingt gern, war er doch ein Akt des Ungehorsams. So manche, die einem Erweckungsprediger trotz des Verbots zugehört oder ihm Geld für seine Bewegung gegeben hatten, erwarteten zu Hause Prügel. Um solchen Züchtigungen zu entgehen, nahmen die Frauen und Mädchen häufig ohne Wissen ihrer Männer und Väter an »Gottes Werk« teil. Damit begünstigte die Erweckungsbewegung, obwohl deren Inhalte weder in diesem noch in anderen Punkten per se gesellschaftlich subversiv waren, implizit den weiblichen Widerstand gegenüber der männlichen bzw. väterlichen Autorität. In einigen Erweckungsgemeinden wurden die »Schwestern« den »Brüdern« auch formal gleichgestellt – ein Grund mehr, um das Mißtrauen oder sogar die Feindseligkeit von Ehemännern und Vätern zu bestärken.

Auch in wohlhabenderen Schichten übte die Erweckungsbewegung auf die Frauen häufig eine größere Anziehungskraft aus als auf die Männer, die manchmal dank des Engagements der ihnen nahestehenden Frauen im zweiten »Anlauf« erreicht wurden. Die Erweckungsbewegung bot den Frauen ganz offensichtlich eine Möglichkeit zu Unabhängigkeit und Einflußnahme und ermunterte sie dazu, Verantwortung zu übernehmen.

Allgemein kam den Frauen die relative Bedeutung von Laien innerhalb der »Erweckung« zugute. Als eine gegen die Institutionen gerichtete Bewegung setzte sie mehr auf Inbrunst und Eifer denn auf kirchlichen Status. Laienprediger spielten von Anfang an eine nicht unwesentliche Rolle, vor allem in England als Gegenspieler der anglikanischen Pfarrer. Dieser Aspekt war um so bedeutsamer, als die Struktur der Kirche von England eher der des Katholizismus ähnelte als der der übrigen protestantischen Kirchen. In der anglikanischen Kirche bedurfte es einer »außergewöhnlichen Berufung« durch Gott, um die Tätigkeit von Laienpredigern zu rechtfertigen. Eine solche *außergewöhnliche* Berufung galt auch für Gemeindemitglieder, die nicht ordiniert waren. Und zu diesen gehörten unter anderem die Frauen, die somit Gelegenheit bekamen, etwas zu tun, was ihnen traditionell untersagt war: öffentlich Zeugnis für ihren Glauben abzulegen und zu predigen.

Die quasi priesterliche Rolle mancher Frauen trat vor allem in der Neuen Welt zutage, wo der wachsende Bedarf an Geistlichen die Bedenken vieler Erweckungsanhänger überwinden half. In England wurde die Bewegung offiziell von Lady Huntington unterstützt, und Lady Maxwell trug wesentlich dazu bei, diese im 18. Jahrhundert nach Schottland zu bringen. Während jener Zeit galt Barbara Ruckle Heck, obwohl sie keine vergleichbare gesellschaftliche Stellung innehatte, als die »Mutter des amerikanischen Methodismus«, denn sie war maßgeblich an der Gründung verschiedener neuer Kirchen im Tal des Sankt-Lorenz-Stroms beteiligt. Sie predigte allerdings noch nicht. Damit begannen andere Frauen gegen Ende des 18. Jahrhunderts. Sie traten sogar als »Wanderpredigerinnen« auf. Zu den Berühmtesten unter ihnen gehörten Hannah Pearce Reeves, Lydia Sexton und vor allem die ersten schwarzen Predigerinnen Jarena Lee und Rebecca Gould Stewart.

Eine solche Ausübung von Autorität durch Frauen provozierte Kontroversen und Schwierigkeiten. Es ist immer ein Risiko, die Grenzen einer sozialen Rolle zu überschreiten. Die Frau als Helferin des Mannes – das blieb auch im Protestantismus des 19. Jahrhunderts das geläufigste Modell. Auch Frauen in der Erweckungsbewegung (vor allem der amerikanischen) fungierten häufig als eine Art »Gastgeberin«; ihre Aufgabe war es dann, die Ankunft und den Empfang der Wanderprediger am jeweiligen Ort zu organisieren. Diese Rolle war zwar der des Predigers untergeordnet (und daher auch leichter auszufüllen), doch sollte deren Bedeutung nicht unterschätzt werden: der Erfolg eines Predigers, die Menschenmenge, die er auf die Beine brachte, der Einfluß, den er dauerhaft ausüben konnte, all dies hing zu einem großen Teil vom Organisationstalent und von der religiösen Ausstrahlung der »Gastgeberin« ab. Eine der bekanntesten war Catherine Livingston Garretson, die im Hudsontal eine Art Hauptquartier für Wanderprediger einrichtete und ein bemerkenswertes spirituelles Tagebuch führte.

Pfarrfrauen

Die Stellung der Ehefrau des Pfarrers in den verschiedenen protestantischen Kirchen unterschied sich kaum von der Rolle der »Gastgeberinnen« in der Erweckungsbewegung. Während des gesamten 19. Jahrhunderts waren sie im allgemeinen eng mit dem Amt ihres Mannes verbunden, und sein Erfolg hing zu einem nicht geringen Teil von ihren persönlichen Qualitäten ab. Trotzdem hatte die Pfarrfrau keinerlei offiziellen Status, keinerlei institutionelle Legitimität. Aber in den meisten Fällen wurden ihr, zumindest de facto, bestimmte Funktionen zugewiesen. Sie empfing und machte Besuche, sie unterrichtete und pflegte Gemeindemitglieder, und oft konnte sie gefahrlos, und ohne daß es als unschicklich gegolten hätte, Orte aufsuchen, die eine Frau normalerweise mied bzw. meiden sollte.

Der Umfang ihrer Arbeit und ihres Einflusses hing von verschiedenen Faktoren ab, unter anderem von der Größe der Pfarrei und der räumlichen Streuung ihrer Mitglieder. Wenn der Pfarrer beispielsweise entlegene Teile seiner Pfarrei besuchen mußte, konnte seine Frau während seiner Abwesenheit geistliche Belange wahrnehmen. Als autodidaktische Theologin leistete sie Beistand, erteilte Ratschläge, hielt Bibelstunden und sogar Gebetsversammlungen ab. Eine solche Praxis erschien um so selbstverständlicher, wenn diese Frau einem gesellschaftlich und kulturell höher stehenden Milieu entstammte, während ihre Zuhörer und Zuhörerinnen bescheidener Herkunft waren. Doch das war nicht immer der Fall.

Unterrichten und Pflegen waren üblichere Aufgaben der Pfarrfrau als etwa die geistliche Stellvertretung ihres Mannes. Sie unterrichtete – egal, ob sie als Lehrerin ausgebildet war oder nicht – nicht nur die Kinder, sondern übernahm auch die Erwachsenenbildung. Häufig leistete sie bei Frauen Krankenpflege. Die vorherrschende Auffassung von Scham und Moral führte vor allem in der ersten Jahrhunderthälfte dazu, daß bestimmte Aufgaben, die einen nahen körperlichen Kontakt erforderten oder ein vertrauliches Verhältnis zu anderen Frauen förderten, allein den Frauen vorbehalten blieben. So konnten sich manche Formen weiblicher Einflußnahme herausbilden, die übrigens nicht nur den Pastorenfrauen zugute kamen. Da die Schulen nach Geschlechtern getrennt und im allgemeinen konfessionell waren, wurden junge Protestantinnen – vor allem Pastorentöchter – nicht selten Lehrerinnen. Häufig halfen auch ein oder mehrere Hausmädchen der Pfarrfrau bei ihren erzieherischen und pflegerischen Aufgaben. Ein bemerkenswertes Beispiel dafür war Madame Oberlin, die Frau des Pastors von Bande-la-Roche im Elsaß. Unterstützt von ihrer Hausangestellten Louise Scheppler gründete sie die ersten französischen Vorschulen. Nach ihrem Tod übernahm Louise Scheppler deren Leitung.

Im Umkreis des Pfarrers wirkten also verschiedene Frauen – seine Gattin, seine Töchter, ein oder auch mehrere Hausmädchen – an der Weiterbildung von Frauen sowie an der Förderung weiblicher Eigeninitiative mit. Tatsächlich waren sie ein Vorbild für andere Protestantinnen. Diese Frauen verkörperten das dynamische Bild einer Frau, die alles andere als ein kraftloses Geschöpf war. Die Frauen im Pfarrhaushalt dürften als Vorbild um so attraktiver gewesen sein, als sie für die Mentalität des Durchschnittsmannes wenig bedrohlich und daher im allgemeinen kein Anlaß für Konflikte waren. Sie bewiesen gleichwohl, daß es für eine Frau möglich war, die eigenen vier Wände zu verlassen, ohne Gefahr zu laufen, die »Bescheidenheit, die ihrem Geschlecht geziemt«, und die »untadelige Moral« zu verletzen.

Diakonissen

Damit auch andere Protestantinnen der Mittelschichten ihre Frömmigkeit öffentlich bekunden und sich karitativ und sozial betätigen konnten, wurde das Amt der Diakonisse geschaffen. Die Schwesternschaft der Diakonisse erwuchs dem sozialen Engagement des protestantischen Pietismus, vor allem im deutschsprachigen Raum. Vorläufer war der Weibliche Verein für Armen- und Krankenpflege, den Amalie Sieveking (1794–1859), die Tochter eines Hamburger Senators, 1832 gegründet hatte. Das erste Diakonissenhaus errichtete Pastor Theodor Fliedner in Kaiserswerth (Nordrhein-Westfalen). Ein Jahr später entstand in Berlin das Elisabeth-Krankenhaus, in welchem Diakonissen als Krankenschwestern tätig waren. 1841 initiierte Pastor Antoine Vermeil in Frankreich die Gründung eines Diakonissenhauses in Reuilly, 1842 schuf Pastor François Haerter ein Diakonissenhaus in Straßburg. Außer in Deutschland und den deutschsprachigen Ländern entstanden auch andernorts in rascher Folge zahlreiche solcher Häuser.

Die Gründung von Diakonissenhäusern stand in engerem Zusammenhang mit der vermehrten Fürsorge, d. h. Pflege und Unterrichtung der Armen. Dank der Ordensgemeinschaften verfügte die katholische Kirche über ein Heer von opferbereiten Menschen, die sich diesen sozialen Aufgaben widmeten. Trotz einiger Hilfswerke konnte der Protestantismus nicht im entferntesten mit einem vergleichbaren Angebot aufwarten. Einige Katholiken verstanden es, dies lautstark zu betonen. So schrieb der Arzt Sulzer: »Die Nächstenliebe, diese Himmelsblume, kann auf dem trockenen und sandigen Boden der protestantischen Kirche nicht gedeihen.« Im übrigen machte es die Einrichtung des Diakonissenamts möglich, dem Bedürfnis mancher Protestantinnen nach einem allumfassenden religiösen Engagement entgegenzukommen, ohne ihnen den Zutritt zum Priesteramt zu gewähren. Die ersten Diakonissen nannten sich «Dienerinnen der Armen« und erklärten: »Schon seit langem haben wir uns dem Herrn versprochen, es drängt uns danach, seine Liebe, die er uns bekundet hat, indem er unsere Seelen vor Sünde und Tod rettete, zu erwidern, indem wir der leidenden Menschheit dienen.«

Das Haus in Kaiserswerth nahm »Novizinnen« aus anderen Einrichtungen auf. Die Zeit, die sie dort verbrachten, beschrieb Pastor Fliedner folgendermaßen: »Wir halten es für die beste Ausbildung der Schwestern, wenn sie auf allen Krankenstationen und auch im Haushalt hospitieren, ohne die fachliche Ausbildung durch einen Arzt, die Unterweisung in der Seelsorge durch mich und in der Körperpflege durch meine Frau zu vergessen.« Diakonissen, die als Lehrerin für die Kinder der Armen tätig werden wollten, erhielten eine etwas andere Ausbildung.

Die Regeln, die man bei der Gründung von Diakonissenhäusern aufstellte, basierten auf der protestantischen Doktrin der Erlösung allein durch Gnade und nicht durch gute Werke. Diakonissen erwarben sich mit ihrem Dienst an der »leidenden Menschheit« keinerlei Verdienst oder größere Hoffnung auf ihr Seelenheil. In mancher Hinsicht jedoch gab es durchaus Ähnlichkeiten zwischen dem Status einer Diakonisse und dem einer Nonne in einem karitativen Orden. Natürlich führte das innerhalb des Protestantismus zu Debatten.

Einige der Diakonissenhäuser, insbesondere die in Kaiserswerth und Reuilly, standen unter der Aufsicht eines Pastors, der sich voll und ganz seinem Amt als Leiter und Anstaltsgeistlicher widmete. Andere dagegen errichteten eine Art Frauendemokratie. So etwa im Diakonissenhaus in Straßburg, das gemeinsam von einem Vorstand von Frauen, die keine Diakonissen waren und sich um die Verwaltung kümmerten, und einem Inneren Rat geleitet wurde. Letzterer bestand aus der »Schwester Oberin« und einigen »leitenden Schwestern«, die aus den Reihen der Diakonissen gewählt wurden, und sorgte für Ruhe und Ordnung sowie für das gute Einvernehmen innerhalb der Gemeinschaft. Nach einem einjährigen Noviziat wurde man Diakonisse. Die Diakonisse erhielt von der Gemeinschaft Unterkunft und Verpflegung, aber kein Gehalt. Sie schuldete der Schwester Oberin Gehorsam und hatte eine einjährige Kündigungsfrist, bevor sie die Gemeinschaft verlassen konnte. Als Ledige trug sie eine spezielle Schwesterntracht.

In mehreren Punkten entfernte sich der Stand der Diakonisse von der klassischen protestantischen Auffassung vom christlichen Leben, die für die Nächstenliebe keine gesonderte Lebensform vorsah. Zahlreiche kritische Stimmen gegen die neuen Institutionen wurden laut. Besonders klar legte die reformierte Schweizer Protestantin Madame Gasparin ihre Einwände in dem zweibändigen Werk *Des corporations monastiques au sein du protestantisme* (1854/55) dar. Gasparin zufolge gab es für die Schaffung von Diakonissengemeinden in der Bibel kein einziges Vorbild. Die Worte Jesu über die Bekehrung und die Treue eines jeden Christen seien zugunsten einer Organisation verdreht worden, die an die mittelalterlichen Klöster erinnerte, die einst von Luther abgeschafft worden seien. Eine Etablierung von Diakonissengemeinschaften drohe im Schoß des Protestantismus eine Entwertung der Berufung zur Ehe und zum Leben in der Welt auszulösen. Der vorgebrachte Gedanke »ist deutlich genug, das ist die Verherrlichung der Ehelosigkeit, die Heiligung durch das Ordensgelübde, die ausschließliche anstelle der teilweisen Weihe, die Absonderung von der Welt, die Jesus nicht gewollt hat, kurz, das ist Rom ohne Schleier«.

Solche Kritik wurde immer wieder geäußert. Für manche Protestanten des 19. und 20. Jahrhunderts verkörperten die Diakonissen durch ihr Gelübde und ihre Tracht eine Form des Krypto-Katholizismus und waren somit nicht ungefährlich. Aber im allgemeinen fanden die Diakonissen sehr rasch ihren Platz innerhalb des Protestantismus, der ja in den vielfältigsten Erscheinungsformen auftrat. Obwohl manche ihrer Prinzipien der protestantischen Denkweise merkwürdig entgegengesetzt waren, wurde den Diakonissen zugebilligt, daß sie mit ihrem Tun Zeugnis für ihren Glauben ablegten und von tiefer Spiritualität beseelt seien.

Protestantinnen gegen die Sklaverei

Während von manchen Protestanten und Protestantinnen die Schaffung des Diakonissenamts als eine Art Rückschritt angesehen wurde, waren andere vom ausgesprochen kühnen Engagement protestantischer Frauen für große gesellschaftliche Reformbewegungen schockiert. Das galt beispielsweise für die Beteiligung an der Anti-Sklaverei-Bewegung.

Die Kampagnen gegen die Sklaverei entstanden im amerikanischen Protestantismus. Sie wurden in Gang gebracht von William Lloyd Garrison, einem Bostoner Journalisten, und seiner Veröffentlichung *The Liberator*. Dieser strenge Calvinist nannte die Rassenvorurteile im Norden eine ebenso schwere Sünde vor Gott wie die Sklaverei im Süden. Er forderte die sofortige und vollständige Emanzipation aller Schwarzen. Dabei wandte er sich auch speziell an die Frauen. Diese sollten kämpfen für die Befreiung der schwarzen Frauen, die der männlichen Grausamkeit und Begierde ausgeliefert seien. Sein Appell fand sofort Anklang bei einigen Frauen aus der Oberschicht. Sie begannen ihr Leben dieser Sache zu widmen und ihre gesellschaftliche Position einzusetzen, um eine weibliche Anti-Sklaverei-Bewegung zu organisieren.

Drei Frauenvereine gegen die Sklaverei wurden gegründet. Zwei davon vereinten von Beginn an weiße und schwarze Frauen im selben Kampf und favorisierten autonome Initiativen von Frauen. Die Boston Society gruppierte sich um Maria Weston Chapman und drei ihrer Schwestern. Sie rekrutierte Protestantinnen aus verschiedenen Gruppierungen, in erster Linie Mitglieder der unitarischen und der anglikanischen Kirche sowie der Quäker. Eines ihrer Mitglieder, Lydia Maria Child, die bekannte Verfasserin romantischer Romane, schrieb das erste amerikanische Werk gegen die Sklaverei: *An Appeal on Behalf of That Class of Americans Called Africans* (1833). Das Buch wandte sich gegen die Art und Weise, in der freie schwarze Männer in Schulen und Kirchen behandelt wurden, und gegen das Verbot von Mischehen. Die Philadelphia Society, gegründet von Lucretia Coffin Mott, einer Quäkerin, bestand vor allem aus Mitgliedern dieser Religionsgemeinschaft. Der Verein zeichnete sich durch die starke Persönlichkeit seiner schwarzen Mitkämpferinnen aus: Sarah Mapps Douglas und die drei Schwestern Sarah, Margaretta und Harriet Forten, die aus einer Familie stammten, die sich während des gesamten 19. Jahrhunderts im Kampf gegen die Sklaverei, für die Rechte der Frauen und für andere wichtige gesellschaftliche Themen engagierte.

Das dritte Zentrum der Anti-Sklaverei-Aktivitäten war New York. Hier schlossen sich vor allem Presbyterianerinnen zusammen. Ihre Aktivitäten bewegten sich in herkömmlicheren Bahnen. Das Komitee der Frauen blieb dem der Männer untergeordnet, und weiße und schwarze Frauen organisierten sich getrennt.

Im Jahre 1837 fand in New York der erste Frauenkongreß gegen die Sklaverei statt. Im selben Jahr wurde eine große Vortragstournee durch zahlreiche Städte in Neu-England organisiert. Sechs Monate lang sprachen zwei Aktivistinnen aus South Carolina, Sarah und Angelina Grimke, meistens in Kirchen vor zahlreichen Männern und Frauen. In ihren Reden wurde die Komplizenschaft der Kirchen bei der Aufrechterhaltung des minderwertigen Status der Schwarzen angeprangert. Mit Sicherheit war es für viele protestantische Pfarrer ein Stein des Anstoßes, daß diese Frauen mit solcher Vehemenz das Wort ergriffen und mit ihren Reden unbequeme Ansichten verbreiteten. Die Vereinigung kongregationalistischer Pastoren veröffentlichte einen Hirtenbrief, der – gestützt auf Zitate aus dem Neuen Testament – klarzustellen suchte, daß es nicht zur weiblichen Rolle gehöre, sich um öffentliche Belange zu kümmern.

Die Kontroverse um die Sklaverei verband sich mit der Kontroverse um die Rechte der Frauen. Diese Verbindung war von großer Bedeutung, denn manche der Aktivistinnen wären eher geneigt gewesen, sich von den Argumenten der Pastoren überzeugen zu lassen, wenn es sich nur um ihre eigenen Interessen gehandelt hätte. Nun aber waren sie überzeugt, für eine heilige Sache zu kämpfen, und das half ihnen, sich den religiösen Argumenten zu widersetzen, die man gegen sie vorbrachte. Den Weitsichtigen unter ihnen wurde klar, daß sie von nun an einen umfassenden Kampf für eine »neue Ordnung der Dinge« führen mußten. Angelina Grimke schrieb dazu: »Wir setzen uns nicht nur für die Sache der Sklaven ein, sondern auch für die der Frauen als moralische und verantwortliche Wesen.« 1838 veröffentlichte ihre Schwester Sarah ihre *Letters on the Equality of the Sexes, and the Condition of Women*, das erste Manifest des zeitgenössischen protestantischen Feminismus.

Der protestantische Feminismus

Sarah Grimke zufolge lehre die Bibel, so sie korrekt übersetzt und ausgelegt werde, keineswegs die Ungleichheit zwischen Mann und Frau. Im Gegenteil, sie bekräftige, daß beide Geschlechter mit denselben Rechten und Pflichten erschaffen worden seien: Beispielsweise interpretierte sie *Genesis* 3,16 (»Dein Begehren wird dich hin zu deinem Mann ziehen, und er wird dich beherrschen«) – häufig herangezogen, um das Abhängigkeitsverhältnis der Frau zum Mann zu rechtfertigen – einfach als Vorhersage dessen, was nach dem Sündenfall geschehen würde, und nicht als Befehl Gottes oder göttliche Legitimation männlicher Vorherrschaft. Dies war der erste Schritt hin zu einer feministischen Bibelexegese. Während des 19. Jahrhunderts bildeten sich vor allem in den angelsächsischen Ländern andere Feministinnen zu Theologinnen aus. Erwähnt sei an dieser Stelle Elizabeth Cady Stanton, die bekannte Theoretikerin und Propagandistin des amerikanischen Feminismus, die in den 1890er Jahren ihre *Women's Bible* herausgab. Dabei handelte es sich um eine Sammlung exegetischer Kommentare, die sie dem traditionellen christlichen Diskurs über die Beziehung zwischen Mann und Frau und die Stellung der Frau in der Gesellschaft entgegenstellte. Überliefert ist die Parole der engagiertesten angelsächsischen Feministinnen des 19. Jahrhunderts: »Betet zu Gott, auf daß SIE euch erhören werde!«

Der protestantische Feminismus verwies im allgemeinen auf *Genesis* 2,18: »Es ist nicht gut, daß der Mensch allein bleibt. Ich will ihm eine Hilfe machen, die ihm entspricht.« Seine Gefährtin war dem Mann gleichgestellt, wenn nicht sogar höhergestellt, wie manche Protestantinnen – so beispielsweise die Französin Eugénie Niboyet – nahelegten. Äußerst geschickt stellte diese die traditionellen Argumente zugunsten einer männlichen Vorrangstellung schlichtweg auf den Kopf. Eva wurde aus Adams Rippe erschaffen? Nun denn, diese Rippe war eine menschliche Substanz, also ein edleres Material als der Lehm und Staub der Erde, aus dem Gott den ersten Mann geformt hatte. An diesem Punkt betonte man gemeinhin die Reihenfolge der Schöpfung: Wurde nicht der Mann zuerst erschaffen, die Frau erst danach? Gewiß doch, allerdings verkörpert die Reihenfolge der Schöpfung eben auch eine Progression: zuerst die Meeresungeheuer, dann die Tiere, dann der Mann und zuletzt die Frau und nichts über ihr. Mit Eva hatte die Schöpfung ihre ganze Vollendung erreicht, und Gott konnte am siebten Tage ruhen.

Dieser wendige Radikalismus wurde jedoch nicht von allen Protestantinnen, die sich auf die eine oder andere Weise mit der Herausbildung der Geschlechterbeziehungen befaßten, akzeptiert. Die Diakonisse Sarah Monod, Ende des Jahrhunderts Redakteurin der Zeitschrift *La femme,* fühlte sich durch die Art, wie manche Feministinnen die »Rechte oder angeblichen Rechte« der Frauen verteidigten, oft in ihrer »Würde als Frau« verletzt. Für sie sollte der Feminismus »die Tugenden der Frauen selbst haben: würdevoll, aber nicht starr, beharrlich, aber nicht vermessen, hartnäckig, aber nicht rücksichtslos, warmherzig, aber nicht leidenschaftlich. Der beste Feminismus wird der weiblichste sein.« Wie sie waren viele Protestantinnen bemüht, sich nicht an den Rand der Gesellschaft zu stellen und ihr soziales Ansehen nicht zu gefährden. Doch dieses hinderte sie nicht in ihren Initiativen. Einige standen unter dem Einfluß Madame Necker de Saussures. Sie gründete am Genfer See eine Schule, die nach innovativen Erziehungsprinzipien geleitet wurde, und veröffentlichte 1828 ihr Werk *L'éducation progressive.* Das Buch, das zahlreiche Neuauflagen erlebte, machte sich für eine Pädagogik stark, die Mädchen wie Jungen zur Eigenständigkeit erzog, und propagierte die Notwendigkeit, das Heiratsalter für junge Mädchen heraufzusetzen, damit ihnen Zeit gelassen würde, zu »aufgeklärten Menschen« und »intelligenten Geschöpfen« heranzuwachsen.

Diese Betonung auf Erziehung und Bildung wurde von Protestantinnen der mittleren und oberen Schichten geteilt. Ihre Botschaft an die anderen Frauen ihrer Zeit lautete im wesentlichen folgendermaßen: Die angebliche »Minderwertigkeit« der Frau sei kein Produkt der »weiblichen Natur«, sondern der ungenügenden Mädchenbildung, die so reduziert sei, daß der Wissensstand der Frauen mit dem der Männer letztlich unmöglich konkurrieren könne. Die Arbeiterinnen dürften nicht länger zum »Abschaum des Volkes« und zu »lasterhaften Frauen« gemacht werden, die im Armenhaus ihre Kinder zur Welt brächten, ohne den »Trunkenbold« zu kennen, der sich ihnen nur für einen Augenblick genähert hatte. Sie müßten vielmehr zu wahrhaften Müttern werden, die sich um die Erziehung ihrer Kinder kümmerten, so gut sie konnten. Die Frauen der Oberschichten sollten nicht »träge dahinleben« und sich »mit Schminke häßlich machen«, um einige verfrühte Falten zu kaschieren, sondern »soziale Pflichten« übernehmen, die ebenso wie das Gebet Zeichen für »wahre Frömmigkeit« seien.

Von diesem Bewußtsein ihrer »sozialen Pflichten« waren die wohltätigen protestantischen Damen des 19. Jahrhunderts durchdrungen. Zahlreiche Frauen gründeten lokale, regionale und sogar nationale Wohlfahrtseinrichtungen. Unter ihnen ragen einige große Frauengestalten mit internationalem Ansehen hervor: Josephine Butler, die sich für die Prostituierten einsetzte, Elisabeth Fry, die für eine Verbesserung der Situation strafgefangener Frauen eintrat, und Florence Nightingale, die den Beruf der Krankenschwester entscheidend formte.

Feminismus und Sittlichkeit

Das vielleicht bedeutendste Beispiel für die protestantische Verbindung von sittlichem und sozialem Engagement ist Josephine Butler. Diese Frau aus der Mittelschicht kämpfte ab 1870 gegen die Regulierung der Prostitution, die einige Jahre zuvor in Großbritannien eingeführt worden war. Eine solche Regulierung, gerechtfertigt durch eine beabsichtigte soziale und gesundheitspolitische Kontrolle, machte es den Prostituierten praktisch unmöglich, ihrem Milieu zu entkommen. Die »gestrauchelten Frauen« waren so zur »lebenslänglichen Zwangsarbeit in Schande« verurteilt.

Josephine Butlers Einsatz fand in den protestantischen Kreisen Englands rasch ein großes Echo. Die Zeitschrift *The Shield* wurde zur Unterstützung ihrer Kampagne gegründet. Auch in anderen Ländern, so etwa in der Schweiz, wo Madame de Gasparin ein Werk mit dem Titel *La lèpre sociale* herausgab, fand die Initiative von Butler Nachahmung. 1877 wurde in Genf ein internationales Bündnis zur Abschaffung der Prostitution gegründet. Der französische Zweig nannte sich Französische Liga zur Hebung der öffentlichen Moral und vereinte nicht nur Protestantinnen und Protestanten, sondern auch Freidenker und sogar einige Katholiken beiderlei Geschlechts.

Obgleich die Bewegung nicht auf protestantische Kreise beschränkt blieb, war sie stark von dem sittlichen und religiösen Anliegen des Protestantismus geprägt. Auch eine Frau im »Abgrund des Lasters« besaß ein unantastbares Recht auf ihr Seelenheil. Im übrigen war sie zumeist weniger »Schuldige« als »Opfer« der männlichen »Bestialität« und der gesellschaftlich bedingten Not. Der Kampf gegen die regulierte Prostitution wurde im Namen der Heiligen Schrift und der »politischen Bibel« der angelsächsischen Verfassungsprinzipien, der Bill of Rights, geführt. Er zielte gleichzeitig in verschiedene Richtungen, die jedoch nicht ohne Querverbindungen waren. Zum einen ging es um die Freiheit der Frau, die von einer »medizinisch-rechtlichen Tyrannei« und dem »Fetischismus des Staats« bedroht sei, Zum anderen um die Moral des Mannes und die »Heiligkeit« der Familie, denn das »Laster« sei kein »unvermeidbares Verhängnis«. Und schließlich ging der Kampf besonders in Frankreich und der Schweiz manchmal einher mit sozialen Reformbestrebungen. Pastor Tommy Fallot, übrigens auch Begründer der Bewegung für ein soziales Christentum, initiierte in den Jahren nach 1880 einen »Kreuzzug« zugunsten der »versklavten Frau«: Die Hauptursache der Prostitution sei in einer vernachlässigten oder fehlgeleiteten Erziehung, in unzureichenden Löhnen und in den fehlenden staatsbürgerlichen Rechten der Frau zu suchen – kurz, in einer ganzen Reihe »sozialer Ungerechtigkeiten«. Die Liga forderte nicht nur die Geltung des Rechts auch für Prostituierte, sondern zusätzlich eine Neugestaltung der Erziehung und der Gesetzgebung (die Gleichheit staatsbürgerlicher Rechte) sowie einen relativen Wandel »in der Beziehung zwischen Kapital und Arbeit«. Ein protestantischer Jurist aus der Schweiz, Louis Bridel, trat in diesem Kampf besonders aktiv hervor (*La femme et le droit,* 1884).

Das Aktionsfeld war sehr weit gesteckt. Heute würde man sagen, daß es eine bestimmte Art von Moralismus und Feminismus umfaßte. So führten der Kampf gegen die »Unzucht« und die Beteuerung, die »Praxis der Unreinheit ist beim Mann ebenso zu verwerfen wie bei der Frau« (Kongreß in Genf, 1877), zur Propagierung »derselben Moral für beide Geschlechter«. Dieses Anliegen paßte auch zu dem anderer Protestantinnen und Protestanten, die mehr »Brüderlichkeit« zwischen den Geschlechtern zu entwickeln suchten. Eine der überzeugtesten Verfechterinnen dieser »Brüderlichkeit«, Madame Piecznynska, erläuterte, daß dieses erreicht werden könne: durch »vernünftige« Sexualerziehung der Jugend, Koedukation, Turnunterricht für Mädchen, durch Aufhebung der Geschlechtertrennung bei der Arbeit. In verschiedenen skandinavischen und angelsächsischen Bildungseinrichtungen war die koedukative Schule Ende des 19. Jahrhunderts bereits Realität. In Schweden gab es sogar Internate, in denen die Koedukation nicht als »Quell der Unmoral« galt, sondern als Mittel, »die Sitten zu heben«.

Zwei internationale Kongresse der Hilfswerke und Einrichtungen von Frauen, die 1889 und 1900 in Versailles stattfanden, waren stark von Protestantinnen dominiert. Madame Legrand-Priestley bemerkte, daß die »Frauenfrage« in Amerika, England, Dänemark und Schweden »unendlich fortgeschrittener« sei als in Frankreich. Diese beiden Kongresse waren in jeder Beziehung repräsentativ für das, was man als protestantischen Feminismus bezeichnen mag. »Ruhe« und »Mäßigung« bestimmten ihren Verlauf. Manche feministischen Forderungen wurden zwar nicht ausgeschlossen, aber die Betonung lag auf dem philanthropischen Engagement. Dadurch übe die Frau ihre »soziale Mission« aus und trage zu einer notwendigen »Annäherung zwischen den Klassen« bei.

Der Kampf um den Zugang zu geistlichen Ämtern

Mittlerweile hatte sich der Feminismus weitgehend zu einer weltlichen Angelegenheit entwickelt und dabei die verschiedenen Einflüsse in sich aufgenommen. Dennoch darf nicht außer acht gelassen werden, daß die Forderung nach politischen Rechten für die Frau (vor allem nach dem Wahlrecht) und das Verlangen, daß alle Formen protestantischer religiöser Autorität, einschließlich des Pastorenamtes, von beiden Geschlechtern geteilt würden, parallel zueinander liefen. Mit der berühmten Vereinbarung von Seneca Falls (New York) über das »Recht der Frauen« (1848) wurde auch eine Resolution angenommen, die das Ende des männlichen Predigtmonopols zum Ziel hatte. Gefordert wurde, was im Rahmen einer »außergewöhnlichen Berufung« in der Erweckungsbewegung manchmal möglich gewesen war, nun in den protestantischen Kircheninstitutionen zu einer allgemein anerkannten Praxis werden zu lassen. Dabei ging es um die Gesamtheit der geistlichen und seelsorgerischen Befugnisse.

Solche Hoffnungen stießen lange Zeit auf äußersten Widerstand. Nach Meinung der Kirchenobrigkeit gab es weder im Alten noch im Neuen Testament einen einzigen Passus, der nahelege, Gott habe gewollt, daß Frauen das Pastorenamt ausübten. Männer und Frauen täten am besten daran, in dem Bereich zu bleiben, den Gott ihnen zugewiesen habe. Nach dem amerikanischen Bürgerkrieg sollte sich jedoch bald zeigen, wie groß die Macht der von Frauen kontrollierten Organisationen innerhalb der verschiedenen protestantischen Glaubensgemeinschaften (Baptisten, Methodisten, Episkopalisten etc.) war. Vor allem auf dem Gebiet der Missionstätigkeit gelang es ihnen dank ihrer finanziellen, im Norden von den Frauen selbst verwalteten Ressourcen, ihren Einfluß zu verstärken.

Zunächst machte sich das wachsende Gewicht der Frauen im Bereich der Laienarbeit bemerkbar. Warum hatten die Protestantinnen nicht ebenso an der kirchlichen Macht teil wie die männlichen Laien? Seit den 1880er Jahren wurden Frauen in Kirchengemeinden oder regionalen Synoden als Delegierte zu Konferenzen oder allgemeinen

Synoden gewählt. Gleichzeitig verweigerte man ihnen jedoch das Recht, bei diesen Versammlungen öffentlich zu sprechen. Bestenfalls erhielten sie ein paar Minuten Redezeit. Um die Jahrhundertwende billigten einige Kirchen dann schließlich sämtlichen Laiendelegierten unabhängig von ihrem Geschlecht dieselben Rechte zu.

Das Thema der Kanzelpredigten wurde ernstlich ab den 1870er Jahren angesprochen. Bei den Quäkern gab es traditionellerweise Predigerinnen. Eine von ihnen, Sarah Smiley, wurde in jenen Jahren eingeladen, in presbyterianischen Kirchen zu predigen, beispielsweise in Brooklyn. Die Frauenrechtlerin Anna Howard Shaw, die ihren akademischen Abschluß an einer der theologischen Fakultäten Bostons gemacht hatte, erhielt die Erlaubnis, in methodistischen Kirchen zu predigen. Einige andere Frauen drängten mehr oder weniger erfolgreich in diese von den Aktivistinnen geschlagene Bresche. Um Erfolg zu haben, mußte man mit der Autorität eines Mannes und der Bescheidenheit einer Frau sprechen! Frances Willard, Vorsitzende der Temperenzler-Liga christlicher Frauen, erörterte dieses Problem in ihrem 1888 erschienenen Werk *Woman in the Pulpit*.

In Amerika kam es trotz aller Schwierigkeiten zu gewissen Fortschritten. In Europa dagegen gab es keine vergleichbare Entwicklung. Hier scheint erst der Erste Weltkrieg dem Ruf nach einem »weiblichen Pastorenamt« Gehör verschafft zu haben. Tatsächlich führten Dauer und Ausmaß des Krieges zu längeren Abwesenheiten von Pastoren, die an der Front waren, und es entstand eine neue Nachfrage nach Predigern.

Zwar waren die Probleme nahezu überall die gleichen, doch am besten dokumentiert ist die Situation in Frankreich, dank einer Untersuchung durch Madame Witt-Schlumberger (Präsidentin der französischen Vereinigung für das Frauenwahlrecht). Durch die Einberufung eines hohen Prozentsatzes von Pastoren entstanden gravierende Lücken in den Kirchengemeinden. In einer allgemeinen Atmosphäre von Opfermut und Mobilisierung gemeinschaftlicher Energien (also ohne eine ausdrücklich politische Agenda) übernahmen Pastorenfrauen die Aufgaben ihrer Ehemänner. Diese notwendige Grenzüberschreitung verunsicherte sie manchmal, meistens waren sie gleichermaßen schockiert und fasziniert.

Drei verschiedene Szenarien traten zutage. Zunächst die teilweise Stellvertretung: Die Pfarrfrau war zuvor bereits mit dem Amt ihres Mannes verbunden gewesen und führte nun allein durch, was sie zuvor unter seiner Autorität getan hatte. Sie mochte auch einige neue Verantwortlichkeiten übernehmen, die mit ihrem Status als Frau nicht unvereinbar erschienen. So gewährleistete sie den Religionsunterricht, übernahm den Vorsitz bei diversen religiösen Zusammenkünften der Gemeindeglieder, leitete Jugendgruppen, besuchte Kranke, leistete den

Armen Beistand etc. Predigten und geistliche Amtshandlungen wurden im allgemeinen jedoch von einem zumeist älteren und somit nicht eingezogenen Pastor einer Nachbarpfarrei übernommen. Diese Situation war zweifelsohne die häufigste.

Die zweite Möglichkeit bestand darin, daß die Frau für eine Übergangszeit die volle Stellvertretung ihres Mannes übernahm und dessen Funktionen nahezu vollständig erfüllte. Nachdem sie anfänglich vielleicht alte Predigten ihres Mannes vorgelesen haben mochte, kam sie zu der Ansicht, man müsse »sich direkter an die Seelen der Gemeindeglieder« wenden. Sie begann also selbst zu predigen, wenngleich nicht ohne heftige Bedenken. Die Not brachte manche der Frauen schließlich auch dazu, »pastorale Handlungen« zu vollziehen, so zum Beispiel Trauungen und Beerdigungen. Übrig blieb lediglich das Spenden der Sakramente. Die erwähnte Untersuchung schweigt sich darüber größtenteils aus, aber andere Hinweise legen nahe, daß selbst die beiden protestantischen Sakramente (Taufe und Abendmahl) in aller Diskretion zuweilen auch von Frauen gespendet wurden. Auch wenn es dafür keinerlei theologische Rechtfertigung gab, blieben die Sakramente in den meisten protestantischen Kirchen die letzte Bastion des Heiligen, die sich die Frauen noch erobern mußten.

Letzte Möglichkeit war schließlich die Einnahme der Pastorenstelle durch die Pfarrfrau und anschließende Einführung von Neuerungen im Gemeindeleben. Eine Interimsvertretung setzte Kontinuität voraus. Aber konnten sich die Frauen, die sich ihrer eigenen Persönlichkeit bewußt geworden waren und mit einer wenig alltäglichen Situation konfrontiert sahen, damit zufriedengeben? Die religiöse Botschaft mußte sich auf die schweren Zeiten, deren Not und Bedrängnis einstellen. Neue Tätigkeitsfelder bei der Betreuung von Einberufenen, Verwundeten und deren Familien wurden eröffnet. Der generelle Kurs der Pfarrei konnte sich dadurch schließlich in eine neue Richtung entwickeln. Bei seiner Rückkehr fand der Pastor manchmal eine veränderte Kirchengemeinde und eine Ehegattin vor, die ihre Befähigung zum Pastorenamt bewiesen hatte. Auf lange Sicht blieb das nicht ohne Folgen.

Für protestantische Frauen war das 19. Jahrhundert im weitesten Sinne eine Periode des Wandels. In Verbindung mit der allgemeinen gesellschaftlichen Entwicklung veränderte sich, je nach Land, gesellschaftlicher Klasse und Konfession unterschiedlich, deren Stellung beträchtlich. Zahlreiche Frauen trugen aktiv zu diesen Umwälzungen bei. Der Kampf um die Zulassung der Frauen zum Pastorenamt wurde zwar bis 1914 nicht gewonnen, aber die Tatsache, daß der Kampf eröffnet wurde, war bereits ein wichtiger Schritt.

Aus dem Französischen von Gabriele Krüger-Wirrer

9

Die jüdische Frau: Variationen und Transformationen

Nancy Green

»Es ist hart, Jude zu sein, noch härter aber ist es, Jüdin zu sein.«[1] Doch gibt es die jüdische Frau überhaupt? Es ist unmöglich, die Jüdin der Berliner Salons zu Beginn des 19. Jahrhunderts und die in den osteuropäischen *Schtetlech* (Dörfern) geborene, seit den 1880er Jahren nach Amerika verpflanzte »jiddische Mame« zu einem einzigen Modell der jüdischen Frau zusammenzufassen. Zum einen entsprach das theoretische religiöse Modell von der Stellung der Frau im Judentum und der jüdischen Gesellschaft – selbst in seiner traditionellsten Form – nicht immer der Realität. Wie die Gesamtheit der rabbinischen *Responsa* (Briefe in Frage-Antwort-Form) deutlich zeigt, haben Juden ihr alltägliches Leben zu jeder Zeit und an jedem Ort immer wieder neu gedeutet. Zum anderen veränderte sich im Verlauf des 19. Jahrhunderts das religiöse Modell selbst. Unter dem Einfluß der jüdischen Reformbewegung kam es zu einer neuen Synthese von Tradition und Modernität, und diese veränderte die Einstellungen zur Rolle der Frauen im jüdischen Leben. Darüber hinaus legte die moderne Diaspora, die Massenmigration der Juden im ausgehenden 19. Jahrhundert von Ost nach West, den Keim des ideologischen Wandels auch hinsichtlich der Geschlechterbeziehungen. Die verschiedenen nationalen Kontexte boten unterschiedliche Bildungsmöglichkeiten und neue Modelle für die jüdische Frau.

Ich werde nun im folgenden zunächst das idealtypische religiöse Modell erläutern und dann drei Frauentypen – die Jüdin der Berliner Salons, die aus dem russischen Schtetl stammende »traditionelle« Frau und die jüdische Einwanderin in Amerika – vorstellen. Dabei interessiert mich die Entwicklung hin zur modernen jüdischen Frau und die Auswirkung dieser Entwicklung auf die Geschlechterbeziehungen in der jüdischen Gemeinde. Um den gesetzten Rahmen nicht zu sprengen, soll es hier nur um aschkenasische Frauen gehen; die sephardischen Frauen würden ein eigenes Kapitel verdienen.

Die Geschlechterordnung im religiösen Leben

Der Mann beginnt seine täglichen Gebete mit einem Dank an Gott, daß er nicht als Frau erschaffen wurde. Gemäß der Vorstellung, daß Gott den Männern, nicht aber den Frauen die Pflicht auferlegt hat, eine bestimmte Anzahl von Geboten *(Mizvot)* zu erfüllen, schreibt das Judentum den Frauen eine klar gesonderte Rolle sowohl in der Synagoge als auch allgemein in der jüdischen Kultur vor. So zählen bei der Bildung eines *Minjan*, der für das öffentliche Gebet notwendigen Zahl der Gläubigen, allein die Männer. Frauen werden im allgemeinen nicht in die heilige Sprache des Hebräischen eingeweiht. In der Synagoge sitzen sie, von den Männern getrennt, auf einem Balkon, und sie haben bei der Ausgestaltung des Gottesdienstes weniger Verpflichtungen. Ihre Aufgabe ist es, das Sabbatmahl zu bereiten, aber nicht unbedingt am Freitagabendgottesdienst teilzunehmen.

Die Trennung von Mann und Frau nach öffentlicher (Synagoge) und privater (Heim) Sphäre entspricht nicht nur einer religiösen Arbeitsteilung, sondern auch einer strikten Interpretation der Geschlechterbeziehung. Das jüdische Recht sucht nicht nur die Heiligkeit der Familie, sondern auch die Tugend des Lernens (der Männer) zu schützen. Männer sollen in ihrer Hingabe an Gott und das Gebet nicht durch Gedanken an Frauen abgelenkt werden, deshalb sind sexuelle Beziehungen und der tägliche Umgang zwischen den Geschlechtern streng geregelt. Ein frommer Mann soll einer Frau niemals direkt in die Augen sehen, und die fromme Frau soll, sobald sie verheiratet ist, traditionsgemäß ihre Haare abschneiden und ihren Kopf mit einer Perücke oder einem Tuch bedecken. Im Interesse der Fortpflanzung werden eheliche Sexualbeziehungen jedoch ermutigt, ihre Häufigkeit ist im *Schulchan aruch* (ein noch heute benutzter talmudischer Kodex, der im 16. Jahrhundert von Joseph Caro zusammengestellt wurde) sogar, je nach Beruf des Mannes, genau festgelegt. Männer hatten ein ziemlich großzügiges Recht auf Scheidung. Seit dem Mittelalter konnten auch Frauen – zumindest der Theorie nach – u. a. wegen fehlender sexueller Befriedigung eine Scheidung fordern. Rachel Biale weist jedoch darauf hin, daß der *Halacha* (jüdischer Gesetzeskodex) mit seiner Tendenz, Frauen in vielen Bereichen Rechte zu gewähren, hinsichtlich der Sexualität vielleicht »toleranter und großzügiger als das Leben selbst« war.[2]

Die Trennung von Männern und Frauen hat wichtige Konsequenzen für die Erziehung. Der hohe Wert, den Juden auf den Wissenserwerb legen, ist legendär, das Wissen aber ist theoretisch allein Männern vorbehalten. Männer sind nach religiösem Gesetz zum Torastudium verpflichtet, Frauen aber davon freigestellt. Diese Freistellung ist allerdings insofern widersprüchlich, als es in der Hauptsache Frauen sind, die das tägliche Leben nach den religiösen Gesetzen gestalten sollen. Während es die Aufgabe der Männer ist, über die theoretischen Grundlagen des Gesetzes nachzudenken, haben die Frauen im Alltag als Hüterinnen des Rituals und des koscheren Heims das Gesetz anzuwenden. Obwohl einige religiöse Kommentatoren argumentierten, daß Freistellung nicht notwendigerweise Ausschluß bedeute, wurde gleichwohl das Torastudium den Frauen in der traditionellen Gesellschaft meist untersagt und von vielen religiösen Autoritäten sogar als Sünde erachtet. Die weibliche Hauptfigur in Isaac Bashevis Singers Kurzgeschichte »Yentl the Yeshiva Boy« war so entschlossen, die Tora zu studieren, daß sie ihre Geschlechtsidentität verbarg. Sie studierte an der *Jeschiwa* (Talmudhochschule), trug Männerkleidung und brach damit das Gesetz gleich doppelt.

Das religiöse Modell muß zumindest in zweierlei Hinsicht modifiziert werden. Zum einen werden Frauen nach jüdischem Recht vom formalen Studium und von den meisten öffentlichen religiösen Pflichten ferngehalten, doch ist die Religion in ihrer Privatsphäre durchaus gegenwärtig; sie hat dort allerdings eine andere, von Barbara Myerhoff »häusliche Religion« genannte Form.[3] Jüdische Frauen haben, wie die Frauen in fast allen Gesellschaften, die wichtige Aufgabe, informelles Wissen und eine eher gefühlsmäßige Frömmigkeit zu bewahren und weiterzugeben – ein Wissen, von dem Kinder später oft sagen, daß es für sie wichtiger gewesen sei als das formale Lernen in der Hebräischschule.

Zum anderen widmeten sich selbstverständlich nicht alle Männer den ganzen Tag dem Talmudstudium, auch wenn das vielleicht das Ideal war. In dem Maße aber, in dem Männer zu religiösen Studien ermutigt wurden, mußte es zu einer Umkehrung der Geschlechterrollen im sozioökonomischen Leben kommen. Die öffentliche Rolle der Männer in der sakralen Welt war nur möglich, weil jüdische Frauen eine größere Rolle in der profanen Welt spielten – die eine Rolle bedingte die andere. Während Männer unter der Woche zur Synagoge gingen, gingen Frauen auf den Markt. Der umfassende Zugang der Frauen zur profanen öffentlichen Sphäre wird, sobald das Judentum auf die Reformbewegung und die Auswanderung stößt, weitreichende Folgen haben.

Die Jüdin der Berliner Salons

Nichts konnte vom Idealtypus der religiösen Jüdin weiter entfernt sein als das Leben der Jüdinnen in den Berliner Salons des ausgehenden 18. und beginnenden 19. Jahrhunderts. Die jüdischen Frauen der Salons sind als Avantgarde weiblicher Emanzipation gerühmt, als Beispiele der von der jüdischen Reformbewegung herbeigeführten Assimilation verdammt und als Modelle für die »Konvertierungsmanie« der deutschen Juden dieser Zeit beschuldigt worden. Deborah Hertz hat gezeigt, wie diese Salons in einem bestimmten historischen Augenblick der deutschen Geschichte funktionierten. Es ist die Zeit zwischen dem Jahrhundert der Aufklärung und dem Sieg Napoleons über die Preußen 1806 bei Jena, und damit eine Phase, in der der königliche Schutz für die Künste zurückging und das Verlagswesen noch nicht entwickelt war. Die Juden wurden, nach einer Formulierung von Hannah Arendt, zu »Lückenbüßern« in einer noch unsicheren sozialen Situation.[4] In dieser Frühzeit der Romantik, noch bevor sie nationalistische und antisemitische Züge annahm, konnten verarmte Adelige, bürgerliche Intellektuelle und reiche Juden zu einer »halbneutralen Gesellschaft« – so die Charakterisierung von Jacob Katz – zusammenkommen.[5]

Waren aber die Beziehungen zwischen jüdischen Frauen, preußischen Adeligen und Schriftstellern wirklich ein Zeichen jüdischer Integration oder waren sie eine Ausnahme? Hannah Arendt hat argumentiert, daß die jüdischen Salons gerade wegen ihrer Marginalität ein »neutrales Territorium« sein konnten. Jüngst hat Marion Kaplan betont, daß die Geschichten der in den Eliten konzentrierten assimilierten deutschen Juden und der Jüdinnen in den Berliner Salons zwar höchst bedeutsam, aber nicht die Norm waren.[6]

Warum aber konvertierten die Jüdinnen schließlich? Dorothea von Schlegel, geborene Brendel Mendelssohn (Tochter von Moses Mendelsohn), konvertierte sogar zweimal – zunächst zum Protestantismus, später mit ihrem Mann Friedrich zum Katholizismus. Rahel Varnhagen (geborene Levin) machte aus ihrer Einstellung zum Judentum, sie nannte es ihre »infame Geburt«, keinen Hehl, für sie war es ein Handicap, vor dem sie bis zu ihrem Tod zu fliehen versuchte.[7]

Man hat die Unzufriedenheit dieser Frauen mit dem Judentum auf ihre Erziehung zurückgeführt. Sie erhielten die beste Ausbildung, die eine Familie der oberen Gesellschaft einem Mädchen bieten konnte: Unterrichtung in Sprachen (Französisch, Englisch, Lateinisch, Hebräisch) und Musik, Hauslehrer, Lektüreanleitung von aufgeklärten Vätern. Ihre Erziehung aber gilt einigen Historikern, ebenso wie schon den auf die intellektuellen Ambitionen der Frauen verächtlich herabblickenden Zeitgenossen, als zu »dekorativ« und den meisten jüdischen Historikern als bedenklich weltlich ausgerichtet. Deborah Hertz argumentiert jedoch recht überzeugend, daß weniger die frühe Erziehung als vielmehr die soziale Gelegenheit in einer spezifischen historischen Situation zu diesen »Mesalliancen« geführt habe.

Das Modell der Salon-Jüdin führt, selbst wenn es ein extremes Modell ist, zur Frage nach der Herausforderung des Judentums durch die Reform. Zu den bisher vernachlässigten Hauptproblemen der Reformbewegung gehören deren Auswirkungen auf die Geschlechterbeziehungen. Moses Mendelssohn, der Wegbereiter dieser Bewegung, der Ende des 18. Jahrhunderts in Berlin schrieb, versuchte das Denken der Aufklärung mit jüdischen Prinzipien zu verknüpfen und den Judaismus als eine Vernunftreligion neu zu deuten. Mendelssohn hat zwar selbst in seinem Haus zeitlebens die Traditionen gepflegt, doch viele seiner Ideen führten letztlich dazu, daß nachfolgende Reformer mit dem Ziel einer weiteren historischen Anpassung des Judentums an seine Umgebung einer Modifizierung, ja sogar einer totalen Aufgabe jüdischer Riten zustimmten.

Von den neuen ideologischen Strömungen mußte die Erziehung besonders stark betroffen sein. Die Erziehungsreform warf vor allem zwei zentrale Fragen auf: In welchem Umfang sollten weltliche Inhalte in eine jüdische Erziehung eingehen? Und in welchem Umfang sollten Frauen zum Studium zugelassen werden? Naphtali H. Wessely, ein Schüler Mendelssohns, machte geltend, daß allgemeine akademische Studien notwendig seien, und in diesem Sinne errichtete David Friedländer 1778 eine Jüdische Freischule. Bis zur Einführung der Koedukation vergingen jedoch weitere fünfzig Jahre, und ironischerweise war es der Führer der Neoorthodoxen-Bewegung, Samson Raphael Hirsch, der als erster 1855 Mädchen gemeinsam mit Jungen eine formale religiöse Erziehung ermöglichte. Beunruhigt darüber, daß immer mehr jüdische Kinder öffentliche Schulen besuchten und selbst moderne jüdische Schulen allzu wenig jüdische Erziehung vermittelten, wollte Hirsch der Reform mit einer modifizierten traditionellen Erziehung begegnen. Talmudstudien blieben jedoch weiterhin das Privileg der Knaben.

Sowohl die Denker der *Haskala* (der jüdischen Aufklärung) als auch die Neoorthodoxen erkannten, daß die wachsende Disparität zwischen männlich-religiöser und weiblich-profaner Erziehung schließlich zu einer Gefahr für das werden könnte, was die getrennten Sphären eigentlich bewahren sollten: die Reinheit der jüdischen Familie und das Judentum generell. Während der Kompromiß der Orthodoxen darauf zielte, Frauen einen erweiterten Zugang zum religiösen Studium zu gewähren, sah die Lösung der Reformer eine umfassendere profane Erziehung für Jungen und Mädchen gleichermaßen vor. Das jüdische Reform-Modell verlegte religiöse Erziehung und Identität in die Privatsphäre, gestattete stärkeren öffentlichen Kontakt zwischen den Geschlechtern und billigte schließlich sogar Frauen Hilfsfunktionen in der Synagoge zu. Dieses Modell gelangte in der Mitte des 19. Jahrhunderts durch deutsche Juden auch in die Vereinigten Staaten.

Erziehung im Schtetl: Exklusion, Integration, Emigration

Zwischen den jüdischen Frauen, die in den Berliner Salons in kleinen Schlückchen Tee tranken und denen, die in Osteuropa Tee aus Samowaren ausschenkten, lagen materiell und ideell Welten. Die Frauen des beinahe mythischen Schtetl-Modells stammten aus einer anderen Gesellschaftsschicht und aus einem anderen Land. Sie führen uns zu den eher traditionellen Geschlechterbeziehungen in der jüdischen Gemeinde zurück, in welcher nach wie vor der Talmudschüler und seine fromme Frau, wenn nicht die Realität, so doch das Ideal waren.

In Rußland war zu Beginn des 19. Jahrhunderts jüdische Bildung selbstverständlich allein den Knaben und Männern vorbehalten. Der Gebildete genoß höchstes Ansehen, gleichwohl waren seine Studienbedingungen alles andere als ideal. Im Alter von fünf bis dreizehn Jahren besuchten Jungen entweder den privaten *Cheder* oder die *Talmud-Tora* (für die Armen) der Gemeinde, wo der oft despotische, schmutzige und schlecht bezahlte Lehrer widerspenstigen Schülern die Grundzüge des Hebräischen und der Tora einzubläuen versuchte. In den weiterführenden Schulen, *Jeschiwa* und *Bet namidrasch* (dem örtlichen Haus des Studiums) für Erwachsene, waren die Bedingungen zwar weniger chaotisch, doch auch hier herrschte ein strenges Regime, und für den armen *Jeschiwa bocher* (Talmudschüler) war die Teilnahme oft materiell schwierig. Kam er aus einer anderen Stadt, schlief er gewöhnlich in der Synagoge und nahm seine Mahlzeit jeden Abend in einer anderen Familie ein. Diese beging damit nicht nur eine fromme Tat, sondern erhoffte sich davon oft auch einen angesehenen Toraschüler als Schwiegersohn.

Gelegentlich war auch jungen Mädchen der Besuch des *Cheder* gestattet. Sie wurden dann in einem gesonderten Raum von der Frau des Lehrers unterrichtet. Die meisten erhielten jedoch eine solche Ausbildung nur ein oder zwei Jahre, gerade lange genug, um Jiddisch lesen, vielleicht auch schreiben und die notwendigen hebräischen Gebete auswendig zu lernen. Vor allem während der ersten beiden Drittel des 19. Jahrhunderts blieb die Erziehung der Frauen im allgemeinen so informell, wie sie immer gewesen war. Einige Mädchen hatten Brüder, die mit ihnen abends lernten. Mädchen aus wohlhabenderen Familien hatten vielleicht Hauslehrer. Die meisten gelangten jedoch nicht über das Lesen der äußerst populären jiddischen *Ze enna ureena* hinaus, der volkstümlichen Version der Bibel mit in einfachem Stil geschriebenen Erklärungen.

In der Mitte des 19. Jahrhunderts erreichten die Ideen der jüdischen Aufklärung zunächst die eher städtischen Gebiete Osteuropas, in den 1870er und 1880er Jahren dann auch die ländlichen *Schtetlech*. Wieder war die Bildungsreform ein wichtiges Thema, das lautstarke Debatten provozierte: Welche Inhalte (religiöse oder auch weltliche) sollten in welcher Sprache (Hebräisch, Russisch oder Jiddisch) welcher politischen Richtung (bundistisch oder zionistisch) folgen und wem (Mädchen ebenso wie Jungen) vermittelt werden? Schließlich war es der Zar selbst, der in seinem Bestreben, die jüdische Minorität zu »russifizieren«, neue Erziehungsmodelle unterstützte.

Bis in die Mitte des Jahrhunderts hatte das russische Erziehungssystem die Juden einfach ausgeschlossen. 1844 wurden aufgrund eines Edikts von Uwarow, dem Erziehungsminister unter Nikolaus I., staatliche Grundschulen für jüdische Kinder und zwei Rabbinerseminare errichtet. Die Bemühungen des Zaren (die unter anderem auf »die Auslöschung der durch das Talmudstudium eingeimpften abergläubischen und gefährlichen Vorurteile« zielten) wurden jedoch nie ein voller Erfolg. 1854 besuchten ungefähr 3000 jüdische Kinder 70 zaristische Schulen, 1863 waren es etwa 4000 Kinder in 98 Schulen. Die Zahl der Kinder in traditionellen *Chadorim* war jedoch viel größer und stieg stetig von 70000 im Jahre 1844 auf 76000 im Jahre 1847 an. Immerhin trug das neue Schulsystem letztlich zur Institutionalisierung und Konsolidierung der Reformbewegung im russischen Judentum bei, wie Michael Stanislawski überzeugend nachgewiesen hat.[8]

Die liberaleren Verfügungen Alexanders II. öffneten für Juden die Türen zur höheren russischen Bildung. 1870 besuchten 2045 jüdische Schüler die höhere Schule, das war ein Anteil von 5,6 Prozent aller Schüler; zehn Jahre später waren es 12 Prozent bei 7004 Schülern, weit mehr als der Anteil der Juden an der Bevölkerung. Nichtsdestoweniger besuchten 1879 noch immer 50000 jüdische Kinder die *Chadorim*, und Ende des Jahrhunderts wählten noch immer über 50 Prozent der jüdischen Familien für ihre Kinder diese traditionelle Form der Grundschulerziehung.[9]

Im Gegensatz zu den Jungen erreichte bei den Mädchen der Besuch der Regierungsschulen einen nennenswerten Umfang. Einem Bericht zufolge waren in den offiziellen Regierungsschulen im benachbarten Galizien (Österreich-Ungarn) 1910 doppelt so viele Mädchen wie Jungen (beinahe 44000 Mädchen gegenüber 23000 Jungen) eingeschrieben.[10] Ähnlich wie in Deutschland wurden auch hier die orthodoxen Juden unruhig. Bereits vor dem Ersten Weltkrieg unternahm man einige Versuche zur Errichtung eigener Religionsschulen für Mädchen. Die ersten orthodoxen Schulen für Mädchen, *Beis Jaakauw*, wurden jedoch erst 1917 in Polen gegründet.

Ende des 19. Jahrhunderts waren die russischen Jüdinnen in der Mehrzahl noch Analphabeten. Der russischen Volkszählung von 1897 zufolge konnten lediglich 33 Prozent der jüdischen Frauen, hingegen 67 Prozent der jüdischen Männer lesen und schreiben.[11] Die Mädchen besuchten jedoch verstärkt die modernen, »verbesserten« *Chadorim*, und viele junge Frauen des aufgeklärten Bürgertums gingen wie ihre Brüder direkt auf die russische höhere Schule oder die Universität. In den Familien führten die intellektuellen Debatten über den Wert einer Ausbildung für Frauen und den Wert einer weltlichen Erziehung im allgemeinen nicht selten zu Konflikten. Trotzdem begann eine einflußreiche Minderheit jüdischer Frauen nun, neue Verhaltensmodelle zu erproben.

Mit der Ermordung Alexanders II. im Jahre 1881 wurde für Juden, Männer wie Frauen gleichermaßen, der Zugang zur russischen Bildung blockiert. Elizabeth Hasanovitz erinnert sich in ihren Memoiren, daß es praktisch illegal war, mit einer Bestechungssumme aber toleriert wurde, jüdische Kinder Russisch zu lehren. Der Unterricht im kleinen Klassenzimmer ihres Vaters wurde regelmäßig vom Alarm der Wachposten unterbrochen, und die Papiere wurden schnell in den Keller hinuntergeworfen – »dieses großartige Versteck für die verbotene Aneignung einer Russisch-Ausbildung«.[12] Der 1887 eingeführte Numerus clausus, der die Zahl jüdischer Studenten an der Universität drastisch begrenzte, war ein wichtiger Grund für die Emigration in den Westen. Wie ihre Brüder wanderten manchmal auch Frauen aus, um ein Studium aufzunehmen; sie immatrikulierten sich in überraschend großer Zahl an westlichen Universitäten. Von 1905 bis 1913 machten Russinnen und Rumäninnen an der Pariser Universität über ein Drittel der Studentinnen insgesamt und ungefähr zwei Drittel der Gesamtzahl der ausländischen Studentinnen aus. In den Disziplinen Medizin und Jura waren eineinhalbmal bis doppelt soviele osteuropäische Frauen wie Französinnen eingeschrieben.[13]

Eine Minderheit jüdischer Frauen versuchte schließlich, auf zwei radikalen Wegen den Geschlechternormen der jüdischen Gemeinde zu entkommen. Prostitution und Revolution bedrohten die jüdische Gesellschaft auf je unterschiedliche Weise. Die große Diskussion Ende des Jahrhunderts über den »weißen Sklavenhandel« zwischen Galizien, Rio de Janeiro und Buenos Aires, an dem sowohl jüdische Prostituierte als auch jüdiche Zuhälter beteiligt waren, wurde teilweise zu einer Kritik an der weltlichen Erziehung der Frauen. Die Orthodoxen gaben generell der mangelnden religiösen und moralischen Erziehung der jüngeren Generation und speziell der Erziehung an den staatlichen Schulen in Galizien die Schuld für die Verletzung der Reinheits-, Keuschheits- und Geschlechtertrennungsnormen. Bertha Pappenheim und Dr. Sarah Rabinowitch kamen demgegenüber nach einer Untersuchung der jüdischen Prostitution in Galizien im Jahre 1903 zu dem Schluß, daß auch ultraorthodoxe Mädchen gerade wegen ihrer sexuellen Unkenntnis und der Ungleichheit in der Erziehung von Mädchen und Jungen für die Prostitution anfällig waren. Das strenge Verbot des außerehelichen Geschlechtsverkehrs, das selbst in nichttraditionellen jüdischen Haushalten galt, konnte zur Folge haben, daß ein einmal »gefallenes« Mädchen, wie z. B. Polly Adler, die berühmte Besitzerin eines New Yorker Bordells um die Jahrhundertwende, sich aus der Gemeinschaft ausgeschlossen fühlte.[14]

Anders als die jüdischen Prostituierten, die in Vergessenheit geraten sind, behaupten die osteuropäischen jüdischen Revolutionärinnen einen festen Platz in der jüdischen Geschichte. Die große Zahl radikaler Frauen aus Polen oder den USA, von »Rosa« (Luxemburg) bis hin zur »Roten Emma« (Goldman), zog die Aufmerksamkeit von Journalisten und Polizeispitzeln gleichermaßen auf sich. Wie Henriette Herz oder Rahel Varnhagen ein Jahrhundert zuvor, so beschäftigten auch die jüdischen Revolutionärinnen, obwohl ihre absolute Zahl nur gering war, in hohem Maße die Vorstellungswelt. Sie lebten ein anderes, radikales Modell weiblicher Emanzipation; sie stellten die traditionellen Geschlechterrollen in Frage, forderten Gleichheit im öffentlichen Bereich, lehnten Geschlechtertrennung ab und traten offen für freie Liebe ein. Seit der Gründung des Bundes (einer jüdischen Arbeiterbewegung) im Jahre 1897 machten junge Arbeiterinnen ungefähr ein Drittel seiner Mitglieder aus,[15] und auch in den rivalisierenden zionistischen Gruppen waren Frauen stark vertreten. Vielleicht war die stärkere Präsenz der Frauen im öffentlichen und selbst im politischen Leben der wichtigste Aspekt der neuen Rolle, die die Frauen spielten. Wie Paula Hyman sehr richtig bemerkt hat, hatte die »neue jüdische Frau« bereits in Osteuropa Gestalt angenommen.[16]

Die größte, auch die Beziehung zwischen den Geschlechtern beeinflussende Veränderung im Leben vieler Frauen und Männer war die

Emigration. Durch zaristische und populäre Antisemiten sowie von wirtschaftlicher Not aus Rußland vertrieben und aufgrund idyllischer Erfolgs- und Freiheitsvorstellungen von der Neuen Welt angezogen, wanderten allein zwischen 1881 und 1924 eineinhalb Millionen Juden in die Vereinigten Staaten aus. Einige verließen das Land, um in der Fremde ihre politischen Aktivitäten fortzusetzen, andere um zu studieren. Die meisten trieb das Verlangen nach besseren wirtschaftlichen Lebensbedingungen und größerer Freiheit, wenn sie vor dem Zaren oder einem despotischen Vater flohen. Für Frauen konnte die Emigration Unterwerfung oder einfach das Zusammenbleiben mit Vater, Mutter, Geschwistern, Ehemann, aber auch Emanzipation bedeuten. Männer und Frauen standen einander nun in einem neuen Land gegenüber, in dem das traditionelle Modell der Geschlechterordnung bereits seit langem aufgegeben worden war.

EMIGRATION UND DAS AMERIKANISCHE MODELL

Zu Beginn der Massenauswanderung nach Amerika emigrierten die Männer meistens zuerst. Frauen und Kinder blieben zurück und führten unter Umständen für mehrere Jahre die Geschäfte weiter, während sie darauf warteten, daß ihnen die Fahrkarten (die in manchen Fällen niemals ankamen) für die Schiffsreise geschickt würden. Später transportierten sie dann Bettzeug, Samowar und anderen unentbehrlichen Hausrat über den Ozean. Viele Frauen machten sich nur widerstrebend und angsterfüllt auf den Weg. Das mit Gold gepflasterte Land erschien ihnen als ein heidnisches, unkoscheres Land, in dem sich die Männer die Bärte abrasierten. Andere Frauen traten die Reise entschlossen an und entledigten sich schon unterwegs ihrer von der Religion vorgeschriebenen Perücken.

Unter anderem bot das neue Land kostenlose und obligatorische Erziehung für Jungen wie Mädchen. Besserer Zugang der Frauen zur formalen Schulausbildung war eines der wesentlichen Kennzeichen der Neuen Welt, und selbst die Orthodoxen begannen, den Schulunterricht für Mädchen allmählich zu akzeptieren. Bis zur Beseitigung der Bildungsunterschiede zwischen den Geschlechtern aber mußte noch einige Zeit vergehen.

Von den russischen Jüdinnen, die in der Zeit von 1908 bis 1912 in die Vereinigten Staaten kamen, konnten doppelt soviele lesen und schreiben als die in der russischen Volkszählung 1897 erfaßten jüdischen Frauen, nämlich 63 Prozent, im Vergleich zu vormals 33 Prozent. Ob dies eine Folge verbesserter Schulbildung oder der Effekt einer auswanderungsbedingten Selektion ist, muß offenbleiben. Die russischen Jüdinnen waren stärker als Frauen aus den meisten anderen Einwanderungsgruppen jener Zeit alphabetisiert. Dennoch war ihr Alphabetisierungsgrad beträchtlich geringer als der der Männer (80 Prozent).[17]

Nach der Einwanderung war die erste Aufgabe für Männer und Frauen – ganz gleich, ob sie lesen und schreiben konnten oder nicht –, die englische Sprache zu lernen. Fast alle Männer erreichten dieses Ziel, und im Vergleich zu nur 35 Prozent anderer Einwanderinnen wurde geschätzt, daß auch 90 Prozent der jüdischen Einwanderinnen, die älter als 14 Jahre waren, die englische Sprache erlernten.[18] Für Arbeiter, ob Männer oder Frauen, erfolgte die formale Ausbildung in Abendschulen: Englischunterricht, Grundschul- oder höherer Schulunterricht, berufliche Ausbildung.

Kinder aber wurden in die Grundschule, diesen großen amerikanischen *melting-pot*, geschickt. Dort kamen Jungen und Mädchen, amerikanische Kinder und Kinder von Einwanderern zusammen. Zweifellos fällten nicht alle Schüler ein solch lyrisches Urteil über die Vorteile einer öffentlichen Erziehung wie die Schriftstellerin Mary Antin. Für sie war Amerika das neue Zion, die Lehrerin ein weiblicher Moses. »Nie hatte ich mit so viel Ehrfurcht und Inbrunst gebetet, die Lieder Davids gesungen, das Allerheiligste angerufen, wie ich die einfachen Sätze meiner Kindergeschichte vom Patrioten George Washington wiederholte.«[19] Sozialarbeitern fielen die guten Leistungen und hohe Bildungsbereitschaft der jüdischen Einwanderer auf.

Das heißt nicht, daß es keine jüdischen Versager gab. Hohe Einschreibungsraten bedeuteten nicht zwangsläufig ebenso hohe Teilnahmeraten, auch wenn jüdische Einwanderer und ihre Kinder der Tendenz nach länger als andere Gruppen am Unterricht teilnahmen. Armut und Erschöpfung forderten ihren Tribut. Nach einem langen Arbeitstag in einer »Schwitzbude« war es oft schwer, sich auf den Unterricht zu konzentrieren. In den Grundschulen wirkten Klassengrößen von 60 bis 100 Schülern sicherlich entmutigend. Erwerb und Bildung gerieten häufig in Konflikt. Viele Kinder mußten früh die Schule verlassen, um zum Unterhalt der Familie beizutragen. Häufig waren es die Mädchen, die geopfert wurden und die letztlich mit ihrem Einkommen die Ausbildung ihrer Brüder unterstützten. Ein Historiker weist jedoch darauf hin, daß das Alter möglicherweise einen größeren Einfluß als das Geschlecht auf die Länge der Ausbildung eines Kindes hatte: Ältere Einwandererkinder halfen finanziell mit, jüngeren Geschwistern den Schulbesuch zu ermöglichen.[20]

Die übertrieben enthusiastische Vorstellung, daß Juden und Bildung, und insbesondere höhere Bildung, zusammengehören, ist in der neueren Forschung relativiert worden. Selma Berrol und Sherry Gorelick haben gezeigt, daß Bildung auch in der Neuen Welt weiterhin *hoch* bewertet wurde, daß aber die soziale Mobilität erst eine Folge des beruflichen Erfolgs war. Vor allem für die frühen Einwanderungsgenerationen war Bildung das Ergebnis und nicht die Ursache für sozialen Aufstieg.[21]

In Amerika wurde die religiöse Erziehung keineswegs völlig aufgegeben. Sie fand vielmehr auf freiwilliger Basis außerhalb der Schule weiterhin statt. Nach osteuropäischem Modell errichteten orthodoxe Einwanderer außerschulische *Chadorim* nur für Jungen. Für die ungefähr 1,5 Millionen in New York lebenden Juden gab es 1917/18 annähernd 500 solcher Schulen. Jiddische Gruppen, die – wie z. B. der Workmen's Circle – eher kulturell als religiös geprägt waren, boten auch außerschulischen Unterricht an. Hier machten Mädchen etwa 37 Prozent der Schüler aus.[22]

Die von deutschen Einwanderern betriebenen jüdischen Sonntagsschulen, in denen über die Hälfte der Schüler Mädchen und der größte Teil des Lehrpersonals Frauen waren, boten eine weltlichere (und weniger »ethnische«) jüdische Erziehung. 1838 hatte Rebecca Gratz in Amerika die erste jüdische Sonntagsschule nach protestantischem Vorbild gegründet und sogar ein protestantisches Bibellehrbuch als Unterrichtsmittel benutzt, indem sie alle Erläuterungen, die jüdischen Vorstellungen entgegenliefen, einfach überging![23] Die deutschen Juden, die seit Mitte des 19. Jahrhunderts in den Vereinigten Staaten lebten und das Gedankengut der Reformbewegung mitgebracht hatten, gehörten jetzt größtenteils der Mittelschicht an und betrachteten den Ende des Jahrhunderts immer größer werdenden Zustrom armer Juden aus Osteuropa mit Mißtrauen und Furcht. In New York unternahmen sie verschiedene Versuche, eine neue Form jüdischer Erziehung zu etablieren, die ein Gegengewicht zu den *Chadorim* bilden sollte. Diese *Chadorim* hielten sie »vom Standpunkt der Hygiene, der Moral und der Amerikanisierung aus betrachtet genau für den Schultyp, den es von seiten der Allianz auszulöschen gilt«.[24] Die eher weltlich ausgerichtete Hebrew Free School und die Educational Alliance, mit der sie 1899 verschmolz, sowie die 1910 einsetzende, stärker die religiöse Erziehung betonende *Kehillah*-Bewegung (der auch bürgerliche Einwanderer angehörten) versuchten, den Einwanderern aus Osteuropa alternative Modelle zu bieten. Auch drei Versuchsschulen für Mädchen wurden eingerichtet. Es war jedoch schwer, das richtige Gleichgewicht zwischen weltlicher und religiöser jüdischer Erziehung, zwischen Bildungsmöglichkeiten für Mädchen und solchen für Jungen zu finden. Beide Bestrebungen wurden bald sowohl von den Orthodoxen als auch von den Sozialisten scharf angegriffen.

Öffentliche Erziehung bedeutete Amerikanisierung, und die religiöse Erziehung mußte ihrerseits auf die im amerikanischen Leben sich ändernden Formen religiösen Verhaltens reagieren. Wo immer die formale Ausbildung zugunsten der Erwerbsarbeit aufgegeben wurde, erlangten Familie, Fabrik, Straße als informelle Schule des Lebens größeres Gewicht.

Das Heim, die Sphäre der Frauen, ist oft idealisiert worden. Gewiß fungierte das Heim als Ort kultureller Kontinuität. Doch die reibungslose Übermittlung von Informationen von Mutter zu Tochter wurde gestört durch die Einwanderungserfahrung. »Ich bin Amerikanerin – du bist nur eine unerfahrene Einwanderin«, schrie eine frustrierte Tochter, »du verstehst noch nicht einmal, was ich sage.«[25] In der Erziehung hatte die Einwanderung eine Rollenumkehrung zur Folge. Da die Kinder besser Englisch sprachen, belehrten sie die Eltern und übernahmen bestimmte Erwachsenenrollen. Zwischen den Generationen kam es über Fragen der Trennung und der ungleichen Bildungschancen der Geschlechter zu Konflikten. Außerdem versuchten amerikanisierte (deutsch-jüdische) Sozialarbeiterinnen aus der Mittelschicht, den Neuankömmlingen auf Müttertreffen und bei Hausbesuchen Sparsamkeit und Sauberkeit beizubringen und deren häusliches Leben zu beeinflussen. Das berühmte *Settlement Cookbook* war als Akkulturationshilfe gedacht. Es enthielt nicht nur koschere Rezepte, sondern auch genaue Anweisungen an die eingewanderte Hausfrau, wie sie u. a. den Tisch abzuräumen, das Geschirr zu spülen hätte. Auch die jiddische Presse beteiligte sich am Integrationsprozeß, diskutierte die veränderten Beziehungen zwischen den Geschlechtern, empfahl für Mädchen den Schulbesuch und für verheiratete Frauen den Besuch der Abendschule. Das Urteil über die jüdische Mutter in der Immigration war widersprüchlich. Wegen ihrer aus der alten Welt stammenden Verhaltensweisen wurde sie verachtet und gleichzeitig wegen ihrer Kraft und ihres Einfallsreichtums – Ellen Schiff spricht von »kreativem Überlebenstalent«[26] – bewundert.

Junge Frauen lernten in der Werkstatt, bis zu 16 Stunden täglich an der Nähmaschine zu arbeiten. Sie lernten auch, daß sie ihrem Boß auf Gedeih und Verderb, auch sexuell, ausgeliefert waren. Und viele hörten vom Sozialismus. Das Bild vom »Aufstand der 20000«, dem dreimonatigen Streik von 1909/10 in der Bekleidungsindustrie, erinnert außerordentlich eindrucksvoll an die aktive Teilnahme jüdischer Frauen an der Arbeiterbewegung. Wie Alice Kessler-Harris gezeigt hat, blieben auch die jüdischen Aktivistinnen befangen in ihren Klassen-, Geschlechts- und ethnischen Identitäten. Dennoch betraten sie den öffentlichen Raum in merklich größeren Zahlen als ihre italienischen Kolleginnen, und sie überraschten ihre männlichen Landsleute mit scharfen Forderungen.[27]

Mädchen und Jungen erlernten zusammen oder getrennt die amerikanische Lebensweise auch auf der Straße, auf den Dachterrassen der

Wohnhäuser und in den Tanzsälen. Derweilen tauschten ihre Mütter in den Küchen Gedanken und Informationen aus. Die Nachbarschaftsbeziehungen der Frauen machten einen wichtigen Teil des Lernens im Alltag aus. Während des Boykotts des koscheren Fleisches 1902 in New York City, während der Mietstreiks 1904 und 1908 und der Nahrungsmittelunruhen 1907 und 1917 gingen die Frauen von Haus zu Haus und von Synagoge zu Synagoge, um für Unterstützung zu werben. Dabei spielten sie ihre Geschlechts- und Klassenbindungen gegen die (deutschen und jüdischen) Männer aus, die die Großhändler und Vermieter waren.[28]

Letzten Endes bedeutete die Emigration stets auch einen Verlust an Wissen, den diejenigen, die den Ozean überquerten, deutlich spürten. Einige erlebten die Entwertung ihres bisherigen Könnens: »Als ich hierher kam, wußte ich mehr als heute. Ich wußte, wie man ein ganzes Kleid nähte«, sagte eine Konfektionsnäherin.[29] Der Verlust der Sprache war für alle besonders einschneidend: »Ich komme aus der Ukraine. Dort gehörte ich zu den Gebildeten, ich war Lehrerin. Hierher zu kommen und die Sprache nicht zu können, nicht aufs College gehen zu können – das war schrecklich!«[30] Die Emigration eröffnete neue Rollen, neue formale und informelle Bildungsmöglichkeiten, aber der Preis war hoch.

Ein einheitliches Modell der jüdischen Frau gab es nicht, weder in der Diaspora mit ihrer Vielfalt der Lebensverhältnisse noch um die Jahrhundertwende in den Vereinigten Staaten. Die deutsche Jüdin stand einer nichtjüdischen Frau aus der Mittelschicht deutlich näher als der russischen Einwanderin. Eine der kurzlebigen Zeitschriften, *American Jewess* (1895–1899), beschäftigte sich zum Beispiel mit der Erziehung von Frauen für Ehe und Mutterschaft oder mit dem Dienstbotenproblem. Ende des 19. Jahrhunderts stand deutschen Jüdinnen bereits die höhere Schule und die Ausbildung zur Lehrerin offen, während russische Jüdinnen noch froh waren, wenn sie in der Abendschule vor Müdigkeit nicht einschliefen.

Die durch Schichtzugehörigkeit, Sprache und Einstellung zur Religion voneinander getrennten deutschen und russischen Juden betrachteten sich gegenseitig mit Mißtrauen. Kontakt zwischen den beiden Gruppen kam eher durch die Frauen als durch die Männer zustande. Deutsch-jüdische Sozialarbeiterinnen wie Lillian Wald organisierten Sozialzentren, in denen Einwanderinnen Säuglingspflegekurse, öffentliche Vorträge, Nähkurse usw. angeboten wurden. Der Nationalrat jüdischer Frauen, der 1893 während der Weltausstellung in Chicago gegründet wurde, hatte, wie es eine seiner Gründerinnen erklärte, zum Ziel, die Pflegearbeit der Frauen über Philanthropie, Religion und Erziehung der Öffentlichkeit zugute kommen zu lassen. Diese öffentlichen Aktivitäten der deutschen Jüdinnen waren eine Einmischung in die Privatsphäre der russischen Jüdinnen. Damit konfrontierten sie aber gleichzeitig, wie Baum, Hyman und Michel zeigen, die Immigrantinnen mit einem realen Modell der Amerikanerin, das ihnen vergleichsweise nahe stand.[31]

In dem Bemühen, die Kontrolle über ihre eigene Privatsphäre zu behalten, hielten viele Einwanderinnen, wie z. B. die Gitl in *Hester Street*, länger als Männer an Verhaltensweisen der alten Welt fest. Andere verbanden Praktiken der alten Welt mit den Möglichkeiten der neuen, indem sie lautstark eine Teilnahme an öffentlichen Angelegenheiten forderten. Besonders für jüngere Frauen konnte die Emigration eine Form der persönlichen Emanzipation sein.

UNTERSCHIEDE UND VERÄNDERUNGEN

1934 verurteilte Bertha Pappenheim die historische Rolle der Frauen im Judentum, gab ihrem Ärger Ausdruck über das, »was an der jüdischen Frauenseele und damit an dem Gesamtjudentum gesündigt wurde«, und trat für eine bessere Ausbildung der jüdischen Frauen ein.[32] Die ungleiche Ausbildung von Männern und Frauen war das Ergebnis asymmetrischer Geschlechterrollen und trug gleichzeitig zur Verstärkung dieser Asymmetrie bei. Unter dem gemeinsamen Einfluß von Säkularisierung (in der umgebenden Gesellschaft), Emanzipation (der jüdischen Gemeinden) und Reform (des Judentums) fielen die Grenzen im 19. Jahrhundert nur langsam. Doch blieben die Beziehungen zwischen den Geschlechtern je nach Land, Einstellung zur Religion (Orthodoxie, Reform) und Schichtzugehörigkeit auch weiterhin verschieden.

Obgleich es also kein einheitliches Modell für die »Entstehung der jüdischen Frauen« gibt, lassen sich im 19. Jahrhundert bei den jüdischen Einstellungen zur Beziehung zwischen den Geschlechtern und zur Ausbildung der Frauen mehrere Konstanten erkennen. Erstens war der Zugang der Frauen zur Bildung überall begrenzt, weil man zweierlei befürchtete: Konversion und Ehelosigkeit. Während deutsche Eltern befürchteten, daß eine weltliche Erziehung zur Abkehr von der Religion führen könnte, sahen russische Eltern in der höheren Bildung den Weg zum Sozialismus. Allgemein herrschte jedoch in allen Schichten und allen Ländern die Sorge, daß zuviel Bildung dazu führe, daß Frauen keinen Mann finden.

Zweitens waren für Mädchen noch stärker als für Jungen die Bildungsmöglichkeiten von den wirtschaftlichen Verhältnissen abhängig. Die reiche Elite der »Schutzjuden« in Berlin und das aufgeklärte russische Bürgertum engagierten für ihre Töchter Hauslehrer – gleichsam als weltlichen Ersatz für die ihren Söhnen gewährte religiöse Ausbildung. Vor allem in Rußland war Ende des Jahrhunderts Privatunterricht im Grunde die einzige Möglichkeit für Männer und Frauen, Zugang zur Universität zu erhalten. Aber selbst in den Vereinigten Staaten, wo der Schulunterricht kostenlos war, war Bildung an Geld geknüpft. Armut bedeutete, daß Kinder früh arbeiten mußten, und dann erhielt die Ausbildung der Jungen häufig Vorrang vor der der Mädchen. Ob in Berlin, St. Petersburg oder New York – allgemein gilt, je besser die wirtschaftlichen Verhältnisse der Familie waren, um so eher glichen sich die Bildungschancen von Männern und Frauen an.

Drittens betrieb beinahe im ganzen 19. Jahrhundert der *Schadchan* (Heiratsvermittler), dieses Symbol traditioneller Geschlechterbeziehungen, noch ein reges Geschäft. Außerhalb der hehren Zirkel der Berliner Salons konnte die romantische Liebe mindestens noch für ein weiteres Jahrhundert nicht über die arrangierte Ehe triumphieren. Nach wie vor waren Eheschließungen ein wichtiges Thema des Klatschs und Objekt komplexer Strategien innerhalb der Gemeinde. Später führte der Kampf um das Recht auf freie Wahl des Ehepartners sowohl bei vereitelten Ehepaaren als auch bei enttäuschten Familien zu viel *Zores* (jiddisch: Unglück, Leid, Elend). Vermutlich war letztendlich entscheidend, daß die Frauen gleichberechtigte Bildungschancen erhielten, daß sich dadurch neue Formen des sozialen Umgangs durchsetzten und diese schließlich wirkungsvoll das Monopol des Heiratsvermittlers zu untergraben vermochten.

Aus dem Englischen von Sylvia M. Schomburg-Scherff

10

Mädchenerziehung: das laizistische Modell

Françoise Mayeur

Das Europa des 19. Jahrhunderts orientierte sich fast durchweg eher an den durch Brauch und Sitte überlieferten Mustern der Mädchenerziehung als an Reformmodellen, wie sie Talleyrand und Condorcet der Konstituante und Nationalversammlung in der Aufbruchstimmung der Französischen Revolution unterbreitet hatten. Mädchenerziehung und Aufklärung fanden, wie bereits für das Paris des 18. Jahrhunderts konstatiert, auch weiterhin nicht zusammen.[1] In der Epoche nach der Französischen Revolution wurden die alten Verhältnisse fortgeschrieben bzw. wiederhergestellt. Allerdings muß man zwischen Modellvorstellungen und Praxis unterscheiden: In der Praxis nämlich breitete sich der konfessionslose Unterricht bereits aus, bevor im Schulwesen die Trennung von Staat und Kirche durchgesetzt war. Gesetzlich und institutionell geschah dieses zumindest für Frankreich erst Ende des 19. Jahrhunderts. Auch machte der schulische Unterricht nicht das gesamte Erziehungswesen aus, denn die allgemein anerkannte Lehre von der Verschiedenheit der Geschlechter verlangte nach der herkömmlichen Mädchenerziehung. Neben dieser aber kam dem Schulunterricht, und sei es auch nur in reinen Mädchenfächern, doch eine wachsende Rolle zu. In den achtziger Jahren wurde in Frankreich vor allem im staatlichen Schulwesen, in Belgien vorwiegend in kommunalen oder privaten Einrichtungen und in Deutschland oder der Schweiz an wenigen Reformschulen ein Unterrichtssystem eingeführt, das entweder überhaupt keinen Religionsunterricht mehr vorsah oder ihn auf einen bedeutungslosen Stundenanteil verwies. Nach der für Knaben und Mädchen gemeinsamen Grundschule gab es also auch für Mädchen zunehmend weltlichen Unterricht, der sich indes im Unterrichtsstoff weitgehend von dem der Knabenschule unterschied.

Es ist aufschlußreich, die Kluft zwischen hochgestochener Revolutionsrhetorik und dürftiger Schulwirklichkeit für Mädchen auszuloten. Auch nachdem sich in Frankreich schließlich die Republik als Staatsform durchgesetzt hatte, hielt die Entwicklung der Mädchenschule aus vielerlei Gründen keineswegs Schritt mit dem Ausbau des Schulwesens insgesamt und erst recht nicht mit der allgemeinen Zunahme des überkonfessionellen Unterrichts.

Im Prinzip hätte die Französische Revolution staatliche Schulen für Mädchen in dem Moment schaffen müssen, in dem sie die bisher damit befaßten Nonnenklöster schloß und deren Lehrkörper in alle Winde zerstreute. Faktisch aber blieb die Mädchenerziehung nach wie vor von Brauch und Sitte bestimmt. Das war insofern ohne weiteres möglich, als Mädchen noch kaum zur Schule gingen. In den folgenden Jahrzehnten wurde der Schulbesuch häufiger, und damit breitete sich vermehrt auch weltliches Wissen aus. Gleichwohl sollte es noch fast ein Jahrhundert dauern, bevor der nicht konfessionell gebundene Unterricht in Frankreich gesetzlich verankert wurde. Dagegen blieb in Spanien und Italien jede außerfamiliäre Erziehung weiterhin in Form und Inhalt Angelegenheit der Kirche. In Deutschland und England kam es aufgrund anderer historischer Überlieferungen und wegen des Bekenntnispluralismus zu anderen Lösungen. Dort hatte jede Religionsgemeinschaft eigene Schulen, doch fanden mit wachsenden staatlichen Zuschüssen besonders in England konsensfähige überkonfessionelle Gebete und Glaubenstexte immer größere Verbreitung.

Die Darstellung solcher Kontraste macht den Stellenwert der Schule deutlich: Die Säkularisierung des Schulwesens hat nur dann eine Chance, wenn die öffentliche Hand in Gestalt von Kommunalbehörden oder des Staates ihr Schulaufsichtsrecht durchsetzt. Die sogenannte »laizistische« Erziehung scheint also untrennbar verknüpft mit einem »staatlichen« Schulwesen, also mit einer Erziehung außerhalb der häuslichen Sphäre. Eine nicht kirchlich gebundene Mädchenerziehung konnte sich erst entwickeln, als der Staat diese zunehmend zu seiner Sache machte. Sobald der Staat mit Gesetzen und Haushaltsmitteln, die eine öffentliche Verwendungskontrolle zur Folge hatten, das Schulsystem zu beeinflussen suchte, mußte er bestrebt sein, auch für alle Steuerbürger konsensfähige Unterrichtsinhalte einzuführen. In Frankreich dehnte der Staat seinen Einfluß in der Mädchenerziehung schon Mitte des 19. Jahrhunderts auf die erst im Entstehen begriffene Oberschule aus. Dreißig Jahre später stand die Dritte Republik dann vor dem Problem, einen

Oberschulunterricht speziell für Mädchen und ohne jede religiöse Gebundenheit gesetzlich einzuführen. Dabei kam es darauf an, jeden offensichtlichen Verstoß gegen das Hergebrachte zu vermeiden und diese Neuerung in der Mädchenbildung mit den höheren Weihen der philosophischen, politischen und pädagogischen Verankerung in einer fernen Vergangenheit auszustatten. In den Argumenten von Pädagogen und Schulreformern zugunsten von Mädchenoberschulen spielten außerdem Rückverweise auf die Französische Revolution eine große Rolle. Die Befürworter forderten eine Institutionalisierung der Mädchenbildung, um Kontinuität gegenüber historischen Wechselfällen zu sichern. Sie legitimierten die Mädchenoberschule als republikanische Tradition und als Erbe der Klassiker, deren Unterrichtsdarstellung und Lektionen sie gleichfalls neu interpretierten und formulierten. Bei der Herausbildung einer laizistischen Erziehung für Mädchen überwog also das Politische.

Die laizistische Mädchenerziehung: Grundlagen und Prinzipien

Die Französische Revolution, die auch in dieser Frage Rousseau folgte, hatte wenig über Mädchenerziehung nachgedacht und noch weniger gesetzlich festgelegt. Dennoch gab es in ihr auch Bestrebungen, Knaben und Mädchen geistig gleichzustellen. Dieses hätte zu identischen Lerninhalten führen müssen, wäre nicht gleichzeitig das Prinzip der Arbeitsteilung zwischen den Geschlechtern beibehalten worden. Knaben lernten für ein Leben in der Öffentlichkeit, für Waffenhandwerk und Rechtswesen. Mädchen wurden erzogen für den Haushalt und die Ehe. Auch diese Bildungskonzepte waren politisch motiviert. Sie unterwarfen die Frau der männlichen Fremdbestimmung, indem sie sie »naturgemäß« von jedweder öffentlichen Debatte ausschlossen. Ihr stiller Einfluß indes blieb keineswegs unerkannt; genau seinetwegen hoben die Männer der verfassunggebenden Versammlung die Klöster für Frauen ebenso wie die für Männer auf. Denn junge Mädchen aus dem Adel und aus privilegierten Schichten waren teilweise oder ganz in Klöstern erzogen worden. Die ausgeprägte Feindschaft gegen die Klöster verband sich mit einer starken Abneigung gegen das Internat. Dieses war die vor 1789 vorherrschende Schulform und der Hort aller »religiösen« Bevormundung im Unterricht. Mädchen, so hieß es nun, sollten die Obliegenheiten ihres Geschlechts und wahre Frömmigkeit von der Mutter lernen. Das Prinzip der »mütterlichen Erziehung« blieb von nun an für mehr als zwei Drittel des 19. Jahrhunderts vorherrschend. Dabei zeigte sich ein Widerspruch. »Laizistisch« wurde als Gegensatz zu »kirchlich« begriffen. Doch barg die Ablehnung einer kirchlich bestimmten Erziehung die Gefahr in sich, in einem nächsten Schritt auch den Glauben zu leugnen.

Die spärlichen Schriften Mirabeaus über die Mädchenerziehung veranschaulichen, welche Grundsätze damals allgemein anerkannt waren. Frauen, schrieb er, seien für das »Leben im Innern«, für die »Häuslichkeit« geschaffen. Er stellte lediglich die Forderung, bereits vorhandene Mädchenschulen für Lesen, Schreiben und Rechnen zu erhalten und dort, wo es noch keine gab, neue nach dem Vorbild der Knabenschulen in den Städten und Gemeinden zu schaffen. Der schulische Teil der Mädchenerziehung war demnach für Mirabeau auf das Elementare und Praktische, wenn nicht gar das rein Nützliche beschränkt und blieb der eigenen »Strebsamkeit«, also der Privatinitiative überlassen.

Ganz anders der absolut systematische Vorschlag, den Talleyrand der verfassunggebenden Versammlung unterbreitete. Schulunterricht, schrieb er, müsse allen erteilt werden; desgleichen seien alle zu Lehrern berufen. Bildung müsse als Gemeingut für beide Geschlechter gewährleistet sein. Daraus folge die Notwendigkeit, Anstalten »in allen Landesteilen« zu gründen; aus dieser wiederum folge die Abschaffung jedes Sonderanspruchs, als Lehrer tätig zu werden, da jedermann zum Unterricht befugt sei. Aufgabe der Gesellschaft sei es, jede Form von Bildung zu entwickeln, zu ermöglichen und zu fördern. Unverzüglich müßten Schulen für beiderlei Geschlecht geschaffen und Grundsätze für den Unterricht aufgestellt werden, die er als »gültige Grundsätze für die Verbreitung von Bildung« ansah. Doch zwischen Grundsätzen und Praxis bleibe ein Unterschied. Zwar solle allen an den Schulen Unterricht erteilt werden, als handfestes Zeichen staatlicher Fürsorge für jedermann, doch sollten Mädchen nach Talleyrands Plan anders als Knaben mit acht Jahren von der Schule abgehen, um dann zu Hause von Vater und Mutter erzogen zu werden. Staatliche Berufsbildungs- oder Bildungsanstalten waren nur für solche Mädchen gedacht, die nicht von ihren Eltern erzogen werden konnten. Ziel war nämlich die Vorbereitung der Mädchen auf die Tugenden der Häuslichkeit und ihre Befähigung zur Führung einer Familie.

Wieviel Bildung Mädchen erhalten sollten, war nach Talleyrand sowohl vom Staats- und Gesellschaftsrecht wie vom Familienrecht bestimmt. Im Namen des Gemeinwohls müßten Mädchen anders als Knaben unterrichtet werden: »Höchstes Ziel aller staatlichen Einrichtungen muß das Glück für die größte Zahl sein (. . .). Wenn der Ausschluß der Frauen von öffentlichen Ämtern dazu beiträgt, ihr gemeinsames Glück (mit den Männern) zu mehren, muß er zum Gesetz erhoben werden, das von allen Gesellschaften anerkannt und geheiligt wird.« Zur Begründung berief er sich auf »die Stimme der Natur«.

Manche seiner Zeitgenossen gingen noch weiter und forderten im Konvent, Erziehung solle ausschließlich in der Familie stattfinden. Soweit sie wie Mirabeau von einer grundsätzlichen Verschiedenheit der Fähigkeiten und Aufgaben von Mann und Frau ausgingen, wurde die Frau zwangsläufig auf die Familie verwiesen. Die französischen Denker nach Rousseau wollten die Frau von der politischen Debatte ausschließen und die Arbeitsteilung zwischen den Geschlechtern ebenso wie die Klassenunterschiede in der Gesellschaft erhalten sehen. Dementsprechend hatten sie eindeutig geschlechtsspezifische Unterrichtsinhalte im Sinn: Im Anschluß an die Grundschule sollten Mädchen Spinnen, Nähen und Kochen erlernen, Knaben hingegen die Grundbegriffe von Mathematik und Geographie. Die künftigen Damen der besseren Gesellschaft sollten außer in Hauswirtschaftsfächern auch in der Kunst unterrichtet werden, die Häuslichkeit angenehm zu gestalten, eine notwendige Fähigkeit, wie Deleyre 1793 schrieb, um den Gatten stärker an das Heim zu binden.

Auf diese Weise wurde von einer kleinen Zahl von Autoren der Kanon des den Mädchen zugestandenen Alltagswissens aufgestellt: Der Religionsunterricht erschien ihnen dabei so selbstverständlich, daß sie ihn nicht besonders erwähnten. Ganz anders der Ansatz Condorcets, der gleiche Bildungschancen für Mann und Frau einforderte, da sie gleiche Rechte hätten. Als einziger sah er in der gemischten Schule ein Bollwerk gegen den Einfluß der Pfaffen und den Dünkel, der Eheschließungen zwischen verschiedenen sozialen Schichten verhindere. Ansonsten verwies auch Condorcet die Frauen auf ihre Aufgabe als Gattin und Mutter. Seine Zukunftsvision eines rein weltlichen Unterrichts ging den Nachfolgegremien des Konvents nicht verloren und geriet den Gesetzgebern der Dritten Republik zur Mahnung.

Nach schimärenhaften Reformvorschlägen und dem Auftreten von Eiferern wie Lepeletier de Saint-Fargeau, dem das spartanische Ideal näher lag als die Erfordernisse seiner Zeit, erhielten Mädchen und Knaben gleichen Grundschulunterricht für einige Jahre, und zwar in Gestalt einer republikanischen Erziehung, die nur das Bekenntnis zu den Bürgerpflichten verlangte. Aus Rücksicht auf die Stimmung in der Bevölkerung und die allgemeine Ablehnung gemischter Klassen wurde allerdings nach Geschlechtern getrennt unterrichtet, wo immer dies nach Schülerzahlen und Lehrerversorgung möglich war. Doch blieben Schüler und Schülerinnen alsbald dem republikanischen Unterricht fern. Die Eltern hatten Vorbehalte gegen die Indoktrinierung und sehnten sich häufig nach den alten Mustern zurück, und auch die Lehrer verließen die Schule, weil die Republik, die militärisch um ihr Überleben kämpfte, sie nicht mehr bezahlen konnte.

Die allgemeinbildende und konfessionslose Schule mit allgemeiner Schulpflicht war kaum über die Anfänge hinausgelangt. Die materiellen Gründe für ihr Scheitern liegen auf der Hand. Weitere Ursachen hängen mit der allgemeinen Geisteshaltung und mit verfestigten Gewohnheiten zusammen. Mädchen hatten daheim bei der Mutter zu bleiben, und vor allem sie hatten einen Religionsunterricht nötig. Zunächst im Untergrund, dann immer offener, kehrten entlassene Priester, ehemalige Mönche und Nonnen zurück und verdienten sich meist als Lehrer und Lehrerinnen den Lebensunterhalt, der ihnen ansonsten mittlerweile verwehrt wurde. Auch Pfarrverweser verwandelten sich in Schulmeister. Die Säkularisierung des Schulwesens erscheint also janusköpfig: Für die Mehrheit der Franzosen, die weiterhin ihrem Glauben anhingen, war sie von oben oktroyiert; für eine Minderheit in einzelnen Städten oder Landgemeinden war sie ein Schritt zur Befreiung vom »Aberglauben«. Die Alphabetisierung der französischen Bevölkerung verlief im übrigen äußerst ungleichmäßig, und im weiten Südwestfrankreich gerieten dabei die Frauen eindeutig ins Hintertreffen.

Die Konfessionsschule bekommt Konkurrenz

Nicht alle Länder Europas führten die konfessionslose Mädchenerziehung auf die gleiche Weise ein. In Frankreich koexistierte das staatliche Schulwesen neben einem privaten; in Belgien dagegen tobte seit den sechziger Jahren des 19. Jahrhunderts ein so heftiger Kulturkampf zwischen Katholiken und freidenkerischen Laien, daß ein liberales Schulgesetz nicht umgesetzt werden konnte. In der Folge wurde die konfessionslose Mädchenerziehung von privaten Gruppierungen, philosophischen Gesellschaften und lokalen Bildungsvereinen eingeführt.

Der Hauptkonflikt in England lag auf anderem Gebiet: Da die anglikanische Staatskirche ihre gesetzliche Verfügungsgewalt über das Schulwesen bereits eingebüßt hatte und es sogar schon im mittleren Bürgertum üblicher als in anderen Ländern war, Privatunterricht von Gouvernanten oder stundenweise bezahlten Hauslehrern erteilen zu lassen,[2] ging es weniger um Entkonfessionalisierung als um einen Religionsunterricht, der allen Glaubensrichtungen genehm war und Atheisten nicht vor den Kopf stieß. Mit der Schaffung eines staatlichen Unterrichtswesens durch den Forster Act (1870) kam es zu einem

»typisch englischen« Kompromiß[3] zwischen den verschiedenen Interessen und Meinungen. Die von den Lokalbehörden ernannten Schulausschüsse hatten festzulegen, welcher Religionsunterricht erteilt werden sollte, und die Glaubensfreiheit wurde durch die Vorschrift gewährleistet, den Religionsunterricht auf die erste oder letzte Schulstunde zu legen: Schüler, die nicht daran teilnehmen wollten, versäumten so nichts vom anderen Unterricht. In den staatlichen Schulen erhielt der Religionsunterricht eine so allgemeine Gestalt, daß er allen recht war, sogar den Agnostikern. So kam es zur Konkurrenz zwischen der staatlichen Schule und der kirchlich-anglikanischen, die zugunsten der staatlichen Schule ausging, denn sie wurde 1894 von fast zwei Dritteln aller Schulpflichtigen besucht. Gegen Ende des Jahrhunderts wurden zahlreiche neue Schulhäuser errichtet, in denen Mädchen- und Knabenschule baulich getrennt waren. Ein Gesetz von 1893 verlängerte die allgemeine Schulpflicht bis zum elften Lebensjahr, ein Nachfolgegesetz von 1899 bis zum zwölften.

In diesen Jahren wurden in England auch Anstalten zur Ausbildung von Grund- und Oberschullehrern gegründet: Die meisten dieser *training colleges*, die alsbald den Universitäten angeschlossen wurden, waren gemischt. Der Oberschulunterricht als solcher wurde erst 1902 gesetzlich vom Grundschulunterricht getrennt. In der weiteren Entwicklung wurde im Schulwesen jede Auseinandersetzung um Fragen der Religion, aber auch um die Stellung der Frau im Bildungswesen gemieden. Frauen überwogen im Lehrkörper allerdings in wachsendem Maße: Von 70000 im Jahre 1859 nahm ihre Zahl bis 1901 auf 172000 oder 74,5 Prozent aller Lehrkräfte zu.[4] Schon 1865 ließ die Universität Cambridge junge Frauen zu Prüfungen *(local examinations)* zu. Das war allerdings noch kein Zugang zu akademischen Graden. Als Vorkehrung gegen Sittenverderbnis wurde das Frauencollege in Cambridge zunächst weit vom Universitätsgelände entfernt untergebracht. Ein Gesetz von 1875 ermächtigte die Universitäten, Frauen akademische Grade zu verleihen. Doch noch 1914 gab es erst wenige Oberschullehrerinnen. Dabei mag sich ausgewirkt haben, daß es viele Widerstände besonders bei den Medizinern gab, daß Frauen nicht genug Ehrgeiz zeigten oder ihre Kräfte im Kampf um das Frauenwahlrecht verschlissen.

In Frankreich herrschte wie in England freie Wahl der Schule, doch hatten lokale Schulvereine nicht denselben Spielraum. In Frankreich waren die Beziehungen zwischen staatlicher Schule und anerkannten Religionsgemeinschaften seit der Revolution zwar gesetzlich geregelt, doch konfessionslos wurde die staatliche Grundschule erst mit den Schulgesetzen von 1882 (allgemeinverbindliche, nichtkirchliche Inhalte) und 1886 (Prinzip der konfessionellen Unabhängigkeit des Lehrpersonals). Außer in den Nonnenschulen wurden die Religionsstunden zudem durch die Lehrpläne der Lehrerverbände, die den Lehrern und Lehrerinnen im Laufe des Jahrhunderts immer vollständiger als Handreichung angedient wurden, zunehmend an den Rand gedrängt. Darüber hinaus erhielt der Religionsunterricht per Gesetz von 1833 und von 1850 als »Ethik- und Religionsunterricht« eine verbindliche Form. Mädchen wurden durch ihn stärker geprägt, da sie zu einem erheblichen Teil bei den Nonnen zur Schule gingen. Diese Einflußnahme der Kirche auf die Mädchenerziehung wurde Hauptstreitpunkt im Kulturkampf der Republikaner und Freidenker um die Säkularisierung des Erziehungswesens.

Am Rande des Mädchenschulwesens, das weiterhin stark religiös bestimmt blieb, und dieses um so mehr, als saint-simonistische Träume, fourieristische Spekulationen und lärmende Demonstranten von 1848 jeden Reformversuch der Lächerlichkeit preigegeben hatten, entwickelte sich dennoch allmählich der nichtkirchlich gebundene Unterricht. Élisa Lemonnier, eine Protestantin, wie ihr Gatte vom Saint-Simonismus geprägt und vom Elend und der Unwissenheit der Arbeiterfrauen in der Revolution von 1848 stark beeindruckt, gründete 1862 in Paris eine Berufsschule für mittellose junge Frauen. Ihre zweite Schule wurde 1864 eröffnet; sie stand unter Leitung der Freidenkerin Clarisse Sauvestre, der Ehefrau des antiklerikalen und bonapartistischen Journalisten Charles Sauvestre. Diese Lehranstalten wurden auch von jungen Mädchen aus dem Mittelstand besucht, die außerhalb der Familie einen Beruf erlernen mußten, und waren die ersten konfessionslosen Schulen in Frankreich; die religiöse Erziehung der Schüler blieb völlig der Familie überlassen. Der Lehrplan sah drei Unterrichtsgruppen vor: Allgemeinunterricht, Sonderklassen für Kaufmannsgehilfinnen oder technische Zeichnerinnen, praktische Arbeit in den Werkstätten. Die jungen Mädchen erhielten außerdem Moralunterricht. Élisa Lemonnier wollte sie zu »guten Familienmüttern« mit Frauenwürde, Selbstwertgefühl und Selbstachtung bilden. Die Direktorin ihrer ersten Mädchenschule, Mademoiselle Marchef-Girard, wurde später die erste Direktorin des berühmten Collège Sévigné. Sie ist das symbolische Bindeglied zwischen dem Lebenswerk Élisa Lemonniers und der ersten konfessionslosen Mädchenoberschule von Paris.

Ebenfalls 1864, jedoch in Belgien, wurde auf Initiative Senator Bischoffsheims der erste Verein zur beruflichen Bildung von Frauen gegründet. Die erste Berufsschule öffnete ihre Pforten im April 1865; die konfessionslose Privatanstalt wurde 1868 von der Stadt Brüssel übernommen. Zehn Jahre später gab es schon drei Schulen dieses Typs. Das Ziel der Anstalt bestand darin, mehr zu vermitteln als simple Hauswirtschaftslehre, auf welche die Mädchenerziehung der

Nonnen beschränkt gewesen war. Das Lehrangebot sollte auch theoretischen Unterricht umfassen. Doch das Frauenbild blieb unverändert: Die Frau hatte durch ihre häusliche Tätigkeit zum »Familienglück« beizutragen.[5]

Sicher läßt sich an den Lehrplänen, die als Ersatz für die der Klosterschulen vorgeschlagen wurden, am besten ermessen, wie zwiespältig das neue Schulsystem mit seiner Einbeziehung aller sozialen Schichten war. Die Frau wurde nicht uneingeschränkt auf »die Wissenschaft« losgelassen, und ihre Bildungsmöglichkeiten nach der Grundschule blieben begrenzt. Weder die Republikaner in Frankreich noch die Liberalen in Belgien trennten sich nämlich von der Vorstellung, daß die ideale Frau an den häuslichen Herd gehöre. Wie ihre politische Konkurrenz und ihre geistigen Väter waren sie von der Furcht beseelt, allzuviel Bücherwissen könnte die Frau ihrem Auftrag als Mutter und Gattin entfremden. Sogar die weltliche Spielart der Mädchenerziehung hielt sich also zumeist an alte Erziehungsmuster und nahm dabei »Rücksicht auf das schwache Geschlecht« und auf hergebrachte Sitten. Die entschiedensten Verfechter des staatlichen Unterrichtswesens in Frankreich und Belgien ließen die Frau zwar zur »Wissenschaft« zu, aber nur zum höheren Nutzen der Männer, der Söhne oder Gatten: Jules Ferry wollte »republikanischen Männern republikanische Gefährtinnen« zur Seite geben, um die seelische Kluft zwischen gottgläubiger Frau und freidenkendem Mann zu überbrücken. Zwar zeigt sich an seiner Betonung dieses Aspekts, welch stillen Einfluß er den Frauen immerhin zutraute, doch einen ausgedehnten Schulbesuch wollte er ihnen deswegen nicht zugestehen. Obzwar noch die Grundschule der Dritten Republik bis auf die Handarbeitslehre, die in einer Mädchenklasse nicht fehlen durfte, für beide Geschlechter gleich war, gingen die Mädchen schon nicht so lange auf die Oberschule wie die Knaben und hatten nicht die gleiche Fächerauswahl; sie lernten weiterhin weder Latein und Philosophie noch moderne Naturwissenschaften.

Daraus folgte für Frankreich zwischen 1905 und 1914 ein ständiges Hin und Her in der Frage, ob Mädchen der Zugang zum Abitur und damit zum Hochschulstudium gewährt werden sollte oder nicht.

Die Durchsetzung des laizistischen Schulunterrichts

Aus Gründen sowohl der Landeskultur und -geschichte wie auch der Traditionen staatlicher Einmischung oder Nichteinmischung in Angelegenheiten der Religionsausübung stellte sich die Frage der überkonfessionellen Grundschule in den wichtigsten Ländern Europas in anderer Form als in Frankreich und Belgien. In Belgien scheiterte eine dauerhafte gesetzliche Regelung im Sinne Ferrys am Widerstand der Katholiken.[6] Die Schuldebatte wurde äußerst erbittert geführt, und nur wenige Bürger waren bereit, ihre Töchter auf die Universität zu schicken. Die Freidenkerinnen, die der konfessionslosen Mädchenerziehung Bahn gebrochen hatten, wurden mit Schimpfkanonaden und den Bannflüchen der kirchlichen Würdenträger bedacht. Der Kampf um die Säkularisierung des Unterrichts begann in den *salles d'asile*, der damaligen Bezeichnung für Kleinkinderhorte. Ein Förderverein für Kindergärten (*écoles gardiennes*, wobei schon der Name auf den Charakter der Einrichtung als Zwitter zwischen Wohlfahrtseinrichtung und Bildungsstätte hinweist) eröffnete bereits 1846 in Brüssel mit Unterstützung der Loge der Menschenfreunde einen Kinderhort. Weitere Horte vom gleichen Typ entstanden in den großen Städten. Schon bald kam es zur Auseinandersetzung mit den Nonnen, die bisher das Monopol auf »Kindergärten« gehabt hatten. Wieder obsiegte das laizistische Lager und setzte 1847 die Ernennung der Brüsseler Anwaltstochter und Fourieristin Zoé de Gamond als Inspekteurin für alle Einrichtungen durch. 1851 legte sie die Erziehungsgrundsätze in einem *Manuel des salles d'asile et des écoles primaires* nieder. Wenig später betrieben die gleichen Kreise die Übernahme von Fröbels aktiven Unterrichtsmethoden. Der erste 1857 in Ixelles gegründete Kindergarten erhielt einen Zuschuß von der Regierung. Doch die enge Zusammenarbeit zwischen den Anhängern Fröbels und Isabelle Gatti de Gamond, der Tochter von Zoé de Gamond, führte zu einer Verfassungsbeschwerde wegen Atheismus.[7] Einige Töchter von Liberalen und Sozialisten, darunter auch die von Proudhon, gingen auf eine kostenpflichtige »Schule der Familienväter«, die 1857 gleichfalls in Ixelles gegründet wurde.

Sozialisten und Fourieristen wollten einen freien oder zumindest erschwinglichen Schulbesuch für die breite Masse durchsetzen. Sie suchten daher nach effizienten und zugleich kostengünstigen Methoden. So erklärt sich der Erfolg der Methode Fröbels und vor allem Lancasters, die in Frankreich von der Linken schon unter der Julimonarchie propagiert worden war. Diese Methode des wechselseitigen Unterrichts, bei der ältere Kinder den Kleinsten etwas beibringen, war nicht bloß ökonomisch; sie erforderte eine Zusammenstellung von Schülergruppen nach Lernniveau und ermöglichte das gleichzeitige Erlernen von Lesen und Schreiben.

In den sechziger Jahren erlebte der wechselseitige Unterricht seine Blüte. In Frankreich und in Belgien schrieben »Liberale« aller Schattierungen nun den kostenlosen Primarschulunterricht für alle auf ihre Fahnen und machten ihn zu ihrem Hauptprogrammpunkt. Im Dezember 1864 gründete sich in Belgien die Ligue de l'enseignement. Diese sammelte durch ihre Sektionen oder Freundesorganisationen so viele Spenden, daß sie um 1878 eine Musterschule, sechs Grund- und Mittelschulen für Knaben und sieben für Mädchen unterhalten konnte.[8] Ihre Anstalten wurden meist nach ein paar Jahren von den Kommunalbehörden übernommen. Der per Gesetz von 1878 beschlossene konfessionslose Primarunterricht für Mädchen konnte jedoch nicht wie in Frankreich eingeführt werden, nachdem die Konservativen 1884 die Macht zurückerobert hatten.

Der Oberschulunterricht für Mädchen entwickelte sich in Belgien aus einigen wenigen Initiativen, die von Kommunen und Bildungsvereinen vor allem in Lüttich und Tournai gegen ein kämpferisches Episkopat durchgesetzt werden mußten. Es handelte sich zunächst um einen Mittelschulunterricht in Handarbeit, Hauswirtschaftslehre und Buchhaltung, der verbunden war mit pädagogischen Neuerungen wie Fächerabstimmung, mündlichem Unterricht in Fremdsprachen und praktischen naturwissenschaftlichen Experimenten. Dieser Unterricht wurde heftig angefeindet, weil in den Lehrplänen angeblich Naturalismus und Materialismus obsiegte. Diese Bemühungen lassen sich in Verbindung setzen mit Bestrebungen, auch in den Hebammen- und Schwesternschulen den Einfluß der Kirche zurückzudrängen. Eine erste Schule für Krankenschwestern und -pfleger wurde 1888 von einem sozialistischen Arzt eröffnet; sie fand kein Vertrauen. 1907 gründete die Pastorentochter Édith Cavell eine erste Schule für Diplom-Krankenschwestern; gegen diese Anstalt wurde ebenfalls heftig polemisiert, doch setzte sie sich allmählich durch. Bei den Mädchenlyzeen ergriff der Staat vor 1914 keinerlei Initiative. Das erste Mädchenlyzeum entstand in Gent, und auch dort nur auf private Anregung.

Die in Frankreich 1880 per Gesetz erfolgte Errichtung eines völlig säkularisierten staatlichen Oberschulwesens für Mädchen ist also ein Sonderfall. Die neue Bildungseinrichtung, in der sich zugleich das Vorwärtsdrängen, Zurückweichen und Zaudern des Jahrhunderts im Bildungswesen widerspiegelte, wurde zum Vehikel, die Situation vor allem von Frauen der Mittelschichten nachhaltig zu verändern. Das sogenannte Gesetz Camille Sée, das die Errichtung erst ermöglichte, war hauptsächlich das Werk eines Einzelkämpfers. Dennoch ist es nicht von den sonstigen Gesetzesinitiativen des Kabinetts Ferry zu trennen, mit denen das Fundament für die Bekenntnisfreiheit der Mädchenschule gelegt wurde. Zwei gegenläufige Strömungen sind bei den Ansätzen auszumachen: Zunächst deckten sie sich mit der in allen europäischen Ländern erkennbaren Tendenz, für alle Kinder eine Schulbildung über die allmählich durchgesetzte Alphabetisierung hinaus zu gewährleisten. Ursprünglich für Bürgermädchen gedacht, sollte sie über die für die Mädchen der Unterschicht gedachte Grundschulerziehung hinausgehen und eine verfeinerte Kultur *vermitteln*. Auf der anderen Seite jedoch erhob dieses Gesetz, das den Republikanern entgegenkam, weil es verhieß, »die Mädchen der Kirche zu entreißen«, nicht auch noch den Anspruch, nun auch Mädchen die traditionell den Knaben vorbehaltene Oberschulbildung zu vermitteln. Wieder einmal sollte alles vermieden werden, was die Mädchen ihrer angeblich wahren Berufung als Hüterin des Hauses hätte entfremden können. Damit blieb jedwede außerhäusliche Berufstätigkeit als Perspektive ausgeschlossen. Das Gesetz Camille Sée brachte zwar einen Bruch mit der traditionellen Klostererziehung der gläubigen oder nichtgläubigen Mädchen, beugte sich aber dem Beharrungsvermögen einer Gesellschaft, deren inneres Gleichgewicht zumindest für die privilegierten Schichten auf der geschlechtsspezifischen Arbeitsteilung beruhte. Die Frauenarbeit im Arbeitermilieu wurde dagegen als schiere Notwendigkeit hingenommen.

Auch in den allgemeinen pädagogischen Prinzipien der Dritten Republik waren entsprechende Ausnahmen für Mädchen vorgesehen. Der Unterricht in den exakten Wissenschaften sollte für sie anders ablaufen als für die Knaben üblich, denn es galt als gefährlich, bei interessierten Mädchen die Lust an der Abstraktion zu wecken. Mädchen sollten nur praktisches Rechnen lernen, kam doch der Ingenieurberuf für sie ohnehin nicht in Frage. Wie man sieht, war den Anhängern der Bildungsreform mitnichten daran gelegen, die Frau durch eine solide Schulung in klassischer Philosophie oder in modernen Naturwissenschaften vom religiösen Aberglauben zu befreien. Auch die alten Sprachen wurden nur eben geduldet: Griechisch sollten Mädchen »nicht für sich, sondern für ihre Kinder« lernen. Die Mutter als Erzieherin blieb also das ganze Jahrhundert hindurch Leitfigur. Entsprechend zweideutig waren die Reformideen in bezug auf Mädchen. Es ging in erster Linie nicht darum, Mädchen gründlichere Kenntnisse in diesem oder jenem Fach zu vermitteln, sondern darum, der Kirche die Kontrolle über die Mädchenerziehung zu entziehen. Um dieses Ziel zu erreichen, durften Familien nicht kopfscheu gemacht werden, indem hergebrachte Unterrichtsinhalte verändert und Mädchen mit Schularbeiten von ihren häuslichen Pflichten abgehalten wurden.

Das Gesetz wurde am 21. Dezember 1880 genau so angenommen, wie es die Republikaner gewollt hatten. Aber innerhalb des republikanischen Lagers gingen die Ansichten auseinander. Antiklerikal waren sie zwar alle. Aber manche fanden es durchaus akzeptabel, wenn sich in ihrer eigenen Familie die Frauen um Glaubensdinge kümmerten. Wieder andere, die ältesten Abgeordneten, die zumeist 1848 noch miterlebt hatten, blieben Deisten. Auch kann es nicht überraschen, daß die oberste Schulaufsicht, in der die weniger militanten Universitäten das Sagen hatten, in die Lehrpläne auch die »Erziehung zur Gottesfurcht« hineinschrieb, was erst 1923 gestrichen wurde, und auch das nur vorübergehend.

Dem »laizistischen Modell« der Mädchenerziehung wurde 1880 in Frankreich der Weg gebahnt. Es dauerte allerdings noch lange, bis es als vorherrschendes Modell tatsächlich doch Gesetz war. Die auf der Basis des Gesetzes gegründeten Lyzeen und Mädchenrealschulen wuchsen in den ersten zwanzig Jahren ihres Bestehens zwar stetig, aber langsam. Sie konnten sich um so besser in die pädagogische Landschaft Frankreichs einfügen, je weniger sie gegen hergebrachte Sitten verstießen und als Trojanisches Pferd des Antiklerikalismus gebrandmarkt werden konnten. Katholische Familien mit besonderen Bildungsambitionen schickten ihre Mädchen bisweilen lieber auf die bekenntnisfreie staatliche Schule als auf katholische Konfessionsschulen. Bis 1914 waren die Probleme, mit denen sich die etwa 33 000 Mädchen in den Lyzeen und Realschulen und deren Lehrer konfrontiert sahen, nicht in erster Linie weltanschaulich-konfessionelle Probleme, sondern sehr viel prosaischer der fehlende Zugang zur Arbeitswelt, den ihnen die zwar bekenntnisfreie, aber konservative Gesetzgebung der Dritten Republik nach wie vor verwehrte.

Aus dem Französischen von Günter Seib

11

Zwischen Erwerbsfleiss und Bildungsreligion – Mädchenbildung in Deutschland

Juliane Jacobi

Deutschland gilt im Gegensatz zu England als Musterland eines bereits früh im 19. Jahrhundert geregelten und normierten öffentlichen Schulwesens. Das Volksschulwesen für die Töchter und Söhne nichtbürgerlicher Schichten wurde ebenso wie das höhere Knabenschulwesen in den meisten deutschen Staaten unter staatlicher Regulierung früh als öffentliche Aufgabe begriffen. Der Blick auf das weiterführende Mädchenschulwesen im 19. Jahrhundert bietet jedoch ein ganz anderes Bild. Auffallend ist nicht nur seine späte staatliche Normierung, sondern auch die hohe Zahl privat finanzierter Mädchenschulen mit unterschiedlicher Zielsetzung, lehrplanmäßiger Ausprägung und in unterschiedlicher Trägerschaft bis zum Ende des deutschen Kaiserreichs 1918. Eine Darstellung der Geschichte der Mädchenschulen, die darauf zielt, die Normierung und Angleichung des Mädchenschulwesens an die Regelungen und Berechtigungen der Knabenschulen zu beschreiben, würde deshalb nicht nur eine große Gruppe von Schulen, die überwiegend von Mädchen aus den Mittelschichten besucht wurde, stiefmütterlich behandeln, sie könnte auch kaum den eigenständigen Beitrag von Frauen der Frauenbewegung zur Mädchenbildung im 19. Jahrhundert hinreichend würdigen. Diese Schulen, zunächst oft Töchterschulen, später höhere Mädchenschulen genannt, waren zum Teil allgemeinbildend, zum Teil berufsbildend und in ihnen wurden die Trägerinnen der weiblichen Sozialreform wie der weiblichen Bildungsreform des 19. und frühen 20. Jahrhunderts ausgebildet.

Höhere Mädchenschulen ermöglichten den Eintritt der Frauen der Mittelschichten in das Erwerbsleben oder verschafften ihnen einen Wirkungskreis, der über den der Familie hinausging. So unterschiedlich sie von ihren Veranstalterinnen und Veranstaltern auch konzipiert gewesen sein mögen, gemeinsam war ihnen, daß sie die Verantwortung für eine weiterführende Mädchenbildung trugen, solange sich der Staat und lange Zeit auch die Kommunen zurückhielten, und daß sie zugleich einer großen Zahl von Frauen aus den Mittelschichten selbst zur Existenzsicherung dienten: sei es, daß sie als selbständige Unternehmerinnen arbeiteten oder als Lehrerinnen von privaten Stiftungen oder Vereinen angestellt waren, sei es, daß sie als Schwestern religiöser Frauengemeinschaften – katholischer Kongregationen und evangelischer Diakonissenverbände – wirkten.

1912, zwei Jahre nachdem auch in Sachsen als letztem deutschen Teilstaat eine staatliche Regelung der Zulassungen von Mädchen zu berechtigenden Schulabschlüssen erfolgt war, konnte Anna Schmidt, die Vorsitzende des Bundes privater deutscher Mädchenschulen in einem Bericht schreiben: »Die für die Mädchen geschaffenen Schularten (neuerdings Frauenschulen, Mädchengymnasien sowie die jetzt vom Staat übernommenen Gewerbeschulen für Frauen) sind fast ausschließlich Neuschöpfungen und private Arbeitsstätten weitblickender Frauen gewesen.«[1] Wie kam es zu dieser Ausprägung der Mädchen- und Frauenbildungseinrichtungen und welches waren ihre gemeinsamen und ihre unterschiedlichen Züge?

Waren in der Entstehungszeit der neuzeitlichen Geschlechteranthropologie auch in Deutschland durchaus kontroverse Positionen zur Bedeutung und Orientierung der Mädchenbildung zu hören, so hatte sich spätestens nach den Freiheitskriegen die Vorstellung durchgesetzt, daß eine über die Elementarbildung hinausgehende höhere Bildung von Jungen und Mädchen geschlechtsspezifisch differenziert werden müsse und daß Töchter aus bürgerlichen gebildeten Familien nicht auf außerhäusliche Erwerbstätigkeit und öffentliche Aufgaben durch eine am klassischen Bildungskanon orientierte sogenannte Allgemeinbildung vorbereitet werden sollten. Die Ziele der Mädchenbildung sollten vielmehr durch den späteren Beruf der Hausfrau, Gattin und Mutter und die damit zusammenhängenden Pflichten und Aufgaben bestimmt werden.[2] Die dieser Bildungskonzeption zugrundeliegenden Imaginationen und Konstruktionen von Weiblichkeit, die Begründungen und die Kontroversen um die Zielsetzung der Bildung unterschieden sich in den meisten europäischen Ländern, trotz konfessionell und politisch-kulturell unterschiedlicher Gegebenheiten, nur graduell.[3] Die feministischen wie die nichtfeministischen Stimmen in diesem Diskurs betonten mit wenigen Ausnahmen seit dem späten 18. Jahrhundert – seit Rousseau und Pestalozzi – die Bedeutung von Mutterschaft ebenso wie die von Mütterlichkeit, von »Häuslichkeit« als deutschsprachiger Variante der *woman's sphere*, und später im 19. Jahrhundert dann die Bedeutung des »weiblichen Kulturbeitrages« für die Ziele der Mädchenbildung.[4]

Wie das Bildungswesen für Mädchen auf dieser Grundlage in Deutschland im Verlauf des 19. Jahrhunderts gestaltet wurde, soll im folgenden erläutert werden. Die Darstellung konzentriert sich auf die Einrichtungen und Aktivitäten in der Mädchen- und Frauenbildung, die über die Elementarbildung hinausgehen, und legt damit das Schwergewicht auf die Mädchenbildung der Töchter aus gebildeten bürgerlichen Familien. Bildung und Ausbildung der Mädchen aus nicht- und kleinbürgerlichen Schichten kommen nur insoweit zur Sprache, als diese im Verlauf des 19. Jahrhunderts ebenfalls zunehmend vom pädagogischen Diskurs über Mädchenbildung geprägt wurden.

Für die Geschichte der deutschen Mädchenbildung im 19. Jahrhundert muß, ähnlich wie es Margaret Bryant für die private und halböffentliche Schullandschaft Englands festgestellt hat, der Beitrag von Frauen hoch veranschlagt werden.[5] Deren pädagogische Praxis führte schließlich dazu, daß Staat und Gesellschaft die Interessen von Frauen an Bildung und an qualifizierter Erwerbsarbeit als öffentliche Aufgabe erkannten. Und ähnlich wie Bryant es für die englischen Mädchenschulreformer und -reformerinnen herausgearbeitet hat, kann auch für die deutschen Pädagoginnen gesagt werden, daß sich ihr Eifer aus verschiedenen, sowohl christlich-patriotischen, konfessionell-erwecklichen, aber auch romantisch-pestalozzianischen, nichtkonfessionellen Quellen speiste und religiöse Züge trug. Diese produktive Mischung aus praktischem Handeln und ideellem Eifer prägt die Geschichte der Mädchenbildung im gesamten 19. Jahrhundert. Die gegen große politische, soziale und ideologische Widerstände durchgehaltenen Bemühungen eröffneten zu Beginn des 20. Jahrhunderts den Mädchen in Schule und Berufsausbildung erweiterte Partizipationsmöglichkeiten und legten die rechtlichen Grundlagen für die Bildungsgleichberechtigung. Die ersten Töchterschulen wurden gegründet, um der allgemeinen Schul- oder Unterrichtspflicht, die um 1800 fast überall in Deutschland eingeführt war, mit standesgemäßen Einrichtungen nachzukommen.[6]

In einem ersten Abschnitt werden Frauenvereine, die während und nach den Freiheitskriegen entstanden, und Privatunternehmen, die häufig von Frauen geführt wurden, dargestellt, denn sie gründeten die ersten höheren Mädchenschulen. Die »Fröbelbewegung«, demokratische Kräfte der Zeit um 1848 und liberale Reformer und Reformerinnen, die sich für Frauenerwerbstätigkeit und die Übernahme von Erziehungsaufgaben durch Frauen einsetzten, aber auch christlich-konfessionelle Vereinigungen im Grenzgebiet zwischen Wohltätigkeit und Erziehung haben die Mädchenbildung im weiteren Verlauf des 19. Jahrhunderts geprägt. In einem zweiten Abschnitt wird am Beispiel einer höheren Mädchenschulgründung aus den 1860er Jahren, der Hamburger Paulsenstiftschule, diese Entwicklung exemplarisch dargestellt. Neben der Durchsetzung von Zugangsmöglichkeiten zur Allgemein- und Berufsbildung für Frauen, die sich im Laufe der zweiten Hälfte des 19. Jahrhunderts entwickelten, standen die Aktivitäten der Frauenbewegung um die Ddurchsetzung von Zugangsmöglichkeiten für Mädchen zum akademischen Studium zwischen 1890 und 1910. Beide Formen organisierter Bildungsreform bilden den Schwerpunkt des dritten Abschnittes. Die gesamte Darstellung betont den engen Zusammenhang von Sozial- und Bildungsreform, der den Auf- und Ausbau des Mädchenschulwesens durch das ganze 19. Jahrhundert geprägt hat.

Frühe Frauenvereine und private Mädchenschulen bis 1860

»Bei der Aufsicht über die Töchterschulen werden die Schuldeputationen die verständigsten und achtbarsten Frauen aus den verschiedenen Ständen zu Rate ziehen, ihnen wesentlichen Anteil an Schulbesuchen, Prüfung und Beurteilung der Arbeiten, der Erziehung und Unterweisung geben und die Hausmütter des Orts auf alle Weise für die Verbesserung der weiblichen Erziehung zu interessieren suchen (. . .). Die Spezialaufsicht dürfen sie Frauen, welche vorzüglich Sinn und Eifer an den Tag legen, übertragen und sie zu Mitvorsteherinnen desselben ernennen.«[7] Dieses preußische Ministerialreskript vom 26. Juni 1811, das als Ergänzung zur Steinschen Städteordnung noch 1902 Gültigkeit hatte, wertete Gertrud Bäumer 1902 zu Recht als Ausdruck eines in der Zeit der nationalen Neuorganisation Deutschlands lebhaften Interesses an der Einbeziehung von Frauen in die öffentliche Mädchenerziehung. Daß das Reskript »nirgendwo in irgendwie nennenswerter Weise zur Verwirklichung gekommen ist«, räumt die Autorin, die selbst am Anfang einer Karriere als Bildungspolitikerin stand, zwar ein, machte aber gleichzeitig anhand der staatlichen Verordnung darauf aufmerksam, welche Vorstellungen von öffentlichen Aufgaben für Bürgerinnen in der Zeit der nationalen Erhebung vorhanden waren. Ihren praktischen Ausdruck fanden diese Vorstellungen in der Gründung der sogenannten patriotischen Frauenvereine in den Notzeiten während und nach den Befreiungskriegen. Neben Armenfürsorge widmeten diese sich zumeist auch der Unterweisung von Mädchen in Schulen, die zum Teil nach dem Modell der Industrie- und Spinnschulen, zum Teil aber auch als allgemeinbildende Fortbildungsveranstaltungen organisiert waren. In den deutschen Staaten, in denen es noch kein staatlich oder kommunal alimentiertes und geregeltes Volksschulwesen gab, wie beispielsweise in Bremen und Hamburg, boten sie als »Freischulen« auch armen Mädchen eine kostenlose Elementarbildung. Unter dem Stichwort »Frauenvereine« nennt der Brockhaus von 1834 und 1844 deshalb als Aufgabe der Frauenvereine neben der Armen- und Krankenpflege »die Erziehung armer Mädchen« und die »Unterhaltung von Kleinkinderschulen«.[8]

In den dreißiger Jahren entstanden in Anlehnung an die patriotischen Frauenvereine an vielen Orten als Antwort auf die schwierige wirtschaftliche und soziale Situation, die Frauen und Kinder besonders traf, neue Vereine, die sich der Armen- und Krankenpflege sowie der Ausbildung von Mädchen für diese Aufgaben widmeten. Die Motivationen der Gründerinnen waren häufig von der pietistischen Erweckungsbewegung geprägt und hatten eine strikt konfessionelle Färbung. Einflußreich wurde der Weibliche Verein für Armen- und Krankenpflege der Hamburgerin Amalie Sieveking (1794–1849), die vor allem in Norddeutschland rasch Nachahmerinnen fand und deren Bestrebungen ausdrücklich auf eine Erweiterung des Wirkungskreises von Frauen der höheren Schichten zielten.[9]

Etwa gleichzeitig entstanden Diakonissenverbände wie das Kaiserswerther Mutterhaus (1836) und katholische Kongregationen wie die Armen Schulschwestern (1835), die sich ähnliche Aufgaben stellten. Die kirchlichen Gemeinschaften unterschieden sich allerdings insofern von den Frauenvereinen, als sie unter männlicher Leitung standen und die subaltern dienenden Aufgaben von Frauen betonten. Sie entwickelten recht schnell Ausbildungseinrichtungen für Krankenpflege, Kinderwärterinnen, die katholischen Kongregationen vor allem für Elementarschullehrerinnen. Im Umfeld der 48er Revolution entstanden weitere ähnliche Vereine, die sich freireligiös, einem aufgeklärten, nichtkonfessionell verengten Christentum verpflichtet fühlten, wie der Hamburger Frauenverein zur Unterstützung der Armenpflege von Charlotte Paulsen. Trotz aller Unterschiede stand hinter diesen verschiedenen Gründungen als gemeinsames Merkmal, daß sie den Wunsch von Frauen nach außerhäuslicher Tätigkeit aufgriffen und in praktische Organisation umsetzten. Dieses war das entscheidende Antriebsmoment für die Entwicklung des Mädchenschulwesens im 19. Jahrhundert. Die religiöse Motivation wurde dabei in mehrfacher Hinsicht wirksam: sie bot kritische Distanz zu den bestehenden sozialen Verhältnissen, die die eigene Lage und die von Frauen armer Schichten bestimmten, sie verhalf zum notwendigen Durchhaltevermögen bei den Unternehmungen und sie legitimierte in höherem Sinn die praktische Arbeit. Die Überzeugung, im Dienst einer höheren Macht für Frauenbildung und Frauenarbeit einzutreten, prägte nicht nur in Deutschland die Tradition der Führerinnen der Frauenbewegung und hielt sich bis ins 20. Jahrhundert. Für die Ausgestaltung einer Bildungstheorie, die den moralischen Aspekt auch der intellektuellen Bildung betont und diese als weibliche Bildung bezeichnet, bildete dieses religiös gefärbte Selbstverständnis eine wichtige Grundlage.

Gleichzeitig gründeten in den ersten Jahrzehnten des 19. Jahrhunderts Frauen und Männer, letztere allerdings in der Minderheit und häufig gemeinsam mit Ehefrauen, zum ersten Mal in größerem Umfang als freie Unternehmen private Mädchenschulen. Da die rechtliche Stellung dieser Schulen auf einer staatlichen Konzessionsregelung beruhte, waren sie keineswegs nur Veranstaltungen von Privatpersonen. Ähnliches gilt auch für Privatschulen, die von Vereinen oder Stiftungen getragen wurden. Beide Typen von Privatschulen unterstanden der mittelbaren staatlichen oder kommunalen Kontrolle. Die privaten Mädchenschulen hielten sich durch das ganze Jahrhundert. Die bekannteren Vertreterinnen des Typs der unternehmenden Schulleiterin wie Betty Gleim (1771–1827) oder Tinette Homberg (1797–1877) waren gleichzeitig pädagogische Schriftstellerinnen. Als Pestalozzi-Anhängerinnen übertrugen sie dessen Erziehungsvorstellungen auf die Mädchenbildung in bürgerlichen Kreisen. Andere entsprachen mehr dem Typ der »erwerbenden Frau«. Zu ihnen zählt Lucie Crain, Besitzerin eines aufgefächerten Mädchenschulunternehmens in Berlin, der Helene Lange in ihren Lebenserinnerungen ein kleines Denkmal gesetzt hat, wenn auch ganz im kritischen Licht der eigenen Anstrengungen und Leistungen für die Akademisierung der Lehrerinnenbildung.[10] In einer Stadt wie Frankfurt am Main besuchten die Mädchen aus bürgerlichen Schichten in den Jahren zwischen 1810 und 1870 ganz überwiegend solche privaten, vielfältig personell miteinander vernetzten Mädchenschulen.[11] Ein erheblicher Teil des Unterrichts wurde dort von staatlich geprüften hauptamtlichen Lehrern der weiterführenden Jungenschulen gegeben. Diese Schulen waren, da nicht von konfessionellen Vereinen oder Schuldeputationen getragen, interkonfessionelle, christliche Schulen. Sie standen meistens unter der Leitung einer Frau und trugen im Zeitalter des immer stärker werdenden Konfessionalismus in den Kreisen ihrer Klientel zu religiöser Toleranz bei, zumal wenn eine Pensionsanstalt angeschlossen war. Im Vergleich zu den öffentlichen Volksschulen und den weiterführenden öffentlichen Jungen- und Mädchenschulen bildeten sie einen familienähnlichen, sehr intimen Stil aus, der für das höhere Mädchenschulwesen auch im Zuge seiner Normierung und Veröffentlichung prägend blieb.

»Das Recht der Frauen auf Erwerb«. Weibliche Bildung zwischen Allgemein- und Berufsbildung

Als 1866 in Berlin der »Verein zur Förderung der Erwerbstätigkeit des weiblichen Geschlechts«, nach seinem Initiator Lette-Verein genannt, von einem Honoratiorenzirkel aus dem Umfeld des liberalen »Centralvereins für das Wohl der arbeitenden Klassen« gegründet wurde, erklärte seine Vereinssekretärin Jenny Hirsch: »Die sogenannte Frauenfrage ist für uns und für die Mehrzahl ihrer einsichtsvollen Vertreter vorläufig eine wirtschaftliche und erziehliche.«[12] Bereits 1865 war der Allgemeine Deutsche Frauenverein (ADF) gegründet worden, der vor allem Zugang von Frauen zu Bildung und Erwerb forderte. Im Zuge dieser sich neu organisierenden Frauenbewegung und neuer liberaler sozialpolitischer Tendenzen entstanden in den größeren Städten vieler deutscher Staaten Frauenbildungsvereine, die sich auf vielfältige Weise für eine Verbesserung der ökonomischen, sozialen, politischen und rechtlichen Situation von Frauen einsetzten. Die Frauenbildungs- und Erwerbsvereine organisierten Kurse und gründeten Schulen oder unterstützten die Gründung von Schulen mit dem Ziel, die »Erwerbsfähigkeit des weiblichen Geschlechts« zu erhöhen. Dabei ging es ebensosehr um die Berufsqualifikation und Erwerbsförderung von Mittelschichtfrauen wie um die Vermittlung hauswirtschaftlicher Kenntnisse an Mädchen und Frauen der Unterschichten. Geboten wurden Kurse für erwerbstätige und nichterwerbstätige schulentlassene Mädchen, in denen neben gewerblich-technischem Unterricht, Ausbildung in Bürotätigkeiten, Buchführung etc. auch allgemeinbildende Fächer angeboten wurden. In Berlin wurde 1881 die Viktoria-Fortbildungsschule als Zweiganstalt des Lette-Vereins gegründet. Hier wurde das Ausbildungsprogramm zusätzlich um Seminarkurse für Lehrerinnen von Fortbildungskursen erweitert. Die Aktivitäten dieser Vereine, die an unterschiedlichen Orten auf verschiedene Weise dem gleichen Ziel dienten, erstreckten sich seit den 1880er Jahren häufig auch auf hauswirtschaftliche und an Familienaufgaben orientierte Kursangebote. Dieser Aufschwung des hauswirtschaftlichen Unterrichts war eine sozialpolitisch motivierte Maßnahme und sollte der Veränderung der Lebensverhältnisse durch Urbanisierung und Industrialisierung gerade in Unterschichtfamilien Rechnung tragen.[13] Der Hauswirtschaftsunterricht war durch die Frauenbildungs- und Frauenerwerbsvereine vorbereitet und wurde zum Teil von ihren Mitgliedern organisiert. Hedwig Heyl, Mathilde Weber, Mathilde Lammers, Helene Sumper und Ulrike Henschke haben Fortbildungsschulen mit hauswirtschaftlichen Kursen für schulentlassene Mädchen aus den unteren Sozialschichten initiiert und darauf hingearbeitet, diesen Unterricht in staatliche Programme umzusetzen. Da die Vermittlung einer hauswirtschaftlichen Bildung an junge Fabrikarbeiterinnen, die unter sozialreformerischem Aspekt die wichtigste Zielgruppe waren, auf freiwilliger Basis kaum Erfolg hatte, forderten die Reformerinnen, den hauswirtschaftlichen Unterricht für Mädchen in den letzten Volksschulklassen zu integrieren. Aus dem Dilemma, Mädchen im allgemeinbildenden Schulwesen gleichzeitig auf Erwerbstätigkeit und Familienpflichten vorbereiten zu wollen, erklärt sich die bis weit ins 20. Jahrhundert anhaltende merkwürdige Zwischenstellung des hauswirtschaftlichen und familienbezogenen Unterrichts als »weibliche Bildung« zwischen Allgemein- und Berufsbildung. Mit den Bemühungen um den hauswirtschaftlichen Unterricht im Pflichtschulwesen verbanden sich auch berufspolitische Interessen der Frauenbildungsbewegung. Der Unterricht erforderte hauswirtschaftliche Lehrerinnen und Hauswirtschaftlerinnen. Hauswirtschaftlich geprägte Bildungsgänge an allgemeinbildenden höheren Mädchenschulen mußten geschaffen werden, um diese Lehrerinnen auszubilden. Für die hauswirtschaftlich geprägte Variante von allgemeinbildenden Mädchenschulen, die bis weit ins 20. Jahrhundert hineinreichte, liegen hier die Wurzeln.[14] Eine allgemeine staatliche Pflicht zum Besuch der Fortbildungsschule, die für Mädchen in den meisten Fällen hauswirtschaftlichen Unterricht vorsah, wurde erst in der Weimarer Zeit eingeführt.

Ein zweites weibliches Tätigkeitsfeld, auf dem schon die ersten Frauenvereine aktiv gewesen waren, war die Kleinkindererziehung. Sie war zwischen Wohltätigkeit, Frauenerwerbsförderung und Sozialreform angesiedelt. In diesem Aufgabenfeld entwickelte sich seit den 1840er Jahren eine eigenständige Bildungs- und Ausbildungstradition, die in der Reichsgründungszeit von Kreisen der Frauenbewegung organisatorisch umgesetzt wurde. Die »Allgemeinen Bestimmungen zur Neuordnung des Mädchenschulwesens«, mit denen 1908 in Preußen der Kampf der Frauen um gleichwertige Bildung und gleichberechtigte Zugangsmöglichkeiten zur Bildung einen vorläufigen Abschluß fand, nehmen diese Tradition der Frauenbildung auf. Mit der Reform von 1908 wird die Frauenschule als Oberstufe des Mädchenlyzeums eingeführt und noch die Frauenoberschule, ein Zweig der höheren Schule, der in Preußen nach dem Ersten Weltkrieg geschaffen wird, steht in dieser Tradition.

Theodor Fliedner gründete 1836 das erste »Seminar für Kleinkinderlehrerinnen« im Mutterhaus der Diakonissen in Kaiserswerth. Die Armen Schulschwestern richteten 1843 in München einen ähnlichen Ausbildungszweig für ihre Nonnen ein. Auch Friedrich Fröbels »Entwurf eines Planes zur Begründung eines Kindergartens (. . .). den deutschen Frauen und Jungfrauen als ein Werk zur würdigen Mitfeier des vierhundertjährigen Jubelfestes zur Erfindung der Buchdruckerkunst zur Prüfung und Mitwirkung vorgelegt« (1840), diente einem ähnlichen Zweck. Die praktische Umsetzung fand dieser Entwurf in den Kursen über Kindergartenpädagogik, die Fröbel 1849 zunächst auf Einladung des »Allgemeinen Bildungsvereins deutscher Frauen« in Hamburg in der dort soeben gegründeten »Hochschule für das weibliche Geschlecht«, dann von 1849 bis zu seinem Tod regelmäßig in Bad Liebenstein hielt. Während Fröbel allerdings den Sinn eines Kindergartens im Kontext der pestalozzianischen Pädagogik und im Hinblick auf ein neu zu schaffendes demokratisches Schulwesen begründete, verstanden die kirchlichen Initiativen die Kindergärten als Armenhilfe und christliche Wohltätigkeitsveranstaltungen.

Zwei Schülerinnen Fröbels haben die Idee der weiblichen Erziehungsarbeit im Kindergarten in der zweiten Hälfte des 19. Jahrhunderts transformiert, international verbreitet und in ein großangelegtes und einflußreiches Projekt weiblicher Bildung zur Staatsbürgerschaft einmünden lassen. Bertha von Marenholtz-Bülow (1810–1893) verschrieb sich als unermüdliche Propagandistin vor allem der Verbreitung von Fröbels Ideen. Fröbels Nichte Henriette Schrader-Breymann gehörte gemeinsam mit ihrem Mann, dem freisinnigen Reichstagsabgeordneten Karl Schrader, zum engsten Freundes- und Beraterkreis des Kronprinzen Friedrich und seiner englischen Frau Viktoria. Sie schuf durch den »Volkskindergarten« und noch stärker durch das 1872 gegründete Pestalozzi-Fröbel-Haus eine gänzlich neue Form der allgemein- wie berufsbildenden Mädchenerziehung, die zwar klassenspezifisch ausdifferenziert, aber vom Selbstverständnis her klassenübergreifend gedacht war. 1890, auf der Höhe seines Ausbaus, umfaßte das Pestalozzi-Fröbel-Haus einen Kindergarten für 150 Kinder, der für eine niedrige Gebühr besucht werden konnte, sowie einen Kinderhort. Angeboten wurden u. a. ein Zweijahreskurs für Kindergärtnerinnen, kürzere Kurse für Kinder- und Säuglingspflege, Kurse in Kochen und Hauswirtschaft, die auf die Aktivitäten von Hedwig Heyl zurückgingen, und ein Schulspeisungsprogramm für Kinder erwerbstätiger Mütter. Der Haushalt und die mütterliche Arbeit bildeten für diese weitgefächerte Bildungseinrichtung das bewußte Gegenmodell zur männlich-patriarchalen Schule. Von zentraler Bedeutung war das ethisch-pädagogische Konzept der »geistigen Mütterlichkeit«. Es war die Antwort der bürgerlichen Frauen auf die eigene Unselbständigkeit und auf die Herausforderungen durch Urbanisierung und Industrialisierung. Die Idee der »geistigen Mütterlichkeit« wurde zur Leitidee der in der deutschen Frauenbewegung effektiven Verbindung von Sozial- und Bildungsreform im Kaiserreich.[15] Ziel der Ausbildung im Pestalozzi-Fröbel-Haus war es, junge Frauen der bürgerlichen Schichten auf ihre weiblichen staatsbürgerlichen und beruflichen Aufgaben vorzubereiten. Das Haus war in seiner Art einzigartig. Doch gleichzeitig entstanden, angelehnt an die Konzeption Schrader-Breymanns, in vielen anderen Städten Deutschlands Seminare zur Ausbildung von Kindergärtnerinnen und Lehrerinnen.

Die nichtkonfessionelle, freireligiös orientierte »Fröbelbewegung« stand zunächst im heftigen Kreuzfeuer der Frauendiakonie beider Konfessionen, denen die Idee der individuellen Verwirklichung in weiblicher Erziehungsarbeit geradezu sündhaft erschien. Dieselbe drang gleichwohl gegen Ende des Jahrhunderts in Kreise des protestantischen Liberalismus ein. Friedrich Zimmer, der Gründer des evangelischen Diakonievereins, dessen Satzung als Vereinszweck vorsah, »berufslosen Frauen durch Erziehung, Berufsbildung und genossenschaftliche An- und Sicherstellung für ihr Leben, Unterhalt und Rückhalt zu gewähren«[16], gründete, nach dem Vorbild des Pestalozzi-Fröbel-Hauses in Kassel, ein Kindergartenseminar mit angeschlossenem Lehrerinnenseminar. Um die Jahrhundertwende setzte die wissenschaftliche Beschäftigung mit der Entwicklung des Kindes ein. In Deutschland fanden diese Bestrebungen in der *Zeitschrift für Kinderforschung* (gegründet 1903) eines ihrer ersten Publikationsorgane, zu dessen Mitbegründerinnen Frauen aus dem Fröbelverband gehörten.

Drittens kam es gleichzeitig mit den verstärkten Aktivitäten von Frauen und den für Fragen der Frauenerwerbstätigkeit und Frauenbildung aufgeschlossenen Männern seit den 1860er Jahren auch zu einer Gründungswelle von kommunalen, öffentlichen und Stiftungsschulen für Mädchen. Die Lehrerschaft an diesen Schulen begann organisiert eine Normierung und Aufwertung der weiterführenden Mädchenschulen zu fordern.

Eine dieser Gründungen war die Paulsenstiftschule[17] in Hamburg, deren Träger der 1849 gegründete »Verein zur Unterstützung der Armenpflege« war. Der Verein hatte bereits kurz nach der Revolution eine allgemeine Volksschule für Mädchen gegründet. Dieser wurden von der politischen Reaktion, die in den fünfziger Jahren auch den Hamburger Rat beherrschte, wegen ihrer engen personellen Verbindungen zu den deutschkatholischen Frauen der Revolutionszirkel erhebliche Schwierigkeiten gemacht. Treibende Kräfte dieser Schulgründung waren Emilie Wüstenfeld und Johanna Goldtschmidt, die schon die kurzlebige »Hochschule für das weibliche Geschlecht« mitbegründet hatten. 1866 ist die Schule des Vereins als voll ausgebaute Volksschule soweit anerkannt, daß sie in einem neuen Gebäude als Paulsenstiftung des Vereins eröffnet werden kann. Sie erweitert sich nun durch den Unterricht in zwei modernen Fremdsprachen schnell zu einer gehobenen Mittelschule und wird 1881 der Schulaufsicht für das höhere Schulwesen unterstellt. 1893 wird die Schule zu einer voll ausgebauten höheren Mädchenschule mit einem neunjährigen Kurs. Dessen Besuch berechtigt zum Übergang in die zehnte »Seminarvorbereitungsklasse« der anderen Hamburger Mädchenschule, an der seit 1873 ein Lehrerinnenseminar existiert. Zu diesem Zeitpunkt gibt der Verein die Trägerschaft ab, und es kommt zu einer neuen Zusammensetzung des Vorstandes der Stiftung. Dem Vorstand gehören jetzt ganz überwiegend einflußreiche Hamburger Bürger an, neben den prominenten demokratischen Pädagogen und Schulpolitikern Anton Rée und Otto Jessen der Bankier Max Warburg und Alfred Lichtwark, der Direktor der Hamburger Kunsthalle. Der Frauenverein ist weiterhin durch seine Vorsitzende vertreten, und an der Konzeption der Schule, vor allem an der Einstellungspraxis, die Männer fast gänzlich ausschloß, wird festgehalten. Von 1866 bis 1911 leitete Anna Wohlwill die Schule. Zu Beginn ihrer Direktorinnenlaufbahn war die jüdische Lehrerin, die sich ihre beruflichen Fähigkeiten bei Anton Rée und Otto Jessen in Privatunterricht erworben hatte, 25 Jahre alt. Anna Wohlwill gab der Paulsenstiftschule ein unverwechselbares reformpädagogisches Profil als Mädchenschule. Bereits 1866 hatte Johanna Goldtschmidt die pädagogische Bedeutung der »Vermischung der Stände« hervorgehoben: »Die wohlhabenden Kinder zahlen für ein armes mit, haben fast immer bessere Sprache und Manieren, tauschen dafür aber von den ärmeren Kinder Anspruchslosigkeit, bedeutende Lernbegierde und Unverdrossenheit ein.« Von Beginn an stand eine größere Zahl von Freistellen (20 volle, 50 halbe bei etwas über 450 Schülerinnen) zur Verfügung. Das Schulgeld war nach Einkommen gestaffelt, und ab 1869 gab es eine »Suppenanstalt«, die die ärmsten Mädchen mit einer warmen Mahlzeit versorgte.

Bereits 1894 beginnt die Schule mit dem Bau eines Ferienheims am Timmendorfer Strand. Lichtwark, der Initiator der Kunsterziehungsbewegung, engagiert sich in der Lehrerinnenfortbildung, und Wohlwill führt 1908 das Fach »Einführung in die soziale Hilfstätigkeit« als Teilgebiet weiblicher staatsbürgerlicher Erziehung in die Abschlußklasse der Schule ein. Nach der Reform von 1908 wurde die Schule zu einem Lyzeum, mit dessen Abschluß eine Reihe von Berechtigungen für die Berufsausbildung im öffentlichen Dienst und den Besuch eines höheren Lehrerinnenseminars (Oberlyzeum) verbunden war. Die Frauen hatten lange gezögert, diesen Status zu beantragen, weil mit ihm eine Quotierung männlicher Lehrkräfte oktroyiert wurde. Durch trickreiche Verfahren gelang es der Schule jedoch, bis zur ihrer Verstaatlichung 1937 die Dominanz weiblicher Lehrkräfte zu erhalten. In der Paulsenstiftschule konnten pädagogische Vorstellungen von weiblicher Allgemeinbildung fast acht Jahrzehnte lang ganz im Sinne der Frauenbewegung erprobt und weiterentwickelt werden. So war es die Idee einer spezifisch weiblichen Bildung, mit der die männliche Vorherrschaft in weiten Teilen der Gesellschaft faktisch anerkannt wurde und mit der zugleich die Gesellschaft durch den »weiblichen Kulturbeitrag« pädagogisch befreit werden sollte, die die Arbeit an dieser Schule trug.

Höhere Mädchenbildung zwischen 1889 und 1914 – der Kampf um gleichberechtigte Teilhabe an Wissenschaft, Staat und Kultur

Es gab ein Gebiet, in dem die Frauenbewegung die männliche Exklusivität grundsätzlich in Frage stellte: die akademische Berufstätigkeit. Nur wenige ihrer Protagonistinnen stellten allerdings deshalb die soziale Bedeutung der Geschlechterdifferenz in Frage. Das hinderte Frauen nicht, intellektuelle Gleichberechtigung zu fordern und dies in bildungspolitische Vorstellungen für Mädchen umzusetzen. Wenn auch der Kampf einzelner Pionierinnen der Frauenbewegung um die ärztliche Ausbildung und die Ausübung des ärztlichen Berufes – er verbindet sich in Deutschland mit den Namen Henriette und Franziska Tiburtius, in England mit dem von Elizabeth Garrett – spektakulär und politisch am brisantesten war, so ist das bildungspolitisch entscheidende Einfallstor in die Universitäten für die Frauen seit den 1890er Jahren jedoch die Lehrerinnenausbildung für das Lehramt an höheren Mädchenschulen gewesen.[18] Auch dies gilt offenbar für England ganz ähnlich wie für Deutschland. Elizabeth Garretts enge Verbindung mit Emily Davies, Kern eines ganzen Zirkels von sozial- und bildungsreformerisch tätigen Männern und Frauen, führte 1869 zur Gründung des ersten Frauencolleges in Cambridge. Gleichzeitig betrieb Davies erfolgreich die Übernahme der Mädchenschulen für die *middle classes* in die öffentliche Verantwortung und die Zulassung von Frauen zu den Universitätsexamina. Helene Langes Kontakte zu den Schwägerinnen Tiburtius und zum Kreis um die Kronprinzessin Viktoria zeigen eine ähnliche Bedeutung von persönlichen Netzwerken in diesen für die organisierte Frauenbildungsbewegung entscheidenden Jahren.

Lange wirkte, wie so viele politisch aktive Frauen ihrer und der vorangehenden Generation, seit den frühen siebziger Jahren als Lehrerin an einem privaten Lehrerinnenseminar. Sie selbst hatte sich noch weitgehend autodidaktisch aus- und durch Auslandsaufenthalte fortgebildet. Sie gründete 1890 gemeinsam mit Auguste Schmidt, einer Lehrerin aus der Leipziger Frauenbewegung, die mit Louise Otto-Peters 1865 den ADF gegründet hatte, und einigen anderen Kolleginnen den Allgemeinen Deutschen Lehrerinnenverein (ADLV). Dieser bewährte sich als wichtigstes Organisationsnetz im politischen Kampf um die Verbesserung und rechtliche Angleichung der höheren Mädchenbildung an die höhere Knabenbildung. Den Auftakt für die »Kampfzeiten« – so der Titel einer Sammlung von Langes Aufsätzen – bildete die Begleitschrift zu einer Petition an den Preußischen Landtag von 1887, die »Gelbe Broschüre«. In dieser erläuterte Lange die Forderung nach gleichberechtigter Teilhabe von Mädchen und Frauen an höherer Bildung. Bildungsgeschichtlich anknüpfend an Pestalozzis Vorstellung von Unterricht und Liebe als erziehende Mittel, setzt sie sich kritisch mit der herrschenden Mädchenschulpädagogik von Männern auseinander. Lange macht dieser den Vorwurf, die menschlich-weibliche Seite der Mädchen nicht zu bilden. Neben dem Interesse, die berufliche Konkurrenz zwischen Männern und Frauen im Mädchenschulwesen, die in Deutschland stark ausgeprägt war, zugunsten von Frauen zu entscheiden, liegt der Langeschen Argumentation eine demokratisch orientierte Bildungstheorie zugrunde, die von ihr in späteren schultheoretischen Arbeiten weiterentwickelt wurde. Die Emphase, entlehnt der pädagogischen Romantik von Schleiermacher und Pestalozzi, kulturtheoretisch überformt als Kritik am »Männerwerk« des Staates und zum Ersten Weltkrieg hin mit immer nationaleren Akzenten versehen, verlieh nicht nur Lange als Führerin, sondern großen Teilen der Frauenbildungsbewegung das Bewußtsein, ihr Kampf für das akademische Studium sei durch höhere Mächte legitimiert. Auffallend ist, daß Lange es nicht als Widerspruch empfindet, pragmatische Politik zu betreiben und diese gleichzeitig emphatisch als »Dienst der Idee« zu legitimieren.

Neben der Vereinstätigkeit – sie gehörte dem Vorstand des ADLV von 1890 bis 1921 an – ging Helene Lange unmittelbar nach dem Erscheinen der Schrift an die praktische Durchführung ihrer Forderungen: In privater Initiative, da das öffentliche Schulwesen in Preußen für Mädchen keinerlei zum Abitur führende Möglichkeiten bot, gründete sie 1890 zunächst zweijährige Realkurse für Frauen, die sie 1893 in der Trägerschaft eines Vereins in vierjährige Gymnasialkurse zur Vorbereitung auf das Abitur umwandelte. Prominente liberale Berliner Professoren und Kulturpolitiker wie Wilhelm Dilthey, Rudolf von Gneist, Adolf von Harnack, Gustav Schmoller, Otto Pfleider und Friedrich Paulsen gehörten zu seinen Mitgliedern. Vermögende Frauen wie Hertha von Siemens, die später selbst Chemie studierte, und Männer trugen zur Finanzierung bei. Frauen in anderen Städten folgten mit der Einrichtung ähnlicher Kurse. Andere Vorstellungen über den am besten geeigneten Weg zur Durchsetzung gleicher Bildungschancen für Mädchen veranlaßten den Verein Frauenbildungs-Reform, der sich zum radikalen Flügel der Frauenbewegung rechnete, und andere Frauenbildungsvereine zur erfolgreichen Einrichtung grundständiger Mädchengymnasien, unter anderem in Karlsruhe (1893), in Stuttgart (1899) und in Köln (1903). Die einzelnen deutschen Staaten reagierten durchaus zögernd auf die immer deutlicheren Forderungen, die noch dazu von einer »Propaganda der Tat« unterstützt wurden. Die seit den 1880er Jahren überfällige Reform des weiterführenden Knabenschulwesens, von der eine Anpassung an Veränderungen in Wissenschaft und Technik erwartet wurde, und eine kulturkritische Wendung gegen die Exklusivität des humanistischen »Pauk«-Gymnasiums, das allein zur allgemeinen Hochschule führte, trug zunächst sicherlich zur Zurückhaltung auf staatlicher Seite bei. Aus größerer historischer Distanz gesehen, wurde die Reform des höheren Schulwesens nach 1900 jedoch auch durch die Forderung nach gleichen Berechtigungen für Mädchen maßgeblich beeinflußt.[19]

Mädchenschulen, ob öffentlich oder privat, waren in den 1890er Jahren ganz überwiegend als Mittelschulen ausgebaut worden und entsprachen dem Typ der Realschule, allerdings mit starker Betonung der Fremdsprachen, ohne Lateinführung und mit geringerem Anteil in der Mathematik und den Naturwissenschaften. Im Streit um das Abitur für Jungen zwischen »Realisten« und »Humanisten« legte man nicht unbedingt Wert auf »Schützenhilfe« der Frauenbewegung, die dem Abitur ohne Griechisch aufgrund der Unter- und Mittelstufe der Mädchenschulen mit modernen Sprachen den Vorrang gab. Allerdings forderten die Frauen schon aus prinzipiellen Gründen auch die Möglichkeit zur klassischen humanistischen Bildung für Mädchen und wurden hierin zum Teil von den Vertretern der »humanistischen« Bildung in der Debatte um die Reform des Gymnasiums unterstützt.

Als schließlich Preußen nach der Gymnasialreform von 1902 mit den »Allgemeinen Bestimmungen zur Neuordnung des Mädchenschulwesens« 1908 als größter und einer der letzten deutschen Staaten eine Schulreform anordnete, die für Frauen verschiedene, allerdings nicht völlig gleichberechtigte Zugänge zum akademischen Studium eröffnete, wurden die bis dahin privaten Veranstaltungen der Frauenbildungsbewegung keineswegs umstandslos verstaatlicht. Zwar mußten viele Schulen des älteren Typs der Privatschule schließen, weil sie das nun geforderte differenzierte Lehrangebot nicht bieten konnten. Dennoch bestanden in Preußen im Jahre 1911 neben 212 öffentlichen Lyzeen weiterhin 198 private, vollausgebaute zehnklassige höhere Schulen, von denen aus unter bestimmten Bedingungen weiterführende Oberstufen besucht werden konnten, die zum Abitur (Studienanstalten) oder einer Lehrerinnenprüfung mit Hochschulzugangsberechtigung für das Lehramtsstudium (Oberlyzeen) führten. Es gab 68 private

Oberlyzeen gegenüber 78 öffentlichen, 5 private Studienanstalten neben 28 öffentlichen.

So erscheint es nur zu berechtigt, wenn die eingangs zitierte Anna Schmidt ihren Bericht über private Mädchenschulen in Deutschland mit den Worten schließt: »Aus der privaten deutschen Mädchenschule sind die führenden Kräfte unserer Frauenbewegung hervorgegangen, an ihr haben bedeutende Frauen gewirkt, wie Auguste Schmidt, Helene Lange: sie (die private Mädchenschule, J. J.) unterrichtet jetzt in höheren Mädchenschulen, Frauenschulen, Lehrerinnenseminaren und Studienanstalten die Hälfte aller eine höhere Bildung suchenden deutschen Mädchen; sie hat also eine verantwortungsvolle Arbeit zu vollbringen.« Schmidts daran anschließender Wunsch: »Möge die äußere Gestaltung ihrer Lebensbedingungen, möge vor allem ihr eigener Idealismus, ihre eigene Kraft ihr ermöglichen, auch unter den neuen veränderten Verhältnissen, Seite an Seite mit der öffentlichen Schule der deutschen Frauenwelt mit den ihr eigentümlichen und ihr anvertrauten Gaben zu dienen!«, sollte sich nicht erfüllen. Die öffentliche Schule bot den Lehrerinnen langfristig die besseren Erwerbsmöglichkeiten und verringerte den Bedarf an privaten Mädchenschulen; nur große Organisationen, wie die katholischen Schulorden, waren dieser Konkurrenz finanziell gewachsen. Auch sie kämpften allerdings nach 1918 ums Überleben. Die alte Klientel zog zunehmend die öffentlichen Schulen vor, so daß das weiblich geprägte Bildungsmilieu der höheren Mädchenschule im Rückblick eine Erscheinung ist, die ganz dem 19. Jahrhundert mit seiner Trennung in männliche und weibliche Lebenssphären zugeschrieben werden muß. Durch Kräfte, die sie selbst bildete, und die erfolgreich für die Verbesserung der Bildungsmöglichkeiten für Mädchen stritten, hat sie sich selbst überflüssig gemacht.

12

Bilder – Schein und Erscheinung, Muße und Subsistenz

Anne Higonnet

Weiblichkeit ist immer auch eine Frage der äußeren Erscheinung. Die visuelle Kultur des 19. Jahrhunderts brachte zahllose Frauenbilder hervor – viele waren untereinander konsistent, einige widersprüchlich, alle aber beeinflußten wirkungsvoll die immer wieder geänderte Definition dessen, was es bedeutete, eine Frau zu sein. Weiterhin waren es Bilder, die dem Fluß des sozialen und wirtschaftlichen Wandels eine Form gaben. Doch zum ersten Mal in der Geschichte waren nun auch Frauen genau wie Männer in der Lage, ihre eigene Weltsicht darzustellen.

Archetypen

Madonna, Verführerin, Muse – diese drei weiblichen Archetypen beherrschten die Vorstellungswelt des 19. Jahrhunderts (Abb. 1, 2, 3; siehe Kap. 13). Sie tauchen auf allen – hohen und niederen – Ebenen der visuellen Kultur auf: in Zeitungen, Anzeigen, Photographien, Buchillustrationen und im Kunsthandwerk ebenso wie in der Plastik, der Malerei und Gelegenheits-Malerei. Zwar verlagerte sich in den meisten europäischen Ländern und in den Vereinigten Staaten der Ort der weiblichen Archetypen im Laufe des Jahrhunderts vom Religiösen hin zum Weltlichen (Abb. 1, 3), doch das, worauf sie anspielten und was mit ihnen beabsichtigt war, blieb gleichwohl bemerkenswert konstant und war eng mit ähnlichen Tendenzen in der Literatur verknüpft.

In Krisenzeiten erlangten die weiblichen Archetypen durch formale und thematische Innovationen oder durch schlichte Wiederholung neue Kraft. Solche Krisen gab es in den 60er Jahren und gegen Ende des Jahrhunderts. In den 60er Jahren bahnten bürgerliche Angriffe auf die etablierte Kunst den Weg zu neuartigen Bildern vom häuslichen Leben, in denen Frauen in ihrer Rolle als keusche Töchter, Ehefrauen und Mütter besonders herausgestellt wurden (Abb. 8, 13, 15, 16). Ende des Jahrhunderts lehnten sich dann entfremdete bürgerliche Ästheten gegen eben diese Werte auf. Sie schufen eine Flut von Bildern, die zutreffend als »Idole der Perversität« bezeichnet worden sind (Abb. 2, 39, 40). Die weiblichen Archetypen reflektierten keineswegs nur die herrschenden Schönheitsideale; sie lieferten auch Verhaltensmodelle. Dabei verstärkte der kulturelle Kontext die den bildenden Künsten innewohnende Überzeugungskraft.

Als Bild gestaltete Archetypen schlossen Individualität aus und beförderten rigide Unterscheidungen zwischen begrenzten Verhaltensmöglichkeiten. Die Muse blieb, was sie immer gewesen war, nicht eine bestimmte Person, sondern eine allegorische Figur oder die Verkörperung einer Idee. Dargestellt wurden Ideale: das Ideal der Freiheit zum Beispiel, verkörpert in der kolossalen Freiheitsstatue von Frédéric-Auguste Bartholdi, die immer noch Reisende im Hafen von New York City begrüßt. Nicht weniger abstrakt waren Bilder von Madonnen und Verführerinnen. Sie ordneten Weiblichkeit um zwei entgegengesetzte Pole: der eine versammelte Normalität, Ordnung und Sicherheit, der andere Abweichung, Gefahr und Verführung; auf der einen Seite standen Figuren voll pflichtgetreuer Häuslichkeit (Abb. 1, 4, 6, 7, 8, 13, 15, 16, 26, 27, 28); auf der anderen Prostituierte, beruflich qualifizierte und politisch aktive Frauen, die meisten Arbeiterinnen und farbige Frauen (Abb. 2, 9, 10, 12, 18, 30, 35, 36, 37, 38, 39, 40, 46). Diese Alternativen waren keineswegs gleichwertig. Üblicherweise wurden feminine Frauen als bewundernswerte, tugendhafte, glückliche oder belohnte Frauen dargestellt, während die vom Weiblichkeitsideal abweichenden Frauen als groteske, verdorbene, unglückliche oder bestrafte Frauen gestaltet wurden.

Bilder verliehen den Definitionen des Frauseins eine Aura der Wahrheit, indem sie abstrakte Konzepte in Porträts von Menschen und Orten verwandelten. Auf die eine oder andere Weise nahm ein Großteil der bildenden Künste für sich in Anspruch, realistisch zu sein, das heißt physikalische Phänomene beobachtet und objektiv wiedergegeben zu haben; im Laufe des Jahrhunderts erlangte diese Doktrin zunehmende Verbreitung. Die Tatsache, daß der Realismus in der bildenden Kunst verwandt war mit dem Positivismus in der Philosophie, der Feldforschung im Journalismus und in der Soziologie, dem Experiment in

Frauen spielten weder in der amerikanischen Revolution von 1776 noch in den französischen Revolutionen zwischen 1789 und 1871 eine führende Rolle. Als jedoch die Bildhauer Frédéric-Auguste Bartholdi und Gustave Eiffel das Projekt einer Freiheitsstatue entwarfen, erkannten sie, daß sowohl in den Vereinigten Staaten als auch in Frankreich nur eine Frauengestalt als Symbol in Frage kommen würde.
Ansicht auf die Weltaussstellung, anonyme Photographie, Paris; 1878.

Die Jungfrau Maria von Bouguereau ist ein typisches Beispiel für die religiöse Ikonographie des 19. Jahrhunderts. Die zweite Hälfte des letzten Jahrhunderts war durch einen Bruch gekennzeichnet: Avantgarde-Künstler, die einen weltlichen Modernismus vertraten, standen in Opposition zu den Malern der Akademie, wie etwa Bouguereau, oder den Künstlern volkstümlicher Bilder, die die gängigen Archetypen dieses Genres fortführten.
Jungfrau mit Engeln, Skulptur von Bouguereau; vor 1900. *Paris, Musée du Petit-Palais.*

den Naturwissenschaften, gereichte ihm zur Garantie für die universelle Gültigkeit seiner Auffassungen. Für ein nach Legitimation suchendes Bürgertum wurde Kunstaneignung durch Sammlungen, Ausstellungen, Kunstkritik oder Reproduktionen zu einer einenden Tätigkeit, die die Vision, welche dieses Bürgertum von sich selbst hatte, bestätigte und aufwertete.

Charakteristisch für diese Zeit war jedoch auch, daß alle etablierten Positionen Widerstand erzeugten. In der Kunst wie in anderen Bereichen rief der Individualismus auf Seiten marginaler Sozialgruppen ein unerwartetes Selbstbewußtsein hervor. Ja, die hohe Kunst begann, sich in immer schneller werdenden Ablehnungs- und Anerkennungszyklen zu erneuern, wobei jede folgende Generation durch Rebellion gegen die vorangegangene zu Ansehen gelangte. Selbst innerhalb einer Generation vertraten Kritiker, Künstler und Kunstverwalter unterschiedliche Auffassungen darüber, wie künstlerischer Wert zu definieren sei. Diese allgemeine Verunsicherung kam den Frauen zugute. Ihnen eröffnete sich jetzt die nie zuvor gebotene Möglichkeit, die Welt der Kunst zu betreten und sich so Mittel und Wege zur bildlichen Selbstdarstellung zu erschließen.

Doch die sozialen Werte, die Frauen als ihre Wirklichkeit erlebten, standen weiterhin dem Experimentieren mit dem eigenen Bild entgegen. Weiblichkeit schloß Sicherheit und Freuden ein, und das Infragestellen der anderen, mehr unterdrückenden und einengenden Aspekte derselben Identität drohte auch deren positive Seiten zu gefährden. Die meisten Frauen, die im 19. Jahrhundert eine künstlerische Laufbahn einschlugen, entstammten dem Bürgertum. Sie gehörten zu derjenigen Gruppe von Frauen, deren Klassenprivilegien standen und fielen mit der generellen sozialen Stabilität. Diese aber wurde vom Feminismus bedroht. Solange die Frauen in diesen Widersprüchen gefangen blieben, gestalteten sie keine Bilder von sich, die in Stil und Inhalt grundlegend anders waren als die von Männern entworfenen Frauenbilder.

Aber allein schon die Tatsache, daß Frauen nun an der Kunst teilhatten, verbesserte ihre Situation. Frauen veränderten ihre Wahrnehmung vom Platz der Frau in der Kultur der Bilder in dem Maße, wie sie darin nicht länger nur als passive Objekte auftauchten, sondern immer zahlreicher und immer professioneller auch aktiv als Produzentinnen an deren Gestaltung mitwirkten. Viele Frauen machten äußerst erfolgreich am Rande der hohen Kunst Karriere. Einige, so die Engländerinnen Beatrix Potter (1866–1943) als Kinderbuchillustratorin und Gertrude Jekyll (1843–1932) als Gartenbauarchitektin, setzten als Meisterinnen auf ihrem Gebiet Maßstäbe (Abb. 21, 41). Dagegen mußten Frauen für den Zutritt zu den prestigeträchtigen Gebieten der Malerei und Bildhauerei einen hohen Preis zahlen. Sie mußten sich entweder den künstlerischen Konventionen unterwerfen oder große persönliche Opfer bringen, oft beides gleichzeitig. Trotzdem haben Frauen wie Rosa Bonheur (1822–1899) in Frankreich und Mary Cassatt (1844–1926) in Amerika einen angesehenen Platz in der Kunstgeschichte errungen und so nachfolgenden Generationen überzeugende Rollenmodelle geliefert.

Das Genie

Die zahlreichen Faktoren, die dazu beitrugen, daß Frauen keinerlei berufliche Laufbahn einschlugen, auch nicht einschlagen wollten, werden in anderen Beiträgen dieses Bandes untersucht. Im Bereich der Kunst war das größte Hemmnis das ausschließlich männlich gedachte Geniekonzept. Dieses Konzept war seit der Renaissance zusammen mit einer Hierarchie der Kunstformen allmählich entwickelt worden. Es sollte das künstlerische Schaffen und dessen Qualität erklären helfen. Ein großer Künstler galt als geborenes Genie. Seine Genialität, so glaubte man, würde über alle widrigen Umstände triumphieren und in Meisterwerken von transzendentaler Schönheit zum Ausdruck kommen. Alle Kunstformen wurden nach dem Grad der in ihnen enthaltenen Genialität klassifiziert. In den bildenden Künsten rangierten historische, mythologische und religiöse Malerei und Plastik an oberster, das Kunsthandwerk an unterster Stelle, alles andere wurde irgendwo dazwischen angesiedelt. Imagination galt mehr als Imitation, der Entwurf mehr als die Ausführung.

Frauen, deren Werk in diesem Sinne Genialität erkennen ließ, hielt man für anormal oder bestenfalls für asexuell. Die Attribute der Weiblichkeit waren denen des Genies diametral entgegengesetzt; eine Frau, die künstlerische Größe anstrebte, beging, so meinte man, Verrat an ihrer häuslichen Berufung. In fiktionalen Geschichten, deren Helden oder Heldinnen Künstler sind, finden sich die umfassendsten Aussagen zum Verhältnis von Geschlecht und Kreativität. Romane wie *Das unbekannte Meisterwerk* von Honoré de Balzac (1837), *Der Marmorfaun* von Nathaniel Hawthorne (1860) oder *Das Erwachen* von Kate Chopin (1899) zeigen, welche Annahmen der Vorstellung vom Genie zugrundeliegen. Während Künstler und Kunstkritiker sich einfach auf den Genius beriefen, offenbaren Erzählungen, die den Genius in Charakteren und sozialen Situationen vorführten, wie sehr die Idee vom Genie alle Kreativität geschlechtsspezifisch zumaß. Aktivität, Imagination, Produktion und männliches Geschlecht werden hier als hochran-

Bis 1951 wurde dieses Gemälde David zugeschrieben, später dann seiner Schülerin Constance-Marie Charpentier (1767–1849). Da aber die Vorstellung des männlichen Genies sehr hartnäckig im Bewußtsein verankert war, wurde diese Zuschreibung wieder verworfen: Das Gemälde wird mittlerweile als anonym deklariert. Aber es existiert noch eine andere Hypothese: Das Modell Charlotte du Val d'Ognes (1786–1868) hält Malutensilien in ihrem Schoß und war Davids Schülerin. Könnte es sich nicht um ein Selbstbildnis handeln?
Charlotte du Val d'Ognes, anonymes französisches Gemälde; um 1800. *New York, Metropolitan Museum of Art.*

gige Werte den ebenfalls zusammengehörenden Werten Passivität, Imitation, Reproduktion und weibliches Geschlecht gegenübergestellt. Männer schaffen originelle Kunstwerke; Frauen reproduzieren sich in ihren Kindern. Das Geniekonzept half, zwischen Weiblichkeit und Männlichkeit zu unterscheiden, indem es binäre kulturelle Identitäten schuf und diese in den biologischen Geschlechtsunterschieden verankerte.

Germaine de Staël (1766–1817) und George Sand (1804–1876) antworteten auf dieses Konzept. Beide, Staël in *Corinne* (1807) und Sand in *Consuelo* (1842–1844), wagten es, weibliche Genies zu erfinden, die nicht in die konventionellen künstlerischen Kategorien paßten. Corinne ist gleichzeitig Dichterin, Schauspielerin, Rhetorikerin und Improvisatorin; Consuelo ist zunächst Diva, dann Komponistin und schließlich Straßensängerin. Beide Heldinnen werden vom patriarchalischen Recht in Gestalt von Vaterfiguren und politischer Autorität bedroht. Corinne unterliegt, doch Consuelo wird von einer Mutterfigur gerettet, die ihr politisches Bewußtsein weckt und ihr hilft, weibliches Geschlecht und intellektuelle Ideale miteinander zu versöhnen. Consuelo lehnt alle von anderen so hartnäckig verteidigten Unterscheidungen ab. Ihre Mütterlichkeit befähigt sie zu einer Kunst, in der sich kompositorischer Entwurf und darstellende Ausführung vereinigen, die mit Hilfe von Wiederholung Neues hervorbringt und sich nur außerhalb der gewöhnlichen Gesellschaft entfalten kann. Sand gab damit zu verstehen, daß Talent zwar angeboren sein mochte, daß aber seine Ausdrucksformen und seine Rezeption völlig von Geschlecht, Reichtum und Klassenzugehörigkeit abhängig waren. Paradoxerweise plädiert dieser utopischste und exzentrischste aller Texte von Sand für eine sehr viel materialistischere Auffassung von Frauenkunst als alle sonst in realistischen Romanen oder Kunstkritiken vorgeschlagenen Deutungen.

AKZEPTIERTE AUSDRUCKSFORMEN DER SELBST-DARSTELLUNG

Die in Phantasien oder Theorien entworfenen ästhetischen Positionen wurden bisweilen in tatsächliche Berufe und Lebensformen umgesetzt. Künstlerisch begabte Frauen wandten sich allerdings überwiegend Bereichen mit geringem kulturellen Prestige zu, Bereichen also, in denen sie mit möglichst wenig Hindernissen zu rechnen hatten und sich sowohl künstlerisch als auch sozial sicher fühlen konnten. Wohlhabende Frauen bevorzugten in der ersten Hälfte des Jahrhunderts eher die Amateurmalerei, während Frauen, die ihren Lebensunterhalt verdienen mußten, das Kunsthandwerk, die dekorativen Künste oder

Dieser Kupferstich von 1828 zeigt Modelle für Schneiderinnen oder Modistinnen. Hier trifft das für das Bürgertum charakteristische Bedürfnis, sich zur Schau zu stellen, auf die Existenzbedürfnisse der Handwerkerklasse. Besitzerinnen von Luxusmodengeschäften regten zu kostspieligen Kleiderlaunen und raschem Stilwandel an, um sich ihren Lebensunterhalt zu sichern. Gleichzeitig nähten viele Frauen für einen Hungerlohn, während die in die Haute Couture investierte Kreativität eine ästhetische Schichtenbildung verstärkte.

das Design wählten. Auf dem Gebiet der Musik, des Tanzes und des Theaters konnten dagegen auch Frauen eine glanzvolle Karriere machen. Die höchste Anerkennung als Genie aber wurde auch hier nicht denen zuteil, die die Werke interpretierten, sondern denen, die die Musik komponierten, das Ballet choreographierten oder die Stücke schrieben, und das waren fast ausschließlich Männer.

Überall in Europa und den Vereinigten Staaten widmeten sich Frauen des mittleren und gehobenen Bürgertums der Amateurmalerei und -musik. Nur wenige Mädchen lernten nicht Klavier oder Geige spielen (Abb. 6, 25), Singen, Tanzen, Zeichnen oder Aquarellieren. Solche künstlerischen Fähigkeiten gehörten zur weiblichen Bildung, sie sollten das Feingefühl eines Mädchens kultivieren und seine gesellschaftliche Attraktivität erhöhen. Viele Frauen – vielleicht sogar eine in jeder Großfamilie – musizierten oder malten mit Eifer viele Jahre, manchmal ein ganzes Leben lang, meistens zusammen mit Freundinnen oder anderen Frauen der Familie. Während beispielsweise die Engländerin Jane Austen (1775–1817) schrieb, malte ihre Schwester Cassandra (1773–1845). Gemälde wurden im Wohnzimmer der Familie ausgestellt, Musik wurde von Frauen und Mädchen oftmals recht kritischen Gästen der Familie vorgetragen (Abb. 6). Die mit Edouard Manet verheiratete Holländerin Suzanne Leenhoff (1830–1906) genoß als Chopininterpretin bei ihren Freunden und Kollegen hohes Ansehen.

In ihren Bildern brachten bürgerliche Frauen ihre häusliche Identität zum Ausdruck: Familienangehörige und gute Freunde, das Heim, Spaziergänge, Ferienorte, Szenen von Familienausflügen wurden dargestellt. Ihre Porträts zeigen entweder sie selbst oder andere Frauen, ihre Bilder vom Haus meistens den Salon der Frauen. Die Amerikanerin Sophie Dupont (1810–1888) entwarf mehr als 200 kleine, lebhafte Karikaturen vom Familienleben in Delaware 1823–1833. Victor und Adèle Hugo (1806–1868) zeichneten beide; er stellte gothische Schlösser und phantastische Landschaften dar; sie porträtierte ihre Kinder. Die Frauen der Aristokratie folgten diesem bürgerlichen Muster. Die englische Königin Victoria (1819–1901) malte fast immer Bilder, die ihr Privatleben darstellten; und selbst wenn das Thema ihrer Bilder Staatsanlässe waren, legte sie den Akzent auf emotionale Momente oder persönliche Interaktionen. Unter den Tausenden ihrer Bilder findet sich kaum ein halbes Dutzend Porträts ihres Gemahls.

In der Amateurmalerei spiegelt sich weniger die äußere Welt, in der bürgerliche Frauen lebten, als vielmehr die Art und Weise, wie Frauen sich selbst sahen. Amateurmalerinnen versuchten, ihre kulturelle Identität in ihren Bildern zum Ausdruck zu bringen, indem sie sich einerseits mit Hilfe des Spiegels porträtierten und sich andererseits in ihren Kindern, Schwestern, Müttern, Innenräumen und Gärten spiegelten.

Nadelarbeiten galten als schickliche Arbeit für Frauen jeden Alters und jeder Klasse; sie stellten eine Möglichkeit dar, das häusliche Schicksal mit dem Stolz der Arbeit und dem Wunsch, sich selbst auszudrücken, zu verbinden. Der Titel des Gemäldes *(Die Arbeit)* lenkt die Aufmerksamkeit auch auf die zurückhaltendere Frau, rechts, wahrscheinlich eine Gesellschaftsdame, die gerade vorliest.
Die Arbeit, Gemälde von Jules Trayer; Ende des 19. Jahrhunderts. *Carcassonne, Musée municipale.*

Amateurmalerei und -musik gehörten ganz ähnlich wie die Literatur zur elementaren Bildung der Frauen. Im Falle der bildenden Kunst folgte jedoch die Amateurkunst einer grundsätzlich anderen Logik als die hohe Kunst. Die Amateurkunst hinderte daher zunächst den Übergang der Frauen zum professionellen Status eher, als daß sie ihn beschleunigte. Erst am Ende des Jahrhunderts dürfte sie den Frauen den Zutritt zur Welt der Avantgarde-Kunst erleichtert haben.

Die kleinformatigen, fragilen, meistens auf ein Blatt Papier gesetzten Amateurbilder der Frauen transportierten fließende und kontextabhängige Aussagen. Frauen klebten häufig ihre Bilder, manchmal zusammen mit diversen Gegenständen und anderen selbstgemachten oder gefundenen Bildern, in Alben und versahen sie mit erklärenden Überschriften. Amateurbilder waren dafür vorgesehen, in einer Gruppe zusammen mit anderen Bildern und als Teil der Familiengeschichte verstanden zu werden. Kein Bild beanspruchte Autonomie; ein jedes war von seiner Beziehung zu anderen Bildern und von dem Wissen abhängig, welches der private Kreis der Betrachtenden mit ihm verband. Diese Amateurinnen waren eher Bildermacherinnen als individuelle Künstlerinnen; sie bemühten sich weder um stets wiedererkennbare Stile oder Themen, noch arbeiteten sie für einen Markt. Deshalb hatten ihre Werke nach damaliger Definition der hohen Kunst so gut wie keinen formalen, intellektuellen oder ökonomischen Wert und dementsprechend waren alle dem Vergessen preisgegeben.

Zur gleichen Zeit waren Frauen aus der Arbeiter- und unteren Mittelschicht gezwungen, ihren Lebensunterhalt selbst zu verdienen. Ihnen standen jedoch nur wenige und vor allem kaum respektable Berufe offen, die Frauen ohne Verlust an Ansehen ausüben konnten. Einige wenige handwerkliche Tätigkeiten wurden im Laufe des 19. Jahrhunderts aufgrund ihrer künstlerischen Aura als mit dem weiblichen Wesen vereinbar erachtet.

Genaue Zahlen über den Anteil der Frauen an kunstgewerblichen Berufen sind in der Forschung nicht greifbar. Zeitgenössische Kommentatoren behaupteten jedoch, daß die Herstellung von künstlichen Blumen, Gravierungen, Miniatur-, Tapeten- und Porzellanmalerei (Abb. 19), Emaillearbeiten, Handkolorierungen (Abb. 16) und das Entwerfen von Mustern größtenteils den Frauen Arbeits- und Verdienstmöglichkeiten boten.

Obwohl diese Berufe genauso langweilig, ermüdend und schlecht bezahlt wie alle anderen sein konnten, galten sie als relativ fein und weiblich. Sie erforderten wenig körperliche Kraft, dafür Geduld und Geschicklichkeit. Die meisten wurden in Werkstätten, in denen nur Frauen beschäftigt waren, oder zu Hause ausgeübt. Diese kunstgewerblichen Berufe boten Frauen daher die seltene Möglichkeit,

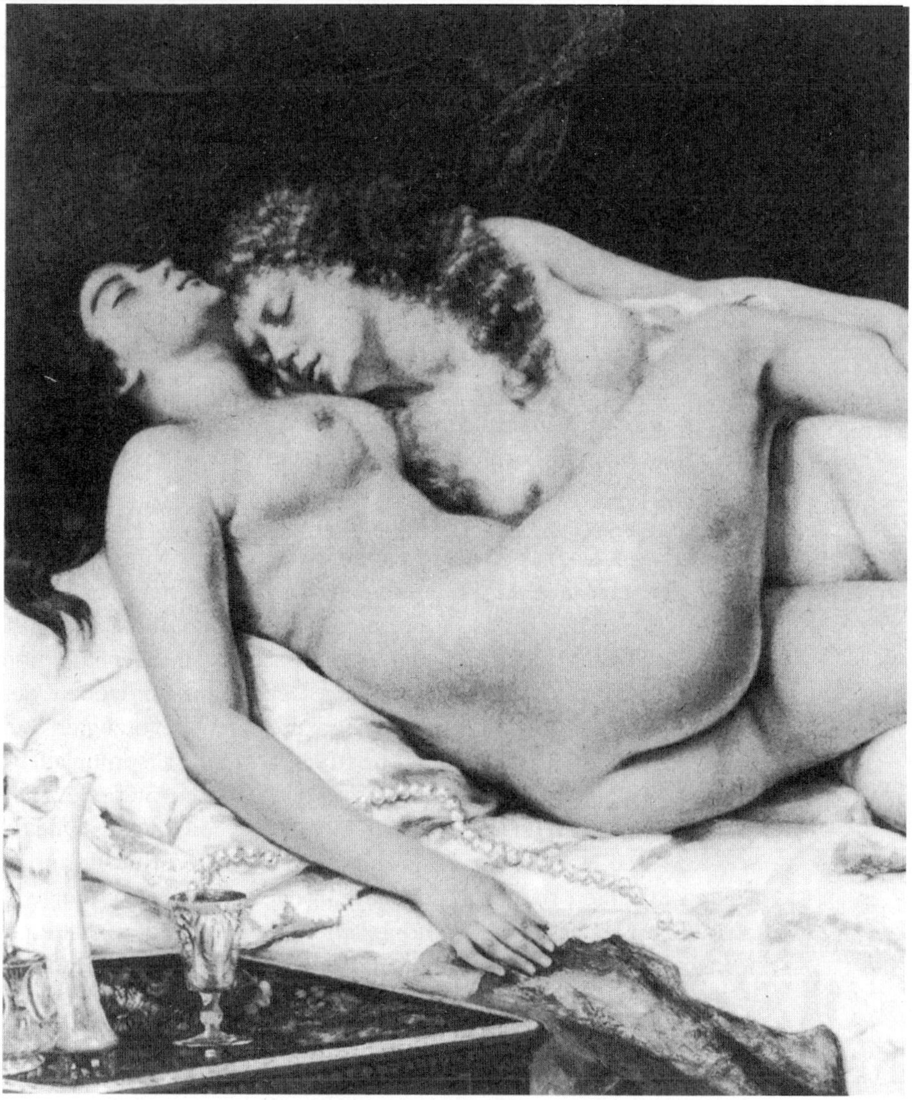

Als Courbet diese Frauen 1866 malte, wurden sexuelle Verhaltensweisen, die vorher weder völlig bekannt waren noch als skandalös galten, erstmals thematisiert. Auch wenn es sich nicht um die Darstellung lesbischer Liebe handelt, kann man mit Sicherheit davon ausgehen, daß das Bild der zwei nackten, sich umarmenden Frauen für Männer ein erregendes Thema war, auf welches in der allgemeinen pornographischen Bildkunst häufig zurückgegriffen wurde.
Der Schlaf oder die zwei Freundinnen, Gemälde von Courbet; 1866. *Paris, Musée du Petit-Palais.*

erwerbs-, geschlechts- und schichtenspezifischen Anforderungen miteinander in Einklang zu bringen.

»Geschmack« wurde für Frauen vor allem im Bekleidungs- und Putzmachergewerbe zur Finanzquelle und marktgängigen Ware. Paris-Führer nannten begabte Putzmacherinnen »Künstler«, und Luxusgeschäfte konkurrierten miteinander weniger auf der Basis von Preis und Haltbarkeit der Waren als auf der von Stil und Modeneuheiten. Margaret Oliphant gestaltete 1893 in ihrer Novelle *Kirsteen* den Traum vom wirtschaftlichen und zugleich künstlerischen Erfolg: Kirsteen, einer Frau aus Schottland, gelang der Aufstieg in der Werkstatthierarchie, weil sie ihre Arbeit beherrschte, aber auch weil sie ein höchst ertragreiches eigenes Geschäft aufzubauen vermochte. Sie hatte sich von den Modebildern an den Wänden ihres ersten Arbeitsplatzes inspirieren lassen; diese Bilder und die Modelle selbst waren überwiegend von Frauen für eine weibliches Publikum entworfen worden.

Die Verbindung von Weiblichkeit und Schönheit ermutigte Frauen, ihrer Arbeit ästhetischen Wert beizumessen. Gleich ob es dabei um das Entwerfen profitablerer Produkte oder um das gesteigerte Vergnügen an einer Beschäftigung in Mußezeiten ging, Frauen übten sich im Urteil über Geschmack. Stickerei unterschied sich von eher funktioneller Näharbeit durch das höhere Maß an Dekoration, und eben deshalb wählten Frauen des Mittelstandes Stickerei zum bevorzugten Zeitvertreib. Ähnliches läßt sich für Stepparbeiten sagen. Ursprünglich waren die aus winzigen Stoffstücken zusammengesetzten Steppdecken eine Möglichkeit, Reste zu verwerten. Das Herstellen dieser »Quilts« entwickelte sich in Amerika dann zu einer weiblichen Kunstform, an der Frauen aus allen sozialen Schichten arbeiteten (Abb. 22). Einige Quilts dienten ausschließlich zeremoniellen Zwecken, andere hatten ihren Platz im Alltag, einige waren aus kostbarer Seide gearbeitet, andere aus einfacher Baumwolle; aber alle Quilts verdankten ihre besondere Schönheit letztlich dem Sinn für Farben und Kompositionen, mit dem seine Herstellerin zu Werke ging. Welche Quilts waren Kunstwerke, welche ein Teil des Hausrats? Einige Sklavinnen auf den größten Plantagen der amerikanischen Südstaaten, deren Talent für Stepparbeiten entdeckt worden war, mußten für ihre Herren tagein tagaus Quilts nähen; waren sie Berufskünstlerinnen?

Frauen wandelten ihre häuslichen Tätigkeiten nicht nur zu Berufen um, sie lenkten Berufe auch in neue Richtungen. Elizabeth Keckley (1840–1900) lebte im Süden Amerikas als Sklavin und Näherin. Sie stellte ihre künstlerische Begabung und Energie in den Dienst ihrer politischen Überzeugungen und setzte ihre Arbeit ein, um sich selbst und ihrem Sohn die Freiheit zu kaufen. Im amerikanischen Sezessionskrieg, als es um die Abschaffung der Sklaverei ging, wurde

Die Impressionisten erkundeten in ihren Bildern nicht nur den äußeren Schein, sondern auch die Psychologie der zwischenmenschlichen Beziehungen. Manet stellt hier den Sohn eines Restaurantbesitzers dar, der keck mit seiner weiblichen Kundschaft flirtet. Die Haltung der Sitzenden ist sorgfältig studiert: er scheint den Raum, den sie beansprucht, in Besitz zu nehmen. Wird sie seinen Annäherungsversuchen erliegen?
Chez le Père Lathuille, Gemälde von Manet; 1879. *Tournai, Musée des Beaux-Arts.*

sie die Näherin und Vertraute von Mary Todd Lincoln, der Gattin des Präsidenten der Nordstaaten, Abraham Lincoln. Sie kämpfte mit ihrem Talent für die Sache der Bürgerrechte und schuf Werke wie ihren Freiheits-Quilt aus Stoffresten von Mary Todd Lincolns Kleidern. In Frankreich gehörten drei Schwestern, Héloïse Leloir (1820–1873), Anaïs Toudouze (1822–1899) und Laure Noël (1827–1878), alle geborene Colin, zu denjenigen Künstlern, die in den 1840er Jahren die Stile und Themen der kommerziellen Modezeichnung bestimmten. Künstlerinnen wie die Colins fertigten die Zeichnungen und Aquarelle an, die als Vorlagen für Stiche dienten, deren Abzüge dann handkoloriert wurden. Annähernd ein halbes Jahrhundert lang erschien die herausragende Arbeit der Colins in den führenden Frauenzeitschriften (Abb. 16).

Institutionelle Reformen

Das eigentlich Neue war wohl weniger, daß Frauen handwerklich arbeiteten, sondern daß diese Arbeit nun als Beruf definiert wurde. Wir wissen, daß Frauen aus Handwerkerfamilien jahrhundertelang im Familienbetrieb mitgearbeitet haben. Elizabeth Keckley nutzte Nähtechniken, die in allen Familien von Frau zu Frau weitergegeben wurden. Die Schwestern Colin lernten bereits als Kinder von ihrem Vater in dessen Atelier das Malen und Zeichnen und verdienten mit ihrer Kunst Geld, sobald sie herangewachsen waren. Mit der Entfaltung des Kapitalismus mußten Frauen sich immer häufiger auf dem öffentlichen Arbeitsmarkt um Stellen bewerben, die ihre Mütter und Großmütter noch selbstverständlich geerbt hatten.

In der zweiten Hälfte des Jahrhunderts war der Zerfall der familialen Arbeitsorganisation bereits so weit fortgeschritten, daß die nachfolgenden Generationen nicht mehr wie noch Elizabeth Keckley und die Schwestern Colin zu Hause ausgebildet wurden. Um trotzdem weiterhin im Handwerk und in den neuen, einige Handwerke verdrängenden Berufen des Industriedesigns um Erwerbschancen konkurrieren zu können, mußten Frauen nun eine öffentliche Ausbildung fordern. Gleichzeitig erkannten die wenigen Frauen, die in der Kunst einen Platz anzustreben begannen, daß sie diesen ohne offizielle Ausbildung und Berufszugehörigkeit nicht erreichen würden. Wenn wir beispielsweise heute in der Amerikanerin Jennie Louise Bethune (geborene Blanchard, 1856–1913) eine der allerersten professionellen Architektinnen sehen, so nur deshalb, weil sie die erste Frau war, die 1888 in das American Institute of Architects, dem bis heute wichtigsten Berufsverband amerikanischer Architekten, aufgenommen wurde. Eine

Konvergenz wirtschaftlicher und künstlerischer Faktoren führte im letzten Drittel des Jahrhunderts überall in Europa und den Vereinigten Staaten zu kontroversen Debatten über die Aufnahme von Frauen in die kulturellen Institutionen der Männer.

Die Streitfragen waren in allen Ländern mehr oder weniger dieselben. Gegner einer künstlerischen Ausbildung für Frauen forderten, Frauen sollten zu Hause bleiben, während Befürworter argumentierten, daß sich das keineswegs alle und schon gar nicht alleinstehende Frauen leisten könnten und daß eine künstlerische Ausbildung, mehr als alle anderen, die Weiblichkeit einer jungen Frau eher vergrößere als verringere. Jedoch variierte die Chronologie der Proteste und Konzessionen in jedem Land je nach Mobilisierungsgrad der Künstlerinnen und der Bereitschaft des nationalen oder städtischen Kunstestablishments zu Zugeständnissen. Da Paris zu jener Zeit das Zentrum der Kunstwelt war, liefert uns Frankreich den ungewöhnlichsten und zugleich wichtigsten Fall:[1] Ende des Jahrhunderts kamen Frauen aus Belgien, Großbritannien, Finnland, Deutschland, Holland, Italien, Norwegen, Rußland, der Schweiz und den Vereinigten Staaten zu Studienzwecken nach Paris. Sie alle werden später die führenden Malerinnen ihrer jeweiligen Länder sein.

Frankreich hatte eine der ersten öffentlich finanzierten Kunstschulen für Frauen. 1803 von zwei Frauen in Paris gegründet, diente die École Gratuite de Dessin pour les Jeunes Filles als Modell für ähnliche Schulen in anderen Ländern. Sie bot einen Grundkurs in Gestaltung an, der die meisten Schülerinnen auf kunstgewerbliche Berufe ausrichtete. In den 60er Jahren waren bereits in vielen Provinzstädten ähnliche Schulen entstanden. 1869 gab es allein in Paris zwanzig derartige Schulen gegenüber nur sieben für Männer. Kunst wurde zu einem integralen Bestandteil des Unterrichts für Mädchen an öffentlichen Schulen, was wiederum den Künstlerinnen vermehrt eine Anstellung als Lehrerin brachte. Ende des Jahrhunderts eröffnete die nationale Union Centrale des Arts Décoratifs eine Frauensektion, um für Frauen im Handwerk hinsichtlich Zahl und Qualität die Standards anzuheben.

Frauen, deren Gemälde oder Plastiken dem Urteil der Jury standhielten, konnten in Paris unter der Schirmherrschaft des Staates und seines künstlerischen Organs, der Académie des Beaux-Arts, im berühmten Salon ausstellen. Im Jahre 1800 stammten 66 und damit 12,2 Prozent der im Salon ausgestellten Werke von Frauen. Bis 1900 waren die Zahlen stark gestiegen: 609 oder 21,2 Prozent aller Arbeiten stammten von Frauen. Frauen stellten sehr selten Skulpturen aus; am häufigsten waren Aquarelle, und im Laufe der Zeit wuchs auch die Zahl der Ölbilder. Da Frauen jedoch nicht in den Genuß der gleichen Ausbildung wie Männer kamen, vermochten sie sich auch nicht so erfolgreich wie diese im Ausstellungsbetrieb, gegenüber der Kritik und auf dem Markt, zu behaupten. Um 1860 betrieb der berühmte Maler Charles Chaplin eine professionelle Atelierschule für Frauen. In den 70er Jahren folgten andere, z. B. Tony Robert-Fleury an der Académie Julian, seinem Beispiel. Aber selbst in diesen seriösen Ateliers entsprach die den Frauen gewährte Ausbildung nicht der der Männer: die Unterrichtsstunden waren andere, es gab weniger Lehrer, Aktzeichnen war nicht erlaubt, und Anatomie wurde nicht gelehrt.

Die Frauen erkannten schließlich, daß sie ihre Sache selbst in die Hand nehmen mußten. 1881 gründete die Bildhauerin und Pädagogin Madame Léon Bertaux, geborene Hélène Pilate, die Union des Femmes Peintres et Sculpteurs. Ähnliche Organisationen gab es an anderen Orten Europas. Ab 1882 organisierte diese Union einmal im Jahr eine eigene Ausstellung, an der im ersten Jahr 38, 1897 schon 942 Künstlerinnen teilnahmen. Als 1890 zum ersten Mal ihr *Journal des Femmes Artistes* erschien, zählte die Union 500 Mitglieder. Mit Hilfe dieser Zeitschrift und unter Einsatz der unermüdlichen Madame Bertaux kämpfte die Union für die Aufnahme von Frauen in die berühmteste aller europäischen Kunstschulen, in die staatlich geführte und finanzierte École des Beaux-Arts. Der Erfolg kam schließlich 1896, lange nachdem bereits ähnliche Schulen in Dänemark, Deutschland, Rußland und Großbritannien vor den Frauen kapituliert hatten. Frauen blieben allerdings an der École des Beaux-Arts immer noch von Kursen, in denen nach der Natur gearbeitet wurde, ausgeschlossen, und sie konnten sich ebenfalls nicht um die höchste Auszeichnung der Schule, den Prix de Rome, bewerben.

Mit Siegen wie dem der Union gewannen Frauen leider jedoch nur das Recht auf überholte Privilegien. Führerinnen und Mitglieder der Union hatten erkannt, daß für eine erfolgreiche künstlerische Laufbahn eine institutionelle Absicherung erforderlich war. Sie bestanden daher aus gutem Grund auf dem Prinzip des gleichen Zugangs für Frauen; sie erkannten aber nicht, welche Privilegien die eigentlich modernen waren. Als Frauen endlich Zugang zur École des Beaux-Arts erlangten, hatten die Entwicklungen in der Kunst bereits eine andere Richtung genommen. Nun waren nicht mehr der Staat, sondern unabhängige Ausstellungen, avantgardistische Kunstbewegungen und private Händler entscheidend. In dieser modernen Kunstwelt aber, die so viel flüchtiger, egozentrischer und individualistischer als die vorangegangene war, blieben die Frauen so ungeschützt wie zuvor.

Schon zu Beginn ihrer langen Karriere gelang es Sarah Bernhardt, die neuesten Bildtechniken in den Dienst ihrer Berühmtheit zu stellen. Deshalb arbeitete sie mit männlichen Künstlern: Nadar stellt sie hier als ein Schönheitsobjekt dar und erhebt die Photographie unter Verwendung der Mittel von Komposition und Belichtung in den Rang eines Kunstwerks. Mittels dieser neuen Bildkultur verwandelte sich das weibliche Idol für zahlreiche Käuferinnen von Photographien der Schauspielerin in einen Star.

Sarah Bernhardt, Photographie von Nadar; 1864.

Blick und Geschlecht

Die Bilder spiegelten noch immer die Sicht von Männern auf Frauen und die Einstellungen, die Männer zu Sexualität, Klasse, Rasse, Arbeit und Kunst hatten. Mit der Industrialisierung der visuellen Kultur veränderten sich allmählich die von früheren Jahrhunderten übernommenen Darstellungskonventionen. Einige Frauentypen wurden neu sichtbar, während andere im Dunkeln verschwanden.

Männliche Künstler behielten weiterhin die Kontrolle über ihre weiblichen Sujets. Männer stellten Frauen nicht nur als ein der Autorität eines sexualisierten Blicks unterworfenes Objekt dar. In vielen Fällen verschärften zusätzlich noch Klassenunterschiede diese Ungleichheit der Geschlechter. Maler und Bildhauer beanspruchten zumindest Mittelschichtzugehörigkeit, während die von ihnen engagierten Modelle der Arbeiterklasse angehörten. Ganz ähnlich betrachteten Graphiker und Photographen ihre aus der Arbeiterklasse stammenden weiblichen Objekte mit gleichzeitig herablassendem und begehrlichem Blick.

Dieses Machtverhältnis zwischen dem Künstler und seinem Modell kam nirgends deutlicher als in Darstellungen des nackten Körpers zum Ausdruck. Mehr als je zuvor bedeutete Aktdarstellung in der Kunst die Darstellung des weiblichen Akts. Was wurde aber enthüllt: die Körper der Frauen oder erotische Männerphantasien? Gewöhnlich wurden sexualisierte Körper gemalt, die auf die eine oder andere Art unterwürfig und fremd zugleich erschienen: Frauen aus anderen Zeiten, anderen Orten, anderen Kulturen, anderen Welten; primitiv-lüsterne Arbeitermädchen, verführerische Odalisken, liegende Göttinnen. Mythen umgaben die Nacktheit als Sujet und die Frauen, die für diese Bilder Modell standen. Weit verbreitet war die Ansicht, daß Aktmodelle sich den Künstlern, für die sie arbeiteten, bereitwillig sexuell hingaben. Ob das nun der Wirklichkeit entsprach oder nicht, der Mythos vom Künstlermodell brachte die imaginären Beziehungen zwischen männlichem Betrachter und der Aktdarstellung in der hohen Kunst treffend zum Ausdruck.

Pornographische Bilder lieferten Frauenkörper sehr viel direkter dem besitzergreifenden männlichen Blick aus. Massenhaft reproduzierte Lithographien, Holzschnitte und später Photographien entledigten sich der in der hohen Kunst üblichen Idealisierung und bedienten einen expandierenden Markt mit expliziten Sexualitätsdarstellungen (Abb. 38). 1874 beschlagnahmte die Polizei in London bei einer einzigen Razzia in einem einzigen Laden 135248 als obszön bezeichnete Photographien.[2] Dabei konnten die unterschiedlichsten ästhetischen Intentionen nebeneinander existieren. Vor allem auf frühen Daguerreotypen vermochte eine sorgfältige Komposition zusammen mit dem Einsatz der von der Kamera gebotenen Möglichkeit der perspektivischen Verkürzung, Erotik ins Bild zu bringen.

Frauenkörper, die für Männer visuell unattraktiv waren, tauchten so gut wie nie in der bildenden Kunst des 19. Jahrhunderts auf. Darstellungen von älteren Frauen waren entweder Karikaturen oder süßliche Stereotypen. Die körperliche Arbeit von Frauen war fast nie Thema der Darstellung. Wie der Mythos vom Künstlermodell von den materiellen Bedingungen dieser Arbeit ablenkte und stattdessen die sexuelle Verfügbarkeit betonte, so wurden auch andere Arbeiterinnen entweder ignoriert oder erotisiert.

Anfangs war das Bürgertum selbst vom Anblick traditioneller bäuerlicher Arbeit schockiert, als Millet in großem Format die mühevolle repetitive Arbeit der Bäuerinnen malte (Abb. 32).

Volkstümliche Darstellungen zeigten vorzugsweise relativ privilegierte Arbeiten wie die Putzmacherei, die mit weiblichen Freuden in Verbindung gebracht wurden, aber auch andere Berufe, in denen Frauen für Männer des Mittelstandes sexuell zugänglich erschienen. Später wurden solche handwerklichen Berufe ergänzt um neue, ebenfalls dem weiblichen Geschlecht zugeschriebene Berufe wie dem der Angestellten oder der Telefonistin (Abb. 35).

Die Photographie begann allmählich, die Lebens- und Arbeitsbedingungen der Armen zu zeigen, aber selbst Pioniere wie Jacob Riis stellten weiterhin proletarische Frauen nur als Mütter und Opfer, nicht aber als aktive und produktive Arbeiterinnen dar (Abb. 36).

Frauen aus der Theaterwelt dagegen standen im Rampenlicht. Sängerinnen wie die Spanierin La Malibran (1808–1836), Schauspielerinnen wie die Französin Sarah Bernhardt (1844–1923), Tänzerinnen wie die Italienerinnen Carlotta Grisi (1819–1899) und Marie Taglioni (1804–1884) faszinierten überall in Europa und den Vereinigten Staaten ihr männliches und weibliches Publikum. Die Bilder, die man von ihnen machte, trugen ebenso zur Verbreitung ihres Ruhms bei wie ihr tatsächlicher Bühnenerfolg (Abb. 13). Bereits Mitte des Jahrhunderts bestanden die Aufträge von Photostudios zu mehr als einem Drittel in Porträtaufnahmen von Schauspielerinnen und Sängerinnen.[3] Diese verherrlichenden Bilder von Berühmtheiten schufen zwar auch Mythen über Frauenkörper, aber diese Mythen werteten die abgebildeten Frauen auf und priesen deren Fähigkeit, dem eigenen Körper technisch brillante Leistungen abzuverlangen. Ballerinen wie Taglioni und Grisi waren für ihre großartige Spitzentanztechnik berühmt, die den Eindruck erweckte, als ob sie über die Bühne schwebten.

Noch erfreute sich die Jungfrau Maria der größten Berühmtheit. Trotz des allgemeinen Rückgangs sowohl der populären als auch der gehobenen religiösen Bildkunst wurde dem Bild Mariens im religiösen Kultus des 19. Jahrhunderts zentrale Bedeutung beigemessen. Papst Pius' Proklamation des Dogmas der Unbefleckten Empfängnis, 1854, und der Erfolg der Mädchenschulen, die von Frauen in der Klostergemeinschaft vom Heiligsten Herzen Jesu betrieben wurden, unterstreichen die Bedeutung, die der Katholizismus im 19. Jahrhundert als Modell für die religiöse Frauenrolle erlangte. Von den Präraphaeliten bis zu den anonymen Graveuren von religiösen Karten – dem religiösen Gegenstück zu den *carte-de-visite* der Photographen – prägten alle Künstler Maria zur bürgerlichen Mutter, einem Bild, dem sich auch Protestanten anschließen konnten. Die erste professionelle Kunsthistorikerin, die Engländerin Anna Jameson (1794–1860) krönte ihr überaus populäres Werk *Legendary and Sacred Art* mit einem letzten Band über *Legends of the Madonna*. Darin pries sie das Gemälde der Madonna mit Kind als »Glorifizierung alles dessen, was an der Weiblichkeit das Reinste, Lieblichste und Heiligste« ist.[4]

PRODUKTION UND KONSUMTION

Zusammen mit populären Drucken erweiterten Photographien den Bereich der visuellen Kultur beträchtlich. Dieses neue Medium, das in den 30er Jahren entwickelt wurde und im Laufe des Jahrhunderts enorme Verbreitung fand, popularisierte zeitgenössische weibliche Themen, zog besonders das weibliche Publikum an und schuf neue visuelle Identifikationsmodelle. Leichter als jemals zuvor konnten Frauen Bilder nicht nur machen, sondern auch erwerben. Ihre intensivere Beteiligung an der visuellen Kultur aber machte Frauen zugleich stärker für deren Suggestionen empfänglich.

Mechanische Mittel trugen dazu bei, die Definitionen von Autorenschaft aufzuweichen. Frauen wie die Engländerin Julia Margaret Cameron (1815–1879; Abb. 47) konnten auch ohne professionelle Ausbildung eine Kamera in die Hand nehmen und sich einen herausragenden Platz sichern auf einem Gebiet, in dem noch nicht rigide zwischen Kunst und Wissenschaft, Amateur und Profi unterschieden wurde. Im Photostudio konnte sich die Künstler–Modell-Beziehung geradezu umkehren, und der Photograph mochte passiv bleiben, während sein Modell sich in Szene setzte, um für die Kamera eine Identität vorzugeben, die von der photographischen Apparatur festgehalten werden sollte.

Die Italienerin Virginia Verasis, Gräfin de Castiglione (geborene Oldoini, gestorben 1899), Augustine, eine Französin unbekannter Herkunft, und die Engländerin Hannah Cullwick (1833–1909), sie alle

Reklame wurde Ende des letzten Jahrhunderts für jedermann zu einem wesentlichen Bestandteil der bildhaften Phantasie. Zahlreiche Werbekampagnen zielten auf ein weibliches Publikum: Die weibliche Natur wurde mit Vergnügungen, Luxus und Konsumwünschen gleichgesetzt.
Halles de Flers/Orne, anonyme Photographie; um 1910.

nutzten die Photographie, um ebenso extravagante wie herausfordernde Bilderserien von sich selbst herzustellen. Die Gräfin de Castiglione stellte sich selbst als laszive Kurtisane, als Schaubild der Sexualität und Objekt der Begierde dar (Abb. 18). Augustine, Patientin von Jean-Martin Charcot in der psychiatrischen Klinik für Frauen an der Salpêtrière, mimte die Phasen ihrer Hysterie für Aufnahmen, die Charcot als klinisches Anschauungsmaterial nutzte (Abb. 37). Hannah Cullwick, ein einfaches Hausmädchen, posierte in Rollen von der Sklavin bis zur Dame von Welt, um Arthur Munby, dem exzentrischen Photosammler zu gefallen, der sie schließlich heiratete. War das Posieren dieser Frauen Selbstdarstellung oder Selbstausbeutung? Verteidigten sie den Anspruch auf marginale Identitäten, oder waren sie in Rollen gefangen, die ihre Bilder festschrieben? Die Widersprüche ihrer Selbstdarstellungen verdeutlichen gerade in ihren Übertreibungen die in der modernen industriellen Verbraucherkultur allen weiblichen Identitäten inhärenten Spannungen.

Frauen kontrollierten Bilder, indem sie sie kauften, wurden aber selbst wiederum durch den Zwang, Bilder zu kaufen, kontrolliert. Die Industrialisierung verwandelte die weibliche Amateurtradition in massenhaft reproduzierte Bilder. Frauen füllten ihre Alben allmählich nicht mehr nur mit selbstgemalten Bildern, sondern ergänzten sie um Photographien mit ähnlichen Themen. In ihrer Amateurkunst hatten sich Frauen innerhalb einer häuslichen Welt imaginiert; nun lösten Drucke, Photographien und vor allem Modebilder die Amateurbilder ab und stellten Frauen kommerziell dar (Abb. 16). Modebilder und als deren Publikationsmedien die Frauenzeitschriften gab es bereits seit dem ausgehenden 17. Jahrhundert. Sie entwickelten sich erst in den 40er Jahren des 19. Jahrhunderts zu einer kulturellen Kraft. In Amerika hatte Godeys *Ladies Book*, das von Sarah Josepha Hale herausgegeben wurde, 1849 schon 40 000 Abonnenten; in Frankreich erzielten Frauenzeitschriften wie *Le Petit Echo de la Mode* 1890 eine Auflagenhöhe von 200 000. Jedes verkaufte Heft wurde von mehreren Leserinnen gelesen. Frauen wurden von der Bekleidungs- und Druckindustrie als Markt erkannt und als Zielgruppe angesprochen. Durch das Modebild lernten Frauen die Werbung (Abb. 17, 28) mit ihrer beispielhaften Verknüpfung von Bild und Kaufinformation kennen, die die Produkte als Geschlechts- und Klassenideal verkaufte.

Anzeigen definierten Weiblichkeit im Sinne von Oberflächen und Gegenständen neu: Kleidung, Kosmetik und Accessoires. Im Verlauf des 19. Jahrhunderts entwickelten sich Frauen von Produzentinnen, die im Haus arbeiteten, zu Konsumentinnen, die außerhalb des Hauses Geld ausgaben. An diesem Prozeß hatten Anzeigen einen visuellen Anteil, indem sie die traditionellen Selbstbilder der Frauen in kom-

Ungeachtet ihres außerordentlichen musikalischen Talents, ordnete Clara Schumann ihre Karriere der ihres Mannes und den Bedürfnissen ihrer Kinder unter. Die Achtbarkeit ihrer sozialen Stellung und die weibliche Selbstverleugnung, durch welche sie den Einfluß ihres Werkes gering hielt, bewahrten sie vor Kritik und verschafften ihr Zugang zur geschlossenen Gesellschaft der musikalischen Welt.
Robert und Clara Schumann, Stich nach einer Zeichnung von Erwald Kaiser; 1847.

merzielle Schaubilder verwandelten. Diese neuen Selbstbilder waren Waren, die allen Frauen gegen Geld zur Verfügung standen, und vielleicht wurden Frauen, die sich diese neuen Werte aneigneten, selbst zur Ware.

»Männer handeln, Frauen zeigen sich«, sagte einmal der Kritiker John Berger. Als die äußere Erscheinung für die weibliche Identität immer wichtiger wurde, spielten Bilder für das Selbstgefühl der Frauen eine entsprechend größere Rolle. Die unerhört große Zahl von Frauen, die sich nun künstlerischen Berufen zuwandte, war eine Reaktion auf diese Verknüpfung von Frauen und Bildern. Indem Frauen in künstlerische Gebiete vordrangen, perpetuierten sie die Geschlechterstereotypen. Mit der Zeit jedoch trugen ihre Werke und Leistungen dazu bei, Frauen anders als bisher erscheinen zu lassen.

Strategien

Negativ wie positiv charakterisierten Ambiguität und Kompromißbereitschaft die kulturelle Produktion der Frauen. Die erfolgreichsten künstlerischen Karrieren von Frauen – ganz gleich, ob man den Erfolg an sozialer Anerkennung, Ruhm, Reichtum oder Einfluß mißt – basierten weniger auf der Forderung nach gleichem Zugang zu männlichen Institutionen und offiziellen Privilegien, als auf der Fähigkeit, am Rande dieser Institutionen zu arbeiten und die Bindung entweder an die Amateurtradition oder an einen handwerklichen Beruf aufrechtzuerhalten.

Eine der wichtigsten Hilfen für Frauen mit künstlerischen Ambitionen waren nach wie vor männliche Künstler. Die Verbindung zu einem männlichen Kollegen ging zwar oft mit dem Verlust des guten Rufs einher (siehe den Mythos vom Künstlermodell) und barg die Gefahr in sich, daß das eigene Werk der Inspiration des Mannes zugeschrieben wurde oder gar als dessen Ausführung galt. Dennoch durchlief die Mehrzahl der im 19. Jahrhundert als Künstlerin angesehenen Frauen die Phase des Modells, der Gefährtin oder der Schülerin einer in der Kunstwelt anerkannten männlichen Figur. Die englische Stickerin May Morris (1862–1938) war Tochter und Schülerin des Zeichners William Morris; die deutsche Komponistin Clara Schumann (1819–1896) war mit dem Komponisten Robert Schumann verheiratet; Carlotta Grisi war die Geliebte des Choreographen Jules Perrot; die Französin Berthe Morisot (1841–1895) stand für ihren Malerkollegen Edouard Manet (Abb. 24) Modell. Die Häufigkeit dieses Phänomens läßt sowohl auf die fortbestehende Abhängigkeit der Frauen von Männern bei ihrer Einführung in die Kunstwelt, als auch auf ihr psychisches Bedürfnis nach Aufwertung durch Männer schließen.

Camille Claudel und Jessie Lipscomb begannen ihr Studium gemeinsam, schlugen aber schon bald sehr unterschiedliche Wege ein. Lipscomb etablierte sich im Konformismus, wohingegen Claudel, der jeglicher Kompromiß verhaßt war, gesellschaftliche Ablehnung ertragen mußte. Keine von beiden zog eine andere Möglichkeit für sich in Betracht.

Camille Claudel und Jessie Lipscomb in ihrem Atelier, Photographie von 1888. *Paris, Musée Rodin, Museumssammlung.*

Karrieren am Rande der Künste boten Frauen unbekanntes Terrain, das sie ganz für sich beanspruchen konnten. Wenn sie wie Potter und die Engländerin Kate Greenaway (1846–1901) Bücher illustrierten, wenn sie sich auf ungewöhnliche und marginale Genres der Malerei spezialisierten – bei Bonheur waren es Tiere, bei Lady Elizabeth Butler (1846–1933) Militärszenen –, wenn sie sich neue Gebiete erschlossen – wie die Schwestern Colin die Modezeichnung oder Cameron die Photographie –, wenn sie über Kunst schrieben, wie es die Russin Marie Bashkirtseff (1859–1884) in ihrem Tagebuch, das ein Bestseller wurde, oder die Engländerin Anna Jameson (1794–1860), als eine der ersten professionellen Kunsthistorikerinnen, taten, dann konnten Frauen sich weit vorwagen, ohne den Anschein eines Regelbruchs zu erwecken.

Eine andere Strategie von Künstlerinnen bestand darin, die hohe Kunst der Männer in einen häuslichen Rahmen einzubetten. Frauen konnten ihre Identifikation mit der Häuslichkeit nach außen ausdehnen und Handwerk, Malerei, Architektur und Natur selbst wieder zu komplexen Kunstwerken eigenen Rechts neu ordnen. Die Amerikanerin Edith Wharton (1862–1937) schrieb 1897 zusammen mit Ogden Codman das erste professionelle Buch über Innendekoration, *The Decoration of Houses*. Gertrude Jekyll entwarf und pflanzte Gärten um Häuser (Abb. 41). In den Vereinigten Staaten gründete, plante und realisierte Isabella Stewart Gardner (1840–1922) aus den Beständen ihrer Kunstsammlung und der ihres Mannes in einem Privathaus eines der bedeutendsten Hausmuseen der Welt und machte dieses zur öffentlichen Einrichtung (Abb. 42, 43).

Frauen konnten nicht wie Männer ihr Berufs- von ihrem Privatleben trennen. Einige wußten daraus einen Vorteil zu ziehen, andere scheiterten daran. Eine radikale Karriere konnte mit traditionellen Darstellungsthemen kompensiert werden. Mary Cassatt und Berthe Morisot, die prominentesten Avantgarde-Malerinnen des 19. Jahrhunderts, widmeten beide ihr Werk ausschließlich den konventionell weiblichen Themen der Amateurtradition (Abb. 1, 25). Beide Frauen führten auch das gesetzte Privatleben der Mittelschicht. Zeigten Frauen dagegen Kühnheit in der Wahl des Mediums und gleichzeitig Radikalität im beruflichen wie im privaten Leben, so konnte das katastrophale Folgen haben. Camille Claudel (1864–1943) wurde zum mythischen Archetypus des bestraften weiblichen Genies. Sie wagte es, sich der Bildhauerei, diesem männlichsten aller künstlerischen Medien, zuzuwenden, einem dominanten Künstler, Auguste Rodin, nicht nur Modell zu stehen, sondern mit ihm zusammenzuarbeiten, ihn offen zum Liebhaber zu nehmen und noch dazu die erotischen Wünsche von Frauen darzustellen (Abb. 40). Ihre Familie und Rodin ließen sie fallen, sie verlor den Verstand, und ein dreiviertel Jahrhundert wurde sie von der Kunstgeschichte vergessen.

Frauen waren mit komplexen und sich wandelnden Konfigurationen ästhetischer, ökonomischer, sexueller, technologischer und politischer Werte konfrontiert. Diese materialisierten sich in einzelnen Kunstformen, -institutionen oder -industrien und konstituierten gemeinsam die visuelle Kultur. Einige dieser Werte stimmten denen Werten der Weiblichkeit überein, viele nicht. Frauen mußten widersprüchliche Werte miteinander in Einklang bringen und neue Sinnordnungen entwerfen, um für sich einen Platz zu schaffen, wo sie vorher keinen hatten. Sie mußten für sich neue berufliche Laufbahnen, Kunstformen und Formen der Weiblichkeit erfinden. Um ihre Leistung beurteilen zu können, müssen wir die sehr eng an Gemälden und Skulpturen orientierte Sicht der Kulturgeschichte aufgeben und das gesamte Gebiet der visuellen Kultur in ihrem historischen Kontext betrachten. Dann wird sichtbar, wie mutig das Werk der Frauen war, wie raffiniert, gewinnbringend, verschiedenartig, kreativ und wie schön es aus all diesen Gründen war.

Aus dem Englischen von Sylvia M. Schomburg-Scherff

Aushänge an der Kirche Saint-Eustache, Paris, Gemälde von A. Depré; um 1900.

13 FRAUENBILDER

Anne Higonnet

Bilder können auf unterschiedliche Weise betrachtet werden. Die hier vorgestellten Abbildungen lassen sich mit Hilfe der knappen Bildunterschriften verstehen. Man kann sie aber auch in einem viel weiteren Sinne als bildliche Entsprechungen, Ergänzungen oder Erklärungen der in den verschiedenen Beiträgen dieses Bandes angesprochenen Themen begreifen: Revolution, Subversion, Sexualität, Familie, Arbeit, Feminismus, Identität und Darstellung. Das vorangegangene Kapitel »Bilder – Schein und Erscheinung, Muße und Subsistenz« erläutert den Ort, den Bilder in der Geschichte der visuellen Kultur des 19. Jahrhunderts haben. In diesem Kapitel werden anhand ausgewählter Bilder Sinnzusammenhänge und visuelle Strategien erläutert.

MADONNA, VERFÜHRERIN, MUSE

Das Bad (1891–92) von Mary Cassatt (Abb. 1), *Judith* (1901) von Gustav Klimt (Abb. 2) und *Die Freiheit, das Volk führend* (1830) von Eugène Delacroix (Abb. 3) zeigen die drei Frauenstereotypen der hohen Kunst: Madonna, Verführerin und Muse. Doch jedes dieser Gemälde modernisiert sein Stereotyp auf eine für das 19. Jahrhundert typische Weise.

Cassatts Madonna, eine bürgerliche Mutter mit Tochter, signalisiert zum einen das Ende religiöser Themen in der Kunst, vor allem in pro-

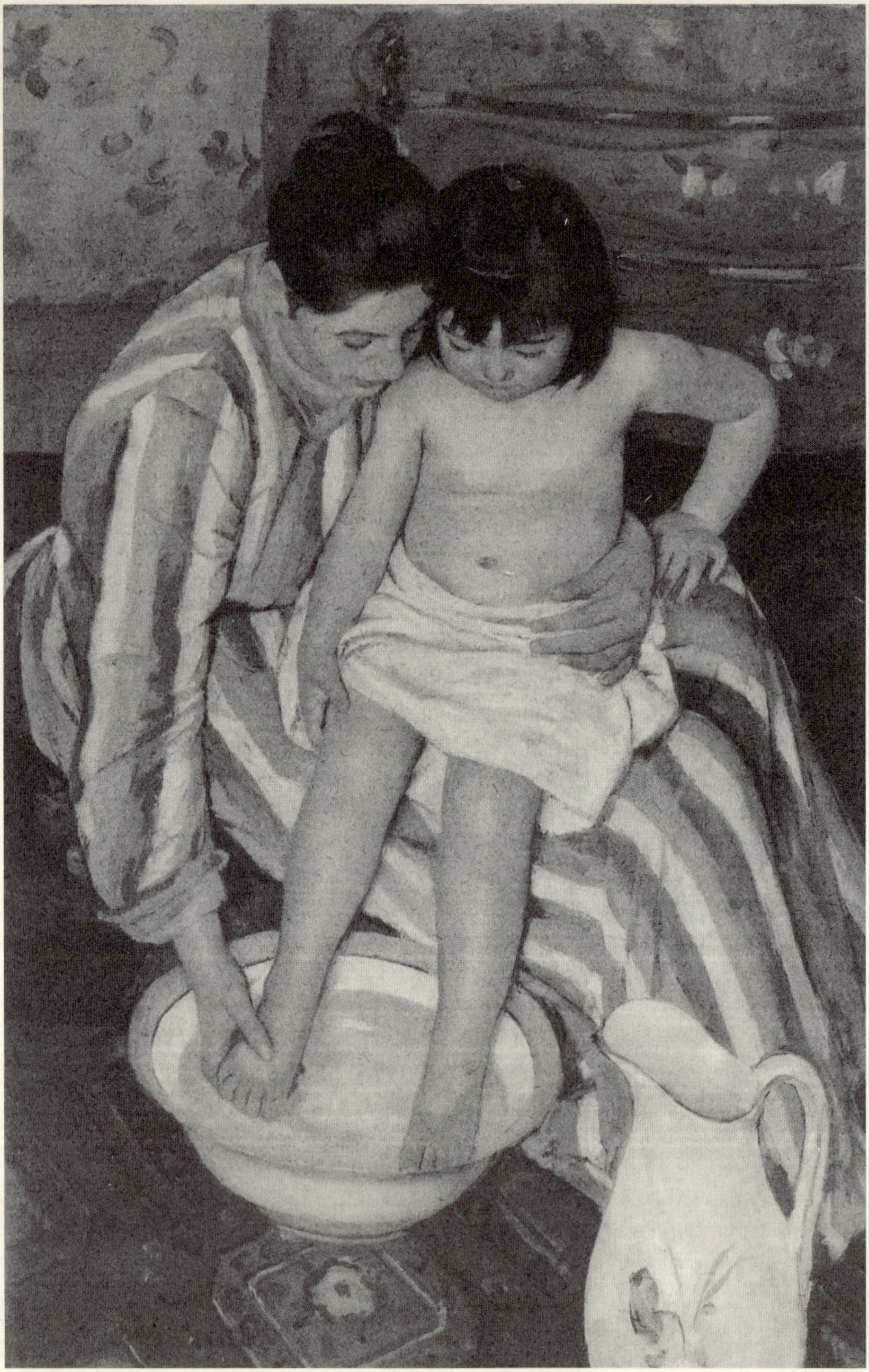

Abb. 1 *Das Bad*, Ölbild, Mary Cassatt; 1891–92. *Chicago, Art Institute of Chicago.*

Abb. 2 *Judith*, Ölbild, Gustav Klimt; 1901. *Österreichische Galerie, Wien*

Abb. 3 Ein für die Republikaner besonders typisches, weibliches Stereotyp im Frankreich des 19. Jahrhunderts: Die Freiheit trägt die Gesichtszüge der Marianne und eine Jakobinermütze mit Abzeichen. *Die Freiheit, das Volk führend,* Ölbild, Eugène Delacroix; 1830. *Paris, Musée du Louvre.*

testantischen Ländern, aber auch in Frankreich. Es transportiert zum anderen das wachsende Interesse an Bildern von kleinen Mädchen und an der Mutter-Tochter-Beziehung. Die von Cassatt gemalte mütterliche Figur badet ihr Kind – ein alltägliches Ereignis, mit dem jeder Betrachter aus der Mittelschicht sich identifizieren kann. Cassatt wahrt die Tradition, indem sie Mütterlichkeit als körperliche Beziehung betont; die Zentralaxe ihres Bildes ist dort, wo Haut und Haut einander berühren.

Die Ästhetik des Fin de siècle schwelgte in erotischen Darstellungen und brachte damit auch latente Ängste vor der sexuellen Macht von Frauen an die Oberfläche. Klimts Bild eines weiblichen Körpers spielt mit dem Kontrast von reichlich dargestellter nackter Haut und dem kostbar verzierten Gold. Judiths spürbare Sinnlichkeit verführt und wirkt gleichzeitig abstoßend. Judith nähert sich dem Betrachter, lädt ihn mit glänzendem, geöffnetem Mund und entblößter Brust ein. Doch ihr Name erinnert daran, daß sie eine gefährliche Frau ist, eine Frau, die um der Zerstörung willen verführt.

DIE REVOLUTION

Abb. 4 *Der Schwur der Horatier*, Ölbild, Jacques-Louis David; 1784–85. *Paris, Musée du Louvre.*

Die Freiheit von Delacroix führt Männer mit dem Versprechen der Demokratie in die Revolution. Delacroix stellte sie unerschrocken als Frau des Volkes dar, braun und muskulös, eine Frau, die über die Barrikaden hinweg auf uns zuschreitet. Sie bleibt die unerreichte Verkörperung der »Marianne«, des Emblems der französischen Republik.

David faßte den Ort der Frauen in der Ideologie der Französischen Revolution mit seinem *Schwur der Horatier* (1784–85) (Abb. 4) zusammen. Die drei Brüder schwören, entweder den Sieg über die korrupten Curatier davonzutragen oder zu sterben. Auf der einen Seite befinden sich die Männer: fest vereint, einem gemeinsamen Ziel verpflichtet, von ihrem Vater ermahnt, zu solch mitleidlosen Waffen der Gerechtigkeit zu werden, wie es die Schwerter sind, die seine Hand umklammert. Auf der anderen Seite befinden sich die Frauen: von Gefühl überwältigt, hingesunken, anmutig im sanften Rhythmus der Gesten

VUE DE LA MONTAGNE ELEVÉE AU
pour la fête qui y a été célébrée en l'honneur de l'Etre Suprême le
A Paris chez Chéreau Rue Jacques, aux deux Colonnes,

Abb. 5 *La Montagne élevée au Champ-de-Mars pour la fête de l'Être suprême, le 8 juin 1794,* Stich nach einem Entwurf von Jacques-Louis David. *Paris, Bibliothèque Nationale.*

Abb. 6 *Newport Pagnell. Tanz bei Mrs. Hurst, 17. September 1816*, aus einem Familienalbum, Aquarell von Diana Sperling; 1816. *Privatsammlung*.

und des Faltenwurfs vereint. Jede Seite gibt der anderen *ihren Sinn* – Männlichkeit und Weiblichkeit stehen im Gegensatz zueinander. Einzige Verbindung zwischen ihnen ist der kleine Junge, der, von der Gruppe der Frauen unbemerkt, die Männer anschaut, um von ihrem Beispiel zu lernen.

Mit seinen Entwürfen für die Revolutionsfeierlichkeiten setzte David seine Ideen in die Praxis um. Obwohl diese Bilder die neuen politischen Ideale dramatisch in Szene setzten, wurden Frauen innerhalb der revolutionären Parameter weiterhin auf ihre traditionellen Rollen verwiesen. In *La fête de l'Être suprême* von 1794 (Abb. 5) sind Frauen dargestellt als Gruppe weißgekleideter Jungfrauen oder als allegorische Versinnbildlichung des in der Kutsche des Reichtums fahrenden Überflusses oder der Weisheit, die aufscheint aus dem vom Feuer verschlungenen Bollwerk des Atheismus. Frauen wurden so gut wie nie als aktiv an der Revolution teilnehmende individuelle Personen dargestellt, sondern allenfalls als Mitwirkende in kollektiven politischen Aktionen, in denen es um unmittelbare materielle Bedürfnisse ging, oder häufiger noch als Symbole der die Reinheit der revolutionären Ziele garantierenden häuslichen und keuschen Tugenden.

Abb. 7 *Anthony und seine drei Kinder,* aus einem Familienalbum, Gouache von Mary Ellen Best; 1847. *Privatsammlung.*

DER HÄUSLICHE RAUM

Die bürgerliche Ideologie der ersten Dekaden des 19. Jahrhunderts verankerte tugendhafte Frauen fest in der häuslichen Sphäre. Im Rahmen der Amateurkunst, die in der ersten Hälfte des Jahrhunderts überall in Europa stark verbreitet war, stellten Frauen sich auch selbst in ihrer häuslichen Rolle dar, bisweilen humorvoll oder mit kritischem Scharfblick. Diana Sperlings lebhaftes Aquarell von 1816 zeigt eine abendliche Tanzveranstaltung im Rahmen der Familie (Abb. 6). Frauen sind in der Überzahl; eine Frau tanzt beschwingt für sich allein; ein kleines Mädchen sitzt auf einem Stuhl am Bildrand und schaut aus dem Bild heraus den Betrachter an. Am Klavier sorgt eine andere Amateurkünstlerin, Sperlings Pendant auf dem Gebiet der Musik, für die musikalische Begleitung.

Bests Gouache von 1847 (Abb. 7) zeigt ihren Ehemann am Klavier und ihre drei Kinder, die das Musik- und Eßzimmer betreten, in dem der Tisch für die Familie gedeckt ist. Best stellt die Möbel ihres Heims mit so großer Detailtreue dar, daß wir ihre Selbsteinschätzung als Künstlerin erkennen. Das untere der in der linken Bildhälfte wiedergegebenen Bilder ist Bests Hochzeitsporträt ihres Ehemannes. Dieses Porträt sieht uns von der linken, ihre Söhne sehen uns von der rechten Bildseite an. Best hat ihre Werke symmetrisch komponiert; auch sie und ihr Ehemann sind symmetrisch vorgestellt: Er spielt ihr gegenüber Klavier, während sie malt.

Die Amateurkunst der Frauen verblieb in der häuslichen Sphäre; Männer dagegen malten Bilder vom privaten Leben für die öffentliche Sphäre. *Companion to Manhood* (Abb. 8) von George Elgar Hicks, Teil eines *Women's Mission* genannten Tryptichons, ist eine der vielen, in der Mitte des Jahrhunderts von Künstlern aus der Mittelschicht für das Bürgertum gemalten häuslichen Szenen. Umgeben von Zeichen ehrbarer Häuslichkeit – Herd, Teppich, behaglicher Frühstückstisch, poliertes Silber – tröstet eine Frau ihren Ehemann, der gerade von einem Todesfall erfahren hat. Sie ist für ihn hingebungsvoller Trost, doch er für sie aufrecht stehende Kraft. Die Bilder von Sperling und Best wurden auf Papier gemalt, in Alben eingeklebt und innerhalb der Familie vererbt. Hick malte sein Bild virtuos und realistisch in der angesehenen Öltechnik auf Leinwand. Sobald es fertig war, wurde es öffentlich ausgestellt und gehört heute zur Sammlung der Tate Gallery, dem englischen Nationalmuseum.

Abb. 8 *Companion to Manhood* (Detail), Ölbild, George Elgar Hicks; 1863. *London, Tate Gallery.*

DAS KLEIDUNGSSYMBOL

Nichts unterscheidet die beiden Geschlechter oberflächlicher und hartnäckiger zugleich als die Kleidung. In keinem anderen Jahrhundert waren männliche und weibliche Kleidungsstücke so verschieden, wurde eine Verletzung der Kleidungsvorschriften so sorgfältig überwacht und so gern zur Verdeutlichung von Konformität und Abweichung benutzt wie im 19. Jahrhundert. Die *Junge Saint-Simonistin* (Abb. 9), 1832 von Maleuvre gemalt, wirkt auf einen Betrachter des 20. Jahrhunderts zart und zierlich, für einen Betrachter des 19. Jahrhunderts entsprach ihr Kostüm aber ihrem revolutionären Denken. Ihr Kleid war betont einfach und reichte gerade bis kurz unters Knie – kurz genug, um das, was sie darunter trug, als Hosen erkennen zu lassen. Hosen symbolisierten Männlichkeit. Sie zu tragen, kam der Forderung nach Männerrechten gleich.

So brachte George Sand mit ihrer vollkommen männlichen Kleidung ihre radikale Haltung deutlicher noch als mit ihrem männlichen Pseudonym oder selbst dem Inhalt ihrer Schriften zum Ausdruck. Ihre äußere Erscheinung stand sinnbildlich für den Gehalt ihres Denkens. Lorentz' Porträt von Sand (Abb. 10) aus dem Jahre 1842 mokiert sich zum Beispiel über ihre politischen Meinungen – dargestellt als Zeitungsschlagzeilen –, indem es ihr Aussehen ins Lächerliche zieht. Was Sand zeigen will, so lautet die Bildunterschrift, ist, daß das »Genie kein Geschlecht hat«. Ihr Argument wird lächerlich gemacht, ist aber zumindest richtig verstanden und wiedergegeben worden.

Abb. 9 *Junge Saint-Simonistin,*
Stich von Maleuvre; 1832.
Paris, Bibliothèque Nationale.

MIROIR DROLATIQUE.
CHAMBRE DES DÉPUTÉES
CHAMBRE DE MÈRES !
INDIANA
Si de Georges Sand ce portrait
Laisse l'esprit un peu perplexe,
C'est que le génie est abstrait,
Et comme on sait n'a pas de sexe.

»Je me fiche bien de votre Madame Sand qui empêche les femmes de racommoder les pantalons!« (Eure Madame Sand, die Frauen davon abbringt, Hosen zu flicken, ist mir völlig egal), ruft in der Bildunterschrift zu einer Lithographie von Honoré Daumier ein verletzter

Abb. 10 *George Sand,* Lithographie von Alcide Lorentz; 1842. *Paris, Bibliothèque Nationale.*

Abb. 11 *Les Bas-Bleus,* Lithographie von Honoré Daumier, in *Le Charivari* vom 23. Mai 1844. *Paris, Bibliothèque Nationale.*

Abb. 12 *Franz Liszt am Klavier* (von links nach rechts Dumas, Berlioz, Sand, Paganini, Rossini, Liszt, Marie d'Agoult alias Stern), Ölbild, Joseph Danhauser; 1840. *Berlin, Nationalgalerie.*

Ehemann seiner nach Unabhängigkeit strebenden Frau zu. Daumier, sonst überzeugter Fortschrittler, sparte seine konservative Wut für Feministinnen mit literarischen Neigungen auf. Auf einem anderen Bild seiner »Bas-Bleu«-(Blaustrumpf-)Serie (Abb. 11) weigert sich eine Frau zornig, einen Knopf an die Hose ihres Mannes anzunähen. Dieser, ein Bild des Jammers, seine Hände schlaff vor sein Geschlecht haltend, klagt, daß seine Frau nicht mehr nur »die Hosen anhat«, sondern sie ihm jetzt auch noch an den Kopf wirft.

Die Druckgraphiken von Maleuvre, Lorentz und Daumier behandeln die Geschlechterproblematik in einer Weise, die in der hohen Kunst undenkbar wäre. Verbesserungen der Lithographie- und Holzschnitttechniken in den ersten Jahrzehnten des Jahrhunderts ermöglichten eine weite Verbreitung billiger Bilder, die zeitkritische Themen aufgriffen und diese mit Hilfe des Wechselspiels von Bild und Bildunterschrift kommentierten. So konnte »richtige« Weiblichkeit als populäres Bild verbreitet und ebenso jede Abweichung davon visualisiert werden. Frauenbilder wurden in Diskussionen über die Stellung der Frau in der Gesellschaft nun zu wirksamen Instrumenten. Man bezog sich auf Darstellungen, als seien diese unumstößliche Tatsachen.

Zur selben Zeit schuf die Romantik neue Bilder der Weiblichkeit. George Sand konnte karikiert, aber auch als begeisterte Zuhörerin der Lisztschen Musik dargestellt werden (Abb. 12). Wenn die künstlerische Inspiration, wie die Romantiker meinten, den universellen Naturkräften entstammte, dann hatten alle Künste denselben Ursprung, und wenn alle Menschen vor der Natur gleich waren, dann waren alle Künstler vor der genialen Schöpferkraft gleich. Danhauser malte Sand in einer Gruppe von gleichgestellten Musikern und Schriftstellern. Sand, links, wird mit Daniel Stern (Pseudonym von Marie d'Agoult), rechts, verglichen und kontrastiert; sie trägt Männerkleidung und raucht eine Zigarette, während Stern ein elegantes Kleid anhat. Sand gehört zur Gruppe der männlichen Genies auf der linken Bildseite, und man kann sie tatsächlich nicht von den anderen unterscheiden.

Zur Zeit der Romantik war die in weißen Tüll gehüllte Ballerina die vollkommene Verkörperung des Ideals weiblicher Vergeistigung. Zwei typisch romantische Ballette – *La Sylphide*, 1832 uraufgeführt mit der Tänzerin Marie Taglioni in der Hauptrolle, und *Giselle*, bei dessen Premiere 1841 Carlotta Grisi die Titelrolle tanzte – stellen die Heldinnen als Geistwesen dar. Die Zartheit ihrer Erscheinung ließ die Kraft ihrer aufopfernden und tragischen Liebe um so deutlicher hervortreten. Taglioni war die erste Ballerina, die auf ihren Zehenspitzen tanzte, eine kräftezehrende Technik, welche die Illusion der Schwerelosigkeit schaffen sollte. Auf einem der zahlreichen populären Bilder von der

Abb. 13 *Marie Taglioni,* Lithographie von Devéria; 1840. *Cambridge, Harvard University Theater Collection.*

Taglioni hat Devéria (Abb. 13) einfach die materielle Voraussetzung der Illusion – die Spitzenschuhe – weggelassen: Die Tänzerin schwebt barfuß über dem Boden.

Bilder als Massenprodukte

Einige traditionelle Bilder von Weiblichkeit behielten weiterhin ihre Bedeutung für die Vorstellungswelt von Frauen. Doch auch sie wurden im 19. Jahrhundert industriemäßig und mittelständisch umgeprägt. Religiöse Bilder (Abb. 14) hatten schon immer zum Repertoire populärer Druckgraphik gehört. Mit dem Aufkommen von Massenproduktion konnten sie jetzt jedoch in sehr viel größerer Zahl verbreitet und gesammelt werden. Sie waren nun kleinformatig und wurden bisweilen nach dem Druck von Hand koloriert und mit Spitzen-Streifen umgeben. Heiligenbildchen wurden häufig auf Meßbüchern angebracht. Heilige wurden nun nicht länger als unbestechliche Richter, sondern als sanfte, gütige und meistens androgyne junge Männer dargestellt. Damit trugen die Heiligenbildchen wesentlich zur Feminisierung der Religion bei. Viele Bildchen scheinen speziell zu dem Zweck, Mädchen das katholische Rollenmodell und vor allem die Jungfrau Maria nahezubringen, gestaltet worden zu sein.

Abb. 14 Heiligenbild, das die Jungfrau Maria darstellt, kolorierter Stich; vor 1860. *Privatsammlung*.

Die Expansion und Diversifikation des Marktes für Druckerzeugnisse führte zur Spezialisierung. In den ersten Jahrzehnten des Jahrhunderts entwickelte sich ein auf die Darstellung bürgerlicher Weiblichkeit spezialisiertes Druckgenre, das sich an Frauen aus der Mittelschicht wandte (Abb. 15). Dieser Typ von Drucken war ein Mittelding zwischen den Amateurbildern, die Frauen seit dem ausgehenden 18. Jahrhundert ge-

Abb. 15 *Frau und Kinder im Garten*, kolorierte Lithographie, von der Londoner Firma Kronheim zwischen 1850 und 1860 verbreitet. *Privatsammlung*.

Abb. 16 *Modezeichnung*, Holzstich von Laure Noël für *Le Papillon* Nr. 427; um 1855.

Abb. 17 *Grands Magasins du Louvre*, Werbeanzeige zum Auftakt der Herbst- und Winterkollektion, erschienen in *L'Illustration* vom 1. Oktober 1881.

macht hatten (Abb. 6, 7), und den ab den 40er Jahren des 19. Jahrhunderts immer populärer werdenden Frauenbildern in Modezeichnungen (Abb. 16). Modezeichnungen selbst lieferten anschauliche Übergänge zwischen scheinbar neutralen Bildern und solchen, die seit dem letzten Drittel des Jahrhunderts Frauendarstellungen offen für kommerzielle Zwecke einsetzten. Werbeanzeigen (Abb. 17), Modezeichnungen und Drucke zeigten Frauen durchgehend als unbewegte, ausdruckslose, erlesen gekleidete Mannequins in Räumen und Dekors, die Weiblichkeit symbolisieren. Häusliche Innenräume, Gärten, Ferienorte der Familie, Kirchen und Tanzsäle wurden mit der Zeit ergänzt um urbane Orte wie Museen, Kaufhäuser und Bahnhöfe. Die beabsichtigte Identifizierung sollte sich nicht auf eine individuelle Person, sondern auf eine durch Raum und Kleidung definierte Inszenierung von Weiblichkeit richten.

Abb. 18 *Die Gräfin de Castiglione,* Photographie von Mayer und Pierson; um 1850–1860. *Colmar, Musée d'Unterlinden.*

Diese als Ware vermarktete Identität stellte die Gräfin de Castiglione in ihren über 400 zwischen 1856 und 1865 und 1895 bis 1898 entstandenen photographischen Selbstporträts zur Schau. Auf mehreren Photographien präsentiert sie sich selbst ausdrücklich als Objekt von Visionen, indem sie Bilderrahmen und Spiegel einsetzt, um die Künstlichkeit herauszustellen (Abb. 18). In ihrer Selbstdarstellung betont sie die extravagante Oberfläche, die ein eigenes inneres Sein überdeckt.

KUNST JENSEITS DES MAINSTREAM

Indem sie die strittigen Bereiche der hohen Kunst und der Sexualität mieden, konnten Künstlerinnen zwar kaum Ansehen erringen, wohl aber neue wirtschaftliche Möglichkeiten und Ausdrucksformen erschließen. Kunstgewerbe und weniger angesehene Genres der Malerei ermöglichten es Frauen nicht nur, außerhalb des Hauses Geld zu verdienen, sondern boten ihnen auch Gelegenheit, dem Dilemma des weiblichen Subjekts zu entkommen. Das Miniatur-Selbstbildnis auf Emaille von Marthe Leclerc (Abb. 19) ist erst 1917 entstanden, doch fängt es gleichwohl die im 19. Jahrhundert von einem kunsthandwerklichen Beruf gebotene Sicherheit ein. Leclerc wird von ihrem Handwerkszeug wie von einem sicheren Raum abgeschirmt. Ihr Selbstbildnis enthält ebensoviele Hinweise auf ihre Kunstfertigkeit (Gipsabdruck, Bilder, leerer Kerzenhalter, ein offenes, die Außenwelt spiegelndes Fenster) wie das Bild von Castiglione. Doch anders als diese imaginisiert sich Marthe Leclerc als eine in ihre Arbeit versunkene Frau und nicht als Schaustück für den Blick des Betrachters.

Frauen entwarfen Welten, in denen Geschlechtsunterschiede abgemildert waren. Rosa Bonheur (1822–99) und Beatrix Potter machten auf je unterschiedliche Weise außerordentlich erfolgreich mit Tierbildern Karriere. Rosa Bonheur – wie George Sand für ihre Männerkleidung berühmt – erhielt 1848 im Rahmen der offiziellen Gemäldeausstellung des Pariser Salons eine Goldmedaille, 1865 die französische Ehrenlegion-Medaille und wurde 1894 zum Offizier der Ehrenlegion ernannt. Ihre Gemälde und die Reproduktionsrechte brachten riesige Summen Geld ein. *Der Pferdemarkt* von 1853 (Abb. 20) wurde zunächst einem Londoner Händler für 40 000 Franc, danach einem amerikanischen Sammler für 55 000 Dollar verkauft.

Die Aquarelle von Beatrix Potter sind so klein und phantasievoll wie die Ölgemälde Rosa Bonheurs groß und realistisch sind, ihr Erfolg übertraf jedoch mit der Zeit sogar den der Ölbilder. Potter hatte keinerlei berufliche Ausbildung. Ihre frühen Kinderbücher entstanden aus

Abb. 19 *Selbstporträt im Atelier,* Miniatur auf Email von Marthe Leclerc; 1917. *Genf, Musée de l'Horlogerie et de l'Emaillerie.*

bebilderten Briefen, die sie ihren kleinen Freunden schickte. Das erste hieß *Peter Rabbit* (Abb. 21). Erstmals im Oktober 1902 in einer Auflage von 8000 gedruckt, wurden bis Ende des Jahres zwei weitere Auflagen erforderlich, so daß 28000 Exemplare auf dem Markt waren. Potters Popularität hält bis heute an; ihre Arbeit wird immer noch reproduziert und unzählige Male imitiert. Ihre Bücher werden bis heute verlegt, ihre Originalzeichnungen werden von Museen gesammelt und waren kürzlich in einer Ausstellung zu sehen.

Ähnlich wie Potters Werk sind inzwischen auch amerikanische Quilts der Marginalität entrissen. Früher als anonyme Erzeugnisse abgetan, schätzt man diese Steppdecken heute wegen der individuellen Kreativität, die in den schönsten Stücken zum Ausdruck kommt, und wegen der kollektiven Arbeit von Frauen, die schließlich zu einem Gesamtwerk zusammengefügt wird. Amerikanische Quilt-Macherinnen wählten gewöhnlich abstrakte oder äußert stilisierte Motive. Ihre Bildthemen behandelten aber auch Aspekte des Privatlebens wie Freundschaft, Tod

Abb. 20 *Der Pferdemarkt,* Ölbild von Rosa Bonheur; 1853. *New York, Metropolitan Museum of Art.*

und Ehe und selbst öffentliche Probleme wie religiöse Überzeugungen, Abschaffung der Sklaverei und Alkoholverbot. Harriet Powers hat auf ihrem *Bible Quilt* von 1886 (Abb. 22) in fünfzehn Szenen aus der Apokalypse die Bestrafung der Ungläubigen und die Erlösung der Unschuldigen dargestellt. Dieser Quilt gehört zu den wenigen erhaltenen Kunstwerken, die das afrikanische Bilderbe der Schwarzen in Amerika belegen. Powers hat geschickt den für die Fon des alten Königreichs Dahomey typischen Stil und dessen Appliqué-Technik mit amerikanischen Quiltformen und -techniken vereint und ein ebenso kraft- wie kunstvolles Bild von Menschen, Tieren, Gott und dem Paradies geschaffen. In der Mitte des unteren Randes verweist ein weibliches Schwein, Symbol der Unabhängigkeit, auf den von den Sklaven zurückgelegten Weg zur Freiheit.

Abb. 21 *Peter Rabbit,* Detail des von der Autorin Beatrix Potter gezeichneten Umschlags; 1902. *London, Frederick Warne Archives.*

Die Künstlerin und ihre Identität

Nur allmählich veränderten sich die Vorstellungen der Frauen von ihrem Platz in den hohen Künsten und die Einstellungen der *Männer* zu den Künstlerinnen. Der Maler und Graphiker Edgar Degas interessierte sich so sehr dafür, den Besuch seiner Kollegin Mary Cassatt im

Abb. 22 *Die Erschaffung der Tiere,* Patchworkdecke von Harriet Powers; um 1886. *Boston, Museum of Fine Arts.*

Musée du Louvre darzustellen, daß er das Thema vierundzwanzigmal bearbeitete (Abb. 23). Er zeigt sie in Rückenansicht, den Gemälden zugewandt, ihre Aufmerksamkeit drückt sich in der Ausrichtung von Kopf und Schultern an den Achsen der Bilderrahmen aus. Degas läßt sie jedoch nicht selbst malen, sondern die Bilder nur betrachten. Edouard Manet hat elf Porträts seiner Kollegin Berthe Morisot (Abb. 24)

Abb. 23 *Mary Cassatt und ihre Schwester im Louvre,* Stich, Edgar Degas; 1885. *Chicago, Art Institute of Chicago.*

Abb. 24 *Berthe Morisot, liegend* (Ausschnitt), Edouard Manet, Ölbild; 1873. *Privatsammlung.*

gemalt, aber sie kein einziges Mal als Malerin dargestellt, obwohl er sowohl ihrer Klugheit als auch ihrer Schönheit Anerkennung zollte.

Die Bewegung der Impressionisten gab gleichwohl Cassatt und Morisot ein hohes, vorher undenkbares Maß an Selbstvertrauen. 1893 malte Morisot ein Bild (Abb. 25), das – wie das Bild von Best (Abb. 7) – die Vielfältigkeit ihrer Identität betont. Im Hintergrund eines Porträts von ihrer Tochter reproduzierte sie rechts einen kleinen Ausschnitt des von Degas gemalten Porträts ihres Mannes, links ihr von Manet stammendes Porträt (Abb. 24). Morisot hat sich also mit ihrem Mann gleichgestellt und ihrem Kind eine Abstammung zugedacht, deren mütterliche Seite sie entschieden betonte. Darüber hinaus gibt Morisot der Mutter-Kind-Beziehung eine neue Dimension, indem sie die Bindung zwischen ihnen eher intellektuell als körperlich erscheinen läßt. Sie zeigt sich und ihre Tochter zwar im selben Bild, aber auf unterschiedlichen Darstellungsebenen. Beide, Mutter und Kind, üben sich in der Kunst – in Malerei bzw. Musik –, was sie gleichzeitig verbindet

Abb. 25 *Julie mit der Geige* (Ausschnitt), Ölbild, Berthe Morisot; 1893. *Hermann Mayer Sammlung*.

und trennt. Während Morisot einerseits anerkennt, daß ihre künstlerische Identität die Tatsache einschließt, daß sie Manets Modell ist, eignet sie sich andererseits sein Bild für eigene, neue Zwecke an.

FRAUENARBEIT

Abb. 26 *Küchen-Interieur*, Ölbild, Martin Drölling; Ende des 19. Jahrhunders. *Paris, Musée du Louvre.*

Wieviel einfacher erschien es, Frauen bei Tätigkeiten, für die sie zuständig waren, und an Orten, von denen man glaubte, daß sie dort hingehörten, darzustellen. Von Anfang bis Ende des 19. Jahrhunderts war Nähen die am häufigsten dargestellte Frauenarbeit (Abb. 26, 28, 29, 31), noch häufiger als traditionelle Landarbeit (Abb. 32). Stärker mit Geschlecht als mit Klassen identifiziert, konnte Nähen konsensstiftend als weibliche Frauenarbeit dargestellt und die Kontroversen über soziale und wirtschaftliche Unterschiede sowie über Industriearbeit vermieden werden. Wollte man Frauen aus der Arbeiterklasse darstellen, so zeigte man sie gewöhnlich in der Küche bei so beruhigenden häuslichen Tätigkeiten wie Nähen oder Kochen (Abb. 26, 27).

Anzeigen für Nähmaschinen spekulierten auf die Identifizierung von Nähen mit Weiblichkeit und versprachen eine bessere Erfüllung tradi-

Abb. 27 *Die Küche in der Stadt,* Farblithographie aus einem Buch für Mädchen, mit »Bildern für die visuelle Erziehung der Jugend«; 1889. *Privatsammlung.*

tioneller Rollen. In einer Anzeige der Firma Singer von 1896 wurde beispielsweise die Nähmaschine als »Mutters Maschine« und »willkommenes Hochzeitsgeschenk« bezeichnet, die »viel zum häuslichen Glück beiträgt«; ein großes »S« schlingt sich um die mollige Figur einer selbstbewußten Matrone (Abb. 28). Auf diese Weise blieb der Unterschied zwischen den Geschlechtern trotz der industriellen Revolution in der Bekleidungsbranche erhalten, wo Frauen sowohl zu Hause (Abb. 29) als auch in der Fabrik an Nähmaschinen arbeiteten.

Arthur Munby ist die Ausnahme, die die Regel bestätigt. Munby sammelte Photos von Frauen, die Küchen reinigten, in der Fischerei und in Bergwerken arbeiteten (Abb. 33). Je schmutziger die Arbeit und je unweiblicher das Aussehen oder die Kleidung, um so stärker war er an einem Photo interessiert. In seinen Tagebüchern erklärt Munby, daß viele dieser Photos nur auf seinen Wunsch hin zustande kamen oder von ihm selbst aufgenommen werden mußten, weil die Bilder, an denen er interessiert war, so kaum existierten.

Abb. 28 Anzeige für Nähmaschinen der Firma Singer, in der Oktoberausgabe von *Mc Lure's Magazine,* 1896.

Frauen aus der Arbeiterklasse gaben sich selbst, wenn sie in das Atelier eines Photographen gingen, das Aussehen von Bürgerinnen. Arbeitsreformer, die auf bestimmten Gebieten ziemlich radikal sein konnten, bedienten sich zur Unterstützung ihrer Ziele konservativer Frauenbilder. So warb man beispielsweise für einen kürzeren Arbeitstag mit »Vorher«-/»Nachher«-Bildern, die dem Ideal einer bürgerlichen Geschlechterbeziehung verpflichtet waren (Abb. 34). »Vorher« geht ein Mann in die Kneipe, während eine abgehärmte Frau ihn anfleht, doch an seine elenden Kinder zu denken. »Nachher« sind sie als glückliche Familie in einem Heim vereint, das von einem Ehemann beherrscht und von einer Ehefrau bewältigt wird.

Abb. 29 Dieser Raum diente nachts als Schlafzimmer und tagsüber als Konfektionsatelier für Lederbekleidung, Photographie, erschienen in einer Untersuchung über die Wohnungssituation von der Berliner Ortskrankenkasse; 1910. *Berlin, Archiv für Kunst und Geschichte.*

Die Photographie

Die Photographie antwortete auf das Neue. Photographen verfolgten aufmerksam die Folgen technischer Neuerungen wie Telefon und Telefonvermittlung und versuchten, bisher unsichtbare Aspekte des Lebens

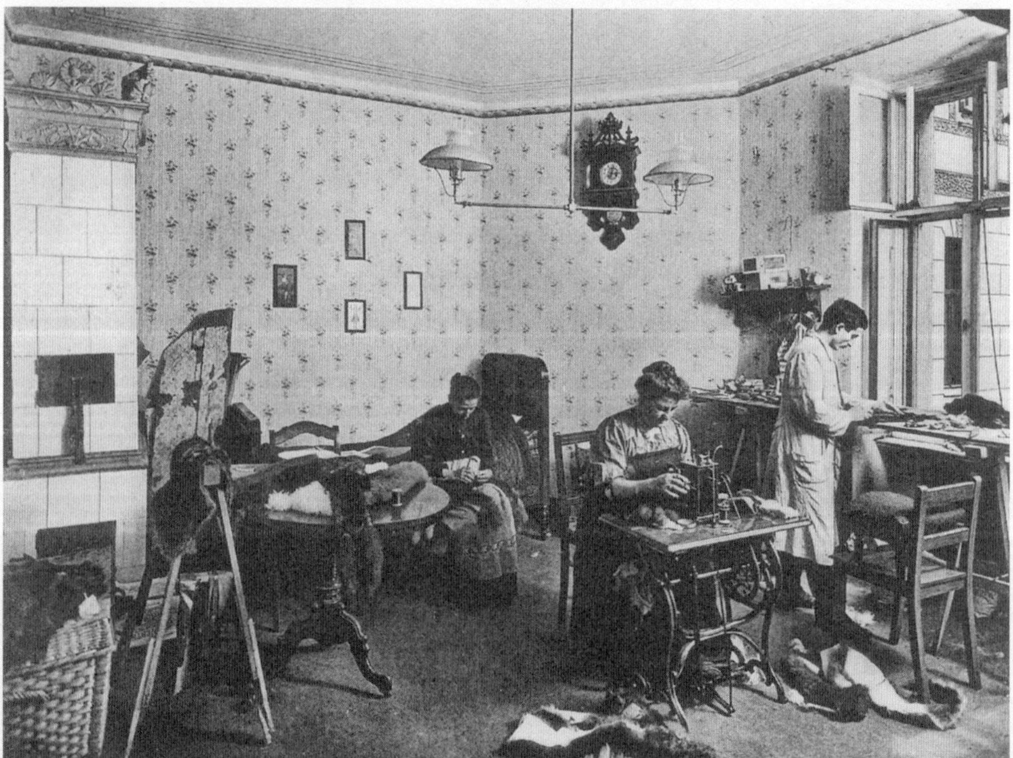

Abb. 30 *Siehst Du! Er folgt mir*, Lithographie von Langlume; um 1810. *Paris, Musée Carnavalet.*

Abb. 31 *Im Atelier … kleine Arbeit, große Toilette,* Photographie von M. de Charly; 1862. *New York, International Museum of Photography.*

von Frauen einzufangen (Abb. 35). Sozialreformer wie Jacob Riis nahmen Kameras mit in städtische Elendsviertel und enthüllten eine Armut und Entwürdigung, von der sich viele Angehörige des Bürgertums nie zuvor ein Bild gemacht hatten. Die Photos von Riis schockierten, weil sie die Lebensbedingungen von Immigranten zeigten und Riis mit äußerstem Pathos arbeitete. Sein Photo *Bei einer italienischen Lumpensammlerin* von 1889 ist ein traditionelles Madonna-mit-Kind-Bild, nur daß Mutter und Kind zwischen Säcken voller Lumpen sitzen (Abb. 36). Die Photographie erlaubt unserem Blick, in das Leben dieser Frau einzudringen und gleichzeitig eine sichere Distanz zu wahren. Die Frau sieht schmerzvoll nach oben; Riis hat einen sehr starken Blitz verwendet.

Ärzte bedienten sich der Photographie bei Vorträgen oder in ihren Veröffentlichungen als Ersatz oder Ergänzung für Krankheitsbeschreibungen; zweifellos benutzte Jean-Martin Charcot am ausgiebigsten Photographien zur Dokumentation seiner Analyse der weiblichen Hysterie. Er glaubte, daß ein photographisches Abbild des äußeren Körpers den

Abb. 32 *Die Ährenleserinnen*, Ölbild, Jean-François Millet; 1857. *Paris, Musée du Louvre.*

inneren geistigen Zustand offenbaren könne. Als Modelle wählte er Patientinnen, deren geistige Störungen sich am auffälligsten in somatischen Symptomen äußerten und die diese Symptome vor der Kamera am besten demonstrieren konnten. Charcot klassifizierte und bezeichnete jedes Bild als eine Phase der Hysterie (zum Beispiel *Affekthaltungen – Bedrohung*, Abb. 37), so daß es später für Lehr- und Diagnosezwecke dienen konnte.

Mit der Erfindung der Photographie entstand auch ein ihr eigentümlicher Stil der Erotik und Pornographie. Posen und Themen älterer Formen pornographischer Publikationen wurden zwar übernommen, das neue Medium legte es aber nahe, weniger Betonung auf suggestive

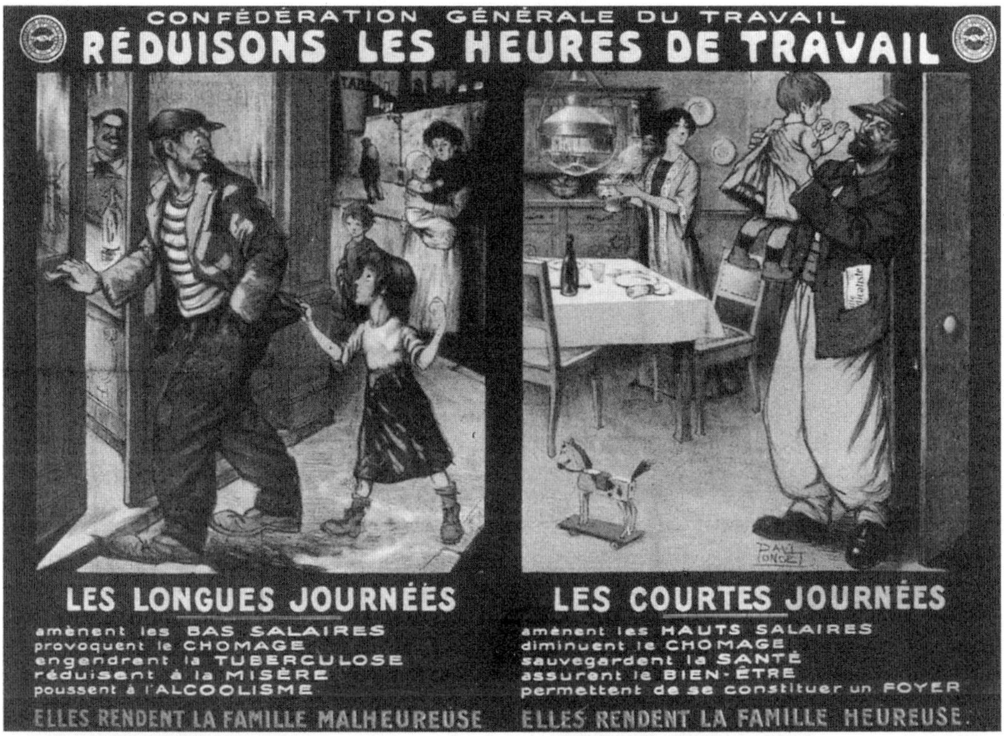

Abb. 33 *Arbeiterin im Bergwerk von Wigan*, Photographie aus der Sammlung von Arthur Munby; zwischen 1867 und 1878. *Cambridge, Trinity College.*

Abb. 34 *Arbeitszeitverkürzung* ..., Kampagne der C.G.T. für den Acht-Stunden-Tag; Mai 1913, Plakat von Paul Poncet. *Privatsammlung.*

Abb. 35 *Telefonistinnen in London*, anonyme Photographie; um 1890.

Abb. 36 *Bei einer italienischen Lumpensammlerin*, Photographie von Jacob Riis aus *How the Other Half Lives*; 1889. *Museum of the City of New York.*

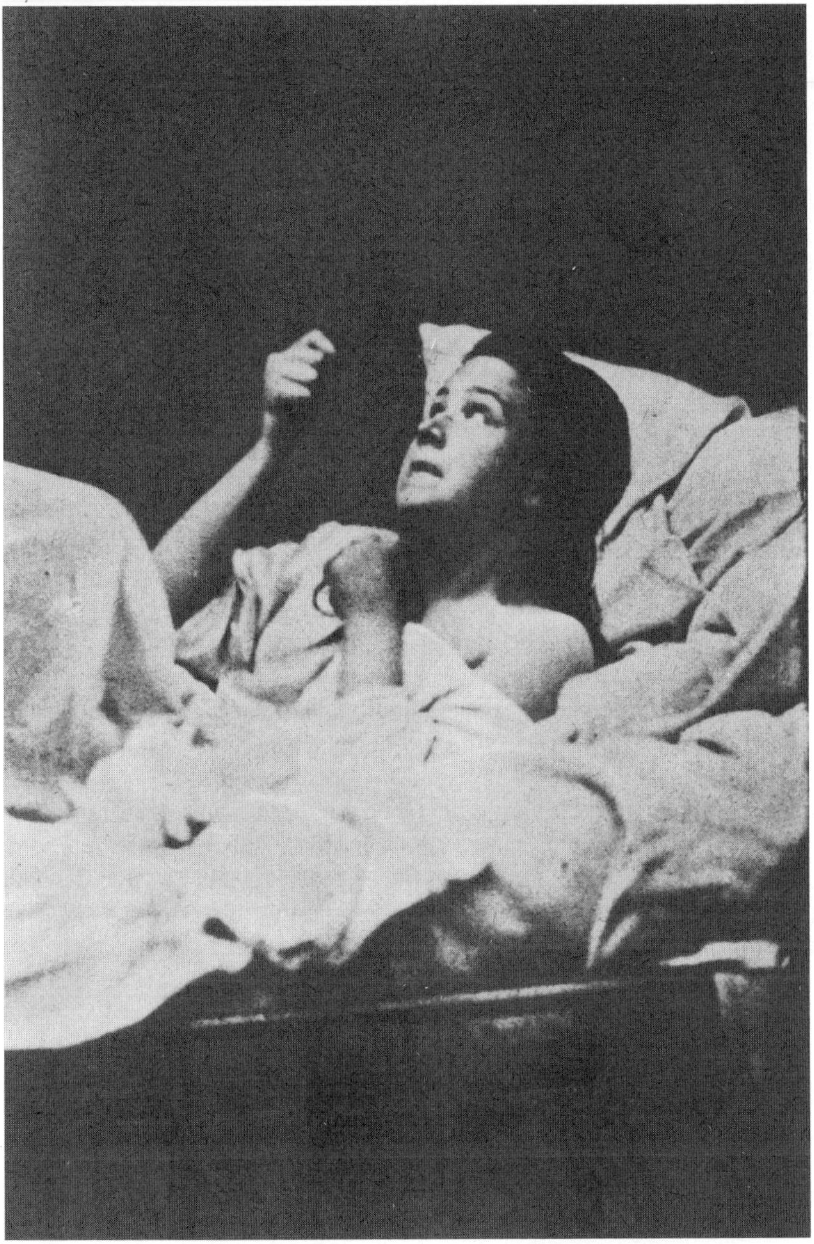

Abb. 37 *Affekthaltungen – Bedrohung*, Photographie aus *Iconographie photographique de la Salpêtrière* von Bourneville und Régnard; 1878. *Paris, Bibliothèque Charcot de la Salpêtrière.*

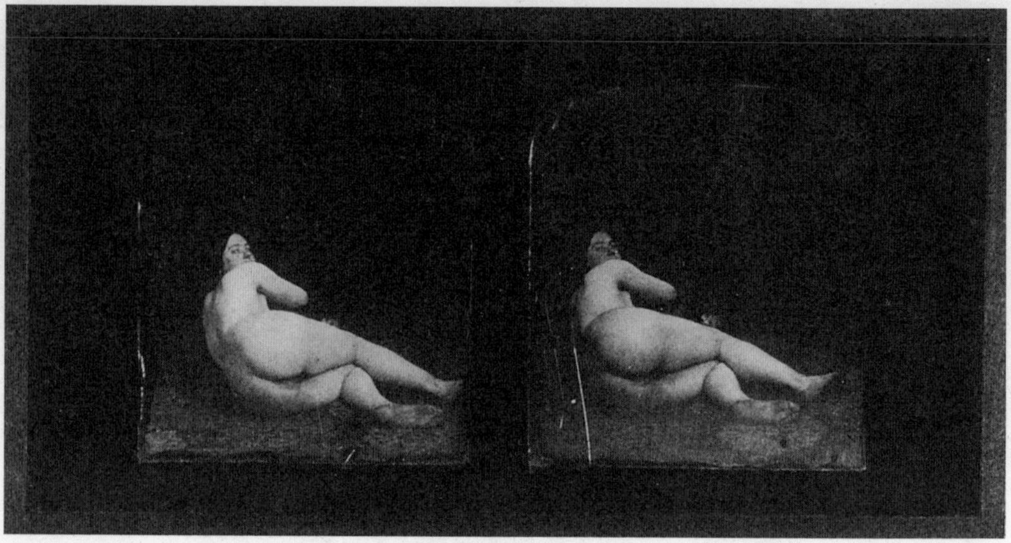

Abb. 38 *Erotische Photographie,* anonyme handkolorierte Stereoskopphotographie; zweite Hälfte des 19. Jahrhunderts. *Paris, Sammlung Gérard Levy.*

Bewegung oder vielsagendes Dekor als auf eingehende Zurschaustellung der Geschlechtsteile zu legen. Handkolorierte stereoskopische Photographien, die man durch einen vor das Gesicht gehaltenen Apparat, der die Illusion von Dreidimensionalität vermittelte, betrachtete, riefen ein frappierendes Gefühl intimer Nähe hervor (Abb. 38). Sozialreformer, Wissenschaftler und Pornographen begründeten die Wirklichkeitstreue ihrer Photographien mit der optischen Genauigkeit des Mediums. Was aber die Kamera getreu festhielt, war das, was der Photograph vor dem Objektiv arrangierte: Er traf die Wahl des Dekors, der Pose, des Rahmens, des Lichts, des Modells und des Augenblicks. Seine Entscheidungen waren ebensosehr von kulturellen Annahmen über Armut, Gesundheit und Sexualität von Frauen geprägt, wie es die von Hand gemalten Bilder schon immer gewesen waren.

DIE WEIBLICHE BEGIERDE

Gleich in welchem Medium erotische Bilder realisiert wurden, sie stammten fast immer von Männern. Frauen war es selten gestattet, in Kunstschulen am Anatomieunterricht oder am Aktzeichnen teilzunehmen. Die bürgerliche Moral verbot die Darstellung des männlichen Akts von Frauen und hielt eine weibliche sexuelle Begierde für anormal – zwei Tabus, mit denen Camille Claudel mutig brach. Skulpturen von Auguste Rodin über heterosexuelle Liebe, z. B. *Der Kuß* von 1886 (Abb. 39), wurden begeistert als klassische Darstellungen einer universellen Lebenskraft aufgenommen. Claudels sehr ähnliches Werk, *Sakuntala. Die Hingabe* 1888–1905 (Abb. 40), aber trug zur Marginalisierung dieser Künstlerin bei. Hätte Claudel, wie gewöhnlich unterstellt wurde, Rodin lediglich imitiert, wäre allein diese Geste ein bemerkenswerter Beleg dafür, daß Frauen erotische Themen ebenso gut darstellen können wie Männer. *Die Hingabe* unterscheidet sich aber hinreichend von *Der Kuß* und verweist auf ein anderes in der Kunstgeschichte des 19. Jahrhunderts äußerst ungewöhnliches Bild von der sexuellen Begierde der Frauen. Claudel stellt die Begierde nicht als ein Machtverhältnis dar, in dem eine Frau sich von unten an einen beherrschenden Mann klammert, sondern als das gegenseitige Begehren zweier reziproker Körper. Die männliche Gestalt, von sinnlicher Schlankheit, kniet voller Leidenschaft vor der Frau; die weibliche Figur, stark und muskulös, gibt sich ihm hin. Claudels meisterhafte Beherrschung der Modellier- und Schneidetechniken gibt ihrer Vorstellung von Sexualität körperliche Präsenz. Keine andere Künstlerin, nicht einmal Suzanne Valadon, ehemaliges Modell aus der Arbeiterklasse, welche kühne weibliche Aktbilder malte, hat jemals mit so vielen kulturellen Regeln gebrochen.

UMWEGE

Frauen fanden viele Möglichkeiten, die ihnen verbotenen künstlerischen Bereiche zu umgehen. Gertrude Jekyll war lediglich die erfolgreichste unter vielen Landschaftsgestalterinnen, welche die Natur selbst in räumliche und zeitliche, der Architektur vergleichbare Kunstwerke verwandelte. Jekyll entwarf nicht nur berühmte Gärten wie Munstead Wood, der die Gebäude des hervorragenden Architekten Edwin Lutyens umgab, sondern machte auch selbst Photos von ihren Werken, die sie als Illustrationen in ihren vierzehn zwischen 1899 und 1925 ver-

Abb. 39 *Der Kuß*, Marmorskulptur von Auguste Rodin; 1886. *Paris, Musée Rodin.*

Abb. 40 *Sakuntala. Die Hingabe*, Marmorskulptur von Camille Claudel; 1905. *Paris, Musée Rodin*.

Abb. 41 *Herbstgartenbeet, von Laburnam Arch aus gesehen,* der von Gertrude Jekyll entworfene Garten von Munstead Wood, Photographie von Gertrude Jekyll, veröffentlicht 1908. *Berkeley, Documents Collection, The College of Environmental Design, University of California.*

öffentlichten Büchern über Gartenarchitektur verwandte (Abb. 41). Frauen wie Isabella Stewart Gardner und Nelie Jacquemart gründeten Museen, um die gemeinsam mit ihren Ehemännern zusammengetragenen Kunstsammlungen zu institutionalisieren. Nach dem Tod ihres Ehemannes entwarf Gardner ein Museum, dem sie ihren Namen gab: ein Zusammenspiel von Architektur, Gemälden, dekorativen Künsten und Pflanzen, das die private weibliche Innensphäre auf die öffentliche Sphäre projizierte. Das Museum öffnet sich nach innen auf einen zentralen Hof (Abb. 42) und schließt eine Direktionswohnung ein. Wie bei allen

Abb. 42 Innenhof des Isabella Stewart Gardner Museums, nach Plänen von Isabella Stewart Gardner; 1809–1903. *Boston, Isabella Stewart Gardner Museum.*

aus einem Privathaus hervorgegangenen Museen ähneln die Gallerien den Zimmern eines Hauses. Doch Gardner ging mit der Unterordnung von Meisterwerken der Malerei in ihre selbst entworfenen Installationen (Abb. 43), die sie per Testament schützte, weiter als andere Museumsgründer.

Öffentlichkeit

Am Ende des Jahrhunderts forderten Frauen einen direkteren Zugang zur öffentlichen Sphäre. Die ersten Frauen-Colleges wurden Mitte des Jahrhunderts in den USA und in England gegründet. Die Photoalben dieser Colleges und später ihre Jahrbücher belegen die Formung der Frauen zur akademischen Persona. Anfangs stellten sich Frauen nur anläßlich von Maskeraden in akademische Roben gehüllt vor die Kamera. Später tauchen Hüte und Roben immer häufiger, vor allem anläßlich von Universitätsritualen, auf, und in den 1880er Jahren schließ-

Abb. 43 *Der Tizian Raum*, Installation von Isabella Stewart Gardner im gleichnamigen Museum; *Boston, Isabella Stewart Gardner Museum*.

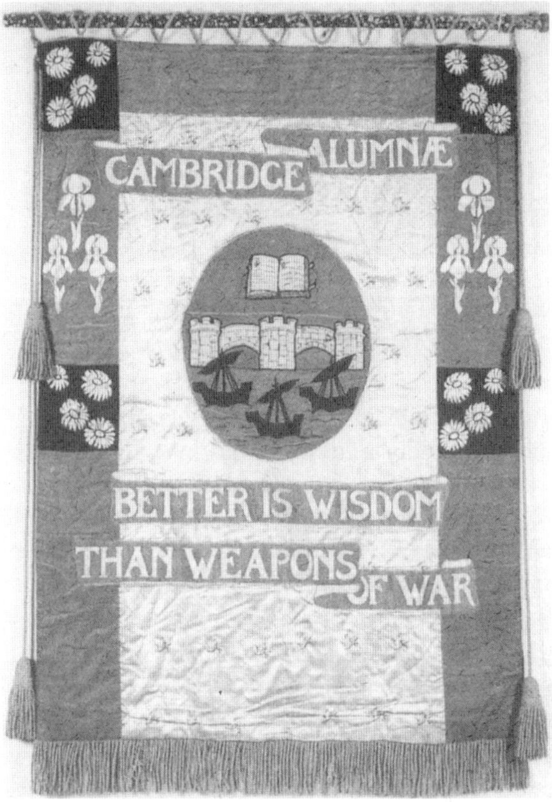

Abb. 44 Photographie einer Promotionsfeier von Studentinnen des Wellesley College, in Uniform (Robe und Hut). *Wellesley College Clapp Library Archives.*

Abb. 45 Feministisches Banner, entworfen von Mary Lowndes, angefertigt von den Studentinnen der Colleges von Girton und Newnham anläßlich der NUWSS Prozession am 13. Juni 1908 in Cambridge. *Cambridge, Newnham College.*

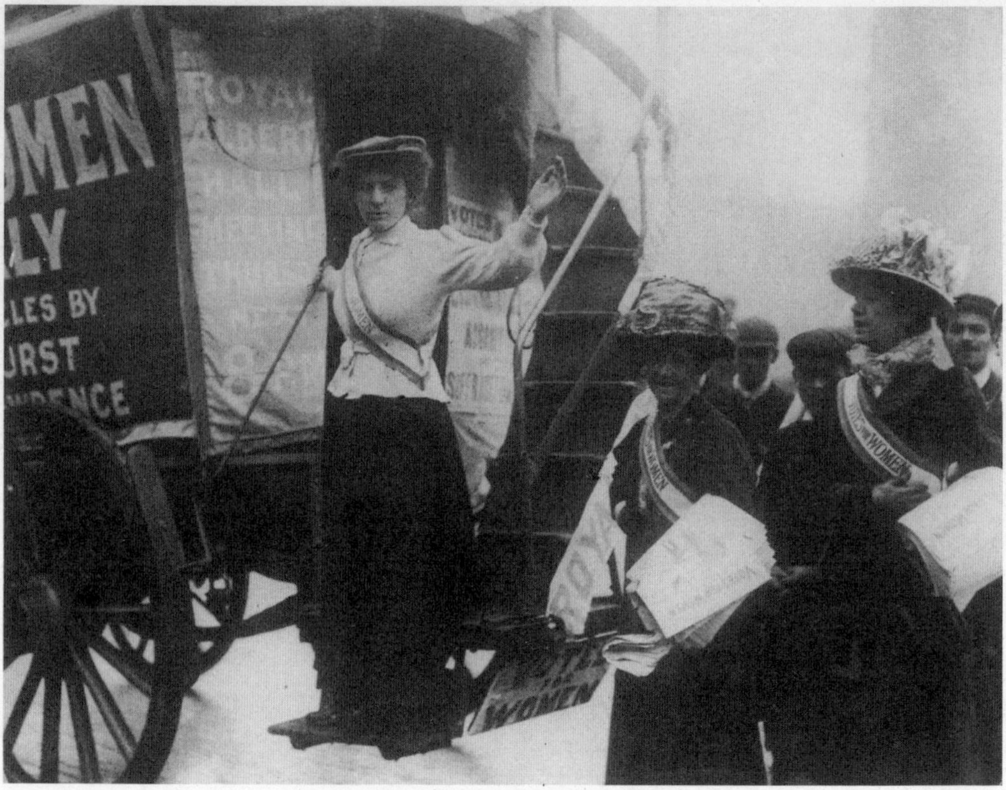

Abb. 46 Suffragetten, die für das Frauenwahlrecht demonstrieren; anonyme Photographie; 1905. *Privatsammlung.*

lich posieren Frauen für Gruppenporträts bei Studienabschluß durchgängig in akademischer Aufmachung und bekräftigen damit selbstbewußt ihre Zugehörigkeit zur intellektuellen Gemeinschaft und Tradition (Abb. 44).

Mit spektakulärem Auftreten erregten Frauen bei ihrer Wahlrechtskampagne internationales Aufsehen. Besonders in England setzten Frauen Banner (Abb. 45), Abzeichen, Plakate, Bänder mit symbolischen Farben (Abb. 46), Pomp und vor allem sich selbst ein, um ihre Sache sichtbar zu machen. Zum ersten Mal übten organisierte Frauengruppen Kontrolle über Bilder aus, um sich eine eigene öffentliche und politische Identität zu schaffen.

Julia Margaret Camerons Photographie von Stella Duckworth aus dem Jahre 1867 (Abb. 47) faßt das künstlerische Erbe, das die Frauen des 19. denen des 20. Jahrhunderts hinterlassen haben, zusammen. Wie so viele emporstrebende Künstlerinnen verfügte auch Cameron über ein enormes Talent, aber so gut wie keine professionelle Ausbildung. Sie machte kurz, aber voller Energie auf einem marginalen Gebiet Karriere, das es ihr gestattete, zu Hause zu arbeiten und Familienpflichten

mit ästhetischen Ambitionen zu verknüpfen. Sie photographierte wie ihre Nichte Stella Duckworth Nachbarn, Freunde und Familienmitglieder. Für Virginia Woolf, die Tochter von Stella Duckworth, war Cameron Exzentrikerin und Vorbild zugleich. Woolf schrieb über ihre Großtante eine Komödie, war aber auch die erste, die die Photographien Camerons nach deren Tod neu herausgab. *Victorian Photographs of Famous Men and Fair Women* erschien 1926 mit einer Einführung von Woolf. Die Künstlerinnen des 19. Jahrhunderts schufen die kulturelle Basis, auf der nachfolgende Frauen bis heute weitergebaut haben.

Abb. 47 *Mrs. Herbert Duckworth*, Photographie von Julia Margaret Cameron; 1867. *Austin, Gernsheim Collection*.

Aus dem Englischen von Sylvia M. Schomburg-Scherff

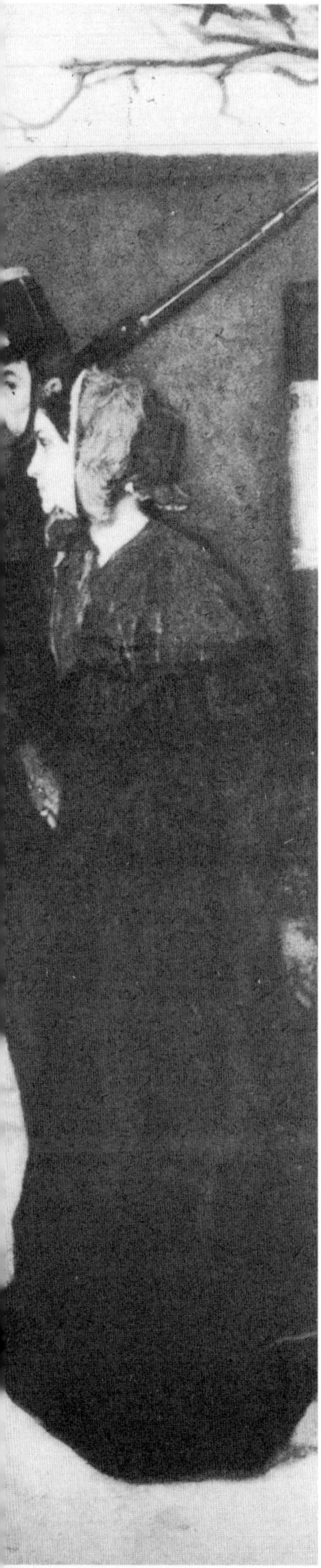

Die bürgerliche, die öffentliche und die private Frau

Was man Landstreicherei nennt, Gemälde,
Alfred Stevens; 1855.
Paris, Musée d'Orsay.

Die neue Definition des Politischen im 19. Jahrhundert ging einher mit einer neuen Definition dessen, was das Wesen der bürgerlichen Gesellschaft ausmacht. Manche Gesellschaftstheoretiker (vor allem angelsächsische) und Organisatoren unterschieden zwischen »Öffentlichkeit« und »Privatheit« und setzten diese getrennten »Sphären« gleich mit den Sphären von Mann und Frau. Ungeachtet solcher Theorien aber waren auch damals beide Bereiche miteinander verbunden und deren Grenzen fließend und ungenau. Nicht alles Öffentliche war männlich, und nicht alles Private weiblich. Frauen bewegten sich in der Öffentlichkeit und öffneten mit dem Salon ihre private Häuslichkeit nach außen. Desgleichen waren Männer im Privaten keineswegs abwesend, und die Allmacht des Hausvaters lastete auf der Familie. Die bürgerliche Frau war zugleich öffentlich und privat, zu Hause und in der Stadt, in der Familie und in der Gesellschaft. Es ist wichtig, in diesem Punkt den Fallen des Diskurses zu entkommen und die herkömmlichen Stereotype zu dekonstruieren. Leib, Seele, Sexualität, Arbeit, Alleinsein durchzogen als Schneisen das Dickicht der Gesellschaft. Der Leib der Frau war öffentlich und privat zugleich. Man machte sich ein Bild von der Frau, und dieses war so bedeutsam, daß immer auch die äußere Erscheinung einer Frau – Schönheit, Haltung, Kleidung – im Spiel war. Die Müßiggängerinnen der *leisure class* (Veblen), ob adlig oder bürgerlich, mußten elegant sein, denn in der Welt der gehobenen Kreise, die das Hofleben ersetzt hatte, herrschte statt der Kleiderordnung nun die Mode. Das Modegewerbe aber war von der Herstellung bis zum Verbrauch unübersehbar weiblich besetzt. Mode und Bekleidung scheinen Frauen dazu gezwungen zu haben, erste Ansätze eines ökonomischen Bewußtseins zu entwickeln.

Die Gebärfähigkeit rückte den Leib der Frau in den Mittelpunkt des gesellschaftlichen Interesses. Das Gebären wurde zu einer Sache des Staates. Ärzte verdrängten die Hebammen vom Wochenbett, und Volkszähler spürten Alkovengeheimnissen nach mit der Vermutung, hinter der Abtreibung, zu der immer mehr kinderreiche Ehefrauen ihre Zuflucht nahmen, verberge sich eine heimliche Form der Geburtenkontrolle. Der Ruf der Neomalthusianer nach »bewußter Mutterschaft« fand zwar zunächst kaum Gehör, doch in der Praxis bestimmten die Frauen bereits selbst energisch über die Größe ihrer Familie und wurden damit zu demographischen Akteurinnen, mit denen fortan gerechnet werden mußte.

Öffentlich war auch die »Dirne«. Deren Gewerbe wurde im Namen von Hygiene und »Volksgesundheit« immer stärker reglementiert. So sehr sich Männer bemühten, zwischen ehelichem Schlafzimmer und Freudenhaus oder Bordell zu trennen, es gab doch zahlreiche Berührungen zwischen beiden Bereichen. Wie man Empfängnis verhütet, wurde in solchen Häusern gelernt. Geschlechtskrankheiten wurden von Männern aus dem Bordell in die Familie eingeschleppt. Eine Frau konnte durchaus eine Zeitlang Hure sein und anschließend ein normales Familienleben führen. Allerdings wurde der Übergang zur Ehrbarkeit Ende des 19. Jahrhunderts erschwert, und die Trennlinie zwischen »anständigen« und anderen Frauen schärfer gezogen.

Für Frauen war die Prostituierte eine zwiespältige Figur. Sie rief Ängste und Verachtung hervor, aber auch Mitleid und solidarische Verbundenheit, sie mußte ebensosehr als Wunschbild ersehnter Freizügigkeit wie als Symbol größtmöglicher Unterdrückung herhalten. Im Namen der »Reinheit« wurde in London 1885 eine der größten Frauenkonferenzen des 19. Jahrhunderts durchgeführt. Frauen gingen gegen den Mißbrauch ihrer Geschlechtsgenossinnen auf die Straße. Sie brachten damit den privatesten Bereich des Privaten öffentlich zur Sprache und übten so erstmals als weibliches Geschlecht eine öffentliche Rolle aus.

Das weibliche Geschlecht war das eigene Geschlecht. Die Frauen eigneten sich einen Teil davon an, beseelt von einer »Wißbegier«, auf der allerdings das Gewicht der Tabus fühlbar lastete. Das 19. Jahrhundert wurde nicht das Jahrhundert ihrer »sexuellen Befreiung«. Lesbierinnen konnten nur im verborgenen ihre Sexualität leben. Sie wurde geduldet, weil sie kaum bekannt war, nicht richtig erkannt wurde (man bezeichnete sie als »Pseudo-Homosexualität«), und allemal weitaus weniger öffentliches Ärgernis erregte als Gleichgeschlechtlichkeit unter Männern. Lesbierinnen konnten sich daher den Nachstellungen der Staatsmacht entziehen und ihre Intimität schützen.

Frauenerwerbsarbeit läßt sich nur im Zusammenhang mit der Familie verstehen. Denn der Familienstatus entschied über den Erwerbsstatus der Frau. Der Zugang zu bezahlter Arbeit regelte sich für Frauen danach, ob sie verheiratet waren, wieviele Kinder sie hatten und wie alt die Kinder waren. Die spezifischen Bedingungen der weiblichen Erwerbsarbeit wurden weder durch die Industrialisierung, die auch die Haushalte erreichte, noch durch die Urbanisierung, die die Möglichkeiten zur Arbeit im Haushalt vermehrte, bereits völlig umgewälzt.

Erst in der zweiten Hälfte des 19. Jahrhunderts wurde die Häuslichkeit so gut wie ausschließlich zur Frauensache. Im Diskurs der politischen Ökonomie wurde das Wesen der Frauenarbeit bestimmt und daran gearbeitet, die »weiblichen Arbeiten« und den »Beruf der Frau« als Naturverhältnis auszugeben. Bei genauerem Hinsehen zeigt sich, wie sehr die geschlechtsspezifische Arbeitsteilung ein Produkt der Sprache ist, die von männlichen Ökonomen, Arbeitgebern und Gewerkschaften in Umlauf gebracht wurde und die es daher genau zu analysieren gilt. Meistens ist der viel beredete Unterschied der Geschlechter in erster Linie eine gesellschaftliche Konstruktion.

Das Alleinleben von Frauen ist ebenfalls schwer einzuschätzen. Allzu stark wird es von realitätsüberdeckenden Stigmata verschleiert. Das Alleinleben bestand aus einem Geflecht von Beziehungen – zur Zeit, zu anderen Menschen, zur eigenen Person – und war daher in ständigem Wandel begriffen. Das Alleinleben war eine Erfahrung, die eine Frau im Laufe ihres Lebens zumindest zeitweilig gemacht hat. Die wachsende Kluft zwischen der Lebenserwartung von Männern und Frauen erhöhte die Zahl und Unterschiedlichkeit der Witwen, die zusammen mit einer geschlechtsspezifischen Untersuchung des Alters eine gesonderte Untersuchung verdienten. Doch es gab darüber hinaus auch dauerhaftes Alleinleben. Neben den unfreiwillig »Sitzengebliebenen« gab es die Unabhängigen, die es vorgezogen hatten, um der Freiheit willen ledig zu bleiben, denn »volljährige Mädchen« waren Männern rechtlich gleichgestellt. Zwischen diesen beiden Extremen gab es eine Fülle anderer konfliktreicher Lebenssituationen.

Noch zahlreiche andere Räume und Lebensverhältnisse von Frauen hätten vorgestellt werden können. Wichtig wäre es zum Beispiel über Geld, Geselligkeit, Gewalt zu berichten. Auch die Veränderungen der Ehe- und Mitgiftverträge, die wirtschaftlichen und häuslichen Zuständigkeiten der Frauen (Ressourcen des Haushalts und eigene Ressourcen), deren Rolle für Familienunternehmen oder das Familienvermögen – dieses und vieles mehr verlangt nach vergleichender Forschung.

Desgleichen wäre es nötig, in der abendländischen Welt die öffentlichen und vor allem die städtischen Räume zu durchstreifen, wie es Reisende im 19. Jahrhundert getan haben – Tocqueville, Flora Tristan, Vallès –, um herauszufinden, wie Männer und Frauen dort zusammentrafen. Denn ganz offensichtlich wurde der Wille zur Trennung der Geschlechter ständig von spontanen Begegnungen durchkreuzt. Waren die von Frauen dominierten

Salons noch weiterhin ein Zentrum der Frauenmacht? Waren die Cafés wirklich ausschließlich eine Männerdomäne, wie immer behauptet wird?

Die von Frauen erlittene oder ausgeübte Gewalt in Familie oder Gesellschaft ist ein Prisma, in dem sich besonders deutlich zeigt, wo sich das Patriarchat weiterhin hartnäckig hielt und wo es zurückwich. Inzest, Vergewaltigung, sexuelle Belästigung in Werkstatt oder Fabrik, gewaltsame Entführung, Essensentzug, Schläge verweisen auf eine Unterjochung der Körper von Frauen, deren Ausmaß schwer zu ermessen ist.[1] Umgekehrt zeigt sich an der »kriminellen Frau«, von der zwar ständig die Rede ist, deren Zahl aber in der strafrechtlichen Verfolgung verschwindend gering war (überall weniger als 20 Prozent der Angeklagten), welche Phantasmen die Furcht der Männer vor der Gleichstellung und ihre Angst vor dem Aufstand der Frauen hervorbringt. Alexandre Dumas der Jüngere verglich in seinem gleichnamigen Roman mordende und wählende Frauen (1880) und forderte gleichzeitig zu den nötigen Reformen auf. Gebt ihnen Rechte, meinte er, oder sie schlagen uns tot![2] Noch in seinen Auswüchsen verrät der kriminologische Diskurs (noch eine Sprache, die analysiert werden müßte) vieles über die Spannung, die im 19. Jahrhundert zwischen den Geschlechtern herrschte.

G.F.–M.P.

14
Leib und Seele

Yvonne Knibiehler

Um 1800 hieß das neueste modische Kleinmöbel in Frankreich »Psyche«. In diesem waagerechten Kippspiegel konnte man sich von Kopf bis Fuß betrachten. Psyche aber bedeutet Seele! Eine Chance zu einer neuen Identität unter Einbeziehung des ganzen Körpers? Dazu war es noch zu früh. Den überwiegend gläubigen, wenn nicht gar frommen Frauen des 19. Jahrhunderts war beigebracht worden, der Leib sei der Seele feind und Haupthindernis auf dem Weg zur Glückseligkeit. Außerdem erinnerte sie der Körper mit seinen Gebrechen daran, wie sehr er durch Schwangerschaft, Geburt und Stillzeit zur Erhaltung der Art entfremdet worden war. Wie hätten sie sich mit ihrem Leib identifizieren können?

Mittelpunkt der weiblichen Identität war die Seele. Auch hierin waren sich säkulare Gesellschaft und Kirchen einig. Anthropologen wie Ärzte lehrten, Empfindlichkeit, Gefühle und Triebe seien bei Frauen überreich entwickelt und eine unverzichtbare Quelle von Eigenschaften, die für das reibungslose Funktionieren der Gesellschaft sorgen. Der Herz-Jesu-Kult nahm in katholischen Ländern krasse Formen an. Die entsprechende Heiligenmalerei zeigt einen aufgerissenen Brustkorb, bei dem auch im Herzen eine tiefe Wunde klafft: Symbole einer unmittelbaren und innigen Gemeinsamkeit oder Kommunion, die nicht durch Verstand oder Wissenschaft, sondern über das Wunder der Liebe zuteil wird.[1]

Durch die Fortschritte der Hygiene indes wurde das bisher unbestimmte und bruchstückhafte Bild des Körpers schärfer; er erhielt mehr

Aufmerksamkeit und mit dem Geburtenrückgang auch andere Aufgaben. Zugleich drang wissenschaftliche Kultur in die Bildung der Frauen vor und überlagerte mehr und mehr die frühere, vorrangig affektive Kultur. Allmählich und unauffällig, aber unwiderruflich löste sich das Frauenbewußtsein aus seiner traditionellen Verankerung.

Der Leib

Zwar wurde über den Leib so gut wie nicht geredet,[2] doch stand Schönheit schon bald nach der Krise der Revolution wieder hoch im Kurs. Schönheit, die christlichen Moralisten verdächtig gewesen war, wurde vom Naturalismus der Aufklärung rehabilitiert. Schönheit sei nicht nur nützlich, um den Mann zur Zeugung zu veranlassen, sondern die besondere und legitime Waffe des »schwachen Geschlechts«, das seine Schwäche ausgleichen könne, indem es das starke durch Schönheit bezähme. Diese Vorstellung hatte die Betonung der Andersartigkeit zur Voraussetzung. Der sexuelle Dimorphismus galt ohne Rücksicht auf die jeweils individuelle Morphologie als verbindliche Norm. Jedes Merkmal von Zartheit und Empfindsamkeit wurde hoch bewertet: Pfirsichhaut mit feinen Äderchen, schwellende Formen, um Kleinkinder zu wiegen oder Kranke zu trösten, zierlicher Knochenbau, kleine Hände und Füße; aber auch alles, was auf natürliche Gebärfähigkeit hindeutete, ausladende Hüften, praller Busen, üppige Rundungen.

Soziale Definition: Die neuen Aufgaben der Schönheit

Jede Ähnlichkeit mit dem Mann machte aus der Frau eine angsteinflößende Anomalie. Das könnte den Dauererfolg des Korsetts erklären, das um 1810 erneut aufkam. Nicht mehr ganz so hochgeschlossen und atembeklemmend wie früher das Fischbeinkorsett, erfüllte es nun eine ästhetische Funktion: Betonen der Taille, Herauswölben von Brust und Gesäß. Mit dem Korsett hatte die Frau zudem ihre Formen und Posen immer so in der Gewalt, »wie sich's gehörte«; es bot der körperlichen und moralischen Würde einen Halt. Sein anhaltender Gebrauch ließ den modischen Wandel der weiblichen Formen durchaus zu, wie zwei Stars von internationalem Rang belegen. Um die Wende zum 19. Jahrhundert wurde die schlanke, blasse und keusche Juliette Récamier, an seinem Ende die üppige Sinnlichkeit der Gräfin de Castiglione gefeiert.

Die Romantik sehnte sich nach der körperlosen Frau. Die Ballerinen gaben mit ihrem Können dieser Sehnsucht Ausdruck. Mit der Erfindung des »Spitzentanzes« wurden Silhouetten gestreckt und Sprünge von ätherischer Leichtigkeit möglich. In Balletten wie *Les Sylphides* (1832) oder *Giselle* (1841) überwanden Frauen für kurze Zeit die Schwerkraft der Sterblichen. Romanheldinnen mußten grazil und anfällig sein, ihr Antlitz als Spiegel der Seele innere Stürme verraten. Das romantische Ich schmachtete in träger Blässe, möglichst überhöht durch schwarzes Haar, schwarzumrandete Augen und eine dicke Reispuderschicht.

Um die Jahrhundertmitte kam die gute Gesundheit wieder zu ihrem Recht. Ein üppiger Busen wurde abendlich offenherzig und milchweiß in Dekolletés ausgestellt. Um Männerblicken ein aufregendes Hohlkreuz zu bieten, zwängten sich die Frauen in Schnürleibchen, um Brust und Hinterteil herauszustrecken: Die Kreuzbeinsenkung wurde zur typisch weiblichen Fehlbildung. Auch als vornehme Blässe wieder außer Mode kam, galt Hellhäutigkeit weiterhin als Schönheitskriterium. Die Damen waren bemüht, sich einen perlmutterfarbenen Teint zu bewahren und so auszusehen, als kämen sie wenig nach draußen und als liebten sie die Häuslichkeit. Neben schwellenden Rundungen und weißer Haut galt auch mattglänzende Haarfülle als Unterpfand der Schönheit. Die Dame wickelte lange »Korkenzieherlocken« sinnend um den Zeigefinger, trug ausladende Schleifen, breite Stirnbänder und schwere Dutts. Üppige Lockenpracht wurde mit falschen Haarteilen vorgetäuscht. Diese Mode verhalf armen Frauen vom Lande zu einem Nebenverdienst, wenn sie das grausame Opfer brachten, ihr Haupthaar zu veräußern, was durchaus nicht gern gesehen wurde, schon gar nicht von ihren Ehemännern. Aus Angst vor Erkältung wurden die Haare nie gewaschen, nur ausgiebig gebürstet. Der Geruch sollte angeblich die Männer verwirren. Doch wurden die Nasen allmählich empfindlicher. Gerüche des Frauenkörpers, lange als Aphrodisiakum betrachtet (schon wieder Michelet!), wurden allmählich – vielleicht wegen der drangvollen Enge in den Städten – eher als anstößig empfunden, vielleicht auch aufgrund zunehmender Raffinesse in Liebesdingen. Der Verbrauch an Kölnischwasser nahm im Laufe des Jahrhunderts stetig zu.

Seit der Revolution war mit der Abschaffung der Privilegien die Männerbekleidung streng und nüchtern geworden. Ehrgeizige Männer stellten ihren Erfolg und ihre Ansprüche nun an den Körpern von Frauen zur Schau, an dem Putz und Geschmeide von Gattinnen oder Mätressen. Womöglich niemals zuvor in der Geschichte hatten die Damen so viel Stoff zur Kleidung gebraucht wie jetzt. Die Kleider, im ersten französischen Kaiserreich noch enganliegend, schlauchartig und hochbusig, wurden immer bauschiger, bis hin zur Krinoline (1854–1868). Ein Reifrock konnte leicht drei Meter Durchmesser erreichen und dreißig Meter Stoff verbrauchen. Als dergestalt stattlich ausgerüstetes Objekt der Verehrung verwies Madame ihre gesamte Umgebung auf Distanz; sie konnte sich nur mit Mühe fortbewegen und hinsetzen, und aufs stille Örtchen mußte ihr eine Zofe helfen. Dieser monumentalen Kleidung folgten Schnürleibchen, Schleppen, Podexpolster mit anzüglich eleganter Betonung der weiblichen Formen. Taillenhöhe, Ärmelform und Ausschnitt änderten sich mit jeder Saison. Die Mode produzierte das Nebensächliche in immer schnellerem Takt, um eine Demokratisierung des Sich-Kleidens abzuwehren. Allerdings wurden die feinen Damen in dieser Konkurrenz rasch von der Halbwelt überflügelt. Daraufhin wurde dezente Zurückhaltung zum Kennzeichen wahrer Eleganz und echter Vornehmheit.

Zu bedeutenden Neuerungen kam es, als Männer sich dem Geschäft mit der Mode widmeten. In Frankreich war im ersten Kaiserreich der Damenschneider Leroy tonangebend. Doch zum eigentlichen Vater der Haute Couture entwickelte sich Worth; er war der Erfinder von Modeschauen und Mannequins; er regte die Hersteller zur Produktion von changierenden Geweben und graziösen Ornamenten an, die eine Toilette unverwechselbar persönlich machten. Seine märchenhaften Kreationen waren ebenso berühmt-berüchtigt wie seine atemberaubenden Rechnungen und seine Arroganz: Damen von Stand gaben sich bei ihm die Klinke in die Hand.

Für selbständige Schneiderinnen eröffneten sich gute Zeiten. Ihre Zahl wuchs schnell. Gefahr für ihr Gewerbe drohte ihnen nicht von den Modekönigen, sondern von der Konfektion, die alle Bekleidungsgewohnheiten revolutionierte. Noch zu Beginn des 19. Jahrhunderts war es üblich, daß Kleider und Putzartikel von der Ober- an die Mittel- und Unterschicht weitergereicht wurden: Kleiderhändlerinnen, diese häufig als Verführerinnen und Kupplerinnen verdächtigten *marchandes à la toilette,* kauften abgelegte Röcke, Mäntelchen, Hauben, Nachthemden auf, um sie an putzsüchtige junge Frauen weiterzuverkaufen. Nun aber begannen neugegründete Kaufhäuser Kleidung von der Stange zu verkaufen. Die geräumigen, hellen Kaufhäuser mit Auslagen, die dazu aufforderten, die Waren zu besehen, zu betasten und anzuprobieren, boten den Frauen als Einkaufsparadies einen Tummelplatz für Augen, Finger und Sehnsüchte, einen neuen Ort des Glücks. Das Einkaufen mit seinen Überraschungen und Versuchungen wurde noch aufregender, als die Preise fielen. Frauen aus dem Mittelstand und selbst Arbeiterinnen erhielten Zugang zu der bis dahin unerreichbaren Euphorie des Kleiderauswählens. Wer früher zehn Jahre lang ein graues oder blaues Kleid aus Zwillich getragen hatte, ohne es zu waschen, konnte sich jetzt Jahr für Jahr ein paar Kattunkleidchen in verschiedenen Farben leisten!

Diese ansteckende Lust verbreitete sich allerdings nicht überall. Das platte Land blieb lange von städtischen Moden so gut wie verschont. Zwar setzte sich nach 1850 auch hier die Mode durch, doch sie bereicherte zunächst nur die landestypischen Trachten. Am malerischsten entwickelten sich diese in Holland, im Schwarzwald, im Voralpenland, im Elsaß, in der Bretagne und in Südfrankreich um Arles. Dort äußerten sich Sitte und Brauchtum weiterhin in einer komplexen Formensprache: Zuschnitt, Farbe, Größe, Kopfputz, Schultertuch, Schürze, Rock hatten jeweils eine festumrissene Bedeutung. Nach 1880 verschwanden die Regionaltrachten plötzlich in nur wenigen Jahren bzw. wurden nun allein folkloristisch gepflegt.

Trachten von Glaubensgemeinschaften hielten sich länger.[3] Die Sekten, deren Zahl damals ungemein zunahm, entwickelten eine erstaunliche Bekleidungsvielfalt. Unglaubliche Sorgfalt wurde auf die Auswahl von Häubchen, Schleier, Stirnband, Kragen, Skapulier, Ärmel und Manschetten, Farben und Stoffen verwendet. Hier wurde Kleidung zum mystischen Symbol, jedes Einzelteil tat Buße kund. Zu einer Zeit, in der viele Frauen Analphabetinnen waren, übermittelte die Kleidung ohne Worte unmißverständliche Lehren über den Frauenleib, seine Pflichten und seine Bestimmung aus.

Die Kleidung sprach über die Unschuld von Mädchen. Weiß kleidete sich fortan die Braut, zumindest in der Stadt; weiß war das Kleid für die Erstkommunion; weiß auch der durchsichtige Musselin des ersten Ballkleids als Schleier züchtiger Jungfräulichkeit. Die ledige Jungfrau war Lilie, weiße Taube: Ihre Jugendfrische gemahnte an Frühling. Luxus durfte sie nicht treiben: Ihr Los war Bescheidenheit. Doch wies ihr die Aufgeputztheit der Mutter und Gattin, welcher Zuwachs an schmückender Schönheit ihr künftig zuteil werden würde.[4] Die Kleidung betonte auch die Stadien des Wachstums und der Persönlichkeitsbildung. Der Rocksaum einer jungen Frau ging bis zum Boden, und sie war kunstgerecht frisiert. Das heranwachsende Mädchen, das gerade in der Pubertät war, steckte das geflochtene Haar zu Schnecken fest oder befestigte es unter einem Haarnetz; der Rocksaum reichte erst bis zu den Knöcheln. Kleine Mädchen im Kindergartenalter trugen das Haar offen; das Röckchen war so kurz, daß die Schnürstiefel und sogar das Spitzenhöschen vorlugten. Beachtenswert, wie einprägsam kleine Mädchen in den Werken der Gräfin de Ségur und Lewis Carrolls geschildert werden. Schon die vierjährige Sophie begehrt auf, und Alice tritt durch den Spiegel hindurch, um das Wunderland ganz allein zu entdecken.[5]

Lange und kurze Hosen machten eine eigenartige Entwicklung durch. Noch zu Beginn des 19. Jahrhunderts für Frauen generell verpönt, wurden sie an seinem Ende zur Unterwäsche. Zwar ließen sich manche Frauen durch Verbote nicht von Männerkleidung abbringen. Manche trugen sie aus Bequemlichkeit – so etwa Madame Marbouty, die sich 1836 als Mann verkleidete, um Balzac nach Turin zu begleiten –, andere als Zeichen der Emanzipation – so etwa George Sand nach der Trennung von ihrem Mann oder 1848 die »Vesuvierinnen«. Doch das waren Ausnahmen. Unterdessen setzte sich die kurze Hose als Unterwäsche durch. Erst wurde sie aus Gründen der Sittlichkeit den Operntänzerinnen vorgeschrieben (so entstand das Tutu), dann den beinewerfenden Damen vom Varieté. Prostituierte bedienten sich um 1820 erstmals der Hose und hatten damit durchschlagenden Erfolg. Schließlich griffen auch anständige Frauen zur Unterhose, als es unter den Reifen der Krinoline mit ihrer weiten Abspreizung von Röcken und Unterröcken in der Körperzone zwischen Schnürleibchen und Strumpfbändern unangenehm kalt wurde. Aber war es zum Wärmen nötig, ein Ding mit zwei Hosenbeinen anzuziehen und so den Zugang zum Geschlecht zu verlegen? Dieser Sieg der Hose in der Frauenkleidung hatte vor allem symbolische Bedeutung, denn der »Kampf um die Hose« war ein uraltes, höchst populäres und immer erneut bearbeitetes Thema. Frauenunterhosen wurden sowohl als »Unentbehrliche« wie auch als »Unaussprechliche« umschrieben. Es galt als unschicklich, das zu bezeichnen, woran sie erinnerte, war es doch verpönt, Schenkel und Beine in voller Länge zu zeigen. Die viktorianische Prüderie ging so weit, selbst Tisch- und Stuhlbeine zu umhäkeln. Es war sicher kein Zufall, daß der berühmte französische Cancan der Belle Époque als trutzige Äußerung von Gegenkultur nichts als heftig hochgeworfene Beine, Beine, Beine zeigte.

Damals wurde eine Unzahl Dessous für Frauen erfunden: spitzenbesetzte Unterhöschen, Korsettschoner, Rundspencer, Schichtunterröcke, Leibchen, Brusttücher und anderes mehr. Die Mechanisierung der Textilindustrie, der Preisverfall bei Baumwollstoffen erklären dies nur zum Teil. Dieser fast neurotische Drang zu verdecken, zu verhüllen, zu verbergen drückte womöglich die Sehnsucht nach neuen Spielregeln in Liebessachen aus, den Versuch, in einer langsameren, sanfteren, zartfühlenderen Annäherung eine neue Balance zwischen Scham und Erotik zu finden. Spitzenunterröcke aber blieben ein unerschwinglicher Luxus für die allermeisten Frauen, von denen viele weiterhin nur Hemdchen besaßen, sich Unterröcke aus abgetragenen Kleidern nähten und bis nach dem Ersten Weltkrieg keine Unterhosen kannten. Die Mädchen im Waisenhaus Bon Pasteur trugen noch 1903 keinerlei Unterwäsche: Sie erhielten nur eine grobe Kittelschürze, und diese kam, selbst wenn sie Flecken von der »Unpäßlichkeit« aufwies, nur alle drei Monate in die Wäsche.

Auch spitzenbesetzte Kopfkissen, kunstfertig bestickte Bettwäsche betonten die Schönheit der Dame. Darin erlebte sie hilflos die Hochzeitsnacht, darin kamen die Kinder zur Welt. Leibwäsche und Aussteuerwäsche dienten den Pflichten der Frau im Bett, am Tage und bei Tisch. Dieses war der Wert ihrer Aussteuer, ihr persönlicher Besitz, ihr unveräußerlicher Reichtum. Die Aussteuer zu nähen und zu besticken war eine wichtige Etappe der Erziehung. Mit dem Nähen erlernte das junge Mädchen geduldiges Arbeiten und Stillsitzen sowie ausgiebiges Sinnieren über den eigenen Leib, seine Körperöffnungen und deren Funktion. Von der Pubertät bis zur Hochzeit »zeichnete« die junge Frau ihre Wäsche, indem sie ihre Initialen mit immer verschlungeneren Verzierungen hineinstickte. Das Ganze, liebevoll gestapelt, später kaum benutzt, bewahrte die Erinnerung an die Jungfernjahre wie ein Symbol einstiger Unabhängigkeit. Ein Kult um die Aussteuer wurde vor allem in Südeuropa (Südfrankreich, Spanien, Italien) getrieben, wo die Frauen noch stärker unterdrückt waren. Die Arbeit an der Aussteuer ließe sich durchaus auch als naive und eigensinnige Äußerungsform eines unausrottbaren Narzißmus lesen.[6]

Weißnäherin, Korsettmacherin, Wäscherin verstanden, teilten, unterstützten diesen Hang zu schöner und makelloser Feinwäsche. Von Berufs wegen erhielten sie Einblick in die Leibes- und Liebessachen ihrer Kundinnen. In viele Geheimnisse eingeweiht, sorgten sie über Standesgrenzen hinweg für diskrete Komplizenschaft unter Frauen. Die Zahl dieser Hausarbeitskräfte war Legion; sie hatten oft ihr gutes Auskommen und waren stolz auf ihre Arbeit, wie Gervaise in *L'Assommoir*.

An der Schwelle zum 20. Jahrhundert wurde das Erscheinungsbild des weiblichen Körpers einem radikalen Wandel unterworfen. Der Modeschöpfer Poiret riskierte um 1905 den Bannfluch gegen das Korsett: Er entwarf fließende und wallende Gewänder von nüchterner Eleganz, die sich eng an eine schlanke Figur schmiegten. Zur selben Zeit widersetzte sich die amerikanische Tänzerin Isadora Duncan der Mode der Tuturöckchen und Ballettschuhe. Sie tanzte barfuß und in einer dem Vorbild des klassischen Griechenlands nachempfundenen Tunika. Sie setzte sich rasch durch, und ihre rauschenden Erfolge offenbaren nicht zuletzt den unter Frauen verbreiteten Wunsch nach Emanzipation.

Als die aufgeblähten Hüllen fielen, die den Frauenkörper verunstaltet hatten, änderte sich nicht nur eine Mode. Es war eine Kulturrevolution. Manche Autoren sahen darin den »Bankrott der Schönheit«. Der klarsichtigere Émile Zola schrieb: ». . . die Idee der Schönheit wandelt sich. Ihr verlegt sie nun in die Unfruchtbarkeit der Frau, in die lange und schlanke Gestalt, in schmale Hüften.«[7] Das ganze Jahrhundert hatte sich blindlings auf diesen Wandel zubewegt. Doch in dem Maße, wie die Fruchtbarkeit der Frauen abnahm, wurden die Lebensspenderinnen mit um so größerer Aufmerksamkeit bedacht.

Biologische Definition und Medikalisierung

»Schwangere müssen zum Gegenstand aktiver Fürsorge, religiöser Verehrung, eines regelrechten Kultes werden«, schrieb Doktor Marc 1816.[8] Diese Fürsorge galt vor allem dem Ungeborenen, kam aber auch der Frau zugute, die das Ungeborene im Leibe trug. Marc schlug Maßnahmen vor, die viel über das Los der Frauen aussagen, die er zu schützen empfahl. Er wollte sie vor der Gewalt bewahren, die in der Unterschicht herrschte: Zahlreiche Fehlgeburten seien auf brutale Attacken volltrunkener Ehemänner zurückzuführen. Er wollte schwangere Frauen von schwerer körperlicher Arbeit, die er in erschütternden Einzelheiten beschrieb, entlasten. Seine Ideen fanden allmählich Verbreitung. Für die betroffenen Frauen hatten sie nicht nur angenehme Folgen. Marc und seinesgleichen beanspruchten, Frauen auch vor sich selbst zu schützen. Sie versuchten, peinlich genau deren Lebenswandel zu überwachen und ausgelassene Vergnügungen auf Festen einzuschränken: Schaukeln und Walzer seien strikt zu verbieten. Der Paternalismus der Ärzte lief darauf hinaus, Schwangerschaft zur überwachten Askese zu machen. Dieses Programm eilte seiner Zeit weit voraus. Erst gegen Ende des Jahrhunderts kam es im Rahmen der Arbeitsschutzgesetze zum Mutterschutz.

Vorher aber wurde Schwangerschaft unter der viktorianischen Prüderie zum Tabu: Wer in »anderen Umständen« war, ging selten aus und zeigte sich so wenig wie möglich. Ein ähnliches Tabu lag über der Geburt: im Elsaß brachte der Klapperstorch das Kind, andernorts wuchs es auf einem Acker im Kohlkopf heran, oder die Hebamme hatte es mitgebracht. Vordergründig ging es darum, Kindern und jungen Mädchen nicht die Unschuld zu nehmen; aber ohne Zweifel waren diese Ammenmärchen auch ein Versuch, das Animalische im Menschen zu verleugnen oder zumindest zu vertuschen. Damals waren schwangere Prostituierte bei Bordellbesuchern besonders begehrt.

Die Medikalisierung der Geburt begann im 18. Jahrhundert und setzte sich im 19. Jahrhundert massiv durch. Auslöser war eine Art Geltungssucht. Weil ein Arzt für seine Dienste drei- oder viermal mehr verlangte als eine Hebamme, war es ein Zeichen von Wohlstand, wenn er gerufen wurde. Gebärende in bescheideneren Verhältnissen blieben den Hebammen treu, die Ärmsten gingen ins Spital. Daß sich die Frauen je nach Ort verschieden verhielten, hatte häufig wirtschaftliche Gründe. In den Armenvierteln des Londoner East End ließ 1892 die Hälfte aller gebärenden Frauen eine Hebamme kommen; im West End dagegen waren es nur zwei Prozent.[9] In Boston scheint bereits 1820 fast die gesamte Geburtshilfe in Männerhänden gelegen zu haben.[10]

Vor 1870 scheint das Eingreifen der Ärzte nirgendwo die Sterblichkeit verringert zu haben. In Rouen, wo die Medikalisierung weit fortgeschritten war, aber zugleich viele Arme in Elendsquartieren hausten, lag die Müttersterblichkeit durchgehend bei etwa 11 Prozent. Im amerikanischen Bundesstaat Utah dagegen, wo noch die Matronen mit ihrer praktischen Erfahrung vorherrschten, lag sie bei 6 Prozent: Die Menschen lebten dort in einem offenen Gebiet am Fuße eines großartigen Gebirges, also in einem wahrhaftig seuchenarmen Paradies.[11]

Auch weist nichts darauf hin, daß Ärzte die Schmerzen hätten lindern können. Die Anästhesie, mit der seit Ende der 40er Jahre auf der Basis von Äther oder Chloroform experimentiert wurde, war ungeachtet der christlichen Lehre, die den Evastöchtern gebietet, ihre Kinder unter Schmerzen zu gebären, fast augenblicklich heiß begehrt. Königin Viktoria verlangte nach Chloroform, als die 1853 ihr achtes Kind zur Welt brachte. Doch die Ärzte setzten wegen möglicher Komplikationen diese Methode nur zögernd ein. Die französische Kaiserin Eugénie, die 1856 eine sehr schmerzhafte und komplizierte Geburt hatte, lehnte diese Erleichterung ab. Sie hat nach dieser Geburt kein weiteres Kind geboren. Hebammen warfen den Ärzten vor, sie hätten zu wenig Geduld und griffen voreilig nach der Zange.

Große Fortschritte in der Geburtshilfe gab es nicht bei Hausgeburten, sondern in Krankenhäusern. Diese aber wurden nur von den Ärmsten der Armen unter den Frauen aufgesucht. In den Augen der Öffentlichkeit war es nach wie vor unvorstellbar und eine Schande, wenn ein Kind nicht im eigenen Heim zur Welt kam. Seit Ende des 18. Jahrhunderts kam es vermehrt zu Anstrengungen, Schwangere vom Rande der Gesellschaft besser zu versorgen. Bestenfalls geschah dieses durch neuartige Einrichtungen, wie die 1794 eröffnete Geburtsklinik Port-Royal in Paris, schlechtestenfalls wurden einer oder mehrere Kreißsäle von einem Hospiz abgetrennt. Die seit den 1850er Jahren in diesen Einrichtungen recht zuverlässig geführten Statistiken belegen, daß die Sterblichkeit mit 10–20 Prozent hier immer noch sehr hoch war, was nur zum Teil daher rührte, daß die dort aufgenommenen Mütter Rachitis oder Tuberkulose hatten und sich in einem sehr schlechten Allgemeinzustand befanden. Hauptsächliche Todesursache aber war das Kindbettfieber. Dieses wurde vom Geburtshelfer selbst und seinen Studenten übertragen, weil sie ohne desinfizierende Vorkehrungen geburtsklinische Untersuchungen unmittelbar nach Autopsien vornahmen. Der österreichisch-ungarische Arzt Ignaz Semmelweiss hatte schon in den 40er Jahren vermutet, daß dieses die Infektionsquelle sei, und die Müttersterblichkeit in seiner eigenen Klinik dadurch drastisch gesenkt, daß er seine Untergebenen zwang, sich mit Karbolseife gründlich die Hände zu reinigen. In Frankreich wurde Tarnier zum vergleichbaren

Pionier. Wirksam aber wurden diese Fortschritte erst, nachdem die Grundsätze der Antisepsis formuliert worden waren. Zwischen 1870 und 1890 akzeptierten alle Krankenanstalten in Europa und Amerika diese neuen Verhaltensregeln. Um 1900 fiel die Müttersterblichkeit auf etwa zwei Prozent. Erst jetzt war eine Geburt in der Klinik weniger riskant als eine Hausgeburt. Die Kombination von Anästhesie und Antisepsis und die Fortschritte in der Technik des Wundvernähens ermöglichten eine kühnere Chirurgie. Der Kaiserschnitt wurde an der Schwelle zum 20. Jahrhundert geläufige Praxis.

Während dieser Zeit verloren die Hebammen ihre Kundschaft. Ihre freiberufliche Tätigkeit rentierte sich nicht mehr. Hebammen arbeiteten zunehmend als Angestellte in Krankenhäusern und Privatkliniken. Dort mußten sie als Untergebene den Anweisungen der damals allmächtigen Ärzte Folge leisten und konnten so den Gebärenden nicht mehr uneingeschränkt beistehen. Eine traditionelle Form der Frauensolidarität zerbrach, und die Frauen büßten in der Reproduktion jegliche Autonomie ein. Schamgrenzen fielen schnell, was deutlich macht, daß dies nicht »naturbedingte«, sondern kulturelle Grenzen waren. Von nun an war der natürliche Beschützer einer Frau im Kindbett nicht mehr der Ehemann, sondern der Arzt.

Die Hebammen waren nicht die einzigen Opfer des medizinischen Fortschritts. Auch andere traditionelle Pflegekräfte mußten erleben, wie ihr Wissen und ihre praktische Erfahrung entwertet wurden. Nonnen, Krankenpflegerinnen, Naturheilkundige wurden seit der Ära Louis Pasteur den Ärzten untergeordnet und von diesen regelrecht domestiziert. Einzig in den angelsächsischen Ländern konnten die *nurses* dank der Energie von Frauen wie Florence Nightingale eine gewisse Eigenständigkeit bewahren. Zwar kehrten Frauen nach einiger Zeit durch den Vordereingang wieder in die medizinische Praxis zurück, indem viele von ihnen Ärztinnen wurden. Doch wurde ihnen der Zugang zum Beruf erst spät und nur allmählich gewährt. Von den männlichen Berufskollegen lange Zeit mißtrauisch beäugt, verhielten sie sich wie gefügige Schülerinnen, um eher akzeptiert zu werden; sie wagten es nicht, Anspruch auf verantwortliche und gestaltungsfähige Posten zu erheben. Bis auf einige wenige Ausnahmen[12] waren sie daher nicht imstande, der Frauenmedizin entscheidende Impulse zu geben.

Die Frau des 19. Jahrhunderts galt als ewig Kranke. Die Medizin der Aufklärung konzipierte die Phasen eines Frauenlebens als Abfolge grauenhafter Krisen, selbst wenn keinerlei Krankheitsbild vorlag. Neben Schwangerschaft und Niederkunft wurden auch Pubertät und Wechseljahre als mehr oder minder gefahrvolle Prüfungen dargestellt, und selbst die Menstruation erschütterte als angebliche Verletzung der Eierstöcke monatlich das nervliche Gleichgewicht. Alle Statistiken belegen in der Tat, daß Frauen im 19. Jahrhundert eine höhere Morbidität und Mortalität hatten als Männer.[13] Die öffentliche Meinung und viele Ärzte führten dieses auf die »schwächliche weibliche Natur« zurück; diese biologische »Ursache« erschien als gottgegeben und allgemeingültig und drohte einen unüberwindlichen Fatalismus zu nähren. In Wirklichkeit aber wurden Mädchen und Frauen krank von den Lebensbedingungen, die ihnen auferlegt waren; doch nur wenige Ärzte waren damals imstande, soziale Faktoren in Rechnung zu stellen.

»Mädchen sind der anfälligste Teil der Menschheit«, behauptete Doktor Virey 1817.[14] Eine überhöhte Mädchensterblichkeit war in der Tat im ganzen Abendland vom fünften Lebensjahr an festzustellen. Bereits im Laufe des 18. Jahrhunderts sichtbar, verschärfte sie sich zwischen 1840 und 1860, und zwar offenbar am stärksten in Frankreich und Belgien.[15]

Die mörderischste Krankheit war die »Schwindsucht«. In Belgien erlagen ihr 20 Prozent der Mädchen zwischen dem siebten und dem fünfzehnten und 40 Prozent zwischen dem fünfzehnten und dem zwanzigsten Lebensjahr. Im allgemeinen erfaßte die Schwindsucht doppelt soviele Mädchen wie Jungen. Die Ärzte, die die Familien der Reichen betreuten, konnten nicht begreifen, warum diese verwöhnten und verzärtelten jungen Mädchen so anfällig waren. Die Zusammenballung in den Städten steigerte ohne Frage die Ansteckungsgefahr. Doch die besten Ärzte, so der große Laennec, zählten zu den Ursachen auch Kummer, Enttäuschung und Seelenschmerz. Der Fall der Schwestern Brontë scheint diesen Erklärungsansatz zu untermauern. Ist es Zufall, daß die Tuberkulose zur romantischen Krankheit par excellence wurde? Kummer und Enttäuschung, moralischer Verfall und Lebensüberdruß waren selbst wiederum Folgen allgemeiner Bedingungen. Mädchen waren schon von Geburt an weniger willkommen und wurden bewußt oder unbewußt zurückgesetzt. Nach einem auch von Michelet bekräftigten hartnäckigen Vorurteil durften sie kein Fleisch essen, vor allem kein rotes. Nach den Grundsätzen einer sittsamen Erziehung sollten die Fräuleins in draperieverhangenen Wohnungen ohne Luft, Sonne und Körperbewegung verharren und sich über Nadelarbeiten beugen. In bescheideneren Verhältnissen mußten sie schon im zartesten Alter kräftezehrende Hausarbeit leisten oder während überlanger Arbeitstage auf dem Feld, in der Fabrik oder in der Werkstatt arbeiten.

Die Tuberkulose zählte ebenfalls zu den Hauptursachen der sogenannten Müttersterblichkeit, die häufig eine natürliche Folge der Mädchenerziehung war. Gleiches läßt sich über die Rachitis sagen, eine andere und damals häufige Folge von Mangelernährung und körperlicher Verelendung. Unterernährte Frauen hatten ein verengtes Becken, und das erschwerte das Gebären. Aber auch die Fräuleins der Oberschicht verkrümmten sich das Rückgrat (Skoliose, Kyphose, Lordose fanden Eingang in den medizinischen Wortschatz) und hatten dann unter Geburtskomplikationen zu leiden.

Weitere signifikante Krankheiten zeigten sich an den Geschlechtsorganen. Die Ärzte wußten kaum Bescheid über deren Umfang, da sie sich nicht trauten, ihre schamhaften Patientinnen zu untersuchen. Viele glaubten, der Schanker sei unvermeidlich und allgemein verbreitet. Zwar war ihnen bekannt, daß venerische Krankheiten ansteckend sind, doch das scherte sie kaum: »Ehegatten teilen sich ihre Syphilis wie ihr täglich Brot.«[16] Die keusche Gattin, gemeinhin das Opfer dieses bereitwilligen »Teilens«, wurde häufig um des häuslichen Friedens willen über ihr Los im unklaren gelassen. Der Arzt behandelte sie nur mit Genehmigung des Ehemanns, denn die Behandlung hätte ihr alles verraten. Wir werden nie erfahren, wieviele junge Frauen, die um ihrer Mitgift willen geehelicht wurden, Opfer eines solchen Männerkomplotts wurden. Nicht alle ließen sich täuschen oder resignierten. Christina Trivulzio, Fürstin Belgiojoso von reichem lombardischem Adel, setzte sich ebenso wie die Stickerin Suzanne Voilquin in Paris offensiv mit dieser Heimsuchung auseinander, die ihr Leben umstülpte. Beide setzten eine einvernehmliche Trennung von dem Gatten durch, der sie angesteckt hatte. Beide wandten sich der Heilkunde zu. Christina, die an rasenden Nervenschmerzen litt, erwarb aufgrund der eigenen Erfahrung ausgefeilte Kenntnisse über zeitgenössische Arzneilehren und konnte mit ihrem Wissen Familienmitgliedern und Freunden helfen. Während der Belagerung Roms 1849 organisierte und leitete sie die Spitäler und Notaufnahmen der Stadt mit einer Effizienz, die ungeteilte Bewunderung fand. Suzanne hingegen arbeitete sich zunächst in die homöopathische Lehre Doktor Hahnemanns ein. Später stieß sie zu ihren exilierten saint-simonistischen Freunden in Kairo, um als Mann verkleidet in einem Spital Vorlesungen zu hören; mit einem Hebammenbrief versehen, übte sie den Beruf später in Frankreich und Rußland aus. Erst Ende des 19. Jahrhunderts, als die Syphilis zu einer wahren Volksgeißel geworden war, erhielten die Ärzte endlich die Befugnis, auch ehrbare und selbst verheiratete Frauen zu behandeln.

Weit verbreitet war außerdem die Behauptung, alle Frauen seien nervenleidend, seien es gewesen oder würden es zukünftig werden. In einer Zeit, da die friedliche Landidylle noch nostalgische Sehnsüchte weckte, gaben die Ärzte die Schuld an den Nervenleiden gerne dem Stadtgetriebe, das in der Tat die Stellung, Aufgaben und Lebensbedingungen der Gattin und Mutter verändert hatte. Einige Ärzte ereiferten sich über die »Migränepüppchen«, an denen alle Therapieversuche abprallten. Hier kommen wir in den geheimnisumwitterten Bereich lähmender Leiden, die sich sehr wohl auch simulieren oder kultivieren lassen. Wie weit wurde die Migräne für enttäuschte und überforderte Frauen zur Zuflucht oder Ausrede? Wie weit bezeichnete sie schmerzhafte Identitäts- und Bewußtseinskrisen? Die Gräfin de Ségur durchlebte das Klimakterium als furchtbare Zeit der Kopfschmerzen und der Lethargie; ihre Heilung fiel zusammen mit dem Beginn ihrer literarischen Tätigkeit.[17] Ein Gegenbeispiel ist Madame Vrau-Aubineau, eine Bürgersfrau aus Nordfrankreich. Als sie gezwungen war, ihre Gewerbetätigkeit aufzugeben, versank sie bis zum Ende ihrer Tage in Migräneanfällen.[18]

Noch stärker als die Migräne war die Hysterie damals, wenn man so sagen will, die Krankheit des »schwachen Geschlechts«. Manche Autoren erachteten sie als untrennbaren Teil der »Natur des Weibes«. Diese Krankheit versetzte die Familien, die Gesellschaft, ja sogar die ärztliche Wissenschaft in Unruhe; alle Welt schien mit diesem Leider geschlagen. Aus Angst vor Anfällen wurde die Hysterikerin von der Verwandtschaft wie ein rohes Ei behandelt und entwickelte sich dadurch bisweilen zur Familientyrannin. In einer Art Ansteckung konnte es zu beklemmenden Fällen kollektiver Hysterie kommen. Solches geschah etwa zwischen 1857 und 1873 in Morzine. Mädchen und Frauen kreischten, wanden sich in Krämpfen, beschimpften und schlugen Väter und Ehemänner, tranken Schnaps und wollten nicht mehr arbeiten. Die Staatsgewalt war beunruhigt und unternahm einen regelrechten Feldzug, um die betroffene Landbevölkerung aus Isolierung und Elend zu reißen: Sie ließ Straßen bauen, gründete eine Garnison, organisierte Bälle. Die Theatralisierung, der die psychiatrische Anstalt Salpêtrière zwischen 1863 und 1893 unterlag, steigerte die Ängste und Anfälle von Hysterikerinnen aufs äußerste; sie zeigt gleichzeitig, welches Faszinosum das Leiden für die Ärzteschaft war. Freud bemühte sich als erster um ein ernsthaftes Verständnis dieser unglücklichen Frauen. Er rehabilitierte ihre Tiraden, ihre Träume, sogar ihre Sexualität; er hörte ihnen zu, wenn sie endlos über sich selbst redeten.

Die Anhängerschaft der Ärzte wurde im Laufe des Jahrhunderts immer zahlreicher, vor allem nach Pasteur, und die von den Ärzten vertretenen Werte setzten sich immer stärker durch. Schon die Aufklärung hatte betont, Hygiene sei zugleich hochmoralisch, weil sie den Körper vor Krankheit und zugleich die Seele vor Laster schütze. Doch die Hygiene stieß auf zwei Hindernisse. Ein erstes Hindernis war die Scham. Allzu genußvolle Waschungen vor allem der verborgenen Teile galten als Ausschweifung; lieber wurde die Wäsche gewechselt. Das zweite Hindernis war das Fehlen von fließendem Wasser und eines Ausgusses, Gesicht und Hände reinigte man sich (fast) jeden Tag in einer Waschschüssel, das Übrige allenfalls einmal pro Woche. Dusche und Vollbad blieben (als Hydrotherapie) lange Zeit Kranken vorbehalten. Selbst die glücklichen Besitzer einer eigenen Badewanne badeten, folgten sie der Empfehlung, nur einmal pro Monat. Die Badewanne *(tub)* war in England erfunden worden und verbreitete sich gegen Ende des Jahrhunderts auch auf dem Kontinent. An Degas' Malerei läßt sich nachvollziehen, wie die Gewöhnung an eine gründliche Körperwäsche den weiblichen Akt verändert: *Die Badende* wird zu einem fast trivialen Sujet.

Eine ordentliche Hygiene erforderte auch Freiübungen an der frischen Luft. Für Frauen, deren Haut makellos weiß bleiben mußte, war eine solche Vorschrift von zweifelhaftem Wert. Doch hatte Marie de Flavigny (die spätere Gräfin d'Agoult) schon um 1820 einen *maître de grâces*, also einen von seiner Wichtigkeit überzeugten Tanzmeister, und eine Fechtlehrerin, die sie im Florett unterwies; obendrein ritt sie häufig aus. Auch in den Stundenplänen von Mädchenpensionaten schlug sich die neue Tendenz nieder: Auf die »Haltungsstunde«, in der das Geradehalten für alle Momente des Tages und Lebens geübt wurde, folgten zu Beginn der 80er Jahre allmählich korsettfreie Turnübungen und sogar Geräteturnen. Die wachsende Beliebtheit des Badens am Meer trug vermutlich erheblich dazu bei, den Körper der Frau schneller von seinen Hüllen zu befreien. Doch mehr als die Freiheit sollten die Frauen meist unter nationalistischen und oft unter rassenhygienischen Gesichtspunkten fortan Spannkraft und Physis pflegen.

Ausgehend von Deutschland und England hatte der Kreuzzug für das Mädchenturnen Ende des Jahrhunderts ganz Mitteleuropa erobert. Welche wilde Begeisterung das Turnen erweckte, belegt unter anderem ein ironisierender und schlüpfriger Roman von Edmondo De Amicis.[19] Doch Frauensport, vor allem in Form von Wettkämpfen, stieß auch auf große Ablehnung und manchmal entschiedene Gegnerschaft. Zeitgenössische Beobachter klagten, wie abstoßend eine Frau bei körperlicher Anstrengung wirke, redeten anmutiger Erschlaffung das Wort und warnten vor übermäßiger Muskelbildung, da sie der zukünftigen Gebärenden schaden könne. Dennoch begeisterten sich wohlhabendere Töchter und Frauen rasch für Schwimmen und Tennis.[20] Diverse Vereine machten Radfahren, Laufen, Springen, Geräteturnen populär. Und trotz Pierre de Coubertins hartnäckigen Widerstands nahmen Frauen bereits 1912 an den Olympischen Spielen teil.

Zur selben Zeit setzten sich Ärzte nachdrücklich für sexuelle Aufklärung der Mädchen ein, um der Syphilis Einhalt zu gebieten. Ein aufgeklärtes Mädchen lasse sich nicht so leicht verführen und werde vom Verlobten ein Gesundheitsattest verlangen. Aufklärungsbroschüren erschienen. Aber, da es schon an Revolution grenzte, den Frauen ein Recht auf den eigenen Körper einzuräumen, wie konnte man ihnen da obendrein noch ein Recht auf die Kontrolle über den Körper des Mannes gewähren?

Leib oder Seele

Das »Verhältnis zwischen Physis und Moral beim Menschen«[21] hatte die Ärzte der Aufklärung stark beschäftigt. Waren eheliche Liebe und Mutterliebe, deren die Gesellschaft so dringend bedurfte, hehre Gefühle und auf immerdar in die weibliche Seele eingepflanzt? Oder waren sie nur ungewisse und zufällige Launen einer Gebärmutter, die nach Sperma und Fötus lechzte? Das Verhältnis zwischen Leib und Seele blieb ein Geheimnis. Hat sich im Laufe des Jahrhunderts mit den Veränderungen der Rolle des »schwachen Geschlechts« in Gesellschaft und Familie auch diese Beziehung geklärt oder gewandelt? Wie entwickelte sich die Begegnung zwischen Frau und Mann, zwischen der Frau und dem Mann im Kind?

Das Geschlecht der Engel

Seit den 1840er Jahren wurde es üblich, mit dem französischen Wort »frigidité« die sexuelle Lustlosigkeit bei Frauen zu benennen. In der viktorianischen Zeit entstand im übrigen eine Literatur, die eine solche Lust glattweg leugnete. Es ist bekannt, daß etwa Michelet Athenaïs nicht zum »Erschauern« bringen konnte; diese war zufrieden damit, begehrt zu werden, gut zu essen und ruhig zu schlafen: Das war ihre ganze Sinnlichkeit. Da es zum Problem geworden war, Madame zu erwecken, gab Doktor Debay, Militärarzt und Realist, ein Aufklärungsbuch heraus, das zwischen 1848 und 1888 hundert Auflagen erlebte und die verschiedenen Methoden, eine Frau zu erregen, detailliert erläuterte.[22] William Acton, ein in angelsächsischen Ländern vielgelesener Arzt, hielt dagegen, die Sexualität der Frau sei mit Kinderkriegen und Haushalt völlig ausgelastet.[23] Er hat viel zur Definition von *true womanhood* und zur Trennung der »zwei Sphären« beigesteuert.

Zu beachten ist, daß Sexualität dem viktorianischen Moralismus allgemein nicht geheuer war. Derselbe Acton empfahl den Herren, sich in ihrer sexuellen Betätigung zu bremsen: Ein Beilager alle sieben oder zehn Tage reiche völlig aus. Mehrere französische Ärzte waren derselben Meinung. Die meisten Mediziner empfahlen einen kurzen Koitus, um die Manneskraft nicht zu vergeuden, was einem gleichzeitigen Orgasmus kaum dienlich sein konnte. Zudem fanden die zwischen 1840 und 1860 recht erfolgreichen Ovologen heraus, daß ein Höhepunkt der Frau für die Empfängnis nicht nötig ist. Mit dieser Entdeckung war die ausschließliche Berufung der Frau zur Mutter bestätigt, die Selbstbezogenheit des Mannes gerechtfertigt und die verhaßte Klitoris der Nutzlosigkeit überführt.[24] Es waren also mehrere

Faktoren, die zu einer neuen Auffassung und Praxis der sexuellen Beziehungen führten: Der für produktive Arbeit zuständige Ehemann dürfe nicht überstrapaziert, die Ehefrau müsse wegen ihrer Aufgaben als Mutter und Hausfrau geschont werden, und schließlich solle man auch das Zeugungsgeschäft nicht übertreiben. Für die Frauen war dabei nicht deren sexueller Appetit auschlaggebend, sondern die vielfältigen Zwänge, denen sie unterworfen waren,.

Elisabeth Blackwell, 1845 die erste Ärztin in den Vereinigten Staaten, behauptete, Frigidität sei in erster Linie ein Produkt der Erziehung: Mit dem Ziel, junge Mädchen bis zur Ehe jungfräulich zu halten, werde ihnen eingeschärft, es sei Sünde, an das Geschlecht zu denken.[25]

Mädchen lebten in der Tat durchaus nicht »natürlich«. Sie wurden zwischen zwölf und fünfzehn geschlechtsreif, durften aber im allgemeinen erst nach dem zwanzigsten Lebensjahr heiraten; dieser gesellschaftlich erzwungene Wartestand war wider die Natur. Damit sich Mädchen ohne übermäßigen Zwang auf das Warten einließen, wurde dafür Sorge getragen, daß das Verlangen nicht zu früh erwachte. Deshalb empfahl es sich, ihnen die fleischlichen Realitäten des Geschlechtslebens zu verheimlichen. Ein »reines« Mädchen sollte nichts wissen und nichts ahnen. So gesehen war Jungfräulichkeit nicht länger christliche Tugend: Freidenkenden Vätern und Ehegatten war daran nicht weniger gelegen als den gläubigen. Jungfräulichkeit galt als Gütesiegel einer zukünftigen Gattin.

Strenge Prinzipien regelten daher die Erziehung der Jungfrau, für die die Mutter zuständig war. Erziehungsbücher gaben sexualhygienische Empfehlungen über Ernährung (nur unaufreizende Schonkost, abends Milch) und Nachtruhe (kein weiches Pfühl, Frühaufstehen). Masturbation war kaum zu verhindern; Ärzte behaupteten, Mädchen frönten ihr häufiger als Knaben. Eine energische Vorkämpferin der Social Purity und Predigerin der Keuschheit stellte beim Lesen von Traktaten gegen das »heimliche Laster« mit Schrecken fest, daß sie sich diesem Laster jahrelang selbst in aller Unschuld hingegeben hatte.[26] Ein sittsames Mädchen behielt beim Waschen und sogar beim Baden das Hemd an und kniff die Augen zu, wenn dieses gewechselt werden mußte.

Die Mutter sollte das Mädchen aufklären, wenn die erste Menstruation bevorstand. Sogar die Priester wünschten dies: Mit dem *Ave Maria* (»gebenedeit sei die Frucht deines Leibes«) könne man das Kind darauf vorbereiten und ihm erklären, die Regel sei dazu da, die Frau allmonatlich an ihre wahre Bestimmung zu erinnern. Wieviele Mütter trauten sich das zu? Madeleine Pelletier, eine Frau aus dem Arbeitermilieu, berichtete, wie sie eines Tages (1886, mit zwölf Jahren) total verängstigt mit blutbeflecktem Kleid in die Schule kam. Von der Nonne angeschnauzt, rannte sie nach Hause zurück, wo ihre frömmelnde

Mutter keinerlei Fragen zulassen wollte. Schließlich habe sie der bettlägerige Vater mit ein paar zotigen Bemerkungen ein für allemal sexuell aufgeklärt.[27] Madeleine wurde Ärztin, brachte es aber nie über sich, einen Mann an sich heranzulassen. Sicher gingen manche Frauen wegen ähnlicher Erlebnisse ins Kloster. Wäre das erstaunlich? Mütter, die damit groß geworden waren, den eigenen Körper zu verachten und sich ihres Geschlechts zu schämen, konnten nur dummes und stummes Dulden lehren. Entsprechend hatten viele junge Frauen vor der Hochzeitsnacht keine Ahnung, was auf sie zukam. Selbst da noch schwiegen die Mütter. Vielleicht fürchteten sie, Ekel vor dem Geschlechtsakt zu wecken, wenn sie ihn nur mit nackten Worten und ohne die Gefühle und Zärtlichkeiten, die ihn erst erträglich machten, beschrieben. Diese Furcht war nicht unbegründet: Zélie Guérin, die spätere Mutter von Therese von Lisieux, hatte sich reichen Kindersegen gewünscht, erlitt aber einen Nervenschock bei der Mitteilung, was sie dafür in Kauf nehmen sollte; ihr verständnisvoller Gatte wartete mehrere Monate, bevor er die Ehe vollzog.

Lieber wurde versucht, den »Mutterinstinkt« zu wecken. Joséphine de Gaulle, die Großmutter des Generals, Verfasserin vieler Kinderbücher, schlug vor, Heranwachsenden ein Kätzchen oder Hündchen zur Pflege zu geben. »Große Mädchen« könnten auch Patin, das heißt, wie sie erklärt, spirituelle Mutter werden und das Patenkind moralisch miterziehen. Zur Vorbereitung auf die Mutterschaft aber diente in erster Linie die Puppe. Dieses Spielzeug verbreitete sich rasch und machte dabei äußerlich eine grundlegende Veränderung durch. Zu Beginn des Jahrhunderts sah die Puppe wie eine elegante junge Dame aus, als wolle man dem kleinen Mädchen Lust machen, groß und schön zu werden. Um 1850 brachten Fabrikanten Säuglingspuppen auf den Markt, die sofort reißenden Absatz fanden. Diese Säuglinge waren geschlechtslos wie Engelchen und blieben es bis lange nach dem Zweiten Weltkrieg. Mit ihnen konnte das kleine Mädchen wunderbar »Mutter und Kind« spielen.

Dem »unschuldigen« Mädchen wurde Verschämtheit zu einer Art unbewußtem Habitus; so entwickelte es sich zum typischen »Backfisch«. Die Erziehung zur engelhaften Unschuld verfestigte sich um die Jahrhundertmitte als Programm, setzte sich aber in der Praxis niemals für alle und überall durch. Auf dem Lande, wo alle zusehen können, wie Tiere kopulieren und Junge werfen, konnten Mädchen wohl kaum naiv gehalten werden. Rituale und Feste heidnischen Ursprungs trugen außerdem dazu bei, den Geschlechtstrieb zu wecken. In der Provence rannten die Jungen im Karneval den Mädchen nach und schmierten ihnen Modder auf Brust und Schenkel.[28] In Mittel- und Westfrankreich wurden »Weibermärkte« abgehalten.[29] Obwohl auch die ländliche

Gesellschaft ihre jungen Leute im Griff hatte, blieb der Umgang zwischen jungen Männern und jungen Frauen freizügig. In den Marais der Vendée durften Verliebte einander mit Duldung der Familie unter einem großen Regenschirm liebkosen; ausgiebige Zungenküsse wurden dabei ebenso akzeptiert wie gegenseitiges Petting; die Mädchen waren wißbegierig genug, mehrere Liebhaber auszuprobieren. Die katholische Offensive hatte Ende des Jahrhunderts Mühe, diesen Mädchen Tugend beizubringen. In den Armenvierteln der Städte scheinen voreheliche Beziehungen allgemein üblich gewesen zu sein.[30]

In den Vereinigten Staaten wurde mitten im viktorianischen Zeitalter hemmungslos geflirtet. Diese Libertinage verblüffte immer wieder erneut die Besucher aus Europa, von Tocqueville in den 30er Jahren bis Mademoiselle Marie Dugard, der Repräsentantin der französischen Oberschule auf der Weltausstellung von Chicago 1893.[31] Junge Mädchen gingen ohne Anstandsdame mit Jungen ihrer Wahl aus und kamen erst spät nachts nach Hause: Aus vertraulichen Tagebüchern und Briefwechseln geht hervor, wieviel Spaß sie daran hatten, sich küssen und streicheln zu lassen und es hundertfach zu vergelten.[32] Zwanzig Liebeleien waren ihnen kein Hindernis, am Ende zu heiraten und patente Ehefrauen zu werden.

Selbst in den überspanntesten Kreisen des alten Europa durfte auch das wohlerzogene Mädchen etwa auf einem Ball Annäherungen dulden. Quadrillen und Kontertänze ahmten die schönsten Liebesmomente nach, Begegnung, Trennung, Sichwiederfinden; berühren durfte man einander nur mit den Händen oder Fingerspitzen. Doch mit dem Wiener Walzer brach eine neue Welt von Gefühlen und Empfindungen herein. Engumschlungen wirbelten die Paare übers Parkett: Dreivierteltakt, schwindelerregender Hautkontakt, Festlichkeit und Sinnenrausch. Ein Fräulein von Stand kann zudem »verrohte« Dienstboten[33] oder verbotene Bücher zu Rate ziehen: Louise Weiss schlich allnächtlich hinunter in die väterliche Bibliothek, um sich mittels Nachschlagewerken kundig zu machen.[34] Im übrigen wurde auch in Frankreich um die Wende zum 20. Jahrhundert heftig geflirtet.[35]

Ob Backfisch oder unberührte Jungfrau, eines Tages mußte das junge Mädchen heiraten. Selbst wenn die Hochzeitsnacht gut verlaufen war, stieß sie auf dem Weg zur erfüllten Sexualität alsbald auf Hindernisse: Das bei weitem größte war das Kinderkriegen. Fachleute meinten damals, Geschlechtsverkehr in der Schwangerschaft schade dem Kind und der Milch; darauf Rücksicht zu nehmen, hätte zwei Jahre Enthaltsamkeit bedeutet. Die Zahl derer, die die Geburten beschränken wollten, wurde ständig größer. Die Angst, schwanger zu werden, durchtränkte das Begehren, solange geglaubt wurde, die Lust begünstige die Empfängnis. Der Verhütung redeten fast ausschließlich Männer das Wort, hauptsächlich Engländer: Robert Malthus, Francis Place, Richard Carlyle, Charles Knowlton. Frauen und selbst Feministinnen vermieden noch lange, dieses Thema öffentlich anzusprechen. Doch insgeheim, in ihren Briefen und Tagebüchern sprachen sie von ihrer Erschöpfung und ihrem Widerwillen. Königin Victoria war keine glückliche Mutter: Neun Schwangerschaften und Geburten mußte sie durchstehen, jede ein Martyrium, das ihr Eheleben belastete und ihr jegliche Bewegungsfreiheit nahm. Ihr Horror vor einer vielköpfigen Familie wurde in der englischen Oberschicht weitgehend geteilt, was nicht ausschloß, daß auch diese kräftig für Nachwuchs sorgte.

Die Geburtenverhütung kam nur langsam zum Zuge, und die auffallenden Unterschiede zwischen den einzelnen Ländern sind schwer zu erklären. Am weitesten fortgeschritten waren Frankreich – wo die Geburten bereits seit 1790 deutlich zurückgingen – und die Vereinigten Staaten, wo der Geburtenrückgang nach 1880 einsetzte. Diese beiden Nationen hatten miteinander gemein, daß sie eine Revolution gemacht und die Menschenrechte sowie die Freiheit des Individuums verkündet hatten. Es läßt sich allerdings kaum beweisen, daß dies der entscheidende Faktor war. In den Ländern Nordeuropas ging die Zahl der Geburten erst nach 1870 zurück, in Südeuropa noch später. Man kann nicht sagen, daß der Geburtenrückgang mit der Industrialisierung zusammenhing, denn in Frankreich und den Vereinigten Staaten setzte die Industrialisierung erst sehr viel später ein. Der Geburtenrückgang war auch eine Reaktion auf die verminderte Kindersterblichkeit, welche nach der Pasteurschen Hygienerevolution stark zurückging. Auch war Geburtenkontrolle nicht vorrangig eine Praxis von Protestanten, die sehr auf Gewissensfreiheit achteten, denn Frankreich ist überwiegend katholisch. Das Verhalten der verschiedenen sozialen Schichten ist keineswegs eindeutig. Als Pioniere taten sich nicht die reichen und kultivierten Oberschichten hervor; so erreichten in Frankreich die Damen von Adel und Großbürgertum weiterhin die höchste Fruchtbarkeit. Die angeblich konservativen Bäuerinnen gingen bisweilen – so z. B. im aquitanischen Becken – sehr früh dazu über, die Zahl ihrer Geburten zu beschränken. Demgegenüber brachten Arbeiterinnen überall noch sehr viele Kinder zur Welt, zumindest bis die Kinderarbeit verboten wurde. In den Vereinigten Staaten ist zu beobachten, daß die bereits dort geborenen Frauen weniger Kinder bekamen als die Einwanderinnen. Es kam auch vor, daß Einwanderinnen nach dem Seßhaftwerden mehr Kinder gebaren. Das gilt zumindest für die Brabanterinnen, die zwischen 1852 und 1856 in Wisconsin siedelten.[36] Die Geburtenbeschränkung ist ein komplexes Phänomen, bei dem ökonomische, kulturelle und psychologische Faktoren zusammenspielten, jeder Fall ist ein Fall für sich. Selbst die These, daß die

Mittelschichten hierbei eine Pionierrolle gespielt haben, ist daher gewagt.[37]

Die Methoden der Geburtenbeschränkung bzw. Familienplanung waren höchst unterschiedlich. Hier soll es weniger um deren Wirksamkeit als um deren Bedeutung gehen: Wieviel Initiative, Verantwortung, Freiheit ermöglichten sie den Gebärfähigen, welche Verfügungsgewalt über den eigenen Körper, wieviel Aussicht auf lustvolle Sexualität?

Das hergebrachte Muster von Spätehe, verlängerter Stillzeit und hoher Ledigenziffer blieb in vielen ländlichen Gebieten üblich. Das gilt für Irland, die Iberische Halbinsel, die Gebirgsregionen Frankreichs und Italiens. Doch mit dem Rückgang der Kindersterblichkeit reichten diese Vorkehrungen nicht mehr aus. Um die Übervölkerung zu vermeiden, hätten junge Frauen gegen Ende des 19. Jahrhunderts erst nach dem fünfunddreißigsten Lebensjahr heiraten dürfen oder zu vierzig Prozent ledig bleiben müssen. Nun heirateten aber um 1850 in Frankreich auf dem Land Frauen mit etwa fünfundzwanzig Jahren, und nur dreizehn Prozent aller Frauen blieben zeitlebens ledig.

Manche Ehepaare hatten getrennte Schlafzimmer: diese Lösung war wohl nur für reiche Leute mit großen Wohnungen praktikabel. Diese Methode funktionierte, doch getrennt zu schlafen, konnte frustrierend sein. Für wen? Dem Hausherrn, der auf seine Gattin »Rücksicht nahm«, machte es selten etwas aus, sie entweder mit ausgehaltenen Frauen oder, als sparsamer Hausvater, mit einer Magd zu betrügen. Was aber war mit der Dame des Hauses?

In der Mittelschicht waren die Gatten eher auf Verhütung bedacht. Gewisse Methoden, in galanteren Kreisen schon lange üblich, drangen allmählich auch in ehrbare Haushalte vor. Soweit dafür Hilfsmittel erforderlich waren, setzten sie sich erst spät und nur in Grenzen durch: Kondom, Pessar, Spülungen waren lange Zeit zu teuer und zu unbequem. Analverkehr und Fellatio wurden in Prozessen als Scheidungsgrund angeführt; welche reale Verbreitung sie hatten, ist nicht bekannt. Alles deutet darauf hin, daß dem simplen und kostenlosen Coitus interruptus fast überall der Vorzug gegeben wurde. Er verlangt vom Mann eine problematische Selbstbeherrschung, und das Ergebnis hängt daher wesentlich von ihm ab. Die Methode entsprach also voll der patriarchalischen Logik, nach der sich die Frau passiv ihren »ehelichen Pflichten« zu unterwerfen hatte. Und dennoch wurde alles anders: Indem der Mann nun einzig und allein seine Lust suchte, gab er seiner Gefährtin ein Beispiel oder verhalf ihr zumindest zu einer bewußten Wahrnehmung der Situation. In jedem Fall verhielt sich der Gatte, auch wenn er nur Vaterpflichten vermeiden wollte, nun schonender gegenüber der Lebenskraft, Gesundheit und Freiheit der Erzeugerin seiner Kinder und gewährte ihr so eine Chance auf ein anderes Leben ohne Überlastung durch Mutterschaft.

Der katholische Klerus reagierte erst, als der Coitus interruptus bereits allgemein verbreitet war. Warum so spät? Seit der Revolution gingen in erster Linie die Frauen zur Beichte, und diese sprachen das Thema von sich aus nicht an und ließen sich ungern danach ausfragen. Die meisten fühlten sich ohnehin nicht zuständig, weil der Gatte die Sache in der Hand hatte. Manche beichteten ihre Komplizinnenschaft und behaupteten, des guten Glaubens gewesen zu sein, es sei keine Sünde, sondern im Gegenteil verantwortungsvolles Tun. Der Priester bohrte nie nach: Zeugung war Männersache. Die Ärzte protestierten dagegen in aller Klarheit und sehr früh. Etlichen machte zu schaffen, daß die Frauen um ihre Befriedigung betrogen wurden; sie ließen damit durchblicken, daß Frauen wohl gar nicht so frigide waren, wie gemeinhin behauptet wurde. Doktor Bergeret[38], dessen Aufklärungswerk auch in englischer Übersetzung viel gelesen wurde, drohte den »Betrügern« mit den fürchterlichsten Krankheiten, was diese jedoch wenig beeindruckte.

Verhütungstechniken führten in der Praxis nicht dazu, die Zeiten zwischen den Geburten zu verlängern, sondern dazu, die Phase des Kinderkriegens insgesamt zu verkürzen.[39] Offenbar lag den Frauen wenig daran, ihre Schwangerschaften weiter auseinanderzulegen; sie brachten diese Belastungszeit lieber schnell hinter sich, um dadurch Zeit für ein anderes, selbständigeres Leben zu gewinnen.

Abtreibung wird häufig als ein besonders in der Arbeiterschaft verbreitetes frauenspezifisches Verfahren dargestellt. Hier muß differenziert werden. In der Unterschicht war Abtreibung zweifellos allgemein üblich, doch abgetrieben wurde auch in besseren Kreisen. Einen Beleg dafür liefert Lady Henrietta Stanley, die sich ihrer zehnten Schwangerschaft mit einem Abführmittel, einem brühheißen Vollbad und einem Gewaltmarsch entledigte und dann ihren Gatten Lord Edward davon in Kenntnis setzte. Mit Sicherheit war Abtreibung Frauensache: Schon seit eh und je haben zahlreiche Frauen alleine eine Abtreibung ausgeführt oder einander dabei geholfen, ohne Schuldgefühl und in der Überzeugung, der Fötus lebe erst, wenn er treten könne, also vom vierten Monat an. Dieser Annahme folgte auch die englische und amerikanische Gesetzgebung.[40] Doch trotz aller Tradition veränderten sich Charakter und Bedeutung der Abtreibung durch die Technik und die zunehmende Beteiligung von Männern. Mit genauerer Kenntnis von Anatomie und Physiologie der Frau wurden Methoden möglich, die nicht so traumatisierend wirkten wie Pilzgifte oder Sprünge vom Heuboden: Mit einer Stricknadel wurde die Fruchtblase angestochen und später immer häufiger durch eine Kanüle Seifenwasser in die Gebärmutter geleitet; sofern dabei aseptisch vorgegangen wurde, hielt sich das Risiko in Grenzen.[41] Um 1910 war das Seifenwasser-Verfahren alltägliche Praxis geworden; professionelle Abtreiber, Ärzte und Hebammen boten ihre Dienste ziemlich unverhüllt an. Mit welcher Methode auch immer ausgeführt, die Zahl der Abtreibungen nahm in der zweiten Hälfte des 19. Jahrhunderts allenthalben zu. Sie war keine Verzweiflungstat verführter Mädchen oder kinderreicher Mütter, sondern ein Verfahren zur Geburtenbeschränkung. Eine früher der privaten und diskreten Frauenwelt vorbehaltene Praxis wurde nun in Männerhand kommerzialisiert: Die Gebrüder Chrimes hatten in London 1898 mindestens zehntausend Klientinnen.

Am Ende des Jahrhunderts kam es zu einer verblüffend allgemeinen und heftigen Reaktion auf diese Entwicklung. Die Abtreibung wurde zum politischen Problem Nummer eins. In den Vereinigten Staaten setzte diese Reaktion unmittelbar nach dem Bürgerkrieg ein; in England stand sie in einem gewissen Zusammenhang mit dem Aderlaß des Burenkriegs; in Frankreich war sie unterschwellig von Revanchegelüsten nach der Niederlage von 1870 gegen die Preußen motiviert. Nach einem jeden Krieg gilt das Leben als heilig! Überall wurde nun Abtreibung mit Kindsmord gleichgesetzt: Fötus und sogar Embryo erklärte man zu vollwertigen Menschen. Das hatte das christliche Dogma zwar schon immer vertreten. Doch spielte sich nun alles so ab, als hätte sich die weltliche Gesellschaft diese Erkenntnis ganz plötzlich zu eigen gemacht oder sich erstmals aufgerafft, sich allen daraus folgenden Konsequenzen zu stellen.

Was die Sexualität der Frau anbelangt, so dürfte die damals sehr schmerzhafte und bisweilen auch verstümmelnde Abtreibung das sexuelle Begehren gewiß nicht gefördert haben. Aus Polizeiakten über Ruhestörung geht hervor, daß viele Frauen der Unterschicht ihrem Mann die »eheliche Pflicht« verweigerten, selbst wenn sie deswegen verprügelt wurden. Eine von ihnen befriedigte sich selbst direkt neben ihrem Gatten, den sie kurz zuvor abgewiesen hatte.[42] Alle diese Frauen erklärten, sie wollten das Risiko einer Schwangerschaft und seltener auch der Syphilis vermeiden. Wie konnte Erotik bei solchen Hindernissen ins Ehebett finden?

Die Amerikanerinnen, energischer als die Europäerinnen, unternahmen in den letzten beiden Jahren des Jahrhunderts eine entschlossene Offensive.[43] Womöglich in der Hoffnung, so die Zahl der Schwangerschaften begrenzen zu können, lehnten sie unter Berufung auf die Religion ausdrücklich die bestehenden Geschlechterrollen und die ehelichen Rechte des Mannes ab. Militante Vorkämpferinnen für Social Purity verkündeten, allein der Gattin stehe es zu, über Häufigkeit und Zeitpunkt des ehelichen Verkehrs zu befinden, denn die Doktrin der

»zwei Sphären« räume ihr uneingeschränkte Verfügung über ihre Privatsphäre ein. Es sei zwar eine irrige Annahme, daß Frauen weniger Lust verspürten als Männer; aber Frauen könnten sich beherrschen, während Männer Sklaven ihres Triebes seien. Welche Auswirkung hatte dieser puritanische und keineswegs feministische Kreuzzug? Eine nach 1892 von der Ärztin Clelia Mosher durchgeführte Untersuchung läßt darauf schließen, daß sich eine Art Kompromiß durchgesetzt hatte. Eheleute hatten im Durchschnitt zweimal pro Woche Geschlechtsverkehr. Die Männer hatten gern dreimal, die Frauen aber nur einmal gewollt.

Mit der geringeren Kinderzahl veränderte sich indes die Selbstwahrnehmung der Frauen. Auch wenn sich die Negation alles Geschlechtlichen als Kodex des Wohlverhaltens bis Ende des Jahrhunderts hielt, verlor Sexualität allmählich das Odium des Schandbaren, und die eheliche Liebe entwickelte sich zu mehr als bloßer Pflicht. Mit der Sensibilisierung für Lust wurde die Gattin zu einer empfindungsfähigeren und aktiveren, aber auch anspruchsvolleren Partnerin. Das erklärt auch den Wunsch der Paare nach mehr Intimität. Trotz aller Proteste von seiten der Ärzte setzte sich die Mode der Hochzeitsreise rasch durch. Neuvermählte konnten sich auf diese Weise leichter indiskreten Fragen, Anspielungen, verständnisinnigem Lächeln entziehen. Das eheliche Schlafzimmer wurde zum unantastbaren Refugium. Gleichzeitig aber wurde auch nach außen vertrauter Umgang demonstriert: Monsieur wird in aller Öffentlichkeit »Chéri« genannt und geküßt. Die ehelichen Beziehungen verfeinerten sich, spendeten intensivere Lust, verursachten aber auch Enttäuschung und Überdruß. Was auch immer im Gesetzbuch stand, der Mann war in der Ehe nicht mehr Herr und Meister und sollte es nie wieder werden. Er konnte Geliebter sein, im guten wie im schlechten Sinne. Auch die mütterlichen Gefühle veränderten sich von Grund auf. Fortpflanzung trat zugunsten von Erziehung in den Hintergrund: Eine Mutter mit weniger Kindern hatte mehr Zeit für jedes einzelne, konnte aufmerksamer und liebevoller sein; die Mutter-Kind-Idylle wurde genußvoll ausgelebt.

Die Frau und der Säugling

Ist die stillende Frau Weibchen oder Mutter? Wieviel an ihrem Verhalten ist allein animalischer Instinkt und wieviel menschliche Regung? Die europäischen Gesellschaften gaben hierauf keine eindeutige Antwort. Die Last dieser Ungewißheit hatten zwei Jammergestalten zu tragen: die Amme und die ledige Mutter.

Trotz aller Schriften Rousseaus blühte das Ammengewerbe im ganzen Abendland in verschiedenen Spielarten: im Süden der Vereinigten Staaten herrschte die schwarze Amme vor; die Engländerinnen beschäftigten hierfür ledige Mütter; die Französinnen bevorzugten verheiratete Bäuerinnen. Der Usus, Säuglingen eine Amme zu geben, hing damit zusammen, daß sexuelle Beziehungen während der Stillzeit tabu waren. Sobald Eva niederkommt, »muß sich Adam aus dem Paradies schleichen«, jammerte Michelet.[44] »Die ehelichen Freuden sind einzuschränken oder zu untersagen« pflichtete Doktor Garnier 1879 bei.[45] Hervorzuheben ist, daß die Entscheidung darüber grundsätzlich immer noch beim Kindsvater lag.

Das Neue im 19. Jahrhundert war die wachsende Zahl von »Hausammen«, die mit den Eltern des Säuglings unter einem Dach lebten. Die Eltern wußten nur zu genau, wie leicht Kleinkinder sterben konnten, wenn sie einer ungebildeten Frau überlassen wurden, und wollten ihr Neugeborenes unter den Augen haben. Die Beziehungen zwischen Madame und der »Ersatzmutter« gestalteten sich bisweilen recht schwierig. Die junge Mutter wachte nunmehr eifersüchtig über ihre Rechte; sie hatte mitunter ein Vermögen in Baby-Ausstattung, Wiege und Einrichtung des Kinderzimmers investiert und wollte sich nun mit ihrem »Baby« schmücken, sich an seinem ersten Lächeln freuen. Aber sie traute sich nicht, die Amme zu verärgern, da sie fürchten mußte, dieser könnte die Milch sauer werden. Die Amme aber wußte diesen Vorteil zu nutzen und zeigte sich manchmal anspruchsvoll und launisch.

Die Amme war vor allem ein gemieteter Körper, gut behandelt, aber botmäßig. Da sie für die Herrschaft ein Wohlstandssymbol darstellte, war sie immer adrett angezogen. Im Hause wurde sie verwöhnt; sie bekam Lohnerhöhungen und Geschenke. Sie schlief mit im Kinderzimmer und nicht etwa in einer Dachkammer wie das sonstige Gesinde. Ihr wurde strikteste Reinlichkeit abverlangt, doch durfte sie essen, wonach ihr der Sinn stand; auch hatte sie so gut wie keine Arbeit zu verrichten, allenfalls einige Näharbeiten. Im schweren Leben einer armen Frau war dieses eine eigenartige Zwischenexistenz, die untilgbare Spuren hinterlassen konnte.

Doch war diese Erfahrung mit schweren Opfern verbunden. Die Amme mußte die eigene Familie und den eigenen Säugling verlassen, den dann eine andere Frau recht oder schlecht aufzuziehen versuchte. Vor der Anstellung hatte ihr der Hausarzt die Brüste befühlt, ihre Milch gekostet, ihren Atem beschnuppert. Obzwar ihr sexuelle Beziehungen nicht strengstens verboten wurden (nicht immer traute man sich, ihr den Umgang mit ihrem Ehemann ganz zu untersagen), waren sie nicht gern gesehen. Ein Arzt drückte es brutal so aus: »Eine Amme ist als

Milchkuh anzusehen. Wenn sie nicht mehr milchen kann, muß sie weg.«[46] Leute mit demokratischem Gewissen, von denen es in Frankreich unter der Dritten Republik immer mehr gab, bezeichneten die Situation der Amme als Skandal und verglichen sie mit der der Prostituierten.

Indessen kam das Ammengewerbe nicht nur durch den Egoismus der Reichen zustande. Schon seit langem wurden für Findelkinder und Kinder von Müttern mit langen Arbeitszeiten entlohnte Ammen herangezogen. In katholischen Ländern und besonders in Frankreich war das Ammenwesen sehr verbreitet.[47] Bäuerinnen, die bereit waren, fremde Säuglinge aufzuziehen, holten sie aus den Spitälern oder besonderen Büros der Stadt ab. Vor allem sie waren gegen Ende des Jahrhunderts von der doppelten Revolution des Stillens, dem Siegeszug des Fläschchens und der Medikalisierung, betroffen.

Die Säuglinge, die von diesen Bäuerinnen mit nach Hause gebracht wurden, waren oft kränklich und von schwacher Konstitution. Durch ihr langes Tagewerk bereits überlastet, schenkten ihnen die Ammen nur wenig Aufmerksamkeit. Ohne große Gram sahen sie die Kleinen sterben. 1870 wurden in der Ammenregion Morvan 65–70 Prozent der »Pariserchen« (der aus Paris geholten Milchkinder) und immerhin 33 Prozent der lokalen Milchkinder, aber nur 16 Prozent der Muttersäuglinge vom Tod dahingerafft. Ärzte und Philanthropen zerbrachen sich lange Zeit ergebnislos die Köpfe über eine Verbesserung der Situation. Erst nach der militärischen Niederlage von 1870 wurde in Frankreich Alarm geschlagen. Für die spätere Revanche mußten massenhaft Rekruten her, und deshalb erschien es dringlicher denn je, jetzt die Kindersterblichkeit wirksam zu bekämpfen. Zum Vorbild nahm man sich die deutschen Sieger und die Bismarckschen Sozialmaßnahmen.

Mit dem Gesetz Roussel (1874) wurde die Überwachung der Ammen durch Amtsärzte eingeführt. Bei ihren Visiten entdeckten diese, unter welchen haarsträubenden Bedingungen die »Aufzucht« stattfand (über die Wortwahl aus der Tierwelt regte sich keiner auf), und sie waren empört. Wie zu Rousseaus Zeiten gaben sie der Unwissenheit und den Vorurteilen der Bäuerinnen und vor allem der alten Bäuerinnen die Schuld an dem Elend der Säuglinge. Doch sie machten auch auf die elenden Wohnverhältnisse auf dem Land aufmerksam, die jeder Hygiene spotteten, und forderten die Einführung von Auswahlkriterien für Ammen. Unter dem Druck dieser Regelungen veränderte sich das Milieu: Berichte aus der Zeit nach 1900 nennen besser ausgestattete Häuser, in denen es mehrere Zimmer, Fenster und sogar Möbel gibt. Die Amme selbst mußte sich ärztlich untersuchen lassen.

Die Inspektoren verzeichneten auch den rasanten Vormarsch des Fläschchens: Mittlerweile ließen die Ammen ihre Brustmilch dem leiblichen Kinde zukommen. Da unter Beachtung der Pasteurisierung Mikroben abgetötet und Infektionen ausgeschaltet werden konnten, duldeten die Ärzte das Fläschchen und förderten es schließlich. Aus einer Stillkarte um 1900[48] geht hervor, daß die stärker industrialisierte, wohlhabendere, besser gebildete Nordhälfte Frankreichs bereits mehrheitlich zum Fläschchengeben übergegangen war; die Südhälfte hielt sich noch etwa 20 Jahre länger an die Mutterbrust.

Durch den Siegeszug des Fläschchens wandelte sich die Beziehung zwischen Frau und Säugling sowohl symbolisch wie auch praktisch.[49] Der Erfolg der Amme in ihrem Beruf hatte von ihrer eigenen Fruchtbarkeit abgehangen. Sie hatte im Extremfall das Kinderkriegen auf sich genommen, nur um das eigene Kind im Stich zu lassen und die Muttermilch zu verkaufen, die dem eigenen Säugling zugestanden hätte. Ausgewählt wurde sie wegen ihrer physischen Eigenschaften. Das Fläschchen machte dieser Vermietung der Brüste ein Ende. Die Kinderamme hieß zwar noch so, war aber nur noch Erzieherin, Kindermädchen, und deren Alter und Gebärfähigkeit war bedeutungslos geworden. Das Bruststillen wurde nun zum ausschließlichen Vorrecht der Mutter. Bevor man das Kind an eine fremde Brust anlegte, bekam es notfalls abgepumpte Muttermilch aus dem Fläschchen. Das Bruststillen war nunmehr affektiv besetzt. Eine stillende Frau galt nicht mehr als »Milchkuh«, sondern als treusorgende Mutter.

Eine weitere Wirkung des Fläschchens war, daß es den Ärzten nun gelang, sich in die Beziehung zwischen Frau und Säugling einzuschalten, in der sie so lange nichts zu sagen gehabt hatten. Endlich durften sie nach der Menge und Güte der Muttermilch fragen, die ein Säugling in den verschiedenen Altersstufen brauchte, und optimale Stillzeiten ermitteln. Alsbald waren sie in der Lage, Mütter mit Säuglingen anzuleiten und zu beraten. Noch ein anderer Faktor veranlaßte sie zum Eingreifen: das Elend der ledigen Mütter.

Die Bezeichnung »fille mère« für ledige Mütter, die im Französischen »Mädchen als Mutter« besagt und während der Revolution aufkam, ist heute im Aussterben begriffen. Zwei Jahrhunderte lang galt sie in Frankreich Frauen, die die patriarchalische Logik in Frage stellten. Sobald nämlich unverheiratete Mütter im Diskurs und in der Gesellschaft ernstgenommen worden wären, hätte man bewußt oder unbewußt zugegeben, daß Frauen selber für ihre Kinder sorgen konnten, daß die Mutter-Kind-Gruppe den Vater links liegen lassen und sehr wohl ohne ihn auskommen konnte. Das aber rüttelte an den Grundfesten der Familien- und Gesellschaftsordnung.

Uneheliche Geburten waren auch in früheren Jahrhunderten gang und gäbe gewesen. Doch zwischen 1750 und 1850 wandelte sich ihr Status, als deren Zahl immer größer, die »Verführer« immer verantwortungsscheuer und dadurch die Staatsmacht immer stärker gefordert wurde. Mit gewissen zeitlichen Verschiebungen nahm die Zahl der unehelichen Geburten überall zu.[50] In ganz Frankreich stieg zwischen 1790 und 1840 der Anteil der unehelichen an der Gesamtheit aller Geburten von 3,3 auf 7,4 Prozent und hielt sich noch um die Wende zum 20. Jahrhundert bei 7 bis 8 Prozent. In Paris aber, wo die »gefallenen« Mädchen Legion waren, erreichte dieser Anteil in den 1830er und 1840er Jahren 30 Prozent. In England setzte die Zunahme unehelicher Geburten schon um 1750 ein, doch wurde deren Anteil niemals so erheblich.[51] Selbst in London waren es 1859 nur 4 Prozent. Dagegen scheint in Wien die Zahl der unehelichen Geburten höher gewesen zu sein als die der legitimen. Manche Frauen lebten in wilder Ehe mit dem Vater ihrer Kinder, ob er sie nun als eigene Kinder anerkannt hatte oder nicht. Die wirklich »ledigen Mütter« aber standen ohne jeden männlichen Beistand da. Fast alle waren aufgrund von Gewaltanwendung, Einschüchterung oder eines Heiratsversprechen gefügig gewesen. Vom Gesetz kaum geschützt, sah sich das einmal »gefallene« Mädchen auf dem Lande ebenso wie in der Stadt häufig als Freiwild behandelt. Die öffentliche Meinung ließ sogar Vergewaltigung zu.[52] Ein Mädchen, das nachgegeben hatte, auch unter Gewalt, war »entehrt«, »gefallen«, keiner Achtung und Rücksichtnahme mehr wert. Eine Frau, die schwanger geworden war, ohne verheiratet zu sein oder heiraten zu können, blieb bis auf wenige Ausnahmen[53] ganz auf sich allein gestellt.

Der Kindsmord verschwand nicht, ging allerdings mit steigenden Abtreibungszahlen zurück. Jede uneheliche Mutter, die ihr Kind am Leben ließ, mußte zwischen zwei gleichermaßen schlimmen Alternativen wählen: das Kind aussetzen oder versuchen, es alleine großzuziehen. Hier griff der Staat ein. Seine Maßnahmen sind äußerst aufschlußreich. In den südeuropäischen und katholischen Ländern setzten die Lokalbehörden lange Zeit auf Findelhäuser. In Frankreich wurden die Drehladen der Findelhäuser während der Revolution zunächst geschlossen, aber schon 1811 wiedereröffnet. Die mit der Drehlade gebotene Möglichkeit, einen Säugling anonym auszusetzen, verringerte die Gefahr des Kindsmords, mußte sich die Frau, die das Kind aussetzte, doch nicht offenbaren, wenn sie ihre Unabhängigkeit zurückerlangen wollte. In Wirklichkeit aber hatte eine junge Frau, die »die Ehre« verloren hatte, weiter darunter zu leiden. Auch ohne Kind blieb sie der üblen Nachrede und Verachtung ausgesetzt. Gewissensbisse und Ängste blieben ihr selten erspart: Dem Findelkind war häufig ein Erkennungsmerkmal für später beigegeben oder ein Briefchen des Bedauerns mit der Bitte, gut für das Kind zu sorgen. Nach Ansicht der Behörden aber konnte eine ledige Mutter den lebenden Beweis ihres Fehltritts niemals lieben; und auch das Kind sollte die Frau, die es als Bastard in die Welt gesetzt hatte, nur verachten oder gar hassen können. Deshalb gehe es nicht an, daß eine ledige Frau Mutter sei.

Doch wurden die Findelhäuser dem Staat mit der Zeit zu teuer. Indem das Findelhaus die Kindesaussetzung erleichterte, förderte es sie. Selbst verheiratete Paare in mehr oder minder bedürftiger Lage schafften sich auf diesem Wege lästigen Nachwuchs vom Hals. Wegen allzu großer Nachfrage schlossen die Lokalbehörden ihre Findelhäuser. In Frankreich wurden die letzten 1860 aufgelöst, in Italien 1880. An ihre Stelle traten Ämter, bei denen ein Kind weiterhin abgegeben werden konnte, aber nicht mehr anonym. Erst 1904 wurde in Frankreich durch Gesetz die anonyme Niederkunft und Adoptionsfreigabe ermöglicht.

Unterdessen fand das englische Modell vermehrt Nachahmung. Um der jungen Frau zu helfen, gewährte man ihr Unterstützung. In England widmeten sich private Mütterwohlfahrtsvereine dieser Aufgabe. Schon der bloße Gedanke an eine solche Praxis löste in Frankreich und in Italien bei gläubigen Katholiken Entsetzen aus. Sie befürchteten, damit die sündige Lust zu fördern. Doch die Zeit arbeitete für die Wohlfahrt. In Frankreich machte der Geburtenschwund den Ökonomen Sorgen: Aus ihrer Sicht war das sogenannte natürliche Kind genausoviel wert wie jedes andere; es bei der Mutter zu lassen, schien die billigste und sicherste Form der Aufzucht. Von kirchlicher Seite wurde allmählich zugestanden, daß die junge Frau durch Pflege ihres Kindes Reue beweisen, Vergebung verdienen und auf Umwegen schließlich auch zu Mutterwürden gelangen könne. Die revolutionäre Krise von 1848 beschleunigte diese Entwicklung. Die gesetzlich geregelte Beihilfe wurde von einem Armenausschuß verteilt, der das sittliche Verhalten der Geförderten streng überwachte. An die Stelle des Gatten und Vaters trat der französische Staat als Ernährer und maßte sich einen Teil von dessen Verfügungsgewalt an. Gleichwohl war die Beihilfe für die uneheliche Mutter ein kleines regelmäßiges Einkommen, um das sie beneidet wurde. Vermutungen wurden laut, ob die ledige Mutter ihr Kind allein aus Geldgier und nicht aus Liebe bei sich behielt. Um an die Beihilfe zu kommen, wurde möglicherweise der Kindsvater einfach verschwiegen und die geplante Heirat aufgeschoben.

Eine ledige Schwangere, die im Spital niederkam, wurde mehr oder minder gut behandelt. Das Preußen Bismarcks richtete schon vor der Jahrhundertwende Mütterstationen ein, wo Schwangere in Ruhe die Niederkunft abwarten konnten. In Frankreich und in Italien war die Unterbringung erheblich schlechter. Ledige Frauen wurden ohne Rücksicht auf Schamgefühl als Anschauungsobjekt für Medizinstudenten eingesetzt; nach der Geburt hatten sie zwei oder drei fremde Säuglinge zu ernähren, und man nahm ihnen das eigene Kind weg, damit sie es nicht bevorzugen konnten. Doktor Fodéré beobachtete solche Praktiken schon zu Beginn des 19. Jahrhunderts im Hôtel-Dieu von Marseille. Seine vehemente Kritik blieb vergebens.[54] Die Praxis hielt sich auch in Mailand. Im Juli 1899 wurden dort im Ospedale 74 Säuglinge auf 32 stillende Mütter gezählt. In Mantua mußte eine im Januar 1900 niedergekommene ledige Mutter zwischen März und November 18 Neugeborene stillen. Manche der Säuglinge waren schon bei der Geburt mit Syphilis infiziert und steckten ihrerseits die Milchmutter an, die dann die Seuche auf weitere Kinder übertrug, die wiederum anderen Milchmüttern angelegt wurden und auch diese ansteckten. Die Ärzte sahen allein in den Milchmüttern die Schuldigen; sie brandmarkten das mehrfache Stillen und den häufigen Säuglingstausch aus Freundschaft oder des Verdienstes wegen.

Gegen dieses Gewimmel von Leibern und Mikroben traten Pasteur und die Hygienebewegung auf den Plan. Die Aufzucht von Menschen wurde humanisiert, kam aber zugleich unter die Aufsicht der Ärzte. Die Männer der Wissenschaft machten sich nun an die geduldige und methodische Ausbildung von Müttern und Ammen.

Als erstes schafften sie den »Mutterinstinkt« ab, der bis dahin für eine Trennung zwischen der durch Erfahrung, Gefühl und Tradition bestimmten Welt der Frauen und der durch Neuerungen, Rationalität und Wissenschaft bestimmten Welt der Männer gesorgt hatte. Mutterschaft bedurfte nach Meinung der Ärzte fortan auch in ihren körperlichen Aspekten einer wissenschaftlich hergeleiteten Kultur. Bei Frauen wohlhabenderer Kreise schlugen die Ärzte einen herablassend freundlichen Ton an. Gegenüber ärmeren Frauen bevorzugten sie den Kommandoton: die Zahl der Mahlzeiten und deren Zeitpunkt, das Sterilisieren von Fläschchen und Schnullern, das Säubern und Baden, die Schlafenszeiten, die Benutzung des Thermometers, all dies wurde strengstens vorgeschrieben. Um Frauen aus der Unterschicht zu unterweisen, führten Geburtshelfer in der Gebäranstalt eine Säuglingsberatung ein. Auch private Einrichtungen (in Frankreich die *gouttes de lait*) boten ihre Dienste an. Die Mütter scheinen eifrig um Rat nachgesucht und Anweisungen fügsam befolgt zu haben. Für jedes Kind wurde ein Gesundheitsbuch angelegt. Das erste, 1869 von dem Arzt Fonssagrives erfundene Muster, gelangte durch den Arzt M.-W. Garrison über den Atlantik. In diesem Buch sollten Gewicht, Körpergröße, Impfungen und Krankheiten notiert werden. Wohltätige Damen assistierten den Ärzten, knüpften Beziehungen zu den Ratsuchenden an und machten Hausbesuche zur Vergewisserung, daß die Vorschriften richtig verstanden worden waren. Eine neue Form gegenseitiger Frauenhilfe zeichnete sich ab: diese aber war nicht mehr selbständig, sondern stand völlig unter der Kontrolle von Ärzten.

Manche Mediziner wollten Säuglingskunde in die Lehrpläne der Grund- und Oberschulen für Mädchen einführen, um Mädchen frühzeitig auf ihre spätere Mutterschaft vorzubereiten, die in aller Augen die vorbestimmte Rolle des »schwachen Geschlechts« war. Dieses Vorhaben aber konnte sich nirgends durchsetzen. Die Lehrpläne für Mädchenschulen wurden zunehmend nach dem Muster derjenigen für Knaben gestaltet. Das aber mußte über kurz oder lang die spezifischen Frauenrollen in Familie und Gemeinwesen zum Verschwinden bringen.

Die Seele

Im Zuge der kulturellen und ökonomischen Entwicklung veränderte sich auch die Aufteilung der Rollen und Aufgaben zwischen den Geschlechtern. Allerdings ging man in Theorie und Praxis weiterhin vom Unterschied zwischen dem öffentlichen Leben als Betätigungsraum der Männer und dem Privatleben als Reich der Frauen aus, also von den »zwei Sphären«, wie sie in den Vereinigten Staaten genannt wurden. Es gab demnach eine Welt der Frauen, in der ständig eine eigene, wesentlich sinnliche und gefühlsbetonte Kultur entwickelt und weitergegeben wurde. Wie aber gestaltete sich das Zusammenleben zwischen den Frauen sowie zwischen ihnen und den Männern?

Die Erziehung lief darauf hinaus, immer gefestigtere, selbständigere Persönlichkeiten zu formen. Wie aber konnten die so ausgebildeten Frauen schließlich ihre ureigenen Ziele mit dem, was sie ihren nächsten Angehörigen schuldeten, auf einen Nenner bringen?

Frauen unter sich

Victor Hugo schwelgte in seiner Beschreibung von Cosettes Zimmer ebenso wie Balzac beim Möblieren des Zimmers von Césarine Birotteau in eigenen Phantasien. Junge Mädchen aber wollten schlicht ein Zimmer für sich allein. Keine Frau äußerte je, sie sehne sich nach der schwülen Gemeinsamkeit der alten Pensionatsschlafsäle zurück. Das Zimmer, wo alte Puppen gehütet, Erinnerungsstücke verborgen wurden, wo sie sich zum Träumen oder Weinen einschließen konnte, wurde Zuflucht knospender Autonomie, der erste Ort, wo sich Persönlichkeit äußern konnte. Auch das geheime Tagebuch diente der Selbstvergewisserung.[55] Ein Tagebuch zu führen, war nicht neu, aber es wurde umfangreicher und erhielt eine andere Bedeutung. Zu Beginn des Jahrhunderts hatte noch die Gewissenserforschung als christliche Bußform vorgeherrscht: Schon kleine Mädchen sollten aufschreiben, wo sie gesündigt hatten, in Versuchung geraten waren, und welche guten Vorsätze sie gefaßt hatten. Doch bald übten sich Tagebuchschreiberinnen in Selbstversenkung, Selbstentschlüsselung oder Selbstbetrachtung, wie es die Psychologen schon damals nannten. Junge Mädchen wie Marie Bashkirtseff brachten ihre Zukunftsangst oder auch ihre Auflehnung zu Papier, ihr Streben nach Unabhängigkeit. Manche blieben auch als Erwachsene ihrem Tagebuch treu, um etwas wie innere Leere auszufüllen und um Tage festzuhalten, die ohne Spuren verrannen, wie es Eugénie de Guérin und Alix de Lamartine taten.[56] Für das kleine und sogar noch für die heranwachsenden Mädchen galt die Erziehung durch die Mutter als besser denn jede andere, weil nur sie auf das Privatleben wirklich vorbereiten könne. In Briefen und Tagebüchern erscheint diese Erziehung sanft und einfühlsam, aus Vertraulichkeiten und Komplizinnenschaft gewoben. Zärtlichkeiten zwischen Mutter und Tochter wurden immer üblicher, das Siezen wurde durch das Duzen ersetzt, körperliche Züchtigungen waren zunehmend verpönt. Dies gilt vor allem für die Mittelschicht; im Adel und in Bauernfamilien wurde die alte Distanz und Erziehungstradition noch länger gewahrt.[57] Die Mütter betätigten sich gerne als Lehrerinnen oder Repetitorinnen ihrer Töchter, und vor allem die sittliche Erziehung stand allein ihnen zu. Viele stürzten sich auf Erziehungsbücher. Niemals zuvor scheint das Verhältnis zwischen Mutter und Tochter eine solche Intimität erreicht zu haben, niemals zuvor war allerdings auch die soziale Rollenzuweisung nach Geschlecht so umstritten. Durch die geringere Kinderzahl wurden zudem dauerhaftere und persönlichere Beziehungen gestiftet. Doch der Rollenzwiespalt blieb. Nicht selten bedauerte eine Mutter, ein Mädchen geboren zu haben, »so tief ist die Vorstellung verwurzelt, daß ein Mann mehr Glück und Würde bedeutet«. Sie lief dann Gefahr, im Kind das eigene Geschlecht zu verachten und zu vernachlässigen; dafür gibt es zahlreiche Beispiele. Oder eine Mutter wollte, getragen vom »Gefühl der Identität«, in der Tochter ein neues, noch besseres »Ich erschaffen«,[58] eine idealisierte Doppelgängerin. In einem solchen Fall drohte mütterliche Erziehung zur Inquisition zu werden. Für junge Frauen war häufig die Trauer um die verstorbene Mutter das Allerschlimmste. Obwohl sie von weiblichen Verwandten und Freundinnen umgeben waren, fühlten sich Caroline Brame[59] und Stéphanie Julien[60] grausam alleingelassen, vor allem bei so schwerwiegenden Entscheidungen wie der Gattenwahl.

Ende des Jahrhunderts wurde diese innige Vertrautheit noch aus anderer Richtung untergraben. Mütter konnten nicht mehr so genau wissen, was sie ihren Töchtern vermitteln sollten. Die Wissenschaftlerin Clémence Royer fühlte sich wie ein Zwitter. An die Tochter hatte sie nur eine Anforderung: Sie möge sie später »auf diesem Schlachtfeld ablösen«.[61] Mädchen aber konnten, wenn sie das durchlebten, was Louise Weiss die »moralische Pubertät« genannt hat, manchmal äußerst streng über die Mutter urteilen. Mit Bildung und Schulzeugnis versehen und nach Unabhängigkeit verlangend, lehnte die junge Frau das Vorbild der Mutter ab, ohne allerdings selbst auf das Flirten, Heiraten und Kinderkriegen zu verzichten. Diese widersprüchlichen Wünsche führten zu Spannungen, die schwer auszuhalten waren. Das könnte eine Ursache für das eigenartige Leiden gewesen sein, das der Arzt Lasègue 1873 als Anorexie[62] (Appetitlosigkeit) beschrieb.

In der Praxis wurden nur wenige Mädchen ausschließlich zu Hause erzogen. Liebend gern traten Mütter die Probleme, die es mit der heranwachsenden Tochter gab, an Mädchenpensionate ab. Das Internat deckte und dämpfte die Krise. Das Fräulein Tochter fand andere Vertraute, die gebotene Distanz zwischen Mutter und Tochter konnte sich einpendeln. So entwickelte etwa Marie de Flavigny nach ihrer Aufnahme in Sacré-Cœur eine starke Anhänglichkeit zu Madame Antonia, einer hochgeborenen, distinguierten und liebenswürdigen Nonne. Ähnlich fand am unteren Ende der sozialen Leiter die kleine Marie-Claude im Waisenhaus Zärtlichkeit und Schutz bei Schwester Marie-Aimée. Weltliche Lehrerinnen hatten ein weniger gutes Renommee.

Viele junge Mädchen entdeckten im Pensionat die Freuden der Gemeinsamkeit, die Verschwesterung. Nicht selten verbündeten sich zwei junge Mädchen zu einer engen Seelenfreundschaft; sie wurden unzertrennlich, schworen einander ewige Treue und tauschten als Unterpfand unverbrüchlicher Zuneigung Medaillons mit verwobenen oder verflochtenen Haaren, Ringe oder Armreifen. In katholischen Klöstern unterband eine wachsame Aufsicht »sündiges Tun«, hatte aber nichts gegen sentimentale Schwärmerei. In angelsächsischen Ländern scheint schrankenlose Libertinage geherrscht zu haben: Aus Briefwechseln geht hervor, daß die jungen englischen und amerikanischen Internatsschülerinnen intimsten Umgang hatten, Kleider tauschten, im selben Bett schliefen, einander bekochten und sich in eine »Kuschelkammer« zum Musizieren zurückziehen durften.[63]

Nach der Heirat lockerten sich diese Bande, zumindest auf dem europäischen Kontinent. In Amerika jedoch überdauerte die Leidenschaft füreinander häufig die Trennung. So tauschten Mary Hallock Foote und Helena Dekay Gilder Briefe, die über Zärtlickeit hinaus starkes körperliches Verlangen verraten. Sie konnten es kaum erwarten, einander zu treffen, zu umarmen, gemeinsam zu schlafen und tausend Liebkosungen auszutauschen. War das Homosexualität? Die Frauen selbst dachten nicht so, da ihnen ihre Kultur weder einen Begriff noch Worte dafür gab.[64] Im übrigen gehörten sie konservativen Familien von Rang an, die solche Beziehungen ohne Einwände akzeptierten und für durchaus vereinbar mit der Ehe hielten. Auch die Ehemänner regten sich nicht auf, da ihnen bekannt war, daß die Welt der Frauen eine Fülle von Emotionen, Gefühlsüberschwang und sogar spezieller Sinnenlust kannte, die sie nicht zu unterdrücken trachteten, weil sie diese Welt meistens ohnehin verachteten. Die viktorianische Ethik, häufig als starr und repressiv bezeichnet, bewies hier eine geschmeidige Anpassungsfähigkeit an die Bedürfnisse einer jeden Person.

Schwestern und Kusinen bildeten in den Familien eine Art Clan. In katholischen Ländern kam es nicht selten vor, daß mehrere von ihnen gemeinsam ins Kloster gingen. Der Wunsch nach Zusammenleben unter Frauen war offenbar Bestandteil der frommen Berufung. Nonnen konnten mit einem Schritt der Unterdrückung durch Vater oder Ehemann und den Sorgen und Nöten des Kinderkriegens entfliehen und sich lebenslang die Gemeinschaft mit Schwestern und einer Mutter sichern. Das klösterliche Eingeschlossensein bewirkte bisweilen Anfälle von Eifersucht und Intrigen, doch mit der Beichte vor den anderen konnten solche Konflikte Woche für Woche gelöst werden.[65] Nonnen spielten eine wichtige Rolle in der Gesellschaft. Eröffneten sie auf dem Land oder in der Stadt eine Poliklinik und eine Mädchenschule, wurden sie rasch zum Kristallisationspunkt der Frauensolidarität.[66] Manche Nonnen gelangten zu echter Macht: In den 1840er Jahren soll Schwester Rosalie, der Schutzengel der »gefährlichen Klassen« in Paris, die Macht gehabt haben, die Zusammensetzung eines jeden Kabinetts zu verändern, und Mutter Javouhey wurde 1848 in Mana in Französisch-Guyana von den schwarzen französischen Bürgern, die sie aus der Sklaverei befreit hatte, zur Abgeordneten gewählt, obwohl sie gar nicht wählbar war.

Außerhalb dieser institutionalisierten »Schwesternschaften« wurden die Beziehungen zwischen Frauen durch Familienstrukturen und ökonomische Bedingungen bestimmt. Diese waren alles andere als paradiesisch. In manchen armen ländlichen Gegenden lebten Frauen seit altersher in Mißtrauen und Feindschaft zusammen. Das gilt noch an der Schwelle zum 20. Jahrhundert für die italienische Provinz Friaul.[67] Dort wohnten mehrere Generationen zusammen unter einem Dach. Die Macht der Schwiegermutter stützte sich auf ihre Rolle als Gebärerin ihrer Söhne, die sie vor dem Despotismus des Ehemanns in Schutz nahmen. Heiratete ein Sohn, tauchte mit der Schwiegertochter eine Konkurrentin auf. Sie wurde erniedrigt und ausgebeutet und konnte ihren Status erst verbessern, wenn sie selbst einen Sohn geboren hatte. Das wiederum erklärt den Haß der Schwiegermutter auf die schwangere Schwiegertochter. Diese wurde nicht etwa geschont, sondern mußte bis zur Niederkunft hart arbeiten; man ließ sie alleine niederkommen, ohne daß sie ihre Mutter oder Schwestern benachrichtigen durfte; bisweilen kam ihr eine Nachbarin zu Hilfe. Später behandelte sie die eigene Schwiegertochter ganz genauso. Diese im Schoß der Familie gegeneinander ausgespielten, zu jeglicher Solidarität unfähigen Frauen legen Zeugnis ab von der Barbarei der ländlichen Welt des Mittelmeerraums, die von Männern dominiert war.

Doch die ökonomische Entwicklung sprengte die alten Familienstrukturen und ließ eine neue Vielfalt von Familienformen entstehen. Sogar auf dem Land kam es im 19. Jahrhundert zu unterschiedlichsten Beziehungen zwischen Frauen. An den Bäuerinnen von Minot etwa können wir sehen, daß sich ihre Beziehungen untereinander nie auf das Private beschränkten. Die Beziehungen wurden innerhalb der Dorfgemeinschaft gestiftet, und die Vielfalt dieser kollektiven Beziehungen vermochte die im engen Rahmen der Familie drohende Kleinlichkeit und Gehässigkeit weitgehend zu kompensieren. Im übrigen waren diese Beziehungen nicht starr, sondern ständig in Entwicklung.

In der Stadt konnten sich »anständige« Damen ebenfalls eine Welt nach ihrem Zuschnitt und Geschmack aufbauen. Ein eindrucksvolles Beispiel sind hierfür die Bürgersfrauen im Norden Frankreichs nach den 1850/60er Jahren.[68] Zu Beginn des Jahrhunderts waren sie noch an allen Geschäften ihrer im Handel tätigen Väter und Gatten beteiligt gewesen. Ihre eigentlich weiblichen Aufgaben standen demgegenüber zurück. Die Frauen überließen ihre Kinder dem Hausgesinde, sie kümmerten sich kaum um den Haushalt und waren auch nicht sehr fromm. Das Aufkommen der Industrie in der zweiten Hälfte des Jahrhunderts führte zur räumlichen Trennung von Fabrik und Familienvilla, verdinglichte die Abschottung zwischen den zwei Sphären und verwies die Ehefrauen und Mütter auf Heim und Herd. Dort richteten sich die Frauen nun mit der ihnen eigenen Autorität ein. Sie definierten ihre eigenen Werte und setzten diese nach und nach denen der Männer entgegen.

Angesichts der Produktion von Gütern und Wohlstand verherrlichten sie die Familie und die Reproduktion. Während fast allenthalben ein Geburtenrückgang verzeichnet wurde, bekamen sie mehr Kinder als vordem ihre Mütter. Das Gebären wurde für sie zur Chance, ihre Besonderheit zu behaupten und Bedeutung zu erlangen. Um ihren Nachwuchs kümmerten sie sich selbst. Schwestern und Kusinen, Nachbarinnen und Freundinnen lebten in einem ständigen Karussell von Schwangerschaft, Niederkunft, Stillen, erneuter Schwangerschaft und Wechseljahren. Die biologische Uhr war zugleich ihre Schwäche und ihre Stärke, begründete ihre Solidarität, ihre Identität. Sie wachten auch strikt über die Ausbildung und Moralerziehung ihrer Kinder. Der Kinderreichtum erhöhte die Last der Hausfrauenarbeit. Doch anstatt es sich einfacher zu machen, sorgten die Damen mit Vergnügen für weitere Erschwernisse: gekocht wurde immer anspruchsvoller, gegessen immer feiner, und die Wohnung wurde mit Staubfängern und Nippes vollgestellt. Die Ausgaben stiegen beträchtlich und die Männer beklagten sich, ihre Gattinnen würden den Wert des Geldes verkennen. Diese führten zwar fein säuberlich ihre Haushaltsbücher, hatten aber mit Wirtschaften nichts mehr im Sinn. Das zahlreiche Gesinde bestand zunehmend aus Frauen. Die Beziehung zum Personal war als persönliches Band nach dem Muster fast feudaler Abhängigkeit gestaltet. Dienstmädchen gehörten zur Familie, führten also kein eigenes Leben, konnten im Grunde weder heiraten noch Mutter werden, keinerlei Freizeit beanspruchen und mußten sich dem täglichen Rhythmus einer Arbeit unterwerfen, die weder Ziel noch Ende hatte.

Die Bürgerfrauen Nordfrankreichs machten die Religion zum Mittelpunkt ihrer Welt. Das Sakrale durchdrang ihren ganzen Alltag. In ihrer Frömmigkeit wollten sie von Erkenntnissen der Naturwissenschaft nichts hören und wiesen jede rationale Kausalitätswahrnehmung von sich. Krankheit, Tod, Elend wurden als Zeichen göttlichen Willens ergeben hingenommen. Die Himmelskönigin symbolisierte alle weiblichen Werte: Jungfrau und Mutter zugleich, stand sie in Widerspruch zu Natur und Wissenschaft; sie verkörperte den Traum der körperlosen Mutterschaft ohne Vereinigung im Fleische und blutige Geburt. In christlicher Wohltätigkeit gründeten diese Damen Kinderkrippen, Kindergärten, Schulvereine, Nähstuben. Sie ließen ihre Unterstützung allerdings nur verheirateten Paaren mit getauften Kindern angedeihen. Im sicheren Gefühl der allumfassenden Geltung ihrer Werte wollten sie diese auch im öffentlichen Leben durchsetzen. Sie gründeten Frauenbünde gegen die atheistische Presse, patriotische Vereine, Mütterbünde.

Anstatt einander komplementär zu ergänzen, wurden die »zwei Sphären« auf diese Weise zunehmend voneinander getrennt und bisweilen gegeneinander ausgespielt. Ähnliches geschah durch die religiösen Erweckungsbewegungen in den protestantischen Ländern. Angesichts dieser Phänomene drängt sich die Frage auf, ob die affektiven und persönlichen Bindungen zwischen Frauen und Männern noch ausreichten, um die beiden Geschlechter innnerhalb der Familie zusammenzubringen.

Frauen und Männer

Vielleicht bestand im Zeitalter der Aufklärung und noch zu Beginn des 19. Jahrhunderts eine Art Idyll zwischen Vätern und Töchtern. Die Männer ließen sich rühren von der Zartheit des kleinen Mädchens, von seiner Feingliedrigkeit, seiner Fügsamkeit, seinen spontanen und entwaffnenden Zärtlichkeiten. Auf der Gegenseite wurde das kleine Mädchen gedrängt, die Wertschätzung und Gunst des Hausherrn zu suchen. Das sei die beste Vorbereitung auf die Ehe, sprachen die Erzieherinnen. Doch offenbar ließ sich manches junge Mädchen gerne vom Verstand des Vaters anziehen und beeinflussen. Die Anhänglichkeit Germaine de Staëls gegenüber Jacques Necker gründete sich auf eine solche Bewunderung. Desgleichen war der von seiner Tochter Marie vergötterte Graf de Flavigny ein Mann der Aufklärung, der Denkanstöße gab und Wissen verbreitete. Noch zu Beginn des 19. Jahrhunderts gibt es zahlreiche Beispiele. Die Herren nahmen sich Zeit, mit ihren Töchtern zu reden, leiteten sie bei der Lektüre an, förderten ihre Begabung für schöne Künste oder Schriftstellerei. Bald aber gingen die Väter des 19. Jahrhunderts zunehmend in ihren Geschäften auf. Sie fanden immer weniger Zeit für Erziehungsaufgaben und persönlichen Gedankenaustausch. Zunehmend neigten sie dazu, das Interesse der Töchter, die fügsamer waren als Söhne, den eigenen Zielen unterzuordnen. Gehilfin eines aktiven Vaters zu werden, konnte gewisse Vorzüge haben. So übte die in den Handel mit Batist eingeführte Mademoiselle Dubois dieses einträgliche Gewerbe ihr ganzes Leben lang aus, obwohl sie mit ihrer Heirat eine hervorragende Partie gemacht hatte.[69] Doch allzu häufig ähnelte diese Zuarbeit purer Ausbeutung. Das Fräulein Tochter fungierte als unbezahlte Kopistin oder Schreibkraft, und das ohne jede Hoffnung auf Beförderung. Desgleichen mußte die Bauerstochter ihrem Vater oft bis an die Grenze ihrer Kraft »helfen«. Und in allen sozialen Schichten wurde erwartet, daß die Tochter ihrem Vater, wenn er zum hilflosen Greis geworden war, als Krankenpflegerin diente.

Sobald die Jungfrau den Wunsch nach Emanzipation äußerte, kam es zum offenen Konflikt. Bei der Gattenwahl mochten auch die (politisch) liberalsten Väter nur ungern darauf verzichten, das Engagement ihrer Töchter zu kontrollieren. Victor Hugo, Karl Marx, hochverehrte Väter und Familiendespoten, verfolgten mit den besten Absichten ihre Töchter in dieser Situation.[70] Die zarte Elisabeth Barrett mußte sich mit fast vierzig Jahren von dem sehr ehrenwerten Robert Browning entführen lassen, damit sie endlich einem despotischen Vater entkam. Weiterer Streit konnte aufkommen, wenn eine Tochter studieren wollte, statt sich der Häuslichkeit zu widmen. Louise Weiss durfte sich an der Sorbonne erst einschreiben, nachdem sie ein Jahr in Deutschland auf einer Hauswirtschaftsschule verbracht hatte.[71] Desungeachtet lernten Väter bald, sich mit den schulischen Erfolgen ihrer Töchter zu brüsten und sogar voll auf sie zu setzen, vor allem dann, wenn kein Sohn da war. Die Tochter wiederum trat häufig in des Vaters Fußstapfen, wenn sie politisches Bewußtsein entwickelte.[72] Kurz, Vater und Tochter entdeckten immer mehr kulturelle Gemeinsamkeiten, die sie über allen Streit und alle wechselseitigen Zärtlichkeiten hinweg miteinander verbanden.

War kein Vater da, kam es vor, daß das junge Mädchen Stütze und Zuneigung bei einem Bruder fand: eine Beziehung, die in der Romantik besonders ergiebig und häufig war. In allen Ländern gab es unzählige Beispiele dafür.[73] Die Eltern sahen es mit Wohlwollen. Sie rechneten damit, daß die Schwester den Bruder sittlich bildete; als ältere Schwester wurde sie zur zweiten Mutter; als jüngere brachte sie ihm Rücksicht auf Schwächere bei; in beiden Fällen konnte sie den jungen Mann mit ihrem Liebreiz lenken. Noch andere Faktoren spielten hinein. Für die Mädchen war der Bruder einer der wenigen jungen Männer, dem sie sich nähern, mit dem sie freimütig und vertraut reden konnten; und umgekehrt galt dasselbe. Mehr noch: der Knabe wünschte sich häufig, gespiegelt zu werden, eine Doppelgängerin zu haben, oder er versuchte sich als Pygmalion. Auch das Mädchen sah den Bruder als Mittler; durch ihn sprach das öffentliche Leben zu ihr, zu dem sie keinen Zutritt hatte. Damit er ordentlich studieren und eine gute Stellung erlangen konnte, opferte sie gern ihre Mitgift, also die eigene Zukunft. Spürte sie, daß Gottlosigkeit ihn bedrohte, schloß sie ihn vermehrt in ihre Gebete, Bußen, Gelübde ein, wie es Eugénie de Guérin oder Caroline Gobineau taten.

In der Literatur kommen Inzestphantasien zur Blüte, etwa in Emily Brontës *Stürmische Höhen* oder in Robert Musils *Der Mann ohne Eigenschaften*.[74] Manche Autoren träumten vom Inzest mit der Mutter; bekannt ist dies von Freud, aber auch von Jules Renard. Richter, Amtsärzte, zeitgenössische Beobachter stellten fest, daß der Inzest zwischen Vater und Tochter auf dem Lande und in der Stadt besonders häufig vorkam, behandelten ihn aber üblicherweise als Bagatelle. In Gesetzen und Gerichten blieb der Inzest so gut wie unbeachtet.[75] Die Familie sollte über jeden Verdacht erhaben sein, und deshalb mußten die Opfer stumm bleiben.[76]

Jeder Mann ist seiner Mutter Sohn, schrieb Michelet sinngemäß. Er war nicht der einzige, dem der ungeheure Einfluß, die unbegrenzte Macht auffiel, die die Mutter über das Kind und vor allem über das Einzelkind hatte. Doch Mutterliebe wurde damals so hoch bewertet, daß niemand diese Macht fürchtete, auch nicht für einen kleinen Jungen. Faktisch wurden die Mütter um so stärker an der Knabenerziehung beteiligt, je mehr die Väter zur Arbeit aus dem Haus mußten.[77] Zu Beginn des Jahrhunderts konnte der Sohn schon mit sieben Jahren in ein Internat geschickt werden; Ende des Jahrhunderts trat er erst mit zwölf Jahren ein. Das Internat verlor zudem an Ansehen. Mit Billigung des Vaters übernahm es nun immer häufiger die Mutter, über Gesundheit und Lernerfolg des Sohnes zu wachen, ihm bei den Hausaufgaben zu helfen und seine Lektionen abzuhören. Sie wollte vor allem Einfluß auf seine sittliche und religiöse Erziehung nehmen. Auf diesem Feld suchte und fand sie meist eine tiefe und dauerhafte Gemeinsamkeit mit dem Sohn. Edgar Quinet nannte seine Mutter »mein Orakel« und verglich sie mit einem geistigen Vater; später wird er sich selbst vorwerfen, sie zu sehr verehrt zu haben.[78] Für die Mutter wurde es häufig zum Problem, zwischen Vater und Sohn Stellung zu beziehen. Im allgemeinen war ihr männliche Strenge zuwider, und sie erhob Einspruch gegen körperliche Züchtigungen, doch fürchtete sie auch die eigene Nachgiebigkeit, mit der sie womöglich einen »Schwächling« heranzog. Viele Mütter wollten ihren Sohn bei sich behalten, viele wollten auch seine Zukunft mitbestimmen, bei der Berufswahl, bei der Wahl der künftigen Gattin ein gewichtiges Wort mitreden. Solches Verhalten entwickelte sich vorwiegend in den Mittelschichten mit ihrem starken Streben nach sozialem Aufstieg und in der Enge, Borniertheit und Unentrinnbarkeit ihrer Familienbeziehungen. Die komplexe Beziehung zwischen Mutter und Sohn durchzieht die Literatur. Männer wie Baudelaire oder Proust konnten sich nie von ihren Müttern lösen. Jules Vallès, Arthur Rimbaud, Jules Renard lernten das Aufbegehren, indem sie gegen die eigene Mutter rebellierten. Es kann kaum überraschen, daß Freud Ende des 19. Jahrhunderts den »Ödipuskomplex« entdeckte. Unter den gegebenen historischen Bedingungen war die Gefahr groß, daß die Beziehung zwischen Mutter und Kind, besonders zwischen Mutter und Sohn, ins Pathologische abgleiten konnte. Wie oft mögen sich Frauen an ihren Sohn geklammert haben, weil sie mit dem Gatten keine harmonische Beziehung hatten?

Haushalt und Eheleben

Sobald eine junge Frau heiratete, kam sie zu einem »eigenen Hausstand«, »gründete eine Familie«. Wollte sie auch eine Paarbeziehung? War das überhaupt ihr Wunsch? Konnte sie einen solchen Wunsch verwirklichen? Haushalt und Familie waren überlieferte, festgelegte Institutionen ohne Überraschungen. Das Paar aber war eine neue Realität und mußte erst erfunden werden. Man zwang einer Tochter den Ehemann nicht mehr auf, sondern ließ sie fast immer zwischen mehreren guten Partien wählen. Eine Wahl treffen aber hieß Vorliebe bekennen, Zuneigung, den Wunsch nach Liebe, die Hoffnung auf eine innigere und vollkommenere Lebensgemeinschaft. Unter welchen Bedingungen konnten solche Hoffnungen und Wünsche Erfüllung finden?

Wieviel Bedeutung der Mitgift beigemessen wurde, war je nach Land verschieden. Die angelsächsische Welt wollte sie nicht und ließ jungen Leuten größere Freiheit, und das war der Homogamie kaum abträglich. In den romanischen Ländern aber und besonders in Frankreich heiratete kein Mädchen ohne Mitgift, nicht einmal bei den weniger Bemittelten. Daraus ergaben sich sorgsam ausgetüftelte Ehestrategien, besonders bei wohlhabenden Bauern, Gewerbetreibenden oder Händlern. Solchen Strategien unterwarfen sich die Mädchen in vollem Bewußtsein, ohne sich als »Opfer« zu fühlen, solange die Ehebewerber rangmäßig ihrer würdig waren. Im übrigen hieß es allgemein, die Liebe werde nach der Hochzeit schon kommen. Blieb sie aus, kamen sie auch ohne zurecht. Die Ehe war für sie eher Garantie ihrer sozialen Identität als Quelle von Liebesglück. Doch begann sich die Idee der Mitgift zu wandeln. Immer größere Wertschätzung erlangten bestimmte Eigenschaften, Wissen und Fertigkeiten, mit denen die künftige Gattin ihrem Manne nützlich sein konnte. Ein Schneider umwarb gern eine Schneiderin. Ein Kleinhändler suchte eine Frau, die ihm die Bücher führen konnte. Ende des Jahrhunderts meinten Ökonomen wie Paul Leroy-Beaulieu, im Arbeitermilieu solle hauswirtschaftliche Kompetenz als Mitgift Geltung erlangen.

Wie die Mitgift war auch der Altersunterschied der Gatten eine potentielle Belastung. In Amsterdam war die Braut zu Beginn des 19. Jahrhunderts in 29 Prozent der Fälle älter als der Bräutigam.[79] In Amerika dagegen führte der Frauenmangel bei Mädchen zur Frühehe.[80] Wie sich solche Altersunterschiede auswirkten, ist schwer zu ermitteln.

Das freie Amerika bietet mit den Mormonen, die die Einehe ablehnten, statt Wunschträume darum zu spinnen, einen eigenartigen Sonderfall.[81] Sie erkannten allein den Männern die Polygamie zu und richteten sich damit auf ihre Weise in der Doppelmoral ein. Da Männer sexuell »von Natur aus«, wie sie sagten, größere Ansprüche hätten als Frauen, sei es Gott wohlgefällig, wenn ein Mann mehrere Frauen heirate, denn so würden Ehebruch, uneheliche Geburten, Kindsmord und Prostitution vermieden und jeder Mann wäre verpflichtet, für alle seine Kinder zu sorgen. Für die keusche Frau sei es besser, einen schon verheirateten anständigen Mann zu heiraten, als allein oder mit einem Sünder zu leben. Als Schwangere oder Stillende könne sie ohne schlechtes Gewissen mit Rücksicht auf das Kind seltener verkehren; sie habe besser unter Kontrolle, wieviele Kinder sie gebären wolle. Schließlich stehe für sie Mutterschaft an erster Stelle. Bestimmt fiel es den Mormoninnen nicht immer leicht, den Gatten mit anderen Ehefrauen zu teilen. Janet Snyder sträubte sich drei Jahre lang, als ihr Mann eine zweite Frau nehmen wollte, und ließ sich schließlich durch eine Vision bekehren. Hinterher erklärte sie einer Freundin, man müsse sich verhärten und nicht ständig an den Mann denken. Das gelang ihr am Ende so gut, daß sie sich mit den Kindern zu Tische setzen konnte, ohne ihn überhaupt zu rufen. Diese relative Einsamkeit gewährte viel Autonomie. Es kam auch vor, daß die diversen Gattinnen sich blendend verstanden und frohe gemeinschaftliche Haushalte bildeten. Allerdings wurde die Polygamie 1890 verboten.

Immer mehr junge Mädchen träumten davon, die große Liebe mit der Ehe in Einklang zu bringen. Solche Hoffnungen hegten z. B. die Pflanzerstochter Bessie Lacy in South Carolina und die Arzttochter Fanny Arnaud in Aix-en-Provence als ängstliche Bräute. Bessie nahm 1851 (mit neunzehn) den Heiratsantrag Thomas W. Deweys an, des Bruders einer Pensionatsfreundin.[82] Ein Jahr lang erschöpfte sich ihre Beziehung in einem lebhaften Briefwechsel. Die ersten Briefe sind förmlich. Aber bald strebte Bessie nach größerer Intimität. Sie wollte Gefühle äußern, über Liebe sprechen, von Thomas für Thomas geformt werden (»Mould me as you please«), und verlangte, er solle sie mit »dearest« anreden. Doch Thomas blieb auf Distanz. Er war gerade damit beschäftigt, sich beruflich zu etablieren. Da zog sich Bessie allmählich zurück. In ihren letzten Briefen vor der Ehe legte sie ihre Rechte und Pflichten dar, und die Rechte und Pflichten von Tom. Sie stellte die Abschottung wieder her, die sie hatte überwinden wollen; indem sie ihr Territorium abgrenzte, schützte sie sich vor Leidenschaft und Enttäuschungen.

Die mit einer großen Mitgift ausgestattete hübsche Fanny[83] wählte unter ihren Bewerbern den Marseiller Industriellensohn Charles Reybaud. Sie war zwanzig Jahre alt und man schrieb 1822. Sie wollte sich in absoluter Offenheit völlig hingeben, hatte aber Angst, diese Hingabe könnte nicht erwidert werden. Einer Freundin schrieb sie: »Ich will mich nicht zu sehr auf die Zukunft verlassen; sie lächelt mir nur scheinbar zu, um mich zu täuschen.« Schwer war es in der Tat, in einer Welt, in der weiterhin Trennung der Geschlechter, Allzuständigkeit des Mannes und Doppelmoral herrschten, das ideale Paar entstehen zu lassen. Welche Erfolgschancen hatten Bessie und Fanny?

Amerika hatte es offenbar auch hier besser. Mit der Festlegung der »zwei Sphären«, die allenthalben gepredigt wurde, wurden die Aufgaben der Frau immerhin real anerkannt und gewürdigt. Als Gattin, Mutter, Erzieherin gebührte der Frau ebensoviel Rücksicht und Achtung wie dem Mann als Erzeuger von Waren und Einkünften. Ihr Einflußbereich war unbegrenzt. Im Namen ihrer sittlichen Verantwortung wachte sie über die Tugend der ganzen Familie und griff ein, sobald diese gefährdet war. Der Gatte nahm sogar Kritik seines eigenen Verhaltens hin. Harriett Beecher Stowe kanzelte ihren Ehemann regelrecht ab: Für einen Prediger des Evangeliums lese er zu viele profane Bücher, er beschäftige sich zu viel mit Luther und zu wenig mit Christus, er habe sein Triebleben nicht unter Kontrolle, usw.[84] Alle Europäer, die nach Amerika reisten, konstatierten seit Tocqueville, wie wichtig dort Frauen mit ihren Meinungen und Forderungen genommen würden. Auch die Harmonie der Gefühle wurde hervorgehoben. Verheiratete Männer hätten selten Mätressen. Alle wichtigen Entscheidungen trafen die Eheleute gemeinsam. Bessie führte mit Tom einen ordentlichen Hausstand (und vielleicht auch eine gute Ehe). Tom arbeitete als Bankier, Bessie war in verschiedenen Vereinen aktiv, zusammen zogen sie mehrere Kinder groß.

Fannys Ehe dagegen scheiterte. Charles erwies sich als eifersüchtiger Lebemann. Die Erfolge seiner Frau verdrossen ihn. Er hatte sich noch immer nicht »die Hörner abgestoßen«; als Fanny schwanger wurde, hatte er häufig wechselnde Liebschaften. Enttäuscht verlangte die blutjunge Frau nach nur drei Jahren Eheleben die Trennung, obwohl ein Sohn geboren war. Sie wurde alsbald eine der meistgelesenen Romanschriftstellerinnen ihrer Generation. Der Fall ist recht typisch: Ehebruch des Mannes wurde von Gesetz und öffentlicher Meinung toleriert; Gattinnen schickten sich darein oder flüchteten in eine (amtlich erklärte oder gerichtliche) Trennung, in der sie weder die Freiheit noch ihre Mitgift zurückbekamen. Als die Scheidung möglich wurde (in Frankreich erst nach 1884), gingen die meisten Anträge auf Scheidung von Frauen aus. Das Scheidungsbegehren wurde keineswegs in erster Linie mit ehebrecherischem Verhalten des Mannes begründet. Sehr viel häufiger führten die Klägerinnen Mißhandlungen oder fehlenden Lebensunterhalt an, was die Richter viel stärker beeindruckte. Zugleich wurde der Ehebruch der Frau allmählich zur Bagatelle, und Ehemänner verzichteten darauf, Klage zu erheben, um nicht öffentlich als Hahnrei verspottet zu werden.

Vor allem in der Unterschicht fürchteten Ehefrauen die Brutalität des Gatten und dessen Geiz. Auf dem Lande oder im Handwerk war die Arbeitsteilung in der Ehe für den Mann kein Anlaß, von seiner Macht etwas abzugeben. Viele Redewendungen zeugen davon. In manchen armen Landstrichen manifestierte sich die Macht der Männer in brutaler Unterdrückung. Bäuerinnen im Gévaudan hatten keinen Schlüssel zur Speisekammer; weil der Mann ihnen alles weggenommen hatte, mußten sie bisweilen stehlen, um nicht zu verhungern. Überall auf dem Bauernhof oder im Familienbetrieb galt die Frau als des Mannes Arbeitstier; sie erhielt ihrerseits bei ihrer eigenen Arbeit keinerlei Unterstützung vom Mann. Frauen, die über ihre Kräfte arbeiten mußten, alterten früh und starben noch jung an Jahren. Der Leitgedanke von der »guten Fee des Hauses« setzte sich in diesen Milieus nur langsam durch: Die Bäuerin konnte sich kaum als »Frau des Hauses« sehen.

Dagegen wurde die »Hausfrau« allmählich zum Gravitationszentrum der Arbeiterfamilie. Der Mann wußte ihre Leistungen zu schätzen: Kindererziehung, Essenkochen, Kleider- und Wäschepflege, Krankenpflege. Allerdings vergifteten auch hier zwei Streitursachen – Haushaltsgeld und Kirchgang – die ehelichen Beziehungen. Arbeiterfrauen blieben gern der Kirche ihrer Kindheit treu und liebten deren Feiertage, Pomp und Zeremonien. Sie hörten auf Priester und Nonnen und steckten ihnen gern ein Scherflein zu. Auf diese Weise hofften sie, sich ein Plätzchen im Paradies zu erwerben, das ihnen niemand wegnehmen konnte, und Gottes Gnade auf ihre Familie herabzuflehen. Die Männer, meist Freidenker und manchmal Pfaffenfresser (vor allem in katholischen Ländern), trauten sich nicht, ihren Frauen den Kirchgang zu verbieten, da deren Frömmigkeit auch deren Tugendhaftigkeit garantierte; aber immer wieder beschimpften, beleidigten und schlugen Männer das »bigotte Weib«. Des Mannes Aufgabe aber war es, das Haushaltsgeld zu verdienen, von dem er sich nur ungern trennte. Um die Jahrhundertmitte notierte Le Play, viele Arbeiter in Frankreich (aber nicht in England) überließen den Lohn häufig erst nach heftigem und manchmal gewalttätigem Streit der Ehefrau. Gerichtsakten werfen Schlaglichter darauf, wie oft um das Geld gestritten wurde und wie kräftig die Frauen austeilen konnten. In Trennungsprozessen[85] warfen sie den Ehemännern Faulheit und Trunksucht vor; sie beschwerten sich, mit den Kindern ohne einen Pfennig dazusitzen, während der Mann »gottweißwohin« laufe. Sie wünschten sich eine Wohnung mit eigenem Inventar und wollten nicht länger möbliert wohnen. Wurden sie verprügelt, zahlten etliche jeden Schlag heim, bevor sie die Flucht ergriffen.

Eins ist sicher: Die Paarbeziehung in der Ehe wurde im 19. Jahrhundert zu einem der zentralen Probleme der abendländischen Gesellschaft. Es war ein Problem, das alle Schichten erfaßte und weit über die Privatsphäre hinausging und das hier keineswegs erschöpfend dargestellt worden ist.

Glücklich verheiratete Frauen waren aus zeitgenössischer Sicht solche, die sich ihrem Manne unterordneten. Reisende stellten in Frankreich mit Überraschung fest, daß in den Läden Mama die Kasse führte, während Papa fleißig werkelte. Solch gemeinsames Wirtschaften stärkte das Band zwischen den Gatten. Michelet bewunderte Madame Puchet,[86] die ihrem Ehemann und Arzt als Versuchskaninchen diente und zugleich imstande war, seine wissenschaftliche Korrespondenz zu führen, ohne darüber die ehelichen Freuden zu verachten. Manche Schriftsteller- oder Künstlerfrauen wie Julia Daudet oder Alma Mahler machten sich unentbehrlich, indem sie unter Vernachlässigung der eigenen die berufliche Laufbahn ihres Mannes energisch förderten. Bei einem Politiker war die Zuarbeit schwieriger. Die spottlustige, mit einem Botschafter verheiratete Mary Waddington fand die Parlamentariergattinnen in Frankreich etwas »abgeschmackt«, da sie nur über ihre Kinder reden könnten, während Politikerfrauen in Italien, England oder den Vereinigten Staaten in allen Themen beschlagen seien.[87]

Die Wechseljahre

Die beim Mann kaum merkliche Schwelle zum Alter wird bei der Frau durch das Klimakterium sichtbar. Ärzte lernten diese Erscheinung immer besser kennen; manche sahen darin den »Altweibersommer« eines Frauenlebens;[88] die meisten aber rieten in bester Tradition zu Mäßigung und Verzicht. Die Frauen selbst hatten zu diesem »gewissen Alter« eine höchst gespaltene Einstellung.

In dieser Lebensphase übernahmen sie als Schwiegermutter, Großmutter, Witwe neue Rollen. Die Schwiegermutter geriet immer mehr in Mißkredit: In der guten alten Zeit hatte sie die Schwiegertochter gequält, nun ging ihre Einmischung auch dem Schwiegersohn zu weit. Doch es fiel ihr schwer, sich von ihren verheirateten Kindern zu lösen, nachdem sie ihnen alles gegeben hatte. Als Großmutter wurde sie höher geschätzt. War sie mittellos und mußte den Ihren zur Last fallen, zeigten sich diese eher zur Unterstützung bereit, wenn die alte Mutter sich noch nützlich machen konnte. Die strickende, kinderhütende Großmutter wurde zum typischen Genrebild des 19. Jahrhunderts. In jedem Haushalt wußte man es zu schätzen, daß sie Familientradition, Alltagswissen, Abzählreime, Wiegenlieder, Marmeladenrezepte, Gruselgeschichten und Schauermärchen überlieferte. Nur der Hausarzt begegnete ihr mit Mißtrauen. Wenn sie aber nicht mehr von Nutzen sein konnte, lief sie Gefahr, im Stich gelassen und verstoßen zu werden. Zwar gab es einige wenige private Wohlfahrtseinrichtungen, die alte Menschen aufnahmen; doch Ende des Jahrhunderts fielen die Alten zunehmend dem Staat zur Last.[89]

In wohlhabenden Kreisen blieben Mütter und Muhmen auch im Alter mächtig. Als Witwen verfügten sie ungehindert über große Vermögen, die sie mit konservativer Umsicht verwalteten.[90] »Matriarchalisch« regierten sie über eine Nachkommenschaft mit alltäglichen Sorgen.

Schriftsteller und Dichter gingen immer noch grausam mit Frauen um, die Jugend und Schönheit verloren hatten. Als »verhutzelte Schattengestalten«, »menschliche Wracks« bezeichnete sie Baudelaire. Aber Sarkasmus vermag nichts gegen eine unumkehrbare Entwicklung. Der Gesundheitszustand der Frauen hob sich, sie lebten länger, alterten später. Andererseits beendeten sie die Phase des Kinderkriegens nun in jüngeren Jahren. Das reife Alter erhielt größere Bedeutung. Im günstigsten Fall eröffnete es Frauen eine neue Aussicht auf Freiheit.

Aus dem Französischen von Günter Seib

15

Gefährliche Formen der Sexualität

Judith R. Walkowitz

Nichts ist natürlich, zwangsläufig oder unveränderlich an der Sexualität. Sexualität ist, wie die Historikerinnen Kathy Peiss und Christina Simmons schreiben, weder »eine unwandelbare biologische Realität noch eine universelle Naturkraft«, sondern »Produkt eines politischen, sozialen, ökonomischen und kulturellen Prozesses«. Sexualität hat eine »Geschichte«.[1] Während bestimmte Verhaltens- und Bedeutungsmuster – zum Beispiel der Transvestismus oder das Bild von der Kupplerin als Mutter – über lange Zeit ihre Geltung behauptet haben, zeigen andere im Zeitverlauf eine beträchtliche Variabilität. Selbst das Inzestverbot, dieses vermeintliche Fundament sozialer Tabus, ist im Laufe der europäischen Geschichte verschiedentlich erweitert oder auch eingeschränkt worden, wodurch jeweils die Grenzen der erlaubten Sexualbeziehungen verschoben wurden.

Die sexuellen Kulturen des 19. Jahrhunderts verdeutlichen die durch und durch soziale Konstruktion von Sexualität. Sexualität war eine Kampfarena, in der Klassen-, Rassen- und Geschlechterkonflikte privat und öffentlich ausgetragen wurden. Die verschiedensten Sozial- und Berufsgruppen bedienten sich moralischer Panikmache, Sexualskandale und gesetzlicher Maßnahmen, um ihren kulturellen und politischen Einfluß auszudehnen. Männer und Frauen beteiligten sich in aller Öffentlichkeit an Kämpfen, die auch zur Neudefinition ihrer privatesten Identität und Subjektivität beitrugen.

Wenn Viktorianer über Sex sprachen, dann vor allem über die Gefahren der Sexualität, über die starke Zunahme sexueller Praktiken außerhalb des sakrosankten Heims und frei von Zeugungsabsichten. Diese Themen hingen eng zusammen mit dem spannungsreichen Wandel der bürgerlichen Ehenormen. Schnell sinkende Geburtenraten machten immer deutlicher, daß nun auch das Ehebett ein Ort für nicht auf Zeugung zielende Sexualität, für größere persönliche Intimität und individuelle Entfaltung geworden war. Da nichtprokreative Sexualität in der Ehe die Normen der Weiblichkeit in Frage stellte, beunruhigte sie die Viktorianer ebensosehr, wie die Zunahme des kommerziellen Sexes und der gleichgeschlechtlichen Sexualbeziehungen außerhalb der heterosexuellen Häuslichkeit. Mit dem Kult der Häuslichkeit war die Lobpreisung der »wahren« bürgerlichen Frau als Mutter und die beharrliche Leugnung einer nichtproduktiven weiblichen Sexualität etabliert worden. Im Laufe des 19. Jahrhunderts wurde dieses bürgerliche Modell weiblicher Asexualität immer stärker somatisiert. Hierzu trugen nicht zuletzt medizinische Autoritäten bei, die ihre kulturelle Autorität auf den Körper der Frauen ausdehnen wollten. Ärzte waren zwar über den Grad weiblicher Passivität uneinig, aber sie stimmten darin überein, ehrbaren Frauen allenfalls eine sekundäre, eine abgeleitete Sexualität zuzugestehen – eine Sexualität, die dem männlichen Vergnügen diente, die ohne eigene Autonomie war und lediglich eine blasse Imitation männlicher erotischer Begierde darstellte.

Weibliche Leidenschaftslosigkeit war das Gegenstück zur aktiven männlichen Sexualität und zu normverletzenden weiblichen Sexualpraktiken, die man als männlich oder »deklassiert« zu codieren pflegte. Im 19. Jahrhundert galten vier weibliche Praktiken – Prostitution, Abtreibung, Transvestismus und romantische Freundschaft – als abweichendes Verhalten, weil sie Aktivität und Wahlfreiheit implizierten. Alle diese Praktiken gab es schon vor dem 19. Jahrhundert; sie erhielten aber in der modernen städtischen Welt einen neuen Stellenwert, weil sie entweder mit einer neuen sozialen Schicht von Frauen verbunden waren oder weil sie als ein Sozial- und Identitätsproblem neues Gewicht und neue Bedeutung erlangten. Diese vier Praktiken wurden zu verschiedenen Zeitpunkten des 19. Jahrhunderts durch offizielle Definitionen codiert zu gesetzwidrigen Handlungen von sexuell abweichenden Frauen. Diese Sexualpraktiken beinhalteten jedoch sehr viel mehr als ordnungswidriges Verhalten: Sie hatten ebensoviel, wenn nicht sogar mehr zu tun mit Arbeit, Lebensstil, Reproduktionsstrategien, Mode, Selbstdarstellung, außerfamiliären Bindungen und nicht auf Zeugung zielender Sexualität von Frauen.

Die Geschichte gefährlich erachteter Sexualität im 19. Jahrhundert verdeutlicht den komplizierten Prozeß kulturellen Aushandelns und kultureller Diskussion, der zur Herausbildung der viktorianischen Sexualität gehörte. Debatten und kulturelle Verständigungen über die gefährliche Sexualität gingen quer durch alle sozialen Schichten und urbanen Räume: Sie fanden statt im Bordell und auf der Straße, im Varieté und in der Klinik, in den finsteren Seitengäßchen der Slums und in den komfortablen Salons des Bürgertums. Zur Deutung sexueller Erfahrungen wurde von Männern und Frauen eine Vielzahl konkurrierender sozialer Sprachen benutzt, von der Sprache des Sexgewerbes und der Sensationspresse bis hin zur autoritativen Sprache des Gesetzes und der Medizin. In diesen Diskussionen waren Überschreitungen der Geschlechter- und der Sexualordnung ständig überlagert, und jede um diese Praktiken konstruierte sexuelle Identität war ihrem Wesen nach instabil und widersprüchlich.

Im 19. Jahrhundert erlangten Frauen des Bürgertums, dank der neudefinierten öffentlichen Sphäre mit ihren verfügbaren Massenmedien und politischen Netzen, auch die Möglichkeit, im öffentlichen Raum über sexuelle Probleme zu sprechen. Das war ein historischer Moment. Selbst innovative Frauen aber blieben in ihrer Vorstellung an ein begrenztes kulturelles Repertoire gebunden und gezwungen, kulturelle Bedeutungen innerhalb bestimmter Parameter umzugestalten. Sie konnten nicht einfach sexuelle Leidenschaft erleben und ganz natürlich Worte finden, um das Erlebte auszudrücken; sie konnten auch nicht einfach sexuelle Bedrohung erleben und ganz selbstverständlich die Worte finden, um sexuelle Bedrohung auszudrücken. Sie mußten für Aussagen über ihre »Wahrheit« kulturell verfügbare Konstrukte verwenden.

Prostitution

Das Ausmaß, die Sichtbarkeit und Formenvielfalt der Prostitution waren kennzeichnende Merkmale der Städte des 19. Jahrhunderts. Beobachter fanden den Anblick der »angemalten Kreaturen«, die in der Stadt in »greller Kleidung« und mit herausforderndem Blick Hauptverkehrs- und Nebenstraßen entlangschlenderten, abstoßend. In den Großstädten gab es Zehntausende von Prostituierten (offizielle Zahlen waren jedoch notorisch unzuverlässig). Die soziale Hierarchie der Prostituierten spiegelte die Klassenstruktur und soziale Verteilung urbaner Zentren wider. In New York reichte die Halbwelt von den eleganten Villen in der Fifth Avenue, wo reiche Männer sich ihre Geliebten hielten, bis zu den Zigarrenläden in der Canal Street, wo Arbeiter und Matrosen bedient wurden. In London umfaßte die Geographie des Lasters die Kurtisanen von St. John's Woods und die elegant gekleideten Straßenhuren, die sich unter ehrbare Damen mischten und das vornehme Einkaufsgebiet der Regent Street durchstreiften ebenso, wie die elenden Winkelhuren, die in den schlecht beleuchteten Gassen und Hinterhöfen der städtischen Slums mit »unzüchtigen Handlungen« das Geld für ihre nächtliche Unterkunft verdienten. In den Vereinigten Staaten strukturierte außerdem die Rassentrennung den Prostitutionsmarkt: In New Orleans standen Bordelle für Weiße und solche für Schwarze Seite an Seite; in den vielgeschossigen »Puffs« von San Francisco belegten europäische und amerikanische Frauen die oberen Stockwerke, während Mexikanerinnen, Japanerinnen und Chinesinnen auf die unteren Stockwerke verwiesen waren. In solchen urbanen Zentren wandelte sich die Geographie der Prostitution zudem ständig mit den Veränderungen in der physischen und sozialen Umwelt. In Berlin, Paris und London gingen arme Straßenhuren häufig ihrem Gewerbe in traditionellen Zentren der Prostitution, gewöhnlich in den alten engen Straßen der belebten Quartiere nach, aber auch neue Vergnügenszentren oder Bahnhöfe übten eine starke Anziehung auf »leichte Mädchen« aus.

Im Gegensatz zur männlichen konnte die weibliche Prostitution ein äußerst sichtbares und kapitalisiertes Geschäft mit ausgedehnter Infrastruktur und Arbeitsorganisation sein. Dieses gilt insbesondere für die am stärksten organisierten Prostituierten, die in Bordellen arbeiteten und dort häufig auch Lohn, Kleidung, Unterkunft und Verpflegung erhielten. Prostitution konnte aber auch eine Form selbständiger Arbeit sein, was vor allem für die große Zahl von Frauen zutrifft, die auf dem Straßenstrich arbeiteten und Tavernen und Theater frequentierten. Im Laufe des 19. Jahrhunderts dehnte sich das Sexgewerbe auf Massagesalons, Bäder, Tanzhallen, *tableaux vivants, cafés chantants* und Varietés aus. Um sich mit den örtlichen Lasterhöhlen vertraut zu machen, konnten männliche Besucher einer Stadt ein Taschenbuch, einen sogenannten »Herrenführer«, kaufen, der über Preis, Ort und gebotene Dienste verschiedener Etablissements informierte.

Ob Prostituierte ihrem Gewerbe an einem festen Ort oder auf der Straße nachgingen, ob sie stark organisiert, gelegentlich oder selbständig arbeiteten, sie waren die »ungelernten Töchter der ungelernten Klassen«.[2] Ihr Leben glich dem Leben der großen Masse der Arbeiterinnen, die fern von ihren Familien lebten und sich mühsam auf dem städtischen Arbeitsmarkt durchschlagen mußten. Die in diversen Orten durchgeführten Sozialerhebungen über Prostitution kennzeichneten diese Frauen durchgehend als kürzlich vom Land in die Stadt gekommene Migrantinnen oder als Töchter städtischer Handwerker, deren Gewerbe sich im Niedergang befand. Die Frauen hatten vorher in Berufen mit Niedrigstlöhnen gearbeitet, z. B. als Mädchen für alles, als Wäscherinnen, Näherinnen oder Fabrikarbeiterinnen. In den letzten Jahrzehnten des 19. Jahrhunderts entwickelte sich ein geringfügig anderes Rekrutierungsmuster: Prostituierte kamen nun aus den Reihen der Verkäuferinnen, Kellnerinnen und Bardamen, also aus den neuen, aber ebenso untergeordneten und unqualifizierten weiblichen Berufen des tertiären Sektors. Das neue Rekrutierungsmuster reflektierte auch die Verlagerung der Prostitution von der Straße hin zu neuen Orten des Sexgewerbes. Der diffuse und nicht institutionalisierte Charakter des Straßenstrichs erlaubte es einer beträchtlichen Zahl von Arbeiterinnen, ihre geringen Löhne durch den Verkauf ihrer sexuellen Dienste auf der Straße aufzubessern. Selbst für Frauen, die ihren Lebensunterhalt hauptsächlich durch Prostitution verdienten, blieb das Leben als »Freudenmädchen« nur eine vorübergehende »Flucht aus schwierigsten Umständen«[3]; junge Frauen gaben das Gewerbe auf, wenn sie Ende Zwanzig waren.

Solange sie der Prostitution nachgingen, nahmen Frauen an einem kollektiven Leben eigener Art teil. Mit dem Eintritt in ein Bordell erhielt eine Frau oft einen neuen Namen, sie erlernte neue Rituale und einen umfangreichen, in diesem Gewerbe üblichen Jargon. Trotz der ökonomischen Ausbeutung der Bordellbewohnerinnen, trotz der eingeschränkten Freiheit und der Spannungen, die sowohl unter den Prostituierten selbst als auch zwischen ihnen und der Puffmutter entstanden, fungierte das Bordell häufig als eine Ersatzfamilie, als ein System der Unterstützung für Frauen. Beobachter aus dem Mittelstand verdammten das Bordelleben als öde, als einengend und, wie wir noch zeigen werden, als pervers. Es ist aber keineswegs sicher, daß Arbeiterinnen diese Kritik teilten (sie hatten andere Klagen). Das Leben im Bordell ließ freie Zeit und erlaubte Freizeitbeschäftigungen wie Klavierspiel, Unterhaltung, Gesang oder die Lektüre leichter Liebesromane – Beschäftigungen, die für Frauen aus der Arbeiterklasse, die ihren Lebensunterhalt sonst als Näherinnen oder Hausangestellte hätten verdienen müssen, ein wirkliches Vergnügen gewesen sein konnten.

Auch Prostituierte, die auf dem Straßenstrich arbeiteten und in eigenen möblierten Zimmern wohnten, gehörten zu einer Subkultur, die sich dem Kodex weiblicher Respektabilität widersetzte und zugleich von der Unsicherheit und den Gefahren dieses »Lebens« bestimmt war. Bürgerliche Kommentatoren klagten immer wieder über das aggressive Verhalten und Aussehen der »bemalten und aufgetakelten Frauen, die die Straßen – in schmutzigen weißen Musselin und schmierige, billige blaue Seide gehüllt – entlangstolzierten«.[4] Diese Frauen stellten sich den Vorübergehenden ohne Hut und Schal und mit »anzüglichen Blicken« zur Schau. Der Kleidungscode der Prostituierten war eine Form der Reklame, um männliche Kunden anzulocken. Manchmal gingen Prostituierte bei der Zurschaustellung ihrer Ware noch weiter: Sie entblößten ihre Knöchel, Beine und Busen oder lutschten demonstrativ am Daumen, um die Art der von ihnen gebotenen Dienste anzudeuten.

Oft waren die Kunden von den gebotenen Diensten enttäuscht. In den 50-Cent-»Puffs« in San Francisco saßen die Männer auf Holzbänken und warteten auf eine Begegnung, die schließlich so kurz war, daß sie kaum Zeit genug hatten, ihre Hosen herunterzulassen. Selbst in teureren Häusern waren ein schneller Orgasmus, emotionale Beziehungslosigkeit und Mangel an Gegenseitigkeit üblich. Ein junger Mann, der zur sexuellen Initiation von seinem Vater in eine luxuriöse Villa in New Orleans gebracht worden war, beschrieb später sein Erlebnis als »mechanisches Verfahren, das (...) etwa eine Minute dauerte«.[5] Die Kunden mögen daher sehr wohl den von großen Bordellen im ausgehenden 19. Jahrhundert gebotenen voyeuristischen Unterhaltungen wie *tableaux vivants*, Striptease-Vorführungen und lesbischen Darbietungen den Vorzug gegeben haben.

Die Freier fühlten sich besonders dann betrogen, wenn sie sich beim kommerziellen Sex eine Geschlechtskrankheit holten oder wenn Prostituierte ihr Sexgewerbe mit dem lukrativeren Diebstahl verbanden. Dirnen arbeiteten auf dem Straßenstrich routinemäßig zu zweit, zum einen um sich vor brutalen Kunden zu schützen, zum anderen um betrunkene Freier überwältigen und bestehlen zu können. Die Polizeispalten der Lokalzeitungen waren voll mit Berichten über Schlägereien zwischen Betrunkenen und Prostituierten, die ihre Kunden bestohlen hatten. Gewalttätiges und räuberisches Verhalten war aber nicht allein für die Welt der Prostituierten und der Freier charakteristisch. In Arbeitervierteln mit ihren rauhen Sitten war körperliche Gewalt ein durchaus üblicher Bestandteil heterosexueller Beziehungen. Sozialforscher, die versuchten, das Wesen der Geschlechterbeziehungen bei den ungelernten Armen in London und Paris zu erfassen, sahen sich oft einer, wie die Historikerin Ellen Ross es formuliert hat, »unverständlichen Welt« gegenüber, »in der die Frauen weder damenhaft noch ehrerbietig waren, in der die Männer darum kämpften, die Macht über die Frauen zu behalten, und in der der ›Geschlechterantagonismus‹ offen zugegeben wurde«.[6]

In mehrfacher Hinsicht unterschieden sich Prostituierte jedoch vom Arbeitermilieu, in dem sie lebten. Häufig war ihr Lebensstandard höher. Trotz der Unsicherheit ihres Einkommens und der Gefahren und professionellen Risiken ihres Gewerbes waren Prostituierte gewöhnlich besser als andere Frauen ihres Viertels gekleidet, und sie verfügten wie ihre männlichen Nachbarn über eigenes Geld. Zweitens fielen Prostituierte, sofern sie in möblierten Zimmern oder im Bordell wohnten, schließlich auch dadurch auf, daß sie von der Familie – der sozialen und wirtschaftlichen Basisorganisation der Arbeiterquartiere – abgeschnitten waren.

Gleichwohl genossen Prostituierte ein gewisses Maß an sozialer Integration in ein Milieu von Menschen, die ihrerseits von Gelegenheitsarbeit lebten, die harte Zeiten gewöhnt und immer gezwungen waren, mit drückender Not fertigzuwerden. In seiner 1836 erschienenen Untersuchung über Pariser Prostituierte führte Parent-Duchâtelet den Nachweis, daß die Arbeiterklasse den Prostituierten mit Komplizenschaft und Toleranz begegnete: Ungefähr die Hälfte aller verheirateten Prostituierten hatten einen Mann gewählt, mit dem sie in derselben Straße, oft sogar im selben Mietshaus wohnten, und etwa die Hälfte derjenigen »leichten Mädchen«, die von Eltern aus der Prostitution herausgeholt worden waren, lebten in der elterlichen Wohnung.[7] Einige Institutionen des Arbeitermilieus, vor allem die Kneipe und das Varieté, begünstigten die soziale Integration. Beobachter aus dem Mittelstand waren schockiert, hier »Laster und Tugend Arm in Arm« zu finden.[8] Die in den Kneipen herrschende Kameradschaft zeigte sich beim Begräbnis eines der Opfer der Jack the Ripper-Morde im Jahre 1888. Freunde, die »in denselben Lokalen wie die ermordete Frau verkehrten«[9], hatten den Sarg von Marie Jean Kelly mit Kränzen bedeckt.

Außerhalb der Kneipe reagierten keineswegs alle achtbaren Frauen so freundlich. Die Toleranz gegenüber Prostituierten war von Arbeiterviertel zu Arbeiterviertel unterschiedlich. Sie hing ab von der ethnischen und rassischen Zusammensetzung, vom Grad der Ehrbarkeit und der Wohlhabenheit seiner Bewohner; sie richtete sich aber auch danach, wie stark der Druck auf die Armen war, sich strengeren Regeln sexueller Ehrbarkeit zu unterwerfen. Diese Intervention von außen beeinflußte sowohl die Struktur des Prostitutions-Marktes als auch den Charakter der sozialen Beziehungen zwischen den Frauen und der armen Arbeiterbevölkerung eines Viertels.

Die so deutlich sichtbaren ordnungswidrigen Aktivitäten von Prostituierten forderten in der Mitte des 19. Jahrhunderts die bürgerlichen Reformer auf das äußerste heraus. Nach den Revolutionen und den verheerenden Choleraepidemien in den 1830er und 1840er Jahren waren Gesundheitsreformer und Moralstatistiker von der Idee besessen, Unmoral, Verschmutzung der Städte, Ansteckung und soziale Unordnung gehe vom »großen Ungewaschenen« aus. Für sie war die Prostitution – sowohl buchstäblich als auch im übertragenen Sinne – der die ehrbare Gesellschaft bedrohende Infektionskanal: ein »Infektionsherd«, eine Pest, ein Geschwür. Wie an den Slums, denen sie entstammte, so glaubte man, hafte auch an ihr der »schwere Geruch der Massen« mit seinen »beunruhigenden Erinnerungen an das Intimleben«, schreibt Alain Corbin. Sie rief die sinnliche Erinnerung an all die »ergebenen weiblichen Körper« hervor, die in den vornehmen Vierteln den physischen Bedürfnissen der Männer der oberen Gesellschaft dienten:

die Amme, das alte Hausmädchen, die »Unterschichtfrau für die körperlichen Bedürfnisse im Herzen des bürgerlichen Haushalts« – sie, die auf »Wink und Befehl dem Bürger-Leib zu Diensten ist.«[10]

Die offizielle Beschäftigung mit Prostitution als gefährlicher Form des Geschlechtsverkehrs, deren Grenzen vom Staat zu kontrollieren und zu definieren waren, führte Ende der 1860er Jahre in fast allen Ländern Europas zu einem ganzen Bündel von Reglementierungen. In Anlehnung an das napoleonische Modell wurden Prostituierte nun gezwungen, sich bei der »Sittenpolizei« registrieren und vom Arzt auf Geschlechtskrankheiten hin untersuchen zu lassen. Zum Teil wurde darüber hinaus von Prostituierten die Unterbringung in registrierten Bordellen verlangt. Außer in Großbritannien und Belgien erfolgte die polizeiliche Reglementierung der Prostitution weniger durch gesetzliche Verfügungen als vielmehr durch Verwaltungsmaßnahmen.

Befürworter der Reglementierung priesen polizeiliche Kontrolle und medizinische Untersuchung der Prostituierten als Mittel zum Schutz der öffentlichen Gesundheit, des öffentlichen Anstands und der öffentlichen Ordnung. Sie erachteten Prostitution als ein »notwendiges Übel« und hielten damit an der Doppelmoral fest, die für Männer den sexuellen Zugang zu einer Klasse gefallener Frauen rechtfertigte. Sie glaubten an die physiologische Notwendigkeit der männlichen Begierde, waren aber nicht bereit, den Frauen das Gleiche zuzugestehen. Einerseits beschuldigten Anhänger der Reglementierung Prostituierte der sexuellen Schamlosigkeit: sie seien »vermännlicht«, und sie trügen »männliche« Lust zur Schau; andererseits beharrten sie darauf, daß sexuelle Begierde bei Prostituierten keine Rolle spiele. Einem britischen Parlamentsbericht von 1871 zufolge konnte man »Prostituierte nicht mit den Männern, die mit ihnen verkehren, vergleichen. Das eine Geschlecht begeht den Verstoß aus Gewinnsucht; bei dem anderen handelt es sich um die irreguläre Maßlosigkeit eines natürlichen Triebes«.[11]

Die Verteidiger der Reglementierung behaupteten, die gesundheitliche Überprüfung der Prostituierten würde der Ausbreitung von Geschlechtskrankheiten Einhalt gebieten. Als Begründung führten sie an, die Syphilis, die in bestimmten Bevölkerungsgruppen endemisch auftrat, werde durch den wahllosen Geschlechtskontakt mit erkrankten Prostituierten verbreitet, und dank neuer diagnostischer und therapeutischer Verfahren könne man erkrankte Prostituierte wirksam behandeln. Kritiker wiesen darauf hin, daß die »Ansteckung« Männer und Frauen gleichermaßen betreffe und daß die Untersuchung und Behandlung nur eines Geschlechts genauso sinnlos sei, als würde man nur ein Geschlecht impfen. Ihnen entgegneten die Befürworter der Reglementierung, daß allein Frauen »Ansteckung hervorriefen«, die »ein Gewerbe ausübten« und »die Krankheit so gut verbergen« könnten.[12] Das gesamte Verfahren der Zwangsuntersuchung für Prostituierte war von Klassen- und Geschlechtsvorurteilen geprägt. Ärzte waren überrascht von der feindseligen Ablehnung, mit der registrierte Frauen auf die Spekulumuntersuchung reagierten, die den Spiegel des Arztes als »Penis der Regierung« bezeichneten.[13] Prostituierte deuteten die Spekulumuntersuchung ganz offensichtlich als einen voyeuristischen und demütigenden Akt, der einer leidenden Frau psychischen und physischen Schmerz zufügte.

Ein Sittenpolizeisystem trage, so argumentierten die Befürworter der Reglementierung, auch insofern zum öffentlichen Anstand bei, als dies es ermögliche, der öffentlichen Zurschaustellung des Lasters zu begegnen. In der zweite Hälfte des 19. Jahrhunderts wurde die sittenpolizeiliche Überprüfung zu einer der Hauptaufgaben der Polizei. Diese geriet zunehmend unter Druck, öffentliche Durchgangsstraßen und Theater von Straßenprostitutierten zu säubern, um für anständige Frauen Platz zu machen. In Paris durften Prostituierte erst nach Anzünden der Straßenlaternen in der Öffentlichkeit auf sich aufmerksam machen. Sie mußten außerdem anständig gekleidet sein. In Hamburg schrieb das Gesetz nicht nur die Kleidung für Frauen mit zweifelhaftem Ruf bis in alle Einzelheiten vor, sondern auch die Bezirke, in denen sie ihrem Gewerbe nachgehen durften. Überall wurde das Ziel verfolgt, die Zahl der heimlichen Straßenhuren zu beschränken – dieser nicht registrierten Frauen, die mit »grellen Farben«, »provozierendem Verhalten« und anzüglichen Blicken die Aufmerksamkeit der Vorübergehenden auf sich zu lenken suchten.[14]

Wesentlich für die Aufrechterhaltung der öffentlichen Ordnung war auch die Entfernung der Prostituierten aus den Arbeitervierteln. Zu diesem Zwecke verlangten Befürworter der Reglementierung enthusiastisch nach staatlichen Eingriffen in das Leben der Armen. In Danzig behauptete die Polizei, Bordelle, die nicht überwacht würden, seien Brutstätten für Kriminalität und soziale Unruhen. Zögen Prostituierte von registrierten Bordellen in Privatzimmer um, habe das, so warnte die Polizei, eine allgemeine Demoralisierung armer Familien zur Folge. Sie würden zur Kuppelei oder zu anderen, mit dem Sexgewerbe verbundenen Tätigkeiten geradezu ermutigt. Mit Hilfe von öffentlichen Stigmatisierungsverfahren – wie Hausbesuche der Polizei; Benachrichtigung von Arbeitgebern und Familienmitgliedern, daß eine Frau sich »herumtrieb«; Auflagen, daß Prostituierte ein städtisches Gesundheitsamt zur Untersuchung aufzusuchen hatten – versuchten die für die Reglementierung Verantwortlichen, die Beziehung zwischen denjenigen Armen, die anständige Leute waren, und denen, die es nicht waren, zu klären und vor allem Prostituierte zu zwingen, den besonderen Status als öffentliche Dirnen zu akzeptieren, indem man ihre privaten Verbindungen zur armen Bevölkerung der Arbeiterviertel zerstörte.

Die Reglementierung stieß jedoch auf Widerstand – und das nicht nur bei ihren Opfern. Zuerst kam 1869 in Großbritannien politische Opposition auf, als eine aus bürgerlichen Sittenreformern, Feministinnen und radikalen Arbeitern bestehende Koalition die Aufhebung der Contagious Diseases Acts forderte, die in Südengland die Grundlage lieferten für die systematische polizeiliche und ärztliche Untersuchung von Prostituierten in Garnisons- und Hafenstädten. Unter der charismatischen Führung von Josephine Butler brachte die Aufhebungskampagne erstmals Tausende von Frauen auf die politische Bühne, indem sie dazu ermutigte, den männlichen Zentren der Macht – der Polizei, dem Parlament, den medizinischen und militärischen Einrichtungen, die alle mit der Anwendung der Gesetze betraut waren – die Stirn zu bieten. Die rege Beteiligung von Frauen aus dem Mittelstand an dieser Aufhebungskampagne schockierte viele zeitgenössische Beobachter. Sie sahen mit Schrecken, wie überall im Land Damen öffentliche Tribünen erklommen, um die umstrittenen Gesetze, die die »weiblichen Freiheiten« der »Sklaverei männlicher Lust« opferten, zu brandmarken und die gynäkologische Untersuchung bis in alle Einzelheiten als »Vergewaltigung durch Instrumente« zu beschreiben.[15]

Auf der Höhe der viktorianischen Zeit verurteilten Feministinnen die Reglementierung als körperlichen Eingriff und als Mißachtung der konstitutionellen Rechte von Arbeiterfrauen. Sie interpretierten die Prostitution als sexuelle Sklaverei und zugleich als das Ergebnis künstlicher Beschränkungen der sozialen und wirtschaftlichen Aktivitäten von Frauen: Zu geringe Löhne und eingeschränkte Beschäftigungsmöglichkeiten für Frauen in der Industrie seien es, die manche Frauen auf die Straße und in das »bestbezahlte Gewerbe« – die Prostitution – trieben. In bestimmten Momenten zeigten diese Feministinnen ein subtiles Verständnis für das Verhältnis zwischen der Prostitution und den Sitten armer Arbeiter. »Bei den Armen«, erklärte Josephine Butler, hätten sich »die Grenzen zwischen Tugend und Laster allmählich und unmerklich verwischt«, so daß es unmöglich geworden sei, »Prostituierte als solche zu bezeichnen oder sie unzweideutig einer Kategorie der Ausgegrenzten zuzuordnen«.[16] Das Reglementierungssystem und nicht die Prostitution als solche, so argumentierten die Feministinnen, verdamme registrierte Frauen dauerhaft zu einem sündigen Leben, da es sie stigmatisiere und daran hindere, eine alternative, ehrbare Beschäftigung zu finden.

Darüber hinaus verurteilten Feministinnen das Reglementierungssystem, weil es das männliche »Laster« billigte und hygienisch machte. Sie verlangten statt dessen eine einheitliche, auf das Ideal weiblicher Keuschheit gegründete Sexualmoral. Sie übten nicht nur Kritik an der aggressiven Sexualität der Männer, sondern äußerten auch starke Ambivalenz und Abneigung gegenüber Prostituierten, vor allem denen, die nicht reformiert werden wollten und ihre Sexualität als Ware handhabten. Sie sei »in viele Städte gereist«, behauptete Butler, »und nirgends einer unglücklichen Frau begegnet, ... die nicht ein wenig Anstand bewahrt« habe. Wenn sie aber in Städte gekommen sei, in denen das System der Reglementierung herrschte, sei sie auf reuelose Prostituierte gestoßen, die ihr »nicht offen begegneten. Sie sahen kalt und hart aus« und sagten ihr »gefühllos, sie seien registriert, täten nichts Schlimmes oder Böses, denn sie ließen sich regelmäßig untersuchen«.[17] Doch als antietatistische Anhängerin der Willensfreiheit trat Butler für Selbstbeherrschung und soziale Rettungsarbeit an Stelle von staatlicher Reglementierung oder Unterdrückung ein. Wenn Prostituierte sich dafür entschieden, ihren Körper auf der Straße zu verkaufen, dann hätten sie auch das Recht, dieses ohne Belästigung durch die Polizei zu tun.

Butlers Beispiel inspirierte Frauen in beinahe allen Ländern Europas, das Thema Prostitution aufzugreifen. In den Vereinigten Staaten verhinderte die Opposition amerikanischer Feministinnen die Einführung der Reglementierung. Einzig in St. Louis kam es 1874 zur Reglementierung; aber selbst dort wurde sie angesichts des massiven religiösen und feministischen Widerstands bald wieder aufgehoben. Viele Anhängerinnen Butlers teilten jedoch nicht deren libertinäre Ansichten. Innerhalb und außerhalb Großbritanniens kam sehr bald Kritik an Butlers Führerschaft und an ihrer Politik auf. In Deutschland zum Beispiel verurteilten viele der in »Sittlichkeitsvereinen« zusammengeschlossenen Frauen Prostitution als Verbrechen und beschuldigten die Regierung wegen des Sittenpolizeisystems der Mittäterschaft an diesem Verbrechen; aber auch hier gab es unter den Abolitionistinnen viele Frauen, die eine liberalere Haltung einnahmen und ihre ganze Energie auf die Aufhebung der staatlichen Reglementierung konzentrierten.

Im Namen von öffentlicher Sittlichkeit und eines für beide Geschlechter propagierten sexuellen Keuschheitsgebots halfen viele britische Abolitionistinnen, einen massiven Angriff auf außereheliche, nicht der Zeugung dienende Formen der Sexualität in Gang zu bringen. Nachdem das Reglementierungssystem 1883 aufgehoben worden war, wandten Butler und ihre Anhängerinnen ihre Aufmerksamkeit dem internationalen Frauenhandel und der in London aufkommenden Kinderprostitution zu. Sie überredeten den Journalisten W. T. Stead, einen Sensationsartikel über Kinderprostitution, »Maiden Tribute of Modern Babylon«, zu schreiben, der 1885 in der *Pall Mall Gazette* erschien.

Dieser Artikel hatte eine elektrisierende Wirkung auf die öffentliche Meinung und zwang das britische Parlament im selben Jahr zur Verabschiedung des Criminal Law Amendment Act. Das Gesetz hob das Alter der Ehemündigkeit für Mädchen auf 16 Jahre an und gab der Polizei mehr Macht zur Unterdrückung von Bordellbetreibern und Straßenhuren. Ein Zusatzartikel zu dem Gesetz erklärte auf Einverständnis basierende unzüchtige Handlungen zwischen erwachsenen Männern für illegal. Überall in Großbritannien entstanden Vereinigungen zum Schutz der öffentlichen Sittlichkeit, die die Einhaltung dieses Gesetzes vor Ort überwachten. Schon bald dehnten diese Gruppen ihre Aufmerksamkeit auf obszöne Bücher, Literatur zur Geburtenkontrolle und Werbung für Abtreibungsmittel, Varieteunterhaltung und nackte Plastiken aus. Für diese Kreuzritter war die von ihnen weit gefaßte pornographische Kultur der schmutzige Ausdruck »undifferenzierter männlicher Lust«[18], die letztlich zu Homosexualität und Prostitution führe.

Auf die Organisation der Prostitution hatte diese Mobilisierung einen komplexen Einfluß. Die gesetzliche Unterdrückung veränderte die soziale Geographie des Lasters – vor allem in Großbritannien und den Vereinigten Staaten, wo die Sittlichkeitsvereine die Polizei zum scharfen Vorgehen gegen Straßenstrich und Bordelle gezwungen hatten. Die polizeiliche Repression hatte zur Folge, daß Prostituierte ihre Wohnviertel verlassen und Unterkünfte in anderen Bezirken der Stadt finden mußten. Von den früheren stützenden Beziehungen abgeschnitten, waren sie gezwungen, emotionale Sicherheit und Schutz vor gesetzlichen Autoritäten in stärkerem Maße als bisher bei Zuhältern zu suchen. In dieser und in anderer Hinsicht trieb die verstärkte polizeiliche Repression einen Keil zwischen Prostituierte und Arbeiterschaft. Das hatte wiederum zur Folge, daß sich die Prostitution zerstreute, daß sie heimlicher betrieben und stärker im kriminellen Untergrund verankert wurde. In den Vereinigten Staaten verstärkte die Unterdrückung der Prostitution auch rassistische Vorurteile. Die Schließung der Rotlichtbezirke fiel zeitlich mit der massenweisen Abwanderung der Schwarzen aus den Südstaaten in die Städte des Nordens zusammen. In dem Maße, wie die weiße Prostitution größtenteils aus dem Stadtbild verschwand, konnten schwarze Frauen, die auf dem Straßenstrich arbeiteten, nur um so leichter aufgegriffen und inhaftiert werden.

In Europa ging die Zahl der registrierten Bordelle auch ohne Veränderungen der Polizeirichtlinien allmählich zurück, während der Anteil der »heimlichen« Prostituierten, die durch die Maschen des Polizeinetzes schlüpften, zu wachsen schien. Das gesamte Bordellsystem fiel den veränderten Ansprüchen seiner Benutzer zum Opfer: »Die Öffentlichkeit hat die Lust an offiziell anerkannten Bordellen verloren«, erklärte ein französischer Beobachter, »das Gewerbe verlangt eher nach Häusern, in denen mehr Diskretion gewahrt wird und wo man, mit ein wenig Phantasie, eine Atmosphäre des Abenteuers empfinden kann.«[19] Dem fügte ein Gegner der Reglementierung, Abraham Flexner, hinzu: »Auch die Frauen brennen darauf, ihre eigene Freiheit zu genießen. Sie bevorzugen die sorglose Unabhängigkeit der Straßen, der Cafés und der Theater.«[20] In London und Paris wurde »jede nur denkbare List« angewandt, um »heimlich« der Prostitution nachgehen zu können: in Zeitungen wurden Zimmer angeboten; Fremdsprachenunterricht, Maßschneiderei und Massagen »als Köder für Neugierige ausgelegt«.[21] Gegner der Reglementierung waren der Meinung, daß die verbliebenen großen Bordelle nur überleben konnten, wenn sie »exotische« sexuelle Dienste und außerordentlichen Luxus boten.

Für Frauen wie für Männer besetzte die Prostituierte in der imaginären städtischen Landschaft einen zutiefst symbolischen und zweideutigen Ort. Frauen aus dem Mittelstand konstruierten ihre eigene Identität mit Hilfe der Figur des »gefallenen Mädchens«, einer Phantasiefigur, die sie zur Erforschung ihrer eigenen Subjektivität immer wieder neu formten und manipulierten. Die meisten Frauen akzeptierten die Prostituierte als die in Schande geratene »Andere«, die verderbte Alternative zur häuslichen und mütterlichen Weiblichkeit. Als die zwanzigjährige Margret Boveri ihre Mutter nach der Bedeutung des Wortes Prostitution fragte, erhielt sie zur Antwort, die Prostituierten seien verworfene Mädchen, käufliche, die es um Geld taten – denen es sogar Freude mache.[22] Selbst Reformerinnen, die Verständnis für die traurige Lage der Prostituierten als wirtschaftlich unterdrückte Frauen hatten, verabscheuten deren »Sünde« und hielten am Gegensatz der guten und schlechten Frauen, der Madonnen und Magdalenen fest. Josephine Butler versuchte, diese Trennung zu überwinden, indem sie Prostituierte in magdalenische Mütter und unschuldige weibliche Opfer des männlichen Lasters verwandelte. Bei ihrer Propaganda gegen die Reglementierung bediente sie sich, wenn sie die Geschichte der registrierten Prostituierten erzählte, der literarischen Tradition des weiblichen Melodrams, sie ließ ihre gefallenen Magdalenen zu Wort kommen und die Männer wegen ihrer Lasterhaftigkeit »verfluchen«.

Butlers Identifizierung mit den »leidenden Frauen« war voller Widersprüche und Schwierigkeiten. Während die Reformerinnen für die Sache der gefallenen Frauen und »gefährdeten Mädchen« fochten, stellten sie gleichzeitig eine hierarchische und bevormundende Beziehung zu den »Töchtern« her, die zu schützen sie sich vorgenommen hatten. Ihre melodramatische Rede von der Erniedrigung der Frauen sprach den Prostituierten jegliche Willensfreiheit und komplexe Subjektivität ab: Prostituierte waren für sie nur unschuldige Opfer, heimtückisch zu lasterhaftem Leben verführt, in ihrer eigenen Geschichte also Handelnde wider Willen, ohne sexuelle Leidenschaft, noch nicht ganz unempfindlich für Scham und mit sorgsam gehegten Überresten von weiblicher »Sittsamkeit«.

Die feministische Politik mag einen zweifelhaften Einfluß auf die Prostitution ausgeübt haben; sicher ist jedoch, daß sie den Frauen aus dem Mittelstand Zugang zum öffentlichen Raum und eine neue »Freiheit« verschaffte, öffentlich über sexuelle Fragen zu sprechen. Die feministischen Kampagnen brachten die »dunklen Schatten«, »Schreckgespenster« und »Verfolgungsängste« ans Licht, die den Blick der Frauen auf heterosexuelle Beziehungen trübten. Der Artikel »Maiden Tribute«, erklärte eine Londoner Feministin, habe »neue Möglichkeiten« eröffnet.[23] Steads Enthüllungen, sagte eine andere Frau, hätten »für Frauen eine Mauer zum Einsturz gebracht (...) Danach brauchte keine Frau mehr unwissend zu sein.«[24] Aus »Angst« zum »Sprechen« getrieben,[25] überschritten einige progressive »neue« Frauen – insbesondere die Schriftstellerin Olive Schreiner – am Ende des Jahrhunderts schließlich auch die Grenzen der weiblichen Keuschheit und Leidenschaftslosigkeit, um sich öffentlich Gedanken über die heterosexuelle Lust beider Geschlechter zu machen. So bahnbrechend diese Gedanken auch waren, sie blieben weiterhin getrübt vom Gefühl sexueller Verwundbarkeit und von Vorbehalten gegenüber Männern. Die Prostituierte blieb für diese progressiven ebenso wie für die eher konventionellen Frauen ein beunruhigendes und bedrohliches Symbol, ein Beispiel für die sexuelle Unfreiheit von Frauen, weil deren Sexualität mit wirtschaftlichen Bedürfnissen verbunden war.

Auch für Arbeiterfrauen war die Prostituierte eine zentrale Figur in der Vielzahl städtischer Begegnungen und Phantasien. Eine arme Frau lief in der Öffentlichkeit ständig Gefahr, für eine Prostituierte gehalten zu werden; sie war stets gezwungen, mit Kleidung, Gesten und Bewegungen zu demonstrieren, daß sie keine »ordinäre« Frau war. Genau wie ihr Pedant aus dem Bürgertum brachten auch Frauen aus der Arbeiterklasse ihre Ehrbarkeit durch ihre öffentliche Selbstdarstellung und ihre private Identität als Ehefrau und Mutter zum Ausdruck. In Großbritannien und den Vereinigten Staaten petitionierten sie als »hart arbeitende Ehefrauen«, »besorgte Mütter« und »arme Witwen« mit Gesuchen bei den Stadtregierungen, um die Schließung der »schlechten« Häuser, in denen sich ihre Ehemänner und Söhne Geschlechtskrankheiten holten und das bitter benötigte Haushaltsgeld ausgaben oder in denen ihre Töchter, »Mädchen, die zur Sonntagsschule gehen«, ihre »Ehre« verloren.[26] Lokale Matriarchinnen waren vor allem darüber besorgt, daß ihre Kinder sich vom relativen Reichtum der Prostituierten beeindrucken ließen und neidvolle Vergleiche anstellten.

Ehrbare Arbeiterinnen sahen in Prostituierten jedoch auch »Rebellinnen«, die zwar jenseits der Grenzen des Erlaubten handelten, aber mächtig und gefährlich waren. Es waren Frauen, die für das, was sie »taten«, bezahlt wurden, äußerte die Frau eines Dockarbeiters, im Gegensatz zu einer verheirateten Frau wie sie selbst, die sexuelle Dienste »für nichts« leisten mußte. »Sie wird nicht dafür bezahlt.«[27] Auch für Nachbarinnen waren Prostituierte faszinierende Personen: »wild« und unabhängig, die man in Ruhe lassen mußte, gelegentlich auch »die schönste Frau im East End«, die »einer jeden Frau den Mann ausspannen könnte«.[28]

Prostituierte sprachen auch selbst über ihre Situation. Sie lebten keineswegs jenseits der sie betreffenden Kontroversen. Während der Aufhebungskampagnen bedienten sich registrierte Prostituierte in Großbritannien der Sprache des Rechts, um ihre körperliche Integrität gegen die medizinische und politische Überwachung zu verteidigen. Feministische Gegnerinnen der Reglementierung hatten durch ihre Agitation eine politische Bühne geschaffen, die es Prostituierten ermöglichte, Widerstand gegen die zudringlichen Reglementierungsgesetze zu leisten – oder mit den Worten einer registrierten Frau – »den Autoritäten zu zeigen, daß wir einen gewissen Respekt vor unserer eigenen Person haben«.[29]

Wenn Prostituierte vor einem Richter oder vor einem Vertreter wohltätiger Einrichtungen für sich selbst sprachen, bedienten sie sich beim Erzählen ihrer »Geschichte einer Hure« oft derselben melodramatischen Konventionen – Verführung der weiblichen Unschuld durch böse Lebemänner aus der Oberschicht – wie Mittelschichtsfrauen zur Erklärung des Phänomens der Prostitution. Diese rhetorische Strategie lieferten ihnen die populäre Literatur und das populäre Theater: die Liebesgeschichten der Unterhaltungsliteratur, die »minderwertige, seichte, billige Schundliteratur«,[30] welche bürgerliche Beobachter als ersten Schritt vieler Mädchen ins »Verderben« verdammten. Andererseits gaben diese ihrem Leben mit Hilfe der Sprache des sexuellen Tausches auch Sinn. »Ich ging in diesen Sport, um Geld zu verdienen, nichts weiter«, erklärte eine Puffmutter aus Denver. »Damals war das für eine Frau eine Möglichkeit, Geld zu machen, und ich habe Geld damit gemacht.«[31] Zwei Mädchen, die tagsüber in der Konfitürenfabrik Crosse and Backwell arbeiteten und nachts auf den Straßenstrich gingen, waren vom Sexgewerbe weniger begeistert: Sie erzählten W. T. Stead, daß ihnen »die Arbeit in der Fabrik lieber als der Straßenstrich sei. Doch sei der Unterschied in der Bezahlung sehr groß. Die Zeiten seien schlecht, und Arme dürften nicht wählerisch sein.«[32]

Abtreibung

Trotz ihrer Illegalität wurde Abtreibung während des ganzen 19. Jahrhunderts genau wie Prostitution offen praktiziert; sie war überall in den städtischen Zentren ein »florierendes Geschäft«. Ganz ähnlich wie die Prostitution führte auch die Abtreibung bei der Ärzteschaft zu Protestgeschrei. Das Interesse der Ärzte war, politisch darauf Einfluß zu nehmen, daß Frauen weniger leicht an eine Abtreibung herankämen und daß die Durchführung therapeutischer Abtreibungen in das Ermessen von Ärzten gestellt würde. Und ebenso wie bei der Prostitution waren auch die Definitionen von Abtreibung zahlreich und strittig. Doch das Bild, das man sich von der Frau machte, die abtrieb und damit gesetzeswidrig handelte, war nicht das einer unverheirateten proletarischen, sondern das einer verheirateten Frau aus den oberen Schichten, die sich dem Müßiggang hingab und entschlossen war, sich ihrer Berufung als Mutter zu widersetzen. Dieses Bild von der privilegierten Dame, die abtrieb, verschob auch den sozialen Schauplatz, an dem die Übertretung vorgeblich stattfand. Öffentliche Diskussionen über Abtreibung kreisten oft ebenso sehr um den Mittelstand und die für ihn typischen Ehe- und Familienverhältnisse wie um die berüchtigten finsteren Seitengäßchen, in denen Abtreiber wie Prostituierte ihrem Gewerbe nachgingen.

Abtreibung war zu einer Zeit, als die Geburtenraten im Mittelstand sanken, die verfügbaren Verhütungsmittel aber unzuverlässig und oft unwirksam waren, ein Mittel der allgemeinen Strategie der Geburtenkontrolle. Sinkende Geburtenraten in Westeuropa und den Vereinigten Staaten beweisen, daß bürgerliche und proletarische Ehepaare sich um eine Begrenzung ihrer Kinderzahl bemühten. An der Spitze dieses Trends stand Frankreich mit seinem »frühzeitigen«, bereits im 18. Jahrhundert einsetzenden Rückgang der Geburtenziffern: Schon 1854 wurden hier mehr Todesfälle als Geburten registriert. Zwischen 1800 und 1900 sank in den Vereinigten Staaten die Fruchtbarkeitsziffer der weißen Amerikaner um die Hälfte, während Immigranten aus der Arbeiterklasse weiterhin große Familien hatten. In Deutschland und Großbritannien verzeichneten Beobachter in den 1870er Jahren eine signifikante Abnahme der Fruchtbarkeit; innerhalb von zwei Generationen wird die Geburtenziffer in Deutschland um 60 Prozent sinken und in England die durchschnittliche Zahl der pro Familie geborenen Kinder im zweiten Jahrzehnt des 20. Jahrhunderts von 6,6 Lebendgeborenen auf etwas mehr als zwei fallen.

Die Anwendung empfängnisverhütender Techniken machte, so argumentieren die Historiker, die Praxis der Abtreibung nun auch innerhalb der Ehe »denkbar«. Zunächst einmal zwang der Wille zur Empfängnisverhütung Ehepaare dazu, bewußter mit ihrer Sexualität umzugehen und Geschlechtsverkehr als etwas vom Zeugungsakt Verschiedenes wahrzunehmen. Doch die spezifisch weibliche Praxis der Abtreibung fügte der sexuellen Selbstbewußtwerdung eine weitere Dimension hinzu: Sie machte die Frauen im sexuellen Drama zu besonders aktiv Handelnden und brachte unmittelbar zum Ausdruck, daß »Frauen, die abtreiben, sich der Sexualität ohne die Absicht der Fortpflanzung hingeben und Geschlechtsverkehr um des Geschlechtsverkehrs willen haben (zur Befriedigung männlicher oder auch eigener Lust)«.[33]

Im 19. Jahrhundert standen Männern und Frauen eine ganze Reihe empfängnisverhütender Techniken zur Verfügung: Enthaltsamkeit, Coitus interruptus, die Zyklusmethode mit ihrer falschen Annahme einer »sicheren Zeit«, Spritzen für postkoitale Scheidenspülungen und das Kondom. Alle diese Verfahren erforderten Zeit, Geld, Platz und Ausdauer, waren oft unzuverlässig und hingen von der Kooperation des Mannes ab. Versagten diese Vorkehrungen, dann blieb einer Frau die Abtreibung als letzter Ausweg. Obwohl sie gefährlich und ungesetzlich war, hatte sie – besonders für Frauen aus der Arbeiterklasse – den Vorteil, daß sie ihnen eine gewisse Kontrolle über ihre eigene Person gab, vor allem dann, wenn der Partner kontrazeptive Mittel ablehnte. Sie war billig und erforderte keine Vorausplanung, keine planmäßige Gestaltung, keine Vorsorge.

Wenn eine Frau abtreiben wollte, griff sie als erstes zur Selbstbehandlung, die nicht, wie etwa im Falle der Kindstötung, das einsame Unternehmen einer Einzelperson war, sondern die Mithilfe anderer erforderte. Aufgrund der für Frauen aus der Arbeiterklasse charakteristischen gegenseitigen Unterstützung kursierten unter Nachbarinnen und Arbeitskolleginnen Informationen über Abtreibungsmöglichkeiten. »Frauen (...) machen aus diesen (Abtreibungs-)Praktiken kein Geheimnis«, erklärte die französische Feministin Madeleine Pelletier. »Auf den Treppenabsätzen der Arbeitermietskasernen, beim Bäcker, Metzger oder Lebensmittelhändler beraten Hausfrauen Nachbarinnen, denen ihre ebenso brutalen wie kurzsichtigen Männer unerwünschte Schwangerschaften aufbürden.«[34]

Französinnen empfahlen meist eine Spülung mit einem der traditionellen pflanzlichen Abortiva wie Gartenraute, Sadebaum oder Mutterkorn. Ärzte meinten, daß einige dieser traditionellen Heilmittel als Gift wirkten oder im Leibesinnern zur Abstoßung des Fötus ausreichende Irritation hervorriefen. In den Vereinigten Staaten gaben die verschiedenen ethnischen und rassischen Gruppen ihr traditionelles Wissen über Abortiva weiter: Indianische Heiler und Hebammen verordneten gewöhnlich Wurzeln und Kräuter, während Mitte des Jahrhunderts schwarze Frauen in Texas Indigo oder eine Mischung aus Kalomel und

Terpentin anwandten, um den Fötus zu »lösen« oder eine Fehlgeburt herbeizuführen. In den 90er Jahren, nachdem man beobachtet hatte, daß Arbeiterinnen in Bleiweißfabriken häufig Fehlgeburten erlitten, gingen die Arbeiterinnen im Norden Englands dazu über, Bleipillen einzunehmen. Wenn Drogen keine Wirkung zeigten, versuchten Frauen es mit Aderlässen, heißen Bädern oder mit äußerer Gewaltanwendung.

Wenn sie immer noch keinen Erfolg hatten, wandten sie sich an eine Abtreiberin, die mit mechanischen Mitteln eine Fehlgeburt herbeiführte, oder sie antworteten auf kommerzielle Anzeigen für »Frauenheilmittel«, die in denselben Zeitungen und populären Zeitschriften erschienen, die auch Reklame für »Herrenführer« zu den Lasterhöhlen und für »Französischunterricht« machten. Mitte des 19. Jahrhunderts war die kommerzielle Abtreibung zu einem lukrativen Gewerbe für Ärzte, Apotheker, Heilpraktiker, Veterinäre, Masseure, Quacksalber und auch für die pharmazeutische Industrie geworden. Engelmacherinnen wie Madame Restell in New York oder ihre französische Kollegin »La Cacheuse« wurden weltbekannte Figuren. Ein französischer Sachverständiger berichtete, daß am Ende des Jahrhunderts 50 Abtreiberinnen in Pariser Zeitungen ihre Dienste anboten. Engelmacherinnen ließen sich vorzugsweise in der Nähe von Bahnhöfen und *grands magasins* nieder, um Frauen, die vom Land kamen, behandeln zu können. Sie arbeiteten aber auch in armen und verrufenen Stadtbezirken.

Eine Reihe unwirksamer Gesetze half zwar, diesen illegalen Markt einzugrenzen, konnte aber die Abtreibungspraxis selbst nicht unterdrücken. Großbritannien war eines der ersten Länder, das 1803 ein neues Strafgesetz erließ, dieses 1837 novellierte und 1861 weiter verschärfte. In Frankreich und in Belgien stammten die Gesetze aus dem Jahre 1810 und basierten auf dem Code Napoléon. In den verschiedenen Bundesstaaten der USA wurden in den 1820er Jahren neue Gesetze gegen die Abtreibung verabschiedet und zwischen 1860 und 1880 stark erweitert. In der zweiten Hälfte des 19. Jahrhunderts erließen Skandinavien, Deutschland und Italien ähnliche Gesetzesvorschriften. Die meisten dieser Bestimmungen sahen sowohl eine Bestrafung der Frauen als auch der Abtreiberinnen vor; das Strafmaß variierte von fünf bis zehn Jahren Strafarbeit für die Frauen bis zu lebenslanger Haft oder Todesstrafe für diejenigen, die Abtreibungen vornahmen. Gewöhnlich kam es zur strafrechtlichen Verfolgung von Engelmacher/innen allerdings nur, wenn Frauen starben oder schwer erkrankten.

Diese gesetzlichen Bestimmungen wurden aus einer Reihe von – je nach dem Zeitpunkt ihrer Verabschiedung unterschiedlichen – Gründen eingeführt. Insgesamt signalisierten sie die Absicht der gesetzlichen und medizinischen Autoritäten, in die Reproduktionsstrategien von Frauen einzugreifen. Im frühen 19. Jahrhundert rechtfertigten die

Gesetzgeber meistens die neuen Strafrechtsbestimmungen als »Ordnungs«maßnahmen und als Teil der Reformen beim Delikt der Kindstötung. In Großbritannien und den Vereinigten Staaten verboten diese frühen Gesetze eine Abtreibung nur nach dem Zeitpunkt der ersten Bewegung des Kindes, also ungefähr im dritten oder vierten Monat der Schwangerschaft, und sie beriefen sich hauptsächlich auf die von den Abortiva ausgehende gesundheitliche Gefährdung der Mutter. In Großbritannien stellte die gesetzliche Bestimmung von 1803 die ärztliche Lobby nicht zufrieden. Die Ärzte wandten gegen das Kriterium der »Kindesbewegung« ein, es sei ungenau und gründe allein auf dem Wissen der Frau; mit Rücksicht auf die Meinung der Ärzte verbot das Gesetz von 1837 Abtreibung in jeder Phase der Schwangerschaft, der Bezug auf die Bewegung des Fötus wurde gestrichen. Um die Mitte des Jahrhunderts hatten Ärzte in Frankreich und den Vereinigten Staaten ihre ältere Deutung der Abtreibung aufgegeben. Abtreibung galt nun nicht mehr als letzte Zuflucht einer unverheirateten Mutter, sondern als eine von verheirateten Frauen genutzte Methode der Geburtenkontrolle. Eine Folge dieses veränderten Bildes war die Intensivierung der öffentlichen Propaganda und die Ausweitung gesetzlicher Maßnahmen gegen abtreibende Frauen.

In den Vereinigten Staaten führten Abtreibungsgegner in jedem Bundesstaat eine von Ärzten geleitete Kampagne zur Verschärfung der Gesetzgebung. Zwischen 1860 und 1880 kämpfte die American Medical Association heftig für die Unterdrückung der Abtreibung und richtete Appelle an die bundesstaatlichen ärztlichen Vereinigungen, gesetzgebenden Körperschaften, medizinischen Zeitschriften und die Presse. Ihr Ziel war, eine Kriminalisierung der Abtreibung zu jedem Zeitpunkt der Schwangerschaft zu erreichen, es sei denn, eine Abtreibung war notwendig, um das Leben einer Frau zu retten.

Möglicherweise waren amerikanische Ärzte bei ihrem Kampf gegen illegale Abtreibungen aktiver als ihre europäischen Kollegen, doch Ärzte in Frankreich, Großbritannien und Rußland äußerten eine durchaus ähnliche Besorgnis über die berufliche Konkurrenz durch Abtreiber, das Fehlverhalten der Frauen und die Gefahr, welche die Abtreibung für die soziale Ordnung darstellte. Überall signalisierte die ärztliche Kritik an Abtreibung und Empfängnisverhütung, daß »der Arzt an die Stelle des Priesters trat« – das heißt, daß der Arzt die früher von religiösen Autoritäten besetzte Rolle im Bereich von Sexualität und Familie übernahm.

Obwohl Ärzte die ideologischen Hauptakteure waren, kristallisierte sich in diesen Kampagnen zweifellos ein ganzes Bündel von in der Bevölkerung weit verbreiteten klassen-, rassen- und geschlechtsspezifischen Ängsten. Ärzte waren vor allem dadurch alarmiert, daß privilegierte Mütter zu dem so »schändlichen« Mittel der Abtreibung griffen. »Heute gibt es Damen«, entrüstete sich die Medical Society von Buffalo 1859, »jawohl, *gebildete und kultivierte Damen*«,[35] die abtreiben lassen. Das Bild der zügellosen »Dame aus der oberen Gesellschaft«, die ihre mütterlichen Pflichten »egoistischen und persönlichen Zielen« opferte, war für die Ärzte der Beweis dafür, daß Frauen von den marktkonformen Werten des Vergnügens und Konsums und vom Feminismus verführt wurden. Frauen, die sich rebellisch gegen die traditionelle Opferrolle der für Nachkommenschaft sorgenden Weiblichkeit auflehnten und egoistische persönliche Interessen verfolgten, würden ihren Ehemännern untreu, indem sie sich »skrupellosen und niederträchtigen« Abtreibern auslieferten. Das American Medical Association's Committee on Criminal Abortion faßte diese Sicht mit den folgenden Worten zusammen: »Sie denkt nicht mehr an das ihr von der Vorsehnung bestimmte Lebensziel, sie vernachlässigt die ihr im Ehevertrag übertragenen Pflichten. Sie gibt sich dem Vergnügen hin – schreckt aber vor den Schmerzen und Verantwortungen der Mutterschaft zurück; und ohne jeden Takt, bar aller Kultiviertheit liefert sie ihren Körper und ihre Seele den Händen skrupelloser und niederträchtiger Männer aus.«[36]

Die Flucht der Frauen vor der Mutterschaft führe, so die Auffassung französischer, britischer und amerikanischer Ärzte, zum »Selbstmord der Rasse«. Ärzte ebenso wie Eugeniker übertrugen bestimmte Elemente der Darwinschen Theorie auf das Bevölkerungsproblem ihrer jeweiligen Nation. Sie waren der Meinung, daß für das Überleben der Tüchtigsten im Existenzkampf der Klassen und Nationen eine überlegene »rassische Herkunft« ausschlaggebend sei. In den Vereinigten Staaten wurde Alarm geschlagen, daß Frauen von »guter Herkunft« – wohlhabend, weiß und protestantischen Glaubens – nicht genügend Kinder zur Aufrechterhaltung der politischen und sozialen Dominanz ihrer Gruppe zur Welt brachten. In Großbritannien beunruhigten sich Eugeniker darüber, daß Frauen aus den mittleren und höheren Schichten nicht die gleiche Reproduktionsrate wie Frauen aus den unteren Schichten aufwiesen. Französische Demographen gaben im späten 19. Jahrhundert der allgemeinen Dekadenz und den selbstsüchtigen, nach Unabhängigkeit strebenden Frauen die Schuld für das Bevölkerungsproblem in Frankreich, da diese Frauen sich ihrer bürgerlichen Pflicht, Kinder für die Verteidigung der Republik bereitzustellen, entzogen.

Schließlich griffen die ärztlichen Gegner der Abtreibung die »irregulären« Ärzte und anderen Heiler an, weil sie illegale Abtreibungen vornahmen. In allen Ländern mußten allopathische Ärzte gegen ein ganzes Heer von volksmedizinischen Heilern – einschließlich Chemikern, Kräuterheilkundigen, Hydropathen und Hebammen – um Anerkennung und Patienten konkurrieren. Die Besorgnis der »regulären« Ärzte wurde noch größer, als ihre Konkurrenten vor allem nach 1840 begannen, offen Reklame für ihre Abtreibungsdienste zu machen. In den Vereinigten Staaten war die Konkurrenz zwischen »richtigen Ärzten« und »Kurpfuschern« besonders heftig, was teilweise das konzentrierte Bemühen der American Medical Association um die Kriminalisierung der Abtreibung erklärt. Aber auch die europäischen Ärzte äußerten eine ähnliche Besorgnis um ihren beruflichen Status. Obwohl viele ihrer ärztlichen Kollegen Abtreibungen – vor allem für wohlhabende Patientinnen – durchführten, konzentrierten französische und britische Ärzte ihre Kritik auf Hebammen. In den 90er Jahren war allgemein bekannt, daß die *sages femmes* mehr Geld mit Abtreibungen als mit Geburten verdienten.

Im ausgehenden 19. und beginnenden 20. Jahrhundert meldeten sich auch einige wenige Stimmen für eine Reform des Abtreibungsrechtes zu Wort, doch die Bewegung für eine Reform des Abtreibungsgesetzes hinkte um eine Generation hinter der Bewegung für die Liberalisierung der Empfängnisverhütung her. In den 1880er und 1890er Jahren wurden Geburtshelfer von Seiten ihrer Patientinnen einem beträchtlichen Druck ausgesetzt, Bedingungen für eine legale Abtreibung zu definieren. Im Großen und Ganzen ignorierten die Ärztevereinigungen diesen Druck. Einige französische Ärzte begannen, die Abtreibungsgesetze als zu eng, zu klassenspezifisch und als Gefahr für die öffentliche Gesundheit zu kritisieren, weil Frauen dadurch zu gefährlichen illegalen Abtreibungen gezwungen würden. Schweden änderte seine Gesetzgebung 1890 und erlaubte nun einen Abbruch der Schwangerschaft aus rein medizinischen Gründen. 1910 stimmten Gynäkologen auf einem Kongreß in Rußland für die Legalisierung der Abtreibung unter der Bedingung, daß die Abtreibung unter ärztlicher Aufsicht vorgenommen wird. Mit Ausnahme von Frauen wie Madeleine Pelletier verteidigten nur wenige Stimmen das Recht der Frauen, im Bereich der Reproduktion persönliche Entscheidungen ohne ärztliche Kontrolle zu treffen.

Obwohl die Ärzteschaft oft »willensstarken Frauen« und dem Einfluß des Feminismus die Schuld für die Flucht der Frauen vor der Mutterschaft gab, zeigten Führerinnen der Frauenbewegung keinerlei Verständnis für die Abtreibungsentscheidung von Frauen. Ganz im Gegenteil reagierten amerikanische Feministinnen im ausgehenden 19. Jahrhundert positiv auf die von Ärzten geführte Kampagne zum Verbot der Abtreibung. Sie verurteilten Abtreibung als Teil der sexuellen Demütigung und Ausbeutung der Frauen, konzentrierten sich aber der Tendenz nach mehr auf die Gründe – die ausbeuterischen sexuellen Beziehungen, die eine Abtreibung notwendig machten – und weniger auf die Konsequenzen einer Abtreibung.

Der feministische Widerstand gegen Abtreibung und Empfängnisverhütung reflektierte eine komplizierte Haltung zur Sexualität und Reproduktion. Die Kämpfe im Zusammenhang mit der staatlichen Reglementierung der Prostitution hatten Feministinnen Ärzten gegenüber mißtrauisch gemacht, weil diese sich als illegitime Autoritäten ein Urteil über die biologische Aufgabe der Frau anmaßten und einer doppelten Geschlechtsmoral das Wort redeten. Zur selben Zeit gerieten Feministinnen außerdem mit den Ärzten hart aneinander, weil diese prominente Gegner der Frauenrechtsbewegung und Gegner einer höheren Bildung für Frauen waren. Doch ebenso wie die Ärzte lehnten auch die Feministinnen die Trennung der weiblichen Sexualität von der Reproduktion ab. Auch Feministinnen waren der Meinung, daß Empfängnisverhütung und Abtreibung die Frauen »unrein«, den Prostituierten ähnlich machten – von sexueller Begierde besudelt und schutzlos den sexuellen Forderungen der Männer ausgeliefert. Statt dessen rühmten britische und amerikanische Feministinnen die Mutterschaft als die höchste Pflicht einer Frau; sie engagierten sich allerdings auch für eine sexuelle Strategie der »freiwilligen Mutterschaft«, die es den Frauen ermöglichen sollte, mit Hilfe von Enthaltsamkeit Kontrolle über ihre Reproduktion auszuüben. Auf diese Weise konnte in Frankreich, Großbritannien und den Vereinigten Staaten die Hochschätzung der Mutterschaft einhergehen mit der Forderung ihrer bewußten Einschränkung, einer Forderung, in der erhebliche klassen- und rassengefärbte Zwischentöne mitschwangen. Wenn Feministinnen »freiwillige Mutterschaft« mit dem Anliegen verbanden, daß Frauen »die Rasse stärken« und »weniger und bessere Kinder« gebären sollten,[37] äußerten sie die gleichen Befürchtungen hinsichtlich Klasse und Rasse, die auch ärztliche Kampagnen gegen die Abtreibung motivierten. Sogar die Minderheit von Feministinnen, die sich um die Jahrhundertwende den Neomalthusianern anschloß und die Geburtenkontrolle propagierte, war in ihrer Unterscheidung zwischen Empfängnisverhütung und Abtreibung unerbittlich: erstere war eine kluge und ehrbare Praxis, letztere eine »risikoreiche« und verachtenswerte Angelegenheit.

Viele Frauen aus dem Mittelstand nahmen jedoch gerade deshalb Zuflucht zur Abtreibung, weil sie ihre Klassen- und Geschlechterrolle als bürgerliche Mutter erfüllen wollten. Der »Kult der wahren Weiblichkeit« löste, wie feministische Forscherinnen gezeigt haben, sowohl antinatale als auch pronatale Strategien aus. Dieser Kult erhob Mutterschaft zur sakralen Berufung, forderte von einer Frau aber gleichzeitig, daß sie sich an den Werten Sparsamkeit und Vorausplanung orientierte, um den sozialen Status ihrer Familie zu sichern. Zu Beginn des 19. Jahrhunderts waren kleinere Familien zum Zeichen bürgerlicher Identität geworden. Familienplanung war ein Teil der bürgerlichen

Familienethik, und es gehörte zu den Mutterpflichten der Frauen, »weniger und bessere Kinder« zu gebären. Weit davon entfernt, eine Flucht vor der Mutterschaft zu sein, half die Abtreibung als Mittel der Geburtenkontrolle den Frauen, ihren Pflichten gegenüber ihren Kindern, ihrer Klasse und Rasse nachzukommen.

Frauen aus der Arbeiterklasse billigten sowohl aus ähnlichen als auch aus anderen Gründen die Abtreibung in aller Öffentlichkeit. Französische und britische Ärzte waren über die saloppe Einstellung der Arbeiterfrauen beunruhigt, die in der Abtreibung keinen Mord, sondern eine völlig legitime Methode sahen. Bis zu den ersten spürbaren Bewegungen des Fötus hielten Frauen sich nicht für schwanger, sondern glaubten an eine »Unregelmäßigkeit« ihrer Monatsblutung. Diese Vorstellung griffen kommerzielle Abtreiber in ihrer Werbung auf, indem sie versprachen, die Unregelmäßigkeit zu beheben und die »Menses« herbeizuführen.

Arbeiterfrauen hielten also an der traditionellen Auffassung fest, daß erst mit den spürbaren Fötusbewegungen »ein Baby da war« und vorher nicht. Seit Ende des 19. Jahrhunderts konnten sie auch auf eine »modernere« Verteidigung der Abtreibung zurückgreifen. Ebenso wie die Prostituierten waren auch die Frauen aus der Arbeiterklasse keineswegs immun gegenüber den Kontroversen um die Abtreibung. Auch sie begannen nun, von körperlicher Integrität zu reden und sich an den öffentlichen Debatten über Fruchtbarkeit und »Rassenselbstmord« zu beteiligen. Als die Women's Cooperative Guild in Großbritannien ihre Mitglieder, überwiegend Ehefrauen qualifizierter Arbeiter, aufforderte, ihre Schwangerschaftserfahrungen zu beschreiben, beschworen viele das Konzept der verantwortlichen Mutterschaft mit seinem rationalen Planen und Buchhalten. Wie die Frauen aus der Mittelschicht verteidigten auch sie die mütterliche Pflicht, »weniger und bessere Kinder« zu gebären: »Ich habe nicht so schnell wie andere Frauen Kinder bekommen (...), nicht weil ich sie nicht liebte, sondern weil ich unter den gegebenen Umständen, wenn ich mehr gehabt hätte, *meine Pflicht ihnen gegenüber* nicht hätte erfüllen können.«[38] Französinnen gingen sogar bei ihrer Verteidigung der Abtreibung noch weiter; Ärzte zeigten sich schockiert darüber, wie »offen sie ihren Verwandten von ihrem Abenteuer erzählten – ohne die geringste Andeutung von Scham oder Reue –, denn sie sagen, ›die Frau muß frei über ihren Körper entscheiden können‹ ...«[39] Wie Rosalind Petchesky betont, war das keine positive Freiheit der sexuellen Erfüllung, sondern vielmehr eine negative Freiheit, die wie die Mittelschichtsdoktrin von der »freiwilligen Mutterschaft« von »ungewolltem Sex« und »ungewollter Schwangerschaft« befreite.[40]

Gleichgeschlechtliche Liebe – Transvestismus und romantische Freundschaft

Transvestismus und romantische Freundschaften waren im 19. Jahrhundert für Frauen zwei mögliche Wege, um gleichgeschlechtliche Liebesbeziehungen zu erkunden. Zwar war der Transvestismus im allgemeinen ein proletarisches Verhalten, doch er drang auch bis zu bürgerlichen Frauen, die für sich die Vorrechte von Gentlemen beanspruchten und manchmal anderen Frauen gegenüber selbst aggressive sexuelle Annäherungsversuche machten. Romantische Freundschaften zwischen Frauen waren dagegen ein öffentlich gebilligtes Merkmal bürgerlicher Frauenkultur; doch auch hier gibt es historische Belege für ein gewisses Maß an kulturellem Austausch. Vor allem in den Vereinigten Staaten gestanden junge Fabrikarbeiterinnen, die Lesen und Schreiben konnten, ihren Freundinnen in reich verzierten, sentimentalen Briefen ihre unsterbliche Liebe.

Weiblicher Transvestismus mit Übernahme der Kleidung und/oder des Lebensstils, der Arbeit und der Verhaltensweisen des anderen Geschlechts war eine populäre, mindestens 400 Jahre alte, durch Volkslieder, Theater, schriftliche und mündliche Kultur überlieferte Tradition. Einige Historiker sehen vor allem für Holland und England einen Höhepunkt des Transvestismus im 17. und 18. Jahrhundert. Amerikanische Historiker haben jedoch nach 1850 eine Zunahme von Zeitungsberichten über Transvestitinnen festgestellt. In jedem Fall wußten Frauen, die dem Transvestismus anhingen, daß andere Frauen ihnen vorausgegangen waren. Noch im 19. Jahrhundert erreichten alte Geschichten über »weibliche Kerle« und »weibliche Ehemänner« das Lesepublikum. Als Emma Edwards den Schundroman *Fanny Campbell or the Female Pirate Captain* (1815) las, kam ihr die Idee, daß auch sie wie Campbell »die Freiheit und glorreiche Unabhängigkeit der Männlichkeit«[41] erreichen könnte, wenn sie sich einfach ihre Haare abschnitte und Männerkleidung anlegte. Genau das tat sie dann auch, lief von zu Hause weg, heiratete »beinahe« ein hübsches Mädchen aus Neuschottland und trat schließlich im amerikanischen Bürgerkrieg der Armee der Union bei.

Edwards erklärte ihre Entscheidung, Männerkleidung anzulegen, mit dem Wunsch, in den Genuß der Freiheiten und Vorrechte von Männern zu kommen. Diese Privilegien konnten Frauen in Männerkleidung Männerlöhne, Arbeitsgelegenheiten, Mobilität und ein abenteuerliches Leben eröffnen. Das abenteuerliche Leben umfaßte vielleicht den Umgang mit Prostituierten und die Heirat mit einer Frau. Die Konstruktion einer männlichen Identität konnte ebenso die Ausübung einer qualifizierten oder schweren Arbeit einschließen oder dazu führen, daß eine Frau zum tapfersten Matrosen auf einem Schiff wurde. Für Elizia Ogden, den weiblichen Lastenträger von Shoreditch, bedeutete es auch, mit den Kollegen ihres Bruders zu rauchen und zu trinken und »jedem hübschen Frauenzimmer, das ihr über den Weg lief«, den Hof zu machen. Kurz, Ogden war »ein vermeintlicher Lebemann und tatsächlicher Romanschriftsteller«. Auch Mary Chapman erreichte, wie die Londoner *Times* 1835 berichtete, einen höheren Grad von »Männlichkeit«: Sie boxte, fluchte und unterhielt sowohl eine Geliebte als auch eine Ehefrau.[42]

Einige Frauen verkleideten sich nur zu bestimmten Gelegenheiten als Männer oder sie taten es ohne die Absicht, vollständig als Männer durchzugehen: Die Schriftstellerin George Sand und die Künstlerin Rosa Bonheur sind zwei berühmte Beispiele für Frauen aus den mittleren und oberen Gesellschaftsschichten, die sich von den ihrem Geschlecht auferlegten Beschränkungen befreien wollten. Einige Frauen, die tatsächlich für Männer gehalten wurden, konnten einen gewissen Grad sozialer Ehrbarkeit erreichen; andere tauchten in eine sexuelle Unterwelt ein. In den 1850er Jahren verließ Lucy Ann Lobdell ihren Ehemann im Norden des Bundesstaates New York und verkleidete sich als Mann, um ihren Lebensunterhalt selbst zu verdienen. »Ich beschloß, Männerkleidung zu tragen und Arbeit zu suchen«, erklärte sie, »und einen Männerlohn zu verdienen.« Später wurde sie Reverend Joseph Lobdell und lebte mit Maria Perry zusammen.[43] In den 1870er Jahren besuchte die französische Einwanderin Jeanne Bonnet, die von der Polizei verschiedentlich wegen Tragens von Männerkleidung festgenommen wurde, als männlicher Kunde ein Bordell und verliebte sich in die Prostituierte Blanche Bruneau, die sie zur Aufgabe ihres Gewerbes überredete. 1876 erschoß ein aufgebrachter Zuhälter Bonnet, als sie gerade mit Buneau im Bett lag. In beiden Fällen wurden die konventionellen Geschlechterrollen genau eingehalten. Die als Mann verkleidete Frau spielte die dominante männliche, die andere Frau die konventionell passive Rolle der Ehefrau oder Geliebten.

Ganz ähnlich wie im Falle der Abtreibung und der Prostitution erforderte der Transvestismus oft die Beihilfe anderer Personen. Einige Pfarrer waren bereit, weibliche Paare zu trauen; Arbeitskollegen und Familienmitglieder gaben das Geheimnis nicht preis; manchmal taten Freundinnen einfach so, als würden sie glauben, ihre ehemalige Freundin sei ein Mann geworden. Beim Tod ihres Mannes gab eine Londoner Ehefrau vor, überrascht zu sein, als sich herausstellte, daß ihr Lebensgefährte der vergangenen 21 Jahre eine Frau war. Doch eine solche stillschweigende Billigung seitens der Gemeinschaft war vorläufig; wurde eine Frau in Männerkleidung strafrechtlich (z. B. wegen

»arglistiger Täuschung« oder Erregen öffentlichen Ärgernisses) verfolgt, gaben sowohl das Gesetz als auch die lokale Gemeinschaft tendenziell dem »Ehemann« die Schuld und ließen die Ehefrau in Ruhe.

Während des ganzen 19. Jahrhunderts blieb der Transvestismus eine verdächtige Praxis: eine verbotene Form des Überschreitens sexueller Grenzen, die den Beigeschmack von maßloser Sexualität oder Sodomie hatte. Gesetzlich war Transvestismus als ordnungswidriges Verhalten verboten, kulturell blieb er ein häufig benutzter bildlicher Ausdruck für weibliches Fehlverhalten und die Verletzung männlicher Vorrechte durch Frauen. Karikaturen zeigten keifende Ehefrauen und aggressive Frauen als maskuline Virago, die im Kampf um die Hosen den Sieg davontragen wollten. Im Englischen, Französischen, Deutschen und Russischen tauchte der abwertend gebrauchte Ausdruck George Sandismus für Frauen auf, die es wagten, dem skandalösen Leben und Verhalten George Sands nachzueifern. Als Reaktion hierauf traten rebellierende Frauen häufig bewußt in Männerkleidung auf: Die Anhängerinnen des Saint-Simonismus gingen in Hosen, während die Bloomer-Bewegung Mitte des Jahrhunderts den Frauen eine Kleidung empfahl, die in ihrem leicht orientalisierenden Stil türkischen Hosen ähnelte und ihnen damit nicht den Anschein gab, als Männer gelten zu wollen. Statt sie zu schmähen, verherrlichten spätviktorianische Feministinnen George Sand als die Verkörperung weiblicher Genialität und Gefährlichkeit, auch wenn sie selbst nicht so weit gingen, ebenfalls Hosen anzulegen.

Auf der Ebene der Phantasie übte der Transvestismus einen weitaus größeren Einfluß auf die weibliche Vorstellungskraft aus: Sich als Mann zu verkleiden und zur See zu fahren oder in die Armee zu gehen war die beharrlichste aller Phantasien, denen sich junge Engländerinnen im 19. Jahrhundert in ihren Tagebüchern am häufigsten hingaben. Auch im Spiritismus fand die Phantasie des Transvestismus ein starkes Ausdrucksmittel: wenn junge weibliche Medien Geister riefen, um mit den Toten zu sprechen, gaben sich ihre Geistführer häufig als hypermaskuline Matrosen oder Soldaten zu erkennen. Wenn sich im Varieté Imitatorinnen in Schale warfen, um den feinen Herrn in der Stadt zu spielen, machten sie sich oft über den »fetten Hintern« der kleinen Angestellten im Publikum lustig, die selbst gerne »Mordskerle« wären.

Anders als bei der weiblichen Prostitution und männlichen Homosexualität gibt es jedoch für das 19. Jahrhundert kaum Anzeichen für eine transvestitische oder lesbische Subkultur. Einzig Paris ist eine wichtige Ausnahme. Nach Berichten von Beobachtern überzog in den 1890er Jahren ein Netz von Cafés, Restaurants und Treffpunkten für Transvestiten, lesbische Prostituierte und Bohemiens die Stadt. Auch in anderen städtischen Zentren tauchte bisweilen lesbische Prostitution auf. Um die Jahrhundertwende kam im Rotlichtbezirk von Philadelphia die Bezeichnung »bulldyke« (»kesser Vater«) auf für lesbische Freier. In den zwanziger Jahren dieses Jahrhunderts wurden in den Vierteln der Schwarzen und in Stadtteilen mit einem Angebot an möblierten Zimmern auch Räume und Unterhaltungseinrichtungen speziell für Lesbierinnen aus der Arbeiterklasse offeriert. Die Bluessängerin Bessie Jackson verewigte in einem Song den rebellischen Geist der »Bulldagger Woman« – einer Lesbierin, die sich einen männlichen Stil zu eigen machte. In den frühen Jahren des 20. Jahrhunderts entstand auch in Paris und New York eine lesbische Subkultur der Schrifstellerinnen und Künstlerinnen aus dem Mittelstand. Diese in Gedichten, Romanen und Theaterstücken gepriesene Subkultur der Salons, Bars und gemeinsamen Wohnungen brachte die Traditionen des Transvestismus und der romantischen Freundschaften zu einer Synthese.

In der viktorianischen Zeit entwickelten Frauen aus der Mittelschicht eine andere Art der gleichgeschlechtlichen Beziehung in Form romantischer Freundschaften. Teilweise waren diese Freundschaften eine Folge der im Bürgertum üblichen scharfen Geschlechtertrennung. Die weibliche Sozialisation förderte starke Bindungen zwischen Frauen, die häufig in der Schulzeit begannen und sich zu lebenslangen Freundschaften entwickelten. Obwohl die romantischen Freundschaften sozial gebilligt wurden, bestand immer eine gewisse Spannung zwischen diesen intimen weiblichen Bindungen und den Familienpflichten.

Kulturell wurde Frauen das Recht zugestanden, ihre leidenschaftliche Sehnsucht nach emotionaler, spiritueller und körperlicher Liebe in einer gleichgeschlechtlichen Beziehung auszudrücken, weil dieses als völlig verschieden von der heterosexuellen Verbindung von Sexualität und Reproduktion galt. »Ich wünschte so sehr, meine Freundin, die einzige von allen Mädchen der Welt, in die Arme zu schließen und ihr zu sagen (...) Ich liebe sie, wie Frauen ihre Männer lieben, wie *Freunde* sich ein Leben lang lieben – und ich glaube an sie wie an meinen Gott.«[44] Briefe dieser Art orientierten sich an den Konventionen der sentimentalen Literatur; sie gehörten zur »sentimentalen Sprache des Errötens, der moralischen Erbauung und des Herzensvergnügens«, welche die viktorianischen Frauen daran gewöhnte, »sexuelle Leidenschaft, Wut, weltlichen Ehrgeiz abzulehnen«.[45]

Eine ganze Reihe von Gruppenritualen begünstigte die für das Mädchenpensionatsleben im 19. Jahrhundert typischen Schwärmereien, »Zusammenbrüche« und Überschwenglichkeiten. Durch Schulschwärmereien für eine ältere, öffentlich erfolgreiche Frau oder eine erfahrenere Mitschülerin lernten die Mädchen, ihre erotischen Wünsche zu kanalisieren und ihren Körper für ein »höheres« Ideal zu verleugnen.

Solche unerfüllten Schwärmereien lehrten die Mädchen auch Selbstbeherrschung und Selbstverleugnung, was die Historikerin Christine Stansell »Scheu vor der Legitimität des eigenen Begehrens« genannt hat.[46]

Während Frauen zu Beginn des Jahrhunderts nicht hoffen konnten, auch nach der Schule noch mit ihrer geliebten Freundin zusammenleben zu können, erlaubten in den letzten Jahrzehnten des Jahrhunderts neue Möglichkeiten eines unabhängigen Lebens außerhalb der heterosexuellen Häuslichkeit zumindest einigen Frauen die Verwirklichung dieses Ziels. Unter den »glorreichen Unverheirateten« und »neuen Frauen« des Fin de siècle wurden Frauenehen oder *Boston marriages* immer üblicher. Neue Beschäftigungen in den »helfenden« Berufen, neue soziale Räume – Universität und Einrichtungen der Wohlfahrtspflege ebenso wie das Angebot an Wohnungen und Damenresidenzen in Großbritannien und den Vereinigten Staaten – ermutigten einige Frauen, sich für die Ehelosigkeit und das Zusammenleben mit einer Lebensgefährtin zu entscheiden. Ein ungewöhnlich hoher Anteil an Amerikanerinnen mit Universitätsabschluß blieb unverheiratet: Zwischen 1889 und 1908 blieben 35 Prozent der Bryn Mawr-Abgängerinnen ledig. Nach einem Bericht von 1909 gingen nur 22 Prozent der 3000 Frauen, die an der Universität von Cambridge studiert hatten, eine Ehe ein. Die höheren Lehranstalten für Frauen waren nach Aussage eines Beobachters »Brutstätten für sentimentale Freundschaften«;[47] in der Fakultät hatten Paarbeziehungen eine etablierte Tradition und Schwärmereien und Amouren waren unter den Studentinnen die Regel.

Im Gegensatz zur verborgenen Welt der weiblichen Paare aus der Arbeiterschaft zeigten sich die »Boston-Ehen« in aller Öffentlichkeit, und sie waren in den Elitekreisen der Gesellschaft anerkannt. Diese Frauen lebten zusammen, hatten gemeinsames Eigentum, gingen gemeinsam auf Reisen, nahmen an Familienfesten teil und schliefen im selben Bett. In ihrer Autobiographie von 1889 pries die Amerikanerin Emma Willard, Vorsitzende einer Liga zur Bekämpfung des Alkoholismus, die Vorzüge einer weiblichen Lebensgemeinschaft. Sie schrieb offen auch über Einzelheiten ihrer »Herzensgeschichten« und hob hervor, daß »die Liebe zwischen Frauen von Tag zu Tag häufiger wird«.[48]

Vor dem Ende des 19. Jahrhunderts brachten nur wenige Kommentare diese körperliche Intimität zwischen angesehenen Frauen mit unerlaubter Sexualität in Verbindung; sie waren völlig davon überzeugt, daß diese Frauen außerhalb der reproduktiven Sexualität keine selbständigen erotischen Wünsche befriedigten. Doch die Ablehnung der Mutterschaft, die sich sowohl in der freiwilligen Ehelosigkeit als auch in den Empfängnisverhütungsstrategien der verheirateten Frauen äußerte, veranlaßte die Ärzte, das sexuelle Verhalten von Frauen und dessen Objekte genauer zu erforschen. Nach 1880 schufen Theoretiker der

Medizin für Transvestiten und romantische Freundinnen die Kategorie der weiblichen Inversion bzw. der Lesbierin.

Die Sexualforschung, d. h. die wissenschaftliche Untersuchung der Sexualität, entstand in Europa als Spezialgebiet der Rechtsmedizin. Einer ihrer Begründer war Richard von Krafft-Ebing, Professor für Psychiatrie an der Universität Wien; zu seinen beruflichen Aufgaben gehörte es, bei Angeklagten, die wegen Sexualdelikten vor Gericht standen, festzustellen, ob bei ihnen Krankhaftigkeit oder Degenerierung vorlag, um so eine gerichtliche Entscheidung darüber zu erlauben, ob die Angeklagten für ihre Handlungen verantwortlich gemacht werden konnten oder nicht. In der *Psychopathia sexualis* (1886), einer gerichtsmedizinischen Studie über Anomalien, veröffentlichte er seine gesammelten Fallgeschichten. Obwohl die anschaulichsten Beschreibungen sexuellen Verhaltens in lateinischer Sprache veröffentlicht wurden, um Lüsternheit abzuwehren, erregte das Buch in der Öffentlichkeit und bei Fachleuten enormes Aufsehen. Krafft-Ebing wurde mit Briefen von Personen überhäuft, die unter sexueller Not litten oder Opfer sexueller Unterdrückung waren. Aus den 45 Fällen und 110 Seiten der Auflage von 1886 waren bis 1903, dem Erscheinungsjahr der 12. Auflage der *Psychopathia sexualis*, 238 Fälle und 437 Seiten geworden. Das Erscheinen der *Psychopathia sexualis*, bemerkt Jeffrey Weeks, markiert das »plötzliche Auftreten des Perversen, des vom Geschlechtstrieb gezeichneten oder auch zerstörten Menschen, mit seiner eigenen Sprache im gedruckten Text«.[49]

In ihre Klassifikationen sexuellen Verhaltens nahmen die Sexualforscher des ausgehenden 19. Jahrhunderts den »widernatürlichen Sexualtrieb« oder die »sexuelle Inversion« auf. Diese Kategorie des sexuell Invertierten (Homosexuellen) hatten sie nicht selbst erfunden: Sie reproduzierten lediglich Kategorien und Vorurteile, die in der Kultur des 19. Jahrhunderts, sowohl beim Proletariat wie bei der gesellschaftlichen Elite, zu finden waren. Wie wir gesehen haben, gab es im Arbeitermilieu ein eigenes Verständnis vom »weiblichen Ehemann«. Die lesbische Prostituierte war für Dichter wie Baudelaire und Gautier, die ihrerseits den Prostitutionsstudien von Parent-Duchâtelet verpflichtet waren, bereits ein literarisches Klischee. Die Sexualforscher gelangten schließlich und endlich auch nicht zu einer kohärenten Deutung der sexuellen Inversion: Um die endlose Zahl der entdeckten Varianten sexueller Erfahrung zu ordnen, bedienten sie sich konfuser, widersprüchlicher und einander überlappender Erklärungen. Immerhin aber schufen sie ein neues Vokabular, das zum einen die Praktiken frauenliebender Frauen problematisierte, zum anderen den Betroffenen eine Sprache zur Verfügung stellte, mit der sie die »Wahrheit« über sich selbst sagen konnten.

In den 1860er Jahren entwickelte Karl Ulrichs als einer der ersten eine angemessene Theorie der männlichen Inversion. Er argumentierte, ein »Urning« (männlicher Homosexueller) sei das Ergebnis einer anormalen Embryoentwicklung, bei dem ein weibliches Bewußtsein in einem männlichen Körper sei. 1869 wandte Dr. Carl Westphal, ein deutscher Psychiater, das Konzept des »Urnings« auf Frauen an. Er veröffentlichte die Fallstudie einer jungen Frau, Fräulein N., die es von Kindheit an vorgezogen hatte, sich wie ein Junge zu kleiden, sich später zu Frauen hingezogen fühlte und sich in »wollüstigen« Träumen als Mann sah. In ihrem Falle, so schlußfolgerte Westphal, handelte es sich um »ein invertiertes sexuelles Temperament«, ein dem des Mannes ähnlicher angeborener Defekt.[50]

Fräulein N. fand schließlich Eingang in Krafft-Ebings Pantheon der sexuell Perversen. Krafft-Ebing konstruierte eine ansteigende Skala sexueller Inversion bei Frauen. Die erste Stufe der Skala umfaßte Frauen, deren Anormalität keinen Ausdruck in der »äußeren Erscheinung« findet, die nächste Stufe Frauen, die eine »starke Vorliebe für männliche Kleidung« zeigen, die folgende Stufe Frauen, die eine männliche Rolle spielen, und die letzte Stufe schließlich die degenerierteste Form der Homosexualität, nämlich Frauen, bei denen lediglich die Geschlechtsorgane weiblich, deren Denken, Fühlen, Handeln und äußere Erscheinung aber männlich sind.

Krafft-Ebing und seine Kollegen in der Sexualforschung konnten sich die lesbische Erotik nur als eine Version männlicher Begierde vorstellen: die männliche Lust einer Frau nach einer anderen Frau. Sie erkannten aber auch an, daß Sexualität mehr war als nur der Geschlechtsakt, daß zu ihr auch Gefühle, Triebe, Emotionen sowie Kleidung, Gang, Gesichtszüge und Lebensstil gehörten. Die frühen Sexualwissenschaftler charakterisierten Frauen mit angeborener Perversion ihrem Denken und Handeln nach als totale Transvestiten und ignorierten dabei den »femininen« Teil des weiblichen Ehepaares. 1883 unterschied beispielsweise Dr. Kiernan aus den Vereinigten Staaten die Frau mit angeborener »sexueller Perversion« von dem »jungen Mädchen, das sie geheiratet hat«.[51]

In seinem Buch *Sexual Inversion* (1897) reduzierte Havelock Ellis Krafft-Ebings vier Kategorien weiblicher Geschlechtsumkehrung auf zwei: angeborene sexuelle Inversion und erworbenes sexuelles Laster. Die im proletarischen weiblichen Transvestiten verkörperte aggressive männliche Frau litt demnach unter angeborener sexueller Inversion. Ellis interessierte sich auch für die Frau, die die passive weibliche Rolle übernahm. Er ging davon aus, daß es sich nur um eine »Nachahmung« der »sexuellen Perversion« handele, wenn »normale« Frauen Frauen mit angeborener Inversion imitieren, und beschrieb dann die soziale Umwelt, die dieses erworbene Verhalten begünstigt, vor allem die Aufenthaltsorte der gebildeten »neuen Frau«. Seine Aufmerksamkeit galt vornehmlich den »leidenschaftlichen Feundschaften« zwischen Frauen, die, wie er behauptete, »einen mehr oder weniger bewußten sexuellen Charakter« hatten.[52] Ellis argumentierte, daß die Homosexualität bei Frauen in Amerika, Frankreich, Deutschland und England infolge der modernen Emanzipationsbewegung ständig zunahm.

Carroll Smith-Rosenberg hat gezeigt, daß Ellis »der neuen Frau den Mantel der Respektabilität vom Leib riß« und damit »vornehme, gebildete, ihrer äußeren Erscheinung, ihrem Denken und Verhalten nach außerordentlich feminine Frauen» als potentielle Lesbierinnen darstellte.[53] Historiker sind sich jedoch über die Auswirkungen dieser wissenschaftlichen Enthüllung nicht einig, ob sie tatsächlich »die Frauen ihrer schützenden Maske beraubte« oder vielmehr homosexuellen Frauen einen neuen Sexualitätsdiskurs zur Verfügung stellte. Außerdem ist unklar, wie einflußreich das »medizinische Modell« war. Ein kurzer Überblick über den weiblichen Diskurs und weibliche Praktiken nach 1890 offenbart in den Ausdrucksformen weiblicher Homoerotik sowohl Kontinuitäten als auch Diskontinuitäten.

Einige Frauen ergriffen die von den neuen sexologischen Studien gebotene Gelegenheit und erzählten ihre Geschichte. Eine deutsche Frau schrieb in einem Brief an Magnus Hirschfeld – ein weiterer berühmter Sexualforscher, der Homosexuelle als »sexuelle Zwischenstufen« auffaßte –, die Werke von Krafft-Ebing hätten ihr die Augen »geöffnet«. »Ich fühlte mich, nachdem ich diese Werke gelesen hatte, so frei und scharfsichtig.« Sich selbst charakterisierte sie als eine der »Ausnahmen vom gewöhnlichen Modell und vom alten, ewigen Naturgesetz«. Ihre Lebensgeschichte, die sie erzählte, endete mit der Beschreibung einer häuslichen Idylle: »Meine hübsche, zuversichtliche kleine Frau führt und leitet unser glückliches Heim wie eine echte deutsche Hausfrau, und ich arbeite und sorge für uns wie ein energievoller und fröhlicher Mann.«[54] Radcliffe Hall hat das von Sexologen entwickelte Modell der weiblichen sexuellen Inversion in ihrem bahnbrechenden lesbischen Roman, *The Well of Loneliness* (1928), verewigt, der von einer Lesbierin des »angeborenen« männlichen Typus aus der oberen Gesellschaftsschicht handelt, die eine »normale« Frau liebt.

Andererseits fühlten sich Frauen von der Sexualisierung und Pathologisierung weiblicher Freundschaften zutiefst bedroht. Einige Frauen nahmen die Warnungen der Sexualforscher zu Herzen: Jeanette Marks (die selbst eine Boston-Ehe führte) schrieb 1908 einen unveröffentlichten Essay, »Unwise College Friendships«, in dem sie vor dem »anormalen« und »unerfreulichen Zustand« der romantischen Freundschaften warnte.[55] Im Gegensatz hierzu protestierte Johanna Elberskirchen,

Schriftstellerin und Frauenrechtlerin, heftig gegen die Interpretation, die die Liebe einer Frau zu einer anderen Frau als »männliche Neigung« deutete.[56] In den 1920er Jahren verurteilte eine Lesbierinnengruppe in Salt Lake City im privaten Kreis *The Well of Loneliness.* Das Buch habe ihr Leben öffentlich bekanntgemacht und sie ihrer schützenden Tarnung aus einer früheren, verschwiegeneren Zeit beraubt.[57]

Doch auch die älteren Formen homosexueller Beziehungen gab es noch im 20. Jahrhundert. Wie bereits in Zusammenhang mit den »kessen Vätern« gezeigt, hielten sich bei farbigen Lesbierinnen aus der Arbeiterklasse weiterhin bestimmte Vorstellungen über Frauen in Männerkleidung. Zwischen Frauen aus der Mittelschicht kam es weiterhin zu Boston-Ehen und romantischen Freundschaften. Obwohl lesbische Subkulturen nun zum urbanen Leben gehörten und Bezeichnungen für lesbische Liebe weit verbreitet waren, identifizierten sich diese Frauen nur selten als Lesbierinnen. Nachdem jedoch die Kategorie der Lesbierin erst einmal kulturell zur Verfügung stand, hatte, wie Leila Rupp bemerkt, »die Entscheidung, diese Kennzeichnung abzulehnen, ebenfalls eine eigene Bedeutung«.[58]

Im Laufe des 19. Jahrhunderts betrieben bürgerliche Reformer eine medizinisch-moralische Politik der Stigmatisierung von Prostituierten, von abtreibenden Müttern, von Transvestitinnen und leidenschaftlichen Freundinnen, indem sie deren Verhalten als gesetzeswidrig und gefährlich brandmarkten. Diese Mobilisierung diente nicht allein zur Unterscheidung devianter Frauen von der weiblichen Norm, sondern auch zur Spezifizierung und Stützung dieser Norm sowie zur Beschwichtigung der verbreiteten Sorge, daß die Erotik ihre stabile Identität und feste Verankerung in der reproduktiven Sexualität verloren habe. Trotz aller Bemühungen der Reformer ließen sich die weiblichen Anderen nicht sicher ausgrenzen und von der ehrbaren Gesellschaft trennen. Sie blieben einbezogen in die bürgerliche Weiblichkeit und durchkreuzten diese; sie waren ein Teil der Einkaufsstraßen des Londoner West End, wo Prostituierte sich unter elegant gekleidete Damen mischten; ein Teil der malthusschen Logik abtreibender Mütter; ein Teil der moralischen Überheblichkeit von Reformerinnen, die zur Rettung von Prostituierten auf die Straße gingen; ein Teil der Vorliebe hochgesinnter, unverheirateter Frauen für weibliche Gesellschaft und selbst ein Teil der unterschiedlichen männlichen und weiblichen Identitäten, indem auch Transvestitinnen diese akzeptierten.

Obwohl nicht selten die institutionelle Macht des Gesetzes und der Medizin zur Kontrolle, Definition und Unterdrückung ordnungswidrigen Verhaltens von Frauen mobilisiert wurde, waren Gesetz und Medizin nicht die einzigen aufgebotenen Kräfte. Vor allem im Falle der Prostitution stießen die staatlichen Reglementierungsbemühungen auch auf öffentliche Opposition und weiblichen Widerstand. Mittelschichtsfrauen ergriffen die Gelegenheit, aus der Geschichte der Prostitution eine Geschichte der sexuellen Opfer und der sexuellen Verführung zu machen. Mit Hilfe dieser Geschichte artikulierten sie ihren eigenen Groll gegen Männer und begründeten ihre Autorität über andere Frauen. Die Fähigkeit, über Sex zu sprechen, eröffnete ihnen eine Welt der neuen Möglichkeiten, weniger allerdings den »Töchtern des Volkes«, denen ihre Fürsorge galt. Auch das sexuelle Leben und die Subjektivität der Arbeiterinnen änderte sich. Sie reagierten auf polizeiliche Kontrollen und Reglementierungen, und sie nutzten die in der urbanen Geschäftskultur gebotenen neuen Möglichkeiten zur sexuellen Selbstdarstellung. Räume zum Improvisieren, Anonymität und spezielle Dienstleistungen boten der Transvestitin, der Prostituierten, der abtreibenden Frau und dem lesbischen Paar neue Möglichkeiten, ihre gesetzeswidrigen Handlungen zu verbergen oder sich in einer modernen urbanen Landschaft neue soziale Beziehungsnetze zu schaffen.

Aus dem Englischen von Sylvia M. Schomburg-Scherff

16
Die Arbeiterin

Joan W. Scott

Im 19. Jahrhundert erlangte die Arbeiterin ein außergewöhnliches Maß an öffentlicher Aufmerksamkeit. Selbstverständlich gab es sie bereits lange vor der Entstehung des Industriekapitalismus. In Europa und Amerika verdiente sie ihren Lebensunterhalt in den Städten und auf dem Land als Spinnerin, Schneiderin, Goldschmiedin, Bierbrauerin, Metallschleiferin, Knopfmacherin, Spitzenklöpplerin, Kindermädchen, Melkerin oder Hausmädchen. Doch im 19. Jahrhundert wurde sie mit nie zuvor dagewesener Aufmerksamkeit beobachtet, beschrieben und dokumentiert. Erst jetzt diskutierte man die Schicklichkeit, Moralität, ja selbst Legalität ihrer Lohnarbeiten. Die Arbeiterin war ein Produkt der industriellen Revolution, nicht etwa weil die Mechanisierung für sie früher nicht vorhandene Erwerbsmöglichkeiten geschaffen hätte (obwohl das auf manchen Gebieten sicherlich der Fall war), sondern weil sie jetzt auf einmal zu einer sichtbaren und problematischen Figur wurde.

Die Arbeiterin geriet in dem Moment in das Blickfeld der Öffentlichkeit, als man sie als ein neu entstandenes und dringend einer Lösung bedürfendes Problem wahrzunehmen begann. Dieses Problem umfaßte sowohl die Bedeutung des Frauseins selbst als auch die Vereinbarkeit von Frausein und Lohnarbeit; man erfaßte und diskutierte dieses Problem in moralischen und kategorischen Begriffen. Ob nun das Objekt der Aufmerksamkeit eine Fabrikarbeiterin, eine arme Näherin oder eine emanzipierte Setzerin war; ob sie als junge, alleinstehende Frau oder als Mutter, alternde Witwe, Frau eines arbeitslosen

Arbeiters oder qualifizierten Handwerkers beschrieben wurde; ob man in ihr das extreme Beispiel für die zerstörerischen Auswirkungen des Kapitalismus oder den Beweis für einen möglichen Fortschritt sah, die Fragen, die diskutiert wurden, blieben dieselben: Sollte eine Frau um des Geldverdienens willen arbeiten? Was waren die körperlichen Folgen weiblicher Lohnarbeit, und welchen Einfluß hatte Lohnarbeit auf die mütterliche und familiäre Rolle einer Frau? Welche Arbeit war einer Frau angemessen? Nicht alle teilten die Meinung des französischen Gesetzgebers Jules Simon, der 1860 behauptete, »eine Frau, die Arbeiterin wird, ist keine Frau mehr«; aber die meisten, die an den Debatten über Arbeiterinnen teilnahmen, stellten ihre Argumente in den Kontext eines angenommenen Gegensatzes zwischen Heim und Arbeit, Mütterlichkeit und Lohnarbeit, Weiblichkeit und Produktivität.[1]

Die Debatten des 19. Jahrhunderts beruhten gewöhnlich auf einer impliziten, in den meisten späteren Studien zur Arbeiterin als selbstverständlich übernommenen, interpretierenden »Geschichte« über die industrielle Revolution. (Ich verwende den Ausdruck »Geschichte«, um gegenüber der häufig unterstellten Objektivität die Konstruiertheit von Geschichten über die Vergangenheit hervorzuheben. Es gibt kaum einen Weg, einfach zu erzählen, was geschehen ist; eine jede »Geschichte« bietet eine Interpretation an, indem sie Informationen so anordnet, daß sie einen bestimmten, durchaus begreifbaren Sinn ergeben.) Diese »Geschichte« sah die Ursache des Problems der Frauenarbeit darin, daß während der Industrialisierung eine Verlagerung der Produktion vom Haushalt in die Fabrik stattgefunden haben soll. In vorindustrieller Zeit, so glaubte man, hätten Frauen produktive Arbeit und Kinderaufzucht, Arbeit und Häuslichkeit erfolgreich kombinieren können. Diese Kombination sei dann aufgrund der vermeintlichen Verlagerung der Erwerbsarbeit zumindest schwierig, wenn nicht unmöglich geworden. Deshalb könnten Frauen, so argumentierte man, jetzt nur noch kurze Zeit ihres Lebens gegen Lohn arbeiten. Nach der Heirat – oder spätestens, wenn sie Kinder bekamen – müßten sie ihre bezahlte Tätigkeit aufgeben und dürften allenfalls erneut zur Erwerbsarbeit zurückkehren, wenn ihr Ehemann die Familie nicht allein ernähren konnte. Diese Deutung hatte zur Folge, daß Frauen sich in bestimmte, schlecht bezahlte, unqualifizierte Arbeiten drängten, eine Situation, die dem Vorrang ihrer mütterlichen und häuslichen Verpflichtungen vor einer langfristigen beruflichen Identifizierung geschuldet war. Das »Problem« der Arbeiterin bestand also darin, daß sie als Anomalie galt in einer Welt, in der sowohl die Lohnarbeit als auch die Verantwortung für eine Familie zu räumlich getrennten Ganztagstätigkeiten geworden waren. Die »Ursache« des Problems wurde damit unvermeidlich im Prozeß industriekapitalistischer Entwicklung mit seiner eigenen Logik gesucht.

Ich werde demgegenüber argumentieren, daß die »Geschichte« der Trennung von Heim und Arbeit weniger einen objektiven Prozeß der historischen Entwicklung beschrieb, als vielmehr zu dieser Entwicklung selbst beitrug. Die »Geschichte« lieferte eben jene Legitimierungen und Erklärungen, die das »Problem« der Arbeiterin konstruierten, indem sie von Kontinuitäten zur vorindustriellen Zeit absahen, von der Gleichheit der Erfahrung aller Frauen ausgingen und Unterschiede zwischen Frauen und Männern betonten.

Die von mir kritisierte Interpretation stellte außerdem den qualifizierten Handwerker als den exemplarischen »Arbeiter« dar und blendete dabei die Unterschiede hinsichtlich Ausbildung und Arbeitsplatzsicherheit von Arbeitern ebenso wie die Ähnlichkeiten hinsichtlich Unregelmäßigkeit und Wechsel der Beschäftigungen zwischen Arbeitern und Arbeiterinnen völlig aus. Die Vorstellung, daß Arbeiter ihr Leben lang eine einzige Stellung innehaben, während Arbeiterinnen ihr Berufsleben mehrmals unterbrechen, zwängte eine bei weitem vielgestaltigere Realität (in der einige Frauen durchaus auch langfristigen Beschäftigungen nachgingen und viele Männer ständig den Arbeitsplatz wechselten) in eine einheitliche, höchst spezielle Ordnung. Auf diese Weise wurde dann Geschlecht als einziger Grund dafür genannt, daß es auf dem Arbeitsmarkt Unterschiede zwischen Männern und Frauen gab. Diese Unterschiede aber hätten mit Begriffen des Arbeitsmarktes, mit wirtschaftlichen Fluktuationen und dem sich verändernden Verhältnis von Angebot und Nachfrage ebenso gut erklärt werden können.

Die »Geschichte« der Trennung von Haus und Arbeit wählt Informationen so aus und ordnet sie so an, daß eine bestimmte Wirkung erzielt wird. Funktionale und biologische Unterschiede zwischen Frauen und Männern werden stark hervorgehoben und damit als Grundlage sozialer Ordnung legitimiert und institutionalisiert. Diese Interpretation der Geschichte der Frauenarbeit prägte ihrerseits diejenige medizinische, wissenschaftliche, politische und moralische Auffassung, die als »Ideologie der Häuslichkeit« oder »Doktrin der getrennten Sphären« bezeichnet worden ist. Man sollte diese Interpretation vielleicht besser als einen Diskurs verstehen, der im 19. Jahrhundert das Geschlecht im Sinne einer »natürlichen« Arbeitsteilung zwischen Männern und Frauen konzeptualisierte. In der Tat müßte die Aufmerksamkeit, die man im 19. Jahrhundert dem Geschlecht als Bestimmungsfaktor der Arbeitsteilung widmete, im generellen Kontext der Rhetorik des Industriekapitalismus über Arbeitsteilung gedeutet werden. Arbeitsteilung wurde als die wirksamste, rationalste und produktivste Art der Organisation der Arbeit, des Betriebes und des Soziallebens gepriesen; wann immer es dabei um Geschlecht ging, wurde die Grenze zwischen dem Nützlichen und dem »Natürlichen« fließend.

Mein Interesse gilt diesem Geschlechtsdiskurs, der aus der Arbeiterin ein Objekt der Forschung und ein Subjekt der Geschichte machte. Ich möchte untersuchen, wie das Dilemma von Heim- und Erwerbsarbeit vorrangig in Form von Forschungen über Arbeiterinnen bearbeitet wurde; wie dieses zusammenhing mit der Definition von weiblicher Arbeitskraft als billig und nur für bestimmte Arten von Arbeit geeignet. Arbeitsteilung wurde also als eine objektive, in der Natur gründende soziale Tatsache aufgefaßt. Ich hingegen erkläre ihre Existenz weder mit unvermeidlichen historischen Entwicklungen noch mit der »Natur«, sondern mit diskursiven Prozessen. Unterschiede zwischen den Geschlechtern waren im 19. Jahrhundert keineswegs neu; sie wurden aber auf neue Weise und mit neuen sozialen, wirtschaftlichen und politischen Wirkungen artikuliert.

Industrialisierung und Frauenarbeit: Kontinuitäten

Die verbreitete »Geschichte« über Frauenarbeit, welche die Bedeutung der Bewegung weg vom Haushalt und hin zum Arbeitsplatz als Ursache betont, beruht auf einem schematischen Modell von der Verlagerung der Produktion vom Bauernhof und vom Hausgewerbe hin zur Fabrik, von kleinen Handwerks- und Handelstätigkeiten hin zu großen kapitalisierten Unternehmen. Viele Historiker haben diese lineare Darstellung ein wenig komplizierter gemacht, indem sie beispielsweise zeigten, daß selbst im Textilgewerbe bis weit ins 20. Jahrhundert hinein Heimarbeit neben mechanisierter Produktion weiterbestand. Doch das Bild von kooperativer Heimarbeit in vorindustrieller Zeit – Vater webt, Mutter und ältere Töchter spinnen, während die kleineren Kinder das Garn vorbereiten – blieb bestehen. Dieses Bild trägt zur Konstruktion eines scharfen Gegensatzes bei: zwischen einer vorindustriellen Welt, in der die Arbeit der Frauen informell, oft unbezahlt war und der Familie immer Priorität zukam, und der industrialisierten Welt der Fabrik, die ganztägige Lohnarbeit außerhalb des Hauses erforderte. Produktion und Reproduktion werden für die frühe Zeit als komplementäre Tätigkeiten dargestellt, in der späteren Zeit jedoch als strukturell unvereinbar und Ursache unlösbarer Probleme für Frauen, die einer Erwerbsarbeit nachgehen wollten oder mußten.

Obwohl dieses Haushaltsmodell der Arbeit tatsächlich einen Aspekt des Arbeitslebens im 17. und 18. Jahrhundert beschreibt, ist es dennoch allzu einfach. Auch in der Zeit vor der Industrialisierung arbeiteten Frauen bereits regelmäßig außerhalb des Hauses. Verheiratete und alleinstehende Frauen verkauften Waren auf den Märkten, verdienten Geld, indem sie ein wenig Handel trieben und hausieren gingen, sich gelegentlich als Kindermädchen oder Wäscherin verdingten, Töpferwaren, Seide, Bänder, Kleidung, Metallwaren, Haushaltswaren und Webstoffe herstellten sowie in Werkstätten Kattun bedruckten. Wenn diese Arbeiten nicht mit der Kinderaufzucht vereinbar waren, gaben Mütter ihre Babys eher Ammen oder anderen Pflegepersonen, als daß sie ihren Erwerb aufgaben. Um Geld zu verdienen, übten Frauen zahlreiche Tätigkeiten aus, und sie wechselten auch von einer Arbeit zur anderen. Maurice Garden bemerkt in seinem Buch über Lyon, daß »das Ausmaß der Frauenarbeit eines der hervorstechendsten Merkmale der Lyoner Gesellschaft im 18. Jahrhundert war«.[2] Dominique Godineau beschreibt in einer Studie über das revolutionäre Paris »einen ständigen Wechsel der Tätigkeiten«, der durch die wirtschaftliche Krise, die mit der Revolution einherging, zwar beschleunigt, nicht aber verursacht wurde. »Dieselbe Arbeiterin konnte in einer Werkstatt Knöpfe herstellen, ihre Waren in einer der Verkaufsbuden rund um die Zentralmarkthallen anbieten oder zu Hause in ihrem Zimmer über Näharbeiten gebeugt sein.«[3] Zu Beginn des 19. Jahrhunderts ging in Paris schätzungsweise mindestens ein Fünftel der erwachsenen weiblichen Bevölkerung einer Lohnarbeit nach. Selbst wenn die Arbeit in einem Haushalt stattfand, arbeiteten viele Lohnarbeiterinnen – vor allem junge, unverheiratete Frauen – nicht in ihrem eigenen Haus. Hausangestellte, Landarbeiterinnen aller Art, Lehrlinge und Gehilfinnen bildeten eine beträchtliche Gruppe weiblicher Arbeitskräfte, die nicht zu Hause arbeitete. Im englischen Ealing beispielsweise lebten 1599 drei Viertel der Frauen im Alter von 15 bis 19 Jahren, die als Dienstboten arbeiteten, nicht bei ihren Eltern. In den Städten Neuenglands erhielten Mädchen im 17. Jahrhundert ihre Ausbildung, indem sie in die Lehre gingen oder sich als Dienstmädchen verdingten. Junge Mädchen reisten als Kontraktarbeiterinnen allein von England nach Amerika (vor allem in das Tabakanbaugebiet bei Chesapeake), und andere wurden als Sklavinnen von Afrika herübergebracht.

Die meisten Arbeiterinnen der vorindustriellen Zeit waren jung und unverheiratet, und sie arbeiteten typischerweise fern von zu Hause, ganz gleich, welche Art Arbeitsplatz sie hatten. Doch gehörten ebenfalls verheiratete Frauen zu den aktiven Arbeitskräften; auch sie arbeiteten an verschiedenen Orten – auf dem Bauernhof, im Laden, in der Werkstatt, auf der Straße oder zu Hause –, und die Zeit, die sie für die Erledigung häuslicher Aufgaben aufwendeten, hing vom Arbeitsdruck und der wirtschaftlichen Situation des Haushalts ab.

Diese Beschreibung trifft ebenfalls auf die Industrialisierungsperiode des 19. Jahrhunderts zu. Auch zu dieser Zeit waren Arbeiterinnen, wie schon in der Vergangenheit, überwiegend jung und unverheiratet, ob sie nun in dem eher »traditionellen« Bereich der Dienstbotenarbeit oder im schnell wachsenden Textilgewerbe beschäftigt waren. In den meisten westlichen Ländern überwog auch noch während der Industrialisierung die Dienstbotenarbeit die Arbeit in der Textilbranche. In England, der ersten Industrienation, waren 1851 40 Prozent aller Frauen als Dienstmädchen und nur 22 Prozent als Arbeiterinnen in der Textilindustrie beschäftigt; in Frankreich waren die Vergleichszahlen für 1866 22 Prozent Dienstboten und 10 Prozent Textilarbeiterinnen; in Preußen arbeiteten 1882 18 Prozent der erwerbstätigen Frauen im häuslichen Dienst und etwa 12 Prozent als Fabrikarbeiterinnen. Ob es sich nun um Dienstmädchen oder Fabrikarbeiterinnen handelte, immer waren es Mädchen ähnlichen Alters. Tatsächlich kam es in Gegenden, in denen die Industrie junge Frauen in großer Zahl beschäftigte, üblicherweise zu Klagen über Dienstbotenmangel. In der französischen Textilstadt Roubaix waren 82 Prozent der weiblichen Beschäftigten weniger als dreißig Jahre alt; im englischen Stockport war 1841 das Durchschnittsalter von Weberinnen 20 Jahre und 1861 24 Jahre. In den 1830er und 1840er Jahren waren 80 Prozent der in den Fabriken von Lowell, Massachusetts, beschäftigten Arbeiterinnen zwischen 15 und 30 Jahren alt; in den 60er Jahren, als Immigrantinnen einheimische Landarbeiterinnen verdrängten, waren die weiblichen Arbeitskräfte noch jünger, nämlich im Durchschnitt 20 Jahre alt. Selbstverständlich waren auch verheiratete Frauen in Textilfabriken beschäftigt, denn in den Textilstädten war die Nachfrage nach weiblichen Arbeitskräften groß, und die Erwerbsgelegenheiten für Männer waren rar. Verheiratete Frauen gingen, ganz gleich, wo sie wohnten, immer irgendeiner Lohnarbeit nach und das nicht notwendigerweise in ihrem eigenen Haus. Für einen Großteil der weiblichen Erwerbsbevölkerung führte die Bewegung also nicht von der Erwerbsarbeit im Haushalt zur Erwerbsarbeit außerhalb des Haushalts, sondern vielmehr von einem Arbeitsplatz zum nächsten. Waren mit einem solchen Wechsel Probleme verbunden – z. B. eine neuartige Zeitdisziplin, lärmende Maschinen, Löhne, die von Marktbedingungen und wirtschaftlichen Zyklen abhingen, profitorientierte Unternehmer –, so waren diese nicht dadurch verursacht, daß Frauen ihr Heim und ihre Familie verließen. (Fabrikarbeit machte es vielmehr oft überhaupt erst möglich, daß Mädchen, die früher bei ihren Arbeitgebern lebten, nun bei ihren Familien bleiben konnten.)

Der von Zeitgenossen und Historikern in den Mittelpunkt gestellte Einfluß der Textilindustrie auf die Frauenarbeit lenkte enorme Aufmerksamkeit auf diesen Sektor, obwohl er während des 19. Jahrhunderts niemals der wichtigste Arbeitgeber für Frauen war. In den »traditionellen« Bereichen der Wirtschaft arbeiteten nach wie vor mehr Frauen als in Fabriken. Verheiratete und unverheiratete Frauen setzten im Kleingewerbe, Kleinhandel und Dienstleistungsbereich die alten Muster der Erwerbsarbeit fort: sie arbeiteten auf den Märkten, in Läden oder zu Hause, sie verhökerten Lebensmittel, transportierten Waren, wuschen Wäsche, vermieteten Zimmer, stellten Streichhölzer und Streichholzschachteln, Papierschachteln, künstliche Blumen, Schmuck und Kleidungsstücke her. Auch für ein und dieselbe Frau konnte die Arbeit an verschiedenen Orten stattfinden. Die englische Strohhutflechterin Lucy Luck erinnerte sich, daß sie »einen Teil der Zeit in der Werkstatt, den anderen Teil zu Hause arbeitete«. In der stillen Jahreszeit, wenn die Geschäfte schlecht gingen, besserte sie ihren Lohn auf durch »Transporte oder Wäsche, und ich habe mich ein paar Mal um das Haus eines Herrn gekümmert, und ich habe Näharbeiten angenommen«.[4] Im Falle von Lucy Luck wäre es falsch zu behaupten, es hätte jemals einen radikalen Bruch zwischen Heim und Arbeit gegeben.

Wie schon im 18. Jahrhundert blieb Näharbeit auch im 19. Jahrhundert ein Synonym für Frauenarbeit. Die alle anderen weiblichen Arbeiten überragende Dominanz der Näharbeiten entkräftet das Argument, daß es zu einer völligen Trennung von Heim und Arbeit und deshalb zu einer Verringerung akzeptabler Arbeitsgelegenheiten für Frauen gekommen wäre. Tatsächlich weitete sich der Bereich der Näharbeiten mit dem Wachstum der Bekleidungs-, Schuh- und Lederbranche aus und sorgte dafür, daß einige Frauen ständig und andere wenigstens hin und wieder Beschäftigung fanden. Die Bekleidungsbranche bot Frauen Beschäftigungen auf unterschiedlichem Qualifikations- und Lohnniveau, wenngleich die Mehrzahl der Tätigkeiten unregelmäßig und schlecht bezahlt war. Im Zuge der Entwicklung der Konfektionsindustrie wuchs in den 1830er und 1840er Jahren nicht nur in Frankreich und England für Frauen auch das Angebot an Heimarbeit, in der eigenen Wohnung oder in einer Werkstatt. Obwohl im Verlauf des Jahrhunderts, in den 50er Jahren in England, in den 80er Jahren in Frankreich, eine Bekleidungsindustrie auf der Basis von Fabrikarbeit entstand, blieb Heimarbeit weiterhin vorherrschend. Die Verabschiedung von Schutzgesetzen für Arbeiterinnen in den 90er Jahren, in denen Heimarbeit ausgespart blieb, verstärkte das Interesse der Arbeitgeber an dieser billigen, nicht reglementierten Handarbeit. Heimarbeit erreichte ihren Höhepunkt erst 1901 in Großbritannien und 1906 in Frankreich, und dieser Höhepunkt war keineswegs der Beginn eines stetigen Niedergangs. Viele Städte des 20. Jahrhunderts sind selbst heute noch Zentren der Vergabe von Aufträgen an Zwischenmeister; hier werden die Frauen wie in der Hauswirtschaft des 18. Jahrhunderts und im Rahmen der schlechtbezahlten Heimarbeit des 19. Jahrhunderts für ihre Näharbeit nach Stücklohn bezahlt. In der Bekleidungsbranche ist also, was Ort und Struktur der Frauenarbeit betrifft, das hervorstechende Merkmal nicht so sehr Wandel als Kontinuität.

Die Arbeit der Bekleidungsbranche stellt außerdem das idealisierte Bild von der Heimarbeit in Frage, das unterstellt, diese Arbeit sei für Frauen besonders geeignet, weil sie eine Kombination von Häuslichkeit und Lohnarbeit erlaube. Wenn man die Löhne in Betracht zieht, wird das Bild komplexer. Näherinnen wurden gewöhnlich nach Stückzahlen entlohnt, und die Löhne waren oft so gering, daß Frauen kaum von ihren Einkünften leben konnten; das Arbeitstempo war enorm und die vorgegebene Fertigungszeit kurz. Ob eine Näherin alleine in einem gemieteten Zimmer oder inmitten eines geschäftigen Haushalts arbeitete, gewöhnlich hatte sie wenig Zeit für häusliche Pflichten. Eine Londoner Hemdennäherin erzählte Henry Mayhew 1849, daß sie von dem, was sie verdiene, kaum leben könne, obwohl sie oft »im Sommer von vier Uhr früh bis neun oder zehn Uhr abends – so lange ich sehen kann«, arbeitete. »Meine normale Arbeitszeit dauert von fünf Uhr morgens bis neun Uhr abends – Winter wie Sommer.«[5] Daß der Arbeitsplatz zu Hause war, konnte für das Familienleben ebenso schädlich sein, wie wenn eine Mutter tagsüber wegging; das Problem waren aber die unerträglich niedrigen Löhne und nicht die Arbeit selbst. (Selbstverständlich konnte eine Frau, wenn die wirtschaftliche Not nicht so groß war, das Arbeitstempo verringern und Haushaltspflichten mit Lohnarbeit vereinigen. Diese Frauen, eine kleine Minderheit der Näherinnen, dienten womöglich als Bestätigung für den Glauben an eine ideale Vergangenheit, in der Familie und Erwerbsarbeit noch nicht in Konflikt miteinander standen.)

Wie die Bekleidungsbranche, die ein frappierendes Beispiel für Kontinuität zu früheren Praktiken liefert, so haben auch die Bürotätigkeiten bestimmte wesentliche Züge der Frauenarbeit bewahrt. Diese Berufe sind Ende des 19. Jahrhunderts im Zuge des expandierenden Handels- und Dienstleistungssektors entstanden. Sie beinhalteten selbstverständlich neue Aufgaben und erforderten andere Fähigkeiten als die, die man als Dienstmädchen oder Näherin erlernte, sie rekrutierten aber genau die Art von Frauen, die typischerweise schon immer das weibliche Arbeitskräftepotential gebildet hatten: junge, unverheiratete Mädchen. Behörden, Geschäfts- und Versicherungsunternehmen stellten Sekretärinnen, Maschinenschreiberinnen und Registratorinnen ein, Postämter beschäftigten vorzugsweise Frauen zum Verkaufen von Briefmarken; Telefon- und Telegrafengesellschaften bevorzugten weibliche Vermittlungskräfte, Läden und Kaufhäuser rekrutierten Verkäuferinnen, neu organisierte Krankenhäuser stellten weibliches Pflegepersonal ein und staatlich finanzierte Schulsysteme suchten Lehrerinnen. Die Arbeitgeber gaben gewöhnlich eine Altersgrenze für ihre Arbeiterinnen an und machten manchmal Ehelosigkeit zur Einstellungsvoraussetzung, womit sie sich ein ziemlich homogenes Arbeitskräftepotential von unverheirateten Frauen im Alter von bis zu 25 Jahren schufen. Die Art des Arbeitsplatzes mag sich geändert haben, das sollte aber hinsichtlich der Arbeiterin nicht mit einem Wandel der Beziehung zwischen Heim und Arbeit verwechselt werden; für die überwiegende Mehrheit der Betroffenen hatte Lohnarbeit typischerweise schon immer bedeutet, daß sie nicht zu Hause arbeiteten.

Während des 19. Jahrhunderts fand allerdings eine massive Verlagerung von der Tätigkeit im häuslichen Dienst (in Stadt und Land, in Haushalt, Handwerk und Landwirtschaft) hin zu Bürotätigkeiten statt. In den Vereinigten Staaten waren 1870 beispielsweise 50 Prozent der Lohnarbeiterinnen Dienstboten; 1920 waren beinahe 40 Prozent der berufstätigen Frauen Büroangestellte, Lehrerinnen oder Verkäuferinnen. In Frankreich machten 1906 Frauen mehr als 40 Prozent der in Büros beschäftigten Arbeitskräfte aus. Diese Transformation des Dienstleistungssektors schuf ohne Frage neue Beschäftigungen, sorgte aber gleichzeitig für weitere Kontinuität: Die Mehrzahl der berufstätigen Frauen arbeitete nicht in der Produktion, sondern im Dienstleistungsbereich.

Auf Kontinuitäten hinzuweisen bedeutet natürlich nicht, Veränderungen zu leugnen. Zusätzlich zu dem massiven Wechsel von Dienstboten- zu Bürotätigkeiten entstanden neue berufliche Möglichkeiten für Frauen aus dem Mittelstand, dieser neu in die Arbeitswelt eintretenden Gruppe. Es ist durchaus möglich, daß ein Großteil der dem Problem der Frauenarbeit generell gewidmeten Aufmerksamkeit von der wachsenden Sorge herrührte, ob Mädchen aus dem Mittelstand, die Lehrerinnen, Krankenschwestern, Fabrikinspektorinnen, Sozialarbeiterinnen u. ä. wurden, überhaupt noch einen Ehemann finden würden. Diese Frauen hätten in früheren Zeiten auf dem elterlichen Bauernhof oder im elterlichen Betrieb gearbeitet, dabei aber kein eigenes Einkommen erworben. Vielleicht lieferte das Beispiel dieser Minderheit unter den erwerbstätigen Frauen des 19. Jahrhunderts die Grundlage für die Behauptung, daß der Verlust von haushaltsintegrierter Erwerbsarbeit eine Gefahr für die häuslichen Fähigkeiten und reproduktiven Pflichten einer Frau bedeutete. Wenn Reformer über »Arbeiterinnen« als einer einzigen Kategorie sprachen und sich dabei hauptsächlich auf Fabrikarbeit beriefen, haben sie vielleicht ihre Besorgnis über die Stellung der Frau im Bürgertum generalisiert.

Das Argument, daß die Industrialisierung zur Trennung von Heim und Arbeit führte und Frauen zwang, zwischen häuslichem Leben und

Lohnarbeit zu wählen, läßt sich also nicht aufrechterhalten. Ebensowenig läßt sich zeigen, daß diese Trennung die Probleme der Frauen verursachte, indem sie diese auf marginale, schlechtbezahlte Tätigkeiten beschränkte. Vielmehr scheint – völlig unabhängig vom Ort der Arbeit – eine ganze Reihe von Annahmen über den Wert der Frauenarbeit die Entscheidungen der Arbeitgeber (sowohl im 18. als auch im 19. Jahrhundert) beeinflußt zu haben. Wo Frauen arbeiteten und was sie taten, war nicht das Ergebnis eines unerbittlichen Industrialisierungsprozesses, sondern zumindest teilweise das Resultat von Arbeitskostenkalkulationen. Ob in der Textil-, Schuh-, Bekleidungs- oder Druckindustrie, ob in Verbindung mit Mechanisierung, Produktionsstreuung oder Rationalisierung der Arbeitsprozesse – die Einstellung von Frauen bedeutete stets, daß die Arbeitgeber entschlossen waren, Arbeitskosten einzusparen. »Je weniger die Handarbeit Geschicklichkeit und Kraftäußerung erheischt, d. h. je mehr die moderne Industrie sich entwickelt, desto mehr wird die Arbeit der Männer durch die der Weiber und Kinder verdrängt«, schrieben Marx und Engels 1848 im *Manifest der Kommunistischen Partei.*[6] Londoner Schneider erklärten ihre prekäre Situation in den 40er Jahren des 19. Jahrhunderts damit, daß die Meister ihre Konkurrenten unterbieten wollten und deshalb Frauen und Kinder anstellten. Amerikanische Drucker sahen in den 1860er Jahren in der Einstellung von Setzerinnen eine »letzte Strategie der Kapitalisten«, die Frauen »aus der ihnen angemessenen Sphäre« lockte, um sie zum »Instrument im Lohnkampf« zu machen »und so beide Geschlechter auf ein der gegenwärtigen unbezahlten Knechtschaft der Frauen vergleichbares Lohnniveau zu drücken«.[7] Die Gewerkschaften verweigerten Frauen die Mitgliedschaft oder forderten, daß sie die gleichen Einkommen wie die Männer erzielen müßten, bevor sie aufgenommen werden könnten. Die zur Londoner Gewerkschaftsversammlung von 1875 entsandten Delegierten zögerten, eine Vertreterin der Gewerkschaft der Buchbinderinnen zuzulassen, weil »Frauenarbeit billige Arbeit war und viele der Delegierten (...) diese Tatsache nicht außer acht lassen konnten«.[8]

Frauen waren auf billige Arbeit festgelegt, aber nicht alle Formen dieser Arbeit galten als angemessene Frauenarbeit. Man hielt Frauen für geeignet, in der Textil-, Bekleidungs-, Schuh-, Tabak-, Lebensmittel- und Lederindustrie zu arbeiten, es gab aber kaum Arbeiterinnen im Berg-, Maschinen- oder Schiffsbau, auch wenn dort die Nachfrage nach sogenannter »unqualifizierter« Arbeit groß war. Ein zur Weltausstellung von 1867 entsandter französischer Delegierter benannte klar die im Hinblick auf Geschlecht, Materialien und Techniken gemachten Unterschiede: »Für den Mann Holz und Metalle. Für die Frau Familie und Gewebe.«[9] Obwohl die Meinungen darüber auseinandergingen, welche

Arbeit für Frauen angemessen sei und welche nicht – und die Meinungen wechselten tatsächlich je nach Zeit und Kontext –, blieb das Geschlecht jedoch immer ein wichtiges Kriterium. Die Arbeit, für die man Frauen einstellte, wurde als »Frauenarbeit« definiert, d. h. sie sollte deren körperlichen Fähigkeiten und deren natürlicher Produktivität besonders gut entsprechen. Dieser Diskurs führte auf dem Arbeitsmarkt zu einer Arbeitsteilung nach Geschlecht, die bewirkte, daß Frauen auf einige wenige, auf der untersten Stufe der Beschäftigungshierarchie stehende Tätigkeiten verwiesen wurden, in denen die Löhne nicht den Lebensunterhalt sicherten. Zum »Problem« wurde die Arbeiterin, als verschiedene Instanzen die sozialen und moralischen Folgen dieser Praktiken sowie ihre wirtschaftliche Rentabilität zu diskutieren begannen.

Die geschlechtliche Arbeitsteilung: Produkt der Geschichte, Folge des Diskurses

Wie läßt sich das »Problem« der Arbeiterinnen im 19. Jahrhundert erklären, wenn es nicht mit der »Geschichte« der objektiven Trennung von Heim und Arbeit zu erklären ist? Statt nach besonderen technischen oder strukturellen Gründen zu suchen, müssen wir die diskursiven Prozesse erforschen, die die geschlechtsspezifischen Formen der Arbeitsteilung konstituierten. Das wird zu einer kritischeren und komplexeren Analyse der vorherrschenden historischen Deutungen führen.

Die Identifizierung der Frauenarbeit mit einer bestimmten Art von Tätigkeiten und mit billiger Arbeit wurde im 19. Jahrhundert auf so vielfältige Weise formalisiert und institutionalisiert, daß sie dem »gesunden Menschenverstand« als völlig selbstverständlich erschien. Selbst diejenigen, die den Status der Frauenarbeit verändern wollten, stellten fest, daß sie gegen scheinbar feste »Tatsachen« argumentieren mußten. Diese »Tatsachen« waren nicht objektiv existent. Sie wurden vielmehr über »Geschichten« produziert, die die Folgen der Trennung von Heim und Arbeit betonten. Das geschah durch die Theorien der Nationalökonomen ebenso wie durch die Einstellungspräferenz der Arbeitgeber, die ein klar nach Geschlecht segregiertes Arbeitskräftepotential entstehen ließ. Die Politik der meisten Männergewerkschaften »naturalisierte« sehr wirkungsvoll die »Tatsachen«, indem sie den geringeren Wert der weiblichen Arbeitskräfte wie selbstverständlich voraussetzte. Dasselbe taten die Untersuchungen von Reformern, Ärzten, Gesetzgebern und Statistikern, deren öffentliches Lamentieren schließlich zur Verabschiedung von Arbeiterinnenschutzgesetzen führte. Von den frühen Fabrikgesetzen bis hin zur internationalen Bewegung im ausgehenden 19. Jahrhundert setzte diese Gesetzgebung als erwiesen voraus (und bestätigte damit), daß alle Frauen unausweichlich abhängig und daß Lohnarbeiterinnen eine unübliche, verwundbare und notwendigerweise auf bestimmte Berufe beschränkte Gruppe sind. In diesem allgemeinen Konsens hatten es die abweichenden Stimmen einiger weniger Feministinnen, Gewerkschaftsführer und Sozialisten schwer, sich Gehör zu verschaffen.

Nationalökonomie

Einer der Orte, an dem der Diskurs über geschlechtliche Arbeitsteilung entstand, war die Nationalökonomie. Die Nationalökonomen des 19. Jahrhunderts entwickelten und popularisierten die Theorien ihrer Vorgänger aus dem 18. Jahrhundert. Obwohl es wichtige nationale Unterschiede zum Beispiel zwischen britischen, deutschen und französischen Theoretikern und verschiedene Schulen der Nationalökonomie innerhalb eines Landes gab, waren allen Richtungen bestimmte Grundsätze gemeinsam. So etwa die Auffassung, daß die Löhne der Männer nicht allein für deren eigenen Lebensunterhalt, sondern für den Unterhalt einer ganzen Familie zu reichen hätten, sonst würde, wie Adam Smith feststellte, »die Schicht der Arbeiter (...) mit der ersten Generation aussterben«. Dabei unterstellte er, daß der Lohn einer Frau »nur für ihren eigenen Unterhalt ausreicht, da sie ja auch die Kinder versorgen muß«.[10]

Andere Nationalökonomen dehnten diese Hypothese über den Lohn von Ehefrauen auf alle Frauen aus und charakterisierten unabhängig vom Familienstand alle Frauen als naturgemäß in ihrem Lebensunterhalt von Männern abhängig. Einige Theoretiker wiesen zwar darauf hin, daß auch die Löhne von Frauen deren Unterhaltskosten decken sollten, doch andere hielten dagegen, daß das nicht möglich sei. Der französische Nationalökonom Jean-Baptiste Say zum Beispiel argumentierte, daß die Löhne von Frauen immer unter dem Subsistenzniveau liegen würden, weil es immer einige Frauen gäbe, die sich auf die Unterstützung durch ihre Familie verlassen könnten (Frauen gleichsam im »Natur«zustand) und deshalb nicht von ihrem Einkommen leben müßten. Dies hatte zur Folge, daß unverheiratete Frauen, die nicht bei ihren Familien lebten, und Frauen, die alleine für den Unterhalt ihrer Familie sorgen mußten, zwangsläufig arm waren. Nach seinem Kalkül mußten die Löhne der Männer für den Unterhalt der Familie ausreichen und deren Reproduktionskosten decken; die Löhne der Frauen dagegen stellten *ein zusätzliches* Einkommen dar, das Engpässe zu überwinden half oder Geld zur Verfügung stellte, das über das zum Überleben Notwendige hinausging.[11]

Die Asymmetrie der Lohnberechnung war auffallend: die Löhne der Männer schlossen Lebens- und Reproduktionskosten ein, die Löhne der Frauen erforderten selbst für den Lebensunterhalt einer einzelnen Frau die Aufbesserung durch die Familie. Darüber hinaus sollte das Einkommen der Männer den Lebensunterhalt der gesamten Familie decken, die Kinder ernähren und ihre Ausbildung finanzieren. Mit anderen Worten, die Männer waren für die Reproduktion verantwortlich. Reproduktion hatte in diesem Diskurs keinerlei biologische Bedeutung. Vielmehr war nach Say Reproduktion gleichbedeutend mit Produktion, und beide bezogen sich auf diejenige Tätigkeit, die den Dingen Wert verlieh, die die natürliche Materie in Produkte mit sozial anerkanntem Wert (und deshalb in Tauschmittel) verwandelte. Geburt und Aufzucht der Kinder, Arbeiten also, die von Frauen geleistet wurden, waren Rohmaterialien. Die Transformation von Kindern in Erwachsene, die schließlich wieder imstande waren, ihren Lebensunterhalt zu verdienen, war das Ergebnis des väterlichen Einkommens; der Vater war es, der seinen Kindern ihren wirtschaftlichen und sozialen Wert gab, indem sein Lohn für ihren Lebensunterhalt sorgte.

Nach dieser Theorie hatte der Lohn des Arbeiters eine doppelte Bedeutung. Er entschädigte ihn für seine Arbeit und gab ihm gleichzeitig in der Familie den Status des Wertschöpfers. Da sich der Wert in Geld bemaß und der Lohn des Vaters die Existenz der Familie sicherte, zählte nur das Einkommen des Vaters. Weder die Hausarbeit noch die Lohnarbeit der Mutter waren sichtbar und relevant. Aus dieser Auffassung folgte, daß Frauen keinen wirklich signifikanten wirtschaftlichen Wert schaffen konnten. Ihre Hausarbeit blieb bei den Diskussionen über die Reproduktion der nächsten Generation unberücksichtigt, und ihre Lohnarbeit wurde immer als selbst für ihr eigenes Auskommen unzureichend beschrieben. Die von der Nationalökonomie beschriebenen Gesetze der Frauenarbeit folgten einer Art zirkulärer Logik, nach der niedrige Löhne sowohl Ursache als auch Beweis für die »Tatsache« waren, daß Frauen weniger produktiv als Männer waren. Einerseits basierten die niedrigen Löhne der Frauen auf der Voraussetzung der geringeren Produktivität von Frauen; andererseits dienten sie als Beweis dafür, daß Frauen nicht so hart wie Männer arbeiten konnten. »Aus der Sicht der Industrie ist die Frau ein unvollkommener Arbeiter«, schrieb Eugène Buret 1840.[12] Und die Arbeiterzeitung *L'Atelier* leitete eine Debatte über die Armut der Frauen mit einem Satz ein, der für sie eine Binsenwahrheit darstellte: »Da die Frauen weniger produktiv sind als die Männer (...).«[13] In den 90er Jahren des Jahrhunderts schloß der Fabianer Sidney Webb eine lange Untersuchung über die Unterschiede zwischen den Löhnen der Frauen und denen der Männer mit der Bemerkung: »Frauen verdienen nicht nur deshalb weniger als Männer, weil sie weniger produzieren, sondern auch weil das, was sie produzieren, auf dem Markt gewöhnlich geringer bewertet wird.« Er erläuterte, daß diese Bewertung auf nicht ganz rationale Weise zustande kam: »Dort, wo es eine Inferiorität von Löhnen gibt, gibt es auch beinahe immer eine Inferiorität der Arbeit. Und die allgemeine Inferiorität der Frauenarbeit scheint die Löhne der Frauen auch in Industrien zu beeinflussen, in denen eine solche Inferiorität nicht existiert.«[14]

Die Vorstellung, daß die Arbeit von Männern und Frauen einen unterschiedlichen Wert habe, daß Männer produktiver seien als Frauen, schloß Frauen weder aus dem Arbeitskräftepotential der sich industrialisierenden Länder aus, noch fesselte sie die Frauen an den häuslichen Herd. Wenn sie oder ihre Familien Geld brauchten, verließen Frauen das Haus, um Geld zu verdienen. Doch wieviel und auf welche Weise sie es verdienen konnten, wurde zu einem großen Teil von jenen Theorien bestimmt, die Frauenarbeit billiger als Männerarbeit definierten. Ganz gleich, wie die Lebensumstände der Frauen sein mochten – ob sie unverheiratet oder verheiratet waren, einem Haushalt vorstanden oder für den Unterhalt von abhängigen Eltern oder Geschwistern sorgen mußten –, ihre Löhne wurden so niedrig festgelegt, als ob diese bloß zu dem Einkommen anderer Familienmitglieder beizutragen hätten. Selbst wenn ihre Produktivität durch Mechanisierung anstieg (wie etwa in den 70er Jahren des 19. Jahrhunderts in der Strumpfwirkerei der englischen Stadt Leicester), blieben die Löhne der Frauen auf dem gleichen geringen Niveau (im Verhältnis zu denen der Männer) wie zu Zeiten der Heimarbeit. In den Vereinigten Staaten verdienten Frauen 1900 sowohl als halbqualifizierte wie als unqualifizierte Fabrikarbeiterinnen nur 76 Prozent des Stundenlohns der am niedrigsten entlohnten unqualifizierten Arbeiter.

Die Theorien der Nationalökonomie hatten noch weitere Konsequenzen. Indem Ökonomen zwei verschiedene Lohn»gesetze«, d. h. zwei verschiedene Systeme zur Bewertung der Arbeit formulierten, nahmen sie eine Unterscheidung der Arbeitskraft nach dem Geschlecht vor und erklärten dieses Vorgehen als Ausdruck einer funktionalen geschlechtlichen Arbeitsteilung. Indem sie sich auf zwei verschiedene »Natur«gesetze – das Gesetz des Marktes und das der Biologie – zur Erklärung der unterschiedlichen Situation von Männern und Frauen beriefen, legitimierten sie außerdem herrschende Praktiken. Selbst diejenigen, die den Kapitalismus und die Situation der Arbeiterin kritisierten, akzeptierten meistens die Gesetze der Ökonomie als unvermeidlich und schlugen Reformen vor, die ihnen Rechnung trugen. Obwohl einige Feministen und Feministinnen forderten, daß Frauen Zugang zu allen Berufen haben und die gleichen Löhne wie Männer erhalten sollten, traten die meisten Reformer dafür ein, daß Frauen es eigentlich nicht nötig haben sollten, Erwerbsarbeit zu leisten. In den modernen Industrieländern kam es dementsprechend Ende des 19. Jahrhunderts zur Forderung an die Arbeitgeber, das Ideal eines »Familienlohns« zu erfüllen, also Männern einen Lohn zu zahlen, der den Unterhalt auch von Frau und Kindern deckt. Diesen »Familienlohn« zu fordern hieß, die größere Produktivität und Unabhängigkeit der Männer und die geringere Produktivität und notwendige Abhängigkeit der Frauen von den Männern als unvermeidlich zu akzeptieren. Ende des 19. Jahrhunderts sahen sich Frauen stärker als je zuvor auf Billigarbeit festgelegt. Dieses war zunächst nur eine Prämisse der Nationalökonomie. Durch das Zusammenwirken einer vielgestaltigen Gruppe von Akteuren hatte es sich allmählich zu einem immer deutlicheren sozialen Phänomen entwickelt.

Die Schaffung geschlechtlicher Arbeitsplätze

Die Praktiken der Arbeitgeber trugen ebenfalls ihren Teil dazu bei, den Diskurs über geschlechtliche Arbeitsteilung zu konstituieren. Wenn Unternehmer Arbeitsplätze zu vergeben hatten, spezifizierten sie gewöhnlich nicht nur das erforderliche Alter und Qualifikationsniveau, sondern auch das Geschlecht, und in den Vereinigten Staaten auch Rasse und Ethnizität der Arbeiter. In amerikanischen Städten endeten in den 1850er und 1860er Jahren Stellenanzeigen in Zeitungen oft mit: »Iren nicht erwünscht«. Britische Textilfabrikanten suchten »kräftige, gesunde Mädchen« oder »Familien mit Mädchen« für die Fabrikarbeit.[15] In den amerikanischen Südstaaten hatten Mädchen und ihre Familien weiß zu sein. Die hier ansässige Tabakindustrie rekrutierte im Gegensatz dazu fast ausschließlich schwarze Arbeiter. Einige schottische Fabrikbesitzer lehnten es ab, verheiratete Frauen einzustellen; andere waren in ihren Unterscheidungen noch umsichtiger, so zum Beispiel der Direktor der Cowanschen Papierfabrik in Penicnik, der seine Einstellungspolitik 1865 folgendermaßen erklärte: »Um der Vernachlässigung von Kindern zu Hause vorzubeugen, stellen wir keine Mütter von Kleinkindern in unserem Werk ein. Eine Ausnahme gibt es für Witwen oder Frauen, die von ihren Ehemännern verlassen worden sind oder deren Ehemänner nicht imstande sind, den Lebensunterhalt zu verdienen.«[16]

Arbeitgeber beschrieben die von ihnen angebotenen Stellen oft so, als hätten diese geschlechtsspezifische Eigenschaften. Tätigkeiten, die feine, geschickte Finger, Geduld und Ausdauer erforderten, wurden als weiblich bezeichnet, während Muskelkraft, Geschwindigkeit und Qualifikation Männlichkeit signalisierten. Allerdings wurde keine dieser Beschreibungen konsistent auf die ganze Bandbreite der angebotenen Stellen angewandt; tatsächlich waren sie Thema heftiger Kontroversen und Debatten. Das Ergebnis dieser Beschreibungen und Entscheidungen, Frauen nur für bestimmte Tätigkeiten einzustellen und für andere nicht, war die Entstehung der Kategorie »Frauenarbeit«. Auch die Löhne wurden mit einer Vorstellung vom Geschlecht der jeweils betroffenen Arbeitskräfte festgelegt. Mit der Intensivierung der Gewinn-und-Verlust-Kalkulationen und der Suche nach Konkurrenzvorteilen auf dem Arbeitsmarkt wurde die Einsparung von Lohnkosten in der Tat für die Unternehmer immer wichtiger.

Arbeitgeber entwickelten eine Vielzahl von Strategien zur Senkung der Lohnkosten. Sie führten Maschinen ein, zergliederten und vereinfachten die einzelnen Tätigkeiten im Herstellungsprozeß, verringerten die Qualifikations- (und/oder Schul- und Berufsausbildungs-)anforderungen für ihre Arbeitsplätze, beschleunigten das Produktionstempo, und sie reduzierten die Löhne. Das hatte keineswegs immer die bevorzugte Einstellung von Frauen zur Folge, denn es gab viele Arbeitsplätze, die als ungeeignet für Frauen galten, und andere, in denen der Widerstand der Arbeiter die Einstellung von Frauen undenkbar machte. Doch auch wenn die Tendenz zur Reduktion der Arbeitskosten nicht immer auf eine Feminisierung der Arbeitsplätze hinauslief, bedeutete die Einstellung von Frauen gewöhnlich doch, daß Unternehmer Geld zu sparen versuchten.

Der schottische Ökonom Andrew Ure beschrieb die Prinzipien des neuen Fabriksystems 1835 in für Fabrikanten vertrauten Begriffen:

> »Tatsächlich ist es das stete Ziel und Bestreben jeder Verbesserung der Maschinerie, menschliche Arbeitskraft entweder ganz abzuschaffen oder ihre Kosten zu reduzieren, indem man die Arbeit der Männer durch die von Frauen und Kindern ersetzt oder die der qualifizierten Handwerker durch die gewöhnlicher Arbeiter.
>
> In den meisten Baumwollspinnereien wird die Arbeit ganz von jungen Mädchen ab dem Alter von 16 Jahren erledigt. Wenn man die gewöhnliche Mule durch eine Selfaktor-Mule ersetzt, kann man den größten Teil der Spinner entlassen und lediglich die Jugendlichen und Kinder behalten. Der Besitzer einer Fabrik in der Nähe von Stockport sagt, (...) daß er durch eine solche Substitution 50 Pfund in der Woche bei den Löhnen einspart.«[17]

In den 70er Jahren des 19. Jahrhunderts experimentierten Schuhfabrikanten in Massachusetts in ihren Betrieben mit zahlreichen Veränderungen auf dem Gebiet der geschlechtlichen Arbeitsteilung. So verwandten sie beim Spannen des Leders über den Leisten beispielsweise Fäden statt Nägel und ließen die Arbeit nun statt von Männern von Frauen ausführen; sie führten auch von Frauen betriebene Schneidemaschinen ein. In beiden Fällen waren die Löhne der Frauen niedriger als die der Männer, die sie ersetzten. Als Mitte des 19. Jahrhunderts in den städtischen Zentren immer mehr Zeitungen verlegt wurden, wurden zur Lohnkostensenkung in der Druckindustrie vornehmlich Frauen eingestellt. Die Verleger versuchten außerdem, die mit dem Erscheinen von Morgen- und Abendausgaben der Tageszeitungen gestiegene Nachfrage nach Setzern durch die Ausbildung und Einstellung von Frauen zu befriedigen. Doch der Widerstand der gewerkschaftlich organisierten Drucker schränkte diese Praktiken auf ein Minimum ein und verhinderte wirkungsvoll die Feminisierung des Druckereigewerbes. Nichtsdestotrotz wurden in vielen Kleinstädten auch weiterhin Frauen (zu niedrigeren Löhnen als Männer) in großer Zahl in der Buchdruckerei und Buchbinderei eingestellt.

In expandierenden Bereichen der Berufe mit Fachausbildung und der Angestelltentätigkeit galten Frauen aus vielen verschiedenen Gründen geeigneter als Männer. Als Lehrerinnen und Krankenschwestern hatten sie es, wie man sagte, mit der Pflege von Menschen zu tun, Schreibmaschineschreiben wurde mit dem Klavierspiel verglichen, und als Büroangestellte sollten sie von ihrer Unterwürfigkeit, von ihrer Liebe zum Detail und ihrem Gleichmut gegenüber repetitiver Arbeit profitieren. Diese Wesenszüge hielt man für ebenso »natürlich« wie die »Tatsache«, daß die Kosten der Frauenarbeit notwendigerweise geringer als die der Männerarbeit waren. Die in den 1830er und 1840er Jahren in den Vereinigten Staaten geführten großen Diskussionen über öffentliche Erziehung umfaßten Fragen der Kosten und des allgemeinen Zugangs zu öffentlich finanzierten Schulen. Föderalisten und Jacksonianer waren sich darin einig, daß solche Schulen, so sie denn errichtet werden sollten, nur minimale Kosten verursachen dürften. Jill Conway erklärt die Beschäftigung von Frauen im Schulwesen und den im Vergleich zu den meisten westeuropäischen Ländern geringeren sozialen Status der Lehrer in den Vereinigten Staaten als Folge des Bestrebens, die Kosten so gering wie möglich zu halten. »Das Ziel der Kostenreduzierung ließ die Rekrutierung von Frauen als völlig logisch erscheinen, weil alle an der Erziehungsdebatte beteiligten Parteien darin übereinstimmten, daß Frauen kein Gewinnstreben kennen und für Minimallöhne arbeiten würden.«[18]

Eine ähnliche Argumentation stand hinter der Entscheidung, Frauen in Behörden und Privatfirmen für Büroarbeiten einzustellen. Nach Samual Cohn wurden in Großbritannien Frauen dann eingestellt, wenn es sich um arbeitsintensive Tätigkeiten handelte und außerdem das Angebot an Jungen für Sekretariatsarbeiten knapp geworden war. Hinter der Einstellung von Frauen stand oft eine veränderte Strategie, nämlich der Wunsch, die wirtschaftliche Effizienz zu erhöhen, die Arbeitskosten zu senken und dabei gleichzeitig besser ausgebildete Arbeiter zu rekrutieren.[19] Der Direktor des britischen Telegrafendienstes bemerkte 1871, daß »Löhne, die männliche Vermittlungskräfte lediglich aus unteren Sozialschichten anzulocken vermögen, weibliche Kräfte aus höheren Schichten anzögen«.[20] Sein französischer Kollege, der die Erfahrung der Briten mit weiblichem Personal sorgfältig studiert hatte, sagte 1882, daß »die Rekrutierung von Frauen meist auf einem höheren Bildungsniveau stattfindet, als dieses für neue männliche Angestellte gefordert wird«.[21] Aus ähnlichen Gründen, aber sehr viel zögernder, begann die deutsche Telegraphenverwaltung in den späten 1880er Jahren, Frauen als »Hilfskräfte« (eine Stellung, die sie – sowohl was ihren Rang als auch was ihr Einkommen betraf – von den Männern unterschied) anzuwerben.

Im französischen Telegrafendienst arbeiteten in den 1880er Jahren Frauen und Männer in verschiedenen Räumen und verschiedenen Schichten, vermutlich um den Kontakt zwischen den Geschlechtern und der damit gegebenen Gefahr unmoralischen Verhaltens vorzubeugen. Außerdem unterstrichen die strikt voneinander getrennten Arbeitsplätze den unterschiedlichen Status der Arbeiter und Arbeiterinnen, eine Statusdifferenz, die sich auch in den unterschiedlichen Löhnen beider Gruppen spiegelte. Die Arbeitsorganisation im Pariser Telegrafendienst war gleichzeitig sichtbare Demonstration und Produktion der geschlechtlichen Arbeitsteilung.

Der französische Postdienst begann in den 1890er Jahren in den städtischen Zentren mit der Einstellung von Frauen, was als große Innovation empfunden wurde, obwohl Frauen seit Jahrzehnten in der Provinz Postämter geleitet hatten. Die Postverwaltung machte ihr Stellenangebot für Frauen zugänglich in einer Zeit, als das Postvolumen und der Druck, den Postdienst wirtschaftlich rentabler zu gestalten, ständig größer wurden und als Männer es ablehnten, sich zu den offerierten Löhnen um eine Anstellung zu bewerben. Schließlich schuf man für Frauen eine besondere Beschäftigungskategorie, die *dames employées* – eine Bürotätigkeit mit festem Lohn und keinerlei Aufstiegsmöglichkeiten. Folge dieser Beschäftigungsbedingungen war eine starke Fluktuation der weiblichen Arbeitskräfte. (Diese Fluktuation war auch das Ergebnis von Alters- und Heiratsbeschränkungen. Für einige Verkaufs- und Bürotätigkeiten war das Alter der Frauen auf 16 bis 25 Jahre begrenzt und der Ledigenstatus Voraussetzung. In England und Deutschland herrschte ein striktes Eheverbot für Angestellte, was die Fluktuation verstärkte und es Frauen unmöglich machte, Ehe und Büroarbeit zu vereinigen.) Hieraus ergab sich ein deutlicher Unterschied in den beruflichen Laufbahnen von Männern und Frauen im Postdienst – ein Unterschied, der die Strategie des Managements spiegelte. Mit den Worten eines Personalchefs:

»Heute gibt es eine Kategorie von Beschäftigten, die in gewisser Weise den früheren Hilfskräften ähnlich sind: die *dames employées.* Sie haben die gleichen Aufgaben wie Büroangestellte, können aber nicht in verantwortliche Stellungen aufrücken. (...) Die Feminisierung ist ein gutes Mittel, um Männern bessere Aufstiegschancen zu verschaffen. Männliche Beschäftigte sind weniger zahlreich, und die Anzahl der verantwortlichen Stellungen steigt der Tendenz nach; es ist deshalb klar, daß Männer nun leichter die Position des Bürovorstehers erreichen können.«[22]

Die räumliche Organisation der Arbeit, die Hierarchie der Löhne, Aufstiegschancen und Status sowie die Konzentration von Frauen in ganz bestimmten Beschäftigungskategorien und in bestimmten Sektoren des Arbeitsmarkts schufen ein nach Geschlechtern segregiertes Arbeitskräftepotential. Die Annahmen, auf die sich diese Geschlechtertrennung gründete – daß nämlich Frauen billiger und weniger produktiv als Männer seien, überhaupt nur zu bestimmten Zeiten ihres Lebens (solange sie jung und unverheiratet sind) und nur zu bestimmten Arten der Arbeit (unqualifizierte, kurzfristige und Dienstleistungstätigkeiten) geeignet seien –, schienen abgeleitet aus dem System der Frauenarbeit, welches jedoch seinerseits erst durch diese Annahmen hervorgebracht worden war. Niedrige Löhne wurden beispielsweise auf das zwangsläufige »Zusammendrängen« von Frauen an den für sie passend erachteten Erwerbsplätzen zurückgeführt. Die Realität eines nach Geschlechtern getrennten Arbeitsmarktes galt dann als Beweis für eine bereits vorher bestehende »natürliche« geschlechtliche Arbeitsteilung. Ich vertrete dagegen die Auffassung, daß es so etwas wie eine »natürliche« geschlechtliche Arbeitsteilung nicht gibt. Solche Teilungen sind vielmehr das Ergebnis von Praktiken, die die Teilungen dann natürlich erscheinen lassen. Die Segregierung des Arbeitsmarktes nach Geschlecht ist hierfür ein Beispiel.

Gewerkschaften

Politik und Praktiken der Gewerkschaften liefern ein anderes Beispiel dafür, wie die geschlechtliche Arbeitsteilung über den Diskurs hergestellt wird. Die Mehrzahl der gewerkschaftlich organisierten Arbeiter versuchten, ihre Arbeitsplätze und Löhne dadurch zu schützen, daß sie Frauen aus ihren Berufen und langfristig auch vom Arbeitsmarkt insgesamt ausschlossen. Sie hielten es für unvermeidbar und akzeptierten es, daß die Löhne der Frauen niedriger als die der Männer waren, und sahen in den Frauen daher eher eine Gefahr als potentielle Verbündete. Sie rechtfertigten ihre Versuche, Frauen aus ihren Berufen auszuschließen, mit dem Argument, daß Frauen aufgrund ihrer körperlichen Beschaffenheit zur Mutterschaft und zum Hausfrauendasein prädestiniert seien und daß sie aus diesem Grund weder produktive Arbeiterinnen noch gute Gewerkschafterinnen sein könnten. Die Ende des 19. Jahrhunderts allgemein gebilligte Lösung des Problems bestand darin, die für »natürlich« gehaltene geschlechtliche Arbeitsteilung zu erzwingen. Henry Broadhurst erklärte 1877 auf dem Kongreß der British Trade Unions, daß es die Pflicht der Gewerkschaftsmitglieder »als Männer und Ehemänner« sei, »alle ihre Anstrengungen darauf zu verwenden, die Voraussetzungen zu schaffen, daß ihre Frauen in der ihnen eigenen häuslichen Sphäre verbleiben können, statt in Konkurrenz mit den großen und starken Männern der Welt um den Lebensunterhalt zu kämpfen«.[23] Bis auf wenige Ausnahmen einigten sich die französischen Delegierten 1879 auf dem Arbeiterkongreß in Marseille auf eine Position, die Michelle Perrot als »Lob der Hausfrau« bezeichnet hat: »Wir glauben, daß der eigentliche Ort der Frauen nicht die Werkstatt oder die Fabrik, sondern der Haushalt, das Zentrum der Familie, ist.«[24] Nach Ute Frevert äußerte sich der Gothaer Vereinigungsparteitag der Lassalleaner und Eisenacher Sozialdemokraten 1875 »zugleich rigider und differenzierter, als er alle ›die Gesundheit und Sittlichkeit schädigende Frauenarbeit‹ verboten wissen wollte«.[25]

Wie die Arbeitgeber (aber nicht immer aus den gleichen Gründen) beriefen sich auch die Delegierten auf medizinische und wissenschaftliche Studien, um zu zeigen, daß Frauen körperlich nicht in der Lage seien, »Männerarbeit« zu tun; sie hielten außerdem die Moralität der Frauen für gefährdet. Frauen könnten »sozial geschlechtslos« werden, wenn sie Männerarbeiten ausführten, und sie könnten ihre Ehemänner entmännlichen, wenn sie zuviel Zeit außerhalb des Hauses verbrachten, um den Lebensunterhalt zu verdienen. Amerikanische Drucker widersetzten sich den Argumenten ihrer Arbeitgeber, daß das Setzen eine weibliche Tätigkeit sei, indem sie darauf beharrten, daß die für diese Arbeit benötigte Kombination von Muskelkraft und Verstand durch und durch männlich sei. 1850 warnten sie davor, daß das Eindringen von Frauen in ihren Beruf und in ihre Gewerkschaften Männer in ihrem Kampf gegen den Kapitalismus »impotent« machen werde.[26]

Selbstverständlich gab es sowohl Gewerkschaften, die Frauen als Mitglieder akzeptierten, als auch solche, die von Arbeiterinnen selbst gegründet wurden. Letztere gab es vor allem in der Textil-, Bekleidungs-, Tabak- und Schuhindustrie, in denen Frauen einen großen Teil der Beschäftigten bildeten. In einigen Gegenden engagierten sich Frauen in örtlichen Gewerkschaften und Streiks, auch wenn die nationalen Gewerkschaften ihre Teilnahme nur widerstrebend hinnahmen oder gar verboten. In anderen Gegenden gründeten sie landesweit organisierte Frauengewerkschaften und rekrutierten Arbeiterinnen aus einer

Vielzahl von Berufen. (Die 1889 gebildete British Women's Trade Union League gründete beispielsweise 1906 die National Federation of Women Workers und hatte bei Ausbruch des Ersten Weltkrieges 1914 etwa 20000 Mitglieder.) Welche Form dieses gewerkschaftliche Engagement auch immer annahm, die Aktivität der Frauen wurde meist als spezifische Frauenaktivität definiert; Frauen stellten – ganz gleich, welche Arbeit sie ausführten – eine von den Arbeitern getrennte Kategorie dar und waren gewöhnlich in eigenen Gruppen oder (im Falle der American Knights of Labor) in »weiblichen Versammlungen« organisiert. In gemischten Gewerkschaften wurden Frauen zudem ausdrücklich untergeordnete Rollen zugewiesen. Nicht alle gewerkschaftlichen Organisationen gingen so weit wie die Associations ouvrières du Nord de la France, die von 1870 bis 1880 von Frauen, die auf Versammlungen sprechen wollten, eine schriftliche Erlaubnis ihrer Ehemänner oder Väter forderten. Doch viele definierten es als Rolle der Frau, der männlichen Führung zu folgen. Gelegentlich wurde diese Definition mit Erfolg in Frage gestellt, und Frauen erlangten dann – z. B. 1878–87 bei den Knights of Labor – für eine Zeitlang größeren Einfluß. Doch diese Siege brachten keinen Fortschritt, sondern sie änderten nur vorübergehend etwas an der untergeordneten Stellung der Frauen in der Arbeiterbewegung. Ganz gleich, wie aktiv sie an Streiks teilnahmen oder wie überzeugend ihr Engagement in der Gewerkschaft war, Arbeiterinnen konnten die landläufige Meinung, daß sie keine volle Arbeitskraft, d. h. keine Menschen waren, die ihr ganzes Leben lang einer Lohnarbeit nachgingen, nicht entkräften.

Wenn sie sich für eine eigene Vertretung einsetzten, rechtfertigten Frauen ihre Forderungen mit Hinweisen auf Widersprüche in der Gewerkschaftsideologie, die einerseits die Gleichheit aller Arbeiter, andererseits den Schutz des familialen und häuslichen Lebens der Arbeiterklasse vor den verheerenden Auswirkungen des Kapitalismus propagierte. Eingebunden in diesen Gegensatz von Arbeit und Familie, Männern und Frauen konnte die Forderung der Frauen nach Gleichstellung als Arbeiterinnen nur schwer formuliert und ebenso schwer in die Tat umgesetzt werden. Paradoxerweise wurde alles noch schwieriger, wenn die Gewerkschaften die Strategie verfolgten, Frauen im Namen des Prinzips »gleicher Lohn für gleiche Arbeit« auszuschließen. Druckergewerkschaften in England, Frankreich und den Vereinigten Staaten nahmen beispielsweise nur dann Frauen in ihre Reihen auf, wenn sie die gleichen Löhne wie ihre männlichen Kollegen erhielten. Statt also gleiche Bezahlung für Frauen zum Ziel gewerkschaftlicher Arbeit zu machen, wurde gleiche Bezahlung zur Voraussetzung für die Mitgliedschaft. Diese Politik ging nicht nur davon aus, daß Arbeitgeber Frauen beschäftigten, weil sie ihnen niedrigere Löhne als Männern zahlen konnten, sondern auch, daß die Arbeit von Frauen weniger wert sei als die Arbeit von Männern und deshalb niemals gleich vergütet werden könne. Implizit wurde damit die nationalökonomische Theorie der Frauenlöhne übernommen und die Vorstellung, daß es eine »natürliche« Erklärung für die Lohnunterschiede zwischen Frauen und Männern gebe, gebilligt. Aufgrund dieser Überzeugung bestand die Lösung der Drucker darin, Frauen von der Lohnarbeit auszuschließen und die Erfüllung des nationalökonomischen Postulats, daß der Lohn eines Mannes der ganzen Familie ein gutes Auskommen sichern solle, in der Praxis zu fordern.

Im 19. Jahrhundert erlangte die Forderung nach einem ausreichenden Familienlohn immer zentralere Bedeutung in der Gewerkschaftspolitik. Obwohl sie nie ganz erfüllt wurde und verheiratete Frauen auch weiterhin Arbeit suchten, wurde die nichtarbeitende Ehefrau in der Arbeiterklasse zum Ideal der Ehrbarkeit. Von Töchtern erwartete man zwar, daß sie zum Einkommen der Familie beitrugen, aber nur vor der Ehe. Ihr Arbeiterinnenstatus galt als kurzfristige Lösung, nicht als dauerhafte Identität, selbst wenn sie, wie es für viele Frauen zutraf, den größten Teil ihres Lebens mit Geldverdienen verbrachten. Die Arbeiterin wurde als definierbar anders geartet als der Arbeiter vorgestellt. Arbeit sollte Männern die Möglichkeit zu Unabhängigkeit und individueller Identität eröffnen, während sie Frauen vor allem als Pflicht gegenüber anderen zugedacht wurde. Wenn sie jung und unverheiratet war, hatte eine Frau, die Geld verdiente, zum Lebensunterhalt der Familie beizutragen; wenn sie verheiratet war und Kinder hatte, galt ihre Lohnarbeit als Zeichen dafür, daß ihr Haushalt in finanziellen Schwierigkeiten steckte. Die Diskussionen darüber, daß eine bezahlte Arbeit für verheiratete Frauen unschicklich sei, stützten sich auf Verallgemeinerungen über weibliche Physiologie und Psychologie, und dabei wurden verheiratete Frauen mit allen Frauen gleichgesetzt. Infolgedessen wurden Mütterlichkeit und Häuslichkeit zum Synonym von Weiblichkeit; die damit angesprochenen Aufgaben faßte man als wichtigste und ausschließliche Identität der Frauen auf, und dies diente wiederum als Erklärung (nicht als deren Folge) für die Möglichkeiten und Löhne von Frauen auf dem Arbeitsmarkt. Die »Arbeiterin« wurde zu einer eigenständigen Kategorie; sie erschien weniger als mögliches Mitglied einer Gruppe, die organisiert werden konnte, denn als Problem, mit dem man konfrontiert war. Man drängte Frauen in sogenannte frauenspezifische Berufe und organisierte sie in besonderen Frauengewerkschaften. Diese Situation diente dann als Beweis für die Notwendigkeit, »natürliche« Unterschiede zwischen den Geschlechtern anzuerkennen und wiederherzustellen. Auf diese Weise wurde durch die Rhetorik, Politik und Praxis der Gewerkschaften eine Interpretation der geschlechtlichen Arbeitsteilung institutionalisiert, die Produktion und Reproduktion, Männer und Frauen als Gegensatz deutete.

Gesetze zum Schutz der Frau

Was aus den genannten Gründen in den Gewerkschaften geschah, geschah aus anderen Gründen auch auf staatlicher Ebene. Beides führte im Ergebnis zu einer ähnlichen Konstruktion der geschlechtlichen Arbeitsteilung. Die Regierungen griffen in den Vereinigten Staaten und den westeuropäischen Ländern im Verlauf des 19. Jahrhunderts zunehmend reglementierend in die Beschäftigungspraktiken der Arbeitgeber ein. Die Gesetzgeber reagierten auf den Druck verschiedener Gruppen, die aus unterschiedlichen (manchmal einander widersprechenden) Gründen eine Reform der Arbeitsbedingungen herbeiführen wollten. Die größte Aufmerksamkeit richtete sich auf Frauen und Kinder. Obwohl beide Gruppen auch in der Vergangenheit viele Stunden des Tages gearbeitet hatten, scheint sich die Sorge über deren Ausbeutung erst mit dem Aufkommen des Fabriksystems entwickelt zu haben. Reformer zögerten zwar, »die individuelle Freiheit der (männlichen) Bürger« zu beeinträchtigen, doch bei Frauen und Kindern stellte sich ihnen dieses Problem nicht.[27] Da sie keine Bürger waren und keinen direkten Zugang zur politischen Macht hatten, galten sie als verletzlich und abhängig und deshalb des Schutzes bedürftig.

Die Verletzlichkeit der Frauen wurde ganz unterschiedlich beschrieben: der Körper der Frau war schwächer als der des Mannes, weshalb eine Frau nicht so viele Stunden wie ein Mann arbeiten sollte; Arbeit »verdarb« die Reproduktionsorgane und machte Frauen unfähig, gesunde Kinder zu gebären und aufzuziehen; der Erwerb hielt sie von der Erfüllung häuslicher Aufgaben ab; Nachtarbeit setzte sie sexuellen Annäherungsversuchen am Arbeitsplatz und auf dem Weg dorthin aus; Zusammenarbeit mit Männern oder Arbeit unter deren Aufsicht barg die Möglichkeit moralischer Verführung in sich. Auf den Einwand von Feministinnen, daß Frauen keinen Schutz durch andere, sondern eigene kollektive Aktionen brauchten, antworteten sowohl die Gesetzgeber als auch die Vertreter von Arbeitern und Arbeiterinnen, daß Frauen, da sie von den Gewerkschaften der Männer ausgeschlossen und zur Gründung eigener Gewerkschaften offenbar unfähig waren, eine starke Kraft nötig hätten, die sich für sie einsetzte. Auf der internationalen Konferenz zur Arbeiterschutzgesetzgebung 1890 in Berlin argumentierte Jules Simon, daß Arbeiterinnen »im Namen des evidenten und höheren Interesses der menschlichen Rasse« Mutterschaftsurlaub gewährt werden müsse. Es handele sich dabei, so sagte er, um einen Schutz, den man Personen schulde, »deren Gesundheit und Sicherheit nur durch den Staat garantiert werden kann«.[28] Diese Rechtfertigungen – ganz gleich, ob sie körperlich, moralisch, praktisch oder politisch begründet wurden – konstruierten Arbeiterinnen als eine besondere Gruppe, deren Lohnarbeit andere als die typischerweise mit (männlicher) Arbeit verknüpften Probleme aufwarf. Von den ersten Fabrikgesetzen in den 1830er und 1840er Jahren in England bis hin zur Organisierung internationaler Konferenzen zur Propagierung und Koordinierung nationaler Gesetze in den 1890er Jahren wurden Schutzgesetze nicht zur allgemeinen Verbesserung industrieller Arbeitsbedingungen, sondern als eine besondere Lösung des Problems der Frauen- (und Kinder-)arbeit erlassen.

Obwohl die Verfechter dieser Arbeiterschutzgesetze über Frauen (und Kinder) generell sprachen, waren die verabschiedeten Gesetze sehr eng gefaßt. Gesetze, die die täglichen Arbeitsstunden der Frauen einschränkten und Nachtarbeit völlig verboten, bezogen sich gewöhnlich nur auf Fabrikarbeit und solche Berufe, in denen überwiegend Männer beschäftigt waren. Viele Arbeitsbereiche blieben davon völlig ausgenommen, z. B. Landwirtschaft, häuslicher Dienst, Einzelhandel, familienbetriebene Läden und Heimarbeit. Dies waren aber gerade die Bereiche, in denen Frauen – zumindest anfangs – hauptsächlich arbeiteten. In Frankreich waren drei Viertel der Arbeiterinnen von dieser Gesetzgebung nicht betroffen. In Deutschland, Frankreich, England, Holland und den Vereinigten Staaten breitete sich nach der Verabschiedung der Schutzgesetze die Heimarbeit für Frauen stark aus. Mary Lynn Stewart faßt die Auswirkungen der Gesetzgebung, deren charakteristischstes Merkmal eine lange Liste mit Ausnahmen von der Reglementierung war, folgendermaßen zusammen:

»Die Ausnahmeregelungen kamen der Industrie entgegen, die auf billige weibliche Arbeitskraft setzte; sie beschleunigten die Verschiebung weiblicher Arbeitskraft in nichtreglementierte Bereiche und verschärften so deren Überangebot in rückständigen Produktionszweigen. Die Anwendung des Gesetzes verstärkte diese Effekte. Inspektoren sorgten in männlichen Berufszweigen peinlich genau für die Einhaltung des Gesetzes, während sie in weiblichen Tätigkeitsbereichen Übertretungen nicht zur Kenntnis nahmen. Kurz, die geschlechtsspezifische Arbeitsschutzgesetzgebung billigte und verstärkte die Festlegung der Frauen auf schlechter bezahlte, zweitrangige Tätigkeiten.«[29]

Selbst im Falle der Industriearbeit intensivierten die Gesetze die Trennung von Arbeitern und Arbeiterinnen, um den Betrieb an die nun notwendig gewordenen verschieden langen Arbeitsschichten oder die Trennung von Tag- und Nachtarbeit anzupassen. Diese Unterscheidungen rechtfertigten wiederum Lohnunterschiede und die für Männer und Frauen unterschiedliche Zuschreibung von Merkmalen, Qualitäten und Statuspositionen. Die Schlußfolgerung von Stewart ist zutreffend: »Insgesamt betrachtet war das auffallendste Ergebnis dieser geschlechtsspezifischen Festlegung der Arbeitsstunden eine Verstärkung der geschlechtlichen Arbeitsteilung.«[30] Die Voraussetzung für das Gesetz wurde so zu seiner Folge, und die Kluft zwischen Männer- und Frauenarbeit wurde vergrößert. Nachdem der Staat die Reproduktion zur wichtigsten Aufgabe der Frau erklärt hatte, setzte er auch die Zweitrangigkeit ihrer produktiven Arbeit durch.

Das »Problem« der Arbeiterin

Dank der öffentlichen Debatten über die Beschäftigung von Frauen, die Politik der Gewerkschaften und die Arbeiterschutzgesetze gibt es eine Fülle von Informationen über Arbeiterinnen und deren Situation. Die in Form von Parlamentsberichten, privaten Erhebungen und persönlichen Zeugnissen vorliegenden Quellen können benutzt werden, um zu zeigen, daß Frauen aus den verschiedensten Gründen arbeiteten, um ihren eigenen Lebensunterhalt oder den ihrer Familie zu verdienen; daß sie eine lange Tradition qualifizierter weiblicher Handwerksarbeit (zum Beispiel auf dem Gebiet der Bekleidung oder der Putzwaren) fortsetzten; daß sie für neue Tätigkeiten rekrutiert wurden. Dieses Material kann sowohl als Beleg für das Argument herangezogen werden, daß Arbeit die Unterdrückung und Ausbeutung der Frauen zur Folge hatte, als auch dafür, daß Arbeit den Frauen ein Gefühl von Autonomie, einen Platz in der Welt gegeben hat. Lohnarbeit kann als unmögliche Forderung, notwendiges Übel oder positive Erfahrung dargestellt werden, je nachdem, in welchem Zusammenhang und Bezugsrahmen sie analysiert wird. Im 19. Jahrhundert wurde sie tatsächlich mit all diesen Begriffen geschildert, manchmal von ein und derselben Person zu verschiedenen Zeiten ihres Lebens. Die Französin Jeanne Bouvier (geboren 1856) hatte als Kind nacheinander eine Reihe schrecklicher Arbeitsplätze, zuerst als Dienstmädchen und dann in einer Fabrik. Später arbeitete sie als Näherin in Paris und wurde schließlich eine qualifizierte Schneiderin. Danach schlug sie die von ihr als befriedigend beschriebene Laufbahn einer Schriftstellerin und Gewerkschaftsführerin ein.[31] Ganz ähnlich berichteten in den 1850er und 1860er Jahren geborene Engländerinnen, die für die Women's Cooperative Guild über ihr Arbeitsleben Memoiren schrieben, von verschiedenen Arbeitssituationen: Einige waren extrem ermüdend und ohne Lohn, andere vermittelten ihnen das Gefühl von Zielbewußtheit und Stärke und führten sie zu politischen Bewegungen, die ihnen eine kollektive Identität gaben.[32] Einige Näherinnen erzählten Henry Mayhew, daß nicht die Arbeit selbst, sondern die niedrigen Löhne sie in die Prostitution getrieben hatten, andere träumten davon, einen Mann zu heiraten, dessen Einkommen zum Leben reichte, so daß sie nie wieder arbeiten gehen müßten. Selbst die entsetztesten Reformer bemerkten oft den Stolz und die Unabhängigkeit einiger Arbeiterinnen, die sie als unterdrückt und ausgebeutet beschrieben. Sie argumentierten, daß solche Eigenschaften die häusliche Stabilität ebenso bedrohten wie die körperliche und wirtschaftliche Ausbeutung der Arbeiterinnen. Wenn Gewerkschafterinnen gleiche Löhne für Frauen forderten, gingen sie nicht nur davon aus, daß Frauen auch in Zukunft würden arbeiten gehen müssen, sondern auch, daß sie das möglicherweise sogar zu tun wünschten. D. h. der Wunsch nach einer beruflichen Tätigkeit konnte ebenso wie die wirtschaftliche Notwendigkeit eine Erklärung für die Präsenz von Frauen in der Arbeitswelt sein.

Diese widersprüchlichen Beschreibungen und Interpretationen verschwanden im herrschenden Diskurs der Zeit, der eine Standardfrau konzeptualisierte und Arbeit als eine Vergewaltigung ihrer Natur ansah. Das »Problem der Arbeiterin« zu definieren, hieß arbeitende Frauen nicht als schlecht behandelte Produktionsakteurinnen, sondern als soziale Pathologie sichtbar zu machen. Denn gewöhnlich ging es bei dieser Diskussion weder um die Befriedigungen und Schwierigkeiten, die die Arbeit den einzelnen Frauen bot, noch um die lange und fortdauernde Geschichte der Teilnahme von Frauen an der Arbeitswelt, auch nicht um die Ungerechtigkeit ihrer viel zu niedrigen Löhne, sondern allein um die Auswirkungen körperlicher Anstrengung auf die Reproduktionsfähigkeit ihres Körpers und um die Folgen ihrer vermeintlichen Abwesenheit von zu Hause auf Disziplin und Sauberkeit in ihrem Haushalt. Selbst Vorschläge, die nicht von der Annahme einer Unvereinbarkeit von Arbeit und Weiblichkeit ausgingen, bedienten sich dieser Vorstellung, indem sie die Auswirkungen der Ausbeutung auf das Familienleben oder die Mutterschaft betonten.

Während der in den 1830er und 1840er Jahren in England geführten Debatten über die Factory Acts wies William Gaskell darauf hin, daß Frauen ihre Kinder nicht stillen konnten, während sie in der Fabrik arbeiteten. Andere sprachen von der Unvereinbarkeit zwischen Frau und Maschine wegen des Gegensatzes zwischen Weichem und Hartem, Natürlichem und Künstlichem, Zukünftigem und Gegenwärtigem, Reproduktion der Gattung und Produktion von leblosen Waren. Wieder andere beschrieben die Unmoral, die aus Situationen erwuchs, in denen Frauen harte Arbeiten ausführten, in denen sie der groben Sprache der Männer an gemischten Arbeitsplätzen ausgesetzt waren, den sexuellen Annäherungsversuchen von Vorarbeitern nachgeben mußten und die Armut sie zur Prostitution zwang. Selbst wenn von geringen Löhnen und schlechten Arbeitsbedingungen gesprochen wurde, neigte man dazu, in der Arbeit selbst, vor allem der »öffentlichen« Arbeit außerhalb des Hauses, die Ursache für das Unglück der Frauen zu sehen. Paul Lafargue, Abgeordneter der Parti ouvrier français, schlug 1892 eine neue Regelung des Mutterschaftsurlaubs für französische Arbeiterinnen vor, die den Frauen vom vierten Schwangerschaftsmonat bis zum Ende des ersten Lebensjahres des Kindes ein tägliches Einkommen sichern sollte. Er empfahl, zur Förderung von Geburten, weil allein dies die »soziale Funktion« der Frauen sei, eine Steuer von den Arbeitgebern zu erheben. Er bot diese Maßnahme als ein Korrektiv zur ausbeuterischen Zerstörung des Familienlebens durch den Kapitalismus an, der »Frauen und Kinder der häuslichen Sphäre entreißt und sie in Produktionsinstrumente verwandelt«.[33] Hier wurde ein progressives Sozialprogramm mit der Berufung auf ein Ideal gerechtfertigt, das vom sekundären Status weiblicher produktiver Arbeit ausging.

Ganz ähnlich nahmen viele Versuche, die Auswirkungen der Lohnarbeit auf eine Mutter und ihre Familie durch die Einrichtung von Tagesstätten und Schulen für Kinder zu mildern, die Form von Notmaßnahmen statt von langfristiger Sozialpolitik an. Einige Reformer suchten Kinderkrippen oder andere, öffentlich finanzierte Institutionen einzurichten, um Arbeiterinnen von ihrer Doppelbelastung zu befreien, andere waren über die hohe Säuglingssterblichkeit und »die Zukunft der Rasse« beunruhigt. Beide Gruppen dramatisierten aber die Notwendigkeit einer Reform mit Berichten über Kindesvernachlässigung durch Babysitter, Pflegemütter oder Ammen, diesen »unnatürlichen« Formen des Ersatzes für die ganztätige Betreuung durch eine Mutter. Selbst die, die in der Frauenarbeit an sich keine Gefahr sahen, schienen implizit von der Forderung auszugehen, daß Hausarbeit eine Vollzeitbeschäftigung sein sollte.

Hausarbeit galt aber nicht als produktive Arbeit. Obwohl die hohe Wertschätzung des häuslichen Lebens den sozialen Status der Frauen verbesssert und ein Loblied auf den affektiven und moralischen Einfluß der Frauen inspiriert hat, galt Hausarbeit weiterhin als Arbeit ohne wirtschaftlichen Wert. Nach Jane Lewis war die Volkszählung von 1881 in Großbritannien die erste, die die Hausarbeit von Frauen aus der Kategorie der Arbeit ausschloß. »Mit der Klassifizierung von Frauen, die zu Hause arbeiteten, als ›beschäftigungslos‹, sank die Arbeitsrate der Frauen um die Hälfte.« In früheren Statistiken erreichten Männer und Frauen über 20 Jahre das gleiche wirtschaftliche Aktivitätsniveau.[34] Nach 1881 wurden Haushalt und Produktivität als Gegensatz dargestellt. Diese Neuklassifizierung (die später auch in anderen Ländern stattfand) reflektierte weniger veränderte Beschäftigungsbedingungen als vielmehr eine soziale Interpretation des zwischen den Geschlechtern bestehenden Unterschieds. Frauen zu Hause waren keine Arbeiterinnen oder sollten keine Arbeiterinnen sein; selbst wenn sie zu Hause durch Nähen oder andere Arbeiten Geld verdienten, betrachteten Volkszähler diese Tätigkeiten nicht als wirkliche Arbeit, da sie weder »den ganzen Tag« beanspruchten, noch außerhalb des Hauses ausgeführt wurden. Das Ergebnis war, daß ein Großteil der weiblichen Lohnarbeit in den offiziellen Regierungsstatistiken nicht auftauchte, und da sie unsichtbar blieb, konnte sie weder zum Gegenstand der Aufmerksamkeit noch der Reform werden.

Im Diskurs über die geschlechtliche Arbeitsteilung führten die unterstellten Gegensätze zwischen Frau und Arbeit, Reproduktion und Produktion, häuslicher Arbeit und Lohnarbeit dazu, daß die Arbeiterin selbst zum Problem wurde. Das hatte seinerseits zur Folge, daß bei den Diskussionen über Lösungen die Ursache für die Not der Arbeiterin nicht in den Bedingungen ihrer Arbeit, ihren niedrigen Löhnen oder dem Mangel an sozialen Einrichtungen der Kinderbetreuung gesehen wurde, sondern daß man diese vielmehr als Symptome der Mißachtung des »natürlichen« Funktionsunterschieds zwischen Männern und Frauen auffaßte. Das führte wiederum dazu, daß nur ein einziges Ziel als erstrebenswert galt: die weitestgehende Entfernung der Frauen aus langfristiger und ganztägiger Lohnarbeit. Obwohl dieses Ziel in der Praxis kaum erreicht wurde, schränkte es doch die Möglichkeit ein, für die schwierige Situation der Arbeiterinnen praktische Lösungen zu formulieren; denn die eingeschlagene Politik setzte als natürliche und unvermeidbare Tatsache voraus, daß Frauen immer zweitrangige Erwerbspersonen bleiben würden, deren Körper, produktive Fähigkeiten und soziale Verantwortungen sie unfähig machten für eine Arbeit, die ihnen wirtschaftliche und soziale Anerkennung als vollwertige Arbeitskräfte verschaffen würde.

Die Aufmerksamkeit, die die Arbeiterin im 19. Jahrhundert auf sich zog, ist daher nicht so sehr auf die steigende Zahl der weiblichen Beschäftigten, auf einen Wandel ihrer Arbeitsplätze, der Qualität und Quantität ihrer Arbeit zurückzuführen. Entscheidend war dafür vielmehr, daß die geschlechtliche Arbeitsteilung ins Zentrum des öffentlichen Interesses rückte. Dieses Interesse wurde weniger von den objektiven Bedingungen der industriellen Entwicklung hervorgerufen; es half vielmehr, diese Bedingungen zu gestalten, indem es den Produktionsverhältnissen eine geschlechtliche Dimension, den Arbeiterinnen einen zweitrangigen Status und schließlich Heim und Arbeit, Reproduktion und Produktion eine gegensätzliche Bedeutung gab.

Wenn wir die Geschichte der Frauenarbeit als die Geschichte der diskursiven Konstruktion einer geschlechtlichen Arbeitsteilung präsentieren, dann nicht, um das, was geschah, zu legitimieren oder als natürlich darzustellen, sondern um es in Frage zu stellen. Wir öffnen damit die Geschichte für viele Erklärungen und Interpretationen. Wir können fragen, was hätte anders verlaufen können, und wir können auf neue Weise darüber nachdenken, wie Frauenarbeit heute anders wahrgenommen und gestaltet werden sollte.

Aus dem Englischen von Sylvia M. Schomburg-Scherff

17

Alleinstehende Frauen

Cécile Dauphin

»Eine alleinstehende Frau! Hat diese Wortverbindung nicht etwas Klagendes an sich?!« Dieser Seufzer einer englischen Journalistin um die Mitte des 19. Jahrhunderts[1] fiel in den Chor der Stimmen ein, die in unzähligen Artikeln und Büchern das Problem der »überzähligen« Frauen, der sogenannten *redundant women* entdeckten.[2] Die viktorianische Gesellschaft war bestürzt über die »ungeheure und wachsende Zahl alleinstehender Frauen in der Nation, eine Zahl, die in ihrer Disproportion und Anomalie anzeigt, daß die Gesellschaft krank ist. Sie ist zugleich Ergebnis und Vorzeichen von Fehlentwicklungen und großem Elend. Hunderttausende von Frauen – womöglich noch mehr – aus der ganzen Gesellschaft, aber vorwiegend aus der Mittel- und Oberschicht, müssen ihren Lebensunterhalt selbst verdienen, anstatt das von ihren Männern verdiente Einkommen zu verwalten und auszugeben. Diejenigen Frauen, die sich nicht ihrer natürlichen Aufgabe als Gattin und Mutter widmen können, müssen sich einen künstlichen Weg bahnen und mühsam nach einer Erwerbsgelegenheit suchen; anstatt das Leben ihrer Lieben zu bereichern, zu versüßen und zu verschönern, müssen diese Frauen aus eigenen Kräften ein unabhängiges und unerfülltes Leben führen.«[3]

Den Begriff »Alleinstehende« gab es also schon im 19. Jahrhundert. Hinter den vielen Klagen und Zukunftsängsten in den damaligen Schriften tauchen eine Reihe von Fragen auf, die für die Zeitgenossen zum Problem wurden: Wer sind diese Frauen? Warum sind sie allein? Was ist zu tun? Die große Zahl unverheirateter Frauen – seit jeher

Gegenmodell zur idealen Frau – galt als Indikator wirtschaftlicher und gesellschaftlicher Turbulenzen. Deshalb gerieten die Alleinstehenden in das Blickfeld der Öffentlichkeit. Doch was konnten diese mit dem Zerrbild der »alten Jungfer« belegten Frauen dem zeitgenössischen Beobachter von ihrem Leben schon zeigen außer der tragischen Maske einer Frau ohne Mann? In unserer heutigen Gesellschaft ist die Bezeichnung »alleinstehend« alltäglich geworden und dient weitaus weniger zur Etikettierung von Männern als von Frauen ohne Ehemann, von Witwen oder Junggesellinnen, mit oder ohne Kind.

Eine Frauensache

Zunächst einmal ist zu fragen, warum das Problem im 19. Jahrhundert einen solchen Umfang annahm und so neuartig wirkte. »Bei jeder Volkszählung überwog das schwache Geschlecht an Zahl« – diese Bemerkung Levasseurs klingt, als beklage er eine Entgleisung der Natur.[4] Während bei der Geburt schon immer jeweils 106 Knaben auf 100 Mädchen kamen, begann Europa erst im Zeitalter des Siegeszugs der Statistik den Frauenüberschuß zu entdecken und den Männermangel zu beklagen. Die ungleiche Verteilung der Geschlechter ging zum Teil auf historische Ereignisse zurück: Die Kriege und Gewaltakte der Revolution und der napoleonischen Zeit hatten einer großen Zahl junger Männer das Leben gekostet. Es wird geschätzt, daß in Frankreich allein aus diesem Grund 14 Prozent der von 1785 bis 1789 geborenen Frauen dazu verurteilt waren, dauerhaft ledig zu bleiben.[5]

Schriftsteller wie Balzac griffen dieses Argument gern auf, um zu erklären, warum es so viele alleinstehende Frauen gab: »Frankreich hat es erfahren, daß das Resultat des von Napoleon befolgten politischen Systems war, recht viele Witwen zu machen. Unter seiner Herrschaft waren die Erbinnen im Vergleich zu den heiratsfähigen Männern sehr in der Überzahl.«[6]

Diese erhöhte Sterberate bei Männern, die für ganz Europa im 19. Jahrhundert gilt, wurde weder durch die überhöhte Sterblichkeit der Frauen im gebärfähigen Alter, noch durch die überhöhte Sterblichkeit der schlechter als die Jungen versorgten und übermäßig mit Arbeit belasteten Mädchen zahlenmäßig kompensiert.[7] Seit dem Ende des 18. Jahrhunderts kam es zwar durch Hygiene und medizinischen Fortschritt allgemein zu einer Erhöhung der Lebenserwartung. Doch der Zugewinn der Frauen war deutlich höher als der der Männer. Was auch immer die Ursachen der höheren Männersterblichkeit gewesen sein mögen, ob geschichtliche, wirtschaftliche oder biologische, sie hatte in Gestalt von Ehelosigkeit, Witwenschaft und Alleinsein schwerwiegende Auswirkungen auf die Frauen.[8] So wurden in Frankreich 1851 in der Gruppe der über fünfzig Jahre alten Menschen 27 Prozent ledige oder verwitwete Männer, aber 46 Prozent alleinstehende Frauen gezählt. Von diesen waren 12 Prozent Ledige und 34 Prozent Witwen.

Ein europäisches Muster

Hekatomben von Opfern haben Kriege nicht nur im 19. Jahrhundert und nicht nur in Europa gefordert. Doch unterschied sich dieser Erdteil von anderen durch ein Sondermerkmal. Die Ehe war keine universelle Institution. Seit Hajnal[9] haben zahlreiche demographische Untersuchungen das europäische Muster der Ehe herausgearbeitet. In Europa dienten Spätehe und Ehebeschränkungen als Mechanismen der Bevölkerungsregulierung, als eine Art Geburtenkontrolle, noch bevor es diese im eigentlichen Sinne gab. Es mag paradox erscheinen, daß ledige Frauen in der Geschichte erstmals sichtbar gemacht wurden, indem sie als Negativvariable in Untersuchungen zur Reproduktion der Bevölkerung eingingen. Aber diese Berechnungen haben ergeben, daß die lebenslange Ehelosigkeit von Frauen das Fruchtbarkeitsniveau um etwa 7 bis 8 Prozent gekappt haben muß.

Auch Anthropologen haben Ausnahmen von der Regel der Universalität der Ehe aufgezeigt. So wurde für Tibet zu Beginn dieses Jahrhunderts ein hoher Anteil eheloser Frauen nachgewiesen; in China und Indien durften Witwen der oberen Gesellschaftsschichten nicht wieder heiraten, sie blieben zu einer Art nachehelichem Zölibat verdammt.[10] Aber in China war um 1930 unter tausend Frauen nur eine niemals verheiratet gewesen, während es bei den Männern drei von tausend waren. In Europa dagegen hat der Anteil der lebenslang ehelosen Frauen (also derjenigen Frauen, die bei ihrem Tod mindestens fünfzig Jahre alt und noch ledig waren) selten unter 10 Prozent gelegen. Langfristig betrachtet nahm die Ehelosigkeit von Frauen Ende des 18. Jahrhunderts am stärksten zu, um sich dann im 19. nach einer Spitze im ersten Jahrzehnt zu stabilisieren oder geringfügig zurückzugehen, während zugleich das Alter bei der Erstheirat sank.[11]

Geographische Unterschiede

Ehelosigkeit ist also ein typisches Phänomen der abendländischen Kultur, das deren gesamte Geschichte durchzieht. Deren Ursachen wären noch zu ergründen. Hierfür geben die ungleiche Verteilung der Ehelosigkeit zwischen einzelnen Ländern und innerhalb eines Landes je nach sozialer Schichtung eine Art Lupe an die Hand. Der Anteil lediger Frauen, der im ländlichen Rußland um 1897 unter 5 Prozent, in Preußen oder Dänemark um 1880 bei etwa 8 Prozent lag, erreichte in einigen französischen Departements oder portugiesischen Regierungsbezirken um die Jahrhundertmitte 20 und im Schweizer Kanton Obwalden 1860 sogar 48 Prozent.

Es gibt derzeit keine Gesamtuntersuchung der Ehelosigkeit in Europa, doch aus allen Monographien geht ein krasser Unterschied zwischen einem Nordosteuropa mit dem Vorherrschen der Regelehe und einem Südosteuropa mit signifikantem Anteil alleinstehender Frauen hervor. Auf nationaler Ebene sind die gleichen Unterschiede feststellbar.[12] So blieben etwa in Frankreich die Bretagne, die Halbinsel Cotentin, die Pyrenäen, der Südosten des Zentralmassivs und Ostfrankreich weiterhin Regionen mit hoher Ehelosigkeit und Witwenschaft, während deren Anteile im weiten Pariser Becken deutlich zurückgingen. In Deutschland bestand ein ähnlicher Unterschied zwischen den nordostdeutschen Staaten mit weniger als 10 Prozent und Bayern und Württemberg mit über 15 Prozent Ledigen unter den erwachsenen Frauen. In England gab es die meisten ledigen Frauen in den landwirtschaftlichen Regionen im Norden und in Wales.[13]

Die Kohärenz der Regionalstrukturen verweist über die eigentlich demographischen Parameter (Geschlechterrelation, differentielle Mortalität, Alterspyramide, Altersunterschied zwischen Ehegatten) hinaus darauf, daß das Vorkommen von Ehelosigkeit und Witwenschaft mit einer ungeschriebenen, aber im sozialen Bewußtsein tief verankerten Regel zusammenhing. Aufgrund der von den Volkszählern immer wieder hervorgehobenen Koinzidenz zwischen hoher Ledigenziffer, verbreiteter Spätehe und fehlender Empfängnisverhütung kann als Arbeitshypothese formuliert werden, daß hier ein Malthusianismus per Askese vorliegt. Die Kirchenoberen hätten dann mit ihren Enthaltsamkeits- und Tugendpredigten gegen die Zersplitterung des Familienerbes und zugleich ungewollt für Geburtenbeschränkung agitiert. Es hat deutlich den Anschein, als sei für Gebiete, »in denen Ehelose produziert werden«, auch ein Familientyp charakteristisch, zu dem die Unterwerfung unter den Paterfamilias und das Kontrollieren und Hinausschieben der Eheschließung ebenso gehörte wie die Regelung, daß pro Generation nur der Alleinerbe heiraten durfte, während die übrigen Nachkommen ehelos blieben und ohne Lohn als Gesinde auf dem Hof bleiben oder draußen in der Welt ihr Glück suchen mußten. Im 19. Jahrhundert lösten sich infolge des Verstädterung und Industrialisierung genannten Strukturzerfalls diese Familienverbände auf. Sie setzten damit Arbeitskräfte frei, die nun für die wirtschaftliche Entwicklung dringend gebraucht wurden.

Die Anziehungskraft der Stadt

Vor dem Hintergrund dieser größeren Umwälzungen wurde die Stadt als traditionelles Auffangbecken für den Überschuß der Landbevölkerung zur Zuflucht der Alleinstehenden; sie erzeugte Ledige und zog sie zugleich an. Schon im Jahrhundert der Aufklärung waren zeitgenössische Beobachter verblüfft »über die Legion alleinstehender Frauen, die in den großen Städten leben, der Ehe entfremdet und auf eine unsichere Existenz angewiesen sind«.[14] Die französische Volkszählung von 1866 förderte zutage, daß drei Viertel aller Städte (307 gegenüber 104) vom »Frauenüberschuß« geprägt waren. Manche erreichten dabei Extremwerte: 61,4 Prozent Frauen in Saint-Jean-d'Angély, 60,2 Prozent in Avranches, 59,9 Prozent in Clermont, usw. Ein Vergleich[15] zwischen Preußen, Sachsen, Bayern, Belgien, Dänemark, England, Norwegen, der Schweiz, Weißrußland und Österreich hat für den Zusammenhang von Verstädterung und Ehelosigkeit folgende Regelmäßigkeit nachgewiesen, die ausnahmslos für Frauen gilt: Ehelosigkeit war unter der Stadtbevölkerung stets weiter verbreitet als auf dem Land (in Sachsen, Dänemark und Weißrußland sogar doppelt so hoch), und geheiratet wurde in der Stadt im allgemeinen später.

Erst durch ihren Zuzug in die Stadt ist die alleinstehende Frau sichtbar geworden. Das gilt für die zeitgenössischen Beobachter, die selbst in der Stadt lebten und die Verhältnisse in ihrem unmittelbaren Umfeld zu beschreiben versuchten. Sichtbar wurden alleinstehende Frauen vor allem, weil sie in ein vorhandenes Gesellschaftsgefüge hineindrängten. Sobald sie ihre Familie, wo Töchter, Schwestern oder Tanten seit jeher unbezahlte Arbeitskräfte in Haus und Hof gewesen waren, verließen, waren sie auf den Markt der Lohnarbeit verwiesen und allen seinen Ungewißheiten ausgesetzt. Der fortschreitende Niedergang des ländlichen Gewerbes und die allgemeine Beschäftigungskrise in der Landwirtschaft zerstörten die traditionelle Eingliederung der alleinstehenden Frauen in die bäuerliche Wirtschaft. Sie wurden zu Randexistenzen.

Zur selben Zeit scheinen junge Frauen die früher übliche temporäre Wanderung über kurze Distanz hin zu Land- und Kleinstädten aufgegeben zu haben. Auf der Suche nach Lohnarbeit wanderten sie nun zunehmend endgültig und über größere Entfernungen vom Lande ab. Ihre Abwanderungsziffern lagen schließlich über denen der Männer. Allerdings hatte dabei das Abenteuer der Auswanderung nach Übersee für Frauen weniger Reiz, es sei denn, sie fuhren zusammen mit dem Ehemann hinaus oder als Missionarinnen – diese Ausnahmegestalten, die sich berufen fühlten, weitentfernte Heiden zu bekehren.[16] Frauen blieben im Lande und blieben allein. So bewirkte etwa in Norwegen der Massenaufbruch nach Amerika um die Mitte des Jahrhunderts einen

Männermangel, den Frauen mit dem Status der dauerhaft Ledigen – sie machten in den achtziger Jahren des 19. Jahrhunderts bis zu 21,8 Prozent aus – und Witwen mit einer geringen Aussicht auf Wiederheirat bezahlen mußten.[17]

Mündige und aktive Frauen

Der von der viktorianischen Presse unisono verkündete und in ganz Europa mehr oder minder deutlich empfundene Skandal lag weniger in der großen Zahl alleinstehender Frauen als in deren unbestimmter sozialer Identität. Diese Frauen schienen zufällig oder irrtümlich aus ihrer legitimen Stellung verdrängt worden zu sein und galten als »überzählig«. »What shall we do with our old maids?« fragte sich Frances P. Cobbe in *Fraser's Magazine*.[18] Im Rückblick läßt sich erkennen, wie entscheidend diese zugleich geographische, soziale und kulturelle Verlagerung des gesellschaftlichen Platzes von Frauen für die Geschichte der Frauen und ihren Kampf um ökonomische Selbständigkeit war. Die Maxime lautete weiterhin, ohne Ehe kein Glück. Doch der Code Napoléon, der bei den europäischen Nachbarn Schule machte, ließ ledigen Frauen eine Wahl: Sofern sie unverheiratet war, wurde der Frau die volle Rechtsmündigkeit und damit Geschäftsfähigkeit und Verfügungsberechtigung über ihre eigene Person und ihr Hab und Gut zuerkannt. Anders als die Ehefrau erhielt die *feme sole* gleiche Zivilrechte wie ein Mann, ohne allerdings auch im politischen Sinn Vollbürgerin zu sein. Während verwitwete, getrennt lebende oder geschiedene Frauen im allgemeinen von der Familie oder vom Staat unterstützt wurden, mußten volljährig gewordene Töchter, sofern sie nicht dauerhaft von Zinseinkünften leben konnten, meistens ihre Familie verlassen und für sich selber sorgen.

Als zeitgleiche Entwicklungen markieren das Hineindrängen alleinstehender Frauen in den Arbeitsmarkt, die Zunahme weiblicher Erwerbstätiger und das Wachstum des Dienstleistungssektors einen tiefgreifenden Strukturwandel. Anhand von Volkszählungen läßt sich der Umfang des Phänomens gegen Ende des 19. Jahrhunderts in Frankreich ermessen: »Während in der Landwirtschaft Männer und Frauen verheiratet sind, sind in Gewerbe und Dienstleistungen einzig die Männer zu 80 Prozent verheiratet und die alleinstehenden, ledigen oder verwitweten Männer machen weniger als 20 Prozent aus. Demgegenüber scheinen die außerhalb der Landwirtschaft erfaßten, erwerbstätigen Frauen häufig aus Not zur Arbeit gezwungen zu sein, denn fast die Hälfte von ihnen ist ledig, verwitwet oder geschieden.«[19]

1906 wurden für Frankreich unter den weiblichen Erwerbstätigen im Alter zwischen fünfundzwanzig und vierundvierzig Jahren in der Landwirtschaft 8,5 Prozent Alleinstehende gezählt, dagegen in Gewerbe und Dienstleistung 33 Prozent.

Mit ihrem Eintritt in die Berufswelt setzten sich alleinstehende Frauen den Wechselfällen des Wirtschaftslebens aus. Das Niveau ihrer Ausbildung scheint ausschlaggebend dafür gewesen zu sein, welchen neuen Berufsfeldern sie sich zuwandten. Die Auswahl an Berufen, die ihnen offenstanden, war beschränkt. Doch wo immer Frauen einen Beruf für sich erorberten, veränderten sich durch diese neue Konkurrenz und deren Abwehr die traditionelle Solidargemeinschaft und die Beziehungen zwischen Männern und Frauen. Nur allmählich aber wandelte sich auch die Mentalität der Menschen so, daß in ihrem Bewußtsein schließlich die neue Wirklichkeit mit dem Bild der arbeitenden Frau einen Platz erhielt.

Einsam unter fremdem Dache

Das 19. Jahrhundert hatte das Dienstbotenwesen nicht erfunden. Vormals allein Adelskreisen vorbehalten, wurde es aber nun zum Bedürfnis und unerläßlichen Geltungssymbol des Bürgertums. Mit dieser »Demokratisierung« ging einher, daß der Gesindedienst immer weniger männlich und hierarchisiert war und zunehmend weiblich und entwertet wurde. Alle großen Städte Europas zogen Mädchen vom Lande an, die keine anderen Qualifikationen als körperliche Leistungsfähigkeit und Jugend mitbrachten. Manche Mädchen waren erst vierzehn oder gar erst dreizehn Jahre alt. München, das 1828 70000 Einwohner hatte, zählte damals etwa 10000 Dienstboten, also fast 14 Prozent der Bevölkerung. In London arbeiteten in den 1860er Jahren ein Drittel der Frauen im Alter von fünfzehn bis vierundzwanzig Jahren als Dienstmädchen. Der gleiche Bevölkerungsanteil gilt 1882 für Preußen. Dort waren 96 Prozent aller Dienstmädchen ledig. Ob Berlin, Leipzig, Frankfurt, Paris, Lyon, Prag – es gab keine Stadt in Europa, die nicht einen Großteil zugewanderter, armer, dienstbarer und alleinstehender Frauen beherbergte.

Als Vorbereitung für die Ehe war das Dienstbotendasein ein Durchgangsstadium, um für eine Heirat anzusparen (viele Dienstmädchen vertrauten ihre Rücklagen der Sparkasse an), sich in Hauswirtschaft auszubilden und nicht zuletzt um mit ein wenig städtischer Kultur und Bildung den Weg zum sozialen Aufstieg zu ebnen. Die Löhne der Dienstmädchen waren übrigens höher als die der Textilarbeiterinnen, und etwa ein Drittel stieg am Ende der Dienstzeit durch Heirat auf.[20]

In jedem Falle lag das Alter der Dienstmädchen bei der Hochzeit weit über dem mittleren Heiratsalter. Doch wie bereits die hohe Zahl der fünfzig Jahre alten und älteren alleinstehenden Frauen im häuslichen Dienst zeigt, wurde das Dienen häufig zum Dauerzustand und verurteilte viele Tausende von Frauen zum Zölibat.

Im Laufe des 19. Jahrhunderts bildete sich unter dem Personal eine neue Hierarchie heraus. Höhergestellt als Dienstmädchen waren Hauslehrerinnen und Gouvernanten, »mamzelles« oder »Miss« genannt. Sie stammten häufig aus bescheidenen Verhältnissen, waren Töchter von Pastoren oder kleinen Beamten, Waisen oder Mädchen aus kinderreichen Familien. Es war diese von den Schwestern Brontë in *Jane Eyre* und *Agnes Grey* verewigte Kategorie, die vornehmlich das Augenmerk zeitgenössischer Beobachter auf sich zog. Das Elend der Arbeiterinnen oder der Dienstmädchen wurde als unabänderliches soziales Schicksal hingenommen. Daß aber bürgerliche Frauen zur Arbeit unter schwierigen Verhältnissen gezwungen waren oder nach dem Tod der Eltern mit vierzig oder fünfzig Jahren erstmals einen Erwerb suchen mußten, erschien in der Wahrnehmung der Oberschicht viel auffälliger und mitleiderregender. Gouvernanten waren in Rußland, Deutschland oder Frankreich gleichermaßen verbreitet, erlangten aber größte Bedeutung in England. Dort hatte das viktorianische Modell, das keine andere Alternative als die der Mutter oder Hure anzubieten hatte, die *spinster* zum Muster von Reinheit, Güte, Jungfräulichkeit und Opfermut erhoben.

Neben der Masse von 750000 Dienstmädchen in England im Jahre 1851 wurden zwar nur 25000 Gouvernanten gezählt, doch wurden sie trotz dieser bescheidenen, wirtschaftlich unbedeutenden und politisch unsichtbaren Gesamtzahl Leitfiguren für die Werte, Probleme und Ängste der viktorianischen Mittelschicht. Der Definition nach war die Gouvernante Hauslehrerin oder Gesellschaftsdame und Erzieherin der Kinder einer Familie. In Wirklichkeit aber lebte sie in einem schmerzlichen Widerspruch zwischen den Werten ihrer Erziehung als *gentlewoman* und den Aufgaben, die sie gezwungenermaßen wahrnehmen mußte. Als Symbol der neuen Macht der Mittelschicht (man brüstete sich mit ihr, sie wurde Gästen vorgeführt), auch als Symptom dafür, daß die Frau des Hauses nunmehr für müßigen Zeitvertreib und für ihre Rolle als Zierde des Hauses freigestellt war, wurde die Gouvernante, auch wenn ihr Status als *lady* gewahrt blieb, allein durch das Faktum der Arbeit gegen Lohn auf der sozialen Leiter nach unten gedrückt. Von Schicksalsschlägen getroffen (Tod des Vaters, Bankrott der Familie), war sie als notleidende Bürgerstochter gezwungen, sich mit ihrer Bildung gegen Bezahlung zu »prostituieren«. Im Konfliktdreieck zwischen Eltern und Kindern konnte die Gouvernante nur bei den anderen Dienstboten Trost suchen. Mit Kost, Logis und einem geringen Entgelt konnte sie bei Krankheit, im Alter oder nach einer Kündigung nur noch bei Wohlfahrtseinrichtungen wie der Governesses Benevolent Institution (ab 1841) Hilfe suchen.

»Einsam unter fremdem Dache!« Das war in der Tat die bittere Erfahrung von Dienstmädchen und Gouvernanten. Sie hatten mit vielen Umgang, aber zu niemandem eine enge Beziehung, sie waren verbannt ohne Aussicht auf Heimkehr, sie wirtschafteten in Haushalten, hatten aber keine eigenen vier Wände. Dieses Eingeschlossensein, das die Kontrolle über den Körper und die Negation der eigenen Identität bedeutete, galt auch in weiten Bereichen von Industrie und Gewerbe.

Industrieklöster

Die Arbeiterin, ob hochgelobt oder in Grund und Boden verdammt, war im 19. Jahrhundert das Sinnbild aller arbeitenden Frauen. Die Arbeiterin wird uns meist als Gattin und Mutter vorgestellt. Das Bild ist irreführend. Im Laufe des Jahrhunderts kam es im Zuge von Mechanisierung und Spezialisierung zu einer grundlegenden Umwälzung der Arbeitsorganisation in Fabriken und Werkstätten. Immer neue Arbeitsformen mit noch größerer Vereinzelung wurden ausprobiert. So rekrutierten die Seidenklöster um Lyon,[21] die seit 1830 nach dem Vorbild von Lowell, Massachusetts, gegründet wurden, mit dem Segen der Familien und der Kirche ungelernte und fügsame weibliche Arbeitskräfte. Damit sollte die Moral gehoben werden, denn junge Zuwanderinnen vom Lande, so hieß es, seien Krisen und Versuchungen ausgesetzt und könnten leicht in die Prostitution abgleiten. Reybaud kommentiert:

> »Diese jungen Dinger vom Lande, von den Eltern ihrem Schicksal im Trubel der Großstadt überlassen, finden dort immerhin eine Zufluchtsstätte, in der sie etwas lernen können, ungefährdet, ruhig, sicher und geschützt vor einem unsittlichen Lebenswandel, dem sich vordem nur wenige entziehen konnten und in den sie durch Unerfahrenheit, Eitelkeit und oft blanke Not meist unweigerlich hineinrutschten. Hier werden sie vor den Männern wie vor sich selbst behütet.«

So wurden regelrechte »Industrieklöster« im französischen Jujurieux, in Tarare, La Seauve, Bourg-Argental gegründet, aber auch in der Schweiz und in Deutschland, in England und in Irland. In einer Art Rollenverteilung vertraten sie die »gemeinsamen« Interessen von Gewerbe und Kirche und unterwarfen die jungen Frauen solange mit Leib und Seele einem harten Regiment von Fleiß und Moral, bis sie am Ende einen Ehemann fanden. Die Zahl der in der Lyoner Region um 1880 derart »kasernierten« jungen Frauen wird auf 100000 geschätzt.

Ein hoher Preis

Die Kasernierung, die vor allem jungen Frauen galt und bei der nicht nur die Arbeit, sondern auch tägliches Verhalten, Umgang und Persönlichkeitsentwicklung überwacht wurden, wurde auch in anderen Sektoren der sich modernisierenden Wirtschaft eingeführt. Das galt besonders für die Kaufhäuser. Die meisten der ausschließlich vom Lande rekrutierten Verkäuferinnen in den Pariser Kaufhäusern hatten keine Alternative zum firmeneigenen Wohnheim. In jeder Lebensäußerung bevormundet, mußten sie ledig sein und bleiben, denn heiraten war allemal ein Kündigungsgrund. Diese französischen Zustände standen in Europa durchaus nicht allein da. Auch in Deutschland und Österreich mußten bis 1919 Lehrerinnen und weibliche Staatsangestellte unverheiratet sein und bleiben. Auch in der Privatwirtschaft hatten Telefonistinnen, Stenotypistinnen, Verkäuferinnen und Kellnerinnen mit der Heirat ihre Stellung aufzugeben. Zwar hatten die Regierungen verschiedener deutscher Staaten und Österreichs das Recht auf Eheschließung auch generell reglementiert und die Möglichkeit geschaffen, Mittellosen die Heirat zu verweigern; auch mußten sich manche Gruppen von Beamten in Sachen Heirat einer Quotenregelung unterwerfen oder die Genehmigung des Vorgesetzten einholen; doch die Erfindung der Unvereinbarkeit von Arbeit und Ehe gilt im 19. Jahrhundert bezeichnenderweise einzig für Frauen und erinnert an ein säkularisiertes Priesterinnentum überall dort, wo Frauen in ihrer Berufsausübung einem humanistischen Ideal nacheiferten (Krankenschwester, Lehrerin, Sozialarbeiterin). Kurzum, Frauen, die aus eigenem Entschluß oder aus Not Erwerbsarbeit leisteten, wurden vor die Wahl gestellt, ihre soziale Identität und ihr Frauenschicksal zu besiegeln: entweder Beruf oder Familie. Die Barrieren dazwischen waren weniger gesetzlich vorgegeben als Ausdruck des gesellschaftlichen Kräftespiels, dessen Beharrungsvermögen eigene Gesetze schrieb.

Die Ehelosigkeit der Frau nach abendländischem Muster paßte vorzüglich in die ökonomische Logik des 19. Jahrhunderts, und diese wußte daraus durchaus Vorteile zu ziehen. Der Frau konnte von Berufs wegen Alleinsein auferlegt werden, »weil dieses der Schmierstoff war, der den gesamten Wirtschaftsbetrieb reibungsloser laufen ließ«.[22] Weibliche Angestellte, die meist aus kleinbürgerlichen Verhältnissen stammten, Distanz zu den Arbeiterinnen wahren wollten und oft gebildeter waren als der Durchschnitt der Zeitgenossinnen, strebten nach einem gehobeneren geistigen und gesellschaftlichen Rang. Doch genau dieses Streben, zusammen mit den Zwängen und psychologischen Investitionen des Arbeitslebens hinderten sie, einen Mann zu finden; als Alleinstehende bekamen sie dann die Last des Mißtrauens und Mißkredits zu spüren. So trieb der berufliche Einsatz einen Großteil der in der zweiten Jahrhunderthälfte immer zahlreicheren Verkäuferinnen und Postfräulein, Lehrerinnen und Sozialarbeiterinnen in eine ausweglose persönliche Situation. Sie bezahlten einen hohen Preis, um ein paar Sprossen der sozialen Leiter zu erklimmen.[23]

Der Staat, der in allen europäischen Ländern der erste Arbeitgeber für Frauen war, war auch der erste Produzent von zeitlebens ledigen Frauen. Das ist besonders für das Fernmeldewesen in Frankreich, England, Deutschland und Norwegen hervorragend nachgewiesen worden.[24] So beschäftigte der französische Staat Anfang des 20. Jahrhunderts 53,7 Prozent alleinstehende Frauen, aber nur 18,9 Prozent alleinstehende Männer. Auffallend ist, daß unter den Frauen (Ledige oder Witwen) in den höheren Gehaltsgruppen mehr Alleinstehende waren, während dies bei den Männern umgekehrt in den unteren Gehaltsgruppen der Fall war.[25] Weibliche Angestellte heirateten später als Arbeiterinnen und hatten nur halb so viele Kinder. Es drängt sich die Hypothese auf, daß Ehelosigkeit mit Bildungsstand korrelierte. Zwischen 1870 und 1900 blieben 75 Prozent der Oberschullehrerinnen in den Vereinigten Staaten ledig. In Frankreich waren in den ersten zwanzig Jahren des mit dem Gesetz Camille Sée im Dezember 1880 eingeführten Oberschulunterrichts für Mädchen die Laufbahnbeamtinnen unter den Lehrkräften und im Verwaltungspersonal zu 62,5 Prozent ledige Frauen. Gleich hoch war deren Anteil im Grundschulwesen, und er stieg für Handarbeits-, Sport- oder Zeichenlehrerinnen auf über 75 Prozent.[26] Mit der allgemeinen Zulassung der Frauen zum Oberschullehrerberuf und zum höheren Verwaltungsdienst im 20. Jahrhundert verstärkte sich dieses Phänomen noch.

Die religiöse Prägung

Der Zugang zur Kultur schien eine stattliche Zahl von Frauen von der Ehe fernzuhalten. Das galt vor allem für diejenigen, die nun ihre intellektuellen Fähigkeiten einsetzten. Deren mögliche Existenz war lange angezweifelt worden, weil Hirn und Gebärmutter sich angeblich nicht gleichwertig entwickeln konnten, wie gewisse »Denker« zu formulieren beliebten. Dagegen zögen die sozialen Berufe alleinstehende Frauen gerade deshalb an, weil dort die ihnen schon immer zugeschriebene Herzensgüte und Hingabe gebraucht wurde.

Jenseits des Hauses sollten alleinstehende Frauen häusliche Tugenden in die Welt hinaustragen und damit die Moral in Fabriken, Krankenhäusern, Schulen und anderen öffentlichen Einrichtungen wieder heben. Man ist versucht, für die Sozialarbeit das in den Vereinigten

Staaten, England und Deutschland übliche protestantische Muster mit seinen Diakonissen, Missionarinnen und Wohltätigkeitsvereinen dem besonders gut für Frankreich und Italien untersuchten katholischen Muster von Gemeindearbeit und wohlhabenden Stifterinnen gegenüberzustellen.[27] Hier aber soll mehr deren Gemeinsamkeit hervorgehoben werden, daß nämlich die »soziale Frage« in Industriegesellschaften im wesentlichen durch die ehrenamtliche Arbeit alleinstehender Frauen bewältigt wurde. Die verschiedenen Strömungen der religiösen Erweckungsbewegung, in Deutschland und in den Niederlanden der Pietismus, in England der Methodismus und in den katholischen Ländern der Marienkult, nahmen sich der »überzähligen« Frauen an. Sie nutzten über Generationen die Energien dieser Randgruppe und boten tatkräftigen Frauen verantwortliche Positionen, in denen sie Initiative zeigen konnten. In diesen Emanzipationsräumen nahmen sich die »Berufenen« der sozio-ökonomischen Fragen und politischen Diskussionen an und entwickelten dabei neue Ambitionen.

Diese Frauengemeinschaften waren praktisch die einzigen »Unternehmen«, die vornehmlich während des Noviziats eine Berufsausbildung, dann verschiedene Berufsmöglichkeiten und nicht zuletzt einen rechtlichen Rahmen boten, um Glauben und Handeln miteinander zu vereinbaren. Kühnheit, Können und Phantasie kamen dabei ebenso zum Einsatz wie Selbstversenkung, Gebet und Spiritualität. Der weibliche Katholizismus bezeugt eine Glaubensgewißheit, die die Introspektion, die höchste Steigerung des Mystizismus und die persönliche Beziehung zu Gott begünstigte.

Der Erfolg dieser Vereinigungen, der die Leistungsfähigkeit organisierter Frauen in Pflege- und Sozialberufen unter Beweis stellte, nährte damit gleichzeitig die hartnäckige Vorstellung, daß es im Bildungswesen und erst recht in den diversen Sektoren des Gesundheitswesens und der Wohlfahrtspflege spezifische Frauenberufe gebe. Welche ungeheure Arbeit damals unentgeltlich geleistet wurde, ist bislang nicht einmal annähernd geschätzt worden. Doch wurde deren geringer Preis bestimmend dafür, daß sich Ehelosigkeit als Voraussetzung für die Ausübung bestimmter Berufe auf Dauer durchsetzte.

Die »neuen Frauenberufe« vom Ende des 19. Jahrhunderts waren doppelt geprägt vom Vorbild der Religion und der Metapher der Mütterlichkeit: Hingabe/Verfügbarkeit, Bescheidenheit/Unterwürfigkeit, Selbstverleugnung/Aufopferung, das waren Leitthemen, die in den päpstlichen Unterweisungen zur Ehrenrettung der alten Jungfern sehr angelegentlich aufgegriffen wurden.[28] Das Ideal religiösen Jungfrauentums läßt sich bis zur Urkirche zurückverfolgen. Doch angesichts des »Frauenüberschusses« und der Geißel des sozialen Elends predigten die Kirchenoberen nun das Bündnis von Martha und Maria. Die Selbstversenkung sollte eine Anteilnahme an der Welt nicht länger ausschließen. So wurde die unfreiwillig ledig gebliebene junge Christin – war ihr Ledigbleiben nicht ein Wink der göttlichen Vorsehung? – aufgerufen, zur »Erzieherin und Führerin ihrer Mitschwestern« zu werden. »Sie möge sich hauptsächlich solchen Aufgaben widmen, die Takt, Feingefühl und Mutterinstinkt weit mehr erfordern als bürokratische Härte.«

Brüche und Widersprüche

Doch daß demographische Probleme von Glaubensgemeinschaften aufgefangen wurden, reichte nicht aus, um die Ehe zu retten. Es scheint, als hätten sowohl die viktorianische Erziehung wie die katholische Moral mit ihren Lehren von Keuschheit und Entsagung einen Keim für das Aufbegehren gegen die Ehe gelegt. Daß die Ehe unglücklich sein konnte, war nicht erst eine Entdeckung des 19. Jahrhunderts. Doch das öffentliche Nachdenken über Mittel und Wege, dem Zerfall der Familie entgegenzuwirken, förderte zutage, wie sehr sich die ehrwürdige Institution gewandelt hatte. Sobald es gesetzlich möglich war, reichten vorwiegend Ehefrauen die Scheidung ein (in 80 Prozent der Verfahren). Sie nahmen die bis dahin stumm erduldeten Mißhandlungen und Gewalttätigkeiten immer seltener hin. Gegen Ende des Jahrhunderts wuchs die Zahl der Scheidungsverfahren in Europa exponentiell. Es hat den Anschein, als sei das Recht auf Scheidung zur Bekräftigung schon lange bestehender Trennungen von Tisch und Bett genutzt worden. Außerdem war es die verprügelte und nicht die betrogene Frau, die den Bruch forderte. Trotz unterschiedlicher Gesetzgebung und einer je nach Land jeweils anderen Scheidungsrate[29] wurde das Recht auf Ehescheidung oder zumindest Trennung für die Frauen zu einem Instrument der Befreiung. Am raschesten breitete sich die Ehescheidung in protestantischen Ländern (allerdings nicht in England, wegen der hohen Kosten), in den Städten und in der Mittelschicht aus. Die Voraussetzungen für eine Scheidung als freiwilliges Alleinbleiben oder erstrittene Freiheit verbesserten sich zudem in dem Maße, wie sich die Mädchenoberschulen verbreiteten und sich allgemein der Wohlstand erhöhte.

Während von der gesetzgeberischen Rhetorik her alle Beschlüsse, die die Scheidung ermöglichten, abschafften oder erneut einführten, zu nichts anderem dienten, als die Familie zu retten oder die Gesellschaft mit der Ehe als Norm wiederherzustellen, kam gleichzeitig die Kritik an der Ehe in Gang.

Trotz der Frauenhasser, die eine »Invasion von Pedantinnen, die ebenso wie die Barbaren unfähig seien, die Welt zu befruchten«,[30] brandmarkten, widmeten sich die Frauen der Schriftstellerei. Ihr Tun wurde zum Protest, zum Aufschrei gegen das häusliche Eingesperrtsein und zugleich zur Bekräftigung der eigenen Identität und zum Mittel der wirtschaftlichen Unabhängigkeit. Ihnen ging es nicht mehr um die Institution Ehe, sondern um das Verhältnis zwischen Mann und Frau. Das Liebesideal schien unerreichbar, solange ein Geschlecht dem anderen nicht gleichgestellt, sondern ihm unterlegen, von ihm abhängig war. Große Schriftstellerinnen machten der Ehe den Prozeß und wagten sogar selbst vorzuleben, was sie schreibend eingefordert hatten. Doch wie viele der heute vergessenen Feuilletonistinnen oder Gelegenheitsschriftstellerinnen klammerten sich weiterhin an die billigen Volksromane wie an einen Rettungsanker, um ihren Lebensunterhalt zu bestreiten. Ledige, Witwen, Geschiedene oder Getrennte, sofern sie nur ein Minimum an Bildung genossen hatten, fanden durch das neugeschaffene Urheberrecht ein bescheidenes Auskommen.

Was Frauen schrieben, wurde nicht immer veröffentlicht. Häufig ist es verborgen, geheim geblieben, wenn es nicht gleich ins Feuer oder in den Müll wanderte. Wer zufällig eines dieser intimen Tagebücher, etwa von Lee V. Chambers-Schiller[31], in die Hand nimmt, entdeckt mögliche Gründe für das absichtliche Ledigbleiben. Häufig waren es die Umstände, aber noch häufiger ein durch den eigenen Bildungsgrad motiviertes Unabhängigkeitsstreben. Zwischen dem amerikanischen Unabhängigkeits- und dem Bürgerkrieg behaupteten viele, allerdings hinsichtlich Wohlstand und Bildung privilegierte Frauen, lieber die Freiheit als die Ehe gewählt zu haben: »Denn die Freiheit ist für die meisten von uns der liebenswertere Gatte.«[32] Lieber ledig bleiben als in der Heiratslotterie die eigene Seele verlieren: Dieses Prinzip paßte haargenau zum Ethos des Individualismus, das die abendländische Kultur im 19. Jahrhundert fortschreitend durchdrang. Es erhielt im wörtlichen Sinn seine Weihen im Bündnis mit dem Protestantismus. Dieses im nachhinein idealisierte und begründete Alleinbleiben wurzelte in der Tat in der protestantischen Auffassung von Vervollkommnung. Der Vorrang des Individuums vor den Institutionen der Menschen und besonders vor der Institution Ehe führt zur Vorstellung vom individuellen Heil »alone with God«. Vor das Jüngste Gericht tritt die Frau allein, ohne Ehemann, ohne Kind, und verantwortet sich selbst. Der Begriff der *single blessedness*[33] zur Bezeichnung des Zölibats kam in amerikanischen Texten zu Beginn des 19. Jahrhunderts auf, und darum rankte sich ein regelrechter Kult. Seine Anhängerinnen weihten sich ihm in Glückseligkeit und Selbstaufgabe durch Sublimierung, wobei Güte, Nützlichkeit und Glück harmonisch miteinander verschmolzen. Daher ist es kaum erstaunlich, daß es bei den Quäkern um 1840 bis zu 40 Prozent ledige Frauen gab.

Ein gefordertes Recht

Alle diese Formen des Aufbegehrens fanden in den sozio-ökonomischen Umwälzungen des 19. Jahrhunderts einen fruchtbaren Boden für eine wahrhaft kulturelle und politische Bewegung zugunsten einer weiblichen Autonomie, die auf Eheverzicht basieren sollte. Nach dem Beispiel vieler Frauenrechtlerinnen wie Pauline Roland, die öffentlich verkündete, sie entsage der Ehe, oder Florence Nightingale, die sich nicht selbst aufgeben und an das Schicksal eines Mannes binden wollte, erklärten Frauen wie Christabel Pankhurst, die Eheverweigerung von Frauen sei eine sexuelle Versklavung.[34] In den letzten Jahrzehnten des 19. Jahrhunderts wurden regelrechte und in England besonders heftige Kampagnen gegen Gewalt in der Ehe und sexuellen Mißbrauch geführt. Als Selbstschutz und um ihren Kampf öffentlich zu machen, kamen damals Frauen zu dem radikalen Entschluß, auf Sexualität endgültig zu verzichten. Christabel Pankhurst war sicherlich nicht die einzige, die diese Entscheidung traf, denn 1919 waren 63 Prozent der Mitglieder der Women's Social and Political Union Junggesellinnen und die meisten übrigen Witwen. Der Zölibat wurde damals als eine Art Ehestreik, als vorläufiger Familienstand und politische Drohgeste betrachtet und als so lange notwendig, wie sich in der Gesellschaft noch kein neues soziales Bewußtsein entwickelt habe.

Seit 1870 setzte sich die Gestalt der lebensfrohen, städtischen, wohlsituierten, reiselustigen, kulturbeflissenen Junggesellin, die den bürgerlichen Frauenrollen demonstrativ den Rücken kehrte, in verschiedenen Bereichen des künstlerischen Schaffens und öffentlichen Lebens durch und stellte so die Möglichkeit ganz anderer Frauenschicksale vor. Dieser selbständige Lebensentwurf entwickelte sich in England und den Vereinigten Staaten, wo die größten Fortschritte im Eigentums-, Scheidungs-, Bildungs- und Wahlrecht gemacht worden waren, und erlangte eine immer stärkere Ausstrahlung. Allmählich entstanden Vorstellungen von wirtschaftlicher Selbständigkeit und freier Liebe und schufen den Mythos der »neuen Frau«.[35]

Doch der Drang, in allen Bereichen Freiheiten auf gleichem Fuße mit den Männern zu erlangen, ähnelt einer symbolischen Ablehnung von deren Hegemonie. Wissenschaftler, Ärzte oder Sexualwissenschaftler warfen eben deshalb das Nein zur Ehe mit der Forderung nach einer Berufslaufbahn und der Ablehnung des geheiligten Vorbilds der Gattin und Mutter in einen Topf und bemühten sich nach dem Vorbild des Wiener Psychiaters Richard von Krafft-Ebing, das Verhalten dieser Vorkämpferinnen mit aller Gewalt ins Lächerliche zu ziehen und sie als Lesbierinnen zu etikettieren.[36] Sie nahmen damit die alte Verurteilung der »Entartung der Gebärmutter« wieder auf, die schon im 18. Jahrhundert erfunden und in allen gelehrten Diskursen des 19. Jahrhunderts weiter bearbeitet worden war.

Das Gewicht der Bilder

Der Kampf zwischen der Verklärung der Ehe und der grotesken Überzeichnung des Altjungferndaseins wurde immer wieder geführt. Von der Drohung bis zur Beleidigung und ungeachtet aller je besonderen Merkmale und unterschiedlichen Diskussionsniveaus (lexikalischer oder wissenschaftlicher Wortschatz, Spruchweisheit oder Romanfigur) läßt sich feststellen, daß den Bezeichnungen für eine Frau ohne Mann stets ein diskriminierendes Frauenbild zugrunde liegt. Als »Hagestolze« werden dagegen vorwiegend »Genies« und »große Schriftsteller« vorgestellt.[37]

Virago, Lesbierin, Amazone, Hure, Grisette, Blaustrumpf – diese Schimpfnamen für die alleinstehende Frau hatten keine Begründung in der Sache und waren doch in der ganzen abendländischen Kultur verbreitet. Das literarische Konstrukt der alten Jungfer und der Alltagsgebrauch dieses Stereotyps gehören wesentlich zum 19. Jahrhundert.[38] In keiner anderen Epoche und auch nicht für das männliche Geschlecht war jemals so viel über Physiognomie oder Physiologie, Charakter oder gesellschaftliches Dasein der alleinstehenden Frau erfunden worden. Sobald das Bild der alleinstehenden Frau schärfer geworden war, gab es so gut wie keine Aussage mehr, die nicht auf die Abweichung vom weiblichen Ideal Bezug nahm, das durch Rechtsstatus, Liebesauffassung, biologischen Determinismus und Schönheitskatalog fixiert war.

Das ganze spielte sich so ab, als wären die alleinstehenden Frauen damals zum Kristallisationspunkt aller Ängste vor einer sexuellen, gesellschaftlichen, wirtschaftlichen und intellektuellen Selbständigkeit des Weibes geworden. Zunächst mußte gegen Ende des 18. Jahrhunderts die Physiologie entstehen und die »Natur des Weibes« entdeckt werden,[39] bevor die Werte der Jungfräulichkeit so sehr in ihr Gegenteil verkehrt werden konnten, daß sie zum Hindernis für Weiblichkeit, ja zu deren Negation wurden; bevor die soziale Rolle unverheirateter Frauen oder Witwen so weit ignoriert werden konnte, daß sie zum Symbol der Nutzlosigkeit wurden; und bevor die alleinstehende Frau verdächtigt werden konnte, das Modell der Familie zu gefährden.

Angesichts dieser regelrechten Verweigerung einer Identität mußten Frauen ihr Leben als Alleinstehende in einem komplexen Hin und Her von Ablehnung und Verneinung gegenüber dem allmächtigen Bild der Mutter und Gattin gestalten. Sie reagierten auf dieses Vorbild mit Konformismus oder Widerstand, mit Erfahrung oder Utopie, mit Resignation oder Sublimierung. Doch ihre Reaktionen konnten sich niemals auf die Witzfiguren oder Jammergestalten zurückziehen, die damals als Leitmotive den Diskurs beherrschten.

Am Ende dieses Beitrags scheint es so, als schreibe sich das Auftreten der alleinstehenden Frauen in der Geschichte, dessen Umstände,

Hintergründe, Zufälle und Notwendigkeiten wir hier darzustellen versucht haben, als fein ziseliertes Muster ein in die großen wirtschaftlichen und gesellschaftlichen Umwälzungen, die für das 19. Jahrhundert so charakteristisch waren. Die Lebensverhältnisse der alleinstehenden Frauen entschleiern sozusagen die Grammatik der abendländischen »Moderne«, die geprägt war von der »Formenvielfalt des Individualismus, der ebensoviele Formen der Vergesellschaftung entsprachen«.[40] Als Ausnahme und Bestätigung der Regel entwickelte die alleinlebende Frau eine Form der Neuordnung für die »holistische«[41] Gesellschaft des Ancien Régime. Als anonymes, egoistisches oder sublimierendes, befreites und kritisches, also emanzipiertes Individuum beerbte sie letztendlich die religiösen und puritanischen Erweckungsbewegungen. Nach Art der Wilderei und des Herumtastens war sie immer auch eine verzerrte Antwort auf die großen Prinzipien der Aufklärung und der Französischen Revolution über die Freiheit des Individuums.

Aus dem Französischen von Günter Seib

Neuerungen

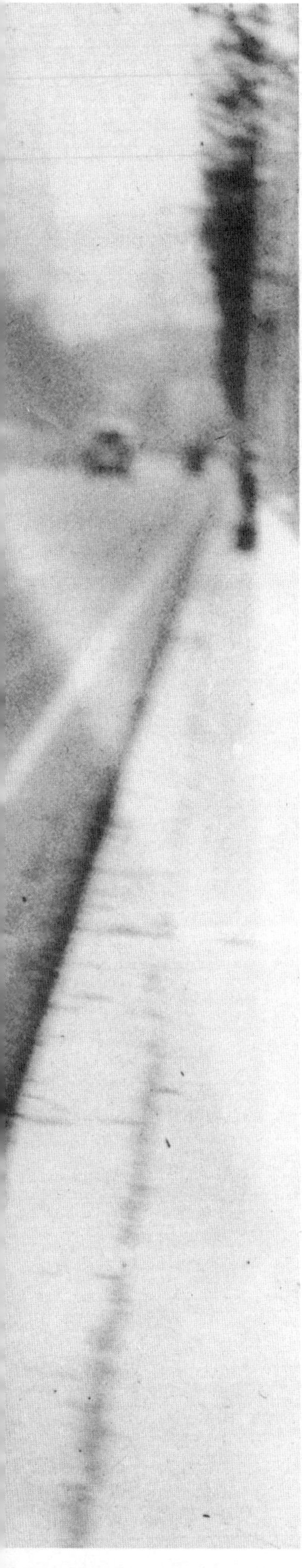

Mlle Bloch, Schülerin des Lycée Buffon, erste weibliche Kandidatin für die École polytechnique, Photographie; um 1900. *Paris, Sammlung Harlingue-Viollet.*

Je suis femme.
Née ici je mourrai. Jamais l'heureux voyage
Ne viendra de son aile ouvrir mon horizon.
Je ne connaîtrai rien du monde de passage
Au-delà de ce mur qui borne ma maison (...)
Je suis femme.
Je resterai dans mon enclos...
Aux âges dont il reste un sillon de mémoire,
Je ne pourrai jamais revivre par l'histoire.
Pas un mot qui parle pour moi.
Je suis femme.[1]

Clémence Robert, Paris silhouette,
Gedichtsammlung, 1839

Im 19. Jahrhundert aber geriet das Gleichgewicht in Bewegung; der Weg in die Moderne erforderte einen Wandel, und die Frauen selbst drangen immer nachhaltiger darauf, die Grenzen zu durchbrechen, die ihrem Geschlecht gezogen waren.

In den folgenden Kapiteln geht es um das vielfältige individuelle und kollektive Bestreben der Frauen, mit Raum und Zeit, mit Gedächtnis und Geschichtlichkeit auf neue Weise umzugehen. Frauen beteiligten sich an den Bewegungen jenseits des ihnen zugewiesenen häuslichen Geheges in Form von Reisen, Wohltätigkeitsaktivitäten, gewerkschaftlichem Handeln und Streik. Sie interessierten sich vor allem für den Feminismus, ohne Zweifel die Neuheit des Jahrhunderts. Anne-Marie Käppeli schreibt über Entstehen, Schlüsselereignisse, Ausdrucksformen (in Vereinen, durch Zeitschriften ...), Forderungen und Vorkämpferinnen (welche Fülle von Namen und Werken, die ein spezielles Nachschlagewerk erfordern würde) des Feminismus, sie berichtet über seine Bündnisse (vor allem das konfliktbeladene mit der sozialistischen Bewegung, die in Klassen- und nicht in Geschlechterverhältnissen dachte) und die Vielfalt seiner Formen und Debatten. Je mehr sich der Feminismus ausbreitete, um so pluralistischer und widersprüchlicher wurde er. Zwischen dem Feminismus der Gleichheit als Assimilation an die Männer und dem Feminismus der dualistischen Differenz entbrannte schon damals der Streit. Die dualistische Auffassung des Männlichen und des Weiblichen mochte riskant sein, doch sie führte zu tiefen Einsichten über geschlechtsspezifische Unterschiede, die zuweilen Entdeckungen Sigmund Freuds vorwegnahmen. Frauen beteiligten sich auch an anderen Bewegungen, etwa an denen für vegetarische Lebensweise, für Tierschutz und Homöopathie. Viele Frauen traten gegen den Krieg auf, und einige betonten bereits, daß »das Private politisch ist« (Olive Schreiner). All dies verwies auf eine alternative Vision der Welt und der Existenz. Gewiß, dem Versuch, die verstreuten Gedanken und Werke dieser zersplitterten Minderheiten zusammenzutragen, haftet etwas Künstliches an. Doch ganz ohne Frage ist das Durchsetzungsvermögen dieser Gruppen größer als ihr zahlenmäßiger Umfang. Immer entschlossener machten sich einzelne zu Sprecherinnen und redeten von »uns Frauen«. Immer wieder verblüfft, wie rasch sich Ideen des Feminismus über ganz Europa verbreiteten und auf andere Kontinente übersprangen. Damals herrschte so etwas wie ein »goldenes Zeitalter« des abendländischen Feminismus, der teilhatte an der Entwicklung von Demokratie und Individualismus. Der Feminismus beschleunigte das Entstehen der »neuen Frau« um die Jahrhundertwende, und ob die »neue Frau« nun gefeiert oder geschmäht wurde, sie zwang in diesem Fall die Männer zur Selbstbesinnung und Neudefinition.

Es ließe sich unschwer zeigen, wie begrenzt diese Veränderungen blieben und wie stark auf allen Ebenen des Wirtschafts-, Berufs-, Kultur- und vor allem des politischen Lebens die dem Aufstieg der Frauen entgegenstehenden Widerstände waren. Ausführlich könnte man schildern, wie träge die Gesetzgebung reagierte und wie auch weiterhin Männerreservate (Klerus, Armee, Staatsdienst, Wissenschaft) hermetisch verschlossen blieben, wie die Grenzen des Wissens ständig hinausgeschoben wurden und in welcher zufriedenen oder resignierten Passivität die Mehrheit der Frauen verharrte und oft den wenigen wagemutigen Frauen eher feindlich gegenüberstand. Auch ist zu bedenken, daß Meinungsfronten nicht nur zwischen den Geschlechtern, sondern quer durch beide verliefen, was das Ganze noch unübersichtlicher macht. Der allgewaltige Familienvater des Bürgerlichen und des Strafgesetzbuches war zwar angeschlagen, stand aber noch fest auf den Beinen. Der alte Adam bot der neuen Eva die Stirn.

Veränderungen werden dennoch in den Beiträgen dieses Bandes faßbar und sichtbar. Die Forderung der Frauen nach dem Recht auf den eigenen Körper, nach Zugang zum Wissen über Sexualität – den verbotenen Früchten vom Baume des Paradieses – war ein womöglich noch flüchtiges und scheues Vorzeichen ihrer Emanzipation, deren mögliche Auswirkungen im Bewußtsein der Männer bereits Angst und Schrecken auslöste. Von Wien bis London, von Stockholm bis Boston waren Roman und Theater besessen von dieser fixen Idee. An die Stelle der romantischen »Anbetung« der Frau trat nun rabenschwarzer Naturalismus. Muse und Madonna mutierten zum zänkischen Eheweib, zur entmannenden Mutter, zur würgenden Geliebten, zum selbständigen Mannweib, zur fordernden, unbefriedigten Krakenfrau, wie sie die Medusa des Modern Style verkörperte. Der Jugendstil, der die schlangenhafte Geschmeidigkeit des ungreifbaren Frauenleibs mit seinen verschlungenen Formen fassen wollte, scheint eine Art Beschwörung gewesen zu sein.[2]

Die Identitätskrise der Männer wurde in den Fieberträumen einer wuchernden Phantasie zwar überzeichnet, war aber nichtsdestoweniger real. Sie wurde von den in ihrer Allmacht und Selbstgewißheit erschütterten, untereinander und über die Frauen heillos zerstrittenen und am Kreuzweg unentschlossen verharrenden Männern unterschiedlich intensiv erlebt. Die Einübung der Freiheit ist eine harte Schule. Sie erschöpft sich nicht darin, einfach Individuum zu sein.

Die Krise des Rückfalls, die jedesmal aufbricht, wenn die Teilungen zwischen den Geschlechtern neu definiert werden – diese Momente in der Geschichte zu ermitteln, wäre eine lohnende Aufgabe –, erlangte zu Beginn de 20. Jahrhunderts eine besondere Schärfe. Die leidenschaftliche Debatte über das Matriarchat,[3] das Erscheinen von Otto Weiningers *Geschlecht und Charakter* (1903) und sein Selbstmord kurz danach,[4] Marinettis *Futuristisches Manifest* mit seiner Aufforderung zur »Bekämpfung von Moralismus und Feminismus« und zur »Verherrlichung des Krieges als einziger Welthygiene« sind allesamt symptomatisch für diese Krise der Identität.

Der Weltkrieg wurde in gewisser Weise eine Rückkehr zur alten Ordnung der Geschlechterverhältnisse. Das 19. Jahrhundert aber hatte grell beleuchtet, wie sehr diese Verhältnisse geschichtlich waren.

G.F. – M.P.

18

AUSBRÜCHE

Michelle Perrot

»Eine Frau darf nicht aus dem engen Kreis ausbrechen, der ihr gezogen ist«, schrieb die saint-simonistische Arbeiterin Marie-Reine Guindorf, die dieser Einkreisung unbedingt entfliehen wollte und sich umbrachte, als sie gescheitert war.[1] Nachdem sich während der Aufklärung und in den Revolutionen, deren Übel so gerne den Franzosen angelastet wurden, die Macht der Frauen kräftig bemerkbar gemacht hatte, waren die Männer Europas im 19. Jahrhundert in der Tat bemüht, diese Macht nun dadurch einzuschränken, daß sie die Frauen ins Haus sperrten und von bestimmten Tätigkeitsbereichen, nämlich vom literarischen und künstlerischen Schaffen, von gewerblicher Produktion und Handel, von Politik und Geschichte ausschlossen. Gleichzeitig wurde versucht, die Energien der Frauen stärker auf die wieder hoch geschätzte Häuslichkeit, d. h. auf das domestizierte Soziale zu lenken. Die Theorie der »Sphären«, als deren Interpret Ruskin hervortrat (*Of Queen's Garden*, 1864), wies einen Weg, die geschlechtsspezifische Aufteilung der Welt zu lenken, sie rational zu einer harmonischen Komplementarität von Rollen, Aufgaben und Räumen zu ordnen und so die »natürliche« Berufung mit dem gesellschaftlichen Nutzen zu versöhnen.

Die Frauen verstanden es, sich der Räume, die ihnen zugebilligt oder anheimgegeben wurden, zu bemächtigen, um von dort aus ihren Einfluß bis in die Vorzimmer der Macht auszuweiten. In diesen Räumen suchten und fanden sie die Vorformen einer Kultur, die Gußform eines »Geschlechtsbewußtseins«.[2] Auch den Ausbruch versuchten sie, um endlich überall Aufenthaltsrecht zu haben. Ausbruch im wörtlichen Sinne hieß, fern von Heim und Herd auf der Straße zu flanieren, an verbotene Orte vorzudringen – ins Café, zur politischen Versammlung – und zu reisen. Im übertragenen Sinne bedeutete Ausbruch, über zugewiesene Rollen hinauszuwachsen, sich eine eigene Meinung zu bilden, sich von Unterwerfung zur Unabhängigkeit aufzuschwingen; all dies konnte sowohl in der Öffentlichkeit wie in der Privatheit geschehen. Nun zu einigen dieser Vorstöße.

In der Stadt

Wohltätigkeit als ehrwürdige Christinnenpflicht hatte die Frauen schon lange aus dem Haus geführt: Armen-, Gefangenen- und Krankenbesuche in der Stadt waren erlaubte Wege, zu denen jedermann seinen Segen gab. Das Ausmaß der sozialen Probleme im 19. Jahrhundert machte diese herkömmliche Praxis zur Notwendigkeit. In der Wohltätigkeit, diesem privaten Engagement für das Soziale, hatten Frauen einen herausragenden Platz; »the angel in the house« war zugleich »the good woman who rescues the fallen«, und Ruskin betrachtete diese Tätigkeit als Fortsetzung der häuslichen Pflichten. Katholiken und Protestanten – erstere autoritärer, letztere mehr unter Förderung von Selbsttätigkeit[3] – predigten den Frauen von Welt, es sei deren Aufgabe, die Lage der Ärmsten materiell und sittlich zu verbessern.

Immer mehr Zusammenschlüsse und Vereinigungen aller Art – Enthaltsamkeits-, Hygiene- und Moralvereine – boten, bisweilen in Konkurrenz zueinander, ihre Dienste an; und diese waren besonders die Dienste alleinstehender Frauen, von denen befürchtet wurde, sie könnten durch Nichtstun oder Kinderlosigkeit versauern. Schon 1836 bildete der Rheinisch-Westfälische Diakonissenverein die ersten protestantischen Krankenschwestern als unbezahlte Arbeitskräfte für Krankenhäuser, Kinderkrippen, Waisenhäuser usw. aus: Ende des Jahrhunderts gab es in Deutschland mehr als 13000 Diakonissen. Unter dem Schlagwort »Soziale Mutterschaft« kam es in ganz Europa zu einer regelrechten Mobilmachung der Frauen. Diese Basisbewegung wurde angetrieben durch die Seuchen (die Cholera 1832), die Kriege mit ihren Verwundeten, die Wirtschaftskrisen mit ihrer Massenarbeitslosigkeit und ausgeweitet durch die allgegenwärtigen Probleme der Städte, durch Alkoholismus, Tuberkulose und Prostitution.

Von der Wohltätigkeit zur Sozialarbeit

Für solche »Liebeswerke« durften Frauen keinerlei Lohn erwarten; in der Stadt Hausarbeit zu leisten war genauso unbezahlt wie daheim. Männer, die große Wohltäter waren, wurden geehrt, mit Orden und Denkmälern bedacht und sind noch heute bekannt; die meisten Frauen aber, die zumindest im ersten Drittel des Jahrhunderts keine Veranstaltungen abhielten und keine Berichte verfaßten, sind vergessen. Catherine Duprat hatte große Schwierigkeiten, »die stummen Akteurinnen« der Société de charité maternelle in Paris zu identifizieren, obwohl diese in der Restaurationszeit und unter der Julimonarchie äußerst aktiv gewesen waren.[4] Wie Sylvain Maréchal damals schrieb, »soll der Name einer Frau nur im Herzen ihres Vaters, ihres Gatten oder ihrer Kinder eingegraben sein»,[5] oder auch in den Herzen der Armen, ihre angenommenen Kinder. Namenlose Liebeswerke verschlangen ungeheure Frauenenergien; ihre Spuren wurden verwischt, und ihre Auswirkungen auf die Gesellschaft sind heute kaum mehr zu ermessen.

Die karitative Arbeit war für die Frauen selbst allerdings keineswegs eine nebensächliche Erfahrung. Sie veränderte ihre Weltwahrnehmung, ihr Selbstgefühl und bis zu einem gewissen Punkt auch ihren Zugang zum politischen Leben. Sie lernten das Vereinswesen kennen, zunächst in gemischten Gruppen unter männlicher Leitung, dann in reinen Frauengruppen, in denen sie das Heft schließlich selbst in die Hand nahmen. So in den schon 1830 gegründeten Elisabethvereinen der Katholikinnen des Rheinlands, in dem von der Protestantin Amalie Sieveking 1832 in Hamburg gegründeten Weiblichen Verein für Armen- und Krankenpflege[6], in Ellen R. Whites 1859 ins Leben gerufenen London Bible Women and Nurses Mission ebenso wie in Octavia Hills 1869 gegründeter Charity Organization Society[7]. Auf die wohltätigen Damen, die von ihren Beichtvätern oder Ehegatten, deren Namen sie auf diese Weise bekannt machten, mehr oder minder dazu gedrängt wurden, folgten bald selbständigere Frauen, häufig Ledige oder Witwen, die sich über das physische und moralische Elend empörten und von missionarischem Eifer getrieben waren. Octavia Hill, eine aktive Geschäftsfrau und Mitglied zahlreicher Komitees, faßte die Philanthropie als eine Wissenschaft auf, die die Eigenverantwortung fördern sollte; in ihrem von liberaler Ideologie getragenen Werk *Our Common Land* (1877) bekundete sie ihren optimistischen Glauben an die Privatinitiative, der sie gegenüber jeglichem staatlichen Eingriff den Vorzug gab. Ihre Vereinigung, die sich zunächst auf eine aristokratische Elite, also die distinguierteste Gruppe der zum demonstrativen Müßiggang verpflichteten Oberschicht stützte, konnte mit wachsender Größe auch Frauen aus der Mittelschicht an sich binden, die sich vorwiegend der Aufgabe widmeten, über die Wohltätigkeit Hauswirtschaftsanleitungen nach dem Vermächtnis Josephine Butlers (*Women's Work and Woman's Culture*, London 1869) zu popularisieren. Manchmal wurden auch Frauen aus der Unterschicht, die dann geringfügig entlohnt wurden, systematisch einbezogen; die Bible Women der London Mission waren zum Heil Bekehrte, die wegen ihrer Sprache und Vertrautheit – sie wurden mit Vornamen angeredet – sehr beliebt waren.

Methoden und Ziele wandelten sich parallel. Zu Beginn ging es um »Liebeswerke«, später um ein gewaltiges Projekt der sittlichen Hebung und der Hygiene. Das Spendensammeln entwickelte sich aus Almosen, die im Freundeskreis und in der Nachbarschaft erbettelt wurden, zu Millionenkollekten, die bei Wohltätigkeitsauktionen oder -basaren zusammenkamen. In England gab es zwischen 1830 und 1900 jährlich mehr als hundert solcher Veranstaltungen. Diese *ladies' sales* waren Sache der Frauen, die begeistert waren, hier mit unerhörten Summen und sonst nur passiv konsumierten Gütern zu hantieren. Sie arbeiteten sich in die Mechanismen der Geschäftswelt ein und entwickelten dabei einen Schatz kreativer Phantasien. Unter dem äußeren Anschein von Festkomitees kehrten sie die Rollen um und verschafften bisweilen auch einer eher politischen Botschaft Gehör: Es gab Basare gegen den Freihandel zur Zeit der Corn Laws, und in den Städten Nordostamerikas *antislavery bazaars*.

Bei der Verteilung der Mittel zeigt sich ein ähnlicher Wandel. Der Haubesuch, mit dem »würdige Arme« ermittelt werden sollten, wurde immer strenger. Er verwandelte sich in eine Untersuchung von Lebenslauf und Familie, und die Akten sammelten sich in den Vereinsheimen zu einem regelrechten Archiv der Armut. Die Frauen erlangten ein quasi professionelles Wissen und Können in ihrem sozialen Arbeitsgebiet. Dieses entwickelte sich um so mehr, als der Werdegang der Armen fortan verfolgt und gesteuert werden sollte; dabei ging es darum, schlechte Gewohnheiten als Wurzel allen Übels zu verändern und verwahrloste Familien wieder zu stabilisieren. Mehr als die Hospitäler, das Arbeitsgebiet einer Florence Nightingale (1820–1910), oder die Zuchthäuser, wo sich Elisabeth Fry, Concepción Arenal, Joséphine Mallet oder Madam d'Abbadie d'Arrast engagierten, wurde die Familie als Keimzelle der Gesellschaft und besonders die Beziehung »Mutter–Kind« allmählich zum bevorzugten Arbeitsgebiet.

Vor allem sollten die Frauen kennengelernt, ausgebildet und beschützt werden. Die London Bible Women Mission veranstaltete Teekränzchen oder *mother's meetings*, um Grundbegriffe der Hauswirtschaft und Säuglingspflege zu verbreiten und das Bedürfnis nach einem sauberen und gemütlichen Heim zu wecken: ein frischgewaschenes

Tischtuch auf dem Eßtisch, Vorhänge an den Fenstern. Über die Hausfrauen als Mittlerinnen hoffte man gegen den Alkoholismus der Gatten und die Verwahrlosung der Kinder vorgehen zu können; sie waren Mittel zur Wiederherstellung und Dreh- und Angelpunkt des sozialen Friedens.

Aber das Moralpredigen schloß Mitgefühl oder gar Empörung über die Lebensverhältnisse der in Armut lebenden Frauen keineswegs aus. Es waren vor allem zwei Gestalten, die Protest wachriefen: die Heimarbeiterin und die Prostituierte. Gegen die sozialen Verheerungen der Konfektionsschneiderei, die daheim für Großkaufhäuser betrieben wurde und sich durch die Nähmaschine rasant ausbreitete, gingen die wohltätigen Damen mit Untersuchungen vor und versuchten, auf die Verbraucherinnen einzuwirken. Die Amerikanerinnen organisierten Konsumgenossenschaften, Le Plays Schülerin Henriette Jean Brunhes führte diese in Frankreich ein. Das Ziel der Genossenschaftsgründungen war, das Verantwortungsgefühl der Käuferinnen zu stärken. Wenn die Käuferinnen ihre Anforderungen senkten oder ihre Käufe zeitlich besser planten, könnten sie – so war die Idee – den Arbeiterinnen der Schneiderateliers oder Modesalons lange, anstrengende Nachtarbeitsstunden oder den Heimweg nach Mitternacht ersparen. Die Aktion wurde zwar von dem aktiven protestantischen Genossenschafter Charles Gide begrüßt, doch von liberalen Ökonomen um so heftiger kritisiert. Diesen ging es gegen den Strich, daß Frauen die sakrosankten Gesetze des Marktes beeinflussen wollten und mit dem Verbrauch der Frauen gar die Produktion steuern wollten, den Zuständigkeitsbereich der Männer. In Frankreich gründeten Frauenrechtlerinnen und Gewerkschafterinnen wie Gabrielle Duchêne und Jeanne Bouvier ein gut dokumentiertes Büro für Heimarbeit. Sie initiierten außerdem das Gesetz vom 10. Juli 1915, mit dem erstmalig die Gewerbeaufsicht für Heimarbeit und ein Mindestlohn eingeführt wurden, zwei Regelungen also, die ein neues Sozialrecht einläuteten.[8] Die Wohltätigkeit überschritt ganz eindeutig ihre Grenzen, und auch die Frauen wuchsen über sie hinaus.

Die Prostituierten dagegen weckten bei wohltätigen Damen ebenso wie bei radikalen Frauenrechtlerinnen, von Flora Tristan bis Josephine Butler, einhellig Mitleid und therapeutische Hilfsbemühungen. Das Frauengefängnis und Geschlechtskrankenspital Saint-Lazare war ein Brennpunkt des Handelns, vor allem von Protestantinnen (Émilie de Morsier, Isabelle Bogelot und L'Œuvre des libérées de Saint-Lazare). Während Josephine Butler einen glühenden Kreuzzug führte, um die Reglementierung der Prostitution abzuschaffen, veranstalteten Wohltätigkeitsvereine im Juli 1885 im Londoner Hyde Park die größte »Sittlichkeits«-Konferenz aller Zeiten »gegen das Laster«: 250000 Personen kamen im Namen von *purity* zum Protest gegen die »Behandlung der weißen Sklavinnen« zusammen. Zwar mögen solche Schlagworte zwiespältig klingen, doch wurde mit ihnen die zentrale Frage nach dem Körper der Frau und der Möglichkeit seiner käuflichen Aneignung gestellt.

Bei der Umwandlung von Wohltätigkeit in »Sozialarbeit« spielten die *settlements* eine entscheidende Rolle. Nun ging es nicht mehr um gelegentliche Hausbesuche, sondern um dauerhafte Stützpunkte in den Armenvierteln der Vorstädte, Außenbezirke, Grenzgebiete, also in den *East ends* aller Großstädte. Wiederum von Protestantinnen angestoßen, nahm die Bewegung in England ihren Ausgang vom Barnettschen Haushalt in Toynbee Hall. Octavia Hill gründete das erste *settlement* für Frauen in Southwark (1887); weitere folgten, geleitet von Ledigen, die vor der Eheschließung geflohen waren, bisweilen von Schwesternpaaren oder auch Akademikerinnen (z. B. The Women's University Settlement), die damit ihre Wohngemeinschaften aus der Studienzeit fortsetzten. Martha Vicinus hat die Gastfreundschaft und die Probleme dieser Wohngruppen skizziert, die unter der Labilität der jungen Frauen litten, welche zwischen dem kargen Leben eines ständigen sozialen Engagements und seinem emanzipatorischem Aspekt hin- und hergerissen waren. Freizügig im Umgang und im Erscheinungsbild, verweigerten sich diese Frauen – die im übrigen für die Familie und das traute Heim agitierten – dem traditionellen Eheschicksal und verglichen sich mit ihren Brüdern, die draußen für das Empire fochten. Ihr Afrika und Indien waren die Elendsviertel.[9] In Frankreich wurden ähnliche Volkserziehungsexperimente in den Proletariervierteln von Charonne (Marie Gahérys Union) und im Lumpensammlerbezirk von Levallois-Perret durchgeführt. Hier war die Sozialkritikerin Marie-Jeanne Bassot, die Sillon nahestand, von Jane Addams und dem Vorbild der amerikanischen *settlements* beeinflußt. Sie gehörte der katholischen Sozialbewegung an und wollte ihre Sozialstation zur Keimzelle einer neuen Stadt machen. Diese Bewegung wurde indes wegen der mißtrauischen Gängelung durch die Priester und der Vereinnahmungsversuche durch die politische Rechte nicht so umfangreich. Nach dem Ersten Weltkrieg mobilisierten Gruppierungen wie Le redressement français (Bardoux, Mercier) »Freiwilligenarmeen« besonders von Frauen als »Arbeiterinnen der Wohlfahrt« zum »Kampf gegen die Barbarei«, nämlich den Kommunismus. Der erste Kongreß der *settlements* 1922 bewies deutlich, welchen Anwerbeeffekt eine solche Frauenaktion haben konnte, auch wenn sie dem Anschein nach sehr verhalten blieb.[10]

Die Wohltätigkeit wirkte sich in vielerlei Weise auf das Verhältnis der Geschlechter in den Städten aus. Durch sie entdeckten die Bürgersfrauen eine ganz andere Welt, und für manche von ihnen war das ein Schock. Sie erwarben Kenntnisse über Verwaltungs- und Finanzierungsaufgaben, Kommunikationsmittel und vor allem über die Erhebung von Sozialdaten. Flora Tristan (*Promenades dans Londres,* 1840) und Bettina von Arnim (*Dies Buch gehört dem König,* 1843) waren die ersten Berichterstatterinnen über das Elend.[11] »Widmet Euch ständigen Untersuchungen«, empfahl Henriette Jean Brunhes (1906), weitete damit den Ansatz aus und verallgemeinerte ihn. Die Frauen sammelten so Wissen und praktische Erfahrung, durch die ihnen potentiell eine Expertinnenrolle zuwuchs. Über das bescheidene Personal der London Mission oder der *settlements,* über die vom französischen Jugendgerichtsgesetz von 1912 geschaffenen »Berichterstatter beiderlei Geschlechts«,[12] über die ersten Fraueninspektorinnen (in Frauengefängnissen, Schulen, Werkstätten und Fabriken) wuchsen sie in Amtsfunktionen und in eine immer professionellere Sozialarbeit hinein. Unterrichten, pflegen, helfen: dieser dreifache Auftrag wurde zur Grundlage der »Frauenberufe«, die noch lange Zeit von ideeller Berufung und Liebeswerken geprägt bleiben sollten.[13]

Durch die Tätigkeit auf sozialem Gebiet wurden den Frauen allmählich eine Kompetenz zuerkannt, die ihren Wunsch nach eigenständiger Verwaltung rechtfertigte. »Wir fordern, daß man uns anvertraut, was für diesen besonderen Auftrag notwendig ist«, meinten 1834 die Damen des Mütterwohlfahrtsvereins. »Männer würden Einrichtungen und hohe Summen besser verwalten; doch es gebührt denen, die sich der Sache widmen und die schlimmsten Dinge mitansehen müssen und dabei immer noch Liebe erweisen können, die niederen Klassen zu überzeugen, ein schweres Leben auszuhalten.«[14] Der bescheidene Ton wurde zur radikalen Kritik und bei Octavia Hill oder Florence Nightingale zur entschlossenen Forderung; aufgrund ihrer Erfahrungen im Krimkrieg begann letztere, nicht nur die Spitäler, sondern auch die Armee zu reformieren, »den primären Ort, wo ein erstes Engagement vieler Frauen diesen ermöglicht, Zugang zur Wissenschaft und zum Wissen zu gewinnen«.[15]

Ausgehend von ihrer Fähigkeit zum »sozialen Wirtschaften« setzten die wohltätigen Damen bei den Wohnverhältnissen und in Wohnvierteln an, die sie gut kannten. Sie machten hier den Männern die Zuständigkeit streitig. Die Bürgersfrauen Nordfrankreichs ließen sich auf einen Konflikt mit den Stadträten ein, die ihnen die verlangten Zuschüsse verweigerten.[16] Die englischen Damen – etwa Louise Twining – führten Kampagnen gegen die Verwalter von Arbeitshäusern *(workhouses),* klagten die namenlose Unmenschlichkeit dieses Systems an und machten sich an eine Reform der Armengesetzgebung, der Poor Laws.

Als Fürsorgerinnen der Armen, über die sie gleichzeitig auf zwiespältige und keineswegs klassenneutrale Weise Macht ausübten, empfanden sie sich als Anwältinnen derer, die in ihren Augen weder Stimme noch Stimmrecht hatten. Zwischen Frauen und Proletariern gab es ein symbolisches, wenn nicht organisches Band, worauf die Saint-Simonisten hingewiesen hatten. Eugénie Niboyet schrieb: »Ich agitiere die Massen gern, weil ich bei ihnen meine ganze Kraft spüre. Ich bin Verkünderin.«[17] Im Namen der Ausgestoßenen, der Schwachen, der Kinder und vor allem ihrer Geschlechtsgenossinnen forderten die sozial engagierten Frauen das Recht auf politische Repräsentation auf lokaler und sogar auf nationaler Ebene. Ihr eigentlicher Aktionsraum war die Kommune. Dort funktionierten vor allem während der ersten Hälfte des Jahrhunderts ihre formellen und informellen Netzwerke am effizientesten. In Utica (im Staate New York), einer von heftigen Erweckungsbewegungen erschütterten presbyterianischen Kleinstadt, gab es 1832 vierzig Frauenvereine (Maternal Associations, Daugthers of Temperance usw.), die sich hauptsächlich dem Schutz der von Prostitution und Vergewaltigung bedrohten Mädchen widmeten und wie eine regelrechte Sittenpolizei agierten.[18] Die angelsächsischen Suffragetten forderten gestützt auf solche Macht das Frauenwahlrecht, zunächst auf kommunaler Ebene. In minderem Umfang griffen Frauen als *pressure groups* durch Verbandsarbeit oder Petitionen (zu Scheidungsrecht, Arbeitsschutz usw.) in die Gesetzgebung ein. So wurden sie zu Akteurinnen auf kommunaler und gesamtstaatlicher Ebene.

Damit fanden sie erneut das Interesse der Männer, die bereit waren, sie zu benutzen, aber dabei sorgfältig auf ihre eigenen Vorrechte achteten. Je mehr der Pauperismus zur »sozialen Frage« wurde, desto nachhaltiger schalteten sich die Männer ein. Schutzherrschaft als Vatersache konnte nicht Frauen überlassen bleiben. Schon de Gérando (*Le visiteur du pauvre*, 1820) wünschte sich für die Hausbesuche mehr Männer, die aktiv in der Wirtschaft seien und Arbeit beschaffen könnten. Die großen Gestalten der Wohlfahrtspflege zum Ende des Jahrhunderts waren Männer: Barret, Booth als Gründer der Heilsarmee, Henri Dunand als Gründer des Roten Kreuzes, Max Lazard, der die erste internationale Konferenz zur Arbeitslosigkeit (1910) organisierte, usw. Die Verwaltung der sozialen Frage ging in die Hände von Politikern und Akademikern über: von Ärzten, Juristen, Psychologen. Diese hatten nichts Eiligeres zu tun, als Frauen zu subalternen Hilfskräften wie Krankenschwestern und Sozialhelferinnen zu degradieren. Damit mußte ein neuer Kampf um Berufsausbildung und Anerkennung von Prüfungszeugnissen als Statusgarantien geführt werden. Das Feld der Auseinandersetzung hatte sich verlagert.

Die Wohltätigkeit hatte noch andere Wirkungen. Sie stellte zwischen den Frauen der Mittelschicht Kontakte her und führte dazu, daß von

Neuengland bis Athen zumindest ansatzweise ein »Geschlechtsbewußtsein« entstand, das häufig zum Vorläufer für feministisches Bewußtsein wurde. Nach Carroll Smith-Rosenberg waren die »neuen Frauen« von 1880–1890 die Töchter der »neuen bürgerlichen Matronen« der Jahre 1850–1880.[19] Dieser Schmelztiegel der Identität wirkte an den Grenzen von Politischem und Sozialem, Öffentlichem und Privatem, Glaubensbekenntnis und Morallehre als Versuchslabor.

Bei den Arbeiterinnen

In der Stadt wurden die Arbeiterinnen doppelt verleugnet: als Frauen, weil sie angeblich die Antithese von Fraulichkeit waren (»Arbeiterin, welches unflätige Wort«, schrieb Michelet), und als arbeitende Menschen, weil ihr Lohn, statuarisch unter dem Manneslohn festgelegt, nur als »Zuverdienst« zum Einkommen der Familie betrachtet wurde, die die Aufgabe und das Schicksal der Frauen bestimmte. Ganze Branchen blieben den Arbeiterinnen verschlossen. Überdies basierte die Arbeiteridentität im 19. Jahrhundert im Alltags- und Privatleben ebenso wie im öffentlichen und politischen Leben voll und ganz auf dem Modus der Männlichkeit. Peter Stearns betont, daß sich das Verhältnis zwischen den Geschlechtern bei englischen Arbeiterehepaaren Ende des Jahrhunderts verschlechterte.[20] Dorothy Thompson zeigt, wie sich die Frauen zur Zeit der Chartistenbewegung aus dem aktiven Raum zurückzogen; sie wurden in den Versammlungen immer leiser, ihre bloße Anwesenheit wurde wenig später als unpassend empfunden, und schließlich wurden sie aus den *pubs* und *inns* verbannt, die zu reinen Männerversammlungsorten wurden.[21] Ungeachtet aller Variationen verlief die Entwicklung letztlich überall gleich. Als Objekt für Gewalttätigkeit im Dschungel der Großstadt sowie häufig auch in der Familie und für sexuelle Belästigung in Werkstatt und Fabrik wurde der Körper der Arbeiterfrau als Allgemeingut angeeignet.[22] Anerkennung fand sie nur als Mutter oder Hausfrau. Nur die »Mutter der Kumpel« oder Mother Jones – eine Irin und Begründerin der Gewerkschaft der Bergarbeiter in den Vereinigten Staaten – wurden in der Arbeiterbewegung geduldet, die sich bis in ihre Symbole männlich gab: der Schwerarbeiter mit nacktem Oberkörper, gespanntem Bizeps, Muskelpaketen – der Mann aus Marmor – ersetzte in der Bilderwelt die Hausfrau mit dem Korb.[23] Bei den immer stärker ritualisierten und geordneten Demonstrationen war die Gewalttätigkeit und Unberechenbarkeit der Frauen gefürchtet; sie wurden zwar toleriert und mobilisiert, aber nur an zugewiesenen Plätzen, möglichst als Fahnenträgerinnen, Schmuckelement oder schützende Tarnung.[24] Selbst aus der Erinnerung verschwanden sie; in den meist von Männern verfaßten Funktionärsbiographien war wenig von den Müttern und Ehefrauen, die zudem häufig als weinerliche Bremserinnen dargestellt wurden, die Rede, aber viel von den Vätern, die von den Söhnen als Helden vergöttert wurden.

Die Frauen als Gruppe zogen sich von der Straße zurück, als die Zeit der Hungermärsche – wichtige Protestform der traditionellen Gesellschaften und zugleich Regulator der moralischen Ökonomie, deren Barometer sie waren – zu Ende ging. Früher hatten sie vom Markt her und wegen der Weizensteuer in die lokale und sogar nationale Politik eingegriffen. Am 5. und 6. Oktober 1789 waren es die Marktweiber, die die königliche Familie von Versailles nach Paris zurückholten und damit den politischen Raum grundlegend veränderten. Diese Hungerrevolten, die in der ersten Hälfte des 19. Jahrhunderts noch häufig waren und 1846–1848 alle europäischen Länder überzogen, wurden später mit verbesserter Versorgung seltener. Demonstrationen entwickelten sich immer mehr zur Männersache, wie Fabrikarbeiter und bald auch die Gewerkschaftsbewegung dabei die führende Rolle übernahmen. Bei der »Teuerungs«-Krise, die 1910–1911 alle Industriegebiete Europas erfaßte, kam es gleichwohl erneut zu Zusammenrottungen und Plünderungen von mehreren tausend Hausfrauen (die sich in Frankreich auf ihre Ahninnen vom Oktober 1789 beriefen), die die Märkte eroberten und die Preise der Produkte im Sinne der Internationale du beurre à quinze sous festlegten; sie organisierten sich in »Ligen«, um Spekulanten zu boykottieren, und handelten sich schwere Gefängnisstrafen ein. Unterdessen kritisierten die Gewerkschaften »diese instinktive, chaotische, blinde Bewegung« und gingen daran, sie in einen »Aufstand der Männer«[25] umzuwandeln. Dasselbe Drehbuch 1917 in Amsterdam bei der Kartoffelrevolte, einer subtilen Mischung aus alten und neuen Protestformen: der Führer der holländischen Sozialdemokraten forderte Hausfrauen, die zwei Lastkähne geplündert hatten, dazu auf, die Stafette an ihre Ehemänner und Söhne zu übergeben und diese zum Streik aufzuwiegeln.[26] Gewerkschafter und Sozialisten teilten im großen und ganzen die Ansicht der Massenpsychologen: Sie fürchteten bei Demonstrationen das weibliche Element und seine Gewaltbereitschaft.[27]

Als demonstrativer Akt von bewußten und organisierten Produzenten galt der Streik als männliche und zunehmend als rationalere Aktion. Gewalt wurde im Regelfall unterbunden oder zielbewußt angewandt, und damit auch der Einsatz von Frauen. Die Frauen von Streikenden hatten zwar weiterhin im Streik ihre Rolle. Ihr Platz war an den Gulaschkanonen der Volksküchen und der *soupes communistes,* dieser Urform gegenseitiger Hilfe zu Beginn des 20. Jahrhunderts, bei

»Solidaritätsveranstaltungen mit Gesang«, oder sie hatten bei Demonstrationen die Unternehmer und vor allem die »gelben« Gewerkschaften zu schmähen.[28] Die Bergarbeiterfrauen, die am besten in die Gemeinschaft integriert waren, beherrschten alle Formen der gemeinsamen Aktion, deren Repertoire der faszinierte Zola in epischer Breite geschildert hat (*Germinal*, 1885). Für zeitgenössische Beobachter (etwa Polizeikommissare) war der Frauenanteil bei Versammlungen oder Umzügen Indikator für das Ausmaß der Unzufriedenheit in der demonstrierenden Gruppierung.

Das Verhältnis der Geschlechter in gemischten Streiks würde besondere Aufmerksamkeit verdienen. Leider ist darüber so gut wie nichts bekannt, weil Männer und Frauen in den Quellen meistens in der Pseudoneutralität des Plurals (»die Streikenden«) zusammengefaßt werden. Bei Tarifverhandlungen wurden Frauenforderungen ohne weiteres geopfert und die ungleichen Löhne selten in Frage gestellt.

Es gab auch Frauenstreiks. Diese erhielten das Stigma des Ungehörigen. Sie waren eine unerträgliche Rebellion für den an Fügsamkeit gewöhnten Unternehmer; ein Ärgernis für die Familie, das durch das jugendliche Alter der streikenden Frauen noch verschärft wurde; eine Ungehörigkeit nach Meinung der Öffentlichkeit, die zwischen geduldiger Herablassung – »diese armen Irren« – und sexueller Anzüglichkeit schwankte; eine Störung des gewohnten Anblicks von weiblicher Unterwürfigkeit; also alles in allem ein Skandal. Die Arbeiter hatten etwas gegen die Streiks ihrer Frauen, und erst recht gegen die der Töchter, und drängten sie bisweilen brutal zur Wiederaufnahme der Arbeit. Beim Streik in der Zuckerraffinerie Lebaudy, Paris 1913, schleppte ein wütender Ehemann seine Frau gewaltsam in die Fabrik zurück und verabreichte ihr auf deren Schwelle eine öffentliche Tracht Prügel. Die Gewerkschaften unterstützten Frauen nur halbherzig; in ihren Statuten war die Streikunterstützung für Frauen normalerweise geringer festgelegt als die für Männer, da sie keine Familienväter seien und auf jeden Fall auch weniger zu essen brauchten! Streiks von Frauen waren eine Gefahr für die patriarchalische Gesellschaft, und diese erkannte ihnen daher ein Streikrecht genausowenig zu wie ein Recht auf Arbeit.

Man kann ermessen, wie groß die Macht dieser geballten Abschreckung war. Einen Streik riskieren hieß, sich gegen die öffentliche Meinung stellen, aus der Fabrik auf die Straße gehen und sich wie ein Strichmädchen verhalten. Dazu gehörten Mut, ein lauer Frühlingstag und besondere Umstände: daß wegen einer zusätzlichen Schikane »das Maß voll« war, daß eine »Rädelsführerin«, die dann in der Presse unweigerlich zur Megäre oder Furie stilisiert wurde, die anderen mitriß. Eine solche Anführerin war die dicke Arbeiterin von Bermondsey, die Mary Agnes Hamilton (*Mary Macarthur*, London 1925) beschrieben hat. Man sieht sie geradezu an einem Augustmorgen des Jahres 1911 an der Spitze einer Armee streikender Arbeiterinnen marschieren, eine Frau mit starkem Körpergeruch, voller Ungeziefer und »ausstaffiert mit Federboas und Fuchskragen«.

Mit Ausnahme einzelner Branchen wie der Tabakverarbeitung war die Streikbereitschaft der Frauen gering. In Frankreich stellten sie zwischen 1870 und 1890 nur 4 Prozent der Streikenden bei 30 Prozent der Beschäftigten. Ihre Streiks waren meist Abwehrstreiks. Sie waren spontan, schlecht organisiert und schwach begründet und glichen eher Protestaktionen gegen Überstunden und hetzenden Arbeitstakt, Hygienemängel oder eine zu harte oder willkürliche Arbeitsdisziplin. »Wir leiden schon zu lange«, sagten die Seidenspinnerinnen von Lyon (1869). Diese kurzfristigen Aktionszusammenschlüsse scheiterten häufig.

Nichtsdestoweniger waren sie Ausbrüche, seltene Gelegenheiten, »auf die Straße zu gehen«, und Aktionsformen, an welche sich die Beteiligten später besser erinnerten als an die Arbeiterbewegung. Manche wurden zu Ereignissen: der Streik der Seidenarbeiterinnen in Lyon, den sich die Erste Internationale zu eigen machte und zugleich der Streikführerin Philomène Rosalie Rozan jede Vertretungskompetenz auf dem Baseler Kongreß absprach; der Streik der Zündholzarbeiterinnen in London (1888), wo die Frauen zum ersten Mal streikten, ohne die Erlaubnis der männlich beherrschten Trade Unions einzuholen, sondern sich zwecks Gründung einer eigenen Gewerkschaft und zur Veröffentlichung ihrer Forderungen an Annie Besant wandten und dabei obendrein auch noch Erfolg hatten; der Streik der Typographinnen in Edinburg, die in einer bemerkenswerten Denkschrift – *We Women* – unter Berufung auf ihre Fähigkeiten Gleichbehandlung und damit das Recht, als Druckerinnen zu arbeiten, forderten; der Streik der 20000 Korsettschneiderinnen von New York (1909), der besonders reich an Provokationen war und dank der Zeitungsreportage von Theresa Malkiel allgemein bekannt wurde.[29]

Auf der Straße fürchteten die Arbeiter den ausgelassenen Überschwang der Frauen mit ihren Liedern, Tänzen, Puppenverbrennungen, der ihrer Jugend und ihrer eigenständigen Kultur entsprach. In den Versammlungssälen entdeckten die Frauen den Rausch der freien Rede und der Gemeinsamkeit. Ihre Plakate klebten sie an Hauswände; in der Presse veröffentlichten sie ihre Manifeste und eroberten sich so einen Teil des öffentlichen Raums. Als unerfahrene Kämpferinnen suchten sie anfänglich Unterstützung bei ihren männlichen Kollegen; doch mehr und mehr ärgerten sie sich über deren Bevormundung und wandten sich an Geschlechtsgenossinnen, Sozialistinnen oder seltener an Frauenrechtlerinnen: Annie Besant, Eleanor Marx, Beatrice Webb,

Louise Otto, Clara Zetkin, Paule Mink, Louise Michel, Janet Addams, Emma Goldman usw. beteiligten sich an ihren Kämpfen. Bisweilen und nicht ohne Schwierigkeiten zeichnete sich eine »gemeinsame Front« der Frauen ab, welche die Führer der Arbeiterbewegung erst recht beunruhigte, sobald sie sich dauerhaft in die Gewerkschaftsbewegung einschalten wollte.

Die Gewerkschaftsbewegung war noch kaum eine Angelegenheit von Frauen. Beiträge, Zeitschriftenlektüre, Beteiligung an Abendversammlungen in Cafés schreckten ab. Aber es gab noch mehr Hindernisse: das Doppelproblem des Rechts auf Arbeit und auf politische Vertretung. Wie und in wessen Namen dürfen Frauen ihre Stimme erheben? Für wen? Sind nicht die Männer die naturgegebenen Vertreter der Familiengemeinschaft, zu der angeblich alle gehören?

In Berufen, die Männerdomänen waren, wurden Frauen zunächst nicht in die Gewerkschaft aufgenommen (Schneider, Buchbinder). Das war vor allem in Deutschland so, solange dort Lassallesche Auffassungen vorherrschten, die die Frauenarbeit grundsätzlich ablehnten. Anderswo wurden Frauen in Männergewerkschaften aufgenommen, erst zurückhaltend, dann wohlwollender. Als sich allmählich immer klarer abzeichnete, was auf dem Spiel stand, begannen Gewerkschafter sogar über die Passivität der Frauen zu klagen, zu der sie selbst beigetragen hatten. Denn Gewerkschafter sahen weder gern, daß Frauen das Wort ergriffen – noch um 1880 mußte eine Frau in Nordfrankreich dazu eine schriftliche Wortmeldung vom Ehemann oder Vater einreichen! –, noch daß sie Funktionen übernahmen. Zugelassen wurden allenfalls ein paar schmückende Frauen auf der Tribüne, einige wenige Funktionärinnen und noch weniger Frauen unter den Delegierten auf Kongressen, den Orten der Macht. Sogar in der Tabak- und Streichholzindustrie, in der die Frauen zwei Drittel der Beschäftigten stellten, waren die Funktionäre in der Mehrzahl Männer. Das alles erklärt zur Genüge den geringen Anteil von Frauen unter den Gewerkschaftsmitgliedern. Es waren selten einmal mehr als 3 Prozent.

Der erste Anstoß zur Organisierung kam häufig von Frauen außerhalb der Arbeitswelt. Es waren Frauen, die in der Vereinsbewegung engagiert waren und die den Zusammenschluß zur gegenseitigen Hilfe ebensosehr als Mittel der Selbsterziehung wie der Vertretung von Forderungen propagierten. Louise Otto und ihr Allgemeiner Deutscher Frauenverein (Leipzig 1865), Emma Paterson und die Women's Trade Union League (1874), Janet Addams und die New Women's Trade Union League (Boston, 1903), Marguerite Durand und die von der Fronde unterstützten Gewerkschaften, Marie-Louise Rochebillard, Cécile Poncet und die »freien Gewerkschaften« aus der Gegend um Lyon, diese und zahlreiche andere Frauen erkannten klarsichtig, daß der speziellen Ausbeutung von Arbeiterinnen notwendigerweise nur mit einer reinen Frauenorganisation begegnet werden konnte. Was auch immer ihr »Maternalismus« gewesen sein mag, sie förderten die Heranbildung militanter Arbeiterinnen, die ihre Eigenständigkeit zu wahren wußten.

Das ging nicht ohne Zusammenstöße. Konflikte waren vorprogrammiert, auch mit Frauen. Das »Geschlechtsbewußtsein« zerbrach an Machtrivalitäten und an sozialen Hierarchien. Arbeiterinnen warfen anläßlich der Sozialgesetzgebung den »Bürgerlichen« vor, sie hätten keinerlei Verständnis für ihre Belange. In Frankreich forderten die Sozialistinnen zu Beginn des Jahrhunderts mit allem Nachdruck eine Arbeiterinnenschutzgesetzgebung, die von Feministinnen als diskriminierend in Grund und Boden verdammt wurde.[30] Im Streik der 20000 warfen Aktivistinnen aus dem Bekleidungsgewerbe – Rose Schneiderman, Pauline Newman – den reichen New Yorker Suffragetten – Ava Belmont-Vanderbilt, Anne Morgan – voyeuristischen Elendstourismus und Reklamesucht vor. Die »Nerzbrigade« wurde klipp und klar in ihre Schranken gewiesen. Würde es alles in allem, fragt Emma Goldman rhetorisch, etwas an der Lage der Arbeiterinnen ändern, wenn Anne Morgan Präsidentin der Vereinigten Staaten würde?

Außerdem betrachteten Damen die Frauen der Unterschicht meistens weniger als ihresgleichen denn als potentielle Dienstmädchen. Im Krimkrieg gab es in dem von Florence Nightingale geführten Grüppchen von Pflegekräften dauernd Streit zwischen *ladies* und *nurses*; die Nurses beanspruchten als entlohnte Krankenschwestern gleiche Rechte und weigerten sich, die Ladies zu bedienen, die obendrein noch über ihre Freizeit bestimmen wollten. Das brachte ihnen einen strengen Ordnungsruf von Florence ein: »Sie müssen einfach begreifen, daß Sie genau in derselben Lage sind wie in England, also der Frau Oberintendantin oder ihrer Stellvertreterin gehorchen müssen.«[31] Die Dienstbotenfrage blieb unter Frauen ein ewiger Zankapfel; das zeigte sich nicht zuletzt in Frankreich beim Kongreß von 1907.[32]

Diese sozialen Spannungen wurden durch das Problem der Zugehörigkeit zu unterschiedlichen Rassen und Ethnien noch verstärkt. Gegensätze zwischen weißen angelsächsischen Protestantinnen, Jüdinnen und Italienerinnen führten in der Women's Trade Union League zur Zerreißprobe, auch im Streik der 20000 prallten die kulturellen Gegensätze hart aufeinander.

Das machte es der gewerkschaftlichen und sozialistischen Arbeiterbewegung um so leichter, die Konflikte zwischen Frauen herauszustellen und Frauen generell das Recht abzusprechen, Arbeiterinnen zu vertreten. Die Frauen seien der Stützpfeiler der Kirche, hieß es in Frankreich, und der Feminismus sei dem Wesen nach »bourgeois«. Das war ein schlagendes Argument, um die stets des Klassenverrats verdächtigte »gemeinsame Front der Geschlechter« abzuwehren. Der heftige Antifeminismus mancher Sozialistinnen – wie Louise Saumoneau in Frankreich; Clara Zetkin contra Helene Lange und Lily Braun in Deutschland – sowie deren Rückzug aus der Frauenwahlrechtsbewegung fand in diesen Befürchtungen seine Begründung. Besonders heftig war die Gegnerschaft in Frankreich und in Deutschland.[33] In England, wo die Geselligkeit der Frauen vielleicht weiter entwickelt und die Wahlrechtsbewegung besonders aktiv war, herrschte eine andere Situation. Die hochorganisierten Baumwollweberinnen von Lancashire waren zugleich engagierte Wahlrechtskämpferinnen. Indem sie sich das Wohltätigkeitssystem der Hausbesuche – eben das der Bible Women – für ihre Zwecke zunutze machten, führten sie in den Jahren zwischen 1893 und 1900 eine intensive Petitionskampagne durch und sammelten fast 30000 Unterschriften von Arbeiterinnen, die ihre Delegierten dann dem Parlament überreichten.[34]

Die Erweiterung des Raumes: Wanderungen und Reisen

»Jede Frau, die sich zeigt, entehrt sich«, schrieb Rousseau an d'Alembert. Um wieviel mehr drohte dieses einer Frau, die reiste! Reisende und vor allem alleinreisende Frauen setzten sich Verdächtigungen aus. Flora Tristan, die bei ihrer »Rundreise durch Frankreich« unter diesem Makel zu leiden hatte – in Südfrankreich nahmen viele Hotels aus Furcht vor Prostitution keine alleinreisenden Frauen auf –, schrieb ein Heftchen mit dem Titel *Nécessité de faire un bon accueil aux femmes étrangères* (1835), in der sie die Gründung eines Beherbergungsvereins für Frauen empfahl. Eine jede Niederlassung des Vereins müßte mit einem Lokal und einer Bibliothek, wo man Zeitungen lesen könne, ausgestattet sein, und das Motto sollte »Tugend, Vorsicht, Offenheit« lauten; die Mitglieder müßten als Erkennungszeichen ein rotumrandetes grünes Bändchen tragen; sie sollten das Recht haben, unerkannt zu bleiben, da dieses für ihre Privatheit erforderlich sei. Dieses Projekt war eine Vorwegnahme der Heime, die in der zweiten Hälfte des Jahrhunderts vor allem von protestantischen Vereinigungen und Verbänden gegründet wurden.[35]

Insgesamt hatten Frauen von Anfang an großen Anteil an der Mobilität, die die abendländische Gesellschaft mit der Entwicklung des Transportwesens vor allem nach 1850 erfaßte. Sie waren unterwegs als

Migrantinnen, weil wirtschaftliche oder politische Erfordernisse und Zwänge sie dazu veranlaßten; sie waren aber auch unterwegs als Reisende aus Pflicht oder Neigung, und dies blieb für ihre Weltanschauung nicht ohne Folgen.

Die Binnenwanderung

In den Pendelbewegungen, die etwa in Frankreich zunächst für die Binnenwanderung typisch waren, waren es die Männer, die zu Baustellen oder zur Arbeit im städtischen Kleingewerbe aufbrachen. Die Frauen blieben im Dorf als Hüterinnen des von ihnen bestellten Bodens und der Tradition, so daß sie den aus der Stadt Heimkehrenden rückständig erschienen. Im Dorfe des Martin Nadaud verstummte die alte Fouénouse, wenn die jungen Maurer mit ihrer Hauptstadtarroganz die Abendunterhaltung bestritten.[36] Daneben aber gab es auch die Landflucht, die zur Abwanderung ganzer Familien führte. Schließlich veranlaßte der Aufschwung des Dienstbotenwesens, der vor allem mit der gestiegenen Nachfrage der Mittelschichten, aber auch mit dem aufkommenden Konfektionsgewerbe und dem sich wenig später entwickelnden Dienstleistungssektor zusammenhing, immer mehr junge Frauen vom Land, in der Stadt in Stellung zu gehen. Dies führte in den städtischen Zentren wieder zu einem zahlenmäßigen Gleichgewicht zwischen den Geschlechtern. Allerdings gab es weiterhin je nach Viertel krasse Unterschiede. Es war für die zugewanderten Männer und Frauen nicht immer leicht, zusammenzukommen; Bälle und daneben die Prostitution halfen nach.

Zunächst wurden die Zuwanderinnen von ihrem Herkunftsmilieu und dem Aufnahmesystem noch streng kontrolliert; bald aber befreiten sie sich zunehmend, was ein Schritt zum Besseren oder zum Schlechteren sein konnte. Verführt und im Stich gelassen, bevölkerten die Zuwanderinnen die Geburtskliniken, sie nahmen Zuflucht zu »Engelmacherinnen«, vermehrten die weibliche Kleinkriminalität hauptsächlich durch Ladendiebstähle, bevorzugt in den großen Kaufhäusern und vor allem bei Kleiderstoffen. Andere aber sparten, arbeiteten für eine Aussteuer zur wohlerwogenen Heirat und akklimatisierten sich in der Stadt, in der sie sich mit Findigkeit immer neue Verdienstmöglichkeiten erschlossen. Daß man sie brauchte, machte sie anspruchsvoller; die familienverbundene Hausbesorgerin machte lebenslustigen Kammerkätzchen – wie der Juliette von Octave Mirbeau[37] – oder »frechen« Dienstmädchen Platz, die beim kleinsten Anlaß »die Schürze *hinhängen*«. Bevor sie sich in die Abhängigkeit ihres Arbeitgebers Munby begab, wechselte Hannah Cullwick ständig das Quartier, wie sie in ihrem Tagebuch berichtet; ihr Schicksal war das einer Dienerin, die zwar geehelicht wurde, aber den sexuellen Launen von »Massa« ausgeliefert war und von der Familie des Hausherrn nie anerkannt wurde; der Aufstieg eines Dienstmädchens hatte Grenzen.[38] Jeanne Bouvier, die mit ihrer Mutter 1879 nach Paris »hinaufgefahren« war, zeigte ebenso wie Adelheid Popp in Wien eine verblüffende Mobilität. Frauen, die »aufgestiegen« waren (Jeanne Bouvier gliederte ihre Mémoiren nach ihrem dreifachen »Aufstieg«: Gewerkschafterin, Schriftstellerin, Feministin), hatten, wie schon das Wort sagt, sich tummeln müssen. Der Quartierwechsel als notwendige, gewiß nicht hinreichende Bedingung von Aufstieg oder gar Befreiung erfordert eine Bereitschaft zum Bruch, um der erhofften Zukunftschancen willen.

Die Migrantinnen vom Land, vor allem die Dienstmädchen, waren kulturelle Mittlerinnen für Mode, Konsumgewohnheiten und städtische Gewohnheiten, darunter auch die der Empfängnisverhütung. Ende des 19. Jahrhunderts hatten sie ihre Rollen verändert. Ihre Familien ließen sie nun übrigens ungern weg: Diese Mädchen wurden zu selbständig und gingen für die Landwirtschaft verloren. Auf dem Lande gab es fortan immer mehr Junggesellen, während in den Großstädten zumindest in Frankreich 20 Prozent mehr junge Frauen im Alter von 20 bis 39 Jahren als junge Männer lebten.[39]

Ein weiteres Beispiel für Arbeitsmigrantinnen waren die Gouvernanten – Miss, Fräulein, Mademoiselle. Als Töchter verarmter Eliten oder eines intellektuellen Bürgertums, das die Töchter ebenso wie die Söhne auf Bildungsreisen schicken wollte (die protestantischen Reclus gehörten dazu), hatten sie einen viel größeren Aktionsradius und reisten in ganz Europa umher.[40] Henriette Renan hielt sich mehrere Jahre in Polen auf, um das Studiengeld ihres Bruders zu verdienen. Umgekehrt kamen Russinnen nach Paris, wie Nina Berberowa, die einen Schatz von Beobachtungen für ihr Werk sammelte. Gouvernanten wurden nicht nur wegen ihres Ausländerinnenstatus häufig ausgebeutet, sie hatten auch nicht immer einen guten Ruf. Ihnen wurden Intrigen und Verführung nachgesagt. Aus Liebe zu einer Gouvernante ermordete der Herzog von Choiseul-Praslin seine Frau; dieser Skandal zum Ende der Regierungszeit Louis-Philippes goß Wasser auf die Mühlen der Stereotype.

Die Fernwanderung

In der Fernwanderung entwickelte sich das zahlenmäßige Verhältnis der Geschlechter ähnlich. Zu Beginn überwogen eindeutig die Männer; dann kam die Zeit der Familien, und das Verhältnis glich sich an. Die

Männer gingen als Vorhut voraus, die Frauen kamen, wenn alles gut ging, nach. Der Wilde Westen war ein Land für Krieger und Pioniere, eine Männerwelt, in der Frauen selten waren und ihr Status ebenso wie ihr Bild zwischen der blonden Lady und der eher farbigen Hure schwankte. Der misogyne Western übersetzte diese Situation später auf die Filmleinwand.

Unter diesem Gesichtspunkt waren die Vereinigten Staaten ein umtriebiges Versuchslabor, dem inzwischen die feministische und nichtfeministische Geschichtsschreibung nachzuspüren begonnen hat. Die Auswirkungen der Wanderbewegungen waren widersprüchlich. Bisweilen wurde dadurch die Macht der Familie als Keimzelle der Volkswirtschaft und des ethnischen Zusammenhalts gestärkt und die jeweilige Rolle der Geschlechter stärker betont. Im Neuengland der Jahre 1780–1835 entwickelte die *Women's Sphere* enge *Bonds of Womanhood* (N. Cott), die zur Grundlage eines »Geschlechtsbewußtseins« wurden. Bei den Präriefarmern und in den irischen oder italienischen Arbeitergemeinden war die Mutter die dominante Figur, die *m'mam*, der Steinbeck in *Die Früchte des Zorns* epische Größe verliehen hat. Elinor Lerner hat gezeigt, daß in New York, wo zu Beginn des 20. Jahrhunderts 61 Prozent der Bevölkerung Juden, 13 Prozent Iren und 13 Prozent Italiener waren, die massivste Unterstützung für die feministische Sache und insbesondere für die Frauenwahlrechtsbewegung aus der jüdischen Gemeinde kam, die sowohl Bürgertum wie Arbeiterschaft umfaßte; die heftigste und hartnäckigste Opposition kam dagegen von den Iren; die Italiener waren gespalten, wobei die Süditaliener, bei denen die Frauen aktiver waren, mehr Zustimmung äußerten als die Norditaliener.[41]

Bisweilen aber eröffnete die Großräumigkeit mit ihren Entfernungen und Zwängen einen Spielraum, der die Selbstbehauptung der Frauen förderte. Auf seiner Amerikareise von 1832 war Tocqueville verblüfft über die Freiheit der Amerikanerinnen in Umgang und Haltung, denen in Louisiana schon früh per Gesetz das Briefgeheimnis zugestanden worden war. Als Weltreisende kehrten amerikanische Frauen Ende des 19. Jahrhunderts nach Europa zurück; vernarrt in Italien, konkurrierten sie in der Kunstkritik mit den Männern (z. B. Lee Vernon als Nachahmerin von Berenson in der Toscana, oder Edith Wharton); in Paris ließen sie sich am linken Seineufer nieder: Natalie Clifford Barney, die Amazone aus der Rue Jacob, Gertrude Stein in der Rue de Fleurus verkörperten die »neue Frau«, die intellektuell und sexuell emanzipierte Frau, die um so eher akzeptiert wurde, als sie von außerhalb kam und im Randmilieu der Intellektuellen lebte.[42]

Russische und jüdische Frauen, häufig beides in einer Person, verdienen besondere Aufmerksamkeit. Sie taten sich mehr als alle anderen als Rebellinnen hervor, und ihr Einfluß war beträchtlich, wie Nancy Green in diesem Buch zeigt. »Ich will nicht bloß Arbeit und Geld, ich will Freiheit«, äußerte eine jüdische Einwanderin bei der Ankunft in New York.[43] Die Memoiren Emma Goldmans zeigen exemplarisch, wie das Reisen zum Mittel der Emanzipation wurde.[44]

In die Kolonien[45]

Die Aussiedlung in die Kolonien war zunächst ein Zwangsmittel und hatte deshalb keinen guten Ruf. In Frankreich konnten Frauen, die zur Zwangsarbeit verurteilt waren, nach 1865 statt dessen die Verbannung nach Übersee wählen. Manche äußerten diesen Wunsch; doch insgesamt blieb die Zahl der weiblichen Deportierten gering: nach Neukaledonien gelangten zwischen 1870 und 1885 nur 400 Frauen; 1866 wurden in Cayenne auf 16805 Männer nur 240 Frauen gezählt.[46] Nach 1900 wurde dieses gescheiterte Experiment eingestellt. Die nach der Pariser Kommune deportierte Louise Michel hat über die Kanaken einen einfühlsamen und klugen Bericht geschrieben und davon geträumt, später in Freiheit nach Neukaledonien zurückzukehren, um unter neuen Bedingungen mit den Eingeborenen zu leben.

Frauen, die frei waren, gingen nicht spontan nach Übersee. Die französische Armee schreckte sie ab. Die wenigen Offiziersfrauen, die es vor 1914 riskierten, lebten ziemlich einsam. Die weiblichen Hilfsdienste hatten einen schlechten Ruf; Isabelle Eberhardt sollte diesen Vergessenen einen Roman *(Femmes du Sud)* widmen. Ein paar Versuche, Frauen in Einwanderungskolonien zu ziehen, wurden von philanthropischen Vereinen unternommen. Die Société française d'émigration des femmes aux colonies, 1897 von J.-C. Bert und dem Comte d'Haussonville gegründet und von den Zeitschriften *Revue des Deux Mondes* und *Quinzaine coloniale* unterstützt, veröffentlichte einen entsprechenden Aufruf. Auf diesen Aufruf hin meldeten sich 400 bis 500 Kandidatinnen, kultivierte, aber mittellose Frauen. Deren Briefe belegen, welche Phantasien diese Frauen mit den Kolonien verbanden: eine Mischung von Exotik, Missionseifer und Aufstiegswünschen. Dieser Aufruf fand keine Wiederholung. England engagierte sich viel stärker in der Kolonialbesiedlung. Zwischen 1862 und 1914 verhalfen mehrere Dutzend Gesellschaften mehr als 20000 Frauen zur Ausreise in die Kolonien. Einige dieser Gesellschaften wurden von Feministinnen betrieben, die in der Auswanderung ein Ventil für überzählige Frauen *(redundant women)* sahen, die sich in der Mittelmäßigkeit der britischen Gesellschaft langweilten: Eine solche Gesellschaft war die Female Middle Class Emigration Society (1862–1886), die von Maria S. Rye und Jane Lewin geleitet wurde. Rye wollte hauptsächlich mittellose junge Mädchen als Dienstboten vermitteln, während sich Lewin mehr für die Förderung der Mittelschichten interessierte. Doch dieses feministische Kolonialexperiment, das nur 302 Ausreisen zustande brachte, scheiterte und wurde nach 1881 von der viel effizienteren Colonial Emigration Society geschluckt, die nur ein schlichtes Büro zur Vermittlung von Stellen bei Kolonisten war.

Die Lebensverhältnisse der Europäer in den Kolonien waren so eingerichtet, daß sie die traditionelle Segregierung der Geschlechter nur noch verstärkten. Von dieser Seite war ausnahmslos keine Erweiterung des Horizonts zu erwarten. Die Einwanderung aus den Metropolen hat allenfalls die Geburt von weniger Mischlingen zur Folge gehabt. Die Signaren in Senegal zum Beispiel waren schwarzen Frauen, die vorher mit den ersten weißen Kolonisten zusammengelebt hatten. Einige wenige europäische Frauen entwickelten in der Kolonie einen neuen Blick, wie etwa Hubertine Auclert in Algerien (*Les femmes arabes en Algérie*, 1900) und die Schriftstellerinnen, die Denise Brahimi[47] aufgelistet hat. Einige andere nutzten die Ausweitung der Kolonialreiche, um ihre Sehnsucht nach Afrika oder dem Orient zu stillen.

Frauen auf Reisen

Nicht nur diese Auswanderungen ohne Rückkehr aus häufig dramatischen Beweggründen, auch die mit dem Aufschwung des Tourismus und des Bäderwesens häufiger gewordenen Reisen boten Frauen aus wohlhabenderen Kreisen Gelegenheit, von daheim wegzukommen. Die Ärzte dämpften allerdings das Fernweh der Damen unter Hinweis auf die für den Teint ruinösen Sonnenstrahlen und das chaotische Eisenbahnwesen, das den inneren Organen übel mitspiele. Auch wohlgemeinte Ermahnungen und Besorgnisse – die Last der Koffer, die Angst vor Fahrplänen, vor Übelkeit oder unangenehmen Begegnungen – trugen zur Abschreckung bei. Seebäder und Kurorte verstärkten die Trennung nach Geschlechtern und sozialer Schichtung; Frauen durften nicht schwimmen und auch nicht am Strand liegen, diese Vergnügen blieben den Männern vorbehalten.[48] Dennoch waren kleine Fluchten möglich, bei denen der durch Verbote geschärfte Blick zum bevorzugten Mittel wurde, Beziehungen zu knüpfen und Eroberungen zu machen. Die Zeichnungen, die Skizzen im Reisetagebuch, bald auch der Fotoapparat machten »Momentaufnahmen« möglich. Am Horizont zeigten sich bereits die jungen Radlerinnen am Strand von Baalbek (Proust, *Im Schatten junger Mädchenblüte*).

In der prostestantischen Welt zuerst, verhaltener und später in katholischen Kreisen, gehörte die Reise bald zum Abschluß der Mädchenerziehung. Die Kenntnis von Fremdsprachen eröffnete jungen Frauen die ihnen erlaubte Tätigkeit des Übersetzens. Andere machten sich auf den Weg, die Kunstschätze Italiens oder Flanderns zu bewundern, die für ihr geduldiges Kopieren so viele Modelle anzubieten hatten. Waren Museen nicht nach Baudelaire der einzig passende Ort für eine Frau? Ein junges Mädchen konnte dort immerhin allerhand über die männliche Anatomie erfahren, und deswegen waren den katholischen Erziehern Kirchen lieber. Zu Beginn des 20. Jahrhunderts wird das Äquivalent der von den Söhnen schon lange praktizierten »Rundreise« auch den Töchtern zuteil. Marguerite Yourcenar (1903–1988) hat sehr davon profitiert.[49] Als Reisende, Übersetzerin, Schriftstellerin ist sie aus dieser neuen, zugleich klassischen und europäischen Frauenkultur hervorgegangen und hat sie auf eine schöpferische Ebene gehoben. Das Reisen gehörte jedenfalls von nun an zu den Wunschvorstellungen der Frauen. Es wurde immer aufs neue genährt durch Lichtbildvorträge, Reiseandenken, Illustrationen in Zeitschriften im Stile von *Tour du Monde* oder *Harper's Bazaar* und von Weltausstellungen. Der Mittelmeerraum, Kleinasien und der Ferne Osten, später Afrika, wurden so im geographischen Weltbild der Europäerinnen verankert. Doch zu welchen Brüchen konnte dieses Fernweh eines Tages führen?

Mehr als die Bildungsreise interessiert uns hier die Reise als Aktivität, mit der die Frauen einen regelrechten »Ausbruch« aus ihren Lebensräumen und -rollen versuchten. Für diesen Normbruch waren Fluchtwille, Leiden, Ablehnung einer unerträglichen Zukunftsperspektive, Überzeugung, Entdeckergeist, Bekehrungsabsicht die Voraussetzung. Dies trieb die Saint-Simonistin Suzanne Voilquin nach Ägypten, die Gräfin Belgiojoso aus dem unterdrückten Italien ins befreiende Frankreich, russische Studentinnen zum »Volk«, Frauen mit Forschungsdrang in die Armenviertel der Städte – wobei das Volk, später der Arbeiter, für viele von ihnen die sublime Gestalt des Mitmenschen verkörperte;[50] und nicht zuletzt wohltätige Frauen, Feministinnen und Sozialistinnen zu ihren Kongressen. Die Bedeutung solcher Kongresse für die politische Bildung der Frauen sollte nicht unterschätzt werden. Kongresse waren ein überaus leistungsfähiges Kommunikationssystem, eine Bühne der Repräsentation. Sie eröffneten den Delegierten die Möglichkeit, das Auftreten auf der Rednertribüne, den Umgang mit öffentlicher Meinung und Presse, die internationalen »Beziehungen« zu erlernen. In ihren Memoiren legte Emma Goldman großes Gewicht auf ihre Reisen als Funktionärin: Diese Reisen bestimmten den Rhythmus ihres Lebens; ständig auf Achse, stets auf politischen Versammlungen oder Konferenz»tourneen«, war sie der Prototyp des Reisekaders, dem

Menschen und Reden wichtiger waren als Landschaften, und das genaue Gegenteil des Touristen, den übrigens auch Marx verabscheute. Jeanne Bouvier, im Oktober 1919 Delegierte auf dem *internationalen* Arbeiterinnenkongreß in Washington, lieferte einen begeisterten Bericht von ihrer Reise über den Atlantik, von der herzlichen Aufnahme und der Organisation der National Women's Trade Union League, die sie auf Frankreich übertragen wollte.[51] Schon immer strebten die Frauen ans Theater, doch durften sie dort keine Regie führen.[52] Der Kongreß war eine spektakuläre Revanche, die Gelegenheit zu einer legitimen Reise. Man sieht nur ihren Ernst, doch die geheime Lust bei der Sache kann man sich vorstellen.

Zum doppelten Vergnügen wurde das Reisen durch das Schreiben, für das es die Gelegenheit bot oder dessen Auslöser es war. Die Deutsche Sophie von La Roche (1730–1807) wäre eine leidenschaftliche Reisende geworden, wenn sie gekonnt hätte; auf der Durchreise in der Schweiz bestieg sie den Montblanc und berichtete darüber; ihr Tagebuch *Eine Reise durch die Schweiz* gilt als erste Sportreportage einer Frau. Die zweimal geschiedene Russin Lydia Alexandra Paschkow, Korrespondentin von Zeitungen in St. Petersburg und Paris, machte Reisebeschreibungen zu ihrem Beruf; 1872 reiste sie durch Ägypten, Palästina, Syrien und begeisterte sich an Palmyra, wo ihr Lady Jane zuvorgekommen war, und gab in der Zeitschrift *Tour du Monde* einen genauen Bericht darüber: Dieser erweckte in Isabelle Eberhardt (1877–1904) die »Sehnsucht nach dem Orient«, die sie noch viel weiter führen sollte. Zum Islam übergetreten, führte diese uneheliche Tochter einer in der Schweiz exilierten großen russischen Dame Krieg in Nordafrika unter dem Zeichen Mohammeds, eine junge Aufständische, die Marschall Lyautey faszinierte; bei ihrem Tode mit 27 Jahren hinterließ sie ein unveröffentlichtes Werk, das den einfachen Menschen des Maghreb gewidmet war.[53]

Alexandra David-Néel (1868–1969) war eine zum Buddhismus übergetretene Forscherin und Orientalistin. Sie hinterließ von ihren Reisen im Fernen Osten ein Tagebuch in Briefen, die sie ihrem Mann bis zu seinem Tode im Jahre 1941 schrieb. Nach fast dreißigjährigem Aufenthalt in Asien kehrte sie schließlich 1946 mit 78 Jahren zurück. Zu ihrem Gepäck gehörte eine außergewöhnliche Dokumentation vorwiegend von Fotografien, die heute in ihrem Haus und Museum im französischen Digne zu bewundern ist. Von einem Lama-Kloster zum nächsten durchreiste sie von ihren Trägern begleitet das ganze Hochland von Tibet auf der Suche nach Material für ihr geplantes orientalistisches Werk und nach ihrem eigenen Seelenfrieden: »Wirklich, wenn man sich einmal dort oben aufgehalten hat,« schrieb sie ihrem Mann Philippe, »gibt es nichts – absolut gar nichts – mehr, was man noch tun oder sich anschauen könnte. Das Leben (ein Leben wie meines, das ein einziger langer Traum vom Reisen war) ist dann zu Ende, hat sein endgültiges Ziel erreicht.«[54]

Jane Dieulafoy (1851–1916), eine im Kloster Maria Himmelfahrt geborene junge Frau aus guter Familie, war dem Anschein nach überhaupt nicht dafür prädisponiert, eine »Frau in Männerkleidern« zu werden, eine der ersten Archäologinnen, die mit ihrem Mann in Persien den berühmten Kriegerfries ausgrub, der heute im Louvre in einem Saal ausgestellt ist und ihren ansonsten vergessenen Namen trägt. Sie heiratete einen Absolventen der École Polytechnique, den Ingenieur Marcel Dieulafoy, weil sie seine Vorliebe für Algerien und den Osten und seine kameradschaftliche Auffassung von der Ehe teilte. Sie sah sich als seinen »Mitarbeiter« und betonte dabei selbst das Maskulinum. Zunächst führte sie als Hilfskraft das Reisetagebuch und übernahm das Fotografieren und Kochen; später widmete sie sich immer mehr den archäologischen Arbeiten, entwickelte ihre Beobachtungen über die iranische Gesellschaft und interessierte sich besonders für die Frauen, zu denen sie vertrauten Zugang gewinnen konnte, und wurde schließlich Schriftstellerin. Nach zwei Expeditionen von Persien nach Frankreich zurückgekehrt, fügte sie sich nur schwer wieder in den Alltag ein, legte trotz des öffentlichen Spotts ihre Männerkleidung nie wieder ab; mit kurzgeschnittenen Haaren und knabenhafter Gestalt ähnelte sie einem jungen Mann, der androgynen Leitfigur der Belle Époque. Feministin mehr in ihrer Lebensart als in ihren Forderungen, trat sie gegen die Scheidung auf, die ihren katholischen Überzeugungen zuwiderlief. Das Reisen reißt nicht alle Grenzen ein; es legt im Gegenteil Widersprüche bloß.[55]

Reisen an sich bewirkt noch nichts. Aber welche Erfahrung! Durch das Reisen lernten die Frauen andere Kulturen kennen. Sie wurden schöpferisch tätig; sie experimentierten mit neuen Techniken, und ihr ausgeprägtes Verhältnis zur Fotografie ist verblüffend. Diese zunächst als nebensächlich erachtete Kunst, die so viele Handgriffe und den Aufenthalt in der Dunkelkammer erfordert, konnte den Frauen überlassen werden; und alsbald zeichneten sich etliche von ihnen in dieser Kunst aus (Julie Margaret Cameron, Margaret Bourke-White, Gisela Freund). Sie drangen in neue Disziplinen vor: Archäologie, Orientalistik, nicht ohne dabei auf Frauenhaß zu stoßen, der sie auf die Amateurrolle beschränken wollte: »Du lebst nicht in solchen Kreisen. Du hast keine Ahnung, wozu gewisse Leute imstande sind; ihr Haß auf den Feminismus gewinnt tagtäglich an Boden«, schrieb Alexandra.[56]

Vor allem haben sie ihre Freiheit als Subjekte durchgesetzt: in der Art, wie sie sich kleiden, in ihrer Lebensweise, ihren Entscheidungen, in religiösen und geistigen Dingen und in der Liebe. Auf die eine oder andere Art haben sie – bisweilen um einen sehr hohen Preis – geschlossene Kreise durchbrochen und die ihrem Geschlecht gesetzten Grenzen verschoben.

DIE BRÜCHE DER ZEIT

Durch welche Art von Brüchen wurde im 19. Jahrhundert das Auftreten von Frauen in der Öffentlichkeit und vor allem in der Politik gefördert? Was veränderte in dieser Hinsicht das Verhältnis der Geschlechter zueinander? Es soll hier nicht um die »Lage« der Frauen gehen. Um diese zu erläutern, wären die Technikgeschichte – Nähmaschine, Staubsauger – oder die Medizingeschichte – Fläschchen, Empfängnisverhütung – zu berücksichtigen, also alles, was man üblicherweise als »Modernisierung« bezeichnet.[57] Es geht hier vielmehr um die Frauen als Akteurinnen. Welchen Einfluß hatte auf sie das, was man üblicherweise Ereignisse nennt? Woraus besteht ein solches Ereignis der Sache nach? Müßte der Begriff nicht weiter gefaßt oder verändert, auch auf die Kultur oder die Biologie ausgedehnt werden?

Es gibt zum Beispiel Bücher, die ein Ereignis waren, die mit ihrer Wirkung das Bewußtsein der Leserin veränderten, Gespräche, Kontakte und Austausch bewirkten und regelrecht objektivierten. Dazu gehören *Die Verteidigung der Rechte der Frau* (Mary Wollstonecraft), *Die Unterwerfung der Frauen* (J. Stuart Mill), *Die Frau und der Sozialismus* (August Bebel) und später auch *Das andere Geschlecht* (Simone de Beauvoir, 1949); auch Romane wie *Corinne* (Madame de Staël) oder *Indiana* (George Sand) eröffneten vielen Frauen neue Identitätsmuster. Durch ihr Leben ebenso wie durch ihr Werk scheint George Sand über die Landesgrenzen hinweg vor allem auch in Deutschland als Figur der Befreiung gewirkt zu haben. Die Forschung hat gerade erst begonnen, solchen Einflüssen nachzugehen.

Wie wirkten sich die Veränderungen des Unterrichtswesens auf den Zusammenhalt unter Frauen aus? Die angelsächsischen Colleges etwa waren auch Ort der Geselligkeit und Aktionsbasis. Welche Bedeutung hatte das Entstehen von Pionierberufen wie dem der Lehrerin, die bis nach Saloniki als leuchtendes Orientierungsziel wirkte? Die Öffnung und dann das Verbot des Medizinstudiums für Frauen in Rußland um 1880 spielte eine entscheidende Rolle bei der Herausbildung der in Europa besonders dynamischen Gruppe der Medizinstudentinnen.[58] Mit Sicherheit waren solche Schlüsselereignisse im Bildungswesen häufig Ausdruck und Kristallisationspunkt der politischen Kräfteverhältnisse.

Entsprechend der Bedeutung von Körper und Gesundheit muß man auch von biologischen Ereignissen ausgehen. Die Cholera 1831–1832 und in geringerem Maß die von 1859 machte den Einsatz von Frauen erforderlich; indem die Seuchen die Frauen in die Armenviertel zogen, veränderten sie deren Blick und Sprache und vermittelten ihnen Fachkompetenz. Bettina von Arnim und ihre deutschen Freundinnen nahmen angesichts der Wirkungslosigkeit der klassischen Heilmittel Zuflucht zur Homöopathie und hygienischen Prophylaxe. Auch Geißeln der Gesellschaft – Tuberkulose, Alkoholismus, Syphilis – waren Kampffronten, an denen Frauen bewußt in vorderster Linie standen, um für Frauen zu kämpfen, die eher Opfer als Verbreiter dieser Übel waren. Wie Josephine Butler bei ihrer Gesetzesinitiative zum Contagious Disease Act entwickelten sie bisweilen eine radikale Kritik an der »Männerzivilisation« und setzten ihr ein Ideal der »Reinheit« entgegen.

Ganz allgemein waren Fragen der Hygiene, der Krankenpflege, der medizinischen Berufe und vor allem der Gynäkologie und Geburtshilfe Gebiete, auf denen Mann und Frau in allen Ländern vom Ural bis zu den Appalachen hart gegeneinander standen. Bei Geburten waren erfahrene Matronen als Helferinnen inzwischen verdrängt worden. Zwischen den Ärzten und den Hebammen, denen Kaiserschnitt und Zangengeburt verboten waren, herrschte ein erbitterter Kampf. Dieser wurde verstärkt durch den Abtreibungsverdacht, dem die Hebammen immer mehr ausgesetzt waren. Ende des 19. Jahrhunderts führte die Furcht vor dem Geburtenrückgang dazu, daß der Staat die Geburtenkontrolle zu seiner Sache machte. Die juristische Repression von Abtreibung und Neomalthusianismus wurde härter und veranlaßte die Frauen, sich ihres Körpers politisch bewußt zu werden. Dieser Entwicklung ist Judith Walkowitz genauer nachgegangen.

Gegenüber dem Vater: Brüche in den Gesetzen

Da das Wirken des Parlaments sich nur vom Wahlrecht der Männer ableitete, war jedes Gesetz ungeteilter Ausdruck einer patriarchalischen Gewalt. Diese regelte das Verhältnis der Geschlechter auf eine Art, die man keineswegs als »beliebig« bezeichnen kann. Sie gehorchte im Gegenteil einer strengen Logik, die aber bisweilen einer solchen Beliebigkeit durchaus ähnelte. Die Debatten dieser Männerklubs sind im übrigen ein unerschöpfliches Reservoir an Bravourstückchen für eine Anthologie des Frauenhasses. Selten einmal gab es Gesetzesinitiativen zugunsten der Frauen. Im Bürgerlichen Recht und im Strafrecht war doch schon alles geregelt und sollte beibehalten werden. Verändert wurde allenfalls etwas zu ihrem »Schutz«, etwa in der Arbeitswelt, wo sie zunächst einmal den Kindern gleichgestellt wurden. Das erklärt die Zurückhaltung von Frauen gegenüber Maßnahmen, die diskriminierend wirken konnten. Wirklich egalitäre Gesetze waren äußerst selten. Deren Entstehung wirft die Frage auf, welche Motive der Gesetzgeber hatte. Nicole Arnaud-Duc hat die Doppelzüngigkeit der französischen Gesetzgebung von 1907 herausgearbeitet, mit der verheirateten Frauen freie Verfügung über ihren Lohn eingeräumt wurde, damit sie die Haushaltskasse einfacher aufbessern konnten. In ähnlicher Weise war es der Blick auf die Lage der Armen, der die englischen Parlamentarier dazu veranlaßte, das Eigentumsrecht für Frauen zu reformieren. Die soziale Nützlichkeit hatte stets größeres Gewicht als die Gleichberechtigung der Geschlechter.

Viele Frauen waren sich über die gesetzlichen Hindernisse im Klaren, über die sie täglich stolperten und die sie unablässig an ihre Minderwertigkeit erinnerten. Prozesse zeigten bisweilen ihre erbärmliche Lage auf und schärften ihre Meinungsbildung. So löste etwa die Affäre Norton die Reform des Rechts verheirateter Frauen auf Scheidung und Eigentum aus. Caroline Norton, die sich 1836 von ihrem Mann getrennt hatte, war eine berühmte Schriftstellerin geworden; da sie aber in Gütergemeinschaft verheiratet war, gehörte ihr Verdienst ihrem Mann, der sie vergeblich des Ehebruchs mit dem Premierminister bezichtigt hatte, um an das Geld zu kommen, und sich dann das Sorgerecht für ihre drei Kinder hatte zusprechen lassen. Sie protestierte mit einer aufsehenerregenden Streitschrift, die zum Ausgangspunkt des Gesetzes von 1839 wurde, das getrennt lebenden Müttern erweiterte Rechte auf ihre Kinder gewährte. 1853–1855 ging sie erneut zum Angriff über (*English Law for Women in the 19th Century,* 1853; *Letter to the Queen on Lord Cranworth's Marriage and Divorce Bill,* 1855). Nach ihr nahm Barbara Leigh Smith (1827–1891), die Tochter eines liberalen Parlamentsmitglieds, den Stab wieder auf. Ihr gelang es, sowohl die öffentliche Meinung der Frauen zu mobilisieren, als auch das Interesse der von Lord Brougham geleiteten Law Amendment Society zu wecken. Das Scheidungsgesetz (Divorce Act) wurde 1857 beschlossen. Es enthielt bedeutende, aber für das Eigentumsrecht der Frauen ungenügende Regelungen. Weitere Schlachten mußten von Act zu Act (1870, 1882, 1893) geschlagen werden. Der Widerstand kam insbesondere vom House of Lords. Schließlich aber erhielten nicht nur geschiedene, sondern auch verheiratete Frauen das Recht, ungehindert über ihr eigenes Hab und Gut zu verfügen. Dieser Erfolg wurde ermöglicht durch die konzertierte Aktion von Feministinnen und Demokraten (J. S. Mill oder Russel Gurney) und durch öffentliche Kundgebungen von Frauen, die ausgelöst wurden durch dramatische Episoden wie das traurige Schicksal der Suzannah Palmer, die ins Elend gestürzt war. Auf dem Höhepunkt der Auseinandersetzung um die Gesetzgebung gelangten Petitionen mit Tausenden von Unterschriften ins Parlament, und ein Großindustrieller und Abgeordneter berichtete, er könne seine Fabrik nicht mehr betreten, ohne daß ihm die Arbeiterinnen mit Fragen über den Fortgang der Reform zusetzten.[59]

Ähnlich war es in Frankreich zwischen 1831 und 1834: Der Vorstoß der Liberalen zugunsten des Scheidungsrechts wurde durch eine umfassende Petitionskampagne gestützt, in der die Frauen auf ihre Leidenssituation aufmerksam machten.[60] Daß Reformen so langsam vorankamen, sagten die Feministinnen, beweise die Notwendigkeit, den Frauen das Wahlrecht zu geben, damit sie ihre Sache selbst vertreten könnten. Unter Verknüpfung ziviler Rechte mit politischen Rechten wiesen sie nach, was das Recht auf Scheidung im Grunde war: die Anerkennung der Frauen als Individuen, »der erste Schritt auf dem Weg zur Staatsbürgerschaft für Frauen«.[61] Um so erbitterter war der Widerstand der Traditionalisten. »Rührt nicht an die französische Familie, denn sie ist zusammen mit der Religion die letzte Kraft, die uns bleibt«, verkündete Monsignore Freppel 1882 im Laufe einer Debatte von unerhörter Heftigkeit.[62] Das Bündnis von Republikanern aller Spielarten – Freimaurer, Protestanten und Juden – war erforderlich, damit das Gesetz Naquet 1884 verabschiedet werden konnte.

Weil sie eine so grundlegende Bruchstelle ist, bietet die Scheidung ein gutes Beispiel dafür, was Gesetzgebung bedeutet: ein Kräftespiel, das sich ständig verändert, ein Schlachtfeld, auf dem sich alle beteiligten Gruppen messen, das Ausmaß der Hindernisse, die Natur der Bündnisse, der Wandel der öffentlichen Meinung. Für die Feministinnen als Mittlerinnen zwischen der Politik und der Gesamtheit der Frauen ist der Kampf um diese Gesetzgebung ein entscheidender Moment in einem nicht endenden Ringen, in dem sie die Macht ihrer politischen Präsenz prüfen können. Für den Feminismus des 19. Jahrhunderts ist die juristische Dimension entscheidend, denn die Justiz ist die Vaterfigur.

Gegenüber Gott: Brüche in der Religiosität

Die Intensität der Bande zwischen den Frauen und der Religion gibt religiösen Ereignissen einen besonderen Widerhall. Als komplexe Verbindungen von Disziplin und Pflicht, Geselligkeit und Recht, Praxis und Sprache haben Religionen wie ein Bleimantel auf Frauenschultern gelegen; aber Religionen haben ihnen auch Tröstung und Hilfe geboten. So kann die Feminisierung der Glaubensgemeinschaften im 19. Jahrhundert auch in einem anderen Sinn gelesen werden: als Zusammenschluß und als Einflußnahme,[63] allerdings nicht als Erwerb von Macht: sie blieb wie die Politik in Männerhand.

Dies gilt vor allem für die katholische Kirche, die in der Gegenrevolution und im Dogma der Unfehlbarkeit des Papstes und der Unbefleckten Empfängnis erstarrt war. Dort waren Breschen seltener und Mobilisierungen und Kreuzzüge häufiger. Als die Kirche die Frauen über Frauenbünde, etwa die Ligue patriotique des Françaises,[64] in die Politik drängte, geschah dies, um ein durch und durch konservatives Familienbild zu festigen. Die Frau, die von der Kirche verherrlicht wurde, war immer die Frau im Schein der Lampe oder unter der Lampe. Die katholische Sozialbewegung hat die Fesseln etwas gelockert; aber ihre Auswirkungen auf das Verhältnis zwischen den Geschlechtern waren eher mittelbar als direkt.

Der Protestantismus ist viel reicher an Brüchen. Jean Baubérot hat deren Gründe analysiert. Der deutsche Pietismus förderte schon zu Goethes Zeiten die Audrucksmöglichkeiten der Frauen. Die englischen und amerikanischen Erweckungsbewegungen waren jeweils günstige Gelegenheiten für Frauen, das Wort zu ergreifen. In Neuengland gründeten die Bostonerinnen Esther Burr und Sarah Prince, kultivierte Damen, deren Briefwechsel von Freundschaft und Innigkeit zeugt, sowie Sarah Osborne und Suzanne Anthony als einfache Frauen von Newport Ende des 18. Jahrhunderts Frauengruppen, ja sogar eine Female Society. Diese waren in ihrer religiösen und gesellschaftlichen Praxis äußerst radikal.[65] Im ersten Drittel des 19. Jahrhunderts vervielfachten sich mit dem zweiten »Great Awakening« Sekten, die von Prophetinnen wie Jemima Wilkinson oder Anna Lee, der Begründerin der Shakerbewegung, geführt wurden. In einer Art vorläufiger Gleichberechtigung der Geschlechter unterwanderten diese Frauen, die sich häufig mit Randgruppen verbündeten, gleichzeitig Symbole, Riten und Heilsbotschaften. Sie geißelten die Recht- und Zuchtlosigkeit der neuen städtischen Gesellschaft; die 1834 in New York gegründete Female Moral Reform Society entrüstete sich über die Heuchelei der »Doppelmoral« und versuchte, allerdings ohne großen Erfolg, Prostituierte zu bekehren.[66]

In England führte die vor allem methodistische religiöse Erneuerung, die hinsichtlich der Geschlechterrollen sehr viel konservativer war, die Frauen zum Widerstand. Manche von ihnen bekannten sich zu einem Rationalismus, in dem das Soziale die Stelle des Sakralen einnahm: so etwa Emma Martin (1812–1851), die, allmählich zum Schweigen gebracht und zur »Ausgestoßenen« geworden, am Ende beschloß, Hebamme zu werden, ein Weg, den auch die Saint-Simonistin Suzanne Voilquin einschlug. Andere investierten ihre Energien in einen sozialistischen Erlöserkult, der von dem Glauben durchdrungen war, daß das

Heil von den Frauen kommen müsse. Johanna Southcott (1750–1814), ein Dienstmädchen aus Devonshire, vernahm Stimmen mit der Verkündigung, sie sei »the Woman clothed with the Sun« und bekehrte mit ihren Predigten zahlreiche Gläubige; bei ihrem Tode waren es mehr als 100000, darunter 60 Prozent Frauen. Der Owenismus als Mischung von streng rationaler Sozialwissenschaft und verbalem Erlöserkult verherrlichte gleichfalls den Auftrag der Frau.[67]

Solches tat auch der französische Saint-Simonismus. Er hatte keinen genauen religiösen Bezug, sondern war ein außergewöhnliches Kulturgebräu aus moralischem Feminismus, Bekehrungs- und Freiheitsdrang. Er suchte die Heilsmutter im Morgenland und weckte mit seinen Predigten die Begeisterung der Frauen durch den Aufruf, sie sollten »wie Männer das Wort ergreifen«.[68] Désirée Véret, Jeanne Deroin, Eugénie Niboyet, Claire Démar sprachen und schrieben mit messianischer Überzeugung. Wie groß war dann die Enttäuschung, als der große Vater ganz in klerikaler Manier alle zurückstieß, die er gerufen hatte! Abfall vom Glauben und Selbstmord waren häufig die Antwort. All diese durch eine gemeinsame historische Archäologie, möglicherweise durch das revolutionäre Beben der Welt miteinander verbundenen Sekten waren Versuche, sich zu Wort zu melden und Verantwortung zu übernehmen, und ihr Erbe sollte das ganze Jahrhundert in Unruhe versetzen.

Gegenüber der Mutter Nation: Kriege und Kämpfe um nationale Unabhängigkeit

Als eigentlich männliches Betätigungsgebiet haben Kriege eher die Tendenz, die traditionellen Rollen zu bekräftigen. Mit erhöhter Disziplin, und gestützt auf einen vor allem bei Frauen Schuldgefühle mobilisierenden Diskurs, wurden beide Geschlechter in den Dienst des Vaterlandes gepreßt, die Männer an der Front, die Frauen im Hinterland. Da versammelten sie sich, nähten, zupften Scharpie, kochten und pflegten vor allem Verwundete. Damit beschäftigten sich die Damen der patriotischen Frauenvereine in Deutschland 1813, und erst Rahel Varnhagens aufgeklärter Geist konnte sie dazu bringen, auch feindliche Verwundete zu versorgen. Die nach politischer Betätigung strebende Gräfin Belgiojoso erhielt von Mazzini 1849 die Organisation der Krankenhäuser und Notaufnahmen in Rom anvertraut; sie stellte mutige, aber verwahrloste Frauen der Unterschicht ein, denen sie erst Disziplin beibringen mußte: »Ich hatte ohne mein Wissen einen Harem eingerichtet«, schrieb sie; trotzdem verteidigte sie ihre Frauen gegen harsche Kritik.[69] Als mildtätige Damen professioneller geworden waren und ihre Meinung äußerten, kam es zu Konflikten. Das galt für Florence Nightingale auf der Krim ebenso wie für die russischen Medizinstudentinnen, die im russisch-türkischen Krieg von 1878 eine Anerkennung ihrer Qualifikation forderten, übrigens ohne großen Erfolg.

Viele Frauen hätten gern mit der Waffe gekämpft; sie wollten Clorinde, Jeanne d'Arc oder Krimhild sein, Schießscharten besetzen, das Schwert führen. Doch der Dienst an der Waffe blieb ihnen versagt: »Wäre es passend oder auch nur anständig, wenn junge Mädchen und Frauen auf Wache ziehen und Patrouille gehen würden?« fragte Sylvain Maréchal.[70] Er hätte hinzufügen können: »und die Soldaten verweichlichen«, den es ging immer auch um Sexualität. Das Gesetz vom 30. April 1793 schickte die zu den Waffen geeilten Frauen zurück nach Hause und verbot ihnen jede weitere militärische Betätigung. Trotzdem blieben etliche in Verkleidung bei den Truppen.[71] Fortan haftete ein Makel an allen Frauen, die zu den Fahnen eilten. 1848 überschüttete man die deutschen Frauen und vor allem die Vesuvierinnen von Paris mit Spott. Diese bewaffneten Frauen aus dem Volk hatten sich erkühnt, eine »politische Verfassung für die Frauen«, das Tragen von Männerkleidung und den Zugang zu allen öffentlichen Ämtern zu fordern, »ob zivil, religiös oder militärisch«. Daumier, Flaubert und Daniel Stern (Pseudonym für Marie d'Agoult) zogen sie ins Lächerliche.[72]

Die Mittelmeerländer verhielten sich anders. Die Teilnahme von Frauen am griechischen Befreiungskrieg nicht nur in der Lebensmittelversorgung, sondern auch in der Verteidigung mit Waffen, verblüffte die internationale öffentliche Meinung. Es gab sogar Revolutionskommandantinnen im Stabsrang, dauerhaft ernannt und auf gleichem Fuß mit den Männern, reiche Frauen, Töchter oder Witwen von Insel-Reedern, die ihr Vermögen und ihren Namen in den Dienst der Sache gestellt hatten. Eine berühmte Figur ist Lascarina Bouboulina (1771–1825), die »Große Dame« und Mäzenin der Gesellschaft der Freunde, die die Erhebung vorbereitete. Sie spielte eine wichtige Rolle in der Belagerung von Tripoli, wo es ihr gelang, die Rettung der Frauen aus dem Harem von Hurchit Pascha auszuhandeln. Eine zweite ist Mado Mavrogenous (1797–1838), die die Notabeln ihrer Insel Mykonos zur Teilnahme am Aufstand bewog. Nach dem Massaker von Chios (1822) organisierte sie eine Miliz, die sie mit der Waffe in der Hand befehligte; sie schrieb einen Brief »An die Damen von Paris« und beschwor sie darin, die Sache der griechischen Christen gegen die Bedrohung durch den Islam zu unterstützen: »Ich wünsche mir einen Tag der Schlacht, wie Sie sich nach dem nächsten Ball sehnen«, schreibt sie darin. Von ihrer Familie verstoßen, weil sie deren Erbe in diesem Krieg verbraucht hatte, starb sie einsam und mittellos.[73] Das mit einer aristokratischen und religiösen Weltanschauung vereinbarte Bild der Soldatin wurde zunehmend unerträglich in diesem bürgerlichen Jahrhundert, für das die Gewalttätigkeit von Frauen, ob nun Kriminelle, Kriegerinnen, Terroristinnen, ein Skandal war, den Kriminologen (Lombroso, *Die kriminelle Frau*) als angeborene Veranlagung erklären wollten, um ihn aus der Welt zu schaffen.

Die Unterstützung nationaler Erhebungen durch Frauen mußte andere, erträglichere Formen annehmen. Königin Luise von Preußen, die polnischen Komtessen im Exil, die Gräfin Markievicz in Irland, die Fürstin Christina Belgiojoso stellten ihren Einfluß in den Dienst ihres Landes. Letztere war Journalistin, Historikerin, mit Augustin Thierry und Mignet befreundet und tat alles, um die Unterstützung der französischen Intelligenz und Regierung zu erlangen. Sie verzweifelte oft, untröstlich über ihren Ausschluß: »Was ich brauche, ist Schwerarbeit; und nicht bloß eine Arbeit der Feder, sondern Handeln. Doch wo solches für eine Frau finden?«[74] Die Krankenhäuser und Notaufnahmen wurden ihr anvertraut; dann kam das Zerwürfnis mit Mazzini, der Ruin, das Exil in der Türkei. Denn es herrschte allenthalben Mißtrauen gegen solche Frauen, die eine politische Rolle spielen wollten.

Die kollektive Erfahrung der Irinnen von der Ladies' Land League bietet hierfür ein weiteres Beispiel. Die Führer der Land League (Parnell), die für die Verteidigung der irischen Bauern engagiert kämpften, warben Frauen zur Unterstützung an. Doch auf Anregung von Parnells Schwestern, Ann und Fanny Parnell, organisierten sich die Frauen 1881 nach amerikanischem Vorbild in einer selbständigen Ladies' Land League. Sie wollten sich nicht auf reine Wohltätigkeit beschränken und nahmen den Widerstand gegen Exmittierungen selbst in die Hand, indem sie den Vertriebenen Notunterkünfte, *huts* zur Verfügung stellten. Sie radikalisierten die Bewegung und nahmen den Pachtstreik vorweg, was ihnen die Feindschaft der Großgrundbesitzer und der reichsten Bauern eintrug. Trotz ihrer Kollekten war ihr Budget defizitär und wurde zum Vorwand, ihnen die Verwaltungskompetenz zu bestreiten. Vor allem die veröffentlichte Meinung, mit protestantischen und katholischen Bischöfen an der Spitze, kritisierte ihr öffentliches Auftreten. Diese Frauen, die sich vordem in politischen Versammlungen schüchtern im Hintergrund gehalten hatten, erklommen nun das Podium: das aber ging trotz aller gewahrten Zurückhaltung – Ann Parnell war immer in Schwarz gekleidet und sprach langsam und ruhig – zu weit. Die Familien kritisierten diese Frauen, die spätabends unterwegs waren und angeblich ihre Familien entehrten. Wurden sie etwa nicht immer wieder verhaftet und saßen mit gewöhnlichen Sträflingen in einer Zelle? Mary O'Connor mußte eine Haftstrafe von sechs Monaten zusammen mit Prostituierten absitzen. Im Dezember 1881 wurde die

Ladies' Land League verboten, desgleichen alle Frauenversammlungen; und Frauen wurden gleichzeitig auch aus der Irish National League ausgeschlossen. Fanny Parnell starb mit 33 Jahren; Ann überwarf sich mit ihrem Bruder und zog sich unter einem Pseudonym in eine Künstlerkolonie zurück. 1911 ertrank sie beim Schwimmen in zu hohem Wellengang; über ihre Erfahrungen hat sie einen Bericht hinterlassen: *The Land League Story of a great shame,* der mangels Verleger lange Zeit unveröffentlicht blieb, und in dem sie über sich selbst nichts verlauten läßt.[75]

Vorübergehend als Hilfskräfte oder Stellvertreterinnen zugelassen, mußten Frauen stets erneut unsichtbar werden, sobald wieder Frieden herrschte. Nationale Befreiungskriege änderten nichts am Verhältnis der Geschlechter zueinander. Auch im 20. Jahrhundert ist das noch so. Dennoch fiel es den Frauen, die sich kennengelernt hatten, äußerst schwer, nun einfach an den häuslichen Herd zurückzukehren. Die deutsche Frauengeneration von 1813 hat im privaten Bereich die Verankerung gelockert. Die Amerikanerinnen des Bürgerkrieges setzten die Energie, mit der sie für die Abschaffung der Sklaverei gekämpft hatten, in der Wohltätigkeit und in der Frauenbewegung ein.

Revolution, meine Schwester?

Revolutionen – wir haben es an der großen Französischen Revolution gesehen, die das Jahrhundert und dieses Buch eröffnete – verändern die Balance zwischen den Geschlechtern, weil es in ihnen um die Macht und um den Alltag geht. Sie waren Zäsuren der Frauenbewegung, wie Anne-Marie Käppeli zeigt. Während der Krieg dem individuellen Wollen im Namen der Staatsräson Schweigen gebot, ermöglichte die Revolution zumindest in ihren Anfängen, die Sehnsucht oder das Unbehagen auszudrücken, das sie hervorgebracht hatte. Warum ermöglichte sie es nicht auch den Frauen? Diese »großen Ferien des Lebens« konnten Frauen niemals im selben Maße genießen wie die Männer, da sie damit beschäftigt waren, die Lebensbedürfnisse der Familie zu sichern, was in solchen Zeiten noch schwieriger war als sonst. Doch letztendlich boten diese chaotischen Verhältnisse auch den Frauen zahlreiche Möglichkeiten, herumzukommen und Leuten zu begegnen.

Revolutionen schaffen genausowenig Einheit unter den Frauen wie unter den Männern. Auch das konterrevolutionäre Lager hatte seine Heldinnen und Getreuen; sie unterstützten die Priester, die nicht abschworen, und das wurde dann häufig als Argument gegen das Frauenstimmrecht ins Feld geführt. Aber das ist hier nicht unser Thema.

Uns interessieren die »Rechte«, deren Verkündung an Bedingungen geknüpft wird; das Universelle definierte seine Grenzen und Ausschlüsse. In diesem Raum voller Widersprüche entstand der Feminismus, der zumindest in Frankreich zunächst eher auf das Recht als auf die sozialen Verhältnisse zielte. Wie die Fremden, Bergleute, Leibeigenen und Armen aus dem neuen Recht ausgeschlossen, erlangten die Frauen bisweilen aus dieser Nachbarschaft eine gewisse Vertretungsmacht.

Frauen stehen bei Revolutionen nicht im Vordergrund. Zunächst bleiben sie als die üblichen Hilfstruppen im Schatten. So verhielten sich die Frauen vom 5. und 6. Oktober oder der Fête de la Fédération, deren einigende und mütterliche Rolle Michelet pries. Dann litten sie darunter, daß sie nicht beachtet wurden. Sie suchten Verbündete: in der ersten Revolution Condorcet und eine Handvoll Girondisten; in der Julirevolution 1830 die Saint-Simonisten, 1848 die Arbeiter; danach Freidenker, Freimaurer und Demokraten. Das Bündnis mit dem Sozialismus war, vor allem in der zweiten Hälfte des 19. Jahrhunderts, in allen Ländern das häufigste und zugleich konfliktträchtigste, weil der organisierte Sozialismus vorrangig in Klassenkategorien dachte und ihm jede selbständige Frauenorganisation widerstrebte. Doch die gemeinsame Organisation mit den Männern bedeutete, daß die Frauen von Sprechern, die nicht die ihren waren, zum Schweigen verdammt wurden oder zotige Zwischenrufe in den Versammlungen hinnehmen mußten. Im Juni 1848 erklärte Eugénie Niboyet, die des ewigen »Gelärms« gegen sich überdrüssig war, daß »von nun an kein Mann mehr zugelassen wird, wenn er nicht von seiner Mutter oder Schwester vorgestellt worden ist« (*La Liberté,* 8. Juni 1948), eine ironische Retourkutsche. Wenn die Frauen nicht erstickt werden wollen, brauchen sie Vereine, Clubs, Treffen und Zeitungen nur für sich. Wir wissen, was es damit allenthalben und ständig auf sich hat.

Auf die Revolution folgt immer die Restauration. Ob im Griechenland der Wittelsbacher oder im Deutschland des Biedermeiers, im Frankreich Charles X. oder im viktorianischen England und im Amerika unter Stonewall Jackson, überall sah die Restauration ihre Aufgabe darin, wieder Ordnung in den Sittenverfall zu bringen, der für die politische Anarchie verantwortlich gemacht wurde. Dazu gehörte stets als ein Teilziel die Unterwerfung der Frauen: Nicht von ungefähr brachte Napoleons Code ćivil eine Verschlechterung gegenüber dem alten Landrecht. Diese Meinung vertreten einige Juristen, aber auch Frauen: »Die Frauen haben weniger Rechte als unter dem Ancien Régime«, war 1838 im *Journal des Femmes* zu lesen. Der Gedanke des Rückschritts wurde von aktiven Frauen analog zur Pauperisierung gegen den fortschrittlichen Optimismus des Jahrhunderts gesetzt. Sie trösteten sich mit der anthropologischen Vision eines ursprünglichen Matriarchats, und der Marxismus versprach, dieses »historische Scheitern« der Frauen zu korrigieren. Im Stich gelassen von den Verbündeten, unterdrückt von der Staatsmacht, breitete sich unter Frauen eine ungeheure Gleichgültigkeit und ein tiefes Gefühl der Enttäuschung aus. Doch aus diesem nährte sich wiederum das »Wir« des Geschlechtsbewußtseins.

So erscheinen die Beziehungen zwischen den Geschlechtern in der Geschichte als ein dynamischer Prozeß, der sich aus Konflikten speist, die ihrerseits aus einer großen Zahl von Brüchen ungleicher Bedeutung und unterschiedlichster Art erwachsen. Eine bruchstückhafte Geschichte also? Das ist das Bild, welches gewöhnlich aufbewahrt und in den gleichgültigen oder herablassenden männlichen Geschichtsdarstellungen nach wie vor in Umlauf gebracht wird. In Wirklichkeit aber sind diese kurzfristigen Erschütterungen wahrscheinlich durch das Gewebe des kollektiven Gedächtnisses unsichtbar miteinander verbunden. Druckerzeugnisse, Erinnerungen, die Weitergabe häufig von Mutter auf Tochter bewerkstelligen eine gewisse Übertragung der Erfahrungen, und durch diese bildet sich ein Muster bewußter Gruppen, die schließlich insgesamt eine allgemeine Meinung begründen. Eine geschlechterbezogene Geschichte der öffentlichen Meinung müßte erst noch geschrieben werden.

Aus dem Französischen von Günter Seib

19
Die feministische Szene

Anne-Marie Käppeli

Der Feminismus hat viele Gesichter, und es wäre vergebens, ihn auf eine einzige Ursache zurückführen zu wollen. Er entfaltete sich ebenso im Bereich der Ideen und Diskurse wie in dem der sozialen Praxis.[1]

Es war eine Minderheit von Frauen, die sich im 19. Jahrhundert durch eigenes Schreiben und Organisationstalent eine öffentliche Identität schuf. Diese Frauen begaben sich in die Öffentlichkeit, um die Erklärung der Menschenrechte auch für das weibliche Geschlecht zu reklamieren und dessen Interessen zu verteidigen. Sie brachten ihr Wollen in den religiösen Dissidenzbewegungen zum Ausdruck. Ihrem bürgerlichen Status wurde durch Gesetzesänderungen Rechnung getragen. Als Suffragetten bekundeten sie eine neue politische Identität. Diese Frauen brachen das Schweigen um Sexualität und forderten eine neue Moral. Ihr Kampf um den Zugang von Frauen zur Berufswelt schuf die unverzichtbare Voraussetzung für deren wirtschaftliche Unabhängigkeit. Von der Französischen Revolution bis zum Ersten Weltkrieg kam es zu immer neuen feministischen Vorstößen. Alle diese feministischen Bewegungen sind mit ihren Publikationen und Vereinen, ihren Taktiken, Bündnissen und Forderungen und nicht zuletzt mit aller feindlichen Abwehr, die sie überall in Europa und in den Vereinigten Staaten provozierten, ein sprechender Beweis dafür, daß die »Frauenfrage« in diesem Jahrhundert zum Gegenstand breiter öffentlicher Diskussionen und zum Streitobjekt heftiger Auseinandersetzungen in zahlreichen gesellschaftlichen und politischen Gruppierungen geworden war. Während sich die Männer im 19. Jahrhundert auf der Basis der gesellschaftlichen Klassen organisierten, organisierten sich die Frauen auf der Basis des Geschlechts. Damit aber störten sie unablässig die üblichen Konfigurationen des Politischen.

Das Aufkommen feministischer Bewegungen

Überall in Europa hat die Philosophie der Aufklärung ein ganzes Arsenal intellektueller Waffen für die feministische Sache bereitgestellt. Dazu gehören die Ideen der fortschreitenden Vernunft und des Naturrechts ebenso wie die Vorstellungen über die Entfaltung der Persönlichkeit, die positive Macht der Erziehung, den sozialen Nutzen der Freiheit, aber auch das Postulat gleicher Rechte. Olympe de Gouges forderte 1791, daß die Erklärung der Menschenrechte auch für das weibliche Geschlecht Geltung haben solle; Mary Wollstonecraft gründete ihre Schrift *Die Verteidigung der Rechte der Frauen* auf die Ideen der Aufklärung und der Französischen Revolution. Auch die sozialen Ideen des Protestantismus gehörten zum Nährboden des Feminismus. Denn ebenso wie der Vernunftindividualismus bezog sich auch der religiöse Individualismus ohne Unterschied auf beide Geschlechter.[2] Doch diese Vorstellungen des aufgeklärten Bürgertums eröffneten dem Feminismus nicht ohne weiteres eine soziale und politische Basis. Der Feminismus stützte sich vor allem auf die Trennung der Lebensbereiche. Er übernahm damit sowohl das Erbe der freikirchlichen Tradition des Evangeliums, derzufolge Frauen über besondere Qualitäten verfügen und im öffentlichen Leben eine spezifische Rolle zu erfüllen haben,[3] als auch das Konzept der bürgerlichen Polarisierung der »Geschlechtscharaktere« von Mann und Frau.[4] Auf diese Weise verstanden es die Frauen, die Macht des Privaten aufzuwerten, gleichzeitig aber auch dessen Grenzen zu überwinden und Probleme aus der sogenannten Privatsphäre auf die politische Bühne zu bringen.

Egalitäre und dualistische Strömungen

Die theoretischen Annahmen, auf die sich die Feminismen des 19. Jahrhunderts stützen konnten, gingen von zwei unterschiedlichen Vorstellungen von der Frau aus. Eine erste, auf Egalität ausgerichtete theoretische Strömung betonte in der Frau den Menschen, eine zweite, auf Dualität ausgerichtete Strömung ging vom Ewig-Weiblichen aus. Das theoretisch wie politisch bis heute folgenreiche Paradoxon liegt darin, daß Frauen die Gleichheit der Geschlechter fordern und dabei gleichzeitig anders sind und anders sein wollen als Männer. Damit geraten Feministinnen zwangsläufig in einen Konflikt zwischen dem Allgemeinen und dem Besonderen. Welche Eigenschaften sollen bei der Definition ihres politischen Status ausschlaggebend sein, die des Gattungswesens Mensch oder die des weiblichen Geschlechts?[5]

Die egalitäre bürgerliche Strömung betrachtete den Gesetzgeber als zentralen Motor der Veränderung: Der Staat soll als Partner Interessenkonflikte regeln. Diese Position fand ihren politischen Niederschlag in der Forderung, Frauen als Staatsbürgerinnen anzuerkennen, und in den immer erneuten hartnäckigen Kampagnen für politische Gleichberechtigung. Unter Berufung auf Locke sprach sich Mary Wollstonecraft entschieden dagegen aus, den Frauen spezifische Tugenden und spezifische Sphären zuzuerkennen. Mitte des 19. Jahrhunderts forderte John Stuart Mill, auch für Frauen das Versprechen der amerikanischen Unabhängigkeitserklärung einzulösen. Sein politischer Essay *Die Unterdrückung der Frauen* wurde umgehend in alle europäischen Sprachen übersetzt und entwickelte sich zur Leittheorie des liberal-egalitären Feminismus.[6] Während des ganzen Jahrhunderts beriefen sich einzelne Feministinnen immer wieder auf den Rationalismus der Aufklärung, gleich ob sie nun für das Frauenwahlrecht oder gegen die sexuelle Doppelmoral kämpften. Solches tat etwa die Italienerin Luisa Tosco, die sich in *La causa delle donne* (1876) auch auf Jenny d'Héricourt und John Stuart Mill stützte.[7]

Demgegenüber stellte die dualistische Strömung, die nach und nach an Boden gewann, die Befähigung der Frau zur Mutterschaft in das Zentrum. Dabei wurden nicht nur die besonderen physischen, sondern auch die psychischen und sozialen Fähigkeiten der Frau hervorgehoben und das Hauptaugenmerk auf den kulturellen Beitrag gelenkt. Ein Zeitgenosse von John Stuart Mill, Ernest Legouvé, brachte in seiner *Histoire morale des femmes*, die 1849 erschien und überall in Europa Verbreitung fand, auf eben diesem Weg die Weiblichkeit wieder zu Ehren; dabei diente ihm Mutterschaft als Argument für Reformen im Bereich der Erziehung und Gesetzgebung. Im Gegensatz zur egalitären war für die dualistische Richtung des Feminismus nicht das Individuum die sozio-politische Grundeinheit, sondern die männlich-weibliche Dualität und die Familie.[8]

Diese unterschiedliche Interpretation der Gleichheit führte zu einer Aufspaltung der Frauen in »Staatsbürgerinnen« und »Ehefrauen und Mütter«. Das feministische Problem erscheint in dem einen Fall als politisch-legislatives und in dem anderen als ethisch-soziales Problem. Die Verteidigung eines abstrakten Rechts auf Gleichheit entfernte sich weit vom Alltagsleben der Frauen und lief deshalb Gefahr, den Feminismus zu lähmen. Das dualistische Konzept besaß demgegenüber zwar potentiell eine stärkere kulturkritische Sprengkraft, verschleierte jedoch gleichzeitig die Interessengegensätze zwischen Männern und Frauen in einer patriarchalischen Gesellschaft.

Momente der feministischen Auflehnung

Während des gesamten 19. Jahrhunderts gab es immer wieder Momente der feministischen Auflehnung. Manchmal durchlebte nur eine einzige Generation einen solchen Aufbruch, manchmal erfaßte er auch noch die nachfolgende Generation. Erstmals kam es in Europa während der Französischen Revolution zu Initiativen, Frauen in patriotischen Clubs zu organisieren. Napoleons autoritäre Herrschaft brachte dann alle Versuche der Frauenbefreiung zunächst einmal zum Erliegen.

Der napoleonische Code civil von 1804 – der die juristische Stellung der Frau im gesamten besetzten Europa beeinflußte – bekräftigte die Ansicht, die Frau sei Eigentum des Mannes und ihre vorrangige Aufgabe bestehe im Gebären vom Kindern. Während dieser Welle der Reaktion wandelte sich der Feminismus von einer intellektuellen zu einer sozialistischen Bewegung. Die Zirkel utopischer Sozialisten, deren Blütezeit in Frankreich und England zwischen 1820 und 1840 lag, analysierten die Unterwerfung der Frau vor allem im Zusammenhang mit ihren heftigen Attacken gegen die Institution der Ehe.[9] Ihr Engagement für die Gleichberechtigung der Geschlechter ging einher mit dem Glauben an die moralische Überlegenheit der Frauen. Anne Wheeler machte saint-simonistische Vorstellungen in England bekannt und schuf so eine Verbindung zwischen den ersten französischen und englischen Sozialisten. Die beiden Theoretiker der englischen Genossenschaftsbewegung, William Thompson und Robert Owen, lieferten dann den entscheidenden intellektuellen Rahmen für die Ausbildung des sozialistischen Feminismus. In ihrem *Appeal on Behalf of Women* (1825) argumentierten Anne Wheeler und William Thompson auf utilitaristischer Grundlage für eine Umwandlung der ökonomischen Wettbewerbsstruktur zugunsten der Frauen. Zehn Jahre später kritisierte Owen die etablierte Gesellschaftsordnung und verurteilte in seinen zehn Referaten *On the Marriages of the Priesthood of the Old Immoral World* die bestehenden sexuellen und familiären Regelungen. Als Reaktion auf Veröffentlichungen und Vorträge von Anhängern Owens, etwa von Frances Wright und Frances Morrison, bildeten sich kleine sozialistische Gemeinschaften. Frauen aus der Chartistenbewegung, die sich auf nationaler Ebene zusammenschlossen, folgten Owens Beispiel und hielten öffentliche Vorträge in einer Zeit, in der Frauen aus der Mittelschicht kaum das Recht hatten, sich zu äußern.

In vielen anderen europäischen Ländern traten die ersten Feministinnen in Verbindung mit demokratischen oder nationalen Bewegungen hervor. Was in Frankreich Ende des 18. Jahrhunderts geschehen war – die Teilnahme der Frauen an der Revolution und die Gründung politischer Frauenclubs –, wiederholte sich in geringerem Umfang in Deutschland anläßlich der Revolution von 1848. Die junge Louise Otto drückte ihr patriotisches Engagement in den *Liedern eines deutschen Mädchens* (1847) aus. In Polen sammelte sich ein Kreis von »Enthusiastinnen« um Narcyza Zmichowska. Inspiriert von ihrer gemeinsamen Begeisterung für Freiheit und Gleichheit, engagierten sie sich für eine bessere Volksbildung und die Abschaffung der Leibeigenschaft. Der politische Einfluß der »illustren Frauen« des italienischen Risorgimento verbreitete sich weit über ihre von Patrioten frequentierten Salons hinaus; am berühmtesten war der Mailänder Salon von Clara Maffei. Die Botschafterin der nationalen Einheit Italiens, Christina Trivulzio Belgiojoso, gründete in den Jahren 1842–1846 in der Lombardei fourieristisch inspirierte Einrichtungen für Frauen und engagierte sich 1849 in Rom in der Hilfe für Patrioten. Ebenfalls in der Lombardei war Ester Martini Currica eine der maßgeblichen Organisatorinnen der Freiheitsbewegung von Giuseppe Mazzini.[10] Auch in Prag waren es ab 1860 die Salons der Frauen aus dem Bürgertum, vor allem die der Schriftstellerin Karolina Světlá und von Augusta Braunerová, die zum Zentrum der patriotischen Bewegung wurden. Im literarischen Salon von Anna Lauermannová suchte man nach Wegen, um sich vom Einfluß der deutsch-österreichischen Kultur zu befreien und durch Annäherung an Frankreich eine intellektuelle Emanzipation zu ermöglichen.[11]

Ebenso wie politische Oppositionsbewegungen schlossen sich Frauen auch religiösen Dissidenzbewegungen an: Zu Beginn und in der Mitte des 19. Jahrhunderts waren es die Gebetsversammlungen der Quäker in den USA und in England, und in den Jahren 1830–1840 die philanthropischen Aktivitäten der Erweckungsbewegung in der Schweiz und in den Niederlanden, die den Frauen der Mittelschicht ein Ausbrechen aus ihrer traditionellen Rolle ermöglichten.[12] Ihr ausgeprägtes soziales Bewußtsein bewegte Frauen dazu, öffentlich das Wort zu ergreifen und sich zu organisieren. In den 1840er Jahren stellten in Deutschland die Anhänger der protestantischen Freikirchen und des Deutschkatholizismus das »Los der Frau« radikal in Frage. Der katholische Theoretiker Rupp entwarf in Königsberg eine modellhafte Gemeindeverfassung, die den Frauen das aktive und passive Wahlrecht garantierte.[13] Es ist nicht überraschend, daß Louise Otto im Deutschkatholizismus einen der wichtigsten Faktoren für die Frauenemanzipation sah. Doch die Zeit der Reaktion bremste die feministische Organisation in Deutschland. Mitte der 1860er Jahr nahm sie aber einen neuen Aufschwung. Der Fortschritt der Industrialisierung, die Gründung politischer Parteien und die bürgerliche Vereinskultur übernahmen bis zum Vorabend des Ersten Weltkriegs die Rolle von Katalysatoren bei der Festigung und Diversifizierung des Feminismus.

Während in Europa die feministischen Bewegungen in der ersten Jahrhunderthälfte vom Geist der Revolution und vom religiösen Dissidententum profitierten, war der Feminismus in den USA in erster Linie vom Pioniergeist geprägt. Die »Töchter der Freiheit« der Amerikanischen Revolution, wie etwa Abigail Adams, blieben nicht anders als die feministischen Schriftstellerinnen der Aufklärung, der Französischen Revolution oder des deutschen Vormärz isolierte Theoretikerinnen. Doch in den 1830er Jahren fanden die Frauen der amerikanischen Mittelschicht, die in den religiösen Erweckungsbewegungen nach der Amerikanischen Revolution gelernt hatten, ihre Stimme zu erheben, nun im Kampf gegen die Sklaverei ihre »politische Schule«. Gegen Ende des 19. Jahrhunderts schienen sich die Frauenbewegungen auf beiden Seiten des Atlantiks angenähert zu haben.

Als einschlägiger Beweis für den Aufschwung des Feminismus kann die wachsende Verbreitung der Frauenpresse und die Gründung zahlreicher Frauenorganisationen gewertet werden. Mitte des 19. Jahrhunderts war das den Feministinnen deutlich bewußt. Die Engländerin Frances Power Cobbe faßte dies in die Worte: »Der Aufstieg eines Geschlechts in der zivilisierten Welt ist sicherlich ein einzigartiges Faktum in der Geschichte, das unverzüglich bedeutsame Rückwirkungen haben müßte.«[14]

Die feministische Presse

Der Kampf entfaltete sich nach einem gängigen Modell. Im allgemeinen ging die Gründung einer feministischen Zeitschrift mit der Gründung eines Vereins einher. Die Zeitschrift diente als Kristallisationspunkt für die verschiedenen Kampagnen und ermöglichte es, die feministischen Positionen auszudifferenzieren.

Die Zeitschriften

Eine der bedeutendsten Publikationen war das 1859 gegründete *Englishwoman's Journal*. Mit dieser Zeitschrift waren die Feministinnen verbunden, die sich am Langham Place, dem späteren Sitz von Organisationen wie der Society for Promoting the Employment of Women, versammelten. Eine der Redakteurinnen, Emily Davies, nutzte die Zeitung als Plattform in ihrem Kampf für eine Verbesserung der Mädchenschulbildung. Susan B. Anthony organisierte von den Redaktionsbüros der Zeitung *The Revolution* (1868–1870) aus die Arbeiterinnen New Yorks. Eine Zeitung war also häufig weit mehr als ein bloßes Mittel zur öffentlichen Meinungsbildung. *La Fronde* (Tageszeitung von 1897 bis 1903, Monatszeitschrift von 1903 bis 1905) war ein Forum der französischen feministischen Kultur und verkörperte für die Pariserinnen eine Art Lebensstil. Die Redakteurin Marguerite Durand schlug eine Bresche zugunsten des professionellen Journalismus von Frauen. Ihre Mitarbeiterin Caroline Rémy, bekannt unter dem Namen Séverine, war die erste Journalistin, die von ihren Artikeln leben konnte.[15] Hélène Sée nahm an der Seite der Männer an sämtlichen Parlamentsdebatten teil und wurde die erste politische Berichterstatterin. *La Fronde* gründete außerdem ein kostenloses Stellenvermittlungsbüro für Frauen. Diese feministisch-republikanische Tageszeitung war eine der führenden französischen Tageszeitungen der damaligen Zeit und behauptete auch innerhalb der europäischen Presse einen hervorragenden Platz.[16]

Zur selben Zeit prägte Clara Zetkin eine Zeitschrift, deren Anliegen die politische Bildung von Arbeiterinnen war. Aus *Die Arbeiterin,* die 1891 in Hamburg herausgegeben wurde, entwickelte Zetkin das Organ der deutschen und internationalen Sozialistinnen, *Die Gleichheit*. Diese Zeitschrift hatte Erfolg. Zu ihren Mitarbeiterinnen zählten führende Frauen der sozialistischen Frauenbewegung wie Angelica Balabanoff, Mathilde Wibaut und Henriette Roland-Holst (Niederlande), Hilja Parssinen (Finnland), Adelheid Popp (Österreich), Ines Armand (Rußland), Laura Lafargue, Käthe Duncker, Luise Zietz und andere. Um die Jahrhundertwende eröffneten Lily Braun und Clara Zetkin in dieser Zeitung die Reformismusdebatte. Lenin schätzte *Die Gleichheit* und übernahm manche Artikel für die russische Parteipresse.[17]

Die Anfänge

Frauen erhoben ihre Stimme je nach Zeitpunkt in der Geschichte des Feminismus auf unterschiedliche Weise. Die ersten uns bekannten feministischen Zeitungen vom Beginn des 19. Jahrhunderts stammen aus den Kreisen der englischen Freidenker und der französischen Saint-Simonisten. Weibliche Mitglieder von Organisationen, die die Reform des britischen Parlaments zum Ziel hatten, stellten die Tyrannei von Kirche und Staat offen in Frage. Die bekannteste unter ihnen ist Elizabeth Sharples. Sie stand Carlyles freidenkerischem Rationalismus nahe, gab eine eigene Zeitschrift, die *Isis*, heraus und äußerte sich über »Aberglauben und Vernunft, Tyrannei und Freiheit, Moral und Politik«. Die Saint-Simonistinnen publizierten im Juli 1832 eine Zeitschrift mit dem Titel *La Femme libre*, dann *La Femme nouvelle* und schließlich *La Tribune des femmes*.[18] Aus ganz Frankreich kamen Spenden, Unterstützung und Glückwünsche. Die Zeitschrift behandelte ökonomische, politische und pädagogische Fragen ebenso wie Probleme der Frauenarbeit und der freien Liebe. Die Mitarbeiterinnen signierten ihre Artikel nur mit ihrem Vornamen, zum einen, um anonym zu bleiben, zum anderen, weil sie die ihnen durch die Heirat aufgezwungenen Familiennamen ablehnten.

Die Revolution von 1848 veranlaßte die Frauen zahlreicher Länder, eigene Zeitschriften zu gründen: in Frankreich *La Voix des femmes* und *L'Opinion des femmes*; in Leipzig von Louise Otto-Peters, *Die Frauen-Zeitung* mit dem Motto »Dem Reich der Freiheit werb' ich Bürgerinnen«. Diese Zeitschriften wurden rasch zu Zielscheiben der politischen Repression. Auch in der Schweiz fallen die Anfänge der feministischen Presse in diese Jahre. Dort gab Joséphine Stadlin, eine Anhängerin Pestalozzis, *Die Erzieherin* (1845–1849) heraus. Dasselbe gilt für die USA. Dort initiierte Amélia Bloomer, bekannt als Verfechterin der Kleiderreform, 1849 die erste feministische Zeitschrift, *The Lily*.

Die dritte Welle der feministischen Veröffentlichungen begann im Jahre 1868. Marie Goegg-Pouchoulin gab zehn Jahre lang die Zeitschrift *La Solidarité* heraus, das erste internationale Forum für Feministinnen. In den USA gründeten Susan B. Anthony und Elizabeth Cady Stanton, nachdem eine Änderung der Verfassung zugunsten von Frauenrechten abgelehnt worden war, *The Revolution* (1868). Im selben Jahr erschien in Italien auf Initiative von Anna Maria Mozzoni *La Donna*, eine kosmopolitische Zeitschrift, die über feministische Aktivitäten im Ausland berichtete.[19] In Frankreich gründete Léon Richer 1869 *Le Droit des femmes*; in England eröffnete die Ladies' National Association ihre Kampagne gegen die regulierte Prostitution mit *The Shield*.

Das Los des Journalismus

Als sich die feministischen Vereine vermehrten und sich differenzierten, entwickelte sich auch eine unabhängige und vielseitige, allerdings meistens nur kurzlebige Presse. Viele Feministinnen träumten davon, Journalistin zu sein. So wünschte etwa Elizabeth Cady Stanton, für die *New York Tribune* zu arbeiten; sie konnte diesen Traum mit ihren sieben Kindern aber nicht verwirklichen. Andere waren erfolgreicher. Genannt sei nur Margaret Fuller. Sie war seit 1845 als erste Frau verantwortlich für das Ressort Literaturkritik in der *New York Tribune*. Es dauerte jedoch noch eine Weile, bis Feministinnen in der offiziellen Presse Einfluß erlangten. Emma Goldman absolvierte ihre journalistischen Lehrjahre bei einer deutschen anarchistischen Zeitung, der *Freiheit*, bevor sie 1906 ihr »Lieblingskind« *Mother Earth* ins Leben rief.

Für den Feminismus ist es von zentraler Bedeutung, daß Frauen lernen, für die Öffentlichkeit zu schreiben. Diese Fähigkeit ist ausschlaggebend für den Kampf gegen das Vergessen und die Vergänglichkeit. Das hat Elizabeth Cady Stanton in ihren Erinnerungen angesprochen. »So mußten wir also unsere Federn hervorkramen und Zeitungsartikel oder Petitionen an die Gesetzgeber verfassen; wir gaben Briefe über dieses oder jenes an unsere Getreuen heraus; wir wandten uns an *The Lily, The Una, The Liberator* oder *The Standard*, um zur Sprache zu bringen, was weder für uns noch für die Sklaven möglich war.«[20]

Das Ausmaß der Frauenemanzipation in einer bestimmten Gesellschaft und der Grad der Toleranz gegenüber dem Feminismus lassen sich an der Entwicklung und der Akzeptanz der feministischen Presse ablesen. Von der langen politischen Bevormundung der schweizer Frauen zeugt, daß die erste Zeitschrift, die sich für die politischen Rechte der Frauen einsetzte, *Le Mouvement féministe*, erst 1912 von Emilie Gourd gewissermaßen als Nachfolgerin der feministischen Kolumne Auguste de Morsiers im *Signal de Genève* gegründet wurde.[21] Ebenso verhinderten die extremen politischen Restriktionen im Polen des 19. Jahrhunderts das Entstehen einer Frauenbewegung; einzige Kristallisationspunkte waren der von John Stuart Mill beeinflußte Positivistische Warschauer Kreis und die von Alexander Swietochowski herausgegebene Zeitschrift *Die Wahrheit*.[22] Mitte des 19. Jahrhunderts wurde die feministische Presse auch in Deutschland und Frankreich Opfer des repressiven Vereinsrechtes. Selbst zu Beginn des 20. Jahrhunderts hatten es Feministinnen nicht unbedingt leichter. Als die Amerikanerin Margaret Sanger ihr Plädoyer für Geburtenplanung 1914 in der ersten Nummer ihrer Zeitschrift *The Woman Rebel* veröffentlichte, wurde sie deswegen verhaftet.[23]

DIE ORGANISATIONEN

Sobald philosophische, literarische und pädagogische Diskussionen erst einmal das Bewußtsein für die Notwendigkeit der Frauenemanzipation geschärft hatten, lag es auf der Hand, daß Frauen und Männer sich in einem zweiten Schritt zu Vereinen zusammenschlossen, um Strategien und Modelle zur Lösung der sozialen Frauenfrage zu entwickeln. Einige suchten die Lösung in autonomen Initiativen, andere erwarteten Hilfe vom Staat.

In der ersten Hälfte des 19. Jahrhunderts kam es in Europa nur zu sporadischen Aktionen zugunsten der Frauenemanzipation. Die Aktivitäten beschränkten sich auf die Zeiten politischer und sozialer Krisen. Das gilt für die Frauenclubs der französischen Revolution ebenso wie für die Bewegung der Saint-Simonistinnen 1830 und die feministischen Clubs in Frankreich sowie die demokratischen Frauenvereine in Deutschland 1848. In den USA dagegen kam es bereits zu dieser Zeit zu Organisationsversuchen auf nationaler Ebene. Im Rahmen der National Female Anti-Slavery Association wurden ab 1837 feministische Forderungen erhoben. Diese Vereinigung diente dann auch den ersten Organisatorinnen der Textilarbeiterinnen als Modell. An diesem Modell orientierte sich insbesondere Sarah Bagley, die 1845 bis 1846 den Kampf in der Female Labor Reform Association anführte. Dann lieferte die Seneca Falls Convention 1848 für mehr als zehn Jahre die Basis für die Equal Rights Association. Die amerikanischen Frauen stellten damit auf neue Weise politischen Scharfblick und ihr im Kampf gegen die Sklaverei erprobtes Organisationstalent unter Beweis.

In der zweiten Hälfte des 19. Jahrhunderts, als die europäischen Staaten ihre Regierungsform herausbildeten, beteiligten sich auch zahlreiche Feministinnen mit ihren Vereinen am Aufbau einer republikanischen und egalitären Gesellschaft. Dies trifft vor allem für Frankreich zu, wo die Schaffung der Dritten Republik im Jahre 1870 die Möglichkeit bot, den Kampf für die Emanzipation der Frau in eine langfristige gemeinsame Perspektive einzuordnen, auch wenn sich die feministische Bewegung in unterschiedlichsten Gruppierungen organisierte.[24]

Liberale und sozialistische Frauenvereine

Im Jahr 1865/1866 wurden in Deutschland zwei Zentren der Frauenbewegung gegründet. Sie repräsentierten zwei konkurrierende Organisationsmodelle, nämlich das Modell der liberalen Vereine und das der autonomen, von den Frauen selbst gegründeten Frauenorganisation.[25] Der Berliner Lette-Verein, getragen von der liberalen protestantischen Bourgeoisie, hatte den Londoner Verein zur Förderung der Frauenarbeit sowie die Pariser Experimente mit der Berufsausbildung höherer Töchter zum Vorbild. Mit einem Aufruf in der Presse wurde 1866 der von Adolf Lette initiierte »Verein zur Förderung der Erwerbsfähigkeit des weiblichen Geschlechts« gegründet, dessen Vorsitzende stets Männer waren und der sich daher an einem sehr eingeschränkten Emanzipationsverständnis orientierte. Das zweite Modell favorisierte

Louise Otto-Peters, die den Arbeiterinnen näherstand. Sie rief in der Industrieregion Sachsen die örtlichen Vereine, die sich mit der Ausbildung und Arbeit von Frauen befaßten, 1865 zu einem Treffen in Leipzig zusammen. Dieses von den Zeitgenossen als »Frauenschlacht von Leipzig« apostrophierte Treffen erregte großes Aufsehen, weil Frauen sich hier das – bisher den Männern vorbehaltene – Recht herausnahmen, öffentlich aufzutreten und sich zu organisieren. Sie gründeten den Allgemeinen Deutschen Frauenverein als eine autonome Selbsthilfeorganisation von Frauen. Von der Entstehung dieser ersten Gruppe bis zum Ersten Weltkrieg entfaltete sich auf lokaler Ebene eine intensive Frauenvereinskultur. Ob diese Verbände karitativ oder berufsbezogen waren und welches spezifische Ziel sie auch immer anstrebten, sei es die Reform der Frauenkleidung, der Kampf gegen Alkoholismus oder das Frauenwahlrecht, sie alle gehörten seit 1894 dem Bund Deutscher Frauenvereine an.[26]

Das dritte europäische Land, in dem sich ab der Jahrhundertmitte die Frauenbewegung schnell ausbreitete, war England. Hier zeigt sich besonders deutlich, wie Vereine als direkte Reaktion auf frauenfeindliche politische Maßnahmen entstanden. Eine große Petition für das Frauenwahlrecht war 1866 von John Stuart Mill vorgelegt und vom englischen Parlament angenommen, aber von Premierminister Gladstone zurückgewiesen worden. Daraufhin organisierte sich unter dem Vorsitz von Lydia Becker die National Society for Women's Suffrage. In Ergänzung dazu und um den Kampf der Suffragetten nicht zu kompromittieren, gründete Josephine Butler einige Jahre später die Ladies' National Association, mit dem Ziel, das bisher tabuisierte Übel der sexuellen Ausbeutung der Frau zu bekämpfen.

In der Schweiz, einem kleinen Land, bildeten die Frauenvereine Ende des 19. Jahrhunderts eine Interessengruppe unter vielen innerhalb einer pluralistischen Gesellschaft. Der Staat, der seinerseits versuchte, etwas gegen einzelne Symptome des sozialen Elends zu unternehmen, unterstützte auch die Selbsthilfeinitiativen von Frauen. Diese Spielart des Feminismus appellierte im wesentlichen an das soziale Bewußtsein der Frauen und verharrte im Vorzimmer der politischen Macht.[27]

Frauenwahlrecht und Widerstand gegen die staatliche Regulierung der Prostitution waren nicht nur für den Kampf der angelsächsischen Feministinnen die zentralen Ziele. Diese Ziele veranlaßten auch über Großbritannien hinaus die Gründung zahlreicher Vereine und Organisationen. Sie mobilisierten Tausende von Frauen in den USA, England, Frankreich und Deutschland, und über diese Schlüsselländer des westlichen Feminismus hinaus in ganz Europa und der übrigen Welt.[28] Das eine Ziel verlangte nach Kampf *für* bestimmte Rechte; das andere den Kampf *gegen* den Mißbrauch von Rechten. Die vom Wahlrecht ausgeschlossenen Frauen schlossen sich in Vereinen zusammen, um sich eine öffentliche Identität zu schaffen. Im Namen ihrer Organisationen bedienten sie sich des gesamten Arsenals demokratischer Meinungsäußerung: Presse, Petitionen, Vorträge, Versammlungen, Aufmärsche, Bankette, Ausstellungen. Nationale und internationale Kongresse intensivierten den Erfahrungsaustausch und trugen zur Bildung eines transeuropäischen feministischen Netzes bei.

Parallel zu diesen Strukturen der liberalen Frauenbewegung entstand auf der Basis der Klassenzugehörigkeit das Netz der Sozialistinnen. Am ausgeprägtesten war der Klassenantagonismus im Deutschland von 1890. Nach der Aufhebung des Sozialistengesetzes von 1878 schlossen sich die Arbeiterinnen – soweit es die Vereine zuließen – der Sozialdemokratie an. Als die liberalen und konservativen Frauen aus dem Bürgertum 1894 den Bund Deutscher Frauenvereine gründeten, geschah dieses unter Ausschluß der Sozialistinnen. 1896 kam es beim Internationalen Frauenkongreß in Berlin zum offenen Bruch zwischen Sozialistinnen und bürgerlichen Frauen. Die Sozialistinnen organisierten ihren eigenen Kongreß und lehnten es prinzipiell ab, mit der bürgerlichen Frauenbewegung zusammenzuarbeiten. Nicht einmal bei der Forderung nach dem Frauenwahlrecht kam es zu einem Zusammengehen. Innerhalb der sozialistischen Partei behielten die Frauen ihre eigene Organisation und veranstalteten regelmäßig auch eigene Frauenkonferenzen.[29]

Internationale Bemühungen

Der Erfahrungsaustausch über Presse, Besuche und internationale Kongresse führte schließlich dazu, daß Feministinnen sich auf nationaler wie auf internationaler Ebene nach einem föderativen Modell zusammenschlossen.[30] Das feministische Bewußtsein wurde über die nationalen Grenzen hinaus auch durch die Übersetzungen feministischer »Klassiker« gefördert wie *Die Unterwerfung der Frauen* (1869) von John Stuart Mill und *Die Frau und der Sozialismus* von August Bebel (die Erstausgabe erschien 1879 unter dem Titel *Die Frau in der Vergangenheit, Gegenwart und Zukunft*).

Zu ersten Bemühungen um eine internationale Organisation kam es 1868 im Zusammenhang mit dem europäischen demokratischen Pazifismus. Marie Goegg-Pouchoulin veröffentlichte in der Zeitschrift *Les Etats-Unis d'Europe* einen Appell zur Schaffung eines internationalen Frauenverbandes. Drei Jahre später wurde sie Opfer der politischen Repressionen im Anschluß an die Niederschlagung der Pariser Commune.[31]

Josephine Butler hatte in Genf mehr Erfolg. Dank der Unterstützung von Männern aus der protestantischen Aristokratie und des Organisationstalents Aimé Humberts, eines freimaurerischen Politikers, gründete sie 1875 die British Continental and General Federation for the Abolition of the State Regulation of Vice, die heute noch als International Abolitionist Federation weiter arbeitet.[32]

Eine weitere internationale Initiative ging von den Amerikanerinnen aus. Der Europabesuch der beiden Suffragetten Elizabeth Cady Stanton und Susan B. Anthony sowie der Erfolg der World's Woman's Christian Temperance Union regten 1888 in Washington, anläßlich des 40. Jubiläums der Seneca Falls Declaration, zur Gründung eines Internationalen Frauenrats an.[33] Zunächst war dieser eine rein amerikanische Organisation. Andere Länder mußten erst noch ihre eigenen nationalen Frauenräte gründen. 1900 signalisierte die Wahl der Gräfin von Aberdeen in den Vorsitz dieser Organisation sowohl eine wachsende Unabhängigkeit gegenüber den Amerikanerinnen als auch den verstärkten Einfluß des politischen Establishments auf den gemäßigteren Flügel der Frauenbewegung.

Bis zum Ersten Weltkrieg wurde eine Reihe von nationalen Frauenräten gegründet: in Kanada (1893), Deutschland (1894), England (1895), Schweden (1896), Italien und den Niederlanden (1898), Dänemark (1899), der Schweiz (1900), Frankreich (1901), Österreich (1902), Ungarn und Norwegen (1904), Belgien (1905), Bulgarien und Griechenland (1908), Serbien (1911) und Portugal (1914). Auf internationaler Ebene war der einzige gemeinsame Nenner dieser Räte die Legitimierung des politischen Mitspracherechts für Frauen und demzufolge die strikte Einhaltung der parlamentarischen Regeln. Diejenigen Frauen, die sich speziell für das Frauenwahlrecht einsetzen wollten, fühlten sich daher durch den Internationalen Frauenrat eher gebremst. Bereits 1899 wurde die Gründung einer getrennten Organisation erwogen. Auf dem Berliner Kongreß von 1904 kam es dann endgültig zum Bruch. Von nun an vereinte ein internationales Bündnis für das Frauenwahlrecht unter dem Vorsitz der amerikanischen Radikalen Carrie Chapman Catt die Suffragetten-Organisationen verschiedener Länder unter einem Dach. Dieses Bündnis war zwar eine dynamische Bewegung, repräsentierte aber nur eine Minderheit von Frauen.[34]

Beide Organisationen spielten nicht nur eine wichtige Rolle für die Kontakte zwischen den verschiedenen nationalen Frauenbewegungen, sondern regten auch die Gründung verschiedener neuer Zusammenschlüsse von Frauen an. Ob sie nun als internationale Organisationen allgemeine Forderungen aufstellten oder ihre Aufmerksamkeit auf bestimmte Punkte konzentrierten – wie die Woman's Christian Temperance Union (1884) von Frances Willard, Josephine Butlers International

Abolitionist Federation (1875) oder die sozialistische Fraueninternationale Clara Zetkins (1907) –, sie vermittelten in jedem Fall ihren Mitgliedern das Gefühl, einer weltweiten Meinungsströmung anzugehören. Sie stärkten das Selbstvertrauen ihrer Mitglieder und deren Glauben an den mit Sicherheit bevorstehenden Sieg.

Aktuelle internationale Ereignisse verwiesen bereits auf die zukünftigen Themen der Frauenvereinigungen. Die erste internationale Friedensdemonstration der Frauen 1899 in Den Haag war initiiert worden von der Deutschen Margarethe Selenka und der Österreicherin Bertha von Suttner und bekräftigte, daß Frauenfrage und Friedenskampf eng miteinander verbunden seien: »Beide sind ihrem ganzen Wesen nach ein Kampf für die Macht des Gesetzes und gegen das Gesetz der Macht.«[35]

Interkulturelle Dynamik: Reisen und Exil

Die Dynamik, die der Feminismus des 19. Jahrhunderts mit seinem Austausch zwischen den verschiedenen Kulturen auslöste, beschränkte sich keineswegs auf die Institutionalisierung internationaler Verbindungen. Diese Dynamik sollte nicht unterschätzt werden. Auch die Reisen oder die Emigration einzelner Feministinnen förderten die Herausbildung des feministischen Bewußtseins. So besuchte die schwedische Schriftstellerin Frederika Bremer (1801–1865) etwa ab 1849 regelmäßig die Vereinigten Staaten. In ihrem Roman *Herta*, der 1856 erschien, finden sich deutliche Spuren des amerikanischen Feminismus.[36] Das Ansehen und die symbolische Kraft des amerikanischen Feminismus spiegeln sich auch im Norsk Kvinnesaksforening (Feministischer Verein Schwedens) und in dessen 1887 gegründeter Zeitschrift *Nylaende* (Neue Grenzen) wider.

Außer der Emigration trug auch das Exil dazu bei, die internationalen Kontakte zu intensivieren. Mit der Zeitschrift *Su Compagne!*, die Angelica Balabanoff ab 1904 in ihrem Luganer Exil herausgab, warb sie bei den italienischen und schweizerischen Arbeiterinnen für die sozialistische Frauenbewegung. In der Schweiz nahmen russische Medizinstudentinnen Kontakte zu den Züricher Frauenvereinen auf.

Weniger spektakulär, aber bedeutsam im Hinblick auf den interkulturellen Austausch war die Behandlung moslemischer Frauen durch die ersten Ärztinnen. Ein Beispiel hierfür ist die Arbeit von Anna Bayerowa in Bosnien[37] oder die der Ärztinnen in Rußland[38].

DIE FORDERUNGEN

In der feministischen Presse und den Verbänden wurden rege Diskussionen über Emanzipation, Befreiung und Gleichberechtigung geführt – über demokratische Werte also, die im Widerspruch zur Vorstellung von der Frau als einem unmündigen Wesen und zur sexuellen Versklavung der Frauen standen. Die Kämpfe der Feministinnen hatten auf dem Gebiet des Rechts eine fundamentale Änderung der juristischen und politischen Bedingungen zum Ziel.

Rechtsforderungen

Die feministische Rechtskritik galt insbesondere der Abhängigkeit der Frau in der Ehe. Kritisiert wurde das Entscheidungsrecht des Mannes über gemeinsame Ehebelange; das Nutzungs- und Verwaltungsrecht des Mannes über das Eigentum seiner Ehefrau und das ausschließlich dem Manne anerkannte Elternrecht. Gekämpft wurde außerdem gegen das ledigen Müttern und unehelichen Kindern angetane Unrecht, gegen die gesetzliche Regulierung der Prostitution, für die Zulassung zum höheren Ausbildungswesen, für das Frauenstimmrecht und das Recht auf gleichen Lohn für gleiche Arbeit.

Den Rechtsfragen Priorität einzuräumen, hatte eine Radikalisierung der feministischen Politik zur Folge.[39] Anita Augspurg, eine Juristin vom radikalen Flügel der deutschen Frauenbewegung, war überzeugt, daß »die Frauenfrage zu einem großen Teil eine ökonomische Frage ist, aber möglicherweise ist sie mehr noch eine kulturelle Frage (. . .) Vor allem jedoch ist sie eine Frage des Rechts, denn nur auf der Grundlage verbriefter Rechte (. . .) können wir für dieses Problem eine sichere Lösung finden.«[40]

Solange die repressiven Gesetze alle politischen Aktivitäten von Frauen und damit auch die Möglichkeiten ihres Widerstands beschränkten, blieb den Frauen bisweilen nur das »Petitionsheldentum«, wie Clara Zetkin es nannte.

Um die Jahrhundertwende wurde das Stimmrecht zum Dreh- und Angelpunkt des feministischen Kampfes. Für die Radikalen ging es dabei nicht allein um das Gleichheitsprinzip, sondern um die Conditio sine qua non für die Verwirklichung gleicher Rechte im privaten und öffentlichen Leben überhaupt. Für die Gemäßigten dagegen war das Stimmrecht ein fernes Ziel. Sie sahen darin eine spätere Krönung ihrer Bemühungen, welche sich die Frauen zunächst einmal durch höhere Bildung und ihren Einsatz für das öffentliche Wohl zu verdienen hätten. Noch aber sei die Schwelle der »Rechtsfähigkeit« nicht erreicht.[41]

Während sich die deutschen und englischen Suffragetten um die Jahrhundertwende radikalisierten, hatte bei den amerikanischen Kombattantinnen der Kampf um das Frauenwahlrecht – entstanden aus der Tradition des Unabhängigkeitskampfes, des utopischen Sozialismus und der Abolitionistenbewegung – gegen Ende des 19. Jahrhunderts sein gesellschaftsveränderndes Potential bereits eingebüßt.[42] Die formale Gleichstellung mit dem Mann reichte allein offenbar nicht aus. Die Rechtsforderungen der Frauen konnten nur dann die gewünschte Wirkung entfalten, wenn es gelang, die Machtverhältnisse insgesamt in Frage zu stellen.

Erziehung und Ausbildung

In den meisten europäischen Ländern stand eine Verbesserung der Bildungschancen im Vordergrund aller feministischen Forderungen. Zahlreiche Diskussionen und Aktionen machten deutlich, daß auch Frauen und Mädchen einen Anspruch auf bessere Ausbildung haben, da Wissen unverzichtbar zum Leben gehört.[43] Frauen hätten nicht nur eine zivilisatorische Aufgabe zu erfüllen und die Verantwortung für die Kindererziehung zu tragen, sie könnten auch ihre ökonomische Unabhängigkeit nur auf der Basis anerkannter professioneller Fähigkeiten erreichen. Seit dem Ende des 18. Jahrhunderts wurde über das Wesen der Frau debattiert; intellektuelle Frauen wie Mary Wollstonecraft und Germaine de Staël kritisierten Rousseaus Ansichten; auch Republikaner wie der Marquis de Condorcet oder Theodor Gottlieb von Hippel beteiligten sich an der Debatte. Während der ersten Hälfte des 19. Jahrhunderts wurden Fragen der Erziehung im Zusammenhang mit der sozialen Rolle der Frau gesehen und von Feministinnen im Zuge revolutionärer Veränderungen jeweils neu definiert. In der zweiten Jahrhunderthälfte ging es zunehmend um die höhere Schulbildung für Mädchen, ihren Zugang zur Universität und ihre Berufsausbildung. Pädagogische Experimente, die sich an Frauen aller Klassen und Schichten richteten, reichten von der bürgerlichen Wegbereiterin Elisabeth Jesse Reid, die 1849 in England das Ladies' Bedford College gründete,[44] bis zur humanitären Sozialistin Sibilla Aleramo und ihrem römischen Frauenverein, der 1904 Abendkurse für analphabetische Bäuerinnen anbot.[45] Frauen verließen sich dabei nicht auf staatliche Hilfe, sondern gründeten auf eigene Initiative private Einrichtungen mit eigenen Bildungsprogrammen. Angeregt durch amerikanische Initiativen setzten sich zu Beginn des 20. Jahrhunderts auch viele europäische Feministinnen für Koedukation und Sexualerziehung ein.[46] Kurzum, eine jede Generation fand neue Antworten auf die Frage nach den Inhalten einer feministischen Bildung und Erziehung.

Die Ausdauer, mit der sich Feministinnen der Bildungsfrage widmeten, gibt zu denken. Fast hat es den Anschein, als wäre für Feministinnen in der bürgerlichen Gesellschaft, die für die Frau weder einen politischen noch einen ökonomischen Status vorsah, kein anderer Bereich als der der Bildung zugänglich gewesen, um sich Genugtuung zu verschaffen. So nutzten sie die Macht, die ihnen »von Natur aus« zugestanden worden war, und machten Bildung und Erziehung zum ersten Frauenberuf. Die ledige Lehrerin, die von ihrer eigenen Arbeit leben konnte, ohne wirtschaftlich von einem Mann abhängig zu sein, wurde eine Art feministische Idealfigur. In der dritten Generation führender Feministinnen, die ganz verschiedene politische Richtungen vertraten, gab es eine große Zahl von Lehrerinnen: die Deutschen Helene Lange (1848–1930), Minna Cauer (1842–1922), Clara Zetkin (1857–1933), Anita Augspurg (1857–1943) und Gertrud Bäumer (1873–1954); die Österreicherin Augusta Fickert (1855–1910), die etwas jüngeren Italienerinnen Maria Giudice (1880–1953), Adelaide Coari (1881–1966) und Linda Malnati (1885–1921), die Schweizerin Emma Graf (1881–1966) und viele andere. Die Lehrerinnenverbände waren die ersten, die »gleichen Lohn für gleiche Arbeit« forderten. Aus ihren Reihen stammten zahlreiche aktive Kämpferinnen für das Frauenwahlrecht. Lehrerinnen spielten insgesamt eine wesentliche Rolle bei der Verbreitung feministischer Ideen über die großen urbanen Zentren Europas hinaus.[47]

Das Recht auf Selbstbestimmung über den eigenen Körper

Es scheint für Feministinnen schwieriger gewesen zu sein, Themen und Probleme, die den Körper betrafen, öffentlich zu diskutieren. Die frühesten Diskussionen entwickelten sich im Zusammenhang mit Forderungen, die das Zivilrecht betrafen, etwa dem Recht auf Ehescheidung.[48] Dann griffen die utopischen Sozialistinnen in den 1830er Jahren[49] und die Anarchistinnen zu Beginn des 20. Jahrhunderts die Institution Ehe weitaus radikaler an. Anfang des 20. Jahrhunderts stellte sich die »neue Frau« als ledige Frau dar, und sie war stolz auf ihre innere Stärke. Alexandra Kollontai rühmte in ihrem Essay *Die Neue Frau* (1913) jene Frauen, die ihr Leben nicht mehr der Liebe und der Leidenschaft opferten. Zu jener Zeit blieben die meisten Feministinnen, gleich welcher Richtung sie sich zurechneten, aus eigenem Entschluß ledig. Manche von ihnen vertraten die Ansicht, die Anrede »Fräulein« werte ihre körperliche und moralische Integrität auf, andere forderten, jedes junge Mädchen solle ab dem achtzehnten Lebensjahr mit »Frau« angesprochen werden.[50]

Bei vielen verheirateten Frauen und Müttern zeichnete sich ein feministischer Konsens hinsichtlich der Geburtenkontrolle ab. Dieser Konsens erwuchs aus einer neuen Auffassung von Sexualität. In den USA wurden in den 1870er Jahren die Moral Education Societies gegründet. Sie propagierten *self-ownership* und einen vernunftgemäßen Umgang mit sexueller Lust. Lucinda Chandler war eine der hartnäckigsten Streiterinnen in dieser Kampagne für Rechtsreform und Aufklärung.

Etwa zur selben Zeit initiierte Josephine Butler in England den Kampf gegen die staatliche Regulierung der Prostitution. Das Thema Sexualität wurde nicht nur als moralisches, sondern auch als wissenschaftliches, politisches und ökonomisches Thema diskutiert.[51] Indem man die Risiken der Sexualität betonte, hoffte man, Männer und Frauen zur sexuellen Enthaltsamkeit und damit zur Überwindung der herrschenden Doppelmoral bewegen zu können. »Soziale Reinheit« war das Schlagwort, das die feministische Szene im letzten Viertel des 19. Jahrhunderts dominierte. Erst zu Beginn des 20. Jahrhunderts wurde es Frauen möglich, eine positivere Haltung zu ihrer eigenen Sexualität zu entwickeln. Dazu trug einerseits die erste Generation von Ärztinnen bei. Auf der Basis wissenschaftlicher Erkenntnisse informierten sie über den weiblichen Körper, um dadurch den Frauen zu einem neuen Körperbewußtsein zu verhelfen und sie von ihrer Angst und Unkenntnis zu befreien. Andererseits förderten die in großer Zahl gegründeten neomalthusianischen Organisationen die Verbreitung von Methoden und Mitteln der Empfängnisverhütung. Doch blieb dies ein gefährliches Terrain. Annie Besant, Mitglied der englischen malthusianischen Liga, wurde im Jahre 1877 verhaftet, da sie ein Buch über Geburtenkontrolle veröffentlicht hatte.[52]

Die Trennung von sexueller Lust und Zeugung löste Angst aus. Arlette Jacobs gründete 1881 zusammen mit ihrem Mann die niederländische neomalthusianische Liga, zog sich bald darauf aber aus dieser Organisation zurück, weil ihr deren Analysen zu einseitig ökonomisch erschienen. Gleichwohl setzte diese feministische Ärztin in einem Amsterdamer Arbeiterviertel ihre kostenlosen Sprechstunden fort. Dort beriet sie ihre Patientinnen über empfängnisverhütende Mittel und ermöglichte ihnen die Benutzung des Pessars, weswegen sie von den meisten ihrer männlichen Kollegen scharf verurteilt wurde.[53]

Dreißig Jahre später als in England organisierte sich auf Initiative von Paul Robin der Neomalthusianismus auch in Frankreich, was in dem auf Bevölkerungswachstum ausgerichteten politischen Klima sofort heftigen Widerstand provozierte. Ab 1902 setzten sich Nelly Roussel, Madeleine Pelletier, Gabrielle Petit und Claire Galichen für Robins malthusianische Ideen ein. Allerdings forderte nur die Ärztin Pelletier konsequenterweise auch das Recht auf Abtreibung.[54] Um dieselbe Zeit förderte eine neomalthusianische Gruppe in Genf die Verbreitung der dreisprachigen Zeitschrift *La Vie intime* (1908–1914) und vertrat darin offen das Konzept der geplanten Mutterschaft. Die einzigen feministischen Zeitschriften in der Schweiz, die zu Beginn des Jahrhunderts zu den Themen Empfängnisverhütung und Abtreibung Stellung bezogen, waren *L'Exploitée* (1907–1908) und ihr deutschsprachiges Pendant *Die Vorkämpferin* (1906–1920). Beide Zeitschriften wurden von Margarete Faas-Hardegger, der Sekretärin des Schweizer Gewerkschaftsverbands,[55] herausgegeben.

In den USA riskierten Margaret Sanger und Emma Goldman bewußt die Übertretung geltender Gesetze, um für Geburtenkontrolle zu werben. Sie gehörten vor dem Ersten Weltkrieg zu den wenigen Feministinnen, die dem Problem der Empfängnisverhütung bereits Priorität einräumten.[56] Englische Feministinnen wie Stella Browne und Marie Stopes, die engagiert an den Kampagnen für Geburtenkontrolle und Abtreibung mitwirkten, schlossen sich der Bewegung für Sexualreform an. In diesem eher wissenschaftlichen Umfeld wagten sie es auch, die weibliche Homosexualität offen anzusprechen.[57] In Deutschland machten zwar vereinzelte feministische Aktivistinnen auf die Stigmatisierung der Homosexualität aufmerksam, aber im konservativen Klima von evangelischem und »Mütterlichkeits«-Feminismus war vor dem Ersten Weltkrieg eine politische Organisation der Lesbierinnen nicht möglich.[58]

Leichter war es dagegen, gegen die Tyrannei der Mode und des Korsetts zu opponieren. Dieser Kampf für die Freiheit des Körpers gehörte zum Spektrum einer feministischen Kultur, das auch den Vegetarismus und den Tierschutz umfaßte. In den USA wurde 1878 die Free Dress League aus der Taufe gehoben. Die Idee verbreitete sich in der Folgezeit in Europa. Inspiriert von den deutschen Frauen, wurde in den Niederlanden eine Vereenigung voor Verbetering van Vrouwenkleeding (Organisation für die Verbesserung der Frauenkleidung) gegründet.[59] Der Wunsch, den weiblichen Körper von beengenden Kleidungsstücken zu befreien, verband sich im allgemeinen mit dem Vorhaben, auch bei Frauen eine sportliche Betätigung zu fördern.

Die Moral

Für die Feministinnen des 19. Jahrhunderts zählten Mut und Tugend mehr als der Körper. Die geistige und soziale Mutterschaft, die von Pädagogen propagiert wurde, das humanitäre Engagement der ersten Krankenschwestern oder auch die philanthropische Einstellung als Ausgangspunkt für professionelle Sozialarbeit – all das appellierte an das weibliche Herz und die weibliche Tugend, und dies wiederum beflügelte die soziale Mission. Unzufriedenheit und Auflehnung artikulierten Frauen stets im Zusammenhang der Erfahrungen ungerechter Behandlung und Leid. Florence Nightingale (1820–1910) drückte ihre Hilflosigkeit in *Suggestions for Thought to Searchers after Religious Truth* (1859) mit folgenden Worten aus: »Warum zeigen die Frauen Leidenschaft, Verstand, moralische Tüchtigkeit (...) und warum haben sie einen Platz in der Gesellschaft, wo weder das eine noch das andere zum Tragen kommen kann? (...) Ich muß ein besseres Leben für die Frauen anstreben.«[60]

Ihre Erlebnisse als Krankenschwester während des Krimkriegs veranlaßten sie, Schwesternschulen zu gründen. Die tief in der evangelischen Tradition verankerte Berufung, »die Welt zu retten«, nahm für manche Feministinnen die Form eines zivilisatorischen Werks an. Die protestantische Feministin Emilie de Morsier, die 1889 in Paris den Internationalen Kongreß weiblicher Hilfswerke und Institutionen einberief und so ein Gegengewicht zum politischen Feminismus schuf, definierte das feministische Aktionsfeld in Abgrenzung zu dem der Männer neu: »Niemals werden wir (...) euch auch nur ein Fetzchen Ruhm streitig machen, wenn wir uns an eure Seite stellen, um am sozialen Werk zu arbeiten (...), denn wir Frauen haben unser Vaterland überall dort, wo gelitten wird.«[61]

Die Professionalisierung der Sozialarbeit stellte das philanthropische Engagement schließlich in einen historischen Zusammenhang mit dem Prozeß der Emanzipation der Frauen. Am Ende des Jahrhunderts entstanden Verbindungen zwischen einigen philanthropisch engagierten Gruppen und den Suffragettenvereinen.[62]

Stärker noch als der philanthropisch geprägte angelsächsische Feminismus erwies sich das deutsche Konzept der »geistigen Mütterlichkeit«, als ein wirkungsvoller Weg, um den Interessenkonflikt zwischen Feminismus und bürgerlicher Gesellschaft zu neutralisieren. Ohne den offenen Konflikt zu provozieren, ließ sich mit diesem Konzept der Geschlechterdualismus geschickt an die Stelle des Egalitätskonzeptes setzen. Henriette Goldschmidt wehrte 1882 die feministische Kritik einfach damit ab, daß sie die Frauenbewegung in den Dienst der politischen Stabilisierung stellte: »Die Vergeistigung des Naturberufs der Frau führt nicht nur zu bewußter Erfassung der Pflichten in dem Familienleben, sondern zu der Erkenntnis, daß es der Kulturberuf der Frau sei, das ›Mutterherz‹ für unsere Volkszustände zu erwecken und auch hier das instinktive passive Tun zu einem bewußten und zu gleicher Bedeutung wie das männliche zu erheben.«[63]

Die mütterlichen Tugenden einer Frau verschmolzen so mit den Tugenden, die sie als Bürgerin einbringen konnte. Fünfzehn Jahre später entwickelte Helene Lange ein Konzept der kulturellen Emanzipation der Frau, das sich von den Forderungen nach Menschenrechten weit entfernt hatte. Unter Berufung auf Georg Simmel will sie die »geistige Mutterschaft« als Ideal der weiblichen Bildung und als Kritik an der kulturellen Entfremdung mit Leben erfüllen.[64] Mit ihrer konservativen Tendenz zur Mythisierung der Mutterschaft ist diese Form des kulturellen Widerstands symptomatisch für die anhaltende Ausgrenzung des Weiblichen aus der Gesellschaft.[65]

Die Moral war für Feministinnen immer dann von großer Bedeutung, wenn es um eheliche und außereheliche Sexualbeziehungen ging. Generell scheint der Beginn eines Jahrhunderts die Formulierung einer neuen Ethik besonders herausgefordert zu haben. Zu Beginn des 19. Jahrhunderts entwarf Fourier mit seiner Psychologie der menschlichen Leidenschaften eine neue Moral, die Freiräume ließ für verschiedenartige Liebesbeziehungen.[66] Zu Beginn des 20. Jahrhunderts forderten radikale deutsche und österreichische Feministinnen eine neue Sexualethik, die die ledige Mutterschaft rehabilitieren sollte. Unterdessen wurden moralische Tugenden vor allem von jenen Frauen hochgehalten, die gegen eine Reglementierung der Prostitution kämpften. Sie zogen dabei vehement gegen die sexuelle Doppelmoral zu Felde und forderten von den Männern, sich die tugendhafte Enthaltsamkeit der Frauen zum Vorbild zu nehmen. Die »ethischen« Feministinnen waren überzeugt, daß auf der Basis des Zusammenwirkens von Männern und Frauen eine Gesellschaft mit höherem moralischen Niveau erreicht werden könne. Die französischen Mitstreiterinnen von Josephine Butler erklärten beispielsweise: »Nicht das Recht ist das einzig Rechte; das einzig Rechte ist die Moral«; mit ihren Artikeln in der *Revue de Morale progressive* (1887–1892) und der *Revue de Morale sociale* (1899–1903) trugen sie ihre Ansichten in die öffentliche Diskussion.[67]

Die Wienerin Rosa Mayreder (1858–1938) und die Berlinerin Helene Stöcker (1869–1943) wandten sich ebenfalls gegen die herrschende Doppelmoral. Aber anders als die Abolitionistinnen versuchten sie, die weibliche Erotik und Sexualität wieder aufzuwerten.[68] Mayreder entwarf im Rahmen der 1894 gegründeten *Wiener Ethischen Gesellschaft* eine »profane Ethik«. Helene Stöcker nutzte ab 1905 den »Bund für Mutterschutz und Sexualreform« und die Zeitschrift *Die Neue Generation* als Propagandaplattform. Mit besonderem Nachdruck forderte sie eine Verbesserung des Status lediger Mütter und unehelicher Kinder sowie die rechtliche und soziale Anerkennung außerehelicher sexueller Beziehungen. Der Bund Deutscher Frauenvereine weigerte sich im Jahre 1910, den Bund für Mutterschutz als Mitglied aufzunehmen. Selbst Radikale, die bisher die Strömung der »neuen Ethik« unterstützt hatten, rückten von Helene Stöcker wegen ihrer Haltung zur freien Liebe ab. Noch erstickte die Sublimierung der Sexualität, die als Zeichen moralischer Tugendhaftigkeit galt, eine jede Utopie, die eine Ethik der freien sexuellen Entfaltung zum Ziel hatte.

Wirtschaftliche Unabhängigkeit

Der feministische Kampf um wirtschaftliche Autonomie verlief in mehreren Etappen. Die Frauen aus dem Bürgertum kämpften mit Hilfe von Juristen und Politikern um das Recht, als verheiratete Frau ihren Besitz selbst verwalten zu dürfen. 1848 wurde in diesem Sinne in den USA, 1882 in England der Married Women's Property Act verabschiedet. Der Schweizer Jurist Louis Bridel behandelte das Problem der *Puissance maritale* 1879 in seiner rechtsphilosophischen Doktorarbeit. Noch 1907 nahm der Convegno femminile nazionale in Italien diese Forderung in sein feministisches Minimalprogramm auf.

Ging es um das Recht auf Arbeit, mußte die ledige bürgerliche Frau in erster Linie gegen bestehende Vorurteile kämpfen. In manchen Ländern erhob die bürgerliche Frauenbewegung noch vor den Arbeiterinnen die Forderung nach Emanzipation. 1865 verknüpfte der Allgemeine Deutsche Frauenverein die Forderung nach Gleichberechtigung mit der nach einer angemessenen Berufsausbildung. In Frankreich ging es bei den ersten öffentlichen Versammlungen der Frauenrechtlerinnen in Vaux-Hall (1868) um die Frauenarbeit. In der Schweiz wurde dagegen das Recht der Frauen auf Arbeit erst um die Jahrhundertwende von liberalen protestantischen Kreisen angemahnt. Erst auf dem »Zweiten Nationalen Kongreß für Fraueninteressen« im Jahre 1924 sprachen sich auch die Schweizer Feministinnen für die Prinzipien »Recht auf Arbeit« und »gleicher Lohn für gleiche Arbeit« aus.[69]

In den USA wurden zur Legitimierung der Wahlrechtsforderung nun fast ausschließlich ökonomische Argumente ins Feld geführt. Die Argumentation auf der Basis des Naturrechts oder des Geschlechterdualismus (Charlotte Perkins Gilman, *Women and Economics*, 1898) trat völlig in den Hintergrund. Umfangreiche Ausstellungen sollten das Ansehen der Frauenarbeit heben. Sie waren Ausdruck des je nach nationalem Kontext unterschiedlich entwickelten vorherrschenden feministischen Anliegens. Der Lette-Verein in Berlin zeigte bereits 1868 eine erste Gewerbeausstellung von Frauen, der in Deutschland weitere folgten; in Den Haag wurde 1898 die Nationale Tentoonstelling van Vrouwenarbeid eröffnet;[70] in Paris fand 1902 eine internationale Ausstellung über Frauenhandwerk und -berufe statt; in der Schweiz hingegen kam es erstmals 1928 zu einer Ausstellung über Frauenarbeit (SAFFA). Gegen Ende des 19. Jahrhunderts begannen darüber hinaus diverse Berufsverbände von Frauen deren jeweils spezifische Berufsinteressen zu vertreten.

Insgesamt wurde der Erwerbsarbeit eine große emanzipatorische Wirkung zugeschrieben: »Die gesamte Entwicklung der Frauenarbeit (. . .) zeigt allen, die nicht blind sind oder nicht so tun, als seien sie es, daß keine andere Erscheinung in der modernen Welt ähnlich revolutionäre Wirkungen gezeigt hat.«[71]

Für die Arbeiterinnen ging es allerdings nicht um das Recht auf Arbeit, sondern um das Ausmaß der Ausbeutung ihrer Arbeitskraft; gefordert wurden das Verbot von Nachtarbeit, die Einführung des Achtstundentags, die Einstellung von Fabrikinspektorinnen, das Verbot der Kinderarbeit, bessere Arbeitsbedingungen für Hausangestellte und die Bekämpfung der Ursachen der Prostitution.

Die Hausarbeit fand nur wenig Aufmerksamkeit. Einzig die frühen sozialistischen Feministinnen hatten unter Berufung auf Fourier Hausarbeit als produktive Arbeit betrachtet. Hubertine Auclert stellte 1879 auf dem Arbeiterkongreß in Marseille die isolierte Forderung nach Entlohnung für Hausarbeit auf. Überlegungen von August Bebel weiterführend, schlug die deutsche Sozialistin Lily Braun 1901 in ihrem Buch *Frauenarbeit und Hauswirtschaft* vor, die Hausarbeit zu rationalisieren. Es war ein Mann, der anregte, das Problem Hausarbeit zum Ausgangspunkt der tschechischen Frauenbewegung zu machen. Der Gründer des Prager Industriemuseums, Vojta Fingerhut-Naprstek, begann eine große Werbekampagne für die Einführung von arbeitssparenden Haushaltsgeräten. Er pries den amerikanischen Haushalt als Vorbild und rief 1862 die Ingenieure dazu auf, »ihre Fähigkeiten und ihr Genie nicht nur für die Bedürfnisse der großen Industrie einzusetzen, sondern auch für die Bedürfnisse des Haushalts«.[72] Zu Beginn des 20. Jahrhunderts, als das Dienstbotenwesen in die Krise geriet, wurde die Hausarbeit generell Teil des feministischen Programms. Die Schwedin Ellen Key brachte die Idee der Entlohnung von Hausarbeit in die Debatte.

Der Kampf um den eigenen Unterhalt und die wirtschaftliche Autonomie hält bis heute an. Nachdem Frauen einen Platz in der Arbeitswelt für sich erobert hatten, befanden sie sich in der Falle der Doppelbelastung, ohne eine angemessen flankierende Sozialpolitik. Aus dem Kampf um das Recht auf Arbeit wurde daher zu Beginn des 20. Jahrhunderts der Kampf gegen sexuelle Diskriminierung.

STRATEGIEN UND BÜNDNISSE

Die Strategien und Bündnisse bewegten sich zwischen Reformismus und Radikalismus.

Mitte des 19. Jahrhunderts war der Feminismus in den USA Teil einer bürgerlichen Reformstrategie, die darauf zielte, die amerikanischen Institutionen nach rationalistischen und egalitären Prinzipien umzugestalten.[73] Die für diese Reformen zentralen Probleme waren generelle Probleme der bürgerlichen Gesellschaft. Die Feministinnen suchten und erhielten eine gewisse Macht im Bereich des Privatlebens. Am Ende des 19. und zu Beginn des 20. Jahrhunderts zeichnete sich in den USA eine separatistische feministische Strategie ab. Sie beharrte auf dem Unterschied der Geschlechter und war in der mittelständischen Frauenkultur verwurzelt. Frauenklubs regten bürgerliche Reformprogramme an und ermutigten Frauen, sich als Staatsbürgerinnen und nicht mehr länger nur als Ehefrauen und Mütter zu begreifen. Den Erfolg dieser Strategie halten manche Historikerinnen für so bedeutend, daß sie den nach Einführung des Frauenwahlrechts einsetzenden Niedergang des amerikanischen Feminismus in den 1920er Jahren auf die allgemeine Abwertung dieser weiblichen Kultur zurückführen.[74] Heute orientiert sich der lesbische Feminismus an dieser Geschichte des separatistischen Feminismus.

In Europa oszillierten die politischen Strategien der Feminismen zwischen liberalem Reformismus und sozialprotestantischem Moralismus. Offensiver wurden diese Strategien mit dem Aufkommen der sozialistischen Bewegung, deren Taktiken und Propagandamethoden auch die Feministinnen beeinflußten.[75] Sie bevorzugten als Ausdrucksform für ihr militantes Engagement Propaganda, zivilen Ungehorsam, aktive Gewaltlosigkeit und physische Gewalt. Zu Beginn des 20. Jahrhunderts übernahmen die Feministinnen des radikalen Flügels die von den Sozialisten erprobten Taktiken – Demonstrationen, Transparente, Parolen, Farben, Angriffe auf Gegner. Das Wissen über die modernen Techniken der Propaganda wurde von Mund zu Mund weiterverbreitet und erreichte u.a. Ungarn, wo Rosika Schwimmer und ihre Anhängerinnen sich ihrer im Kampf für das Frauenwahlrecht bedienten. Ziviler Ungehorsam wurde nur von einer Minderheit praktiziert, so in England von der Women's Freedom League und der Vote for Women Fellowship, sowie von einzelnen Feministinnen wie Anita Augspurg und Lida Gustava Heymann in Deutschland oder Hubertine Auclert und Madeleine Pelletier in Frankreich, die sich weigerten, Steuern zu bezahlen, solange Frauen nicht in der Legislative vertreten waren.

Der militante Kampf konnte auch die aktive Form einer gewaltlosen Herausforderung der Regierung annehmen. Dazu gehörte die Befragung von Politikern, die Unterbrechung von Parlamentssitzungen, die Weigerung, Geldbußen zu bezahlen, oder der Hungerstreik im Gefängnis. Ebenso wie in England inszenierten Feministinnen auch in Frankreich außerordentlich einfallsreiche politische Provokationen.[76] Als in Frankreich im April 1901 eine Briefmarke in Umlauf kam, die der Menschenrechte (besser: Männerrechte) gedachte, entwarf Jeanne Oddo-Deflou eine umgekehrte Version dieser Marke; ein Mann hält die Tafeln der Frauenrechte empor. Ihre Marke wurde ein großer Erfolg. Zum hundertjährigen Jubiläum des Code Napoléon im Jahre 1904 zerriß Hubertine Auclert auf einer feministischen Demonstration in aller Öffentlichkeit ein Exemplar dieses gefeierten Gesetzbuchs. Während eines Banketts aus Anlaß desselben Jubiläums ließ Caroline Kauffman, Sekretärin der Solidarité des Femmes, riesige Ballons mit der Aufschrift: »Der Code erdrückt die Frauen, er entehrt die Republik!« steigen.

Manche englischen Suffragetten setzten auch physische Gewalt, Brandstiftung und andere Arten militanten Widerstands ein, extreme Kampfformen, die nach den Worten ihrer Führerin Emily Pankhurst durch die irische Nationalbewegung inspiriert waren.[77]

Demokratische Bündnisse

Bündnisse wurden geschlossen, wo politische und religiöse Bewegungen zusammentrafen, und je nach den Erfahrungen einer Gruppe oder auch einer einzelnen Feministin modifiziert. In ganz Europa kam es zu Bündnissen mit den Demokraten. In Deutschland knüpften Mitglieder der Freikirchen Verbindungen zu den Demokraten und zur Arbeiterbewegung. Die Frauenbewegung verdankte in den 1860er Jahren den religiösen Dissidentinnen ihre Verbindungen zum Internationalismus und zum republikanisch-demokratischen Pazifismus. Es gab ganz offensichtlich politische Entsprechungen zwischen der demokratisch-laizistischen Opposition, den freikirchlichen Gemeinden und den Frauen um Louise Otto.[78]

In Frankreich waren Feministinnen und Republikaner Verbündete im Kampf um mehr Demokratie. Zwischen 1870 und 1890 wurde der französische Feminismus von dem Freimaurer Léon Richer (1824–1911) und der Freidenkerin Maria Deraismes (1828–1894) geprägt. Zu ihrem radikalen Programm gehörten die Forderungen nach Vaterschaftsermittlung und das Recht auf Scheidung. Beide setzten sich allerdings nicht für die sofortige Einführung des Frauenwahlrechts ein, da sie fürchteten, allein die katholische Kirche würde davon profitieren. Zu einer ähnlichen Zusammenarbeit zwischen Freidenkern und Feministinnen kam es in den Niederlanden insbesondere im literarischen und

Theatermilieu, vor allem im Zirkel De Dageraad (Morgenrot).[79] Das französische Bündnis zwischen Feministinnen, Freidenkern und Freimaurern zeitigte insgesamt wenige greifbare Erfolge. Seine Wirkung beschränkte sich im wesentlichen auf die symbolische Ebene der Fürsprache für die Gleichstellung und politische Gleichberechtigung von Frauen. Solcher Prinzipienerklärungen müde, zogen sich die französischen Feministinnen schließlich von ihren wenig effektiven Bündnispartnern zurück und entwickelten in der Folgezeit die Strategie einer eigenständigeren Organisation.[80]

Liberale Bündnisse gab es in ganz Europa von England bis Rußland. Seit den Anfängen des Liberalismus gab es ein festes Band zwischen dem Utilitarismus John Stuart Mills und dem Feminismus.[81] Die Vorsitzende der National Society for Women's Suffrage, Lydia Becker, war eine Liberale aus Manchester; unterstützt wurde sie von den liberalen Verfechtern des Freihandels aus Lancashire. Im englischen Parlament kam es bis zum Beginn des 20. Jahrhunderts regelmäßig zu persönlichen Interventionen von Linksliberalen zugunsten des Frauenwahlrechts. In Schweden, aber auch in Dänemark, zogen die Suffragetten der Jahrhundertwende große Vorteile aus ihrem Bündnis mit der liberalen Partei.[82] In Österreich und Deutschland regten Liberale die Gründung von Vereinen zur Förderung der Frauenarbeit an. Der »Wiener Frauenerwerbsverein« (1866) wurde zum Vorbild für ähnliche Verbände in Prag und Brünn.[83] In den Niederlanden finanzierten wohlhabende Linksliberale Hélène Merciers Initiativen im Bereich der Wohlfahrt.[84] Und selbst in Rußland gewannen die Frauen während der Jahre des feministischen Aufschwungs 1905–1907 die Unterstützung der liberalen Kadettenpartei.[85] In den romanischen Ländern dagegen scheiterte die Bildung einer Allianz zwischen Feministinnen und Liberalen. Die italienischen Feministinnen machten ähnliche Erfahrungen wie die französischen. Anna Mozzoni arbeitete in den 1880er Jahren eng mit den italienischen Freimaurern, Republikanern und Liberalen zusammen, die eine Art unabhängige Linke bildeten. Doch enttäuscht vom wirtschaftlichen Scheitern und der demokratischen Indifferenz der republikanischen und antiklerikalen Linken, wandte sich Mozzoni dem Sozialismus zu, ohne jedoch jemals der Partei beizutreten.[86]

Sozialistische Bündnisse

Bereits seit Beginn des 19. Jahrhunderts gab es enge Verbindungen zwischen Sozialismus und Feminismus. Die Veröffentlichung von Engels' *Der Ursprung der Familie, des Privateigentums und des Staats* (1884) und Bebels *Die Frau und der Sozialismus* (1879) verhalfen dieser Verbindung zu einer soliden theoretischen Basis. Doch als die sozialistischen Feministinnen ihre männlichen Genossen dazu drängen wollten, ihre Versprechungen auch in die Praxis umzusetzen, kam es zu Ambivalenzen und Konflikten. Zuweilen wagten es die Sozialistinnen nicht einmal, ihre feministischen Ziele öffentlich zu verkünden, weil sie befürchteten, damit der proletarischen Sache zu schaden. In den 1890er Jahren kam es zu großen organisatorischen Anstrengungen. In der ersten sozialistischen Partei Europas, der holländischen Sozialdemokratischen Union, stimmten die Feministinnen für Autonomie. Nach sieben Jahren gemeinsamer Erfahrung verließen sie die Partei und gründeten 1889 die Vrije Vrouwen Vereenigung, um so der Frauenfrage endlich das angemessene Gewicht verleihen zu können. Als 1894 eine neue sozialdemokratische Arbeiterpartei gegründet wurde, sahen sich die Frauen zur Integration in die Parteistruktur gezwungen. Aber sie behielten ihre eigene Organisation. Mathilde Wibaut-Berdenis beispielsweise versammelte 1902 vor allem die Arbeiterinnen aus dem Südwesten in der Gruppe Samen Sterk (Zusammen stark); später gründete sie in Amsterdam weibliche Propagandaclubs, als sie sah, daß die allgemeine Parteipropaganda die Frauen nicht erreichte. Die Partei erzwang die Integration dieser Clubs in die Partei, weigerte sich aber, die Frauenzeitung *Proletarische Vrouw* zu finanzieren.[87]

In Italien waren Sozialismus und Feminismus zu Beginn ein und diesselbe Sache, wie die eklektische Sozialistin Anna Kuliscioff (1854–1925) in der Rivista internazionale del Socialismo (1880) programmatisch verkündete. In der Folgezeit jedoch gewannen die Interessen der sozialistischen Partei die Oberhand. Das Gesetz über die Frauen- und Kinderarbeit, das Kuliscioff 1902 zur erfolgreichen Abstimmung brachte, war in ihren Augen bedeutungsvoller für die Errungenschaften des Sozialismus als für die des Feminismus. Auch die Agitation für das Frauenwahlrecht betrachtete sie als »unumgängliche und zweckbetonte Notwendigkeit« im Interesse der Partei.[88] Letztlich dürfte allerdings Anna Kuliscioff mehr für die italienischen Frauen erreicht haben als die feministisch genannten Gruppen des Landes.[89]

Während der beiden Jahrzehnte vor dem Ersten Weltkrieg war die Haltung der Sozialistinnen zu Partei und Gewerkschaften getragen von der Überzeugung, daß die formale Gleichheit, wie sie die Frauen aus dem Bürgertum forderten, die sozialen Ungleichheiten fortbestehen lassen würde. Der Internationale Arbeiterkongreß stimmte 1893 in Zürich für das Prinzip besonderer Gesetze zum Schutz von Arbeiterinnen. Damit wurde eine Koalition zwischen Sozialistinnen und bürgerlichen Frauen unmöglich.[90] In den verschiedenen Ländern machte sich dieser Bruch mehr oder weniger deutlich bemerkbar. In Österreich waren die Beziehungen zur bürgerlichen Frauenbewegung entspannter als in

Deutschland. Therese Schlesinger etwa gehörte der Arbeiterbewegung an und arbeitete gleichzeitig bei der unabhängigen feministischen Frauenzeitung *Dokumente der Frauen* (1899) mit, die von den Suffragetten Augusta Fickert, Rosa Mayreder und Marie Lang herausgegeben wurde. Doch die Loyalität der österreichischen Sozialistinnen gegenüber ihrer Partei war absolut; so verzichteten sie 1905 aus taktischen Gründen auf die Forderung nach dem Frauenwahlrecht, um zuerst das allgemeine Wahlrecht für Männer zu erkämpfen.[91]

Die englischen Textilarbeiterinnen machten Ende des 19. Jahrhunderts dieselben Erfahrungen wie die Chartistinnen fünfzig Jahre zuvor. Als sie das Wahlrecht forderten und ihre Hoffnungen dabei auf die neue Labour Party setzten, bat man sie um Geduld. Anders als die Österreicherinnen kehrten die britischen Frauen daraufhin der Partei den Rücken. Emily Pankhurst, enttäuscht von den Liberalen unter Gladstone, versuchte innerhalb der Independent Labour Party von Manchester für das Frauenwahlrecht zu kämpfen. Nach dem Tode ihres Mannes verließ sie auch diese Partei und konzentrierte ihre Energien auf die Gründung der Women's Social and Political Union, die sie 1903 zusammen mit ihren beiden Töchtern bewerkstelligte und die sich im Laufe des Kampfes um das Wahlrecht rasch radikalisierte.[92]

Auch in den USA gab es zwei unterschiedliche Phasen des sozialistisch-feministischen Bündnisses. Frances Wright, die aus der Tradition des utopischen Sozialismus kam, arbeitete in den 1830er Jahren zusammen mit Robert Owen in der New Yorker Arbeiterbewegung an dem Vorhaben, eine Gesellschaft ohne Unterdrückung und frei von Klassen, Rassen- oder Geschlechterdiskriminierung zu errichten. Aber ihr nationaler Erziehungsplan fand kein Echo, denn die außerfamiliäre Erziehung machte den Arbeiterfamilien angst. Charlotte Perkins Gilman entwickelte Ende des 19. Jahrhunderts unter dem Einfluß der amerikanischen Soziologie, die eine Angleichung der Klassen anstrebte, einen höchst persönlichen sozialistischen Feminismus.[93] Die California Federation of Trades verlieh ihr eine Auszeichnung und entsandte sie 1896 als Delegierte zum Kongreß der II. Internationale nach London. Ihr Buch *Women and Economics* (1898) fand 1899 auf dem Kongreß des Internationalen Frauenrats in London große Resonanz. Sie grenzte sich darin wie folgt von den Suffragetten ab: »Die politische Gleichheit, die von den Suffragetten gefordert wird, ist nicht ausreichend für die wahre Freiheit. Die Frauen, die in der Arbeit Dienstbotinnen sind oder aber überhaupt nicht arbeiten, von Männern ernährt und gekleidet werden und von ihnen ihr Taschengeld bekommen, erlangen durch den Gebrauch des Wahlrechts weder Freiheit noch Gleichheit.«[94] Sozialismus bedeutete für Charlotte Perkins Gilman in erster Linie die Sozialisierung der Produktion. Die Verwirklichung des Sozialismus war ihr wichtiger als die Zugehörigkeit zu einer Partei. Auch hielt sie bestimmte Kreise des aufgeklärten Bürgertums für fortschrittlicher als die Arbeiterklasse.

Anarchistische Bündnisse

Während sich die Beziehungen zwischen Sozialismus und Feminismus konfliktreich gestalteten, kam es zwischen Anarchismus und Feminismus gar nicht erst zu einer Verbindung.[95] Eine anarchistisch-feministische Bewegung hat es nie gegeben. Doch der Gedanke der Autonomie des Individuums, der auch die Autonomie der Frau einschloß, wurde in libertären Kreisen begrüßt. Einzelne Anarchistinnen waren für diese Idee empfänglich. Das gilt besonders für Frankreich, wo Anna Mahé, die Gründerin der Zeitschrift *L'Anarchie,* in ihren Prinzipien einer anarchistischen Pädagogik zugleich der spezifischen Rolle der Mutter und dem Ideal der Autonomie Rechnung trug. Ihre Artikelserie wurde 1908 in der Broschüre *L'Hérédité et l'Education* zusammengefaßt. Den Kampf um das Frauenwahlrecht und eine Reform des Code civil lehnten die Anarchistinnen ab. Dennoch ergaben sich dank des Engagements von Feministinnen wie Nelly Roussel, Madeleine Pelletier und Madeleine Vernet Felder der Zusammenarbeit mit den Neo-Malthusianerinnen. Emma Goldman hielt zahlreiche Vorträge in den USA über Abtreibung, Empfängnisverhütung und Sterilisation des Mannes.[96]

In der Schweiz stellte Margarethe Faas-Hardegger 1905 bis 1909 in ihrem gewerkschaftlichen Kampf sowohl die sozialen und politischen Rechte der Frauen als auch Empfängnisverhütung und Abtreibung in den Vordergrund.[97] Sie ließ sich von der französischen revolutionären Gewerkschaftsbewegung anregen und griff deren Methoden der direkten Aktion, des Streiks, des Boykotts und der Gründung von Genossenschaften auf. Wegen ihrer antimilitaristischen Haltung verlor sie 1909 ihren Posten als Gewerkschaftssekretärin.

Im allgemeinen erwiesen sich die verschiedenen Bündnisse nur so lange als stabil, wie die Frauen mit den liberalen, sozialistischen oder anarchistischen Zielen der jeweiligen Bündnispartner konform gingen. Jede Partei hatte ihr eigenes Steckenpferd: bei den Liberalen waren es Frauenarbeit und Frauenwahlrecht; bei den Sozialisten Arbeiterschutz und -bildung; bei den Anarchisten die Geburtenkontrolle.

DER ANTIFEMINISMUS

Antifeministische Reaktionen kristallisierten sich um zwei Hauptthemen. Die französische Arbeiterbewegung war von Pierre-Joseph Proudhon geprägt, dessen Vorstellungen denen Fouriers entgegengesetzt waren. Die Feministinnen wehrten sich gegen die Proudhonsche Einteilung der Frauen in Hausfrauen oder Huren, die bei Sozialisten und Gewerkschaftern gleichermaßen Anklang fand; so etwa prominente Kritikerinnen wie Juliette Lambert mit ihren *Idées anti-proudhoniennes sur lamour, la femme et le mariage* (1858) und Jenny d'Héricourt mit *La femme affranchie* (1860).

Als besonders frappierendes Beispiel für gewerkschaftlichen Antifeminismus sei die Affäre Couriau, die 1913 in Lyon für Furore sorgte, erwähnt. Als die Schriftsetzerin Emma Couriau der Gewerkschaft beitreten wollte, wurde nicht nur ihr Antrag abgelehnt, sondern auch noch ihr Ehemann aus der Gewerkschaft ausgeschlossen, weil er seiner Frau nicht verboten hatte, den Beruf der Schriftsetzerin auszuüben. Dieser Skandal fand heftigen Widerhall sowohl in der gewerkschaftlichen als auch der feministischen Presse.[98] In Deutschland wollten die Anhänger Ferdinand Lassalles, des ersten Vorsitzenden des Allgemeinen Deutschen Arbeitervereins (1863), zwar Heimarbeit von Frauen, nicht aber deren Fabrikarbeit akzeptieren. Der proletarische Antifeminismus versuchte, die Frauen auf die häusliche Sphäre zu beschränken.[99]

Im Bereich der Universitäten herrschte insbesondere in der Medizin und der Rechtswissenschaft ein vehementer Antifeminismus. Als zum Beispiel in Wien die Frauen in den 1890er Jahren die Zulassung zum Medizinstudium forderten, wandte sich der Chirurg Professor Albert in einer berühmt-berüchtigten Broschüre gegen sie. Dies hatte lange Kontroversen zur Folge und provozierte Marianne Hainisch zu ihrer Replik: *Seherinnen, Hexen und die Wahnvorstellungen über das Weib im 19. Jahrhundert* (1896).[100]

Die erste Frau Europas, die ein Jurastudium aufnahm, war die Schweizerin Emilie Kempin-Spyri, die sich 1883 an der Züricher Universität einschrieb. Zuerst wurde ihr der akademische Abschluß, dann die Möglichkeit der Bewerbung für eine Professur in Römischem Recht verweigert. Unter dem Zwang der Verhältnisse emigrierte sie nach New York und gründete dort das erste rechtswissenschaftliche Frauencollege. Wieder zurück in Zürich, scheiterte sie 1891 ein zweites Mal an der juristischen Fakultät. Daraufhin versuchte sie, sich als Expertin für internationales Privatrecht in Berlin ihren Lebensunterhalt zu verdienen, hatte damit aber kaum Erfolg. Am Ende ihrer Kräfte, nahm sie 1899 in einer Baseler psychiatrischen Klinik eine Beschäftigung als Hausangestellte auf![101]

In Schweden entwickelte sich um August Strindberg und die Feministin Ellen Key eine interessante Debatte über den »feministischen Antifeminismus«.[102] Strindberg warf dem schwedischen Feminismus vor, er sei provinziell und verbünde sich zu eng mit den pietistischen Moralisten. Im Vorwort zu *Giftas* (Heiraten, 1884) kritisierte er Ibsen und griff Ehe und Familie an, aber auch die neuen Reformen, die in seinen Augen gleichermaßen zu Unterdrückung führten. Ebenso wie Strindberg fand auch die innovative Pädagogin Ellen Key die von den Feministinnen des Frederike-Bremer-Vereins propagierte sexuelle Enthaltsamkeit inakzeptabel. Doch vor allem kritisierte sie den Egalitarismus der Mittelschichtfrauen, da er dieselben Ambitionen wie die Männer verfolge. In *Missbrukad kvinnokraft* (Schlechter Gebrauch der Macht durch Frauen, 1896) und *Kvinnopsykologi och kvinnliglogik* (Psychologie der Frau und weibliche Logik, 1896) versuchte sie, die spezifischen Eigenschaften der Frau herauszuarbeiten. Ihre Verteidigung der Mutterschaft ging Hand in Hand mit der Verteidigung von Individualismus und Freiheit.

Auf der anderen Seite des Spektrums gab es den »Antifeminismus der emanzipierten Frau«, die jegliche feministische Forderung strikt ablehnte. Diese paradoxe Position wählte etwa die viktorianische Schriftstellerin Eliza Lynn Linton (1822–1898). Sie verleugnete ihr eigenes Geschlecht, um sich gegen das Weiblichkeitskonzept des viktorianischen Patriarchats aufzulehnen.[103]

HISTORISCHE GESTALTEN

Die Feministinnen des 19. Jahrhunderts, ob Einzelgängerinnen oder Mitglieder von Gruppen, hatten etwas Heroisches an sich. Ihre außergewöhnlichen Leistungen lassen uns teilhaben an einem Moment der Provokation. Sie offenbaren uns etwas Wesentliches, vermitteln uns ihren »Stolz, eine Frau zu sein«. An einige wenige dieser herausragenden Frauengestalten, die oftmals ihrer Zeit, ihrer Klasse oder ihrem Land weit voraus waren, sei hier erinnert. Die viktorianische Feministin Harriet Martineau (1802–1876) lehnte die Ehe ab und verdiente sich ihren Lebensunterhalt als Schriftstellerin. Lange bevor die Sozialwissenschaften institutionalisiert wurden, entwickelte sie eine Technik soziologischer und politischer Beobachtung. Äußerst scharfsinnig analysierte sie die Rolle und den politischen Status der Frauen in Europa und den USA. Bereits mit dreißig Jahren war sie berühmt wegen ihrer Veröffentlichungen zur politischen Ökonomie. Ihre Schriften führten zur Gründung mehrerer fortschrittlicher Bewegungen in England, die sich vor allem für verbesserte Bildungschancen, für die Abschaffung der staatlichen Regulierung der Prostitution und für das Frauenwahlrecht einsetzen.[104]

Die Schweizer Aristokratin Meta von Salis-Marschlins (1855–1929) trat im Gegensatz zu den liberalen Politikern ihrer Zeit nicht für die Demokratisierung der Welt ein, sondern für deren Aristokratisierung im Sinne Nietzsches. In ihrer Schrift *Die Zukunft der Frau* (1886) entwarf sie die Utopie eines »Frauenmenschenthums«. Männer und Frauen werden in einer Seelengemeinschaft zusammenleben und Frauen von den Zwängen ihrer Existenz als »Haushaltsmaschine« befreit sein.[105] Zu einer Zeit, als der Schweizer Feminismus noch in philanthropischen Aktivitäten befangen blieb, widmete sie sich philosophischen und rechtlichen Studien und begab sich auf Vortragsreisen, um für die Gleichberechtigung der Frau zu plädieren.

Eine andere Aristokratin, die Österreicherin Bertha von Suttner (1843–1914), lebte für die Idee des Friedens in Europa und auf der ganzen Welt. Es war keine Kleinigkeit, im kolonialistischen Kaiserreich Wilhelms II. oder in der Habsburgermonarchie mit ihrer expansionistischen Balkanpolitik für den Frieden zu kämpfen. Man verspottete sie als »Megäre des Friedens« oder »hysterischen Blaustrumpf«. Dennoch wurde ihr Roman *Die Waffen nieder!* (1889) in zwölf Sprachen übersetzt. Sie organisierte zahllose pazifistische Treffen und versuchte, Politiker und Diplomaten für ihre Ziele zu gewinnen, zu einer Zeit, in der Frauen keinerlei politische Rechte hatten, noch nicht einmal das Recht, einer politischen Gruppierung anzugehören. Ihr außerordentliches Engagement und empanzipiertes Auftreten erstaunen um so mehr, als Suttner einem Milieu entstammte, in dem politische Themen für junge Damen ein Tabu waren.[106]

Die holländische Sängerin und Schauspielerin Mina Kruseman (1839–1922) wollte Emanzipation nicht nur predigen, sondern auch leben. Ihre erste Novelle *Een huwelijk in Indië* erzählt die Geschichte einer jungen Frau, die zur Heirat gezwungen wird. Mit dieser realistischen Geschichte über die Unterwerfung der Frau setzte sie sich deutlich von der niederländischen Erzähltradition ab. Mina Kruseman unterrichtete junge Mädchen im literarischen Schreiben und im Theaterspiel, lehrte sie Arbeitsdisziplin, aber auch das Verhandeln mit Verlegern, damit sie sich als Künstlerin Respekt verschaffen könnten. Eine emanzipierte Frau war für Mina Kruseman unverheiratet und aktiv.[107]

Die Engländerin Olive Schreiner (1855–1920) war eine einzigartige Feministin. Geboren in Südafrika, befreundet mit Eleanor Marx, war sie für einige Jahre die zentrale Gestalt im Leben Havelock Ellis', einem der ersten britischen Sexualtheoretiker. Zu einer Zeit, in der weder Feministinnen noch Sozialisten die Kolonialpolitik Großbritanniens gegenüber Südafrika in Frage stellten, schrieb sie eine äußerst scharfsinnige Analyse der Rassenfrage, die erst 1923 in der Artikelsammlung *Thoughts on South Africa* veröffentlicht wurde. Bei ihr verschmolzen Leben, Politik und Schreiben zu einer nahtlosen Einheit, die mit dem uns heute vertrauten Diktum »Das Private ist politisch« beschrieben werden kann.[108]

Die Berlinerin Hedwig Dohm (1833–1919) war eine leidenschaftliche feministische Theoretikerin. Ihre Situation als Jüdin mag ihr besonderen Scharfblick verliehen haben. Ihren Kampf führte sie mit der Feder; dabei deckte sie ein außergewöhnlich breites Spektrum feministischer Themen ab. Ihr erstes Pamphlet richtete sich gegen den Klerus: *Was die Pastoren von Frauen denken* (1872). Ihm folgte eine Analyse der Unterdrückung der Frau innerhalb der Familie: *Der Jesuitismus im Hausstande* (1873). Zu einer Zeit, als es in Deutschland selbst im Rahmen der Frauenbewegung noch zu früh war, die Forderung nach dem Stimmrecht zu erheben, veröffentlichte sie bereits *Der Frauen Natur und Recht, Eigenschaften und Stimmrecht der Frau* (1876). In *Die Wissenschaftliche Emanzipation der Frau* (1874) wies sie die neuen anatomischen, physiologischen und medizinischen Theorien über die Minderwertigkeit der Frau zurück. Diese Kritik vertiefte sie später in *Die Antifeministen* (1902), zu denen sie Nietzsche und Moebius zählte. Ihr ganzes Leben lang opponierte sie gegen die sexuelle, materielle und psychologische Unterdrückung der Frau.[109]

Diese einzelnen feministischen Persönlichkeiten beeindrucken uns durch ihre einzigartige Stärke. Andere schöpften ihre Kraft aus lebenslangen Freundschaften. Die Amerikanerinnen Elizabeth Cady Stanton (1815–1902) und Susan B. Anthony (1820–1906), die eine Mutter, die andere Junggesellin aus politischer Überzeugung, waren unzertrennlich in ihrem Kampf gegen die Sklaverei und für das Frauenwahlrecht – auch wenn Susan Anthony im Alter konservativer und Elizabeth Cady Stanton vor allem in Fragen der Religion und Sexualität radikaler wurde. Anthony überredete Stanton dazu, aus ihren eigenen vier Wänden herauszutreten und eine Rolle im öffentlichen Leben zu übernehmen. Ihre Beziehung war als emotionale Stütze und intellektuelle Herausforderung für beide gleichermaßen wichtig und betonte andererseits die Exzentrizität einer jeden. Sie begaben sich auf zahlreiche Vortragsreisen, gründeten viele Vereine, organisierten Kongresse und gaben nicht zuletzt die sechsbändige *The History of Woman Suffrage* (1881) heraus.[110]

Die Deutschen Helene Lange (1848–1930) und Gertrud Bäumer (1873–1954) bildeten ein ähnliches »Paar«. Die Ältere war die Gründerin des Allgemeinen Deutschen Lehrerinnenvereins und beeinflußte die intellektuelle und politische Entwicklung der Jüngeren, die ebenfalls

Lehrerin war. Ein Resultat ihrer gemeinsamen Arbeit und Ausdruck ihrer kulturellen Mission ist das fünfbändige *Handbuch der Frauenbewegung* (1901–1905).[111] Zwei Schweizer Feministinnen, Helene von Mülinen (1850–1924) und Emma Pieczynska-Reichenbach (1854–1927), lebten seit 1890 zusammen. Die dreißig Jahre ihres Zusammenlebens, denen der Bruch einer Verlobung bzw. Ehe vorausging, setzten bei ihnen gewaltige Energien frei. Sie gründeten den Bund Schweizer Frauenklubs, und ihr Haus in Bern wurde zu einer Art Wallfahrtsort für Feministinnen aus der ganzen Welt. Sie hatten entscheidenden Anteil am Kampf Josephine Butlers gegen die staatliche Regulierung der Prostitution und beteiligten sich auch an der Gründung von Wohlfahrtseinrichtungen für Frauen in der Schweiz.[112]

Zuweilen gab es auch feministische Familien, die aktiv waren. Zu den bemerkenswertesten unter ihnen zählen die Pankhursts in England und die de Morsiers in der Schweiz. Emily Pankhurst (1858–1928) gründete gemeinsam mit ihren beiden Töchtern Christabel (1880–1948) und Sylvia (1882–1960) die Woman's Social and Political Union. Alle drei kämpften zusammen für das Frauenwahlrecht.[113]

Auf der Grundlage des sozialen Protestantismus engagierten sich Emilie de Morsier (1843–1896), ihr Sohn Auguste de Morsier (1864 bis 1923), ihre Enkelinnen Valérie Chevenard-de Morsier (1891–1977) und Emilie Droin-de Morsier (1898 geboren) sowie deren Ehegatten über drei Generationen in der Internationalen Abolitionistischen Föderation.[114]

Alle hier erwähnten Frauen haben auf die eine oder andere Weise – sei es durch die Brillanz ihrer Persönlichkeit oder durch unbeirrbare Beharrlichkeit; sei es, daß sie vorübergehend berühmt oder berüchtigt waren oder sich mit langem Atem jenseits des Rampenlichts einer Aufgabe widmeten – das Bewußtsein ihrer Zeit mitgeprägt.

Die Historikerinnen der Frauenbewegung

Einige Feministinnen wollten ihre Erfahrungen weitervermitteln. Sie machten es sich deshalb zur Aufgabe, die Geschichte der Feministinnen des 19. Jahrhunderts niederzuschreiben. Zwei Standardwerke aus dem 19. Jahrhundert belegen eindrucksvoll die Unterschiedlichkeit der Ansätze. Das eine ist ein amerikanisches Werk und befaßt sich mit einer Einzelforderung. Es handelt sich um das sechsbändige Werk *The History of Woman Suffrage*, das Elizabeth Cady Stanton, Susan B. Anthony und Matilda Joselyn Gage zwischen 1881 und 1887 gemeinsam herausgegeben haben. Das andere Standardwerk ist das Resultat einer Zusammenarbeit europäischer und amerikanischer Feministinnen und beschäftigt sich mit den Organisationen und Kämpfen der Frauenbewegung. Dieses *Handbuch der Frauenbewegung* wurde im Jahre 1901 von Helene Lange und Gertrud Bäumer herausgegeben.

Käthe Schirmacher (1865–1930) schöpfte aus ihren Reiseerfahrungen das nötige Material für ihr Buch *Féminisme aux Etats-Unis, en France, dans la Grande-Bretagne, en Suède et en Russie,* das 1898 in Paris erschien. Auch sie entschied sich für die Form eines Handbuchs, um diese fünf unterschiedlichen Typen des Feminismus vorzustellen.

1909 veröffentlichte die Schwedin Ellen Key (1849–1926) *Kvinnorörelsen* (Frauenbewegung). Sie analysierte darin den Einfluß des Feminismus auf Frauen und Männer verschiedener Altersstufen und gesellschaftlicher Herkunft. Auch nach dem Ersten Weltkrieg bestand weiterhin Interesse an der feministischen Tradition des 19. Jahrhunderts. Ray Strachey (1887–1940) veröffentlichte 1928 *The Cause*; gestützt auf umfangreiches Material, vor allem auch auf persönliche Erinnerungen, schilderte sie darin ausführlich die Kämpfe der englischen Feministinnen in ihrer ganzen Vielfalt. Johanne Naber (1859–1941), Vorsitzende des Nationalrats der niederländischen Frauen, gab 1937 in ihrer *Chronologisch Overzicht* einen Überblick über die Leistungen der Frauenbewegung in ihrem Land.

Die dritte Generation von Feministinnen beschäftigte sich zu Beginn des 20. Jahrhunderts mit der Frage nach ihren Vorläuferinnen, ähnlich wie es die heutigen Feministinnen tun, die versuchen, eine Geschichte der Frauenbewegung zu schreiben. Zwischen Vergessen und Erinnerung, zwischen Identifizierung und Distanz läßt sich die feministische Szene des 19. Jahrhunderts nachzeichnen. Sie war geprägt von Revolte, Unterdrückung und Reformen, die ihrerseits die vielfältigen Diskurse und Handlungen strukturierten. Die Kämpfe endeten ohne glorreiche Siege. Es scheint, als müsse eine jede Generation von Feministinnen den Kampf um einen noch niemals erreichten Fortschritt erneut aufnehmen.

Aus dem Französischen von Gabriele Krüger-Wirrer

20 Die neue Eva und der alte Adam

Geschlechteridentität in der Krise

Annelise Maugue

Es ist müßig, auch noch in der Literatur nach Belegen dafür zu suchen, daß sich die gesellschaftliche Situation grundlegend gewandelt hat: Solche Belege finden sich anderweitig reichlich genug. Doch läßt sich anhand der Literatur nachvollziehen, wie die Zeitgenossen diese Umwälzung wahrnahmen, und wie diese Wahrnehmung wieder auf die Frauenbewegung zurückwirkte und Einfluß auf deren Richtung und Rhythmus nahm.

Schriftsteller haben sich für die Frauenfrage vielfach interessiert; ja mehr noch, sie standen regelrecht in ihrem Bann. Das Thema regte eine Unzahl von Werken an und durchdrang auch solche, die ihm eigentlich gar nicht gewidmet waren. Kurz, folgt man der Literatur, dann waren sich die Zeitgenossen über die Tragweite des Prozesses völlig im klaren. Als es noch keineswegs Mode war, beobachteten Schriftsteller bereits aufmerksam, in welcher Situation sich das andere Geschlecht befand, wie Frauen an den Traumata der Hochzeitsnacht litten und sich mit unerfüllbaren Diplomsehnsüchten herumschlugen. Schriftsteller entdeckten in solchen Themen mindestens ebensooft wie ihre schreibenden Zunftkolleginnen eine fast unerschöpfliche Quelle der Inspiration.

Sie nahmen sich dieser Themen an, allerdings ohne übertriebene Begeisterung, und das kann nicht verwundern. Denn immerhin ging es um Rechte: Aus welchem Blickwinkel man die Situation der Frauen im 19. Jahrhundert auch betrachtetete, ob von der Arbeitswelt, von der Moral, von der Erziehung oder der Ehe her, und gleich, ob dies im

Essay oder im Roman geschah, unweigerlich stieß man auf die Rechte der Frauen und damit auf die Frage, ob den Frauen diese Rechte zu verweigern oder zu gewähren seien. Nun gehorchen Schriftsteller als gute Intellektuelle meistens dem von Sartre betonten Prinzip der Zwitterstellung und stellen ihre Feder in den Dienst der Entrechteten, Verdammten und des Anderen: des Proletariers, des Schwarzen oder des Juden. Gilt das aber auch für die Frau als die Andere? In allen Sprachen kann man die Jünger John Stuart Mills unter den Schriftstellern an den Fingern einer Hand abzählen: Sie machten viele Worte, blieben aber bedenklich, unschlüssig oder glattweg feindselig. Sogar ein überzeugter Demokrat wie Anatole France schrieb 1899: »Die heutige Emanzipation der Frau ist ausreichend.«[1]

Es gab eine Blockierung, die so wirksam war, daß sie selbst Autoren zu krasser Inkonsequenz verleitete, die von Verstand und humanistischer Logik her zu allen Zugeständnissen bereit gewesen wären. Eben noch hatte Émile Zola eine ideale Gesellschaft geschildert, in der »die Frau unverheiratet bleiben, wie ein Mann leben, in allem und überall die Männerrolle ausfüllen kann«, und schon drängte es ihn hinzuzufügen:

> »Aber wozu sich verstümmeln, das Verlangen leugnen, sich vom Leben absondern? (...) Bald war die natürliche Ordnung von allein wiederhergestellt, auch hier zwischen den versöhnten Geschlechtern wieder Friede eingekehrt, und beide fanden ihr Glück in stiller Häuslichkeit.«[2]

Auch Zola kann sich die freie Frau in der Gesellschaft, die ihre Rechte tatsächlich in Anspruch nimmt (denn wozu Rechte, wenn sie nicht eingefordert werden können), nur ledig, keusch, geschlechtslos, »verstümmelt« vorstellen: frei, aber nimmermehr Frau... In dieselbe Richtung weist, daß das Schlagwort von der »neuen Eva« Furore machte und in einem Text um den andern auftaucht, auch als Titel bei D. H. Lawrence und Jules Bois: Die Zeitgenossen verkannten keineswegs die Tragweite des Prozesses, denn sie spürten genau, daß sie Zeugen nicht bloß einer Evolution, sondern einer Mutation waren, einer Mutation im wahrsten Sinne des Wortes.

Eva scheidet dahin, Eva ist tot: An ihre Stelle tritt ein neues, ein ganz anderes, ein unbekanntes Wesen. Was könnte beängstigender wirken? Sobald man diese Reichweite der Frauenbewegung wahrnimmt, versteht man besser, warum sie so viel Aufmerksamkeit und solche Ängste auf sich gezogen hat. Doch schon meldet sich wieder das Staunen: Wie seltsam, daß so schlichten Dingen wie der Erlangung eines Diploms oder einer Ehescheidung, dem Radfahren oder dem Zugang zu einer Wahlkabine derart radikale Wirkungen zugeschrieben wurden!

Verhaltene Kühnheiten

Frauen, in denen sich die neue Eva besonders spektakulär verkörperte, zeigten gleichzeitig immer wieder auch beruhigende Merkmale der Kontinuität. Zahlreiche berühmte Frauenrechtlerinnen wie Emily Pankhurst in England oder die Ärztin Edwards-Pilliet in Frankreich waren pflichteifrige Ehefrauen und Familienmütter. Die Saint-Simonistin Pauline Roland und die Feministin Regina Terruzzi waren zwar beide ledige Mütter, doch sie überließen ihren Nachwuchs nicht nach dem Vorbild Rousseaus der staatlichen Wohlfahrt. George Sand kämpfte nicht nur um das Sorgerecht für ihre Kinder, sondern kochte auch Plumpudding für Jules Sandeau, pflegte den tuberkulosekranken Chopin und stickte einem Ehemann Pantoffeln, von dem sie längst getrennt lebte. Wie hätte es auch anders sein können? War doch eine jede Frau, gleichviel, welche Ausbrüche sie sich auch später leisten mochte, in jungen Jahren in ihrem familialen, gesellschaftlichen und kulturellen Umfeld des 19. Jahrhunderts nach traditionellen Mustern geformt worden und so – in Simone de Beauvoirs Worten – »Frau geworden«. Es fehlte also nicht an Gesten, um Ängste zu beschwichtigen, und beschwichtigend war selbst der feministische Diskurs. Man lese nur einmal in der feministischen Wochenschrift *La Française* von 1906, Nr. 3, das Interview mit der Mutter von Thérèse Robert, die sich auf das Examen (*agrégation*) in den Naturwissenschaften vorbereitete: »Glauben Sie aber bloß nicht, daß ihre Wissenschaft sie weltfremd macht. Sie ist sich nicht zu schade, mir im Haushalt zu helfen, und jeden Morgen können Sie sie im Viertel einholen sehen. Und immer so freundlich!«[3] Und *La Française* Nr. 4 über Marie Curie: »Schlicht und freundlich bringt sie ihre kleine Tochter Irène Tag für Tag an der Hand in die Schule.«[4] *La Française* Nr. 5 über die bemerkenswerten Fortschritte der Sache der Frauen in Schweden: »Man sollte aber nicht glauben, daß die Schwedinnen deswegen keine Lust zu Familienleben und Mutterpflichten mehr hätten.«[5]

Vielleicht noch besser als die Literatur leuchten solche Zitate den Hintergrund aus, weil die neue Eva in ihnen so definiert wird, wie sie von ihren inbrünstigsten Apologetinnen damals gesehen wurde. Ganz offensichtlich kehrt hier von Ausgabe zu Ausgabe ein Leitmotiv wieder, auf das *La Française* durchaus kein Monopol hatte. Marie d'Agoult versicherte, »Mutterpflichten sind mit großen Gedanken vereinbar«,[6] und die Journalistin Séverine ließ in ihre Schilderung des Frauenrechtskongresses von 1900 einfließen: »Mehr als einer der feingliedrigen Zeigefinger hätte unter dem Handschuh durch kaum sichtbare Stichnarben bezeugen können, daß er zuerst mit der Nadel und erst dann mit der Feder gekämpft hat.«[7]

Diese auffallende Beteuerung von Kontinuität darf schon deswegen nicht als reine Taktik angesehen werden, nach deren Fehlern zu fragen heute ohnehin recht müßig wäre, weil sie mit einer nicht minder auffallenden Auslassung einhergeht. Wie erfolgreich Thérèse Robert auch immer »männliche« (Intellektualität) und »weibliche« Eigenschaften (Hausfrauenkompetenz) unter einen Hut zu bringen versuchte, ihren Kommilitonen männlichen Geschlechts gereichte sie keineswegs zum Vorbild als Muster für den Menschen der Zukunft, der alle Möglichkeiten der Gattung Mensch harmonisch in sich vereinte. Die Frauenrechtlerinnen konnten Kinderkrippen oder ein »Müttergehalt« fordern, waren aber bis auf wenige Ausnahmen außerstande, sich eine gleichmäßige Aufteilung der Haushaltsarbeiten zwischen den Ehegatten vorstellen zu können. Die avantgardistischen Diskurse waren von den konkreten und unmittelbaren Widersprüchen, mit denen sich eine jede Frau damals auseinandersetzen mußte, viel zu abgehoben, viel zu sehr auf das Allgemeine und die Zukunft fixiert, um nicht auch die neue Eva schließlich und endlich wieder dem Geschlecht als Schicksal auszuliefern.

»Schicksal« klingt vielleicht zu vollmundig und unangebracht für die tagtägliche und prosaische Praxis von Kinderversorgung und Haushalt, zumal die Frau inzwischen bewiesen hat, daß sie sich um das alles auch noch zu kümmern vermag, wenn sie gleichzeitig auf anderen gesellschaftlichen Feldern aktiv ist. Wenn man sich indes die Mühe macht, genauer hinzusehen (ist es reiner Zufall, daß dieses jahrhundertelang niemand getan hat?), sind diese Alltagsarbeiten äußerst vielfältig und je nach sozialer Schicht höchst unterschiedlich in der praktischen Ausführung. Schon deren technische Bewältigung erfordert zahlreiche und differenzierte Fähigkeiten. Um die Alltagspraxis bewältigen zu können, bedarf es aber einer Fähigkeit ganz anderer Art. Auf diese spielt Thérèse Roberts Mutter naiv an, als sie den hausfraulichen Eifer ihrer Tochter in einem Atemzug mit deren »Freundlichkeit« nennt: Unverzichtbare Grundlage ist die Bereitschaft, für einen anderen Menschen zu sorgen. Selbst die wohlhabende Großbürgerin muß sich der Fürsorglichkeit befleißigen, wenn sie Empfänge organisiert, um die Karriere des Ehemanns zu fördern.

Anders als die auf einen Moment konzentrierte und Aufsehen erregende, heroische Aufopferung, in der das Selbst zum höheren Ruhm vernichtet wird, erfordert das Ableisten bedeutungsloser und zugleich ewig gleicher Haushaltspflichten eine anhaltende Hingabe, in der das Selbst aufgeht, untergeht, Verzicht leistet, ohne Dank zu erwarten. Männer aber wurden nicht aufgefordert, sich fortan an dieser Spielart des Altruismus zu beteiligen. Der Altruismus blieb weiterhin eine weibliche Tugend und keineswegs nur eine Tugend unter vielen. Die neue

Eva muß zeigen, daß sie doch noch Frau geblieben ist, indem sie dieser Tugend weiter huldigt; letztendlich definiert sich nach wie vor genau an dieser Tugend und weit über den »kleinen Unterschied« hinaus das Weibliche, das seit jeher als Ergänzung und Pendant zum Männlichen wahrgenommen wird.

Solange Selbstverleugnung und Verzicht als weibliche Kardinaltugenden galten, war ein Bruch unmöglich. Die amerikanische Frauenrechtlerin Elizabeth Cady Stanton hielt diese Tugenden sogar wider Willen auch dann noch hoch, als sie sie zu verwerfen meinte und einen Redakteur anwies, in ihrem Artikel die Aussage »Persönlichkeitsentwicklung ist eine heiligere Pflicht als Selbstaufopferung« »in Großbuchstaben« setzen zu lassen.[8] Wieso nannte sie Persönlichkeitsentwicklung nicht schlicht ein Menschenrecht? Warum ordnete sie Selbstentfaltung nicht eher unter Glück und Lust ein? Vorrang hatte bei ihr weiterhin die Pflicht; die Pflicht aber verweist unausweichlich auf das Wohl des Nächsten. Die ererbte Geschlechtsidentität ist nicht allein ein Hemmnis für die Behauptung eines weiblichen Ich, sie schließt diese sogar aus und macht sie zum Tabu, weil die Geschlechtsidentität auf Selbstvergessenheit und Fürsorge für den Anderen gegründet ist. Offenbar haben selbst die Frauenrechtlerinnen größte Schwierigkeiten, sich von dieser nachhaltigen Erziehung zur Selbstbescheidung freizumachen. Folgerichtig kämpfen sie letztlich paradoxerweise für das Recht der Frauen, Doppelarbeit leisten und die Doppelbelastung schultern zu dürfen.

Seltsame Widersprüche

Es blieb auch den Schriftstellerinnen nicht verborgen, daß es nicht so ohne weiteres möglich war, nur für begrenzte Zeit ein eigenständiges Individuum zu sein. Sie durchlebten ständig die Schwierigkeiten und Widersprüche dieses Vorhabens: »Beim Unterrichten oder Nähen möchte ich manchmal lieber lesen oder schreiben dürfen«,[9] bekannte Charlotte Brontë. Doch das war nicht nur eine Zeitfrage. Diese tausend kleinen Handreichungen, nach denen andere mit ihren Bedürfnissen verlangen, »diese dauernde Hausarbeit, die mir meine ganze Zeit und mein ganzes Ich stiehlt«,[10] wie Eugénie de Guérin klagte, verzettelten und verplemperten ein Ich, das im Schaffensdrang besonders intensiv nach Sammlung strebte, um seine Besonderheit entfalten zu können. Sobald sie schreiben, veröffentlichen, bekannt werden wollten, stießen Frauen gegen Hindernisse, die den Männern fremd waren. Gleichwohl hat weder diese tägliche Erfahrung, noch der mit den Männern geteilte Status der Intellektuellen zur Folge gehabt, daß sich die Schriftstellerinnen samt und sonders dem Feminismus zugewandt hätten. Eher das Gegenteil war der Fall. Dieses Phänomen hilft, den Inhalt ihrer Werke zu erklären: Kurioserweise überdauerten in ihren Werken genau die Tabus, die sie selbst als schreibende Frauen bereits weithin sichtbar überwanden.

George Sand schreibt in ihrer *Geschichte meines Lebens* ihre Entwicklung einem Schicksalsschlag, einem ungewöhnlichen Zufall zu, der sie als junges Mädchen ein ganzes Jahr lang vor jedem »äußeren Einfluß« bewahrt habe: »Hätte mein Schicksal gewollt, daß ich sogleich aus der Oberherrschaft meiner Großmama unter die eines Gatten oder des Klosters gekommen wäre, so würde ich möglicherweise niemals ich selbst geworden sein.«[11]

Damit hebt sie zugleich hervor, wie zerstörerisch für das Ich die traditionelle weibliche Erziehung wirkte, und wie schwer es war, sich dieser zu entziehen. Kein Wunder, daß sie selbst so sanfte, bescheidene und hingebungsvolle Frauenfiguren gestaltete: Realismus verpflichtet. Andererseits verblüfft es, daß sie sich nicht mehr mit der Darstellung der weiblichen Selbstverleugnung begnügte, sondern häufig genug zu deren Verherrlichung überging. Mit Lélia und Consuelo schuf sie zwar Rebellinnen, aber auch das Mariechen in *La mare au diable* und die kleine Fadette, die sogar im Titel vorkommt *(La petite Fadette)*. Um was geht es in den beiden Romanen? Schon die Namen sprechen für sich. Da haben wir Marie, sie ist so durchgängig zur Mutter stilisiert, wie schon der Vorname vermuten läßt, und obendrein wird sie »petite Marie« (Mariechen) genannt, so daß schon der Name von völliger Machtlosigkeit kündet; auch die kleine, von drei Seiten geschundene Fadette ist gleichermaßen fad und zum ewigen Diminutiv verdammt. Aber George Sand zeichnet beide als Lichtgestalten und Frauenideale. Buhlte sie damit um die Gunst des Publikums? Warum sollte sie, hatte sie doch mit Lélia und Consuelo Erfolg und Ruhm geerntet! Welches dumpfe Schuldgefühl veranlaßte George Sand, Gestalten zu Vorbildern zu erheben, die wie eine Verleugnung der eigenen Persönlichkeit wirken?

Das Verhältnis der englischen Schriftstellerin George Eliot zu ihren Romanheldinnen ist womöglich noch eigenartiger. Weder Maggie Tulliver in *Die Mühle am Floss* noch Dorothea Brooke in *Middlemarch* ähneln der kleinen Fadette auch nur von weitem. »Bei Frauen erwartete man nicht gerade feste Überzeugungen«,[12] notiert die Verfasserin zu Beginn von *Middlemarch*: Ihre Heldin ist ausreichend nach diesem Bild gestaltet, um das vorzuführen. Das Ideal, dem Dorothea nachlebt und das für sie eine Mischung aus Christenglauben, Altruismus und Mystizismus ist, veranlaßt sie mit Billigung ihrer Schöpferin, den ganzen Roman hindurch ständig mit dem traditionellen Modell der Frau zu brechen. Sie kann sich weder für Schmuck noch für Mode begeistern, sie gibt einem jungen und liebenswerten Verehrer einen Korb, sie enthält sich angesichts der neugeborenen Tochter ihrer Schwester der üblichen Verzückung usw. Gleichzeitig aber macht sie seltsamen Gebrauch von ihrer geistigen und moralischen Autonomie. Nachdem sie den ungeliebten Pfarrer Casaubon geheiratet hat, weil sie seine erhabenen Ansichten bewunderte, muß sie feststellen, daß sein wissenschaftliches Lebenswerk wertlos ist. Als er spürt, daß sein Leben zu Ende geht und von ihr verlangt, ihr Witwendasein der Vollendung seines Werkes zu widmen, wird Dorothea nur durch sein plötzliches Hinscheiden davon abgehalten, ihm dieses zu versprechen und »damit ihrer eigenen Verurteilung« zuzustimmen.[13] Als sie später erneut heiratet, diesmal aus Liebe, steht auch diese Ehe unter dem Zeichen des Verzichts. Sie verzichtet auf das eigene Vermögen, um den mittellosen Bräutigam nicht in seinem Stolz zu kränken, und sie verzichtet darüber hinaus auch auf ihr Selbst, damit diese Ehe völlig der Norm genüge: »Viele, die sie kannten, bedauerten es, daß ein so selbständiges und seltenes Geschöpf ganz im Leben eines anderen aufging und nur einem bestimmten Kreis als Frau und Mutter bekannt war (...).«[14] Dorothea, erläuterte George Eliot, sei »eine heilige Therese (...) eine Begründerin von gar nichts«,[15] denn der Materialismus der modernen Gesellschaft verweigere ihr Erfüllung. War es die Gesellschaft oder war es George Eliot, die Dorothea daran hinderte, ihren Altruismus in sozialer Arbeit zu entfalten, für die sie sich zu Beginn des Romans sehr interessierte? In der realen Welt gelang es Frauen durchaus, sich dort zu betätigen. War es die Gesellschaft oder war es George Eliot, die sie daran hinderte zu schreiben, um anderen ihre Überzeugung mitzuteilen, wie dies die Schriftstellerin selbst tat? In einem eigenartigen Paradoxon opfert Dorothea ihre Freiheit, um sich Zwang anzutun, sie opfert ihre Besonderheit, um sich aus eigener Wahl der Herde zuzugesellen. Ihre Selbstverleugnung geschieht aus freiem Willen, wo andere Frauen sich nur unbewußt oder ungewollt selbst verleugnen, und eben damit beweist sie als »Schwan« unter lauter »häßlichen Entlein«,[16] wie überlegen sie ist. Doch George Eliot in eigener Person läßt sich mitnichten auf so ein schleichendes Martyrium vorsätzlicher Selbstvernichtung ein: Casaudon ist siebenundzwanzig Jahre älter als Dorothea, aber die Romanschriftstellerin selbst heiratete mit sechzig einen zwanzig Jahre jüngeren Mann. Vorher hatte sie fast dreißig Jahre in freier Liebe mit dem verheirateten Familienvater George Lewes gelebt. Wem fällt da nicht das so ganz andere Schicksal ihrer Maggie Tulliver ein, die sich ebenso opferwillig wie Dorothea weigert, einen Mann zu heiraten, den sie liebt und der sie wiederliebt, und das nur aus dem einen Grund, weil er früher einmal nicht etwa der Gatte oder Bräutigam, sondern nur andeutungsweise der Verehrer einer Freundin gewesen ist. George Eliot scheint sich unablässig dafür zu entschuldigen, daß sie sich herausnahm, in der Liebe und als Schriftstellerin sie selbst zu sein, indem sie Romanheldinnen zeichnete, die alle ihre Energie darauf richten, selbst nichts zu sein.

Dasselbe tat Colette; die Gleichartigkeit verblüfft um so mehr, als sich die heidnische Sinnenwelt der französischen Romanautorin radikal von der George Eliots unterscheidet. Colette wurde berühmt mit den Claudine-Romanen, die sie unter dem Pseudonym ihres Ehemanns Willy schrieb und deren lebensfrohe, kühne und nonkonformistische Heldin ihr selbst ziemlich ähnlich sieht. Als sie mit Willy brach, machte sie logischerweise auch der Romangestalt ein Ende. Der letzte Roman der Reihe trägt den Titel *Claudine s'en va*: Claudine geht fort. Auch Colette ging fort, nämlich zu anderen Büchern und zu anderen Männern. Doch das Romangeschöpf erweist sich auch hier weniger mutig als seine Schöpferin. Claudine zieht sich aufs Land zurück, um sich – was könnte erbaulicher sein? – ganz ihrem vergreisenden Gatten zu widmen. Der Roman schildert indes auch, wie sich eine andere Frau, Annie, befreit. Sie, die sich von einem autoritären Ehemann lange Zeit hat erdrücken lassen, verläßt ihn am Ende. Doch ganz, als sei es zwingend erforderlich, diese Darstellung einer Emanzipation zu versüßen, wird die vordem freiheitsliebende Claudine plötzlich zur Krankenpflegerin!

Ein weiterer Beleg für den Hang von Schriftstellerinnen, sich von der eigenen Kühnheit freizukaufen, indem sie ihre Romanheldinnen zur Selbstverleugnung verdammen, ganz wie die Feministinnen mit dem Hinweis auf den von der Nadel zerstochenen Finger Absolution für das Streben nach Diplomen suchten. Dieser rote Faden der Frauenliteratur wird noch sichtbarer durch den Kontrast zu *Ein Puppenheim*, das von einem Mann geschrieben wurde. Ibsens Drama von 1879 wurde überall in Europa auch noch lange nach der Jahrhundertwende übersetzt, gelesen, gespielt, rezensiert und verschiedentlich plagiiert. Der Erfolg dieses Stückes ist um so überraschender, als sein Schluß höchst unwahrscheinlich ist. Nora verläßt einen Ehemann, der alles andere als ein Despot ist. Sie wird von keinem Geliebten erwartet und läßt drei geliebte Kinder zurück; um ihren Unterhalt zu fristen, wird sie sich Arbeit suchen müssen, ganz ohne Beruf oder Ausbildung. Das materielle Risiko, die emotionale Zerreißprobe: Wie viele Frauen könnten sich in der Realität dazu und auf einen Schlag entschließen? Doch das Abstrakte an Ibsens Drama ist alles andere als Schwäche; es kann dessen große Wirkung sogar erklären. Indem Ibsen kühn auf das Konkrete verzichtet, legt er eine zentrale Problematik bloß, die sonst in den tausenderlei Kleinigkeiten des Alltags nur widergespiegelt und zugleich verschleiert wird. Seine Nora geht ohne »vernünftigen« Grund, außer dem, nicht mehr Spielzeug, Objekt, Geschöpf eines andern sein zu wollen, und dieser andere war vom Vater bis zum Gatten stets der Mann. »Hier war ich deine Puppenfrau, wie ich zu Hause Papas Puppenkind gewesen bin.«[17]

Unmöglich, meint Nora, meint Ibsen, sich eine authentische Identität zu schaffen, ohne die angelernte zu zerbrechen, die Identität des Geschlechts, in der das Ich der Frau nur im Verhältnis zum Anderen, zu seinen Bedürfnissen und Wünschen definiert ist, ohne für sich selbst ein für allemal Schluß zu machen mit der vorrangigen Fürsorge für den Anderen. Noras Schritt zum eigenen Handeln, ihr unwahrscheinlicher Abgang symbolisiert dieses notwendige Sichlosreißen. Doch das ist genau der Schritt, den die Frauen in der Wirklichkeit weder tun noch sich vorstellen können.

Seltsame Forderungen

Diesen Schritt aber hatten die Frauen, wenn man den Männern glauben wollte, längst getan. Weder mit Unterlassungen noch mit Worten konnten Frauen die Ängste der Männer beschwichtigen. Der Dialog zwischen den Geschlechtern hatte sich bis 1914 zu einem Dialog zwischen Tauben entwickelt.

Die Literatur schildert nur noch die bedauernswerten Opfer grausamer Frauen, die Nora nacheifern: Familien werden zerrüttet, Gatten begehen Ehebruch oder ergeben sich dem Alkohol, Kinder werden von Schwindsucht oder Unfällen dahingerafft. Diese abstrusen Zerrbilder, die von den Fakten tagtäglich, aber vergebens widerlegt werden, verdienen nähere Betrachtung. Diese systematische Überzeichnung läßt zunächst einmal ermessen, wie sehr die Frauenbewegung die Männer in Angst und Schrecken versetzt hat. Sie verweist aber auch auf exzessive Vorstellungen über weibliche Pflichtvergessenheit. Ehefrauen können in solchen Romanen ihre Familie verlassen, ohne fortzugehen: Außer Heldinnen, die nach Noras Beispiel das Haus verlassen, lösen auch andere, die auf dem Posten bleiben, genau die gleichen Katastrophen aus, weil sie einen Beruf (egal welchen) ausüben, weil sie ein Diplom (egal welches) besitzen, weil sie häufig ausgehen oder weil sie schlicht Bücher lesen. Die Kinder verwahrlosen, die Familie verarmt, am Ende begeht der Gatte Selbstmord, und alles hat damit angefangen, daß »Madame sich in ihr Zimmer einschließt, um den neuesten Maeterlinck oder Ibsen zu verschlingen«.[18] Zur Gefahr und zur Schuldigen wurde eine jede Frau, die ein paar Bruchteile ihrer Zeit und ihrer Person für sich abzweigte, die sich nicht preisgab mit Haut und Haaren. Zwar waren die Ehemänner in der Realität zweifellos nicht ganz so mimosenhaft und eitel, aber daß sie selbst nur ungern kleine Zugeständnisse machten, wird durch die Literatur eindeutig belegt. Die Literatur war der Ort, an dem alle von Trauer und Ängsten beherrschten Wahnvorstellungen ihren Ausdruck fanden.

Die an die Frauen gerichtete Erwartung schrankenloser Hingabe ging ganz logisch einher mit dem Wunsch nach absoluter Dominanz, der sich unter anderem auch in einer seltsamen pädagogischen Obsession äußerte. Die Theoretiker der Ehe scheinen es für selbstverständlich gehalten zu haben, daß jedweder Gatte ausersehen sei, seiner Gattin kunterbunt durcheinander Kochen, Moral, Hauswirtschaft und Metaphysik beizubringen: »Vergiß niemals, daß, indem du sie dir zur Gehilfin wählst, du dich zugleich verpflichtest, ihr Gatte, Freund und Priester zu sein.«[19]

Priester: an dieser größten und merkwürdigsten Überhöhung des idealen Gatten wird erkennbar, wie paradox die Ansprüche der Männer waren. Nicht nur Leib und Seele, auch der Verstand sollte unter Kontrolle gebracht werden: Die Frau sei «eine kleine Schiefertafel«,[20] erläutert der schwedische Dramatiker August Strindberg in *Die Gläubiger*, auf der der Ehegatte nach seinem Gusto den Griffel führen könne, »denn das Weib ist des Mannes Kind«.[21] Eine singuläre Gestalt kehrt in der Literatur regelmäßig wieder, die kleine Schwester, etwa Sœurette (Schwesterchen) in Zolas *Travail*, eine weitere Gefangene des Diminutivs. Infolge des frühen Todes der Eltern ist der ältere Bruder mit der Erziehung der Schwester betraut, und er nimmt diese Aufgabe mit erdrückender Selbstgefälligkeit wahr. Er bildet sie zu seiner, allerdings inferioren Doppelgängerin heran, die ihm gegenüber zu keiner kritischen Distanz fähig ist und ihn schrankenlos bewundern soll. Gerade deswegen kann sie einer Gattin oder Braut als Beispiel vorgehalten werden: »Ach! Wenn man eine Frau so liebt wie ich diese, muß man sie als Kind gekannt haben, von klein auf, und sie Jahr für Jahr wie eine Schwester großgezogen haben!«[22] Zu diesem Typus der jüngeren Schwestern gehören sowohl Henry James' Verena in *Die Damen aus Boston*, mit der interessanten Eigenschaft eines Mediums, die sich dem Einfluß ihres künftigen Gatten Basil Ranson besonders aufgeschlossen zeigen muß, als auch Villiers de l'Isle-Adams »künftige Eva«, die androide Hadaly, und ebenso Eliza Doolittle in Bernard Shaws *Pygmalion*, die als ein gesellschaftliches Nichts dem Bekehrungseifer des Professor Higgins restlos ausgeliefert ist. Eine Frau zur Verfügung zu haben, die man wie Wachs ganz und gar für sich formen kann, genau dieser Traum spukte in vielen zeitgenössischen Männerhirnen. In dieser Situation mußten selbst die schüchternsten Kühnheiten von Frauen den Männern, die solchen Hirngespinsten anhingen, ungeheuerlich dünken.

Doch warum konnten derlei Schimären ausgerechnet in einer Zeit gedeihen, die a priori für absolutistische Träumereien nicht gerade günstig erscheint?

Das Unglück des Adam

Was für eine Zeit war das! Eine Zeit, die als genauso neu erlebt und wahrgenommen wurde wie die neue Eva, eine Zeit, die radikal anders war als frühere Jahrhunderte und uralte Bezugssysteme erbarmungslos wegfegte. Dies geschah so energisch, daß allerorten Hymnen auf Fortschritt und Demokratie erschallten, aber als Kontrapunkt dazu eine Klage ertönte, die immer schriller und verzweifelter klang, je weiter man in das neue Jahrhundert kam: die Klage der »Entwurzelten«,[23] der jungen, letztendlich zum Scheitern verurteilten Genies von Barrès, und des »Mannes ohne Eigenschaften« von Musil. Um Robert Musil zu zitieren: »Was ist denn verlorengegangen?«[24] An Eigenschaften mangelt es Musils Romanheld Ulrich nicht, der sich erst beim Militär, dann als Ingenieur versucht, bevor er sich erfolgreich der Mathematik widmet. Aber auch dieses dritte Unterfangen bleibt von kurzer Dauer: »Ein geniales Rennpferd reift die Erkenntnis, ein Mann ohne Eigenschaften zu sein.«[25] Denn Ulrich hofierte die Mathematik weniger um ihrer selbst willen als zu dem Zweck, dank ihrer seine Überlegenheit anerkannt zu sehen. Sobald aber »der Geist der Gemeinschaft«[26] einen Journalisten veranlaßt, einem Pferd Genie zuzusprechen, verliert alles seinen Sinn: »(. . .) und als er sich nun nach wechselvollen Anstrengungen der Höhe seiner Bestrebungen vielleicht hätte nahefühlen können, begrüßte ihn von dort das Pferd, das ihm zuvorgekommen war.«[27] Ulrichs Resignation veranschaulicht, welche Kluft zwischen einem machtstrebenden Geist und der neuen Zeit mit ihrer Anonymität und Nivellierung aufgerissen ist. Die ökonomischen Umwälzungen haben denen, die früher Bauern oder Handwerker gewesen waren, die Verfügung über den Arbeitsprozeß genommen; sie müssen jetzt entfremdet in großen Fabriken schuften, an ihrer Seite die Angestellten des rasch wachsenden Dienstleistungssektors. Sogar die leitenden Angestellten wurden in Mitleidenschaft gezogen. Die Ingenieure, die Ulrich in seiner Phantasie »in herrlichen Reitstiefeln zwischen Kapstadt und Kanada unterwegs« sieht, erweisen sich ihm bald als »Männer, die mit ihren Reißbrettern fest verbunden waren«.[28] Der Prozeß machte auch vor den Unternehmern nicht halt: Im Laufe des Jahrhunderts wurden die Industriekapitäne, die Helden des Kapitals, die der Welt ihren eigenen Stempel aufgedrückt hatten, fortschreitend durch Aktiengesellschaften verdrängt. Gleichzeitig aber erlangte in der Politik »der unbedarfteste hergelaufene Scharlatan«[29]

kraft des Stimmrechts soviel Geltung wie der begabteste Erfinder oder Dichter, der in dieser Gesellschaft des Konsums und der Zerstreuung obendrein erleben mußte, wie Rennpferde und Halbweltdamen ihm Ruhm und Ansehen streitig machten. Schon 1857 setzte Flaubert in *Madame Bovary* in der Figur des Apothekers Homais, dieses lächerlichen Fortschrittsapostels, den Hang zum Neuen mit Mittelmäßigkeit gleich. Das europäische Fin de siècle, von Paris über Wien bis Stockholm, sollte ihm auf unheimliche Weise recht geben. Selbst Zola, der sich anders als Flaubert für die Wunder der Technik begeisterte, schuf am Ende schließlich doch in *Fécondité* und *Travail* seine utopischen Helden.

Das alles macht zweifellos deutlich, wie die Intellektuellen im Laufe der Jahrhunderte auf Abstand gingen zur bürgerlichen Gesellschaft, dieser Gesellschaft der Nützlichkeit, des Geschäfts und der Entfremdung. Es zeigt aber noch mehr. Denn die Krise des Individuums in der modernen Welt wird uns häufiger und klarer als erwartet als Krise des männlichen Geschlechts vorgeführt. Ulrichs Streben, ein bedeutender Mann zu werden, schreibt Musil, leite sich aus seinem alten »männlichen Geist« her, der inzwischen zum »ideologischen Gespenst« geworden sei.[30] Nichts hält sich hartnäckiger als ein Gespenst, und ein ideologisches Gespenst noch hartnäckiger als andere. Biologen, Dichter, Historiker, Grammatiker, Philosophen oder Romanschriftsteller hielten noch immer daran fest, das Männliche als positiven Drang nach Konkurrenz, Eroberung und Herrschaft wahrzunehmen und zu definieren, es mit »streitsüchtigen und kriegerischen Instinkten, mit Beherrschtheit, Entschlossenheit und Persönlichkeit«[31] gleichzusetzen, wie Proudhon das Männliche leidenschaftlich verherrlichte, während er übrigens zugleich die Vorzüge der Gleichheit feierte. Dieses Bild war gewichtig durch die Last der Jahrhunderte, und es war vor allem ein so leuchtendes, ein so ergiebiges und Wert vermittelndes Vorbild, daß selbst diejenigen, die von ihrer Unfähigkeit, ihm jemals nahezukommen, gefoltert wurden, niemals auf den Gedanken kamen, dieses Bild selbst in Frage zu stellen.

Nein, unzulänglich konnte nicht das Bild sein, unzulänglich mußte die Epoche sein. Eine Epoche der Bequemlichkeit, des Komforts, der Sicherheit, des Beamtentums, eine weiche und entmannende Epoche: eine »hermaphroditische Welt«,[32] wie Barbey d'Aurevilly schrieb, bevölkert von »Halbmännchen«,[33] wie Barrès seufzte, eine Welt, deren »Manneskraft nachläßt«,[34] wie Zola klagte. D. H. Lawrence' Novelle *New Eve and Old Adam* konzentriert sich zwar auf die eheliche Beziehung, doch zeigt sich das Unbehagen des Gatten Peter Moest nicht nur in Liebesdingen. Auch die Umwelt mit ihren Nebensächlichkeiten spielt eine Rolle: »Diese Zentralheizung erwärmte das ganze Wohnhaus und erlegte ihm eine Einheitlichkeit auf, in der die Zimmer wie zu Brutöfen wurden: konnte es etwas Widerlicheres geben?«[35] »Was ist verlorengegangen?« Die Kontrolle, die Beherrschung, die Verfügungsgewalt, sogar über die Heizung. Es gibt keine Möglichkeit mehr, individuelle Besonderheit zur Geltung zu bringen; was geschieht ist die Rückkehr in eine namenlose, passive, geschlechtslose Frühkindlichkeit. Und daß es Adams Klage ist, die hier ertönt, daran läßt Lawrence anschließend keinen Zweifel: »Er fühlte sich erfaßt von einer elementaren männlichen Kraft, erstickt durch unvermutete Instinkte. Sich so im Innern dieses riesigen überheizten Gebäudes wiederzufinden, erschien ihm unerträglich.«[36] Peter/Adam aber findet nirgends den Raum, der ihm zusagt: Kaum aus Frankreich zurück, wird er London wieder verlassen, um nach Italien zu fahren, wo er ebenfalls nicht zur Ruhe kommen kann. Lawrence erklärt diesen Mangel an Stabilität nicht gesellschaftlich: Was Peter arbeitet, wird nur sehr verschwommen angedeutet. Doch genau auf diese vermeintliche Lücke kommt es an: Gleichviel, wie seine Arbeit aussehen mag, der Held findet darin offenbar nicht die Möglichkeit, seine »elementare Manneskraft« befriedigend zu entfalten. Außerdem hat er sich der Frau wieder zugewandt: »Er hatte seine ganze Existenz auf diese Ehe gegründet.«[37]

Ein erstaunlicher Satz, wenn man bedenkt, daß er sich auf eine männliche Figur bezieht. War die Hierarchie der männlichen Werte etwa so umgewälzt worden, daß Liebe hinfort auch für Männer wichtiger sein sollte als beruflicher Ehrgeiz? Ja ... und nein, denn als Kompensation wird Liebe nun mehr denn je im Modus der Macht dekliniert, und Peter träumt davon, »daß es eine Frau auf der Welt gibt, deren Berufung – und nicht Beruf – es ist, sich um ihn zu kümmern«.[38]

Wenn sich die Welt schon Adams Verfügungsgewalt entzieht, soll ihm zumindest das traute Heim zur Zuflucht (ein »Hafen des Friedens«,[39] ein »Schutzraum«[40]) und zum letzten Reich werden, in dem ihm die Gattin in ein und derselben Person die mütterliche Vergötterung und die kindliche Formbarkeit bietet. Der pädagogische Überschwang und die »anachronistischen« Fantasmen der absoluten Inbesitznahme gehen auf den Wunsch, ja das Bedürfnis zurück, diesen Durst nach Verfügungsgewalt, der sonst nirgendwo mehr gestillt werden kann, bei der Frau zu löschen. Meist aber sträubt sich die neue Eva leider und antwortet wie Paula Moest: »‹In deinen Augen müßte eine Frau eine Verlängerung deiner selbst, oder schlimmer noch deiner Adamsrippe sein, ohne die kleinste Selbständigkeit. Du kannst einfach nicht verstehen, daß ich ein anderes Wesen bin als du.«[41] Doch die Suche geht weiter. Lawrence hing einige Zeit einer interessanten Spielart des Feminismus an, die aus dem Aufbegehren der Männer gegen die moderne Welt entstanden war und sich um Otto Groß in München, Heidelberg und Wien entwickelt hatte. Da der unheilvolle Fortschritt mit dem Patriarchat gleichgesetzt wurde, entstand ein positives Frauenbild. Als Trägerin besonderer Werte, ja Georg Simmel zufolge einer Gegenkultur, habe sie es besser als der Mann verstanden, der Natur und einem freien und unbeschwerten ursprünglichen Leben nahe zu bleiben; die Frau könne daher den Weg weisen. Ganz ohne Frage beflügelte diesen Feminismus der Differenz die ewige Wiederkehr der ewigen Eva, die mit der nährenden und liebenden Mutter Erde gleichgesetzt wurde. Diese Idealfrau glaubten sowohl Otto Groß als auch D. H. Lawrence in Frieda von Richthofen erkannt zu haben. Doch in den Briefen, die sie an sie richteten, erscheint wieder das unvermeidliche Leitmotiv der Selbstaufgabe der Frau: »Du bist gesegnet mit der Kunst, Glück zu verschenken (...) ein so unvergleichlich reiches, leidenschaftliches und verschwenderisches Geben Deiner selbst und soviel Vornehmheit und Majestät.«[42]

Veränderungen des Geschlechts

Die Frau blieb erstarrt im Anderssein, im Guten wie im Schlechten bezogen auf den Mann und stets als Geschlechtswesen definiert. Selbst wenn die neue Eva einmal nicht nur als ungeheuerlich, als unsägliche Neuheit vorgestellt wird, kommt immer noch kein eigenständiges Individuum, kein Menschenwesen weiblichen Geschlechts zum Vorschein. Oft wird ihr einzig und allein die gleiche Rolle zugeschrieben wie dem Rennpferd, dessen »Genialität« aus Ulrichs Sicht den Begriff des Genies selbst wertlos macht. Die Erfolge einer Frau beweisen nicht ihr Können, sondern nur, wie eine Welt zuschanden wird, die sich in ihrem Nivellierungseifer zur Komplizin dieses Wesens ohne Identität macht: »Die überwältigende Mehrheit der Zivilberufe sind Routinen, die die mittelmäßigsten weiblichen Hirne in ein paar Jahren lernen können.«[43] Doch gelegentlich wird dem Erfolg einer Frau auch eine erhebliche Bedeutung beigemessen. In ihren eigenen Denkmustern und Erfahrungen befangen, können sich Männer Selbstbestätigung offenbar nicht ohne Herrschaft über andere vorstellen. Eine Frau, die sich der Männermacht nicht mehr fügen will, strebt demnach notwendigerweise danach, selber Macht auszuüben. Als Tekla in Strindbergs *Gläubigern* nicht mehr nur devot den Grammatiklektionen ihres Gatten lauscht, sondern sie praktisch anwendet, um ihr Schreiben zu verbessern und ihr Talent als Romanschriftstellerin zu erweitern, vergißt der Gatte in Strindbergs naiver Darstellung seine ganze Grammatik: Das Wissen zu teilen ist unmöglich, denn die Macht, die sich daraus ableitet, darf nicht geteilt werden. Und was geschieht, wenn die neue Eva ihren »Kannibalismus«[44] ganz in ihrem Sinne vorantreibt und tatsächlich – über welchen Bereich auch immer – Herrschaft auszuüben beginnt? Sie verwandelt sich in einen Mann, antworten unsere männlichen Autoren unisono und bestätigen damit in schöner Offenheit, daß sich das Wesen der Männlichkeit aus Macht ableitet.

George Sand etwa gilt als Mann, weil sie geistige Macht ausübt. Die unglaubliche Wirkung ihrer Werke in ganz Europa und bis in die Vereinigten Staaten läßt sich heute schwer ermessen. Châteaubriand verglich sie mit Byron, Henry James mit Goethe: Solche Komplimente machten die Metamorphose unausweichlich. Alsbald wurde sie mit Männern nicht mehr nur verglichen, sondern mit ihnen gleichgesetzt, und diese Mutation vollzog sich nicht nur aus der Distanz über lobende Rezensionen. Für die Männer wurde Sand so sehr zum Mann, daß sie in ihr den Freund sahen: »Ich habe mit einem Kameraden geplaudert«,[45] versicherte Balzac nach einem längeren Besuch bei ihr, während Flaubert für sie in seinem ganzen Briefwechsel die Anrede »cher maître« benutzte. Nach George Sands Tod schrieb Flaubert: »Man muß sie so gut gekannt haben wie ich, um zu wissen, wieviel Weibliches in diesem großen Mann war.«[46]

Eine ergreifende Umkehrung der Perspektive, die von Henry James noch unterstrichen wird, wenn er George Sands Größe nicht darin sieht, wie sie »die weibliche Natur erweitert hat«, sondern in ihrer »Bereicherung der männlichen Natur«.[47] Sand als Zwitter? Vielleicht; aber weil sie genial war, mußte sie in erster Linie und dem Wesen nach Mann sein.

Aber Macht läßt sich auch durch Liebe gewinnen. Dann findet sofort die gleiche Metamorphose statt. Als Barbey d'Aurevilly seine Heldin Hauteclaire und den Comte de Savigny als leidenschaftliches Paar beschreibt, macht er sie zum »Mann in der Liebesbeziehung«.[48] Kaum ein romantisches Klischee war damals beliebter als dieses. Fast die gleiche Formulierung findet sich bei Flaubert über das Liebesverhältnis zwischen Emma Bovary und Léon, bei Zola in *La Curée* und bei zeitgenössischen Erfolgsautoren wie Paul Bourget, Marcel Prévost oder Maurice Donnay. Es liegt nahe, in diesem Verweis auf das Männliche eine simple und automatische Metapher für Macht zu sehen; denn die geschilderten Frauen können letztlich ihre Weiblichkeit nur dadurch garantieren, daß sie sich verführen lassen. Das aber wäre falsch. Sobald eine Frau Macht ausübt, erfährt die Frau eine Vermännlichung, die alles andere als rhetorisch war. Der Rauch einer Zigarette, kurze Haare, Sportlichkeit, ein Detail der Kleidung, die Weste oder Krawatte, dies alles waren Symptome, die unter der falschen Maske einer Frau die beunruhigende Präsenz eines Mannes verraten. Alles wird zum Zeichen, selbst die Anatomie. Erkennungsmerkmal ist auch das Fehlen aller üppigen Rundungen, in denen das weibliche Anderssein augenfällig wird; die schlanke Frau als *garçonne*, Gamin oder schöner Ephebe.

Als am Ende des Jahrhunderts in Einklang mit der größeren Mobilität die Schlankheit der Frauen zur Mode wurde, schienen plötzlich Legionen von Zwittern die Straßen und Städte zu bevölkern.

Auch daran zeigt sich, wie sehr die Frau den Mann immer nur spiegeln sollte. Die verblüffende Selbstverständlichkeit, mit der von den Evastöchtern erwartet wurde, daß sie den immerhin riskanten Wechsel ihres Geschlechts bewerkstelligten, zeigt vor allem das Ausmaß der Krise der Männer. Der moderne Mann wurde seines Vorbilds unwürdig; er konnte dessen krasse Anforderungen nicht mehr erfüllen und sah sich plötzlich seiner Identität beraubt. Ein Bild, das die Frauen nicht beim Namen zu nennen wagten, das Bild des Hausmannes, des »männlichen Aschenputtels«,[49] wie es George Orwell später formulieren sollte, des verweiblichten Mannes, geisterte zusammen mit dem des Zwitters durch die Männerphantasien. Würde George Sand in die Académie française aufgenommen, barmte Barbey d'Aurevilly, »müssen wir Männer Marmelade kochen und Essiggürkchen einlegen«.[50]

Männlichkeit war zu haben, und wer wollte schon darauf vertrauen, daß die Frauen die Gelegenheit auslassen würden, sich ihrer zu bemächtigen. Die Unfähigkeit, sich vorzustellen, daß die Frau ihre Befreiung ganz anders bewerkstelligen und leben könnte, bezeugt zugleich, daß das alte Modell unverändert Bestand hatte. Das Ich schien sich stets im Modus der Macht konjugieren zu müssen, und zwar der Macht im männlichen Sinne. Man war Manns genug oder man war es nicht.

Doppelungen

Auf der Gegenseite, bei den Frauen, fällt es nicht leicht, die Dinge anders zu sehen. Über welche Bezugspunkte verfügten sie, um jenen Teil ihrer selbst, der in der Geschlechtsidentität nicht mehr aufgehen und versinken wollte, Festigkeit und Inhalt zu geben? Nach dem Vorbild Noras brechen sie auf ins Unbekannte, als Reisende ohne Gepäck und ohne einen bereits gebahnten Weg. Es fehlte ihnen auch an einem Vorbild, dem sie hätten folgen können, es sei denn, sie akzeptierten das einzig verfügbare Subjekt-Modell, nämlich das männliche. Zumindest hatten sie den Vorteil, dieses Modell von außen zu betrachten. Damit erhielten sie a priori bessere Möglichkeiten, das Verhältnis der Männer zur Welt zu analysieren, ein Verhältnis, dessen Folgen sie nicht zuletzt selbst zu tragen hatten. Sie konnten nach dessen Ursprüngen forschen und dieses Verhältnis richtig in die Menschheitsgeschichte einordnen, statt es als etwas unveränderlich Gegebenes hinzunehmen. Die Frauen haben sich in der Tat daran gemacht, diesen Mann, den ihnen gegenübergestellten Anderen, kritisch zu betrachten. Wie George Sand in ihren *Dialogues imaginaires avec le docteur Piffoël* gönnten auch andere Frauen ihm kaum Schonung. »Hingabe verachtet er völlig, weil er glaubt, sie gebühre ihm allein schon deswegen selbstverständlich, weil er aus dem Bauch von Madame seiner Mutter gekrochen ist ... Beherrschen, besitzen, vereinnahmen heißen die Bedingungen, die er stellt, um sich wie ein Gott anbeten zu lassen.«[51] Diese Bemerkung stellt zwar eine interessante Verbindung zwischen dem Verhältnis zur Mutter und der männlichen Identität her. Aber obwohl Sand zur gleichen Zeit davon träumt, »der Spartakus der Frauensklaverei«[52] zu werden, ergänzt sie ihre Beobachtung nicht durch eine theoretische Erörterung. Das tat sie nicht, und das taten ganz allgemein auch die Frauen des 19. Jahrhunderts nicht. Sie schilderten aus eigenem Erleben die Neigung des anderen Geschlechts zur Tyrannei und dessen Machtgier, aber sie begnügten sich meist mit dieser Feststellung. Sie machten das Männliche nicht selbst zum zentralen und systematischen Gegenstand der Theorie. Dem Patriarchat erwuchs kein weiblicher Bachofen. Diese Asymmetrie ist bemerkenswert. Den Blicken dargeboten wurde in diesem viktorianischen Jahrhundert zwar der Leib der Frau in Prostitution, Literatur (die das Thema Prostitution weidlich abhandelte), Malerei, Bildhauerei und auf den Anatomietafeln im Larousse, die Michelet gebannt betrachtete. Vorgeführt wurde der »Geist des Weibes« in Charcots Inszenierungen von Hysterieanfällen, zu denen er ausschließlich Frauen als Darstellerinnen heranzog, und in Bergen von Texten, die den Frauenkörper betasteten, herausschälten, bloßlegten. Doch der Gegenzug fand nicht statt. Marie Laurencin malte keine männlichen Akte, stellte die Männlichkeit nicht bloß, und ebensowenig taten dies die Theoretikerinnen des Feminismus. Bescheidenheit verlernt sich nicht so leicht, und objektive Distanz kompensiert nicht alle Denkverbote, die durch die jahrtausendealte Gleichsetzung von Mensch mit Mann geschaffen worden sind. Auch aus der Sicht der Frauen selbst waren es zunächst einmal die Frauen, die soweit wie möglich fortschreiten und sich erheben sollten zur einzig bekannten Möglichkeit, ein erkennbares und anerkanntes Individuum zu werden.

Auch spielten Frauen durchaus bereitwillig den Zwitter. Der Mann, den ihre Freunde in ihr sahen, wollte George Sand bis zu einem gewissen Punkt durchaus auch sein: Jedenfalls richtete sie ihr äußeres Erscheinungsbild darauf ein mit ihrem Pseudonym, ihren Hosen, ihren Zigaretten und der provozierenden Freizügigkeit ihres Liebeslebens; sie selbst glaubte sogar so weit daran, daß sie bisweilen von sich selbst wie von einem Mann sprach. Warum legten sich andere Schriftstellerinnen wie Marie d'Agoult (Daniel Stern), Delphine Gay (le Vicomte de Launay), Mary-Ann Evans (George Eliot), Jeanne Lapauze (Daniel Lesueur) männliche Pseudonyme zu? Diese Mode läßt sich in erster Linie durch den Wunsch erklären, dem sexistischen Vorurteil zu entgehen und ihr Werk vor dem herablassenden Augenzwinkern zu bewahren, mit welchem »Bücher von Frauen« bedacht wurden. Doch war das Geheimnis erst einmal gelüftet – und das geschah über kurz oder lang immer –, warum behielten sie dann noch die Verkleidung bei? Handelt es sich überhaupt um eine Verkleidung? Marie d'Agoult erklärte in ihren *Lettres républicaines* entschieden: »Dem männlichen Genius gebührt es, wissenschaftliche Probleme zu lösen, Freiheit und soziale Gleichheit zu erkämpfen, dem weiblichen Genius gebührt dagegen die göttliche Arbeit an der Seele, die Versöhnung der vermählten Klassen.«[53] Und womit beschäftigt sie sich in ihren *Lettres républicaines*? Oder in ihrem *Essai sur la liberté*? Ihren *Esquisses morales et politiques?* Sie behandelt darin, wie es die Titel zur Genüge sagen, genau die Themen, die sie für den männlichen Genius reserviert hatte. Nein, »Daniel Stern« war beileibe nicht nur eine schlichte Signatur, um andere zu täuschen. Daniel Stern existierte, Marie d'Agoult war Daniel Stern und mußte es auch sein, um ihre theoretischen Ambitionen vor sich selbst rechtfertigen zu können. Befreiender Umweg? Wollte es Marie d'Agoult, die so kühn war, sich in den Bereich der politischen Reflexion vorzuwagen, und zu schüchtern, um diese Höhen anders als in Männergestalt zu erklimmen, von vergleichbaren Prämissen aus riskieren, die konzeptionellen Kühnheiten ihres Doppels, von dem sie genau wußte, daß er kein echter Mann ist, auf die Spitze zu treiben? Oder wollte sie umgekehrt die »männlichen« Themen Daniel Sterns mit weiblicher Erfahrung anreichern? Die Männer sahen im Zwittertum der Frauen nur wilde Eroberungsgelüste. Doch scheint das Zwittertum dort, wo sich Frauen von sich aus dafür entschieden, eher den Widerspruch zu spiegeln, mit dem sie selbst zu kämpfen hatten, so jenen »Riß im Zentrum«,[54] von dem Virginia Woolf später im Hinblick auf das Verhältnis der Frauen zum Schreiben sprechen wird. Hinter diesem Bedürfnis nach Doppelung steht ebenso wie hinter der Verherrlichung der weiblichen Opferrolle in Romanen, von der sie allein schon durch das Schreiben Abstand nahmen, immer noch die Bescheidenheit, die stumm macht, das hartnäckige und schmerzhafte Gefühl des von Grund auf Unzulässigen: Hat man wirklich eine Daseinsberechtigung, wenn man kein Mann ist?

Solange Männer wie Frauen an der Gleichsetzung von Mensch mit Mann festhielten und damit das Männliche jeder kritischen Prüfung entzogen, nährte eine Krise die nächste. Aus lauter Angst vor der noch ungewohnten eigenen Courage zügelten die Frauen ihren eigenen Schwung, um sich vor Verletzungen durch Spott, Pressionen, Drohungen oder Ablehnung zu schützen. Trotzdem überschritten sie immer noch so viele Grenzen, lösten sie sich von so vielen Verankerungen, daß sie die Ängste, die ihnen die neue Zeit ohnehin schon machte, noch zusätzlich aufrührten. Sie verstärkten damit bei den Männern die nagende Furcht, als Individuen den grandiosen Anforderungen, denen sie sich aufgrund ihrer Geschlechtszugehörigkeit zu stellen hatten, nicht mehr gerecht werden zu können. Das mag erklären, warum Männer auf die bescheidenen Kühnheiten der anderen Hälfte der Menschheit mit einer so fahrigen und fiebrigen Aggressivität reagierten.

Es ist müßig, im nachhinein zu fragen, ob die Krise nicht eines Tages zum Licht geführt hätte. Der Krieg ist über diese Krise hinweggegangen und hat die Karten neu verteilt. Frauen waren nun als Sanitäterinnen oder Granatendreherinnen gefragt; Frauen fanden bei ihrer Berufsarbeit endlich Anerkennung; Frauen wurden auf sich gestellt und mit Gewalt selbständig gemacht, und überlebten. Ihnen gegenüber sehen wir die Männer im Stahlhelm, als Soldaten, Hingemordete, Sterbende; deren Tod aber läßt den Krieger auferstehen. Welches dieser so gegensätzlichen Bilder wird nach dem Krieg das Übergewicht erhalten?

Aus dem Französischen von Günter Seib

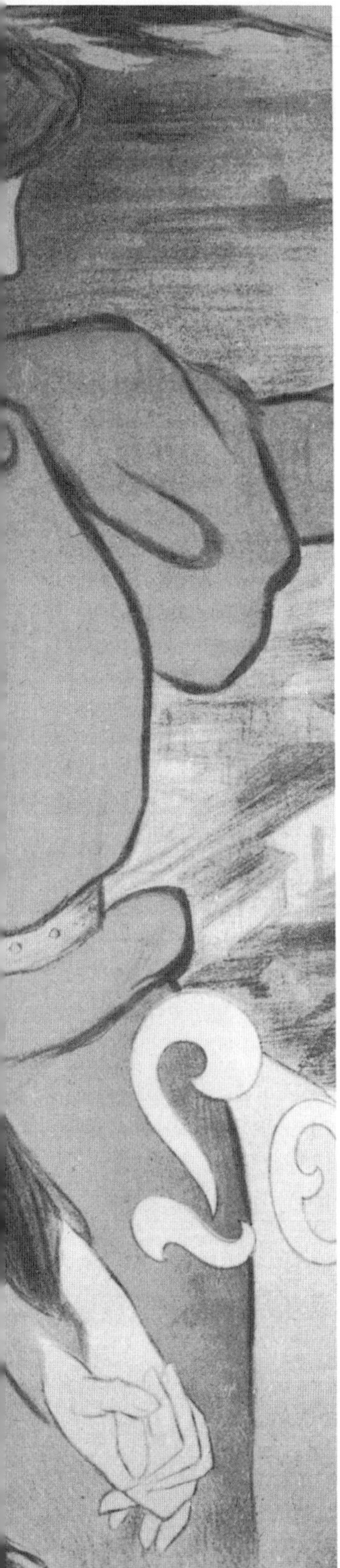

Stimmen der Frauen

Reklame für *La Fronde*, feministische Tageszeitung, die von 1897 bis 1903 erschien, Lithographie, D. H. Dufau. *Paris, Sammlung Viollet.*

Porträt von Germaine de Staël als Corinne, Zeichnung, Louise Elisabeth Vigée-Lebrun. *Privatsammlung.*

Den Frauen das Wort

Germaine de Staël und Lou Andreas-Salomé

Diese beiden großen Frauenpersönlichkeiten sind nicht die Heldinnen und Vorzeigefiguren, wie sie in einer bestimmten Geschichte der Frauen gern dargestellt werden; berühmt sind sie allerdings, sogar sehr berühmt. Ausnahmeerscheinungen waren sie in mehr als einer Hinsicht. Es war ihnen vergönnt, ohne materielle Sorgen zu leben. Diese Unabhängigkeit wußten sie zu nutzen, um Reisen quer durch Europa zu unternehmen, durch Deutschland, die Schweiz, England, Italien; um Vorurteile zu widerlegen, die letztlich alle darauf hinausliefen, daß eine Frau auf keinen Fall zeigen dürfe, wie selbständig sie ist; um nicht vor Schreck zu erstarren, wenn sie sich gleichsam selbstverständlich als Gesprächspartnerinnen großer Männer wiederfanden. Sie lebten und verkörperten ihre Zeit.

Germaine de Staël

»Frauen, die die Kultur des Briefschreibens pflegten«

Madame de Staël wuchs auf unter dem Ancien Régime, wo es einigen Frauen gelang, sich mit ihrem Salon ein eigenes »Reich« zu schaffen und dort bisweilen mit persönlicher Größe einen Ausnahmestatus zu genießen. Doch als sie voll im Leben stand, wurde sie als selbständige Frau sowohl in der Ersten Republik als auch im napoleonischen Kaiserreich mit Mißtrauen betrachtet. Es ist also mehr als verständlich, daß sie sich nach dem Zeitalter der Aufklärung zurücksehnte und diese künftig allen Menschen zugänglich machen wollte. Germaine de Staël klagte, wie sehr sie leide und wie schwer ihr der Übergang von der einen in die andere Welt, von der Monarchie in die Republik falle; doch sie wußte auch, daß »geistige Genüsse dazu da sind, vor den Stürmen der Seele Ruhe zu bieten«. In dem nachstehend abgedruckten Text zeigt sie sich so klarsichtig, daß man ihrem Vergleich zwischen den zwei historischen Welten, die ihr beide gleichermaßen keinen angemessenen Platz zugestanden haben, willig folgt. In ihren Reflexionen scheint zudem das auf, was jenseits ihrer Amouren das Wesentliche in ihrem Leben als Frau war, nämlich ihre Leidenschaft für die Übung des Geistes und das intellektuelle Leben ihrer Zeit sowie die Gewißheit, daß das öffentliche Leben generell und auch für eine Frau wichtig sei. Madame de Staël kam ihrer Zeit nicht gelegen, doch sie entschied sich dennoch, mit dem vollen Einsatz ihres Seins darin mitzuspielen. So streng sie auch immer über ihre Zeitgenossinnen urteilte, fiel sie ihnen doch nie in den Rücken: Im klaren Bewußtsein ihrer eigenen Vorzugsstellung gab sie nie den Gedanken auf, daß Frauen ein besseres Los beschieden sein müsse und daß deren Mangel an Solidarität nur der Unwissenheit und dem Vorurteil geschuldet sei.

»Das Leben der Frauen in der Gesellschaft ist in vielerlei Hinsicht noch ungewiß. Der Wunsch zu gefallen beschäftigt ihren Geist; die Vernunft rät ihnen, im Verborgenen zu bleiben; und ob sie erfolgreich sind oder scheitern, hängt rein vom Zufall ab.

Ich glaube, es wird eine Zeit kommen, wo weise Gesetzgeber sich ernsthaft der Frage widmen werden, welche Erziehung Frauen zuteil werden, welche bürgerlichen Rechte Frauen schützen, wieviel Pflicht ihnen abverlangt und wieviel Lebensglück ihnen zugesichert werden sollen; doch beim heutigen Stand der Dinge haben sie in ihrer Mehrheit weder in der natürlichen Ordnung noch in der Gesellschaftsordnung einen Platz. Was den einen zum Vorteil ausschlägt, stürzt andere ins Verderben; mal gereichen ihnen ihre Vorzüge zum Schaden, mal ihre Mängel zum Nutzen; mal sind sie alles, mal sind sie nichts. Ihr Schicksal ähnelt in mancher Hinsicht dem der Freigelassenen im alten Rom: streben sie nach Höherem, hält man ihnen die vom Gesetz nicht zugestandene Macht als Verbrechen vor; bleiben sie Sklavinnen, ist Unterdrückung ihr Los.

Gewiß ist es im allgemeinen durchaus besser, wenn sich die Frauen ausschließlich den häuslichen Tugenden widmen; doch das Merkwürdige am Urteil der Männer über sie ist, daß den Frauen Pflichtversäumnisse eher vergeben werden, als wenn sie durch herausragende Begabungen Aufsehen erregen; seelische Verkümmerung der Frauen zur Kleingeisterei wird gern hingenommen, während wahre Geistesgröße auch vor den Augen der ehrlichsten Männer kaum Gnade finden würde.

Ich werde die diversen Ursachen dieser Ausnahmestellung darlegen. Ich beginne zunächst mit der Untersuchung, welches Los literarisch tätige Frauen in den Monarchien, und welches sie in den Republiken zu erwarten haben. Sodann werde ich charakterisieren, worin sich das Los der Frauen, die nach literarischem Ruhm streben, unter diesen beiden Staatsformen hauptsächlich unterscheidet. Abschließend betrachte ich allgemein, welches Glück denjenigen Frauen verheißen wird, die nach Ruhm streben.

In den Monarchien müssen sie fürchten, der Lächerlichkeit, in den Republiken, dem Haß preisgegeben zu werden. (. . .)

Seit der Revolution meinen die Männer, es sei politisch und moralisch von Nutzen, Frauen auf das absurdeste Mittelmaß zu beschränken; seither reden die Männer nur noch in einer elenden Sprache ohne Anstand und Geist zu den Frauen und die Frauen haben keinen Antrieb mehr, den eigenen Verstand zu entwickeln; die Sitten sind darob nicht besser geworden. Die Weite der Ideen zu beschränken, war kein Weg, um die Einfalt der ersten Lebensjahre zurückzuholen; die Folge war allein, daß der weniger entfaltete Geist zu minderem Anstand, zu geringerer Achtung vor dem Urteil der Öffentlichkeit, zu weniger Möglichkeiten, die Einsamkeit zu ertragen, geführt hat. Es ist zu dem gekommen, was für die heutige Geistesverfassung kennzeichnend ist: man glaubt allenthalben, die Aufklärung selbst sei schädlich gewesen und möchte den Schaden beheben, indem man die Vernunft zum Rückzug zwingt. Doch der durch die Aufklärung verursachte Schaden kann einzig durch noch mehr Aufklärung geheilt werden. Entweder ist Moral völlig falsch, oder es trifft zu, daß sie um so höher wird, je aufgeklärter man ist. (. . .)

Niemals können die Männer in Frankreich in solchem Maße republikanisch werden, daß sie völlig ohne die Unabhängigkeit und den Stolz, die den Frauen von Natur aus gegeben sind, auszukommen vermöchten. Im Ancien Régime hatten Frauen zweifellos zu großen Einfluß auf Staatsangelegenheiten; doch Frauen sind keineswegs minder gefährlich, wenn sie der Aufklärung und folglich der Vernunft entbehren; ihr Einfluß richtet sich dann auf maßlose Zufallsgelüste, auf Entscheidungen ohne Unterscheidungsvermögen, auf Empfehlungen ohne Anstand; sie ziehen dann jene herab, die sie lieben, anstatt sie emporzuheben. Und was gewönne der Staat dabei? Selten besteht Gefahr, einer Frau zu begegnen, deren Vortrefflichkeit im Mißverhältnis zur wahren Bestimmung ihres Geschlechtes steht: muß die Republik ob dieser geringen Gefahr des Ruhmes entraten, den Frankreich durch seine Gefälligkeit und Lebensart in Europas Gesellschaft genoß? Ohne Frauen kann die Gesellschaft weder angenehm noch reizvoll sein; aber Frauen ohne Geist oder ohne jene anmutige Gesprächsfähigkeit, die eine erlesenste Erziehung voraussetzt, verderben die Gesellschaft, anstatt sie zu zieren; sie bringen eine gewisse Nichtigkeit in die Konversation und eine Plattheit in den Umgang, eine gemeine Spottlust, die am Ende alle wahrhaft vortrefflichen Männer abschrecken müßte und die glanzvollen Abende von Paris zur Begegnung junger Männer, die nichts zu tun haben, mit jungen Damen, die nichts zu sagen haben, herabsinken ließe.

Man kann in allem Menschlichen Mißliches entdecken. Man findet es mit Sicherheit in der Vortrefflichkeit von Frauen, sogar in der von Männern, in der Selbstverliebtheit geistvoller Menschen, in der Ruhmsucht von Helden, in der Naivität großer Seelen, in der Reizbarkeit unabhängiger Denker, im Tatendrang Mutiger, et cetera. Aber müssen deswegen natürliche Vorzüge aus Leibeskräften bekämpft und alle Einrichtungen darauf ausgerichtet werden, die Fähigkeiten herabzuwürdigen? Daß eine solche Herabwürdigung die Autorität der Familie oder der Regierung stärken könnte, ist kaum zu vermuten. Frauen ohne Sinn für Gespräch oder Literatur sind gewöhnlich geschickter darin, sich ihren Pflichten zu entziehen; und Nationen ohne Aufklärung können nicht frei sein, sondern wechseln nur öfter den Herrn.

Frauen wie Männer, Nationen wie Einzelmenschen aufzuklären, zu bilden und vollkommener zu machen, das ist immer noch das beste Geheimrezept für alle Zwecke der Vernunft, für alle gesellschaftlichen und politischen Verhältnisse, denen ein dauerhaftes Fundament gegeben werden soll.

Daß Frauen Geist haben, könnte nur aus wohlmeinender Sorge um ihren Seelenfrieden Anlaß zur Befürchtung sein. Sobald ihr Verstand geweckt wird, werden sie nämlich möglicherweise auch darüber aufgeklärt, wie unglücklich ihr Los ist. Die gleiche Logik gilt jedoch allgemein für jede Aufklärung über das Glück der Menschen, und diese Frage scheint mir geklärt.

Wenn die Lage der Frauen nach dem bürgerlichen Recht noch sehr zu wünschen übrig läßt, muß daran gearbeitet werden, ihr Los zu verbessern, anstatt ihr geistiges Niveau zu senken. Es ist für die Aufklärung und das Glück der Gesellschaft nur von Nutzen, wenn auch die Frauen ihren Geist und Verstand sorgfältig pflegen. Nur ein einziges wirklich unseliges Mißgeschick könnte sich aus einer erlesenen Erziehung, wie sie den Frauen gewährt werden muß, ergeben: daß nämlich die eine oder andere Frau ihre herausragenden Fähigkeiten entfaltet und dabei ein Bedürfnis nach Ruhm entwickelt. Doch auch ein solcher Zufall würde der Gesellschaft keinerlei Eintrag tun und geriete nur jener sehr kleinen Anzahl von Frauen zum Schaden, die von der Natur für die Leiden einer beschwerlichen Vortrefflichkeit ausersehen sind.

Wenn es eine Frau gäbe, die vom geistigen Ruhm in Bann geschlagen und nach solchem streben würde, wie einfach wäre es doch, sie rechtzeitig davon abzubringen! Man würde ihr vorführen, zu welchem schrecklichen Los sie sich selbst zu verdammen bereit sei. Sehen Sie sich nur die Gesellschaftsordnung an, würde man ihr sagen, und Sie werden gleich merken, daß sie ganz und gar gewappnet ist gegen eine Frau, die sich auf die Höhen des Ansehens der Männer aufschwingen will. (...)

Ruhm kann einer Frau sogar zum Vorwurf gemacht werden, denn er steht im Gegensatz zu ihrer natürlichen Bestimmung. Die strenge Tugend verurteilt sogar das an sich Gute und deswegen Gerühmte, weil es die Vervollkommnung der Bescheidenheit irgendwie mindert. Männer von Geist staunen, wenn ihnen in Frauen Rivalinnen erwachsen, und sie können weder mit dem Großmut des Gegners noch mit der Nachsicht des Beschützers über sie urteilen, sie achten in diesem neuen Kampfe weder die Regeln der Ehre noch die des Herzenstakts.

Würde eine Frau, um ihr Unglück vollkommen zu machen, inmitten politischen Zwistes zu großer Berühmtheit gelangen, so würde man ihren Einfluß sogar dann für schrankenlos halten, wenn sie überhaupt keinen hätte; man würde ihr an allem, was ihre Freunde tun, die Schuld geben; man würde sie für alles hassen, was sie liebt, und man würde sie als Wehrlose zuerst angreifen, bevor man sich jene vornähme, die man vorerst vielleicht noch fürchtet. (...)

Das ist noch nicht alles. Die Öffentlichkeit scheint die Männer von allen Pflichten gegenüber einer Frau zu entbinden, der ein vortrefflicher Geist zuerkannt wird: man darf sie undankbar, gemein, bösartig behandeln, ohne daß die Öffentlichkeit auf den Gedanken käme, Genugtuung für die so verletzte Frau zu fordern. *Ist sie etwa keine außergewöhnliche Frau?* Damit ist alles gesagt; sie bleibt sich selbst überlassen, sie muß allein mit ihrem Schmerz fertigwerden. Oft fehlt es ihr sowohl an der Zuwendung, die eine Frau auf sich zieht, als auch an der Macht, die das Mannsein garantiert; sie muß die Besonderheit ihres Daseins leben wie ein indischer Paria, zwischen allen Klassen der Gesellschaft, denen sie nicht angehören kann und die sie stets als eine Frau betrachten, die ganz auf sich selbst gestellt existieren muß: als Gegenstand der Neugier, vielleicht des Neides, als eine Frau, die in Wirklichkeit nur Mitleid verdient.«

Aus *De la littérature* (1802)

Lou Andreas-Salomé, anonyme Photographie; vor 1900. *London, The Freud Museum.*

Lou Andreas-Salomé

»Die Humanität der Frau«

Am Ende des 19. Jahrhunderts stand Lou Andreas-Salomé in voller Reife. Sie war sich ihrer Chancen, ein freies Leben zu führen und ihre Fähigkeiten voll auszuschöpfen, weitaus gewisser als Madame de Staël. Staunend sieht man, wie sie das ihr Mögliche auslotete, wie sie die traditionelle Muse des Mannes und gleichzeitig die schöpferische Frau, die neue Intellektuelle wurde. Ihre Gesprächspartner Nietzsche, Rilke oder Freud erkannten das sehr wohl und suchten den Dialog mit ihr. Sie sang das Hohelied der Entfaltung der Frau zu ihrer spezifischen Fraulichkeit und in ihrer Verschiedenheit zum Mann. Für sie gab es zweierlei Welten, für jedes Geschlecht eine, und aus ihrer Sicht war es keineswegs sicher, daß es sich in der Welt der Frau schlechter lebte. Sie definierte den weiblichen Tätigkeitsbereich vom Geschlecht der Frau, also vom weiblichen Körper her neu. Bei der Frau gebe es keine Trennung von Körper und Geist. Daraus folge die Gewißheit, daß sich die Frau im Gegensatz zum Manne nie von sich selbst abspalte. Schwieriger ist es allerdings, ihre Folgerungen aus diesem Denken der sexuellen Differenz zu akzeptieren. Die Frauenemanzipation erschien ihr als triste Imitation des Weges der Männer, als Falle des Drangs zur Nachahmung. Und obwohl sie durchaus erkannte, warum die Frau versucht war, den häuslichen Kreis zu verlassen, glaubte sie dennoch, daß ebendort deren wahre Berufung liege. Ihre eigene Berufung sah sie ganz offensichtlich nicht dort. Deswegen berührt ihr Text so merkwürdig: Wer spricht in dem Text, oder vielmehr was für eine Frau spricht dort?

»In dieser ihrer geistigen Eigenart ist, wie in ihrem übrigen Wesen, das Weib ebenfalls viel stärker durch ihre Physis bedingt und gebunden, als der Mann. Über diesen Punkt wird meistens möglichst konventionell hinweggesehen, und gerade von Frauen, weil sie es gern so darstellen, als ob überhaupt nur kränkelnde weibliche Wesen von den wechselnden Dispositionen ihres körperlichen Organismus etwas bemerkten. Und doch ist das, was selbst dem gesundesten, blühendsten Weibe unweigerlich als bestimmendes Gesetz seiner ganzen Physis im Unterschiede vom Mann inne wohnt, nichts, wodurch sie sich hinter den Mann zurückgestellt vorkommen dürfte, vielmehr wodurch sie sich in der weiblichen Besonderheit ihrer Kraft neben ihm behauptet; es handelt sich dabei ja um etwas außerordentlich Wichtiges und Wirksames, nämlich um den natürlichen Rhythmus ihres physischen wie seelischen Lebens. Des Weibes Leben folgt darin einem verborgenen Takt, einem rhythmischen Auf und Nieder, das sie ganz von selbst in einen, immer neu anhebenden, immer neu mündenden Kreislauf hineinhebt, in dem sich all ihr Sein mit allen seinen Äußerungen harmonisch wiegt. So ist auch körperlich, gerade wie geistig, nicht die vorwärtsstrebende, sich immer feiner und weiter zerspaltende Linie des Weibes Art, sondern es ist, als beschriebe sie Kreis um Kreis schon mit der bloßen Tatsache ihres Lebens. Seltsam ist es, diesen Lebensrhythmus immer nur entweder totzuschweigen oder als etwas ganz Gleichgültiges hinzustellen, während er vielmehr – gerade für den völlig gesunden, seines Körpers völlig sichern – Menschen eher den Gedanken an Feier und Sammlung, an eingestreute Sonntage, an Stunden tiefen, heitern Friedens weckt, von denen sich der Alltag immer neu überschauen, klären und ordnen ließe, und an denen Blumen auf den Tisch und ins Gemüt gehören: weil sich in ihm noch einmal, im engsten physischesten Sinne, wiederholt, was das innere Wesen des Weibes auch im Großen und Ganzen ausmacht. Obgleich die Zeiten wohl allmählich vorübergehen, in denen die Frauen gemeint, dem Manne in jeglichem, worin sie sich als tüchtig ausweisen wollten, nachahmen zu müssen, und in denen sie (nicht nur als Schriftstellerin!) unter männlichem Pseudonym arbeiteten, – so sind sie doch noch immer zu weit davon entfernt, auf alles was des Weibes ist, mit ehrfürchtigem Auge zu sehen. Ehe sie das nicht tun und sich in ihrer *Verschiedenheit* vom Manne, *und zunächst ganz ausschließlich in dieser*, so hingebend und tief wie möglich zu begreifen suchen, – alle leisesten physischen wie psychischen Winke dafür treu benutzend, – so lange werden sie auch gar nicht wissen, wie breit und mächtig sie sich im Bau ihres eigenen Wesens auseinander falten können, und wie weit die Grenzen ihrer Welt in Wahrheit sind. Das Weib ist noch immer nicht genügend bei sich selbst und eben insofern noch nicht genügend Weib geworden, – wenigstens nicht so, wie es in der Sehnsucht der besten Männer ihrer Zeit und in ihrer eigenen Sehnsucht lebt. Ehemals fehlte es ihr dazu, wie den ehemaligen Menschen überhaupt, an geübter Selbsterkenntnis und an Freiheit von eingebürgerten Gewohnheitsvorurteilen, sie kannte nicht alle ihr zugehörenden Schätze und Gemächer, und getraute sich nur in den allernächstliegenden zu wohnen und sie mit dem allernächstliegenden zu schmücken. Später aber folgte sie, kopfscheu gemacht, mit wunderlicher Stupidität dem Lockruf aus ihrem eigenen Hause heraus, hinaus auf die Landstraße. Leider ist er ja auch vielen, die ihm gar nicht folgen möchten, nicht als Lockung sondern als Drohung, zu gleichem Schicksalsruf geworden, einfach weil die Einsicht in eine soziale Notwendigkeit, mag dieselbe immerhin ein soziales Übel sein, sie hinauszwingt in einen Kampf, bei dem sie die Ellenbogen brauchen müssen und rastlos, ruhelos, in zersplitternder Einzelbetätigung um sich hauen wie der Mann. Auf diese Tatsache selbst, die sich mit Worten nicht aus der Welt schaffen läßt, ist hier nicht der Raum einzugehen. Nur soviel ist gewiß: daß es gerade für einen solchen Existenzkampf am wünschenswertesten wäre, wenn das Weib seinen guten Magen bekunden und auch die härtesten Bissen verdauen könnte, ohne an seiner eigenen Schönheit einzubüßen, – daß sie ihren weiblichen Stempel auf die Dinge drückte, anstatt sich in ihnen aufzugeben, und daß sie, selbst unter gewisser Einbuße an tadelloser Konkurrenzfähigkeit, ein klein wenig Weibesseele, Heimat und Harmonie dorthin brächte, wo keine sind, wo sie aber vielleicht leise wirken könnten. Wer sich als stärker erweisen wird: das Weib, oder aber das, was es sich Unweibhaftes zumutet, – das muß die Zeit lehren.

Außer diesem Umstande treibt jedoch heutzutage noch ein anderer das Weib in Scharen aus der Enge des bloßen Familienkreises fort, und das ist der nicht zu leugnende selbständige innere Hunger nach kräftigerer und mannigfaltigerer Nahrung, als sie daheim ohne weiteres vorfindet. Diese beiden Sachlagen dürfen nicht miteinander verwechselt werden: es kann nämlich mit einem scheinbar recht emanzipatorischen Ziel vor den sehnsüchtigen Augen ein junges Wesen doch nur sich selbst und seine eigene Entwicklung suchen. Vielleicht greift es sogar nach einem bestimmten äußern Beruf, der ihm gar nicht zusagt, während es mit alldem doch nur nach den verschiedenen Wegen herumtastet, die es in sich selbst gehen will, um sich selbst einmal ganz zu umfassen, ganz zu besitzen, und daher ganz geben zu können. Manches Mädchen, dem zum Entsetzen der Ihrigen die kleinen häuslichen Pflichten momentan zuwider sind, trägt unbewußt kein anderes Verlangen, als sich zu einer reichen, köstlichen Frauenseele auszuwachsen, in deren Bereich einen jeden heimatlicher Friede umfängt, – und verwehrt man ihr die Versuche dazu, und verschrumpfen ihre stärksten Fähigkeiten, so bleibt sie zu ewiger Unharmonie verdammt, eckig und unproportioniert, und zählt in ihrem Alter mit galliger Bitterkeit ihre unausgegebenen Goldstücke. In dieser Beziehung kann man daher nur Freiheit und immer wieder Freiheit predigen, und muß man jede künstliche Schranke und Enge zerbrechen, weil man mehr Grund hat, den Sehnsuchtsstimmen im Menschen selbst zu trauen, selbst wenn sie sich falsch ausdrücken, als vorgefaßten und zurechtgemachten Theorien. Wo überhaupt eine Entwicklung Glanz und Freudigkeit über ein Wesen bringt, da ist sie, so wunderliche Krümmungen sie auch machen mag, doch auf richtiger Fährte und schließlich dazu da im Weibe das Weib selbst, nämlich dessen innerste Lebensfähigkeit zur Reife zu bringen.«

Der Mensch als Weib. Ein Bild im Umriß, in: *Neue Deutsche Rundschau*, Jg. X, 1899[1]

Nachwort

Karin Hausen

Ein Nachwort stört die wohldurchdachte Komposition eines inhaltsreichen Buches. Das will bedacht sein. Aus gutem Grund kommen als Abschluß der in diesem Band vorgestellten historischen Suchbewegungen zwei der Frauen, um deren Geschichte es geht, selbst zu Wort. Was Germaine de Staël 1802 und Lou Andreas-Salomé 1899 aufgeschrieben haben, lenkt die Aufmerksamkeit zurück auf die existentielle und zugleich durch und durch historische Frage, wie es möglich werden kann, daß das weibliche Ich sich in Leben und kreativem Schaffen lustvoll zum Ausdruck bringt, ohne dabei der Imitation oder dem Verdikt des männlichen Ich zu erliegen.

Darum geht es, seitdem das aufklärerische Programm der freien Entfaltung der Persönlichkeit einerseits den gesellschaftlichen Platz eines jeden Menschen nicht länger als gottgewollt von Geburt an festgelegt erachtete und das Faktum der sozialen Ungleichheit mit Visionen möglicher Gleichheit kommentierte, andererseits aber gleichzeitig im Widerspruch zu aufklärerischen Prinzipien daran festhielt, Ungleichheit und Hierarchie als Stützpfeiler der eng mit der Ordnung der Ehe- und Familienverhältnisse verwobenen gesellschaftlichen Ordnung der Geschlechterverhältnisse zu erhalten. Das Vorhaben, diese Ordnung unbeschadet in die bürgerliche Gesellschaft hinüberzuretten, wurde seit dem letzten Drittel des 18. Jahrhunderts ebenso vielfältig wie anhaltend bearbeitet. Nicht minder nachhaltig drängte allerdings parallel dazu im 19. Jahrhundert die Dynamik des modernen Denkens und des allgemeinen sozialen Wandels auf Veränderung eben dieser Ordnungen. Die Folge waren anhaltende Spannungen, Widersprüche und Konflikte bei der kulturellen Verständigung darüber, welche Normen das Frausein und das Mannsein in der Gesellschaft regeln sollten, wie diese Normen von einzelnen Frauen und Männern gelebt werden konnten und tatsächlich gelebt wurden.

Das wünschenswerte oder auch erträgliche Maß an Differenz bzw. Gleichheit der Geschlechter, der Geschlechterpositionen und der Lebensweisen von Frauen und Männern war dementsprechend während des gesamten 19. Jahrhunderts Anlaß vielfältiger diskursiver, politischer und alltäglicher Auseinandersetzungen. Dabei artikulierte sich in der Ausdauer und Vehemenz, mit der die Geschlechterordnung bearbeitet wurde, nicht zuletzt das Bedürfnis nach einer verläßlichen Ordnung der Geschlechterbeziehungen. Der beobachtbare Wandel der Ordnung signalisierte Instabilität und wurde kollektiv überwiegend als Verunsicherung, wenn nicht gar als Bedrohung und Krise bearbeitet. Das wiederum machte es für einzelne Frauen und Männer schwieriger, den Wandel primär als Chance zu deuten und zu nutzen, um die vorgegebene Ordnung mit ihren Einschränkungen zu verlassen und frei experimentierend je individuell das eigene Leben zu gestalten. Nicht im Einklang mit den wirkungsmächtigen kulturellen Bildern und Zuschreibungen leben zu wollen oder leben zu müssen, erforderte ein hohes Maß an Einsatz und Belastbarkeit. Während des gesamten 19. Jahrhunderts wurde diese Kostenseite des Aufbruchs im Hinblick auf Frauen sehr viel nachhaltiger öffentlich herausgestellt als für Männer, und in der Tat gestaltete sich für Frauen der Aufbruch schwieriger, da die gesellschaftlichen Handlungsspielräume und Wahlmöglichkeiten für das weibliche Geschlecht weitaus enger als für das männliche abgesteckt waren.

In diesem Bezugsrahmen die »Geschichte der Frauen« einschreiben zu wollen in unser Wissen über das 19. Jahrhundert ist – zumal wenn dieses Vorhaben in die lange Perspektive von der Antike bis zur Gegenwart eingeordnet wird – in mehrfacher Hinsicht eine Herausforderung besonderer Art. Die produktive Auseinandersetzung mit dieser Herausforderung durchzieht und prägt das in seinen Einzelbeiträgen und als Gesamtwerk faszinierende Buch. Davon ist allerdings auf den ersten Blick kaum etwas zu erkennen. Die so selbstverständlich erscheinende Leichtigkeit der sorgfältigen Komposition und ausgefeilten Darstellung des Buches überspielt gekonnt das Gewicht der tatsächlich aufgewendeten methodischen und theoretischen Vorüberlegungen. Das ist ein Vorzug. Im Nachwort aber mag es dennoch erlaubt und interessant sein, zumindest in einigen Punkten auf die besondere Art der Herausforderung aufmerksam zu machen.

Herausgeforderte Wissenschaftskritik

In ihrer allgemeinsten Form resultiert die behauptete Herausforderung daraus, daß das Vorhaben, die Geschichte der Frauen im 19. Jahrhundert zu erforschen und darzustellen, zur grundsätzlichen Auseinandersetzung mit der Entwicklung der modernen Wissenschaften zwingt. Im 19. Jahrhundert entfalteten die zunehmend institutionalisierten und ausdifferenzierten Wissenschaften erstmals innerhalb der Gesellschaft eine beträchtliche Definitions- und Gestaltungsmacht. Das ist bekannt. Weniger geläufig, aber gleichwohl bedeutsam ist, daß der Gestaltungswille dieser exklusiv Männern überantworteten Wissenschaften in hohem Maße auch die Ordnung der Geschlechterverhältnisse im Auge hatte.

Besonders nachhaltig beeinflußten die seit der Spätaufklärung forcierten Bemühungen, eine Anthropologie als neuartige Wissenschaft vom Menschen zu entwickeln, die Geschichte der Frauen im 19. Jahrhundert. Geschichte ist dabei durchaus im doppelten Sinne als historische Entwicklung und als deren geschichtswissenschaftliche Erforschung zu verstehen. Es gehörte zu den Konstitutionsbedingungen dieser im frühen 19. Jahrhundert allmählich in Teildisziplinen zerfallenden Anthropologie, daß die mit weitreichenden Bedeutungen bedachte Geschlechterdifferenz als natürliche, schließlich auch anatomisch an der Ungleichheit der Körper wissenschaftlich nachgewiesene Tatsache ausgearbeitet wurde. Mit dieser Deutung gelang es, die im späten 18. Jahrhundert vorübergehend höchst virulente Frage nach der Historizität der Geschlechterordnung innerhalb der Wissenschaften in erstaunlichem Maße stillzulegen.

Claudia Honegger[1] hat in einer wissenschaftsgeschichtlichen Rekonstruktion herausgearbeitet, daß und wie sich seit 1775 das diskursive Bemühen verstärkte, mittels Wissenschaft die Geschlechterdifferenz als kulturelles Deutungsmuster neu zu fundieren. Dabei richtete sich die Aufmerksamkeit in wachsendem Maße darauf, die Anthropologie als allgemeine Wissenschaft vom Menschen um eine aus der Naturbestimmung abgeleitete Sonderanthropologie des Weibes zu ergänzen. Die Willkür und Kühnheit, mit der zu diesem Zweck einzelne Beobachtungen gedeutet und verallgemeinert wurden, provozierte anfangs heftige Abwehr. Nach 1800 aber verschwanden ganz offensichtlich angesichts der nun vermehrt von der Anatomie bereitgestellten »wissenschaftlichen« Körperbeweise sowohl das Bedürfnis als auch die Möglichkeit, dem polarisierenden Ausdeuten der Geschlechterdifferenz, welches sich auf alle Lebensbereiche erstreckte, weiterhin öffentlich entgegenzutreten. Die Aufmerksamkeit auf das abgrenzbare Besondere des weiblichen Geschlechts zu konzentrieren, bewährte sich als die

Bedingung der Möglichkeit, das Allgemeine des Menschengeschlechts ausschließlich am Menschsein des männlichen Geschlechts abzulesen. Im 19. Jahrhundert zeitigte nicht nur diese deutlich hierarchisierende wissenschaftliche Klassifikation zwischen dem Allgemeinen und dem Besonderen weitreichende Wirkungen. Im Zuge desselben wissenschaftlichen Diskurses hat sich seit dem Ende des 18. Jahrhunderts mit Rekurs auf die Natur darüber hinaus auch die Vorstellung verfestigt, daß in den Geschlechtskörper des männlichen Geschlechts der öffentliche Bereich mit der nur diesem Bereich zugesprochenen Geschichtsmächtigkeit und in den des weiblichen Geschlechts der familiale Bereich mit der ihm als eigentümlich erachteten Naturhaftigkeit eingeschrieben sei. Dementsprechend war es dann nur folgerichtig, die wissenschaftliche Zuständigkeit für das Besondere des weiblichen Geschlechts schließlich vollständig der von Medizinern verwalteten neuen Fachdisziplin der Gynäkologie zu überantworten. »Während um 1850 der Kosmos der Großen Anthropologie als integrierter Wissenschaft vom Menschen zerfällt, der ›Mensch als Mann‹ von den unterschiedlichsten kognitiven Bemühungen erfaßt und in diversen akademischen Disziplinen verhandelt wird,« – so kommentiert Claudia Honegger die Entwicklung – »verschwindet der ›Mensch als Weib‹ (Lou Andreas-Salomé) aus dem Thematisierungskanon der Human- und Geisteswissenschaften, um ganz von der neuen psycho-physiologischen Frauenkunde umschlungen zu werden.«

Diese Beobachtungen sind nicht nur wissenschaftsgeschichtlich interessant. Sie sind auch für die Geschichte der Frauen im 19. Jahrhundert relevant. Zunächst einmal gibt es eine zeitliche Parallele und einen engen inhaltlichen Zusammenhang zwischen der Erarbeitung einer allgemeinen Anthropologie nebst weiblicher Sonderanthropologie einerseits und andererseits dem Bestreben, die ältere Tradition der Geschichtsschreibung allmählich zu überwinden, Geschichtsschreibung im modernen Sinne als Wissenschaft zu betreiben und die bislang an den Universitäten bearbeitete Herrscher- und Herrschaftsgeschichte zu ersetzen oder wenigstens zu ergänzen durch eine prinzipiell alle Bereiche des Lebens umfassende Menschheits- und Universalgeschichte.[2] Damit erhöhte sich auch für die Historiographie die Dringlichkeit, wohlbegründet und methodisch kontrolliert unterscheiden zu können zwischen demjenigen, was des historischen Erinnerns für wert erachtet wird, und demjenigen, was dem historischen Vergessen anheimgegeben bleiben kann. Vom Ansatz der allumfassenden Menschheitsgeschichte her war es überaus schwierig, zwischen dem historisch relevanten Allgemeinen und dem historisch irrelevanten Besonderen vertretbare Grenzen zu ziehen. Um so näher lag es, zumindest eine bestimmte Gruppe von Menschen in der historischen Zielperspektive des Fortschritts der Zivilisation zu privilegieren. Dazu boten sich schon den Aufklärern die Menschen weißer Rasse, abendländischer Zivilisation und männlichen Geschlechts wie selbstverständlich an. Doch erst als sich die für die wissenschaftlich betriebene Historiographie zugelassenen leitenden Gesichtspunkte auf die Staatengeschichte verengten, was am konsequentesten seit dem frühen 19. Jahrhundert in Deutschland geschah, entledigte sich die Geschichtswissenschaft damit für lange Zeit der Aufgabe, die prinzipielle Möglichkeit einer allgemeinen Geschichte der Frauen auch nur zu erwägen.

Am Ende des 18. Jahrhunderts war allerdings noch keineswegs entschieden, daß dem weiblichen Geschlecht von Natur aus die Zugehörigkeit zur akademisch verwalteten Geschichte verweigert sei. In dieser Hinsicht ist die singuläre und eher kuriose vierbändige *Geschichte des weiblichen Geschlechts*, die der Göttinger Gelehrte Christoph Meiners zwischen 1788 und 1800 publizierte, bemerkenswert. Meiners schrieb sein Werk als Lehrstück für seine Gegenwart.[3] Er versammelte darin eine Fülle unterschiedlichster Mitteilungen aus der ganzen Welt und allen Zeiten und verfolgte damit, unangefochten vom Chaos der angeführten disparaten Wissensbestände, das Ziel, dem weiblichen Geschlecht seinen historisch-natürlichen Platz in der Menschheitsgeschichte zuzuweisen.

Warum ist dieser tastende Versuch später nicht weiterentwickelt worden? Die im 19. Jahrhundert als Universitätsdisziplin etablierte Geschichtswissenschaft beschnitt einem ähnlichen Erkenntnisinteresse, wie es Meiners verfolgt hatte, jegliche Entfaltungsmöglichkeiten. Bei dem, was im 19. Jahrhundert in den Nationalstaaten als Geschichte zunehmend an Rang und Ansehen gewann, kamen Frauen weder als Gegenstand des historischen Interesses noch als Geschichtsschreiberinnen nennenswert zu Worte. Diese historiographische Weichenstellung hatte, gerade weil das 19. Jahrhundert auf die aktive Gestaltung des Fortschritts eingeschworen war, wissenschaftliche und politische Relevanz. Die wissenschaftlich fundierten Geschichtsvorstellungen spiegelten und bestätigten immer erneut die anthropologische Grundannahme, daß das weibliche Geschlecht mehr der auf unwandelbare Dauer angelegten Natur denn der dem historischen Wandel zugewandten Kultur angehöre. Das Interesse für die Geschichte der Frauen und der Geschlechterbeziehungen brach zwar nicht völlig ab; es kam seit der Mitte des 19. Jahrhunderts sogar wieder verstärkt zum Ausdruck in der Kultur- und Sittengeschichte und den Evolutionstheorien. Aber zwischen der sogenannten Allgemeinen Geschichte und solchen außerhalb der Geschichtswissenschaft versuchten Annäherungen an eine Geschichte der Frauen blieb eine tiefe Kluft, die sicherstellte, daß für derartige Versuche weder das Kriterium der Wissenschaftlichkeit noch das der Relevanz gleichberechtigt zur Geltung gebracht werden konnte. Noch heute ist das Vorhaben, eine Geschichte der Frauen zu schreiben, ein brisantes Unterfangen. Denn diese Geschichte muß, will sie ihrem Gegenstand gerecht werden, auf dem ureigenen Terrain der Geschichtswissenschaft mit historiographischen Traditionen brechen und sich gleichzeitig weit über das disziplinär eingeschränkte Terrain der Geschichtswissenschaft hinauswagen. Gelingt ihr dieses nicht, läuft sie Gefahr, mit ihren historischen Annäherungen an die Geschichte der Frauen im 19. Jahrhundert wider besseres Wollen steckenzubleiben in der mit alltäglichen Bildern und Vorurteilen überreich ausgestatteten Sackgasse der Klischees.

Trügerische Sprache, trügerische Bilder

In diesem Band gehört nicht allein die Auseinandersetzung mit den Wissenschaftstraditionen zur historischen Arbeit an einer Geschichte der Frauen des 19. Jahrhunderts, sondern auch das Herstellen einer kritischen Distanz zu den gebräuchlichen Denk-, Sprach- und Bildtraditionen, die für die Kommunikation in Alltag und Wissenschaft z. T. bis heute Verwendung finden. Wieviel Umsicht eine solche kritische Distanzierung erfordert, läßt sich am Beispiel eines hingetupften Kommentars erläutern. Ein bestens mit der deutschen Historiographiegeschichte des 18. und 19. Jahrhunderts vertrauter Historiker, Horst Walter Blanke, merkte 1991 an[4], Christoph Meiners *Geschichte des weiblichen Geschlechts* sei – »obwohl seine Interpretation durchaus konservative Züge trägt« – ein Beleg für das emanzipatorische Potential der Aufklärungshistoriographie. Denn Meiners habe sich mit seinem Werk »einer gesellschaftlichen Gruppe von underdogs« angenommen. Diese Anmerkung ist in sich höchst widersprüchlich und verfehlt Meiners Anliegen, welches eng mit der Ausarbeitung einer weiblichen Sonderanthropologie korrespondierte. Das liegt auf der Hand. Um so interessanter ist dann die Frage, warum sich ein Fachmann auf seinem Gebiet mit einer derart unzulänglichen Formulierung zufrieden gibt. Warum ist ihm nicht aufgefallen, daß es unsinnig ist, die Gesamtheit des weiblichen Geschlechts als »underdogs« zu qualifizieren? Die einzige plausible Antwort auf diese Frage scheint mir zu sein, daß Blanke, der sich im übrigen sehr reflektiert mit der Geschichte der Historiographie auseinandersetzt, hier distanzlos der im 19. Jahrhundert eingeschliffenen wissenschaftlichen Perspektive auf das weibliche Geschlecht folgt, seine Aussage dann allerdings mit einer Formulierung des 20. Jahrhunderts auf den Begriff bringt.

Damit ist die Gefahr eingekreist. Wo immer es um Menschen weiblichen Geschlechts geht, gehört beträchtliche Aufmerksamkeit dazu, den vom »gesunden Menschenverstand« wohlfeil angebotenen Trugschlüssen nicht aufzusitzen. Wer der Geschichte der Frauen im 19. Jahrhundert auf die Spur kommen will, wird dafür eine Vielzahl unterschiedlichster Quellen ausfindig machen können. Mit der Quellensuche aber ist es nicht getan. Die Analyse und Interpretation der aufgefundenen Quellen kann an schwer zu überwindenden Klippen scheitern. Die Geschichte der Geschlechterverhältnisse zwingt dazu, die Methoden der Quellenkritik weit über das sonst in der Geschichtswissenschaft übliche Maß hinaus zu radikalisieren. Die verfügbaren Text- und Bildquellen geben nur dann taugliche Auskünfte über die Geschichte von Frauen und Männern, wenn sie als Teilstücke der über Sprache, Bilder und Zeichen vermittelten kommunikativen Konstruktion von Wirklichkeit entschlüsselt und »dekonstruiert« werden.

Um zu verdeutlichen, was damit gemeint ist, sei etwas weiter ausgeholt. Die kulturelle Ordnung der Geschlechterverhältnisse bedarf, da sie dem historischen Wandel unterliegt und gleichwohl in ihren Grundregeln erhalten bleiben soll, unablässig der kollektiven Vergewisserung. Sie wird daher als Norm und praxisleitende Verhaltens- und Handlungsanweisung ständig bearbeitet. Dabei kommen einprägsame Handlungen, Zeichen, Bilder, Vorstellungen, Redewendungen, Sichtweisen ins Spiel. Im 19. Jahrhundert verstärkte sich auch in diesem Bereich der kulturellen Verständigung die allgemein beobachtbare Tendenz, gesellschaftlich favorisierte Vorstellungs- und Sprechweisen sozial und überregional zu vereinheitlichen und zu verallgemeinern. Neben den Kirchen gewannen in diesem Prozeß Kunst und Wissenschaft, die nun als nationale Institutionen gefördert wurden, deutlich an Einfluß. Bei mehr oder weniger direkter Teilhabe an wissenschaftlicher Kommunikation und Hochkultur verständigten sich allen voran die bürgerlichen Eliten über neuartige Wahrnehmungs-, Denk- und Sprechweisen, Ordnungs- und Bewertungsverfahren und Formen der Problemdefinition. Die Bildungseliten verbesserten gleichzeitig die Chancen, ihre deutlich gestiegene Definitionsmacht bei der Ausgestaltung der gesellschaftlichen Verhältnisse zur Geltung zu bringen und dafür Anerkennung einzuwerben.

Wie immer es tatsächlich um die materielle Gestaltungsmacht der zunächst und vor allem diskursiven Bestrebungen bestellt gewesen sein mag, bleibende Auswirkungen hatten diese mit Sicherheit auf die Alltagskommunikation, die ihrerseits die wissenschaftliche Kommunikation stark beeinflußte. Gewiß, wir müssen davon ausgehen, daß in den überlieferten Quellen die hochkulturellen Konstruktionen von Wirklichkeit im Verhältnis zu denen der Alltagskultur überproportional stark vertreten sind. Gleichwohl spricht im Hinblick auf die normative Ordnung und die gelebten Beziehungen der Geschlechterverhältnisse viel für die Annahme, daß hier im 19. Jahrhundert das Wechselspiel zwischen den Formen und Inhalten der alltäglichen, der wissenschaftlichen und der künstlerischen Bilder und Ausdrucksweisen besonders intensiv wurde. Die durch Wissenschaft bekräftigten Zuschreibungen durchdrangen auch schon im 19. Jahrhundert die von den Zeitgenossen nicht eigens reflektierten, da gebräuchlich gewordenen Denk- und Sprechweisen. Da ist in den Quellen die Rede vom männlich besetzten weiten Raum des Politischen, des Öffentlichen, des Allgemeinen und dem weiblich besetzten engen Raum des Privaten, des Besonderen, des Unpolitischen. Die sozial erwünschte strukturelle Stärke des männlichen und strukturelle Schwäche des weiblichen Geschlechts findet in einer kaum zu überschauenden Vielfalt von Bildern und Redeweisen ihren beredten Ausdruck bis hinein in die Mitteilungen über Einzelheiten des Alltagsgeschehens. Die in der kollektiven Verständigung geschlechtsspezifisch zuerkannten Fähigkeiten und Zuständigkeiten durchdringen selbst in den individuell formulierten Wünschen und Erwartungen die wechselseitigen Wahrnehmungen der Geschlechter. Die zu Bildern verfestigten Vorstellungen über die Geschlechter sind auch in nichtbürgerlichen Milieus geläufig.

In den Quellen wird historische Wirklichkeit als Ausschnitt einer kommunikativen Verständigung und Konstruktion überliefert. Dieses in der geschichtswissenschaftlichen Forschung zu beachten, ist schwierig genug. Das methodische Problem tritt noch schärfer zutage, sobald wir uns eingestehen, daß schon für die Zeitgenossen das gebräuchliche Raster der Wahrnehmung und Verständigung fester Bestandteil der erfahrenen Wirklichkeit war. Für die Geschichte der Frauen kommt als weitere Schwierigkeit hinzu, daß die gesellschaftliche Dominanz des männlichen Geschlechts auch in den Ausdrucksmöglichkeiten der Sprache und Bilder, ja in allen allgemein anerkannten Mitteln der Kommunikation ihren Niederschlag gefunden hat. Dementsprechend ist bei der historischen Analyse der Quellen stets, und zwar selbst dann, wenn die Quellen von Frauen verfaßt worden sind, mit einer über Bild und Sprache transportierten Benachteiligung der weiblichen Seite in der überlieferten Wirklichkeit zu rechnen.

Es gehört zum Vorzug der vorliegenden Geschichte der Frauen, daß alles dieses in viele Richtungen reflektiert und so weit es geht offengelegt wird. Das Ziel ist nicht, eine in den Quellen hinter Bildern und Sprechweisen verborgene historische Wirklichkeit aufzudecken, sondern die überlieferten Sprechweisen, angebotenen Bilder und Denkzusammenhänge selbst als Wirklichkeit zu begreifen. Es geht um eine Dekonstruktion der historisch je spezifischen Inhalte und Formen der gesellschaftlichen Bearbeitung der Geschlechterverhältnisse, um dadurch Zug um Zug historische Einsichten in die als Prozeß und Beziehung gelebten, gestalteten und gedeuteten Geschlechterverhältnisse zu gewinnen. Gefragt wird, wie und mit welchem Ziel die zur Sprache verdichteten Worte, Bilder und Zeichen Wirklichkeit stifteten. Gefahndet wird nach der suggestiven Kraft von derart verallgemeinerten Vorstellungen, nach deren offenen oder verdeckten Brüchen, und deren Vermögen, von Widersprüchen abzulenken, sie zu überspielen oder zu harmonisieren. Die Verbreitung, Akzeptanz oder Ablehnung bestimmter Wahrnehmungs- und Ausdrucksweisen zu erkunden kann ebenso aufschlußreich sein wie die Beobachtung, daß es Männern und/oder Frauen an Ausdrucksmöglichkeiten fehlte, und diese deshalb neue Ausdrucksweisen in Umlauf brachten.

In dieser Weise die Quellen des 19. Jahrhunderts zu analysieren ist nicht leicht, da die in jener Zeit aufgekommenen sprachlichen Ordnungen und Wahrnehmungsmuster zu einem großen Teil bis heute geläufig geblieben sind. Anders als bei Texten und Bildern früherer Jahrhunderte, deren Fremdartigkeit beim heutigen Lesen sofort ins Auge fällt und zur Analyse und Kritik herausfordert, bereitet für Quellen des 19. Jahrhunderts häufig allein schon das Identifizieren wirkungsmächtiger Konstruktionen erhebliche Schwierigkeiten, da es an Distanz zu den bis heute fortwirkenden Ausdrucksgewohnheiten fehlt. Wenn im 19. Jahrhundert die Rede davon ist, daß Frauen Hilfsarbeiten leisten, daß sie eines besonderen gesetzlichen Schutzes bedürfen, daß sie gefühlsbetont handeln, daß sie unpolitisch und unorganisierbar sind, dann sind diese nicht nur von Männern, sondern auch von Frauen überlieferten Aussagen mitnichten schlichte Belege für historische Fakten. Vielmehr vereinheitlichen solche Aussagen häufig höchst divergierende Phänomene und gestalten sie diskursiv um zu der einen erwünschten Wirklichkeit.

Frauen als Akteurinnen der Geschichte

Frauen in die Geschichte des langen 19. Jahrhunderts von 1776/1789 bis 1914 einschreiben zu wollen, schließt die Herausforderung ein, wohlüberlegt anzuschreiben gegen die besonders intensiv und vielseitig im 19. Jahrhundert mit dem Diskurs über das Wesen des weiblichen Geschlechts bearbeitete Vorstellung von der Geschichtsferne der Frauen. In diesem Band geschieht dieses auf zwei Ebenen.

Auf der einen Ebene wird der Diskurs über die Spezifika des weiblichen Geschlechts selbst als Bereich der kollektiven Gestaltung des 19. Jahrhunderts zum Gegenstand der historischen Analyse gemacht.

Welche Künste, welche Wissenschaften waren beteiligt, lösten einander im Laufe der Jahrzehnte ab, veränderten die Intentionen, Inhalte und Legitimationen der dem weiblichen Geschlecht als physisch-psychischer Gesamtheit zugedachten Geschlechtseigentümlichkeiten? Wie entwickelte sich im Laufe des 19. Jahrhunderts das Zusammenspiel zwischen Alltags- und Wissenschaftskommunikation mit dem Ergebnis, daß die unendlich vielen verschiedenen Frauen weniger als Einzelpersönlichkeiten, denn als typische Verkörperungen des weiblichen Geschlechts, kurz: als *die* Frau wahrgenommen wurden; daß sich die Vorstellungen von der spezifischen Naturhaftigkeit der Frau in ihrem »natürlichen Beruf der Hausfrau, Gattin und Mutter«, von der geschlechtstypischen Schwäche, Hilflosigkeit, Gefährdung und Schutzbedürftigkeit der Frau, von der besonderen Anpassungs- und Leidensfähigkeit der Frau durch immer erneutes Bearbeiten als allgemeines Wissen verfestigten? Wie und in welchem Maße konnten Männer, in welchem Maße konnten Frauen ihre Vorstellungen und Wünsche differenziert und nachhaltig vortragen, wenn um die Aufgaben, Ausbildung, Rechtsverhältnisse, Körperlichkeit, Schönheit, Erwerbsarbeit, Kreativität der Frau gestritten wurde? Wie gelang es Frauen, wie gelang es Männern, die Logik dieser nicht enden wollenden Diskurse um das Frausein für eigene Zwecke und Vorstellungen zu nutzen?

Die breit akzeptierte Maxime, es sei der natürliche Beruf der Frau, als Erzieherin ihrer Kinder zu wirken, ließ sich einsetzen, um die Forderung nach besserer Mädchenbildung zu begründen oder Argumente für die Besserstellung der Frau im öffentlichen und im Privatrecht zu entwickeln. Die der Frau als Naturkraft zugewiesene »Mütterlichkeit« diente der ersten Frauenbewegung als Ausgangspunkt für ihr politisches Programm der »gesellschaftlichen Mütterlichkeit«, mit welchem sie den Anspruch der Frauen auf öffentliche Einflußnahme und Zulassung zu bürgerlichen Berufen untermauerte. Das weibliche Geschlecht war schon lange als Verkörperung edler Sittlichkeit herausgestellt worden, bevor es am Ende des 19. Jahrhunderts mit der Sittlichkeitsbewegung gelang, dieses Programm sehr erfolgreich politisch zu wenden. Kurzum, die diskursiven Zu- und Festschreibungen des weiblichen Geschlechts, die im 19. Jahrhundert besonders vielstimmig und anhaltend auf Frauen und Männer eintönten, entfalteten sich keineswegs nur als Bollwerke gegen historische Veränderungen. Das den Diskursen eigene Medium der Bilder, Denk- und Sprechweisen eröffnete in erstaunlichem Maße immer auch Entfaltungsmöglichkeiten für die List der Vernunft.

Die Geschichte der im 19. Jahrhundert angestrengt betriebenen Weiblichkeitszuschreibungen offenbart bei einer so aufmerksamen historisch-analytischen Lektüre, wie sie im vorliegenden Buch vorgeführt wird, zwar nur bedingt Zuverlässiges über die Frauen selbst, dafür aber um so interessantere Einblicke in die Tiefenschichten der bürgerlichen Gesellschaft. Das im 19. Jahrhundert wuchernde und trotz seiner Redundanz gleichbleibend beliebte Räsonnieren über das Wesen und die Verhältnisse des weiblichen Geschlechts bot eine immer wieder dankbar genutzte Möglichkeit, sich der unsicher gewordenen Ordnung der Geschlechterverhältnisse kollektiv und individuell zu vergewissern. Die allgemeine Besorgnis und Verunsicherung ob der bis zur »Keimzelle« Familie reichenden Veränderungen des Gesellschaftsgefüges ließ sich hier beredt zum Ausdruck bringen, ohne gleich das Credo des bürgerlichen Fortschritts insgesamt in Zweifel ziehen zu müssen. Das Nachsinnen über das Wesen und die Verhältnisse der Frau bewährte sich offensichtlich auch als Projektionsfläche, um zumindest indirekt – und damit für die heldisch konzipierte männliche Identität weniger gefährlich – über männliche Unsicherheiten und Ängste zu sprechen, die durch die Zumutung, ein ganzer Mann sein zu müssen, ausgelöst wurden.

Gegen das Klischee der Geschichtslosigkeit von Frauen wird noch auf einer zweiten Ebene angeschrieben. Frauen werden durchgehend vorgestellt als aktiv handelnde, denkende und schöpferisch tätige Personen, die selbst die gesamtgesellschaftlichen Umwälzungen von der ständisch-feudalen Agrargesellschaft hin zur weltweit verbundenen, aber in Nationalstaaten organisierten bürgerlich-kapitalistischen Marktgesellschaft erlebten und gestalteten. Die historische Stilisierung der Frauen zu Opfern wird abgewehrt. Es wird tunlichst vermieden, mit einer Geste des Mitleids Frauen in die Opfer-Falle einzusperren. Auf lebhafte Schilderungen vom Elend der ausgebeuteten Lohnarbeiterin, der ledigen Mutter, der Prostituierten, der verhärmten bürgerlichen Witwe, der alten Jungfrau, die allzu häufig unversehens das Bild von der den widrigen Verhältnissen hilflos ausgelieferten weiblichen Kreatur reproduzieren, wird bewußt verzichtet.

Das Interesse konzentriert sich statt dessen darauf, Situationen, in denen Frauen handelnd in Erscheinung treten, historisch möglichst genau zu definieren und auszuleuchten. Dabei wird keineswegs unterschlagen, daß Menschen weiblichen Geschlechts während des gesamten 19. Jahrhunderts in der Tat schlechtere Chancen hatten, Interessen kollektiv durchzusetzen und öffentlich gehört zu werden. Mit den Revolutionen wurde nicht allein klargestellt, daß künftig mehr Menschen als je zuvor Einfluß nehmen würden auf die Gestaltung der nationalen Politik, Wirtschaft und Kultur, sondern gleichzeitig auch festgeschrieben, daß die politische und rechtliche Privilegierung des männlichen Geschlechts ein unverzichtbares Prinzip sein soll. Dieses war kein zufälliges Ergebnis des natürlichen Laufs der Dinge, sondern das Ergebnis politischer Kämpfe, an denen sich insbesondere in Frankreich Frauen mit Worten und Taten nachhaltig, aber erfolglos beteiligt hatten. Mit den Revolutionen wurde entschieden, daß die Menschen weiblichen Geschlechts den Weg in die Moderne unter prinzipiell anderen Vorzeichen und mit schlechteren Chancen der gesellschaftlichen Emanzipation und Partizipation zurücklegen sollten als die Menschen männlichen Geschlechts. Das Prinzip der Rechtsgleichheit wurde um der hierarchisch gedeuteten Geschlechterdifferenz willen von Anfang an eingeschränkt.

Diese für die Entwicklung der Geschlechterverhältnisse folgenreiche Weichenstellung ist der Auftakt zur Geschichte der Frauen des 19. Jahrhunderts. Diese Geschichte entfaltete sich im Zeichen jahrzehntelanger Auseinandersetzungen um die von den einen geforderte noch festere Verankerung und die von den anderen betriebene überfällige Lockerung und Überwindung eben dieser Weichenstellung. Frauen kämpften trotz wiederholter Niederlagen hartnäckig weiter um die Verbesserung ihrer Rechte, Lebenschancen und Handlungsmöglichkeiten. Sie wurden zu Feministinnen, suchten nach Bundesgenossen und schlossen sich in Organisationen zusammen. Sie steigerten ihr öffentliches Durchsetzungsvermögen, indem sie eigene wirkungsvolle Formen der politischen Artikulation erprobten, um den Ausschluß aus den allein Männern vorbehaltenen, im Laufe des 19. Jahrhunderts allmählich eingeübten Spiel- und Organisationsformen der politischen Öffentlichkeit wettzumachen. Sie erschlossen sich innerhalb der für sie leichter zugänglichen Räume des religiösen und kirchlichen Lebens, aber auch in städtischen Kommunen, in nationalen und internationalen Zusammenkünften und Organisationen mit einer Vielzahl von Aktivitäten neue Handlungsräume für ihr öffentliches Engagement.

Wo immer Frauen dafür kämpften, die rechtliche und soziale Situation des weiblichen Geschlechts in der Gesellschaft zu verbessern, wußten sie gute Argumente ins Feld zu führen, daß das angestrebte Ziel eine allgemeine Verbesserung der gesellschaftlichen Verhältnisse zur Folge haben würde. Sie hatten es schwer, damit bei den Zeitgenossen Gehör und bei späteren Historiographen Beachtung zu finden. Denn was immer sie taten, sie bewegten sich jenseits der akzeptierten gesellschaftlichen Konstruktion des Politischen, sobald sie als Frauen für Frauen sprachen und für die Belange des weiblichen Geschlechts eine politische Vertretung reklamierten.

Im Zentrum der hier dargestellten Geschichte des 19. Jahrhunderts stehen Frauen, die aktiven Anteil nahmen an der diesem Jahrhundert eigenen Bewegung und Dynamik des Aufbruchs: sei es auf der Suche nach Erwerbsmöglichkeiten, bei der Nutzung des städtischen Raumes, als Reisende und Auswanderinnen, sei es im Streben nach Bildung, im eigenen künstlerischen Tun, im religiösen, politischen oder sozialem Engagement oder als Gestalterinnen des häuslichen Lebensraumes und des Familienlebens. Es wäre sicherlich wünschenswert gewesen, nachdrücklicher auch noch die Frauen auf dem Lande und die Frauen bei ihren alltäglichen häuslichen Arbeiten vom Stigma des Beharrens in Traditionalität zu befreien. Der mit der Darstellung intendierte Nachweis, daß und wie Frauen ihre eigene Lebensgeschichte und die allgemeine Geschichte aktiv gestaltet haben, wäre damit allerdings nur weiter ausdifferenziert, in der Substanz aber nicht verändert worden.

Viele Geschichten oder eine Geschichte der Frauen

Der Titel »Geschichte der Frauen« läßt in der Schwebe, ob es möglich und erstrebenswert ist, wenigstens für Europa und die Vereinigten Staaten die zahlreichen denkbaren Parallelgeschichten der Frauen vergleichend zu einer einzigen Geschichte der Frauen zu integrieren, oder ob es von der Sache her nicht sogar sinnvoller ist, es bei einer wohldurchdachten Auswahl verschiedener Geschichten zu belassen. Auch die unter dem Titel dargestellte Geschichte verzichtet in dieser Frage auf eine klare Entscheidung.

Die Darstellung hebt allein schon durch ihre Form hervor, daß es sich bei der hier erzählten und interpretierten Geschichte um mögliche Lesarten der Vergangenheit handelt. Die Autorinnen gehören verschiedenen Fachdisziplinen an. Sie haben für jeweils bestimmte thematische Ausschnitte aus dieser Geschichte bzw. unter einem bestimmten Blickwinkel einen Überblick für das gesamte Jahrhundert erarbeitet und ihren speziellen Beitrag mit ihren je individuell formulierten Erkenntnisinteressen und Stilmitteln ausgestaltet. Diese Arbeitsteilung hat für die Gesamtdarstellung notwendigerweise inhaltliche Wiederholungen und Überschneidungen zur Folge. Das wiederum erhöht beim Lesen die Wahrscheinlichkeit der überraschenden Wiederentdeckung eines schon bekannten, nun in einen neuen Zusammenhang gerückten Sachverhalts. Solche Wiederentdeckungen fordern dann ihrerseits dazu heraus, die Mosaiksteine der verschiedenen Geschichten in Bewegung zu bringen und zu neuen Geschichten zusammenzusetzen. Die Konzeption des Buches verweist damit einerseits auf ein Programm der Parallelgeschichten, welches durch weitere, ebenfalls interessante Geschichten ergänzt werden könnte.

Gleichzeitig aber ist andererseits unübersehbar, daß die vielen faszinierenden Geschichten in diesem Buch nicht zufällig nebeneinander stehen, sondern nach einem durchdachten Plan zusammengestellt worden sind. Ein Programm der Einheit bändigt die Gefahr der Beliebigkeit. Die Auswahl der bearbeiteten Themen, der durchgespielten Fragen und versuchten Deutungen folgt einer sehr genauen Vorstellung von dem, was für die Geschichte der Frauen im 19. Jahrhundert und für deren heutige Vergegenwärtigung historische Relevanz hat. Die Geschichte der Frauen wird dargestellt als eine durch und durch politische Geschichte der Geschlechterordnung, die alle Gesellschaftsbereiche durchdringt und in alle gesellschaftlichen Entwicklungen einbezogen ist.

Um so provozierender ist, daß sich diese Geschichte der Frauen kommentarlos hinwegsetzt über den Nationalstaat, der als politisches Ordnungsprinzip gerade im 19. Jahrhundert höchste Bedeutung erlangte. Europa und die Vereinigten Staaten werden als Einheit betrachtet. Das Interesse gilt nicht den Grenzziehungen, den nationalen Rivalitäten und Unterschieden, sondern dem ebenfalls charakteristischen Funktionieren der über nationale und kulturelle Unterschiede hinweg erstaunlich miteinander kommunizierenden und einander wechselseitig beeinflussenden Einheiten eines größeren Ganzen. Dieses absichtsvolle Zusammenrücken der westlichen Welt macht überraschend deutlich, wie gleichartig und allgemein verbreitet die für die Geschichte der Frauen im 19. Jahrhundert relevanten Problemdefinitionen und auf Veränderung drängenden Bestrebungen waren und wie entscheidend die geographische Ausweitung, Intensivierung und Beschleunigung der Kommunikation auch den Frauen zugute kam. Der Ertrag dieser Gesamtschau hat die intellektuelle Anstrengung gelohnt. Die erarbeitete Geschichte fordert nun allerdings um so nachhaltiger dazu heraus, im Horizont der Gesamtschau erneut die Prozesse der nationalen Konstruktionen von Wirklichkeit mit ihren spezifischen Bedingungen, Zielen und Entwicklungen genauer herauszuarbeiten, sie in ihrer Bedeutung für die Geschichte der Frauen und Männern in den einzelnen Nationen näher zu bestimmen, um sie dann wiederum im historischen Verlauf der Zeit miteinander zu vergleichen.[5]

Das letzte Wort sei zurückgegeben an eine der Frauen selbst. Emilie von Berlepsch, die von ihrer Geburt 1757 bis zu ihrem Tod 1831 die turbulente Wende der Zeiten selbst durchlebte, als Vierzehnjährige heiratete, sich mit gut vierzig Jahren scheiden ließ, um wenig später ein zweites Mal zu heiraten, formulierte 1791 in einem Aufsatz, was als Idee auch Feministinnen des 19. Jahrhunderts inspirierte:[6]

»Nur ein Schild ist da, das die Seele decken und ihre zarten Empfindungskräfte vor Verletzung schützen kann; und dieses Schild heißt – Selbständigkeit. (...) Wir müssen allein stehen lernen! Wir müssen unsere Denkart, unsern Character in unsern eignen Augen so ehrwürdig machen, daß uns das Urtheil andrer in unserem geprüften und

gerechten Urtheil über uns selbst nicht irre machen kann. (. . .) Warum sollten wir denn nicht auch (. . .) bey unserm Thun und Denken, bey der Ausbildung unsres Geistes, der Verfeinerung unsres Gefühls, der Anwendung unsrer Talente, auf ein großes Ganze sehen? Und welche wichtige erhabene Zwecke sind es nicht, worauf uns Beruf und Bestimmung blicken heißt? – Beförderung des allgemeinen und einzelnen Wohls, sittliche Schönheit und Grazie, erhöhte Anmut des geselligen Lebens, der große Vorzug eine Pflanzschule edler Menschheit unter unsrer Pflege aufschießen zu sehen, und dadurch Wohltäterinnen künftiger Zeiten zu werden!«

Lloyd Bremen
du Norddeutsch
J. Hugo d'Alesi

ANHANG

ANMERKUNGEN, LITERATUR, REGISTER

An Bord der *Lloyd Bremen*. *Bulletin du Norddeutscher Lloyd*, Bremen. Werbeplakat von J. Hugo d'Alési; um 1900. *Paris, Bibliothèque des Arts décoratifs.*

Anmerkungen

Einleitung

1 Siehe Fraisse 1989; Joan B. Landes, *Women and the Public Sphere in the Age of the French Revolution,* Ithaca 1988.

Töchter der Freiheit und revolutionäre Bürgerinnen

1 Arlette Farge, Évidente émeutière, in: *Histoire des femmes,* vol. 3, Paris 1991 (dt.: Frauen im Aufstand, in: *Geschichte der Frauen,* Bd. 3: *Frühe Neuzeit,* Frankfurt a. M./New York 1994, S. 507–524).

2 Godineau 1988a.

3 R. Dekker, L. Van de Pol und W. Tebrake, Women and Political Culture in the Dutch Revolutions, in: Applewhite/Levy 1990.

4 Kerber 1980.

5 Ebd.

6 Hannah Adams, *Women Invited to War,* Boston 1790.

7 Marcel Gauchet, *La révolution des droits de l'homme,* Paris 1989.

Die Französische Revolution als Wendepunkt

1 Louis de Bonald, *Théorie du pouvoir politique et religieux,* Bd. 2, Paris 1796.

2 Edmund Burke, *First Letter on the Regicide Peace,* 1796.

3 *Déclaration des droits de l'homme et du citoyen,* Art. 2.

4 *Septième lettre bougrement patriotique de la Mère Duchêne,* 22. März 1791.

5 Joachim Heinrich Campe, *Briefe aus Paris zur Zeit der Revolution geschrieben* (1790), Hildesheim 1977, S. 48f.

6 Rede an die Commune de Paris, *Révolutions de Paris,* 27. Brumaire im Jahr II (17. Nov. 1793).

7 Talleyrand, *Rapport sur l'Instruction publique,* Verfassunggebende Versammlung, 10., 11. und 19. Sept. 1791.

Von der sozialen Bestimmung zum individuellen Schicksal

1 Texte der Philosophen (in der Reihenfolge, in der sie zitiert werden).

Johann Gottlieb Fichte, *Grundlage des Naturrechts nach Principien der Wissenschaftslehre,* 1796/97, in: *Johann Gottlieb Fichtes sämtliche Werke,* hg. von J. H. Fichte, Berlin 1845, Bd. 3.

Immanuel Kant, *Metaphysik der Sitten,* 1796, in: *Werkausgabe,* hg. von Wilhelm Weischedel, Frankfurt a. M. 1993, Bd. 8; *Anthropologie in pragmatischer Hinsicht,* 1798.

G. W. F. Hegel, *Die Phänomenologie des Geistes,* 1807; *Enzyklopädie der philosophischen Wissenschaften,* 1817; *Grundlinien der Philosophie des Rechts,* 1821.

Friedrich Schlegel, *Lucinde,* 1799; *Über die Philosophie. An Dorothea,* 1799.

Friedrich Schleiermacher, *Vertraute Briefe über Friedrich Schlegels Lucinde,* 1800.

Charles Fourier, *Œuvres complètes,* insbesondere *Théorie des quatre mouvements et des destinées générales,* 1808 (dt.: *Theorie der vier Bewegungen und der allgemeinen Bestimmungen*); *Théorie de l'unité universelle,* 1822.

P. J. G. Cabanis, *Rapports du physique et du moral de l'homme,* 1802 (dt.: *Über die Verbindung des Physischen und Moralischen in dem Menschen*).

Jeremy Bentham, *Constitutional Code,* 1830.

James Mill, *On Governement,* 1820; *Encyclopedia Britannica,* 1824.

W. Thompson, *Appeal of One Half of the Human Race, Women, against the Pretensions of the Other Half, Men,* 1825.

Arthur Schopenhauer, *Metaphysik der Geschlechtsliebe,* in: *Die Welt als Wille und Vorstellung* II/2 (1819); *Über die Weiber,* in: *Parerga und Paralipomena* I/2 (1850), zit. nach: *Züricher Ausgabe. Werke in zehn Bänden,* hg. von Arthur Hübschler, Zürich 1977.

Sören Kierkegaard, Samlede vaerker (dt.: *Gesammelte Werke*), insbesondere *Enten – eller,* 1843 (dt.: *Entweder – oder*).

Ludwig Feuerbach, *Das Wesen des Christentums* (1841), in: *Werke in sechs Bänden,* hg. von Erich Thies, Frankfurt a. M. 1976.

Auguste Comte, *Œuvres complètes,* insbesondere *Système de politique positive,* 1851–1854; *Catéchisme positiviste,* 1909.

Pierre Leroux, *De l'égalité,* 1848.

Max Stirner, *Der Einzige und sein Eigentum,* 1844.

Karl Marx, *Ökonomisch-philosophische Manuskripte* (1844); *Die deutsche Ideologie,* 1845–46; *Das Kapital,* Erstes Buch, 1867.

P.-J. Proudhon, *Système des contradictions économiques, ou Philosophie de la misère,* 1846 (dt.: *Philosophie der Staatsökonomie oder Nothwendigkeit des Elends*); *De la Justice dans la Révolution et dans l'Église, 1858; La pornocratie ou les femmes dans les temps modernes,* 1875 (dt.: *Von der Anarchie zur Pornokratie*).

John Stuart Mill, *Letters to Auguste Comte,* 1899; Enfranchisement of Women, in: *The Westminster Review,* 1851 (in Zusammenarbeit mit Harriet Taylor); *Subjection of Women,* 1869 (dt.: *Die Unterdrückung der Frauen*).

Charles Secrétan, *Le droit de la femme,* 1886.

J. J. Bachofen, *Das Mutterrecht,* Basel 1861.

Friedrich Engels, *Der Ursprung der Familie, des Privateigenthums und des Staats,* 1884, in: MEW, hg. vom Institut für Marxismus-Leninismus beim ZK der SED, Berlin 1962, Bd. 21.

Herbert Spencer, *The Principles of Sociology,* 1869; *The Principles of Ethics,* 1891.

Charles Darwin, *The Descent of Man and the Sexual Selection,* 1871 (dt.: *Die Abstammung des Menschen und die geschlechtliche Zuchtwahl*).

Friedrich Nietzsche, *Menschliches, Allzumenschliches,* 1878; *Die fröhliche Wissenschaft,* 1882; *Jenseits von Gut und Böse,* 1886, zit. nach: *Werke in drei Bänden,* hg. von Karl Schlechta, Frankfurt a. M./Berlin/Wien 1972.

Émile Durkheim, *Textes,* Band 2 und 3, 1975.

Sigmund Freud, *Gesammelte Werke,* insbesondere *Drei Abhandlungen zur Sexualtheorie,* 1905.

Otto Weininger, *Geschlecht und Charakter,* Wien/Leipzig 1903.

Die Widersprüche des Gesetzes

Zur Erläuterung der Abkürzungen im Fußnotentext ein Beispiel: S. 1898.143, *Cass,* 18. Juli 1898, bedeutet: Urteil des Französischen Kassationshofs, Zivilkammer (Strafrechtskammer = *cass. crim.*), zit. in *Recueil général des lois et des arrêts,* gegründet von J.-B. Sirey. Die Angaben stehen in der Reihenfolge: Jahr des Bandes, Teil, Seite, Art des Gerichts, Datum des Erlasses.

D.1898.1.43, *Cass,* 18. Juli 1898: Urteil mitgeteilt im *Recueil Dalloz*; D.P. bedeutet *Dalloz périodique.*

S.1898.2.56, Paris, 13. Mai 1898 = Urteil des Pariser Berufungsgerichts.

S.1898.3.C.É., 1. März 1898 = Urteil des französischen Staatsrats.

1 *Moniteur universel, Journal officiel de la République,* 22. November 1851, Nr. 326, S. 2917f.

2 Dalloz 1885.1.105, *Cass,* 16. März 1885; Sirey 1891.1.384, C.É., 20. Januar 1910.

3 Sirey 1910.1.600, *Cass. crim.,* 17. Februar 1910.

4 Sirey 1879.1.433, *Cass. crim.,* 11.Juli 1879.

5 Maurice Hauriou, *note* sous Sirey 1913.3.89, C.É., 26. Januar 1912.

6 *Le Figaro* vom 27. Oktober 1884, zit. von G. Breuillac, *De la condition civile et politique de la femme,* Aix-en-Provence 1886, S. 98.

7 Vgl. Chambelland-Liebault 1989.

8 Sirey 1910.3.54, C.É., 24. Januar 1908.

9 Sirey 1890.4.25, Brüssel, 11. November 1889.

10 Sirey, *Lois annotées,* 1901, S. 1.

11 Sirey 1885.1.487, *Cass.,* 8. Juli 1884.

12 Zit. von Alain Corbin, *Les filles de noce,* Paris 1978, S. 343, Anm. 88.

13 Sirey 1885.1.487, *Cass.,* 8. Juli 1884.

14 Vgl. Bordeaux/Hazo/Lorvellec 1990, v. a. S. 1–61. Zur weiblichen »Psychologie« bei Vergewaltigung vgl. z. B. den *Traité de médecine légale,* 10. Aufl., 1909, zit. von A. W. Bouché, *Etude sur l'adultère au point de vue pénal,* Paris 1893, S. 208.

15 Vgl. F. Ronsin, *La grève des ventres,* Paris 1979.

16 Vgl. A. Mac Laren, *Sexuality and Social Order,* New York 1983.

17 Portalis, Discours préliminaire, in: Fenet, *Recueil des travaux préparatoires du Code civil,* Paris 1836, Bd. 1, S. 522, und in: *Naissance du Code*

civil, Paris 1989, S. 35f. Siehe auch J. Bart, La famille bourgeoise héritière de la Révolution?, in: M.-F. Lévy (Hg.), *L'enfant, la famille et la Révolution française*, Paris 1989, S. 357–372.

18 C. B. M. Toullier, *Le droit civil français suivant l'ordre du Code*, 3. Aufl., Paris 1821, Bd. 1, S. 15.

19 Sirey 1868.2.65, Paris, 3. Januar 1868.

20 J. de Maleville, *Analyse raisonnée de la discussion du Code civil au Conseil d'Etat*, 2. Aufl., Paris 1807, Bd. 1, S. 235.

21 Zit. nach Marcadé, *Explication théorique et pratique du Code Napoléon*, Paris 1807, Bd. 1, Nr. 726, S. 581f.

22 Toullier, *Le droit civil*, Bd. 1, S.96.

23 Sirey 1897.1.304, *Cass. crim.*, 2. April 1897.

24 F. Basch, La femme en Angleterre de l'avènement de Victoria (1837) à la Première Guerre mondiale, in: Grimal 1966, Bd. 4, S. 199.

25 Sirey 1877.2.161, Brüssel, 28. April 1875.

26 Sirey 1881.2.54, Nîmes, 6. Januar 1880; Sirey 1879.2.80, Rouen, 13. November 1878.

27 Sirey 1877.2.161, Brüssel, 28. April 1875, Anm. Erlaß des Gerichts von Louisville (Kentucky), zit. in *Le droit* vom 28. 12. 1867.

28 Sirey 1830.1.99, *Cass.*, 20. Januar 1830.

29 Sirey 1827.1.88, *Cass.*, 9. August 1826. Siehe auch: Sirey 1808.2.196, Paris, 29. Mai 1808; Sirey 1812.2.414, Turin, 17. Juli 1810; Sirey 1840.2.291, Dijon, 25. Juli 1840.

30 Sirey 1834.1.578, *Cass. crim.*, 18. Mai 1834.

31 Sirey 1839.1.817, *Cass. crim.*, 21. November 1839.

32 Sirey 1896.2.142, Nîmes, 5. Juni 1894.

33 Sirey 1900.2.143, Caen, 26. Dezember 1899.

34 Sirey 1910.1.7, *Cass.*, 19. Juli 1909.

35 Sirey 1829.1.205, *Cass. crim.*, 17. Januar 1829.

36 Dennoch wurden 1902 noch zwei Wochen Gefängnisstrafe verhängt: Sirey 1904.2.81, Algier, 18. Juli 1902.

37 Sirey 1888.1.421, *Cass. crim.*, 28. Februar 1868.

38 Sirey 1848.1.731.

39 *Dictionnaire Dalloz*, 1790–1835, Stichwort »Ehebruch«, Nr. 48.

40 Vgl. Michèle Bordeaux, Le Maître et l'infidèle. Des relations personnelles entre mari et femme de l'ancien droit au Code civil, in: Théry/Biet 1989, S. 432–446.

41 Sirey 1827.2.17, Paris, 13. März 1826. Vgl. J. Mulliez, ›*Pater is est*. . ., la source juridique de la puissance paternelle du droit révolutionnaire au Code civil‹, in Théry/Biet 1989, S. 412–431.

42 Sirey 1868.2.65, Paris, 3. Januar 1868.

43 Sirey 1851.1.103, *Cass.*, 10. Februar 1851.

44 Vgl. Nicole Arnaud-Duc, Le droit et les comportements, la genèse du titre V du Livre III du Code civil: les régimes matrimoniaux, in: Théry/Biet 1989, S. 183–195.

45 Vgl. die Rechtsdiskussion in Sirey, *Lois annotées*, 1891–95, S. 473 (Gesetz vom 6. Februar 1893).

46 Vgl. Michelle Perrot, La femme populaire rebelle, in: Werner 1979, S. 131f.

47 Sirey, *Lois annotées*, 1906–1910, S. 597.

Idolatrie

1 Mary Wollstonecraft, *Verteidigung der Rechte der Frauen* (1792), 2 Bde., Zürich 1975, S. 39.

2 Charles Baudelaire, *Mein entblößtes Herz*. Aus dem Franz. von Friedhelm Kemp, München 1946, S. 38.

3 William Blake, *Die Stimme des Sängers* (1793). Aus dem Engl. von Walter Wilhelm, Berlin 1958, S. 268/69.

4 Bonnefoy 1988.

5 Charles Baudelaire, *Die künstlichen Paradiese* (1861). Aus dem Franz. von Max Bruns, München 1946, zit. bei André Breton und Paul Eluard in *Le Dictionnaire abrégé du surréalisme* (1938).

6 Baudelaire, *Mein entblößtes Herz*, S. 40.

7 Lou Andreas-Salomé, *Lebensrückblick* (1933–34), hg. von Ernst Pfeiffer, Frankfurt a. M. 1968, S. 78.

8 Dies., Zum Typus Weib, in: *Imago*, III, 1, 1914, S. 7.

9 Brief an Hendrik Gillot vom 29. März 1882 in Lou Andreas-Salomé, *Lebensrückblick* (1933–34), hg. von Ernst Pfeiffer, Frankfurt a. M. 1968, S. 78.

10 Vgl. das Vorwort von Nicole Savy in dem Ausstellungskatalog *Les petites filles modernes*, Paris 1989.

Lesen und Schreiben in Deutschland

1 Louise Ackermann, *Ma vie* (1885), zit. in: Planté 1989.

2 Vgl. für Frankreich Furet/Ozouf 1977, Bd. 1, S. 172–173. Für eine vergleichende Untersuchung der Alphabetisierung in Frankreich und Deutschland, vgl. François 1989.

3 Vergleiche den Streit zwischen der »deutschen Schule«, vertreten durch Rolf Engelsing, Ernst Hinrichs, Wilhelm Norden und Rudolf Schenda und den Arbeiten von Louis Maggiolo, François Furet und Jacques Ozouf, vgl. Furet/Ozouf, S. 4

4 Furet/Ozouf 1977, Bd. 1, S. 44.

5 Vergleiche die Untersuchung Wilhelm Nordens, Die Alphabetisierung in der oldenburgischen Küstenmarsch im 17. und 18. Jahrhundert, in: Ernst Hinrichs und Wilhelm Norden, *Regionalgeschichte. Probleme und Beispiele*, Hildesheim 1980.

6 Engelsing 1973a.

7 Bettina von Arnim, *Dies Buch gehört dem König* (1843), in: dies., *Werke und Briefe*, hg. von G. Konrad, Köln 1963, B. III/IV.

8 Fanny Lewald, *Für und wider die Frauen*, Berlin 1870, S. 68.

9 Eine dieser autodidaktischen Schriftstellerinnen ist Christiane Sophie Ludwig, deren Romane kurz nach der Jahrhundertwende Themen wie die Lage der Schwarzen oder der Juden behandeln.

10 Wilhelm von Kügelgen, *Jugenderinnerungen eines alten Mannes*, München 1867, S. 32.

11 Christa Wolf, *Lesen und Schreiben*, Darmstadt 1980, S. 281.

12 Johann Wolfgang von Goethe, *Wilhelm Meisters Lehrjahre* (1796), hg. von Erich Schmidt, Frankfurt 1982, S. 393. Das Bild erinnert an manche Gedanken bei Virginia Woolf.

13 Karl Ferdinand von Klöden, *Jugenderinnerungen*, Leipzig 1874, S. 19.

14 Elisa von der Recke, *Briefe und Tagebücher*, hg. von C. Träger 1984, S. 86.

15 Wilhelm Fleischer, *Plan und Einrichtung eines neuen Lese-Instituts in Frankfurt am Main*, 1796.

16 Hoock-Demarle 1990, 2. Teil, Kap. 1 und 2.

17 Caroline Schlegel-Schelling, Brief an ihre Schwester Lotte Michaelis, 22. März 1786, in: *Caroline Schlegel-Schelling in ihren Briefen*, hg. von Sigrid Damm, Darmstadt 1980, S. 90.

18 Ebd., S. 152–153.

19 Zum Ursprung dieses Ausdrucks vgl. Planté 1989, S. 28.

20 Catharina Elisabeth Goethe, Brief an ihren Sohn vom 15. Februar 1798, in: dies., *Briefe an ihren Sohn*, Stuttgart 1971, S. 131.

21 J. J. Ersch, *Allgemeines Repertorium der Literatur für die Jahre 1785–90, 1791–95, 1796–1800.*

22 Die Begriffe »intensive Lektüre« und »extensive Lektüre« werden von R. Engelsing (1973a und b, 1974) verwendet.

23 Prüsener 1973.

24 Prüsener (1973) zitiert den Fall eines Arztes aus der Gegend von Hamburg, der der Nachbarschaft seine »Leihbibliothek« von 13 Büchern zur Verfügung stellte, von denen 9 unmittelbar die Französische Revolution behandelten.

25 Henriette Herz, *Erinnerungen*, hg. von R. Schmitz, Frankfurt 1984, S. 50.

26 Johanna Schopenhauer, *Jugendleben und Wanderbilder* (1839), Nachdruck München 1958, S. 267.

27 Adolf von Knigge, *Über den Umgang mit Menschen*, 1790, II. Teil, Kap. V.

28 Begriffe, die 1853 vom Begründer der *Gartenlaube* geprägt wurden, zit. in: Möhrmann 1977, S. 167.

29 A. von Knigge, *Über den Umgang mit Menschen*, II. Teil, Kap. V, S. 10.

30 P.-J. Proudhon, zit. in: Planté 1989, S. 216. Vgl. auch die biologischen Theorien von Paul Moebius, dessen Werk *Vom physiologischen Schwachsinn des Weibes* im Jahr 1900 Furore machte.

31 Clemens Brentano an *Emilie von Niendorf*, München 1844.

32 *Literaturblatt*, 15. März 1839.

33 *Allgemeine deutsche Biographie*, Artikel Therese Forster-Huber, Auszüge aus ihren Erinnerungen (1803).

34 Sophie Mereau übersetzt 1797 die Briefe von Ninon de Lenclos, Therese Huber die von Madame Roland.

35 Die 1867 geschriebene Tragödie *Marie Roland* von Marie von Ebner-Eschenbach erlebte nur eine Liebhaberaufführung in Weimar.

36 Aussagen des Mitglieds der französischen Akademie Auger, zit. in: Jean Lamac, *Histoire de la Littérature féminine en France*, 1929.

37 Marie-Claire Hoock-Demarle, »Bettina Brentano-von Arnim ou la mise en œuvre d'une vie«, Diss., 1985.

38 Aus den vielen Lebensbeschreibungen von Frauen, die zwischen 1830 und 1850 erschienen, zitieren wir Henriette Herz (1823 geschrieben und 1850 erschienen), Elisa von der Recke (1804 und 1830), Johanna Schopenhauer (1839 von ihrer Tochter veröffentlicht) oder die überarbeiteten Briefwechsel von Rahel Varnhagen (von ihrem Mann 1833 veröffentlicht) oder von Bettina (die sich in ihren Schriften von 1843 auf 1807 bezieht).

39 Louise Aston, *Meine Emanzipation, Verweisung und Rechtfertigung*, Brüssel 1846, zit. in: Möhrmann 1977, S. 146.

40 Zwischen 1840 und 1848.

41 Fanny Lewald, *Meine Lebensgeschichte*, in: dies., *Freiheit des Herzens*, hg. von Günter de Bruyn und Gerhard Wolf, Frankfurt a. M./Berlin 1992, S. 202f.

42 Zum Lebensweg dieser Pionierinnen vgl. Walle 1989.

43 Adelheid Popp, *Jugend einer Arbeiterin* (1909). Vorwort von August Bebel, hg. und eingel. von Hans J. Schütz, Berlin/Bonn 1977.

44 *Neue Bahnen* ist der Titel, den Louise Otto-Peters der von ihr 1875 gegründeten Zeitschrift gibt.

45 Hedwig Dohm, *Die wissenschaftliche Emancipation der Frau*, Berlin 1893, S. 45 und 185.

Das katholische Modell

1 Anna Maria Mozzoni, *Un passo avanti nella cultura femminile: tesi e progetto*, Mailand 1866, S. 27f.

2 R. P. G. Ventura, *La donna cattolica*, Bd. 3, Mailand/Genua 1855, S. 249–259.

3 Fraisse 1989.

4 Gabriele d'Azambuja, *Ciò che per la Donna ha fatto il Cristianesimo*, Rom 1912 (ital. Übers. der 6. frz. Ausgabe).

5 Deniel 1965, S. 125.

6 Marcel Bernos, De l'influence salutaire ou pernicieuse de la femme dans la famille et la société, in: *Revue d'Histoire moderne et contemporaine*, Juli/Sept. 1982.

7 Giacomo Leopardi, *Dei costumi italiani*, hg. von A. Placanica, Venedig 1989, S. 132.

8 Sergio Bertelli und Giulia Calvi, Rituale, cerimoniale, etichetta nelle corti italiane, in: Sergio Bertelli und Ginliano Grifò (Hg.), *Rituale, Cerimoniale, Etichetta*, Mailand 1985, S. 11f.

9 Ilaria Porciani, Il Plutarco femminile, in: Soldani 1989.

10 Anna Scattigno, Lettere devote, in: Ilaria Porciani (Hg.), *Le donne a scuola. L'educazione femminile nell'Italia dell'Ottocento, Mostra documentaria e iconografica*, Siena 1987.

11 Lebrun 1980, S. 321–330.

12 Edith Saurer, Donne e preti. Colloqui in confessionale agli inizi dell'ottocento, in: Ferrante/Palazzi/Pomata 1988, S. 253–281 (dt.: Frauen und Priester. Beichtgespräche im frühen 19. Jahrhundert, in: Richard van Dülmen [Hg.], *Arbeitsfrömmigkeit und Eigensinn*, Frankfurt a. M. 1990).

13 *La Civiltà Cattolica*, Serie 1, Bd. 10, 1852, S. 381.

14 Diese rare quantitative Angabe zum religiösen Verhalten in Italien im 19. Jahrhundert verdanke ich der Freundlichkeit von Philippe Boutry.

15 Philippe Boutry, *Prêtres et paroisses au pays du curé d'Ars*, Paris 1986, S. 19. Ein »italienisches« (in Wirklichkeit habsburgisches) Beispiel: Luigi Pesce (Hg.), *Thesaurus Ecclesiarum Italiae Recentoris Aevi*, III. 9, *La visita pastorale di Sebastiano Soldati nella Diocesi di Treviso (1832–1838)*, Rom 1979.

16 Gabriele d'Azambuja, *La giovane e l'evoluzione moderna*, Rom 1911 (ital. Übers. der 2. frz. Ausgabe von 1880).

17 Ders., *Ciò che per la donna*.

18 Abbate (sic) Baunard (Hg.), *Historia della madre Barat fondatrice dell'Istituto del Sacro Cuore di Gesù*, Rom 1877, I, S. 510.

19 Louise Colet, *L'Italie des Italiens*, Paris 1862, S. 142.

20 Johann Wolfgang von Goethe, *Italienische Reise*, München 1988, S. 325f.

21 Massimo d'Azeglio, *I miei ricordi*, Mailand 1932, S. 20.

22 Nicoló Tommaseo, *La donna, scritti vari* (1833), Mailand 1872, S. 237.

23 Abbé J. Gaume, *Histoire de la société domestique*, Paris 1844, S. 472.

24 Maria Luisa Trebiliani, Modello Mariano e immagine della donna nell'esperienza educativa di don Bosco, in: Francesco Traniello (Hg.), *Don Bosco nella storia della cultura popolare*, Turin 1987, S. 187–207.

25 Leo XIII. (Gioacchino Pecci), *Arcanum*, in: *Il problema femminile*, Rom 1962, S. 13.

26 Einige Beispiele: Emilia Nevers, *L'età del marito*, Turin 1891: Guidi Tommasina, *L'amore dei quarant'anni*, Mailand/Palermo 1902.

27 Lucette Scareffia, *La Santa degli Impossibili. Vicende e significati della devozione a S. Rita*, Turin 1990, S. 55f.

28 Jaqueline Vincent, *Le livre de l'amour*, Paris 1960 (dt.: *Die offenen Hände*, hg. von Bruno de Jesus-Maria, Kaldenkirchen 1961).

29 Langlois 1987, S. 307–323.

30 Silvia Franchini, Gli educandati nell'Italia postunitaria, in: Soldani 1989, S. 57–86.

31 Scipio Sighele, *Eva moderna*, Mailand 1910, S. 182.

32 Giancarlo Rocca, Le nuove fondazioni religiose femminili in Italia dal 1800 al 1860, in: AA.VV. 1985, S. 107–192.

33 Caracciolo 1986.

34 Massimo Petrocchi, *Storia della spiritualità italiana*, Bd. 3, Rom 1979.

35 Angelo Gambasin, *Religiosa magnificenza e plebi in Sicilia nel XIX secolo*, Rom 1979, S. 163–221.

26 Sant'Alfonso de Liguori, *La vera sposa di Gesù Cristo, cioè La monaca Santa*, Turin, 1862, S. 120.

37 Arnold 1984.

38 Susan O'Brien, Terra Incognita: The Nun in Nineteenth-Century England, in: *Past and Present* 121, 1988.

39 B. Welter, The Feminization of American Religion, 1800–1860, in: Hartman/Banner 1974.

40 Claude Langlois, »Je suis Jeanne Jugan«. Dépendance sociale, condition féminine et fondation religieuse, in: *Archives de Sciences Sociales des Religions* 52, 1981, S. 21–35.

41 Michela De Giorgio, Les demoiselles catholiques italiennes, in: Cohen 1987, S. 101–126.

42 Julian Pitt-Rivers, *The Fate of Sechem, or The Politics of Sex. Essay in the Anthropology of the Mediterranean*, Cambridge 1977.

43 Laura Guidi, La »Passione governata dalla virtù«: benefattrici nella Napoli ottocentesca, in: Ferrante/Palazzi/Pomata 1988, S. 148–165.

44 Gérard Cholvy und Yves-Marie Hilaire, *Histoire Religieuse de la France Contemporaine 1880–1930*, Paris 1986, S. 363.

45 De Giorgio/Di Cori 1980.

46 A. S. J. Pavissich, *Donna antica e Donna nuova. Scene di domani*, Rom 1909.

47 Cecilia Dau Novelli, Alle origini dell'esperienza cattolica femminile: rapporti con la Chiesa e gli altri movimenti femminili (1908–1912), in: *Storia Contemporanea* 3, 1980.

48 Goethe, *Italienische Reise*, S. 423f.

49 Paolo Macry, La Napoli dei dotti. Lettori, libri e biblioteche di una ex-capitale (1870–1900), in: *Meridiana* 4, 1988.

50 Ezio Raimondi, *Il romanzo senza idillio*, Turin 1974, S. 129f.

51 Mathilde Berengo, *Intellettuali e librai nella Milano della Restaurazione*, Turin 1980.

52 Madame Bourdon (Mathilde Froment), *Souvenirs d'une institutrice*, Paris [8]1869, S. 22f.

53 Daniela Maldini Chiarito, Lettrici ed editori a Milano tra Otto e Novecento, in: *Storia in Lombardia* 2, 1988.

54 Jean-Louis Desbordes, Les écrits de Mgr. Dupanloup sur la haute éducation des femmes, in: Mayeur/Gadille 1980.

55 M.-J. Rouet de Journel, S. J., *Une russe catholique. Madame Swetchine*, Paris 1929, S. 16f.

56 R. Ricci, *Memorie della Baronessa Olimpia Savio*, Mailand 1911, S. 4f.

57 Maria Luisa Trebiliani, Santità femminile e società a Lucca nell'Ottocento, in: Boesch Gajano/Sebastiani 1984, S. 959–995.

58 P. Ramon Ruiz Amado, *La educación femenina*, Barcelona 1912, S. 115.

59 Guy Thuillier, *L'imaginaire quotidien au XIXe siècle*, Paris 1985, S. 42.

60 Anne-Marie Thiesse, *Le Roman du quotidien*, Paris 1984, S. 125–127.

61 La biblioteca di una sposa, in: *Fiamma Viva*, April 1927, S. 251–253.

62 Savart 1985.

63 Piergiorgio Camaiani, La donna, la morte e il giovane Vittorio Emanuele, in: Francesco Traniello (Hg.), *Dai Quaccheri a Gandhi. Studi di storia religiosa in onore di Ettore Passerin d'Entrèves*, Bologna 1987, S. 169.

64 Lévy 1984.

65 Philippe Boutry und Michel Cinquin, *Deux pèlerinages au XIXe siècle: Ars et Paray*, Paris 1980, S. 22.

66 Thuillier, *L'imaginaire quotidien*, S. 44f.

67 Brame 1985.

68 Eva Regina Jolanda, *Consigli e norme di vita femminile contemporanea*, Florenz 1907, S. 7.

69 Paolo Macry, *Ottocento. Famiglia, élites e patrimoni a Napoli*, Turin 1988, S. 70.

70 Marie Bashkirtseff, *Journal*, Paris 1985, S. 45 (dt.: *Tagebuch*, hg. von Gottfried M. Daiber. Aus dem Franz. von Lothar Schmidt, Berlin 1983).

71 Accati 1990.

72 Martine Segalen und Josselyne Chamarat, La Rosière et la »Miss«: les »reines« des fêtes populaires, in: *L'Histoire* 53, 1983.

73 Antonio Marro, *La pubertà studiata nell'uomo e nella donna (in rapporto all'Antropologia, alla Psichiatria ed alla Sociologia)*, Turin 1897.

74 Guidi 1991.

75 Rodolfo Bettazzi, *La giovine e la moralità*, Turin 1915, S. 19.

76 Monica Turi, La costruzione di un nuovo modello di comportamento femminile. Maria Goretti tra cronaca nera e agiografia, in: *Movimento operaio e socialista* 3, 1987.

77 Buttafuoco 1985.

78 *Bolletino Unione Donne Cattoliche d'Italia*, Mai 1911.

79 Bĭenedikt XV. (Giacomo Della Chiesa), *Allocuzione alle donne italiane* 21, Okt. 1919.

80 La virtù mal vestita, in: *Fiamma Viva*, Okt. 1922, S. 579.

81 John Carl Flugel, *The Phychology of Clothes*, London 1930.

82 Thuillier, *L'imaginaire quotidien*.

83 Natalia Ginzburg, *La famiglia Manzoni*, Turin 1983 (dt.: *Die Familie Manzoni*. Aus dem Ital. von Maja Pflug, Düsseldorf 1988, S. 47).

84 Madame Bourdon (Mathilde Froment) *Giornata Cristiana della Giovinetta* (1867), Turin 1888, S. 85.

85 Smith 1981, S. 14ff.

86 Philippe Perrot, Pour une généalogie de l'austérité des apparences, in: *Communications* 46, 1987, S. 157–179.

87 Ginzburg, La famiglia Manzoni S. 132 (dt.: *Die Familie Manzoni*, S. 170).

88 *Historia della Madre Barat*, S. 517.

89 Philippe Ariès, *L'homme devant la mort*, Paris 1977 (dt.: *Geschichte des Todes*. Aus dem Franz. von Hans-Horst Henschen und Una Pfau, München 1980).

90 Madame Craven La Ferronnays, Augustus, *Récit d'une sœur, souvenirs de famille*, Paris [52]1911, S. 199.

91 Ernest Legouvé, *Padri e figli nel secolo che muore*, Florenz 1899, S. 19–25.

92 Melchiorre Gioja, *Il primo e il nuovo galateo*, S. 258.

93 Trebiliani, Modello Mariano, in: Traniello (Hg.), Don Bosco nella storia della cultura popolare.

94 Deniel 1965, S. 194.

95 Giacomo Leopardi, *Zibaldone* I, § 353–356 (dt.: *Das Gedankenbuch*, Auswahl und Übers. Hanno Helbing, München 1985).

96 Daniela Maldini Chiarito, Trasmissione di valori e educazione famigliare: le lettere al figlio di Costanza d'Azeglio, in: *Passato e Presente*, Jan./April 1987, S. 35–62.

97 Jacques Maître, Idéologie religieuse, conversion mystique et symbiose mère-enfant; Le cas de Thérèse Martin (1873–1897), in: *Archives de Sciences Sociales des Religions* 51, 1981, S. 65–99.

98 Milan 1983.

99 Jules Michelet, *La Femme*, Paris 1860, S. 118.

100 Gina Lombroso, *L'anima della donna*, Florenz 1918; dies., *L'anima della donna*, Bd. 2: *Qualità e difetti*, Florenz 1918.

Die jüdische Frau: Variationen und Transformationen

1 Lilly Scherr, zit. nach Friedlander 1984, S. 21.
2 Biale 1984, S. 6–7; s. a. Meiselman 1978.
3 Myerhoff 1980, S. 234–235.
4 Arendt 1990, S. 62; Hertz 1988 (dt.: 1991).
5 Katz 1984, Kap. 4 (dt.: 1988).
6 Arendt 1990, S. 63; Kaplan 1979 (dt.: 1981, S. 28).
7 Arendt 1990, S. 20, 75.
8 Dawidowicz 1967, S. 31; Stanislawski 1983.
9 Zipperstein 1985.
10 Bristow 1983, S. 51, Anm. 6.
11 Weinberg 1988, S. 76 und 276, Anm. 33.
12 Hasanovitz 1918, S. 6–9.
13 Green 1981, S. 56–58.
14 Bristow 1983, S. 51; Kaplan 1981, S. 69, 181ff.; Adler 1953 (dt.: 1966).
15 Baum/Hyman/Michel 1975, S. 87.
16 Hyman 1983, S. 157–168.
17 Weinberg 1988, S. 76 und 276, Anm. 33.
18 Ebd., S. 281, Anm. 55.
19 Antin 1969, S. 223.
20 Weinberg 1988, S. 174; s. a. Berrol 1976, S. 263; Gorelick 1981, S. 121–123.
21 Berrol 1976; Gorelick 1981, S. 113, 124f.
22 Brumberg 1984, S. 99; Weinberg 1988, S. 117.
23 Marcus 1981, S. 137.
24 Gorelick 1981, S. 31.
25 Hasanovitz 1918, S. 81.
26 Schiff 1980, S. 112.
27 Malkiel 1980; Kessler-Harris 1977.
28 Hyman 1980; Ewen 1985, S. 126–127, 176–183.
29 Ewen 1985, S. 245.
30 Weinberg 1988, S. 152.
31 Baum/Hyman/Michel 1975, S. 184; s. a. Berrol 1985, S. 21–32.
32 Kaplan 1981, S. 113.

Mädchenerziehung: das laizistische Modell

1 Sonnet 1987.
2 David Wardle, *English Popular Education, 1780–1970,* Cambridge 1970; Neuauflage 1976, S. 118.
3 Jean Dulck, *L'enseignement en Grande-Bretagne,* Paris 1968.
4 Élie Halévy, *Histoire du peuple anglais au XIXe siècle,* 2 Bde., Paris 1926–1932; Neuauflage 1975.
5 Nach A. Couvreur, einem Laizisten, zit. in: Mendes da Costa/Morelli 1989.
6 Lory 1979.
7 Mendes da Costa/Morelli 1989, S. 18.
8 J. Bartier, *Église et Enseignement,* Brüssel 1977.

Zwischen Erwerbsfleiß und Bildungsreligion

1 Anna Schmidt, *Zur Orientierung über die private deutsche Mädchenschule.* Im Auftrage des Vorstandes verfaßt von der Vorsitzenden des Bundes privater deutscher Mädchenschulen, Düsseldorf 1912, S. 11.
2 Vgl. Schmid 1989.
3 Vgl. die Kapitel 5 bis 13 in diesem Band.
4 Vgl. Kapitel 19 in diesem Band.
5 Bryant 1979.
6 Vgl. Küppers 1987, S. 180–191.
7 Zit. nach Bäumer 1902, S. 79.
8 *Allgemeine deutsche Real-Enzyklopädie für die gebildeten Stände. Conversationslexikon,* 8. Aufl., Leipzig 1834, Bd. 4, S. 362 und 9. Auflage, Leipzig 1844, Bd. 5, S. 557. Vgl. auch Meyer-Renschhausen 1989, S. 44–56.
9 Prelinger 1985, S. 268–285; dies. 1984a, S. 118–132; Palatschek 1990.
10 Vgl. Lange 1921, S. 114ff.
11 Rudolph 1978.
12 Zit. nach Bussemer 1985, S. 106.
13 Vgl. Carol Dyhouse, *Social Darwinistic Ideas and the Development of Women's Education in England, 1880–1920,* in: *History of Education* 5, Nr. 1, 1976, S. 41–58; Gerda Tornieporth, *Studien zur Frauenbildung. Ein Beitrag zur historischen Analyse lebensweltorientierter Bildungskonzeptionen,* Weinheim/Basel 1977; Obschernitzki 1987.
14 Schlüter 1987; Gabriele Neghabian, *Frauenschule und Frauenberufe. Ein Beitrag zur Bildungs- und Sozialgeschichte Preußens (1908–1945) und Nordrhein-Westfalens (1946–1974),* Köln/Weimar/Wien 1993.
15 Vgl. Allen 1991.
16 Baumann 1992, S. 73f.
17 Vgl. Kleinau 1991, S. 22–35.
18 Vgl. Jacobi 1994.
19 Vgl. Albisetti 1988, S. 238–273.

Bilder – Schein und Erscheinung, Muße und Subsistenz

1 Yeldham 1984.
2 Solomon-Godeau 1986, S. 96.
3 Ebd. S. 93.
4 Anna Jameson, *Legends of the Madonna, as Represented in the Fine Arts, Forming the Third Series of Sacred and Legendary Art,* London [2]1857, S. 58.

Die bürgerliche, die öffentliche und die private Frau

1 Anne-Marie Sohn, Les Attentats à la pudeur sur les fillettes en France (1870–1939) et la sexualité quotidienne, in: *Mentalités* 3, 1989; in derselben Nummer die Studien von Amy Gilman Srebnick, L'assassinat et le mystère de Mary Rogers, und von Judith Walkowitz, Jack l'éventreur et les mythes de la violence masculine (auch in *Feminist Studies* 8, Nr. 3 erschienen).
2 Anne-Louise Shapiro, Love Stories: Female Crimes of Passion in Fin de Siècle Paris, 1991.

Leib und Seele

1 Paola Di Cori, Rosso e bianco. La devozione al Sacro Cuore di Gesù nel primo dopoguerra, in: *Memoria* 5, Nov. 1982, *Sacro e profano*, S. 82–107.
2 Yannick Ripa, L'histoire du corps, un puzzle en construction, in: *Histoire de l'éducation* Nr. 37, Jan. 1988, S. 47–54.
3 Odile Arnold, *Le corps et l'âme: la vie des religieuses au XIXe siècle*, Paris 1984, Kap. 3.
4 Knibiehler u. a. 1989, S. 97–99.
5 *Les Petites Filles Modernes* (Katalog), hg. von Nicole Savy, Les Dossiers du Musée d'Orsay Nr. 33, Paris 1989.
6 Agnès Fine, A propos du trousseau: une culture féminine?, in: Perrot 1984, S. 155–188 (dt.: 1989, S. 161–198).
7 Émile Zola, *Fécondité*, Paris 1989, S. 50 (dt.: *Fruchtbarkeit*, Aus dem Franz. von Leopold Rosenzweig, Berlin 1930, S. 50).
8 *Dictionnaire des Sciences médicales*, 60 Bde., Paris 1812–1822, Stichwort *Grossesse*.
9 Shorter 1982 (dt.: 1987).
10 Carl Degler, *At Odds. Women and the Family in America from the Revolution to the Present*, New York 1980.
11 Jean-Paul-Bardet, K.-A. Lynch, G.-P. Mineau, M. Hainsworth, M. Skolnick, La mortalité maternelle autrefois, une étude comparée (de la France de l'Ouest à l'Utah), in: *Annales de démographie historique*, 1981, *Démographie historique et condition féminine*, Paris/Den Haag/New York 1981, S. 31–48.
12 Françoise Leguay und Claude Barbizet, *Blanche Edwards-Pilliet, femme et médecin 1858–1914*, Le Mans 1988.
13 Louis Henry, Mortalité des hommes et des femmes dans le passé, in: *Annales de démographie historique*, 1981, S. 87–118; Arthur Imhof, La surmortalité des femmes mariées en âge de procréation: un indice de la condition féminine au XIXe siècle, in: *Annales de démographie historique*, 1981, S. 81–87.
14 *Dictionnaire des Sciences médicales*, 1812–1822, Stichwort *Fille*.
15 Michel Poulain und Dominique Tabutin, La surmortalité des petites filles en Belgique au XIXe et début du XXe siècle, in: *Annales de démographie historique*, 1981, S. 105–139.
16 *Dictionnaire encyclopédique des sciences médicales*, hg. von Amédée Dechambre, 100 Bde., Paris 1864–1889, Stichwort *Syphilis*.
17 Laura Kreyder, *L'enfance des saints et les autres. Essai sur la Comtesse de Ségur*, Shena-Nizet Biblioteca della Ricerca 1987 (Kap. 4).
18 Smith 1981, S. 48.
19 Edmondo De Amicis, *Amore e ginnastica*, franz. Übers., *Amour et gymnastique*, Paris 1988.
20 Jacques Thibault, Les origines du sport féminin, in: Arnaud 1987, S. 331–341.
21 So der Titel des berühmten Werkes von Dr. Georges Cabanis, erschienen in Paris 1803.
22 *Hygiène et physiologie du mariage* (1848), im Bestand der Verf. in Paris, 4. Aufl. 1853.
23 *The Functions and Disorders of the Reproductive Organs in Youth, in Adult Age, and in Advanced Life. Considered in their Physiological, Social and Psychological Relations*, Philadelphia 1865.
24 Ariès/Duby 1987, S. 543 (dt.: 1992, S. 556f.).
25 Zit. nach Degler, *At Odds*, S. 267
26 Havelock Ellis, *Studies in the Psychology of Sex*, 4 Bde., New York 1936, Bd. 1, S. 464 (dt.: *Sexualpsychologische Studien*, Würzburg 1910/11).
27 Madeleine Pelletier, La femme vierge, Paris 1933, zit. in: *L'education féministe des filles*, Vorwort und Anmerkungen von Claude Maignen, Paris 1978, S. 9.
28 Knibiehler u. a. 1989, S. 147.
29 Flandrin 1975, S. 114f.
30 Weeks 1981, S. 60.
31 Marie Dugard, *La société américaine*, Paris 1895, S. 170f.
32 Degler, *At Odds*, S. 20f.
33 *Récit de vie, Denise S., bourgeoise d'Anvers*, Propos recueillis par Édith R., Brüssel 1988, S. 46.
34 Louise Weiss, *Mémoires d'une Européenne*, Paris 1979, Bd. I, S. 58.
35 Ariès/Duby 1987, S. 546 (dt.: 1992, S. 560f).
36 Thierry Eggerickx und Michel Poulain, Le contexte et les connaissances démographiques de l'émigration des Brabançons vers les États-Unis au milieu du XIXe siècle, in: *Annales de démographie historique*, 1987.
37 *Annales de démographie historique*, 1981 und 1984.
38 Louis Bergeret, *Des fraudes dans l'accomplissement des fonctions génératrices*, Paris 1868, engl. Übers. von P. de Marmon, *The Preventive Obstacle, or Conjugal Onanism*, New York 1870.

39 Jean-Pierre-Bardet und Hervé Le Bras, La chute de la fécondité, in: Dupâquier 1988, Kap. 7, S. 361.
40 Degler, *At Odds*, S. 273; Weeks 1981, S. 71; Caroll Smith-Rosenberg, *Disorderly Conduct, Visions of Gender in Victorian America*, New York/Oxford 1985, S. 219.
41 Shorter 1982 (dt.: 1987).
42 Guillais 1986.
43 Degler, *At Odds*, Kap. 12 »Organizing to Control Sexuality«, S. 279–297.
44 Jules Michelet, *L'amour*, Paris o. J., S. 246 (dt.: *Die Liebe*. Aus dem Franz. von Friedrich Spielhagen, Leipzig 1859, S. 182).
45 Docteur Pierre Garnier, *Le mariage dans ses devoirs, ses rapports et ses effets conjugaux*, Paris 1879, S. 540.
46 Zit. von Fay-Sallois 1980, S. 237.
47 Fildes 1988, S. 221–241.
48 Rollet-Échalier 1990.
49 Bigot 1988, S. 138f.
50 Agnès Fine, Enfant et normes familiales, in: Dupâquier 1988, Bd. 3, S. 437.
51 Weeks 1981, S. 61f.
52 Ariès/Duby 1987, S. 139 (dt.: 1992, S. 145f), vgl. auch Michèle Bordeaux, Bernard Hazo, Soizic Lorvellec, *Qualifié viol*, Paris 1990.
53 Brian Juan O'Neill, *Social Inequality in a Portuguese Hamlet: Land, Late Marriage, and Bastardy (1870–1978)*, Cambridge 1987, S. 334.
54 Gianna Pomata, Madri illegitime tra ottocento et novecento: storie cliniche e storie di vita, in: *Quaderni Storici* Nr. 44, Aug. 1980, *Parto e maternità, momenti della biografia femminile*, S. 506–507.
55 Ariès/Duby 1987, S. 455–460 (dt.: 1992, S. 464–469).
56 Vgl. Bashkirtseff 1887 (dt.: 1983); Eugénie de Guérin, *Journal et Fragments*, Paris 1884; Alphonse de Lamartine, *Le manuscript de ma mère*, Paris 1924.
57 Olafson Hellestein u. a. 1989.
58 Adrienne Necker de Saussure, *Éducation progressive ou étude du cours de la vie*, 6. Aufl., Paris o. Jahr, Bd. 2, S. 478 (Erstauflage 1828).
59 Caroline Brame, *Journal intime*, Unters. von Michelle Perrot und Georges Ribeill, Paris 1985.
60 Olafson Hellestein u. a. 1989, S. 144.
61 Zit. nach Geneviève Fraisse, *Clémence Royer, philosophe et femme de sciences*, Paris 1985.
62 Ginette Raimbaut und Caroline Eliacheff, *Les indomptables, figures de l'anorexie*, Paris 1989; Brumberg 1988 (dt.: 1994).
63 Steve M. Stowe, »The thing not its Vision«: a woman's Courtship and her Sphere in the Southern Planter class; in: *Feminist Studies*, Bd. 9, Nr. 1, Frühj. 1983, S. 113–130. Vgl. auch Olafson Hellestein u. a. 1989, S. 88.
64 Smith Rosenberg, *Disorderly Conduct*, S. 52–76.
65 Arnold, *Le corps et l'âme*.
66 Jacques Leonard, Femmes, religion et médecine. Les religieuses qui soignent en France au XIXe siècle, in: *Annales Économie. Société. Civilisation*, Sept.-Okt. 1977, S. 887–907.
67 Flaviana Zanolla, Suocere, nuore et cognate nel primo '900 a P. nel Friuli, in: *Quaderni Storici* Nr. 44, Aug. 1980, *Parto e maternita, momenti della biografia femminile*, S. 429–450.
68 Smith 1981.
69 Ebd., Kap. 3 »The productive life of women«.
70 Ariès/Duby 1987, S. 128 (dt.: 1992, S. 134).
71 Weiss, *Mémoires d'une Européenne*, Bd. 1, S. 93f.
72 Évelyne Berriot-Salvadore, »L'effet 89« dans le journal intime d'une jeune fille de la Belle Époque; in: Actes du colloque *Les femmes et la Révolution française*, Toulouse, Bd. 1, 1989; Bd. 2, 1990; Bd. 3 in Druck.
73 Ariès/Duby 1987, S. 516f. (dt.: 1992, S. 529f.); Degler, *At Odds*, S. 107f.; Knibiehler u. a. 1989, S. 102.
74 Robert Musil, *Der Mann ohne Eigenschaften*, in: *Gesammelte Werke in neun Bänden*, hg. von Adolf Frisé, Reinbek 1978, Bd. 1–5.
75 Jacques Poumarède, L'inceste et le droit bourgeois, in: *Droit, histoire et sexualité*. Textes réunis et présentés par Jacques Poumarède et Jean-Pierre Royer, Publications de l'espace juridique, Paris 1987, S. 213–228.
76 Weeks 1981, S. 31.
77 Knibiehler/Fouquet 1982, S. 186–193.
78 Willy Aeschimann, *La pensée d'Edgar Quinet. Étude sur la formation de ses idées avec essais de jeunesse et documents inédits*, Paris/Genf 1986.
79 H.-A. Diederiks, Le choix du conjoint à Amsterdam au début du XIXe siècle, in: *Annales de démographie historique*, 1986, S. 183–194.
80 Paul Lachance, L'effet du déséquilibre des sexes sur le comportement matrimonial: comparison entre la Nouvelle France, Saint-Domingue et La Nouvelle Orléans, in: *Revue d'histoire de l'Amérique francaise*, Bd. 39, Nr. 2, Herbst 1985.
81 Julie Dunfey, »Living the principle« of plural marriage: Mormon women, utopia and female sexuality in the 19th century, in: *Feminist Studies*, Bd. 10, Nr. 3, Herbst 1984, S. 523–536.
82 Stowe, »The thing not its vision«, S. 113–130.
83 Yvonne Knibiehler, Fanny Reybaud, in: *Provence historique*, Okt. 1991.
84 Degler, *At Odds*, S. 31f.
85 Bernard Schnapper, La séparation de corps de 1837 à 1914. Essai de sociologie juridique, in: *Revue historique*, April-Juni 1978, Paris.
86 Michelet, *L'amour*, S. 358f.
87 Jean Estebe, *Les ministres de la République, 1871–1914*, Vorwort von Maurice Agulhon, Paris 1982, S. 91.
88 Smith-Rosenberg, *Disorderly Conduct*, S. 190–195.

89 Olafson Hellestein u. a. 1989, Teil IV, S. 453–508.
90 Éliane Richard, Des veuves riches au XIXe siècle, in: Actes du colloque *Les femmes et l'argent*, Aix-en-Provence 1985, S. 21–35.

Gefährliche Formen der Sexualität

1 Preiss/Simmons 1989, S. 3.
2 Abraham Flexner, *Prostitution in Europe*, New York 1920, S. 64.
3 *Downward Paths: An Inquiry into the Causes which Contribute to the Making of the Prostitute, with a forward by A. Maude Royden*, London 1913, S. 48.
4 Zit. nach Ronald Pearsall, *The Worm in the Bud: The World of Victorian Sexuality*, Toronto 1969, S. 283.
5 Zit. nach D'Emilio/ Freedman 1988, S. 182.
6 Ellen Ross, Fierce Questions and Taunts: Married Life in Working-Class London 1870–1914, in: *Feminist Studies* 8/3, 1982, S. 575f.
7 Zit. nach Harsin 1980, S. 22.
8 William Acton, *Prostitution* (1870), hg. von Peter Fryer, gekürzte Neuaufl. 1968, S. 23.
9 *Daily Chronicle*, London, 10. Nov. 1888.
10 Alain Corbin, Commercial Sexuality in Nineteenth-Century France: A System of Images and Regulations, in: *Representations* 14, 1986, S. 212f.
11 Report of the Royal Commission on the Administration and Operation of the Contagious Diseases Acts 1866–69 (1871), in: *Parliamentary Papers* 1871, C. 408.
12 Zit. nach Walkowitz 1980, S. 177.
13 Corbin 1978, S. 134.
14 Zit. nach Henry Mayhew und Bracebridge Hemyng, The Prostitute Class Generally, in: Henry Mayhew (Hg.), *London Labour and the London Poor*, 4 Bde., London 1861, Neuauflage New York 1968, IV, S. 205.
15 Zit. nach Walkowitz 1980, S. 170.
16 Zit. nach Judith R. Walkowitz, Male Vice and Female Virtue: Feminism and the Politics of Prostitution in Nineteenth-Century Britain, in: Snitow 1983, S. 423.
17 Zit. nach Walkowitz, Male Vice and Female Virtue, in: ebd., S. 186.
18 Weeks 1977, S. 18.
19 Zit. nach Flexner, *Prostitution in Europe*, S. 190.
20 Ebd., S. 197.
21 Ebd., S. 197.
22 Zit. nach Frevert 1986, S. 131.
23 Elizabeth Cobb an Karl Pearson, 17. Juli 1885, Pearson Papers, 663/1, University College, London.
24 Maria Sharpe, Autobiographical Notes, S. 1, Pearson Papers, 10/1.
25 Emma Brooke, Notes on an Man's View of the Woman Question, Pearson Papers, 10/2.
26 Rachel Bernstein, Boarding-Housekeepers and Brothel Keepers in New York City, 1880–1910 (unveröffentlichte Doktorarbeit, Rutgers University) 1984, S. 144f.
27 Mrs. G., Interview, Dame Colet House, East London, Juli 1983.
28 Mrs. M., Interview, Toynbee Hall, East London, Juli 1983.
29 Zit. nach Josephine Butler, The Garrison Towns of Kent, in: *The Shield*, London, 35. April 1870.
30 Bracebridge Hemyng, Prostitution in London, in: Mayhew, *London Labour*, IV, S. 250.
31 Zit. nach D'Emilio/Freedman 1988, S. 137.
32 Zit. nach W. T. Stead, Diary Entries, 3. März 1886, Stead Papers. Ich danke Professor J. O. Baylen für die mir gewährte Einsicht in diese Papiere.
33 Petchesky 1984, S. 78.
34 Zit. nach Angus McLaren, Abortion in France: Women and the Regulation of Family Size, 1800–1914, in: *French Historical Studies* 10/3, 1978, S. 476.
35 Zit. nach Peter Gay, *The Bourgeois Experience: Victoria to Freud. Volume 1. Education of the Senses*, Oxford 1984, S. 254 (dt.: *Erziehung der Sinne: Sexualität im bürgerlichen Zeitalter*. Aus dem Engl. von Holger Fliessbach, Frankfurt a. M. 1989).
36 Zit. nach Carroll Smith-Rosenberg, *Disorderly Conduct: Visions of Gender in Victorian America*, New York, Oxford 1984, S. 254.
37 Petchesky 1984, S. 45.
38 Zit. nach ebd., S. 55.
39 Zit. nach McLaren 1978, S. 476.
40 Petchesky 1984, S. 54.
41 Zit. nach Margaret Hunt, Girls will be Boys, in: *The Women's Review of Books* 6/12, 1989, S. 11.
42 Zit. nach Anna Clark, Cross-dressing, unveröffentlichter Artikel, 10. April 1986, S. 9.
43 Zit. nach D'Emilio/Freedman 1988, S. 124f.
44 Zit. nach Smith-Rosenberg, *Disorderly Conduct*, S. 58.
45 Christine Stansell, Revisiting the Angel in the House: Revisions of Victorian Womanhood, in: *New England Quarterly* 60, 1987, S. 474.
46 Stansell, Revisiting the Angel, S. 482.
47 Jeannette Marks, zit. nach Faderman 1981, S. 229 (dt. 1990, S. 248).
48 Emma Willard, Companionships, neuaufgelegt in Jonathan Katz, *Gay/Lesbian Almanac: A New Documentary*, New York 1983, S. 216–218.
49 Weeks 1985, S. 67.
50 Zit. nach Katz, *Gay/Lesbian Almanac*, S. 189.
51 Zit. nach ebd., S. 144.
52 Zit. nach ebd., S. 270.
53 Carroll Smith-Rosenberg, Discourses of Sexuality and Subjectivity: The New Woman, 1870–1936,

in: Martin Bauml Duberman, Martha Vicinus und George Chauncey, Jr. (Hg.), *Hidden from History: Reclaiming the Gay and Lesbian Past,* New York 1989, S. 270.

54 ›The Truth about Myself‹: Autobiography of a Lesbian (Germany, 1901), in: Eleanor Riemer und John C. Fout (Hg.), *European Women: A Documentary History 1789–1945,* New York 1980, S. 235f.

55 Zit. nach Faderman 1981, S. 229 (dt. 1990, S. 249).

56 Zit. nach Gudrun Schwarz, »Mannweiber« in Männertheorien, in: Karin Hausen (Hg.), *Frauen suchen ihre Geschichte. Historische Studien zum 19. und 20. Jahrhundert,* 2. durchges. Aufl. München 1987, S. 64–82.

57 Zit. nach Katz, *Gay/Lesbian Almanac,* S. 137.

58 Leila J. Rupp, ›Imagine My Surprise‹: Women's Relationships in Mid-Twentieth Century America, in: Duberman/Vicinus/Chauncey, Jr. (Hg.), *Hidden from History,* S. 410.

Die Arbeiterin

1 Jules Simon, *L'ouvrière,* Paris [2]1861, s. v.

2 Maurice Garden, *Lyon et les Lyonnais au XVIIIe siècle,* Paris 1975, S. 139.

3 Dominique Godineau, *Citoyennes Tricoteuses: les femmes du peuple à Paris pendant la Révolution française,* Paris 1988, S. 67.

4 John Burnett (Hg.), *Annals of Labour; Autobiographies of British Working-Class People,* 1820–1920, Bloomington 1974, S. 285.

5 Eileen Yeo und E. P. Thompson (Hg.), *The Unknown Mayhew,* New York 1972, S. 122f.

6 Karl Marx und Friedrich Engels, *Manifest der Kommunistischen Partei,* Werke Bd. 4, Berlin 1980, S. 469. Das Argument lautet weiter: »Alters- und Geschlechtsunterschiede haben für die Arbeiterklasse keinerlei soziale Bedeutung mehr. Alle sind jetzt bloße Arbeitsinstrumente, deren Preis je nach Alter und Geschlecht variiert.«

7 Zit. nach Ava Baron, Questions of Gender: Deskilling and Demasculinization in the U.S. Printing Industry, 1830–1915, in: *Gender and History* 1/2, 1989, S. 164.

8 Ramsay MacDonald (Hg.), *Women in the Printing Trades: A Sociological Study,* London 1904, S. 36.

9 Zit. nach Michelle Perrot, Le Syndicalisme français et les femmes: histoire d'un malentendu, in: *Aujourd'hui* 66, 1984, S. 44.

10 Adam Smith, *The Wealth of Nations,* Bd. 1, Oxford [2]1880, S. 71 (dt.: *Der Wohlstand der Nationen,* Bd. 1: *Entstehung und Verteilung des Sozialprodukts.* Aus dem Engl. von Horst Claus Recktenwald, München 1974, S. 59).

11 Jean-Baptiste Say, *Traité de l'économie politique,* 2 Bde., Paris [6]1841, S. 324.

12 Eugène Buret, *De la misère des classes laborieuses en France et en Angleterre,* 2 Bde., Paris 1840, Bd. 1, S. 287, zit. nach Therèse Moreau, *Le sang de l'histoire: Michelet, l'histoire, et l'idée de la femme au XIXe siècle,* Paris 1982, S. 74.

13 *L'Atelier,* 30. Dez. 1842, S. 31.

14 Sidney Webb, The Alleged Difference in the Wages Paid to Men and Women for Similar Work, in: *Economic Journal* 1, 1891, S. 657ff.

15 Pinchbeck 1930, S. 185.

16 Zit. nach John C. Holley, The Two Family Economies of Industrialism: Factory Workers in Victorian Scotland, in: *Journal of Family History* 6, 1981, S. 64.

17 Zit. nach Louise A. Tilly und Joan W. Scott, *Women, Work and Family,* New York 1978; Neuauflage 1987, S. 79.

18 Jill K. Conway, Politics, Pedagogy, and Gender, in: Jill K. Conway, Susan C. Bourque und Joan W. Scott (Hg.), *Learning About Women: Gender, Politics, and Power,* Ann Arbor 1987, S. 140.

19 Samual Cohn, *The Process of Occupational Sex-Typing: The Feminization of Clerical Labor in Great Britain,* Philadelphia 1985.

20 Zit. nach Susan Bachrach, Dames Employées: The Feminization of Postal Work in Nineteenth-Century France, in: *Women and History* 8, 1983, S. 33.

21 Ebd., S. 35.

22 Ebd., S. 42.

23 Zit. nach Lewis 1984, S. 175.

24 Michelle Perrot, L'éloge de la ménagère dans le discours des ouvriers français au XIXe siècle, in: *Romantisme,* S. 10.

25 Ute Frevert, *Frauen-Geschichte. Zwischen bürgerlicher Verbesserung und Neuer Weiblichkeit,* Frankfurt a. M. 1986, S. 97.

26 Baron, Questions of Gender, S. 164.

27 Zit. nach Mary Lynn Stewart, *Women, Work and the French State: Labour Protection and Social Patriarchy, 1879–1919,* Montreal 1989, S. 51.

28 Ebd., S. 175.

29 Ebd., S. 14.

30 Ebd., S. 119.

31 Bouvier 1936.

32 Margaret Llewelyn Davies (Hg.), *Life As We Have Known It By Cooperative Working Women,* New York 1975.

33 Zit. nach Stewart, *Women, Work and the French State,* S. 177.

34 Lewis 1984, S. 146.

Alleinstehende Frauen

1 Dora Greenwell, Our single women, in: *North British Review* XXXVI, Feb. 1862, S. 63.

2 Vgl. Bibliographie in Vicinus 1985; und in der Sondernummer »Spinsters«, *Journal of Family History,* Winter 1984, hg. von Susan Cotts Watkins. Zwischen 1840 und 1847 stellt der Maler Richard Redgrave in der Royal Academy eine Reihe von Gemälden zum Thema der *redundant woman* aus, einem
Modesujet, das auch von George Frederic Watts gemalt wurde.

3 W. R. Greg, »Why are women redundant?« in: *National Review* 14, April 1862, S. 436.

4 Émile Levasseur, *La population française: histoire de la population avant 1789 et démographie de la France comparée à celle des autres nations au XIXe siècle,* Paris 1889–1892, 3 Bde., Bd. 1, S. 333.

5 Jacques Dupâquier, *La population française aux XVIIe et XVIIIe siècles,* Paris 1979, S. 84.

6 Honoré de Balzac, *La vieille Fille* (1837), Paris 1955, S. 65 (dt.: *Die alte Jungfer.* Aus dem Franz. von Hedwig Lachmann, Leipzig/Weimar 1986, S. 63).

7 *Annales de démographie historique,* 1981, Teil A: »La mortalité différentielle des femmes«, S. 23–140.

8 Patrice Bourdelais, Le poids démographique des femmes seules en France, in: ebd., S. 215–227.

9 John Hajnal, European Marriage Patterns in Perspective, in: D.-V. Glass und D. E. C. Eversley (Hg.), *Population in History,* London 1965, S. 101–143.

10 Jack Goody, *The Development of the Family and Marriage in Europe,* Cambridge 1983 (dt.: *Die Entwicklung von Ehe und Familie in Europa.* Aus dem Engl. von Eva Horn, Berlin 1986; Frankfurt a. M. 1989).

11 Louis Henry und Jacques Houdaille, Célibat et âge au mariage aux XVIIIe et XIXe siècles en France. I – Célibat définitif. II – Age au premier mariage, in: *Population* 1979, Nr. 1 und 2.

12 Patrice Bourdelais, Femmes isolées en France, XVIIe–XIXe siècles in: Farge/Klapisch-Zuber 1984, S. 66f.

13 M. Anderson, Marriage Patterns in Victorian Britain: an Analysis Based on Registration District Data for England and Wales 1861, in: *Journal of Family History 2,* 1976, S. 55–78; John Knodel und Mary Jo Maynes, Urban and Rural Marriage Patterns in Imperial Germany, in: ebd., S. 129–168.

14 Léon Abensour, *La femme et le féminisme avant la Révolution* (1923), Reprint Genf 1977, S. 206.

15 Knodel und Maynes, Urban and Rural Marriage Patterns.

16 In Nordafrika, in Amerika und bis nach Ozeanien, in Wallis und Futuna: vgl. Y. Turin, *Femmes et Religieuses au XIXe siècle. Le féminisme »en religion«,* Paris 1989.

17 S. Dyrvik, Remarriage in Norway in the Nineteenth Century, in: J. Dupâquier, E. Hélin, P. Laslett, M. Livi-Bacci und S. Sogner (Hg.), *Marriage and Remarriage in Populations of the Past,* San Diego 1981, S. 305.

18 1862, 66, S. 594–610.

19 Maurice Garden, L'évolution de la population active, in: Jacques Dupâquier (Hg.), *Histoire de la population française,* Paris 1988, Bd. 3, S. 267.

20 Theresa McBride, Social Mobility for the Lower Classes: Domestic Servants in France, in: *Journal of Social History,* Herbst 1974, S. 63–78.

21 Abel Chatelain, Les usines internats et les migrations féminines dans la région lyonnaise, in: *Revue d'Histoire économique et sociale* 3, 1970, S. 373–394; Louis Reybaud, *Études sur le régime des manufactures, condition matérielle et morale des ouvriers en soie,* Paris 1859.

22 Françoise Parent, La vendeuse de grand magasin, in: Farge/Klapisch-Zuber 1984, S. 97.

23 Pierrette Pézerat et Danièle Poublan, Femmes sans maris, les employées des postes, in: ebd., S. 117–162; Maurizio Gribaudi, *Procès de mobilité et d'intégration. Le monde ouvrier turinois dans le premier demi-siècle,* Diss. Paris 1986.

24 Gro Hagemann, Class and gender during Industrialization, in: *The Sexual Division of Labour, 19th and 20th centuries, Uppsala Papers in Economic History,* Nr. 7, 1989, S. 1–29; Ursula D. Nienhaus, Technological Change, the Welfare State, Gender and Real Women. Female Clerical Workers in the Postal Services in Germany, France and England 1860 to 1945, in: ebd., S. 57–72.

25 *Statistique des familles,* Statistique générale de la France, 1906.

26 Marlène Cacouault, Diplôme et célibat, les femmes professeurs de lycée entre les deux guerres, in: Farge/Klapisch-Zuber 1984, S. 177; Françoise Mayeur, *L'enseignement secondaire des jeunes filles sous la 3e République,* Paris 1977, S. 256.

27 Claude Langlois, *Le Catholicisme au féminin. Les congrégations françaises à supérieure générale au XIXe siècle,* Paris 1984; Vicinus 1985; Lucia Ferrante, Maura Pallazzi und Gianna Pomata (Hg.), *Patronage e reti di relazione nelle storia delle donne,* Turin 1988.

28 *Les enseignements pontificaux. Le problème féminin,* Einführung und Zusammenstellung von den Mönchen von Solesmes, 1953.

29 Jacques Bertillon, *Etude démographique du divorce et la séparation de corps dans les différents pays de l'Europe,* Paris 1883.

30 Barbey d'Aurevilly, *Les Bas-Bleus,* Paris 1878.

31 *Liberty, a Better Husband. Single Women in America: the Generation of 1780–1840,* New Haven, Conn. 1984.

32 Ebd., S. 10 zitiert 1868 Mary Alcott: »Der Verlust von Freiheit, Glück und Würde wird gewöhnlich durch die nutzlose Ehre ›Madame‹ anstatt ›Mademoiselle‹ genannt zu werden ausgeglichen (...).

Die alten Mädchen wären gewissermaßen eine übergeordnete Klasse Frauen (...), ebenso treu und glücklich mit ihrer Wahl wie die verheirateten Frauen mit ihren Ehemännern und Haushalten.«

33 Der Ausdruck wurde von Shakespeare »erfunden«, um Frauen, die nicht heiraten wollten, der Lächerlichkeit preiszugeben, vgl. *A Midsummer Night's Dream,* I. i 67 (dt.: *Ein Sommernachtstraum,* hg. von Dietrich Klose. Aus dem Engl. von August Wilhelm Schlegel, Stuttgart 1992).

34 Édith Thomas, *Pauline Roland. Socialisme et féminisme au XIXe siècle,* Paris 1956; für Nightingale und Pankhurst vgl. Jeffreys 1985.

35 Carroll Smith-Rosenberg und Esther Newton, Le mythe de la lesbienne et la Femme nouvelle, in: *Stratégies des femmes,* Paris 1984, S. 274–311.

36 Gudrun Schwarz, L'invention de la lesbienne par les psychiatres allemands, in: ebd., S. 312–328.

37 Jean Borie, *Le célibataire français,* Paris 1976.

38 Cécile Dauphin, La vieille fille, histoire d'un stéréotype, in: Farge/Klapisch-Zuber 1984, S. 207–231.

39 Yvonne Knibiehler, Les médicins et la nature féminine au temps du Code civil, in: *Annales E.S.C.* 4, 1976, S. 824–845; Arlette Farge, Les temps fragiles de la solitude des femmes à travers le discours médical du XVIIIe siècle, in: Farge/Klapisch-Zuber 1984, S. 251–263.

40 Serge Moscovici, L'individu et ses représentations, in: *Magazine littéraire,* Nr. 264, April 1989, S. 28–31.

41 Nach der Definition des Anthropologen Louis Dumont bezeichnet der Holismus Gesellschaften, die der Gesamtheit der Gruppe den Vorzug vor ihren Teilen oder vor einzelnen Mitgliedern geben.

Neuerungen

1 »Ich bin eine Frau.
Wo ich geboren, werde ich sterben. Nie wird mir
unbeschwertes Reisen wie auf
Flügeln den Horizont weiten.
Nie werde ich von der Welt wissen
Die jenseits meiner Hauswand vorübereilt (...)
Ich bin eine Frau.
Bleiben muß ich in meinem gehege ...
Nie wird mich die Geschichte aufleben lassen.
Kein Wort spricht für mich.
Ich bin eine Frau.«

2 Claude Quiguer, *Femmes et Machines de 1900. Lecture d'une obsession Modern Style,* Paris 1979.

3 Vgl. Stella Georgoudi, Bachofen, le matriacat et le monde antique. Réflexions sur la création d'un mythe, in: *Histoire des femmes,* Bd. 1 (dt.: Bachofen, das Mutterrecht und die Alte Welt, in: *Geschichte der Frauen,* Bd. 1).

4 Jacques Le Rider, *Le Cas Otto Weininger. Racines de l'antiféminisme et de l'antisémitisme,* Paris 1982.

Ausbrüche

1 *La Tribune des Femmes,* 2. Jg., zit. v. Michèle Riot-Sarcey, *Parcours de femmes à l'époque de l'apprentissage de la démocratie,* Diss. Paris 1990.

2 Nancy F. Cott, *The Bonds of Womanhood. »Woman's Sphere« in New England, 1780–1835,* New Haven/London 1977; Eleni Varikas, La révolte des dames. Genèse d'une conscience féministe dans la Grèce du XIXe siècle, Diss. Paris 1988, erscheint bei Klincksieck in Paris.

3 Bridenthal/Koonz 1977; ^2^1987.

4 Duprat 1991.

5 Zit. von Fraisse 1989, S. 36.

6 Frevert 1986.

7 Prochaska 1980; Barret-Ducrocq 1987; Smith-Rosenberg 1971.

8 Williams 1982.

9 Martha Vicinus, *Independent Women. Work and Community for Single Women, 1850–1920,* London 1985.

10 Sylvie Fayet-Scribe, *Les associations féminines d'éducation populaire et d'action sociale. De* Rerum Novarum (1891) *au Front Populaire,* Diss. Paris 1988.

11 Marie-Claire Hoock-Demarle, *Bettina Brentano von Arnim ou la mise en œuvre d'une vie,* Diss. 1985; M. Perrot, Flora Tristan enquêtrice, in: Stéphane Michaud (Hg.), *Flora Tristan: un fabuleux destin,* Dijon 1985.

12 Marie-Antoinette Perret, *Enquête sur l'enfance »en danger moral«,* Mag. arb. Paris 1989.

13 Yvonne Knibiehler, *Nous les assistantes sociales,* Paris 1981; dies u. a., *Cornettes et blouses blanches,* Paris 1984.

14 Zitiert von Duprat 1991.

15 Bonnie G. Smith, *Changing Lives. Women in European History Since 1700,* Lexington/Toronto, D.C. 1989, S. 218; Anne Summers, Pride and Prejudice: Ladies and Nurses in the Crimean War, in: *History Workshop Journal* 16, Herbst 1983, S. 33–57; Martha Vicinus und Bea Nergaard (Hg.), *Ever Yours, Florence Nightingale. Selected Letters,* London 1990.

16 Smith 1981.

17 Zit. v. Riot-Sarcey, *Parcours de femmes* (Orig. von 1831).

18 Mary P. Ryan, The Power of Women's Networks, in: Newton u. a. ^2^1985, S. 167–186 (dt.: Mief und Stärke. Ein frühes Lehrstück über die Ambivalenzen weiblicher Moralisierungskampagnen, in: Claudia Honegger und Bettina Heintz [Hg.], *Listen der Ohnmacht. Zur Sozialgeschichte weiblicher Widerstandsformen,* Frankfurt a. M., S. 393–415).

19 Carroll Smith-Rosenberg, *Disorderly Conduct. Visions of Gender in Victorian America,* Oxford 1985, S. 176f.

20 Peter Stearns, Working-class Women in Britain, 1890–1914, in: Vicinus, Bloomington 1972, S. 100–120 (dt.: Abstumpfung und Apathie. Arbeiterfrauen in England, 1890–1914, in: Honegger und Heintz [Hg.], *Listen der Ohnmacht*, S. 188–216).

21 Thompson 1976 (dt.: 1981).

22 Nancy Tomes, A Torrent of Abuse: Crimes of Violence Between Working-class Men and Women in London (1840–1875), in: *The Journal of Social History* 11/3, Frühjahr 1978, S. 328–345.

23 Eric Hobsbawm, Sexe, vêtements et politique, in: *Actes de la recherche en sciences sociales* 23, 1978.

24 Ludwig-Uhland-Institut für empirische Kulturwissenschaft der Universität Tübingen, *Als die Deutschen demonstrieren lernten. Das Kulturmuster »friedliche Straßendemonstration« im preußischen Wahlrechtskampf 1908–1910.* Begleitband zur Ausstellung im Haspelturm des Tübinger Schlosses vom 24. Jan.–9. Mai 1986, Leitung Bernd Jürgen Warneken, Tübingen 1986 (s. »Die Frauen«, S. 105–126).

25 Jean-Marie Flonneau, Crise de vie chère et mouvement syndical (1910–1914), in: *Le mouvement social*, Juli–Sept. 1970.

26 Rudolf M. Dekker, Women in Revolt. Popular Protest and Its Social Basis in Holland in the Seventeenth and Eighteenth Centuries, in: *Theory and Society* 16, 1987, S. 337–362; Malcolm I. Thomis und Jennifer Grimmett, *Women in Protest 1800–1850*, London 1982; Louise A. Tilly, Paths of Proletarianization: Organization of Production, Sexual Division of Labor, and Women's Collective Action, in: *Signs* 7, 1981, S. 401–417; Temma Kaplan, Female Consciousness and Collective Action: The Case of Barcelona, 1910–1918, in: *Signs* 7, Frühjahr 1982, S. 564.

27 Suzannah Barrows, *Distorting Mirrors: Visions of the Crowd in Late Nineteenth-Century France*, New Haven 1981.

28 M. Perrot, *Les ouvriers en grève (1871–1890)*, Bd. 1, Paris 1974.

29 Claire Auzias und Annick Houel, *La grève des ovalistes. Lyon, juin-juillet 1869*, Paris 1982; Sian F. Reynolds, *Britannica's Typesetters. Women Compositors in Edinburgh*, Edinburgh 1989; Basch 1980.

30 Nathalie Chambelland-Liebault, *La durée et l'aménagement du temps de travail des femmes de 1892 à l'aube des conventions collectives*, Diss. Nantes 1989.

31 Lettre (XII 1855), zit. von Summers, Pride and Prejudice, S. 48.

32 Geneviève Fraisse, *Femmes toutes mains. Essai sur le service domestique*, Paris 1979, S. 3ff.

33 Charles Sowerwine, *Les femmes et le socialisme*, Paris 1978; Marianne Walle, *Contribution à l'histoire des femmes allemandes entre 1848 et 1920, à travers les itinéraires de Louise Otto, Helene Lange, Clara Zetkin et Lily Braun*, Diss. Paris 1989.

34 Jill Liddington, Women Cotton Workers and the Suffrage Campaign. The Radical Suffragists in Lancashire 1893–1914, in: Burman 1979, S. 98–112.

35 Neuausg. d. Textes von Denys Cuche und Stéphane Michaud, Paris 1988.

36 Martin Nadaud, *Mémoires de Léonard ancien garçon maçon*, hg. von Maurice Agulhon, Paris 1976.

37 Octave Mirbeau, *Le Journal d'une femme de chambre*, Paris 1900.

38 Leonore Davidoff, Class and Gender in Victorian England, in: Newton u. a. ²1985, S. 17–71 (dt.: Family-Fortunes neu betrachtet – Geschlecht und Klasse im frühen 19. Jahrhundert, in: Logie Barrow, Dorothea Schmidt und Jutta Schwarzkopf [Hg.], *Nichts als Unterdrückung*, Münster 1991, S. 225–247); L. Stanley (Hg.), *The Diaries of Hannah Cullwick*, New Brunswick 1984.

39 J. Dupâquier, *Histoire de la population française*, Paris 1989, Bd. 3, S. 133 und 184.

40 M. Jeanne Peterson, The Victorian Governess: Status Incongruence in Family and Society, in: Vicinus, Bloomington 1972.

41 Elinor Lerner, Structures familiales, typologie des emplois et soutien aux causes féministes à New York (1915–1917), in: Friedlander 1984, S. 424–443.

42 Carroll Smith-Rosenberg und Esther Newton, Le mythe de la lesbienne et la Femme nouvelle, in: Friedlander 1984, S. 274–312; Benstock, Paris 1987.

43 Zit. von Lerner, Structures familiales, S. 429.

44 Emma Goldman, *Living my Life*, New York 1932 (dt.: *Gelebtes Leben*, 3 Bde. Aus dem Engl. von Renate Orywa und Marlen Breitinger, Berlin 1978–80).

45 Knibiehler/Goutalier 1985; A.-J. Hammerton, Feminism and Female Emigration, 1861–1886, in: Vicinus 1977, S. 52–72.

46 Odile Krakovitch, *Les femmes bagnardes*, Paris 1990.

47 Denise Brahimi, *Femmes arabes et sœurs musulmanes*, Paris 1984.

48 Alain Corbin, *Le territoire du vide. L'Occident et le désir du rivage, 1750–1840*, Paris 1988 (dt.: *Meereslust. Das Abendland und die Entdeckung der Küste, 1750–1840.* Aus dem Franz. von Grete Osterwald, Berlin 1990).

49 Marguerite Yourcenar, *Quoi? L'Éternité*, Paris 1988, S. 96ff. (dt.: *Liebesläufe. Eine Familiengeschichte.* Aus dem Franz. von Rolf und Hedda Soellner, München 1989; Frankfurt 1991).

50 Jacques Rancière, *Courts voyages au pays du Peuple*, Paris 1990: für Schriftsteller verkörpern häufig Frauen das Volk.

51 Jeanne Bouvier, *Mes mémoires. Une syndicaliste féministe (1876–1935)*, hg. von Daniel Armogathe und Maïté Albistur, Paris 1983, S. 123–136.

52 Marie-Claire Pasquier, »Mon nom est Persona«. Les femmes et le théâtre, in: Friedlander 1984, S. 259–273.

53 Edmonde Charles-Roux, *Un désir d'Orient. La jeunesse d'Isabelle Eberhardt*, Paris 1988.

54 Alexandra David-Néel, *Journal de voyage (11 août 1904–26 décembre 1917)*, Paris 1975, Brief vom 8. Aug. 1917 (dt.: *Wanderer mit dem Wind. Reisetagebücher in Briefen 1904–1917*. Aus dem Franz. von Christoph Rodiek, Wiesbaden 1979, S. 252).

55 Eve und Jean Gran-Aymeric, *Jane Dieulafoy, une vie d'homme*, Paris 1990.

56 David-Néel, *Journal de voyage*, S. 101, Brief vom 11. Febr. 1912 (dt.: *Wanderer mit dem Wind*, S. 60).

57 Wie bei Edward Shorter, *A History of Women's Bodies*, New York 1982 (dt.: *Der weibliche Körper als Schicksal. Zur Sozialgeschichte der Frau.* Aus dem Engl. von Heiner Kober, München/Zürich 1987).

58 Fauré 1979; Nancy Green, L'émigration comme émancipation: les femmes juives d'Europe de l'Est à Paris, 1881–1914, in: *Pluriel* 27, 1981, S. 51–59.

59 Lee Holcombe, Victorian Wives and Property. Reform on the Married Women's Property Law, 1857–1882, in: Vicinus 1977, S. 3–28.

60 Francis Ronsin, *Le contrat sentimental. Débat sur le mariage, l'amour, le divorce, de l'Ancien Régime à la Restauration*, Paris 1990; v. a. Riot-Sarcey, *Parcours de femmes*.

61 Fraisse 1989, S. 107.

62 Francis Ronsin, *Du divorce et de la séparation de corps en France au XIXe siècle*, Diss. Paris 1988.

63 Barbara Welter, The feminization of American religion, 1800–1860, in: Mary Heitman und Lois W. Banner (Hg.), *Clio's Consciousness Raised. New Perspectives on the History of Women*, New York/London 1974, S. 137–158.

64 Anne-Marie Sohn, Les femmes catholiques et la vie publique en France (1900–1930), in: Friedlander 1984, S. 97–121.

65 Lucia Bergamasco, *Condition féminine et vie spirituelle en Nouvelle-Angleterre au XVIIIe* siècle, Diss. Paris 1987; Cott, *The Bonds of Womanhood.*

66 Carroll Smith-Rosenberg, The Cross and the Pedestal: Women, anti-ritualism, and the emergence of the American Bourgeoisie, in: dies., *Disorderly Conduct*, S. 129–165.

67 Barbara Taylor, *Eve and the New Jerusalem. Socialism and Feminism in the Nineteenth Century*, London 1983.

68 Rancière, *Courts voyages au pays du Peuple; La nuit des Prolétaires*, Paris 1981; Claire Démar, *Ma loi d'avenir* (1831), Reprint Paris 1981, Vorwort von Valentin Pelosse.

69 Brombert 1977.

70 Zit. in Fraisse 1989, S. 31.

71 Rudolf M. Dekker et Lotte C. Van de Pol, »Republican heroines: cross-dressing women in the french revolutionary armies«, in: *History of European Ideas*, 1989, Bd. 10, Nr. 3, S. 353–363.

72 Lucette Czyba, *La femme dans les romans de Flaubert*, Lyon 1983, S. 193 und 366.

73 Für diese Information danke ich Eleni Varikas.

74 Zit. in Brombert 1977, S. 174.

75 Ward 1983.

Die feministische Szene

1 Geneviève Fraisse, Droit naturel et question de l'origine dans la pensée féministe au XIXe siècle, in: Friedlander 1984, S. 375–390.

2 Evans 1979.

3 Cott 1977

4 Karin Hausen, Die Polarisierung der »Geschlechtscharaktere«, in: Werner Conze (Hg.), *Sozialgeschichte der Familie in der Neuzeit Europas*, Stuttgart 1976, S. 363–393.

5 Clemens 1988, S. 71.

6 Diana H. Coole, J. S. Mill: Political Utilitarian and Feminist, in: Diana H. Coole (Hg.), *Women in Political Thought*, Sussex 1988, S. 133–153.

7 Giovanna Biadne, Primato della ragione e doppia morale, »La causa delle donne« di Luisa Tosco, in: *Memoria* 1, 1981, S. 87–93.

8 Karen Offen, Ernest Legouvé and the Doctrine of »Equality in Difference« for Women, in: *Journal of Modern History* 58, 1986, S. 452–484.

9 Kleinau 1987.

10 Rachele Farina und Maria Teresa Sillano, Tessitrici dell'Unità escluse dal Risorgimento, in: Farina u. a. 1983.

11 Helena Volet-Jeanneret, *La femme bourgeoise à Prague: 1860–1895: De la philanthropie à l'émancipation*, Diss. Lausanne 1987, S. 92.

12 Tineke de Bie und Wantje Fritschy, De »wereld« van Reveilvrouwen, hun liefdadige activiteiten en het outstaan van het feminisme in Nederland, in: *De eerste feministische golf*, 1985, S. 30–58.

13 Bussemer 1985, S. 81.

14 Frances Power Cobbe (1869), in: *The History of Women Suffrage II*, zit. bei Schnetzler 1971, S. 113.

15 Adler 1979; dies., Les femmes et la presse, France XVIIIe–XXe siècles, in: *Pénélope* 1, 1979; *Séverine, Choix de papiers*, kommentiert von Evelyne Le Garrec, Paris 1982; Irène Jami, *La Fronde*, quotidien féministe et son rôle dans la défense des femmes salariées, Mag. arb. Paris 1981.

16 Simone Schürch, *Les périodiques féministes. Essai historique et bibliographique*, Dipl. arb. Genf 1942, S. 23.

17 Fritz Staude, Die Rolle der »Gleichheit« im Kampf Clara Zetkins für die Emanzipation der Frau, in: *Beiträge zur Geschichte der Arbeiterbewegung* 16, 1974, S. 427.

18 Michelle Perrot, Naissance du féminisme en France, in: *Le Féminisme et ses enjeux,* Paris 1988, S. 41.

19 France Alloatti and Mirella Mingardo, »L'Italia Femminile«. Il fiorire della stampe delle donne tra Ottocento e Novecento, in: Farina u. a. 1983, S. 153–158; Maria Pia Bigaran, Mutamenti dell'emancipazionismo alla vigilia della grande guerra – I periodici femministi italiani del primo novecento, in: *Memoria* 4, 1982, S. 125–132.

20 E.-C. Stanton, *Eighty Years and More,* S. 165f., zit. in: Elinor Flexner, *Century of Struggle. The Woman's Rights Movement in the United States,* Cambridge 1959, S. 89.

21 Käppeli 1987, S. 281.

22 J. Moszczenska, Die Geschichte der Frauenbewegung in Polen, in: Helene Lange und Gertrud Bäumer (Hg.), *Handbuch der Frauenbewegung,* Teil 1, Berlin 1901, S. 350–360.

23 Forster 1984, S. 255.

24 Laurence Klejman und Florence Rochefort, Les associations féministes en France de 1871 à 1914, in: *Pénélope* 11, 1984, S. 147–153.

25 Bussemer 1985, S. 94.

26 Frevert 1986, S. 110.

27 Beatrix Mesmer, *Ausgeklammert – Eingeklammert. Frauen und Frauenorganisationen in der Schweiz des 19. Jhdts.,* Basel 1988, S. 150.

28 Evans 1979.

29 Herrad Schenk, *Die feministische Herausforderung. 150 Jahre Frauenbewegung in Deutschland,* München 1988, S. 52.

30 Richard J. Evans, Appendix: International Feminist Movements, in: ders. 1979, S. 52.

31 Bortolotti 1985, S. 39.

32 Käppeli 1987.

33 Marie-Hélène Lefaucheux, *Women in a Changing World,* London 1966.

34 Evans 1979, S. 252.

35 Gisela Brinker-Gabler (Hg.), *Frauen gegen den Krieg,* Frankfurt a. M. 1980, S. 19f.

36 Janet E. Rasmussen, Sisters across the Sea: Early Norwegian Feminists and their American connections, in: *Women's Studies International Forum* 5/6, 1982, S. 647–654.

37 Volet-Jeanneret, *La femme bourgeoise à Prague,* S. 244.

38 M. Bessmertny, Die Geschichte der Frauenbewegung in Rußland, in: Lange/Bäumer (Hg.), *Handbuch der Frauenbewegung,* S. 345.

39 Ute Gerhard, Bis an die Wurzeln des Übels, in: *Feministische Studien* 3/1, 1984, S. 77.

40 Anita Augspurg, Gebt acht, solange noch Zeit ist!, in: *Die Frauenbewegung,* Revue für die Interessen der Frau, 1895, S. 4.

41 Maria Pia Bigaran, Progetti e dibattiti parlamentari sul suffragio femminile: da Peruzzia Giolitti, in: *Rivista di Storia Contemporanea* 1, 1985, S. 50–82.

42 Ellen Carol Dubois (Hg.), *Elizabeth Cady Stanton, Susan B. Anthony, correspondance. Writings, Speeches,* New York 1981, S. 193.

43 Ilse Brehmer u. a. 1983.

44 Philippa Levine, Education: the first step, in: dies. 1987, S. 26–56.

45 Sibilla Aleramo, *La Donna e il femminismo. Scritti 1897–1910,* hg. von Bruna Conti, Rom 1978, S. 26.

46 Madeleine Pelletier, *L'éducation féministe des filles et autres textes,* Paris 1978.

47 Laurence Klejman and Florence Rochefort, La province à l'heure du féminisme, in: dies. 1989, S. 175–182.

48 Susan Groag Bell and Karen M. Offen, *Women, the Family, and Freedom,* Bd. 1 u. 2, Stanford 1983.

49 Kleinau 1987.

50 Klejman/Rochefort 1989, S. 314.

51 Judith R. Walkowitz, *Prostitution and Victorian Society, Women, Class and the State,* New York 1980.

52 Sheila Rowbotham, *Hidden from history,* London 1973.

53 De Brie/Fritschy, »wereld« van Reveilvrouwen, S. 132f.

54 Klejman/Rochefort 1989, S. 327.

55 Ursula Gaillard and Annik Mahaim, *Retards de règles,* Lausanne 1983.

56 Forster 1984, S. 241.

57 Sheila Jeffreys, *The Spinster and her Enemies. Feminism and Sexuality 1880–1930,* London 1985, S. 102.

58 Kokula 1981, S. 42.

59 Carin Schnitger, Ijdelheid hoeft geen ondeugd te zijn. De Vereenigung voor Verbetering van Vrouwenkleeding, in: *De eerste feministische golf,* S. 163–185.

60 Florence Nightingale, *Suggestions for Thought to Searchers after Religious Truth,* zit. bei Ray Strache, *The Cause,* London 1979, S. 27; Martha Vicinus and Bea Nergaard, *Ever Yours, Florence Nightingale, Selected Letters,* London 1989.

61 Käppeli 1987, S. 225.

62 Françoise Ducrocq, Les associations philanthropiques en Grande-Bretagne au XIXe siècle: un facteur d'émancipation pour les femmes de la bourgeoisie?, in: *Pénélope* 11, 1984, S. 71–77.

63 Zit. nach Bussemer 1985, S. 246.

64 Barbara Brick, Die Mütter der Nation – Zu Helene Langes Begründung einer »weiblichen Kultur«, in: Brehmer u. a. 1983, S. 99–132; Marianne Ulmi, *Frauenfragen – Männergedanken. Zu Georg Simmels Philosophie und Soziologie der Geschlechter,* Zürich 1989; Suzanne Vromen, Georg Simmel et le dilemme culturel des femmes, in: *Les Cahiers du GRIF,* »Georg Simmel«, Nr. 40, 1989, S. 7–25.

65 Ulrike Haas, Zum Verhältnis von Konservatismus, Mütterlichkeit und dem Modell der neuen Frau, in: Barbara Schaeffer-Hegel und Barbara Wartmann (Hg.), *Mythos Frau,* Berlin 1984, S. 81–87.

66 Kleinau 1987, S. 50.
67 Käppeli 1987, S. 289.
68 Ann Tylor Allen, Mothers of the New Generation: Adele Schreiber, Helene Stöcker, and the Evolution of a German Idea of Motherhood, 1900–1914, in: *Signs* 3/10, 1985, S. 418–438; Mayreder 1982.
69 Joris/Witzig 1986, S. 189f.
70 Mirjam Elias, *Drie Cent in het urt,* Amsterdam 1984.
71 Lily Braun, *Die Frauenfrage. Ihre geschichtliche Entwicklung und ihre wirtschaftliche Seite,* Leipzig 1901, S. 278.
72 Volet-Jeanneret, *La femme bourgeoise à Prague,* S. 167.
73 Leach 1980, S. 9.
74 Estelle Freedman, Separation as Strategy: Female Institution building and American Feminism 1870–1930, in: *Feminist Studies* 5/1, 1979, S. 524.
75 Evans 1979, S. 194.
76 Klejman/Rochefort 1989, S. 256.
77 Evans 1979, S. 194.
78 Bussemer 1985, S. 87.
79 Wantje Fritschy, Floor van Gelder und Ger Harmsen, Niederlande, in: Ernest Bornemann (Hg.), *Arbeiterbewegung und Feminismus. Berichte aus vierzehn Ländern,* Frankfurt a. M. 1981, S. 129.
80 Klejman/Rochefort 1989, S. 61.
81 Coole, *Women in Political Thought,* S. 149.
82 Evans 1979, S. 73 und 79.
83 Marianne Hainisch, Die Geschichte der Frauenbewegung in Österreich, in: Lange/Bäumer (Hg.), *Handbuch der Frauenbewegung,* S. 170f.
84 Inge de Wilde, The importance of Hélène Mercier for the women's movement, in: De Bie/Fritschy, De »wereld« van Reveilvrouwen, S. 204.
85 Stites 1977, S. 198.
86 Meyer 1987, S. 124.
87 De Bie/Fritschy, De »wereld« van Reveilvrouwen, S. 132.
88 Boxer/Quateret 1978, S. 159.
89 Ebd., S. 175.
90 Quateret 1979.
91 Herta Firnberg, Österreich, in: Bornemann (Hg.), *Arbeiterbewegung und Feminismus,* S. 83.
92 Ray Stratchey, *The Cause,* 1979, S. 288.
93 Sigbert Kluwe, *Weibliche Radikalität,* Frankfurt a. M. 1979, S. 41.
94 *The Living of Charlotte Perkins Gilman: An Autobiography* (1935), New York 1975, S. 41.
95 Marie-Jo Dhavernas, Anarchisme et féminisme à la Belle Epoque, in: *La Revue d'en face* 13, 1983, S. 74.
96 Claire Auzias-Gelineau u. a. (Hg.), Vorwort zu Emma Goldman, *La Tragédie de l'émancipation féminine,* Paris 1978, S. 31.
97 Monica Studer, Schweiz, in: Bornemann (Hg.), *Arbeiterbewegung und Feminismus,* S. 62.
98 Klejman/Rochefort 1989, S. 245.
99 Walter Thönessen, *Frauenemanzipation. Politik und Literatur der deutschen Sozialdemokratie zur Frauenbewegung 1863–1933,* Frankfurt a. M. 1969.
100 Evans 1979, S. 175f.
101 Woodtli 1977, S. 53.
102 Meyer 1987, S. 176.
103 Nancy Fix Anderson, *Women Against Women in Victorian England: A Life of Eliza Lynn Linton,* Bloomington 1986.
104 Gaby Weiner, Harriet Martineau: A Reassessment, in: Spender 1983, S. 60–74.
105 Meta von Salis, The Position of Women in Europe, in: *The Postgraduate and Wooster Quarterly* 2/1, 1887, S. 39; Doris Stump, *Sie töten uns – nicht unsere Ideen. Meta von Salis-Marschlins,* Thalwil 1986.
106 Gisela Brinker-Gabler, *Bertha von Suttner,* Frankfurt a. M. 1981, S. 11f.
107 Fia Dieteren, Mina Kruseman and her circle, a network of Dutch Women Artists in the Nineteenth Century, in: *Language. Culture and Female Future Workshop,* 1986, S. 11–18.
108 Liz Stanley, Olive Schreiner: New Women, Free Women, All Women (1855–1920), in: Spender 1983 S. 198.
109 Renate Duelli, Hedwig Dohm: Passionate Theorist, in: ebd., S. 165–183.
110 Spender 1983, S. 198.
111 Marie Luise Bach, *Gertrud Bäumer,* Weinheim 1988.
112 Woodtli 1977, S. 76ff.
113 Spender 1983, S. 397–408.
114 Käppeli 1987, S. 184–248 und 350–359.

Die neue Eva und der alte Adam

1 Anatole France, in: *L'Estafette,* 24 Juli 1899.
2 Émile Zola, *Travail* (1901), Paris 1906, Bd. 2, S. 487.
3 *La Française,* – revue de progrès féminin –, Nr. 3, Nov. 1906.
4 *La Française,* Nr. 4, Nov. 1906.
5 *La Française,* Nr. 5, Nov. 1906.
6 Zit. in Barbey d'Aurevilly, in: *Les Bas-Bleus,* Brüssel 1878, S. 70.
7 Séverine, in: *La Chevauchée,* Nr. 2, 15. Okt. 1900.
8 Zit. in Carol Gilligan, *In a Different Voice,* Cambridge, Mass. 1982 (dt.: *Die andere Stimme. Lebenskonflikte und Moral der Frau.* Aus dem Engl. von Brigitte Stein, München 1982).
9 Zit. in Mrs. Gaskell, Brief vom 16. März 1837.
10 Eugénie de Guérin, *Journal,* 22. März 1836, S. 113f.
11 George Sand, *Histoire de ma vie,* in: *Œuvres autobiographiques,* Paris 1970–1971, Bd. 1 (dt.:

Geschichte meines Lebens. Aus dem Franz. von Claire Blümer. Auswahl aus ihrem autobiographischen Werk., hg. von Renate Wiggershaus, Frankfurt a. M. 1978, S. 104).
12 George Eliot, *Middlemarch* 1871–1872, frz. Ausgabe 1981, S. 9 (dt.: *Middlemarch. Eine Studie über das Leben in der Provinz.* Aus dem Franz. von Rainer Zerbst, Stuttgart 1985, S. 12)
13 Ebd., S. 484 (dt.: ebd., S. 648).
14 Ebd., S. 837 (dt.: ebd., S. 1133).
15 Ebd., S. 4 (dt.: ebd., S. 6).
16 Ebd. (dt.: ebd.).
17 Henrik Ibsen, *Ein Puppenheim*, hg. und übers. von Angelika Gundlach, Frankfurt a. M. 1978, S. 101.
18 Théodore Joran, *Le mensonge du féminisme*, Paris 1905, S. 184.
19 Alexandre Dumas fils, *L'Homme-Femme*, Paris 1872, S. 174 (dt.: *Mann und Weib.* Autorisierte Ausgabe, Wien/Leipzig 1872, S. 157).
20 August Strindberg, *Die Gläubiger*, in: *August Strindbergs Schriften.* Deutsche Gesamtausgabe, hg. und übers. von Emil Schering, Leipzig 1902, 1. Abt., 4. Bd., S. 90.
21 Ebd.
22 Marcel Prévost, *Les Demi-Vierges*, Paris 1894, S. 87.
23 Maurice Barrès, *Les déracinés*, 1905.
24 Robert Musil, *Der Mann ohne Eigenschaften*, in: *Gesammelte Werke in neun Bänden*, hg. von Adolf Frisé, Reinbek 1978, Bd. 1–5.
25 Ebd., Bd. 1, S. 44.
26 Ebd.
27 Ebd.
28 Ebd., S. 37f.
29 Émile Faguet, *Le féminisme*, Paris 1906, S. 16.
30 Musil, *Der Mann ohne Eigenschaften*, S. 45.
31 P.-J. Proudhon, *La pornocratie*, Paris 1875, S. 29.
32 D'Aurevilly, *Les Bas-Bleus*, Vorwort.
33 Barrès, *Les déracinés*, S. 86.
34 Émile Zola, *Fécondité* (1899), Paris 1906, S. 39 (dt.: *Fruchtbarkeit.* Aus dem Franz. von Leopold Rosenzweig, Berlin 1930, S. 55).
35 D. H. Lawrence, *New Eve and Old Adam* (1911), frz. Ausgabe 1984, S. 39.
36 Ebd., S. 40.
37 Ebd., S. 49.
38 Ebd.
39 Ebd.
40 Ebd., S. 56.
41 Ebd., S. 55.
42 Otto Gross, Brief an Frieda, zit. in: Green 1974, S. 62 (dt.: 1976, S. 66f.).
43 Faguet, *Le féminisme*, S. 11.
44 Strindberg, *Die Gläubiger*, S. 45.
45 Honoré de Balzac, Brief an Mme Hanska, *Correspondance*, Paris 1967–1970, Bd. 1, S. 584.
46 Gustave Flaubert, *Correspondance*, Bd. 15, S. 181f.
47 Henry James, *Notes on Novelists*, New York 1914, S. 220f.
48 Barbey d'Aurevilly, *Les Diaboliques* (1874), in: *Œuvres complètes*, Reprint 1979, Bd. 2, S. 176.
49 George Orwell, *Collected Essays. Journalism and Letters*, 1970, Bd. 1, S. 222.
50 D'Aurevilly, *Les Bas-Bleus*, S. 82.
51 Sand, *Œuvres autobiographiques*, Bd. 2, S. 987f. (13. Juni 1837).
52 George Sand, *Correspondance*, Bd. 3, S. 18f.
53 Daniel Stern, *Lettres républicaines* (1848), zit. von B. Slama in: *Misérable et glorieuse, La femme du XIXe siècle*, Paris 1980, S. 239.
54 Virginia Woolf, *A Room of One's Own* (1929) (dt.: *Ein Zimmer für sich allein.* Aus dem Engl. von Renate Gerhardt, Frankfurt 1981, S. 84).

Stimmen der Frauen

1 Wiederabdruck in Lou Andreas-Salomé, *Die Erotik. Vier Aufsätze*, neu hg. mit einem Nachwort von Ernst Pfeiffer, München 1979; Frankfurt a. M./Berlin/Wien 1985, S. 26–30.

Nachwort

1 Claudia Honegger, *Die Ordnung der Geschlechter. Die Wissenschaften vom Menschen und das Weib*, Frankfurt a. M./New York 1991, später zit. S. 211.
2 Horst Walter Blanke, *Historiographiegeschichte als Historik*, Stuttgart 1991; Heide Wunder, »Gewirkte Geschichte«: Gedenken und »Handarbeit«. Überlegungen zum Tradieren von Geschichte im Mittelalter und zu seinem Wandel am Beginn der Neuzeit, in: Joachim Heinzle (Hg.), *Modernes Mittelalter. Neue Bilder einer populären Epoche*, Frankfurt a. M. 1994, S. 324–354.
3 Christoph Meiners, *Geschichte des weiblichen Geschlechts*, 4 Bde., Hannover 1788–1800; vgl. dazu Elisabeth Zeidler-Johnson, Die Aufteilung der Menschheitsgeschichte. Christoph Meiners und die Geschichte des anderen Geschlechts als Gegenstand der Geschichtsschreibung in der Spätaufklärung, in: Ursula A. J. Becher und Jörn Rüsen (Hg.), *Weiblichkeit in geschichtlicher Perspektive. Fallstudien und Reflexionen zu Grundproblemen der historischen Frauenforschung*, Frankfurt a. M. 1988, S. 189–216.
4 Blanke, *Historiographiegeschichte als Historik*, S. 121.
5 Vgl. für Deutschland die Auswahlbibliographie im Anhang.
6 E. v. B. (Emilie von Berlepsch), Über einige zum Glück der Ehe nothwendige Eigenschaften und Grundsätze, in: *Neuer Teutscher Merkur*, 5. und 6. Stück 1791, S. 63–102, 113–134, zit. nach Honegger, *Die Ordnung der Geschlechter*, S. 17.

LITERATUR

Der Abschnitt *Allgemeine Literatur* dieser Auswahlbibliographie enthält Überblicksdarstellungen und diejenigen Werke, die in mehreren Kapiteln dieses Bandes zitiert werden. Die Spezialbibliographien zu den einzelnen Kapiteln ergänzen die in den Anmerkungen der jeweiligen Kapitel zitierten Werke.

Allgemeine Literatur

ABEL, ELIZABETH (Hg.), *Writing and Sexual Difference*, Chicago 1982

ADDIS SABA, MARINI u. a., *Storia delle Donne, una Scienza Possibile*, Rom 1986

Aimer en France, 1760–1860. Actes du colloque de Clermont-Ferrand, 2 Bde., hg. von Paul Villaneix und Jean Ehrard, Clermont-Ferrand 1980

ARIÈS, PHILIPPE und GEORGES DUBY (Hg.), *Histoire de la vie privée*, Bd. 4: *De la Révolution à la Grande Guerre*, hg. von Michelle Perrot, Paris 1987 (dt.: *Geschichte des privaten Lebens*, Bd. 4: *Von der Revolution zum Großen Krieg*, hg. von Michelle Perrot, Frankfurt a. M. 1992)

Atti del Primer Coloqui di Historia de la Dona, 1986, Barcelona 1990

BADINTER, ELISABETH, *L'amour en plus. Histoire de l'amour maternel XVIIe–XXe siècles*, Paris 1980 (dt.: *Die Mutterliebe. Die Geschichte eines Gefühls vom 17. Jahrhundert bis heute*. Aus dem Franz. von Friedrich Griese, München/Zürich 1981)

BELL, SUSAN und KAREN M. OFFEN (Hg.), *Women, the Family and Freedom*, 2 Bde., Stanford 1983

BOVENSCHEN, SYLVIA, *Die imgaginierte Weiblichkeit. Exemplarische Untersuchungen zu kulturgeschichtlichen und literarischen Präsentationsformen des Weiblichen*, Frankfurt a. M. 1979

BRANCA, PATRICIA, *Silent Sisterhood. Middle Class Women in the Victorian Home*, London 1975

BRIDENTHAL, RENATE und CLAUDIA KOONZ (Hg.), *Becoming Visible. Women in European History*, Boston 1977, 2. Aufl. 1987

BURGUIÈRE, ANDRÉ, CHRISTIANE KLAPISCH-ZUBER, MARTINE SEGALEN, FRANÇOISE ZONABEND (Hg.), *Histoire de la famille*, Bd. 2: *Le choc des modernités*, Paris 1986

COHEN, YOLANDE, *Femmes et contre-pouvoirs*, Montreal 1987

COTT, NANCY F., *The Bonds of Womanhood. »Woman's Sphere« in New England (1780–1835)*, New Haven/London 1977

COTT, NANCY F., *The Grounding of Modern Feminism*, New Haven/London 1987

DAUPHIN, CÉCILE u. a., Culture et pouvoir des femmes. Essai d'historiographie, in: *Annales E.S.C.* 41, 1986

DAVIDOFF, LEONORE und CATHERINE HALL, *Family Fortunes. Men and Women of the English Middle Class (1780–1850)*, London 1987

DAVIN, ANNA, Imperialism and Motherhood, in: *History Workshop* 5, 1978

DEGLER, CARL, *At Odds. Women and the Family in America from the Revolution to the Present*, New York 1980

DUPÂQUIER, JACQUES (Hg.), *Histoire de la population française*, Bd. 3: *De 1789 à 1914*, Paris 1988

ELSHTAIN, JEAN BETHKE, *Public Man, Private Woman. Women in Social and Political Thought*, Princeton 1981

EVANS, SARA, *Personal Politics. The Roots of Women's Liberation in the Civil Rights Movement and the New Left*, New York 1980

(La) femme, Recueils de la Société Jean Bodin pour l'histoire comparative des institutions, Bd. 12, 2, Brüssel 1962

FOUCAULT, MICHEL, *La volonté de savoir*, Bd. 1 der *Histoire de la sexualité*, Paris 1976 (dt.: *Der Wille zum Wissen*, Bd. 1 von *Sexualität und Wahrheit*. Aus dem Franz. von ULRICH RAULFF und WALTER SEITTER, Frankfurt a. M. 1983)

FOUT, JOHN C. (Hg.), *German Women in the Nineteenth Century. A Social History*, London/New York 1984

FOX-GENOVESE, ELIZABETH, *Within the Plantation Household. Black and White Women of the Old South*, Chapel Hill 1988

FRAISSE, GENEVIÈVE, *Muse de la raison. La démocratie exclusive et la différence des sexes*, Aix-en-Provence 1989

FREVERT, UTE, *Frauen-Geschichte. Zwischen Bürgerlicher Verbesserung und Neuer Weiblichkeit*, Frankfurt a. M. 1986

FREY, L., M. FREY und J. SCHNEIDER, *Women in Western European History. A Select Chronological Geographical and Topical Bibliography*, Brighton 1982

FRIEDLANDER, JUDITH (Hg.), *Stratégies des femmes*, Paris 1984; engl. Ausgabe: *Women in Culture and Politics. A Century of Change*, Bloomington 1986

GIDDINGS, PAULA, *When and Where I Enter. The Impact of Black Women on Race and Sex in America*, New York 1984

GILBERT, SANDRA M. und SUSAN GUBAR, *The Madwoman in the Attic. The Woman Writer and the Nineteenth-Century Literary Imagination*, New Haven 1979

GORDON, LINDA, *Woman's Body, Woman's Right. A Social History of Birth Control in America*, New York 1976; Neudruck 1977

GRIMAL, PIERRE (Hg.), *Histoire mondiale de la femme*, Bd. 4, Paris 1966

HALL, JACQUELYN DOWD (Hg.), *Like a Family. The Making of a Southern Cotton Mill World*, Chapel Hill 1987

HARTMANN, MARY und LOIS W. BANNER (Hg.), *Clio's Consciousness Raised. New Perspectives on the History of Women*, New York 1974

HOLLIS, PAT (Hg.), *Women in Public. The Women's Movement (1850–1910), Documents*, Boston/London 1979

HONNEGGER, CLAUDIA, *Die Ordnung der Geschlechter. Die Wissenschaft vom Menschen und das Weib*, Frankfurt a. M./New York 1991

HOOCK-DEMARLE, MARIE-CLAIRE, *La femme au temps de Goethe*, Paris 1987 (dt.: *Die Frauen der Goethezeit*. Aus dem Franz. von Renate Hörisch-Helligrath, München 1990)

JALLAND, PAT, *Women, Marriage and Politics, 1860–1914*, Oxford 1988

JARDINE, ALICE, *Gynesis*, Ithaca 1985 (frz. Übers. Paris 1991)

JOHNSON, BARBARA, *A World of Difference*, Baltimore 1987

JONES, JACQUELINE, *Labor of Love, Labor of Sorrow. Black Women, Work and the Family from Slavery to the Pesent*, New York 1985

KARLSEN, CAROL F., *»Devil in the Shape of a Woman«. Witchcraft in Colonial New England*, New York 1987

KELLY, JOAN, *Women, History, and Theory*, Chicago/London 1984

KNIBIEHLER, YVONNE und CATHERINE FOUQUET, *Histoire des mères. Du Moyen Age à nos jours*, Paris 1980; Neudruck 1987

LABALME, PATRICIA (Hg.), *Beyond Their Sex. Learned Women of the European Past*, New York/London 1980

LAQUEUR, THOMAS, *Making Sex. Body and Gender from the Greeks to Freud*, Cambridge 1990 (dt.: *Auf den Leib geschrieben. Die Inszenierung der Geschlechter von der Antike bis Freud*. Aus dem Engl. von H. JOCHEN BUSSMANN, Frankfurt a. M./New York 1992)

LEBSOCK, SUZANNE, *The Free Women of Petersburg. Status and Culture in a Southern Town (1784–1860)*, New York/London 1984

LEWIS, JANE (Hg.), *Labour and Love. Women's Experience of Home and Family*, 1850–1940, Oxford 1986

LEWIS, JANE, *Women in England, 1870–1950. Sexual Divisions and Social Change*, Sussex 1984

LILEY, DENISE, *War in the Nursery. Theories of the Child and Mother*, London 1983

LUKER, KRISTIN, *Abortion and the Politics of Motherhood*, Berkeley 1984

MAQUIEIRA, VIRGINIA und CRISTINA Y SÁNCHEZ (Hg.), *Violencia y Sociedad Patriarcal*, Madrid 1990

MITCHELL, JULIET und ANN OAKLEY (Hg.), *The Rights and Wrongs of Women*, New York 1976

NEWTON, JUDITH L., MARY P. RYAN und JUDITH R. WALKOWITZ (Hg.), *Sex and Class in Women's History. Essays from Feminist Studies*, London 1983

NORTON, MARY BETH, *Major Problems in American Women's History. Documents and Essays*, Lexington, Mass. 1989

OFFEN, KAREN M. (Hg.), *Women in European Culture and Society*. Sondernummer der *History of European Ideas* 4/5, Bd. 8, 1987

OFFEN, KAREN M., RUTH R. PIERSON und JANE RANDALL (Hg.), *Writing Women's History. International Perspectives*. Veröffentlicht bei The International Federation for Research in Women's History, Bloomington 1991 (im Erscheinen)

OLAFSON HELLERSTEIN, ERNA, LESLIE PARKER-HUME und KAREN M. OFFEN (Hg.), *Victorian Women. A Documentary Account of Women's Lives in Nineteenth-Century England, France and the United States*, Stanford 1981

ORTNER, S. und H. WHITEHEAD (Hg.), *Sexual Meanings. The Cultural Construction of Gender and Sexuality*, Cambridge 1981

PERROT, MICHELLE (Hg.), *Une histoire des femmes est-elle possible?*, Marseille/Paris 1984 (dt.: *Geschlecht und Geschichte. Ist eine weibliche Geschichtsschreibung möglich?* Aus dem Franz. von Wolfgang Kaiser, Frankfurt a. M. 1989)

RENDALL, JANE, *Equal or Different. Women's Politics 1800–1914*, Oxford 1987

RENDALL, JANE, *The Origins of Modern Feminism. Women in Britain, France and the United States, 1780–1860*, London 1985

RILEY, DENISE, *Am I that Name? Feminism and the Category of »Women« in History*, London 1988

ROSENBERG, ROSALIND, *Beyond Separate Spheres. Intellectual Roots of Modern Feminism*, New Haven 1982

ROWBOTHAM, SHEILA, *Hidden from History*, London 1973 (dt.: *Im Dunkel der Geschichte. Frauenbewegung in England vom 17. bis 20. Jahrhundert*. Aus dem Engl. von Solveig Ockenfuß, Frankfurt a. M./New York 1980)

Rowbotham, Sheila, *Women, Resistence and Revolution*, London 1972; New York 1972
Ryan, Mary P., *Cradle of the Middle Class. The Family in Oneida County, New York (1790–1865)*, New York 1981
Schuller, Marianne, *Im Unterschied: Lesen/Korrespondieren/Adressieren*, Frankfurt a. M. 1990
Scott, Joan W., *Gender and the Politics of History*, New York 1988
Smith, Bonnie G., *Changing Lives. Women in European History since 1700*, Lexington, Mass./Toronto, D.C. 1989
Smith, Bonnie G., *Ladies of the Leisure Class. The Bourgeoises of Northern France in the Nineteenth Century*, Princeton 1981
Smith-Rosenberg, Carroll, *Disorderly Conduct. Visions of Gender in Victorian America*, New York 1986
Stansell, Christine, *City of Women. Sex and Class in New York (1789–1860)*, New York 1986
Suleiman, Susan Rubin (Hg.), *The Female Body in Western Culture. Contemporary Perspectives*, Cambridge, Mass./London 1986
Théry, Irène und Christian Biet (Hg.), *La famille, la loi, l'État. De la Révolution au Code civil*, Paris 1989
Varikas, Eleni, »La révolte des dames. Genèse d'une conscience féministe dans la Grèce du XIXe siècle«, Diss. Paris VII 1988
Vicinus, Martha (Hg.), *A Widening Sphere. Changing Roles of Victorian Women*, Bloomington/London 1977
Vicinus, Martha (Hg.), *Suffer and Be Still. Women in the Victorian Age*, Bloomington/London 1972
Werner, Pascale (Hg.), *L'histoire sans qualités*, Paris 1979
Whitelegg, Elizabeth (Hg.), *The Changing Experience of Women*, Oxford 1982

Töchter der Freiheit und revolutionäre Bürgerinnen / Dominique Godineau; Die Französische Revolution als Wendepunkt / Élisabeth G. Sledziewski

Applewhite, Harriet B. und Darline G. Levy (Hg.), *Women and Politics in the Age of the Democratic Revolution*, Ann Arbor 1990
Badinter, Élisabeth (Hg.), *Paroles d'hommes, 1790–1793*, Paris 1989
Blanc, Olivier, *Olympe de Gouges*, Paris 1989
Brive, Marie-France (Hg.), *Les femmes et la Révolution française*. Actes du Colloque de Toulouse, 12–14 avril 1989, 3 Bde., Toulouse 1989–92
Dekker, Rudolf, Republican Heroines: Cross-Dressing Women in the French Revolutions Armies, in: *History of European Ideas*, Bd. 10, Nr. 3, 1989, S. 353–363
Dekker, Rudolf, Women and Political Culture in the Dutch Revolutions, in: Applewhite/Levy 1990, S. 109–146
Dekker, Rudolf, Women in Revolt. Collective Protest and its Social Basis in Holland, 1600–1795, in: *Theory and Society* 16, 1987
Dessertine, Dominique, *Divorcer à Lyon sous la Révolution et l'Empire*, Lyon 1981
Duhet, Paule-Marie, *Les femmes et la Révolution, 1789–1794*, Paris 1971
Fraisse, Geneviève (Hg.), *Opinions de femmes. De la veille au lendemain de la Révolution française*, Paris 1989

GODINEAU, DOMINIQUE, *Citoyennes tricoteuses. Les femmes du peuple à Paris pendant la Révolution française*, Aix-en-Provence 1988a

GODINEAU, DOMINIQUE, Autour du mot citoyenne, in: *Mots* 16, 1988b

GODINEAU, DOMINIQUE, La tricoteuse: formation d'un mythe contre-révolutionnaire, in: Michelle Vovelle (Hg.), *L'image de la Révolution française*, 3 Bde., Oxford 1990

GODINEAU, DOMINIQUE, Qu'y a-t-il de commun entre vous et nous? Enjeux et discours sur la différence des sexes pendant la Révolution (1789–1793), in: *La famille, la loi, l'État*, Paris 1989

HUFTON, OLWEN, Women in the French Revolution, in: *Past and Present* 53, 1971 (dt.: Weiblicher Alltag. Die Schattenseiten der Französischen Revolution, in: CLAUDIA HONEGGER und BETTINA HEINTZ (Hg.), *Listen der Ohnmacht. Zur Sozialgeschichte weiblicher Widerstandsformen*, Frankfurt a. M. 1981, S. 138–159)

HUNT, LYNN, L'axe masculin/féminin dans le discours révolutionnaire, in: *La Révolution française et les processus de socialisation de l'homme moderne.* Actes du colloque de Rouen, 13–15 octobre 1988, Paris 1989

KERBER, LINDA K., *Women of the Republic. Intellect and Ideology in Revolutionary America*, Chapel Hill 1980

LANDES, JOAN, *Women and the Public Sphere in the Age of the French Revolution*, Ithaca/London 1988

NORTON, MARY BETH, *Liberty's Daughters. The Revolutionary Experience of American Women, 1750–1800*, Boston/Toronto 1980

OUTRAM, DORINDA, *The Body and the French Revolution. Sex, Class and Political Culture*, New Haven 1989

PELLEGRIN, NICOLE, *Les vêtements de la Liberté*, Aix-en-Provence 1989

ROSA, ANNETTE, *Citoyennes: les femmes et la Révolution française*, Paris 1988

ROUDINESXO, ELISABETH, *Thérigne de Méricourt. Une femme mélancholique sous la Révolution*, Paris 1988

SLEDZIEWSKI, ELISABETH G., *Révolutions du sujet*, Paris 1989

TOMALIN, CLAIRE, *The Life and Death of Mary Wollstonecraft*, New York 1974

Von der sozialen Bestimmung zum individuellen Schicksal / Geneviève Fraisse

AMOROS, CELIA, *Hacia una crítica de la razón patriarcal*, Madrid 1985

BENNENT, HEIDEMARIE, *Galanterie und Verachtung. Eine philosophiegeschichtliche Untersuchung zur Stellung der Frau in Gesellschaft und Kultur*, Frankfurt a. M./New York 1985

COOLE, DIANA H., *Women in Political Theory. From Ancient Misogyny to Contemporary Feminism*, Brighton 1988

DERRIDA, JACQUES, *Éperons, les styles de Nietzsche*, Paris 1974

FRAISSE, GENEVIÈVE, *Clémence Royer, philosophe et femmes de sciences*, Paris 1985

IRIGARAY, LUCE, *Spéculum de l'autre femme*, Paris 1974 (dt.: *Speculum. Spiegel des anderen Geschlechts.* Aus dem Franz. von Xenia Rajewsky, Frankfurt a. M. 1980)

JAUCH, URSULA PIA, *Immanuel Kant zur Geschlechterdifferenz. Aufklärerische Vorurteilskritik und bürgerliche Geschlechtsvormundschaft*, Wien 1988

KENNEDY, E. und S. MENDUS, *Women in Western Political Philosophy. Kant to Nietzsche*, Brighton 1987

Klinger, Cornelia, Das Bild der Frau in der patriarchalen Philosophiegeschichte. Bibliographie, in: Herta Nagl (Hg.), *Feminismus und Philosophie*, München/Wien/Oldenbourg 1990

Kofman, Sarah, *Le respect des femmes*, Paris 1984

Lloyd, Geneviève, *The Man of Reason. »Male« and »Female« in Western Philosophy*, London 1984

Marcil-Lacoste, Louise, *La raison en procès. Essais sur la philosophie et le sexisme*, La Salle/Québec 1986; Paris 1986

Moller Okin, Susan, *Women in Western Political Thought*, Princeton 1979

Pateman, Carole, *The sexual Contract*, London 1988

Schröder, Hannelore, *Die Rechtlosigkeit der Frau im Rechtsstaat*, Frankfurt a. M./New York 1979

Schuller, Marianne, *Freud und Leid, bei Tragik und Tod*, Frankfurt 1991

Waithe, Mary Ellen (Hg.), *A History of Women Philosophers*, Bd. 3 und 4, Dordrecht 1987

Die Widersprüche des Gesetzes / Nicole Arnaud-Duc

Quellen

Baldassari, Aldo, *La capacità patrimoniale della donna maritata nel diritto civile dei principali Stati d'Europa, e i conflitti di leggi*, Rom 1910

Besombes, Amédée, *Condition juridique de la femme mariée espagnole*, Diss. Toulouse 1927

Bridel, Louis, *La femme et le droit*, Lausanne 1884

Bridel, Louis, *Los Derechos de la Mujer y el Matrimonio*, Madrid 1894

Cassin, René, *L'inégalité entre l'homme et la femme dans la législation civile*, Marseille 1919

Chauvin, Jeanne, *Des professions accessibles aux femmes en droit romain et en droit français. Évolutions historiques de la position économique de la femme dans la société*, Diss. Paris 1882, Paris 1892

Damisz, Albert, *Le libre salaire de la femme mariée et le mouvement féministe*, Paris 1905

Frank, Louis, *La loi sur l'enseignement supérieur et l'admission des femmes dans les facultés belges*, Brüssel 1889

Frank, Louis, *Essai sur la condition politique de la femme. Étude de sociologie et de législation*, Paris 1892

Gaillard, Henry, *La condition des femmes dans la législation des États-Unis*, Diss. Paris 1899

Gide, Paul, *Étude sur la condition privée de la femme*, Paris ^{2}1885

Krug, Charles, *Le féminisme et le droit civil français*, Paris 1899

Lafont de Sentenac, D., *Des droits du mari sur la correspondance de sa femme*, cour d'appel de Toulouse, audience solennelle de rentrée du 16 octobre 1897, Toulouse 1897

Lespine, Louis, *La femme en Espagne. Étude juridique, sociale, économique, et de législation comparée*, Diss. Toulouse 1919

Lyon-Caen, Léon, *La femme mariée allemande. Ses droits, ses intérêts pécuniaires, Étude de droit civil et de droit international privé allemand*, Diss. Paris 1903

Studien

ARNAUD-DUC, NICOLE, *Droits, mentalités et changement social en Provence occidentale. Une étude des stratégies et de la pratique notariale en matière de régime matrimonial*, Aix-en-Provence 1985

BALLESTRERO, MARIA VITTORIA, Sorelle di fatiche e di dolori; Madri di pioneri e di soldati, in: GIOVANNI TARELLO (Hg.), *Studi materiali per una Storia della Cultura Giuridica*, Bd. 7, Bologna 1977

BASCH, NORMA, *In the Eyes of the Law: Women, Marriage and Property in Nineteenth-Century New York*, New York 1982

BORDEAUX, MICHÈLE, Droit et femmes seules. Les pièges de la discrimination, in: Arlette Farge und Christiane Klapisch-Zuber, *Madame ou mademoiselle? Itinéraires de la solitude féminine, XVIIIe–XXe siècles*, Paris 1984

BORDEAUX, MICHÈLE, BERNARD HAZO und SOIZIC LORVELLEC, *Qualifié viol*, Paris 1990

CHAMBELLAND-LIEBAULT, NOËLLE, *La durée et l'aménagement du temps de travail des femmes en France de 1892 à l'aube des conventions collectives*, Diss. Nantes 1989

DHAVERNAS, ODILE, *Droits des femmes. Pouvoir des hommes*, Paris 1978

FLEXNER, ELEANOR, *Century of Struggle (the Woman's Rights Movement in the United States)*, Cambridge, Mass. 1973 (dt.: *Hundert Jahre Kampf. Die Geschichte der Frauenrechtsbewegung in den Vereinigten Staaten*. Aus dem Engl. von Gisela Bock unter Mitwirkung von Pieke Biermann und Anna Kamp. Mit einer Einleitung hg. von Gisela Bock, Frankfurt a. M. 1978)

FRANCHEO, MARIANNE, *La femme allemande au XIXe siècle: statut juridique et condition sociale*, Diss. Paris IV 1986–87

GALOPPINI, ANNA MARIA, *Il lungo viaggio verso la parità. I diritti civili e politici delle donne dall'unità a oggi*, Bologna 1980

GERHARD, UTE, *Verhältnisse und Verhinderungen. Frauenarbeit, Familie und Rechte der Frauen im 19. Jahrhundert*, Frankfurt a. M. 1978

GRIMAL, PIERRE (Hg.), *Histoire mondiale de la femme*, Bd. 4, Paris 1966

HARSIN, JILL, *Policing Prostitution in Nineteenth-Century Paris*, Princeton 1985

HOLCOMBE, LEE, *Wives and Property. Reform of the Married Women's Property Law in Nineteenth-Century England*, Toronto 1983

HUARD, RAYMOND, *Le suffrage universel en France (1848–1946)*, Paris 1991

KRAKOVITCH, ODILE, *Les femmes bagnardes*, Paris 1990

SCHNAPPER, BERNARD, La séparation de corps de 1837 à 1914. Essai de sociologie juridique, in: *Revue Historique* 536, 1978, S. 453–466

SHANLEY, MARY LONDON, *Feminism, Marriage and the Law in Victorian England, 1850–1895*, Princeton 1989; London 1990

THÉRY, IRÈNE und CHRISTIAN BIET (Hg.), *La famille, la loi, l'État. De la Révolution au Code civil*, Paris 1989

WERNER, PASCALE (Hg.), *L'histoire sans qualités*, Paris 1979

Idolatrie / Stéphane Michaud

Allgemein

MICHAUD, STÉPHANE, *Muse et Madone*, Paris 1985

Revue des Sciences humaines Nr. 168, Écriture, féminité, féminisme 4, 1977

Romantisme Nr. 13–14, Mythes et représentations de la femme, 1976; Nr. 31, Sangs, 1981; Nr. 42, Décadence, 1983; Nr. 58, Figures et Modèles, 1987; Nr. 62, L'amour, 1988; Nr. 63, Femmes écrites, 1989

England

Basch, Françoise, *Les femmes victoriennes, roman et société,* Paris 1979 (engl. Ausgabe: *Relatives Creatures,* London 1974)

Critique, »Victorian Station« 405–406, 1981

Fraser, Harrison, *The Dark Angel. Aspects of Victorian Sexuality,* Glasgow ²1979

Houghton, Walter E., *The Victorian Frame of Mind 1830–1870,* New Haven/London ⁷1978

Lowder Newton, Judith, *Women, Power and Subversion. Social Strategies in British Fiction, 1778–1860,* New York/London 1985

Mirabel, Cecil, *Heroines on Love 1750–1914,* London 1974

Romantisme anglais et Éros, Faculté des Lettres de l'Université de Clermont-Ferrant II, 1982

Woolf, Virginia, *The Common Reader; The Second Common Reader; The Death of the Moth; The Captain's Death Bed; The Movement; Granite and Rainbow,* London

Deutschland

Brinker-Gabler, Gisela (Hg.), *Deutsche Literatur von Frauen. 19. und 20. Jahrhundert,* 2 Bde., München 1988

Janz, Marlies, Hölderlins Flamme – Zur Bildwerdung der Frau in »Hyperion«, in: *Hölderlin-Jahrbuch,* 1980–81, S. 122–142

Schorske, Carl E., *Vienne fin de siècle,* Paris 1983 (dt.: *Wien. Geist und Gesellschaft im Fin de siècle.* Aus dem Franz. von Horst Günther, Frankfurt a. M. 1982)

Stephan, Inge und Sigrid Weigel, *Die verborgene Frau,* Argument-Sonderband, Berlin/Hamburg ³1983

Taeger, Annemarie, *Die Kunst, Medusa zu töten,* Bielefeld 1987

Welsch, Ursula und Michaela Wiesner, *Lou Andreas-Salomé,* München/Wien 1988

Frankreich

Billeter, Erika und José Pierre (Hg.), *La femme et le surréalisme.* Katalog zur Austellung im Musée cantonal des Beaux-Arts, Lausanne, 21 novembre 1987–28 février 1988, Lausanne 1987

Bonnefoy, Yves, *La vérité de la parole,* Paris 1988

Citron, Pierre, *Dans Balzac,* Paris 1986

Moreau, Thérèse, *Le sang de l'histoire. Michelet, l'histoire et l'idée de la femme au XIXᵉ siècle,* Paris 1982

Palacio, Jean de, »*La curée*: histoire naturelle et sociale, ou agglomérat de mythes«, Société des Études romantiques, in: *La curée de Zola,* Paris 1987

Starobinski, Jean, *Le remède dans le mal,* Paris 1989

Thumerel, Thérèse, Maupassant ou le double saturnien de Nerval, in: *Romantisme* (erscheint demnächst)

Lesen und Schreiben in Deutschland / Marie-Claire Hoock-Demarle

Berding, Helmut, Étienne François und Hans Peter Ullmann, *Deutschland und Frankreich im Zeitalter der Französischen Revolution,* Frankfurt a. M. 1989

Brinker-Gabler, Gisela (Hg.), *Deutsche Literatur von Frauen,* 2 Bde., München 1988

Engelsing, Rolf, *Analphabetentum und Lektüre. Zur Sozialgeschichte des Lesens in Deutschland,* Stuttgart 1973a

ENGELSING, ROLF, *Zur Sozialgeschichte deutscher Mittel- und Unterschichten*, Göttingen 1973b

ENGELSING, ROLF, *Der Bürger als Leser*, Stuttgart 1974

FRANÇOIS, ÉTIENNE, Alphabetisierung und Lesefähigkeit in Frankreich und Deutschland um 1800, in: Berding/François/Ullmann 1989

FURET, FRANÇOIS und JACQUES OZOUF, *Lire et écrire. L'alphabétisation des Français de Calvin à Jules Ferry*, 2 Bde., Paris 1990

HAHN, BARBARA, *»Antworten Sie mir.« Rahel Levin Varnhagens Briefwechsel*, Basel/Frankfurt a. M. 1990

HAHN, BARBARA, *»Unter falschem Namen.« Von der schwierigen Autorschaft der Frauen*, Frankfurt a. M. 1991

HOOCK-DEMARLE, MARIE-CLAIRE, *La rage d'écrire. Les femmes allemandes face à la Révolution française (1790–1815)*, Aix-en-Provence 1990

KITTLER, FRIEDRICH, *Aufschreibsysteme 1800–1900*, München 1985

LUNDGREEN, PETER, *Sozialgeschichte der deutschen Schule im Überblick*, Bd. 1: *1770–1918*, Göttingen 1980

MÖHRMANN, RENATE, *Die andere Frau. Emanzipationsansätze deutscher Schriftstellerinnen im Vorfeld der Achtundvierziger Revolution*, Stuttgart 1977

PLANTÉ, CHRISTINE, *La petite sœur de Balzac, Essai sur la femme auteur*, Paris 1989

PRÜSENER, MARLIES, Lesegesellschaften im 18. Jahrhundert. Ein Beitrag zur Lesergeschichte, in: *Archiv für die Geschichte des Buchwesens* 13, 1973

SCHENDA, RUDOLF, *Volk ohne Buch. Studien zur Sozialgeschichte der populären Lesestoffe, 1770–1910*, Frankfurt a. M. 1970

SUSMAN, MAGARETE, *Frauen der Romantik* (1929), Köln 1960

TWELLMANN, MARGIT, *Die deutsche Frauenbewegung im Spiegel repräsentativer Frauenzeitschriften*, Meisenheim an der Glan 1972

WALLE, MARIANNE, Contribution à l'histoire des femmes allemandes entre 1848 et 1920 (Louise Otto, Helene Lange, Clara Zetkin, Lily Braun), Diss. Paris VII 1989

WALTER, EVA, *Schrieb oft, von Mägde Arbeit müde. Lebenszusammenhänge deutscher Schriftstellerinnen um 1800. Schritte zur bürgerlichen Weiblichkeit*, Düsseldorf 1985

WEBER-KELLERMANN, INGEBORG, *Die deutsche Familie. Versuch einer Sozialgeschichte*, Frankfurt a. M. 1974

Das katholische Modell / Michela De Giorgio

AA.VV. *Problemi di storia della Chiesa dalla Restaurazione all'Unità d'Italia*, Neapel 1985

ACCATI, LUISA, La politica dei sentimenti. L'Immacolata Concezione fra 600 e 700, in: *Atti del Primer Coloqui di Historia de la Dona*, 1986, Barcelona 1990

ARNOLD, ODILE, *Le corps et l'âme. La vie des religieuses au XIXe siècle*, Paris 1984

BOESCH, GAJANO, Sofia und Lucia Sebastiani, *Culto dei Santi, istituzioni e classi sociali in età preindustriale*, L'Aquila-Rom, 1984

BRAME, CAROLINE, *Journal intime*, hg. von Michelle Perrot und Georges Ribeill, Paris 1985

BREMOND, HENRI, *Histoire littéraire du sentiment religieux en France*, Paris 1929

BUTTAFUOCO, ANNARITA, Le Mariuccine. Storia di un'istituzione laica. *L'Asilo Mariuccia*, Mailand 1985

CAFFIERO, MARINA, Un santo per le donne. Benedetto Giuseppe Labre e la femminilizzazione del cattolicesimo tra 700 e 900, in: *Memoria. Rivista di storia delle donne* 30, 1990

Caracciolo, Enrichetta, *Misteri del chiostro napoletano* (1864), Florenz 1986
Cohen, Yolande, *Femmes et contre-Pouvoirs*, Montreal 1987
De Giorgio, Michela und Paola Dicori, Politica e sentimenti: le organizzazioni femminili catholiche dall' età giolittiana al fascismo, in: *Rivista di storia contemporanea* 3, 1980
De Liguori, S. Alfonso, *La vera Sposa di Gesù Cristo, cioè la Monaca Santa per mezzo delle virtù proprie d'una religiosa* (1760), Turin 1862
Deniel, Raymond, *Une image da la famille et de la société sous la Restauration*, Paris 1965
Di Cori, Paola, Rosso e bianco. La devozione al Sacro Cuore di Gesù nel primo dopoguerra, in: *Memoria. Rivista die storia delle donne* 5, 1982
D'Ouince, René, *Femme. Dictionnaire de spiritualité*, Bd. 5, Paris 1964, S. 132–152
Dumont-Johnson, Micheline und Nadia Fahmy Eid, *Les couventines. L'éducation des filles au Québec dans les congrégations religieuses enseignantes (1840–1960)*, Québec 1986
Les enseignements pontificaux, le problème féminin, Paris 1955
Ferrante, Lucia, Maura Palazzi und Gianna Pomata, *Ragnatele di rapporti. Patronage e reti di relazione nella storia delle donne*, Turin 1988
Fraisse, Geneviève, *Muse de la raison. La démocratie exclusive et la différence des sexes*, Aix-en-Provence 1989
Groupe de la Bussière, *Pratiques de la confession. Des Pères du désert au Vatican II*, Paris 1983
Guidi, Laura, *L'onore in pericolo. Carità e reclusione femminile nell'Ottocento napoletano*, Neapel 1991
Hartman, Mary und Lois W. Banner (Hg.), *Clio's Consciousness Raised. New Perspectives on the History of Women*, New York 1974
Hilaire, Yves Marie, *Une chrétienté au XIXe siècle. La vie religieuse des populations du diocèce d'Arras de 1840 à 1914*, 2 Bde., Lille 1977
Langlois, Claude und Paul Wagret, *Structure religieuse et célibat féminin au XIXe siècle*, Lyon 1972
Léger, Christine, Le journal des demoiselles, Diss. Paris VII 1989
Lebrun, François (Hg.), *Histoire des catholiques en France*, Toulouse 1980
Lévy, Marie-Françoise, *De mères en filles. L'éducation des Françaises (1850–1880)*, Paris 1984
Mayeur, Françoise und Jacques Gadille, *Éducation et images de la femme chrétienne en France au début du XXe siècle*, Lyon 1980
Mayer, Françoise und Jacques Gadille, *L'Éducation des filles en France au XIXe siècle*, Paris 1979
Mayeur, Jean-Marie (Hg.), *L'Histoire religieuse de la France, XIXe–XXe siècle. Problèmes et méthodes*, Paris 1975
Milan, Maria, *Donna, famiglia, società. Aspetti della stampa femminile cattolica in Italia tra 800 e 900*, Genua 1983
Metral, Marie-Odile, *Le mariage. Les hésitations de l'Occident*, Paris 1977
Les Religieuses enseignantes, XVIe–XXe siècles, Angers 1980
La Società religiosa nell'età moderna, Atti del Convegno di Studi di Storia sociale e religiosa, Neapel 1973
Savart, Claude, *Les catholiques en France au XIXe siècle: le témoignage du livre religieux*, Paris 1985
Smith, Bonnie G., *Changing Lives. Women in European History since 1700*, Lexington, Mass./Toronto, D.C. 1989
Soldani, Simonetta (Hg.), *L'educazione delle donne. Scuole e modelli di vita femminile nell'Italia dell'Ottocento*, Mailand 1989
Sticco, Maria, *Una donna fra due secoli. Armida Barelli*, Mailand 1967
Turin, Yvonne, *Femmes et religieuses au XIXe siècle. Le féminisme »en religion«*, Paris 1989

WANROOI, BRUNO P. F., *Storia del pudore. La questione sessuale in Italia, 1860–1940*, Venedig 1990

WARNER, MARINA, *Alone of All her Sex. The Myth and the Cult of the Virgin Mary*, London 1976 (dt.: *Maria. Geburt, Triumph, Niedergang – Rückkehr eines Mythos?* Aus dem Engl. von Gabriele Spielvogel u. a., München 1982)

ZARRI, GABRIELLA, Monasteri femminili e città (secoli XV–XVIII) in: *Storia d'Italia.* Annali, Bd. 9, *La Chiesa e il potere politico dal Medioevo all'età contemporanea*, hg. von Giorgio Chittolini e Giovanni Miccoli, Turin 1986, S. 359–429

Die protestantische Frau / Jean Baubérot

BAUBÉROT, JEAN, *Un christianisme profane?*, Paris 1978

BAUBÉROT, JEAN, *Le retour des huguenots. La vitalité protestante XIXe–XXe siècle*, Paris/Genf 1985

BOYD, L. A. und R. D. BRACKENRIDGE, *Presbyterian Women in America, Westport*, Conn. 1983

GARRISSON-ESTEBE, J., *L'homme protestant*, Paris 1980

GLASSMAN HERSH, B., *The Slavery of Sex. Feminist-Abolitionists in America*, Urbana 1978

GREAVES, R. L. (Hg.), *Triumph over Silence. Women in Protestant History*, London 1985

KÄPPELI, ANNE-MARIE, *Sublime Croisade. Éthique et politique du féminisme protestant (1875–1928)*, Vorwort von Mireille Cifali, Genf 1990

ROWE, K. E. (Hg.), *Methodist Women*, Lake Junaluska, N.C. 1980

THOMAS, H. F. und R. SKINNER KELLER, *Women in New Worlds*, 2 Bde., Nashville 1981–82

VOELTZEL, R., *Service du Seigneur*, Strasbourg 1983

WEMYSS, A., *Histoire du Réveil*, Paris 1977

Die jüdische Frau / Nancy Green

ADLER, POLLY, *A House is not a Home*, New York 1953 (dt.: *Madame P. und ihre Mädchen* [gekürzte Ausg.], München 1966)

ANTIN, MARY, *The Promised Land*, Princeton ²1969

ARENDT, HANNAH, *Rahel Varnhagen: Lebensgeschichte einer deutschen Jüdin aus der Romantik*, München ⁸1990

BAUM, CHARLOTTE, PAULA HYMAN und SONYA MICHEL, *The Jewish Woman in America*, New York 1977

BERROL, SELMA, Class or Ethnicity: The Americanized German Jewish Woman and her Middle Class Sisters in 1895, in: *Jewish Social Studies* 47/1, 1985, S. 21–32

BERROL, SELMA, Education and Economic Mobility: The Jewish Experience in New York City, 1880–1920, in: *American Jewish Historical Quarterly* 65/3, 1976, S. 257–271

BERROL, SELMA, *Immigrants at School, New York City, 1898–1914*, New York 1978

BIALE, RACHEL, *Women and Jewish Law: An Exploration of Women's Issues in Halakhic Sources*, New York 1984

BRISTOW, EDWARD J., *Prostitution and Prejudice: The Jewish Fight Against White Slavery. 1870–1939*, New York 1983

BRUMBERG, STEPHEN E., Going to America, Going to School: The Jewish Immigrant Public School Encounter in Turn-of-the-Century New York City, in: *American Jewish Archives* 36/2, 1984, S. 86–135; s. a. sein Buch gleichen Titels, New York 1986

Cantor, Aviva, *The Jewish Woman. 1900–1985. A Bibliography,* Fresh Meadows, N.Y. 1987

Dawidowicz, Lucy, *The Golden Tradition: Jewish Life and Thought in Eastern Europe,* Boston 1968

Ertél, Rachel, *Le Shtetl: la bourgade juive de Pologne,* Paris 1982

Ewen, Elizabeth, *Immigrant women in the Land of Dollars: Life and Culture on the Lower East Side, 1890–1925,* New York 1985

Friedlander, Judith, The jewish Feminist Question, in: *Dialectical Anthropology* 8/1–2, 1983, S. 113–120

Gdalja, Janine und Annie Goldmann, *Le Judaisme au féminin,* Paris 1989

Goldmann, Emma, *Living my Life,* 2 Bde., New York 1976 (dt.: *Gelebtes Leben,* 3 Bde. Aus dem Engl. von Renate Orywa und Marlen Breitinger, Berlin 1978–80)

Gorelick, Sherry, *City College and the Jewish Poor: Education in New York, 1880–1924,* New Brunswick 1981

Goren, Arhur, *New York Jews and the Quest for Community: The Kehillah Experiment, 1908–1922,* New York 1970

Green, Nancy, L'émigration comme émancipation: les femmes juives d'Europe de l'Est à Paris, 1881–1914, in: *Pluriel,* Nr. 27, 1981, S.51–59

Hasanovitz, Elizabeth, *One of Them,* New York 1918

Hertz, Deborah, *Jewish High Society in Old Regime Berlin,* New Haven 1988 (dt.: *Die jüdischen Salons im alten Berlin.* Aus dem Engl. von Gabriele Neumann-Kloth, Frankfurt a. M. 1991)

Hyman, Paula, Culture and Gender: Women in the Immigrant Jewish Community, in: David Berger (Hg.), *The Legacy of Jewish Immigration,* New York 1983, S. 157–168

Hyman, Paula, Immigrant Women and Consumer Protest: The New York City Kosher Meat Boycott of 1902, in: *American Jewish History* 60/1, 1980, S. 91–105

Joselit, Jenna, The Special Sphere of the Middle Class American Jewish Woman: The Synagogue Sisterhood, 1890–1940, in: J. Wertheimer (Hg.), *The American Synagogue: A Sanctuary Transformed,* New York 1987, S. 206–230

Kaplan, Marion A., *The Jewish Feminist Movement in Germany: The Campaigns of the Jüdischer Frauenbund, 1904–1938,* Westport 1979 (dt.: *Die jüdische Frauenbewegung in Deutschland. Organisation und Ziel des Jüdischen Frauenbundes 1904–1938.* Aus dem Engl. von Hainer Kober unter Mitw. d. Autorin und des Inst. f. d. Geschichte d. dt. Juden, Hamburg 1981)

Katz, Jacob, *Out of the Ghetto: The Social Background of Jewish Emancipation, 1770–1870.* New York 1978 (dt.: *Aus dem Ghetto in die bürgerliche Gesellschaft: jüdische Emanzipation 1770–1870.* Aus dem Engl. von Wolfgang Lotz, Frankfurt a. M. 1988)

Kessler-Harris, Alice, Organizing the Unorganizable: Three Jewish Women and their Union, in: M. Cantor und B. Laurie (Hg.), *Class, Sex, and the Woman Worker,* Westport 1977, S. 144–163

Lerner, Elinor, Jewish Involvement in the New York City Woman Suffrage Movement, in: *American Jewish History* 70/4, 1981, S. 442–461

Marcus, Jacob R. (Hg.), *The American Jewish Woman: A Documentary History,* New York, Cincinnati 1981

Meiselman, Mosche, *Jewish Woman in Jewish Law,* New York 1978

Myerhoff, Barbara, *Number Our Days,* New York 1980

Schiff, Ellen, What Kind of Way is That for Nice Jewish Girls to Act?: Images of Jewish Women in Modern American Drama, in: *American Jewish History* 70/1, 1980, S. 106–118

SELLER, MAXIME, The Education of the Immigrant Woman, 1900–1935, in: *Journal of Urban History* 4/3, 1978, S. 307–330

SINGER, ISAAC, Yentl the Yeshiva Boy, in: *Short Friday and Other Stories*, New York 1964

SOCHEN, JUNE, *Consecrate Every Day: The Public Lives of Jewish American Women, 1880–1980*, Albany 1981

STANISLAWSKI, MICHAEL, *Tsar Nicholas I and the Jews: The Transformation of Jewish Society in Russia: 1825–1855*, Philadelphia 1983

Tseenah Ureenah, Kommentar zur Tora, J. Achkenazi. Aus dem Jiddischen von J. Baumgarten, Paris 1987

WEINBERG, SYDNEY S., *The World of Our Mothers: The Lives of Jewish Immigrant Woman*, Chapel Hill 1988

YEZIERSKA, ANZIA, *The Bread Givers*, New York 1975

ZIPPERSTEIN, STEVEN J., *The Jews of Odessa: A Cultural History, 1794–1881*, Stanford 1985

Mädchenbildung: das laizistische Modell / Françoise Mayeur

Association internationale pour l'histoire de l'Éducation, Paris, *L'offre d'école. The Supply of Schooling*, Paris 1983

BOURGADE, GERMAINE, *Contribution à l'étude d'une histoire de l'éducation féminine à Toulouse de 1830 à 1914*, Toulouse 1980

(Les) cahiers aubois d'histoire de l'éducation, »Jules Ferry et son époque«, Troyes 1984

CLARK, LINDA L., *Schooling the Daughters of Marianne: Text-Books and the Socialization of Girls in Modern French Primary Schools*, Albany 1984

CONDORCET, *Ecrits sur l'instruction publique*, Bd. 1: *Cinq mémoires sur l'instruction publique*, hg. von Charles Coutel und Catherine Kintzler, Paris 1989; Bd. 2: *Rapport sur l'instruction publique*, hg. von Charles Coutel, Paris 1989

L'éducation des jeunes filles il y a cent ans, Ausstellungskatalog, Rouen 1983

FRANCHINI, SYLVIA, L'istruzione femminile in Italia dopo l'Unità: percossi di una ricerca sugli educandati pubblici de elite, in: *Passato e Presente* 10, 1986, S. 53–94

GERSTER, FRANZISKA und URSI BLOSSER, *Töchter der guten Gesellschaft. Frauenrolle und Mädchenerziehung im schweizerischen Großbürgertum um 1900*, Zürich 1985

GREARD, OCTAVE, *Éducation et instruction. Enseignement secondaire*, Bd. 1, Paris 1987

HUNT, FELICITY (Hg.), *Lessons for Life. The Schooling of Girls and Women, 1850–1950*, Oxford 1987

LORY, JACQUES, *Libéralisme et instruction primaire 1842–1879. Introduction à l'étude de la lutte scolaire en Belgique*, Louvain 1979

LUNDBERGH, BEATE, *Kom ihag att du är underlägen: pedagogik für borgarflickor i 1880 talets Sverige*, Lund 1986

MARGADANT, JO B., *Madame le Professeur. Women Educators in the Third Republic*, Princeton 1990

Max-Planck-Institut für menschliche Entwicklung und Erziehung, *Das Bildungswesen in der Bundesrepublik Deutschland*, Reinbek 1979

MAYEUR, FRANÇOISE, *L'enseignement secondaire des jeunes filles sous la Troisième République*, Paris 1977

MAYEUR, FRANÇOISE, *L'éducation des filles en France au XIXe siècle*, Paris 1979

MENDES DA COSTA, YOLANDA und ANNE MORELLI, *Femmes, libertés, laïcité*, Brüssel 1989

PREAUX, JEAN (Hg.), *Église et enseignement*, Brüssel 1977

SONNET, MARTINE, *L'éducation des filles au temps des Lumières*, Paris 1987

Les Temps modernes, Sondernummer »Petites filles en éducation«, Mai 1976

Viala, Robert, *L'enseignement secondaire des jeunes filles 1880–1940, par ceux qui l'ont créé et celles qui l'ont fait vivre,* Sèvres 1987

Zwischen Erwerbsfleiß und Bildungsreligion / Juliane Jacobi

Albisetti, James C., *Schooling German Girls and Women. Secondary and Higher Education in the Nineteenth Century,* Princeton, N. J. 1988

Allen, Ann Taylor, *Feminism and Motherhood in Germany, 1800–1914,* New Brunswick, N. J. 1991

Baumann, Ursula, *Protestantismus und Frauenemanzipation in Deutschland 1850–1920,* Frankfurt a. M./New York 1992

Bäumer, Gertrud, Geschichte und Stand der Frauenbildung in Deutschland, in: *Handbuch der Frauenbewegung,* hg. von Helene Lange und Gertrud Bäumer, Teil III: *Der Stand der Frauenbildung in den Kulturländern,* Berlin 1902

Bryant, Margaret, *The Unexpected Revolution. A Study in the History of the Education of Women and Girls in Nineteenth Century,* London 1979

Bussemer, Herrad-Ulrike, *Frauenemanzipation und Bildungsbürgertum. Sozialgeschichte der Frauenbewegung in der Reichsgründungszeit,* Weinheim/Basel 1985

Dyhouse, Carol, *Girls Growing up in Late Victorian and Edwardian England,* London 1981

Hopfner, Johanna, *Mädchenerziehung und weibliche Bildung um 1800. Im Spiegel der populär-pädagogischen Schriften der Zeit,* Bad Heilbrunn 1990

Jacobi, Juliane, *Frauen zwischen Familie und Schule. Professionalisierungsstrategien bürgerlicher Frauen im internationalen Vergleich,* Köln/Weimar/Wien 1994

Kleinau, Elke, Von der Armenschule zur »sozialen Hilfstätigkeit«. Zur Geschichte der Schule des Paulsenstifts 1866–1937, in: *Festschrift zum 125jährigen Jubiläum des Charlotte-Paulsen-Gymnasiums,* Hamburg 1991

Küppers, Erika, Die höheren Mädchenschulen, in: *Handbuch der deutschen Bildungsgeschichte,* Bd. 3: *1800–1870,* hg. von Karl-Ernst Jeismann und Peter Lundgreen, München 1987

Lange, Helene, *Lebenserinnerungen,* Berlin 1921

Meyer-Renschhausen, Elisabeth, *Weibliche Kultur und soziale Arbeit. Eine Geschichte der Frauenbewegung am Beispiel Bremens, 1810–1927,* Köln 1989

Obschernitzki, Doris, *»Der Frau ihre Arbeit!«. Lette-Verein. Zur Geschichte einer Berliner Institution 1866–1986,* Berlin 1987

Palatscheck, Silvia, *Frauen und Dissens. Frauen im Deutschkatholizismus und in den freien Gemeinden 1841–1852,* Göttingen 1990

Prelinger, Catherine M., Prelude to Consciousness. Amalie Sieveking and the Female Assoiation for the Care of Poor and the Sick, in: John C. Fout (Hg.), *German Women in Nineteenth Century,* New York 1984a

Prelinger, Catherine M., *Charity, Challenge, and Chance. Religious Dimensions of the Mid-Nineteenth-Century Women's Movement in Germany,* New York 1984b

Prelinger, Catherine M., Die Frauendiakonie im 19. Jahrhundert: Die Anziehungskraft des Familienmodells, in: *Frauen in der Geschichte* V., hg. von Ruth-Ellen Boetcher Joeres und Anette Kuhn, Düsseldorf 1985

Rudolph, Maria, *Die Frauenbildung in Frankfurt am Main. Geschichte der privaten, der kirchlich-konfessionellen, der jüdischen und der städtischen Mädchenschulen,* 2 Bde., Frankfurt a. M./Bern/Las Vegas 1978

SCHLÜTER, ANNE, *Neue Hüte – alte Hüte? Gewerbliche Berufsausbildung für Mädchen zu Beginn des 20. Jahrhunderts. Zur Geschichte ihrer Institutionalisierung*, Düsseldorf 1987

SCHMID, PIA, Das Allgemeine, die Bildung und das Weib. Zur verborgenen Konzipierung von Allgemeinbildung als allgemeiner Bildung für Männer, in: Heinz-Elmar Tenorth (Hg.), *Allgemeine Bildung. Analysen zu ihrer Wirklichkeit. Versuche über ihre Zukunft*, Weinheim/München 1989

Bilder / Anne Higonnet

AGULHON, MAURICE, *Marianne au combat. L'imagerie et la symbolique républicaine de 1789 à 1880*, Paris 1979

AGULHON, MAURICE, *Marianne au pouvoir. L'imagerie et la symbolique républicaine de 1880 à 1914*, Paris 1989

ASHER, CAROL, LOUISE DE SALVO und SARA RUDDICK, *Between Women. Biographers, Novelists, Critics, Teachers and Artists Write About Their Work on Women*, Boston 1984

BERKELEY, ELLEN PERRY (Hg.), *Architecture. A Place For Women*, Washington/London 1989

BROUDE, NORMA und MARY D. GARRARD (Hg.), *The Expanding Discourse, Feminism and Art History*, New York 1992

FERRERO, PAT, ELAINE HEDGES und JULIE SILBER, *Hearts and Hands. The Influence of Women and Quilts on American Society*, San Francisco 1987

GOLDBERG, VICKY, Katolog zur »Retrospective Margaret Bourke-White“, Palais de Tokyo, Paris Juni–Sept. 1989

HIGONNET, ANNE, *Berthe Morisot's Images of Women*, Cambridge 1992

NEAD, LYNDA, *Myths of Sexuality. Representations of Women in Victorian Britain*, London 1988

PARKER ROSZIKA und GRISELDA POLLOCK, *Old Mistresses. Women, Art and Ideology*, London 1986

SOLOMON-GODEAU, ABIGAIL, The legs of the Countess, *Oktober* 39, 1986, S. 65–108

TICKNER, LISA, *The Spectacle of Women. Imagery of the Suffrage Campaign 1907–1914*. London 1987

WEAVER, MIKE, *Julia Margaret Cameron (1815–1879)*, Katalog der von der John Hansard Gallery University organisierten Ausstellung, Southhampton 1984

WHITE, CYNTHIA, *Women's Magazines 1693–1968*, London 1970

YELDHAM, CHARLOTTE, *Women Artists in Nineteenth-Century France and England*, 2 Bde., New York/London 1984

Leib und Seele / Yvonne Knibiehler

ADLER, LAURE, *Secrets d'alcôve. Histoire du couple de 1830 à 1930*, Paris 1983

Annales de démographie historique, Paris/La Haye/New York; 1981 *Démographie historique et condition féminine*; 1983, *Mères et nourrissons*

ARNAUD, PIERRE (Hg.), *Les athlètes de la République. Gymnastique, sport et idéologie républicaine, 1870–1914*, Toulouse 1987

ADOUX, MARGUERITE, *Marie-Claire*, Paris 1910

ADOUX, MARGUERITE, *L'atelier de Marie-Claire*, Paris 1920

BARRET-DUCROCQ, FRANÇOISE, *L'amour sous Victoria*, Paris 1989

BASHKIRTSEFF, MARIE, *Journal* (1887), Paris 1985 (dt.: *Tagebuch*, hg. von Gottfried M. Daiber. Aus dem Franz. von Lothar Schmidt, Berlin 1983)

BERTIN, CÉLIA, *La femme à Vienne au temps de Freud,* Paris 1989

BIGOT, FRANÇOIS, *Les enjeux de l'assistance à l'enfance,* Diss. Tour 1988

BLOM, IDA, »Real excellent men do not grow on trees . . .« Bread winning and structures of authority in bourgeois marriage around the turn of the century, in: *Deutsch-Norwegisches Historikertreffen, 28.–31. Mai 1987*

BLOM, IDA, *Den baarde Dyst. Birth and birth help in Norway since 1800,* Oslo 1988

BOIS, JEAN-PIERRE, *Les vieux, de Montaigne aux premiers retraités,* Paris 1989

BONNET, MARIE-JO, *Un choix sans équivoque. Recherches historiques sur les relations amoureuses entre les femmes, XVIe–XXe siècles,* Paris 1981

BRUMBERG, JOAN J., *Fasting Girls. The Emergence of Anorexia Nervosa as a Modern Disease,* Cambridge, Mass./London 1988 (dt.: *Todeshunger. Die Geschichte der Anorexia nervosa vom Mittelalter bis heute.* Aus dem Engl. von Karin Dufner und Katharina Förs, Frankfurt a. M./New York 1994)

CAPIA, R., *Les poupées françaises,* Paris 1979

CHARLOT, MONICA, *Victoria. Le pouvoir partagé,* Paris 1989

CLAVERIE, ELISABETH und PIERRE LAMAISON, *L'impossible Mariage. Violence et parenté en Gévaudan, 17e, 18e et 19e siècles,* Paris 1982

DALL'AVA-SANTUCCI, JOSETTE, *Des sorcières aux mandarines. Histoire des femmes médicins,* Paris 1989

DAUDET, MME ALPHONSE, *L'enfance d'une parisienne. Enfants et mères,* Paris 1892

DAUMARD, ADELINE, *La Bourgeoisie parisienne de 1815 à 1848,* Paris 1963

DESAIVE, J.-P., Le nu hurluberlu, in: *Ethnologie française* 3–4, 1976

DORAY, MARIE-FRANCE, *Une étrange paroissienne, la Comtesse de Ségur,* Marseille 1990

DOUX DE LABRO, YVONNE, *Journal d'une jeune fille à la Belle Époque,* hg. von Evelyne Berriot Salvadore, Paris 1991

DREES, ANNETTE, *Die Ärzte auf dem Weg zu Prestige und Wohlstand. Sozialgeschichte der württembergischen Ärzte im 19. Jahrhundert,* München 1988

DUPÂQUIER, JACQUES (Hg.), *Histoire de la population française,* Bd. 3: *De 1789 à 1914,* Paris 1988

EYQUEM, MARIE-THÉRÈSE, *La femme et le sport,* Paris 1944

FAY-SALLOIS, FANNY, *Les nourrices à Paris au XIXe siècle,* Paris 1980

Feminist Studies, Bd. 9, Nr. 1, 2 und 3, 1983; Bd. 10, Nr. 3, 1984

FILDES, VALÉRIE, *Wet Nursing. A History from Antiquity to the Present,* Oxford/New York 1988

FREMINVILLE, BERNARD DE (Hg.), *Émilie 1802–1872,* Paris 1985

FREMINVILLE, BERNARD DE (Hg.), *Marthe 1892–1902,* Paris 1985

FLANDRIN, JEAN-LOUIS, *Les amours paysannes (XVIe–XIXe siècles),* Paris 1975

FREVERT, UTE, *Krankheit als politisches Problem 1770–1880. Soziale Unterschichten in Preußen zwischen medizinischer Polizei und staatlicher Sozialversicherung,* Göttingen 1984

GAUTIER, ARLETTE, *Les sœurs de solitude. La condition féminine dans l'esclavage aux Antilles du XVIIe au XIXe siècle,* Paris 1985

GEORGEL, P., *Léopoldine Hugo. Une jeune fille romantique,* Paris 1967

GERBOD, PAUL, Les métiers de la coiffure dans la première moitié du XXe siècle, in: *Ethnologie française,* Jan.–März 1983

GRAFTEAUX, S., *Mémé Santerre. Une vie,* Paris 1978

GRELLET, I. und C. KRUSE, *Histoire de la tuberculose. Les fièvres de l'âme, 1800–1940,* Paris 1983

GUERMONT, MARIE-F., *La »Grande Fille«. L'hygiène de la jeune fille d'après les ouvrages médicaux (fin XIXe début XXe),* Tours 1981

GUILLAIS, JOËLLE, *La chair de l'autre. Le crime passionnel au dix-neuvième siècle,* Paris 1986

HIMMELFARB, GERTRUDE, *Marriage and Morals Among the Victorians,* Bristol/London 1986

HELLER, GENEVIÈVE, *»Propre en ordre«. Habitation et vie domestique 1850–1930: l'exemple vaudois,* Lausanne 1979

IMHOF, ARTHUR E. (Hg.), *Der Mensch und sein Körper von der Antike bis heute,* München 1983

KNIBIEHLER, YVONNE, *Nous les assistantes sociales,* Paris 1980

KNIBIEHLER, YVONNE und CATHERINE FOUQUET, *Histoire des mères. Du Moyen Age à nos jours,* Paris 1980; Neudruck 1987

KNIBIEHLER, YVONNE und CATHERINE FOUQUET, *La femme et les médecins,* Paris 1983

KNIBIEHLER, YVONNE und CATHERINE FOUQUET, (Hg.), *Cornettes et Blouses blanches. Les infirmières dans la société française, 1880–1980,* Paris 1984

KNIBIEHLER, YVONNE, CATHERINE FOUQUET, MARCEL BERNOS, ELIANE RICHARD, ELISABETH RAVOUX-RALLO, *De la pucelle à la minette. Les jeunes filles de l'âge classique à nos jours,* Paris ²1989

LERNER, GERDA, *Black Women in White America. A Documentary History,* New York 1972

MCCRONE, KATHLEEN E., *Sports and the Physical Emancipation of English Women, 1870–1914,* London 1988

MAIRE, CATHERINE-LAURENCE, *Les possédées de Morzine, 1857–1873,* Lyon 1981

MARTIN-FUGIER, ANNE, *La place des bonnes. La domesticité féminine à Paris en 1900,* Paris 1979

MARTIN-FUGIER, ANNE, *La Bourgeoise. La femme au temps de Paul Bourget,* Paris 1983

Memoria. Rivista di storia delle donne, Nr. 3, März 1982, *I corfi possibili*; Nr. 5, Nov. 1982, *Sacro e profano;* Nr. 7, Sept. 1983, *Madri e non madri*

OLAFSON HELLERSTEIN, ERNA, LESLIE PARKER-HUME und KAREN M. OFFEN (Hg.), *Victorian Women. A Documentary Account of Women's Lives in Nineteenth-Century England, France and the United States,* Stanford 1981

PELLEGRIN, NICOLE, Les chiffons de la naissance (XVIe–XXe siècles), in: *Actes du colloque l'aventure de naître,* Poitiers 1989, S. 55–75

PELLEGRIN, NICOLE, Chemises et chiffons. Le vieux et le neuf en Poitou et Limousin, XVIIIe-XIXe siècles, in: *Ethnologie française,* Nr. 3–4, 1986, S. 283–298

Pénélope. Pour l'histoire des femmes, Nr. 5, Herbst 1981, »La femme soignante«; Nr. 13, Herbst 1985, »Vieillesses des femmes«

PERROT, MICHELLE, *Les filles de Karl Marx. Lettres inédites,* Paris 1979

PERROT, MICHELLE (Hg.), *Une histoire des femmes est-elle possible?* Marseille/Paris 1984 (dt.: *Geschlecht und Geschichte. Ist eine weibliche Geschichtsschreibung möglich?* Aus dem Franz. von Wolfgang Kaiser, Frankfurt a. M. 1989)

PERROT, PHILIPPE, *Les dessus et les dessous de la bourgeoisie,* Paris 1981

PERROT, PHILIPPE, *Le travail des apparences ou les transformations du corps féminin XVIIIe–XIXe siècles,* Paris 1984

Quaderni Storici, Nr. 44, *Aug. 1980, Parto e maternità, momenti della biografia femminile*

Revue d'histoire de l'Amérique française, Sondernummer: *Histoire de la famille,* Bd. 39, Nr. 2, Herbst 1985

RIPA, YANNICK, *La ronde des folles. Femme, folie et enfermement au XIXe siècle,* Paris 1986

ROLLET-ECHALIER, CATHERINE, *La politique à l'égard de la petite enfance sous la Troisième République,* Paris 1990

ROTHMAN, SHEILA M., *Woman's Proper Place. A History of Changing Ideals and Practices 1870 to the Present,* New York 1978

SEGALEN, MARTINE, *Mari et femme dans la société paysanne,* Paris 1980

SHORTER, EDWARD, *The Making of the Modern Family,* New York 1975 (dt.: *Die Geburt der modernen Familie.* Aus dem Engl. von Gustav Killper, Reinbek 1977)

SHORTER, EDWARD, *A History of Women's Bodies,* New York 1982 (dt.: *Der weibliche Körper als Schicksal. Zur Sozialgeschichte der Frau.* Aus dem Engl. von Hainer Kober, München/Zürich 1987)

SMITH, BONNIE G., *Ladies of the Leisure Class. The Bourgeoises of Northern France in the Nineteenth Century,* Princeton 1981

SOHN, ANNE-MARIE, Les rôles féminins dans la vie privée: approche méthodologique et bilan de recherches, in: *Revue d'histoire moderne et contemporaine,* Bd. 28, Okt.–Dez. 1981, S. 597–623

SWAIN, GLADYS, L'âme, la femme, le sexe et le corps. Les métamorphoses de l'hystérie au XIXe siècle, in: *Le débat,* März 1983

VIDAL, CHRISTIANE, Une surmortalité féminine prolongée en Europe: le cas français des Alpes du Sud, in: *Population* 35, 1980, S. 698–708

VERDIER, YVONNE, *Façons de dire, façons de faire. La laveuse, la couturière, la cuisinière,* Paris 1979 (dt.: *Drei Frauen. Das Leben auf dem Dorf.* Aus dem Franz. von Thomas Kleinspehn, Stuttgart 1982)

VOLET-JEANNERET, HELENA, *La femme bourgeoise à Prague 1860–1895. De la philanthropie à l'émancipation,* Diss. Lausanne 1988

WEEKS, JEFFREY, *Sex, Politics and Society. The Regulation of Sexuality since 1800,* London/New York 1981

Gefährliche Formen der Sexualität / Judith Walkowitz

ADLER, LAURE, *La vie quotidienne dans les maisons closes, 1830–1930,* Paris 1990

CORBIN, ALAIN, *Les filles de Noce: misère sexuelle et prostitution (19e–20e siècle),* Paris 1978

COTT, NANCY F., Passionlessness: An Interpretation of Victorian Sexual Ideology, 1790–1850, in: Nancy F. Cott und Elizabeth H. Pleck (Hg.), *A Heritage of Her Own,* New York 1979, S. 162–181

D'EMILIO, JOHN und ESTELLE FREEDMAN, *Inmate Matters: A History of Sexuality in America,* New York 1988

DUBERMAN, MARTIN BAUML, MARTHA VICINUS und GEORGE CHAUNCEY, Jr. (Hg.), *Hidden from History: Reclaiming the Gay and Lesbian Past,* New York 1989

EVANS, RICHARD, Prostitution, State and Society in Imperial Germany, in: *Past and Present* 70, 1976, S. 106–129

FADERMAN, LILLIAN, *Surpassing the Love of Men: Romantic Friendship and Love Between Women from the Renaissance to the Present,* New York 1981 (dt.: *Köstlicher als die Liebe der Männer: Romantische Freundschaft und Liebe zwischen Frauen von der Renaissance bis heute.* Aus dem Engl. von Fiona Dürler und Anneliese Tenisch, Zürich 1990)

FREVERT, UTE, *Frauen-Geschichte: zwischen bürgerlicher Verbesserung und neuer Weiblichkeit,* Frankfurt 1986

GIBSON, MARY, *Prostitution and the State in Italy 1860–1915,* Princeton 1985

HARSIN, JILL, *Policing Prostitution in Nineteenth-Century Paris,* Princeton 1985

KATZ, JONATHAN, *Gay/Lesbian Almanac: A New Documentary History,* New York 1983

MCLAREN, ANGUS, *Reproductive Rituals: The Perceptions of Fertility in England from the Sixteenth Century to the Nineteenth Century,* New York 1984

MCLAREN, ANGUS, *Sexuality and the Soçial Order: The Debate over the Fertility of Women and Workers in France. 1770–1920,* New York 1983

NEUMAN, R.-P., Working Class Birth Control in Wilhelmine Germany, in: *Comparative Studies in History and Society,* 20, 1978, S. 408–428

PEISS, KATHY, CHRISTINA SIMMONS und ROBERT A. PADGUG (Hg.), *Passion and Power: Sexuality in History,* Philadelphia 1989

PETCHESKY, ROSALIND POLLAK, *Abortion and Women's Choice: The State, Sexuality and Reproductive Freedom,* Boston 1984

SNITOW, ANN u. a., *Powers of Desire: the Politics of Sexuality in America,* New York 1984 (dt.: *Die Politik des Begehrens: Sexualität, Pornographie und neuer Puritanismus in den USA* [Teilausgabe]. Aus dem Engl. von Pieke Biermann, Berlin 1985)

VANCE, CAROLE S., *Pleasure and Danger: Exploring Female Sexuality,* New York 1984

WALKOWITZ, JUDITH, *Prostitution and Victorian Society: Women, Class and the State,* New York 1980

WEEKS, JEFFREY, *Coming Out. Homosexual Politics in Britain, from the Nineteenth Century to the Present,* London 1977

WEEKS, JEFFREY, *Sexuality and its Discontents: Meanings, Myths, Modern Sexualities,* London 1985

WHEELWRIGHT, JULIE, *Amazons and Military Maids: Women Who Dressed as Men in Pursuit of Life, Liberty and Happiness,* London 1989

Die Arbeiterin / Joan W. Scott

AMSDEN, ALICE H. (Hg.), *The Economics of Women and Work,* New York 1980

ANDERSON, GREGORY (Hg.), *The White-Blouse Revolution. Female Office Workers Since 1870,* New York 1988

ANDERSON, MICHAEL. *Family Structure in Nineteenth Century Lancashire,* Cambridge/New York 1971

BARON, AVA, Women and the Making of the American Working Class: A Study of the Proletarianization of Printers, in: *The Review of Radical Political Economics* 14, 1982, S. 23–42

BARRETT, MICHÈLE und MARY MCINTOSH, The ›Family Wage‹: Some Problems for Socialists and Feminists, in: *Capital and Class* 11, 1980, S. 51–72

BERG, MAXIME, Women's Work, Mechanization and the Early Phase of Industrialization in England, in: Patrick Joyce (Hg.), *The Historical Meanings of Work.* Cambridge, New York 1987, S. 64–98

BLACK, CLEMENTINA (Hg.), *Married Women's Work,* London 1915

BLACKBURN, HELEN und NORA VYNNE, *Women Under the Factory Act,* London 1903

BLEWETT, MARY H., *Men, Women, and Work: Class, Gender, and Protest in the New England Shoe Industry, 1780–1910,* Urbana, Chicago 1988

BLUNDEN, KATHERINE, *Le travail et la vertu. Femmes au foyer: une mystification de la Révolution industrielle,* Paris 1982

BOUVIER, JEANNE, *Histoires des dames employées dan les postes, télégraphes et téléphones de 1714 à 1929,* Paris 1930

CHAFE, WILLIAM H., *The American Woman: Her Changing Social, Economic and Political Roles, 1920–1970,* New York 1972

CLARK, ALICE, *The Working Life of Women in the Seventeenth Century,* London 1919; Neuauflage 1968

COLLET, CLARA E., Women's Work, in: Charles Booth (Hg.), *Life and Labour of the People in Londres,* Erste Reihe, Bd. 4, London 1902

DARIC, JEAN, *L'Activité professionelle des femmes en France. Étude statistique: évolution-comparaisons internationales,* I.N.E.D., Cahier Nr. 5, Paris 1947

DUBLIN, THOMAS, *Women at Work: The Transformation of Work and Community in Lowell, Massachusetts, 1826–1860,* New York 1979

EVANS, SARA M., *Born for Liberty: A History of Women in America,* New York 1989

FRAISSE, GENEVIÈVE, *Femmes toutes mains: Essai sur le service domestique,* Paris 1979

GRONEMAN, CAROL und MARY BETH NORTON, *To Toil the Livelong Day: America's Women at Work, 1870–1980,* Ithaca 1987

GUILBERT, MADELEINE, *Les Fonctions des femmes dans l'industrie,* Paris 1966

GUILBERT, MADELEINE, NICOLE LOWIT und MARIE-HÉLÈNE ZYLBERBERG-HOCQUARD, *Travail et Condition féminine (bibliographie commentée),* Paris 1977

HEWITT, MARGARET, *Wives and Mothers in Victorian Industry,* London 1958

HILDEN, PATRICIA JANE, *Working Women and Socialist Politics in France (1800–1914),* Oxford/New York 1986

HOLCOMBE, LEE, *Victorian Ladies at Work,* Hamden, Conn. 1973

JOHN, ANGELA V. (Hg.), *Unequal Opportunities. Women's Employment in England 180–1918,* Oxford 1986

KATZMAN, DAVID M., *Seven Days a Week: Women and Domestic Service in Industrializing America,* Urbana/Chicago/London 1981

LEWIS, JANE, *Women in England, 1870–1950: Sexual Divisions and Social Change,* Bloomington 1984

MATTHAEI, JULIE A., *An Economic History of Women in America: Women's Work, the Sexual Division of Labor, and the Development of Capitalism,* New York 1982

PINCHBECK, IVY, *Women Workers and the Industrial Revolution, 1750–1850,* New York 1969

SCOTT, JOAN W. und LOUISE TILLY, *Women, Work and Family,* New York 1978

SCOTT, JOAN W. ›L'Ouvrière! Mot impie, sordide ...‹: Women Workers in the Discourse of French Political Economy, 1840–1860, in: Patrick Joyce (Hg.), *The Historical Meanings,* Cambridge/New York 1987, S. 119–142

SECCOMBE, WALLY, »Patriarchy Stabilized: The Construction of the Male Breadwinner Wage Norm in Nineteenth-Century Britain«, in: *Social History* 2, 1986, S. 53–76

RIOT-SARCEY, MICHÈLE und MARIE-HÉLÈNE ZYLBERBERG-HOCQUARD, *Travaux de femmes au XIXe siècle,* Paris 1987

Travaux de femmes dans la France du XIXe siècle; in: *Le Mouvement social* 105, 1978; Métiers de femmes, in: *Le Movement social* 140, 1987

Uppsala Papers in Economic History, *The Sexual Division of Labour, 19th and 20th Centuries,* Uppsala 1989

Alleinstehende Frauen / Cécile Dauphin

Annales de démographie historique, 1981, Teil C, »La femme seule«, S. 207–317

BASCH, FRANÇOISE, *Les femmes victoriennes: roman et société, 1837–1867,* Paris 1979

CHAMBERS-SCHILLER, LEE V., *Liberty, a Better Husband. Single Women in America: the Generations of 1780–1840,* New Haven, Conn. 1984

FARGE, ARLETTE und CHRISTIANE KLAPISCH-ZUBER (Hg.), *Madame ou Mademoiselle? Itinéraires de la solitude féminine, XVIIIe–XXe siècles,* Paris 1984

JEFFREYS, SHEILA, *The Spinster and her Enemies. Feminism and Sexuality, 1880–1930,* London/New York 1985

Journal of Family History, Winter 1976, Bd. 1, Nr. 2

Journal of Family History, Sondernummer: »Spinsters«, hg. von Susan Cotts Watkins, Winter 1984

VICINUS, MARTHA, *Independent Women. Work and Community for Single Women, 1850–1920*, Chicago/London 1985
VICINUS, MARTHA (Hg.), *Suffer and be Still. Woman in the Victorian Age*, Bloomington/London 1972

Ausbrüche / Michelle Perrot

ARDENER, SHIRLEY (Hg.), *Women and Space*, London 1981
BARRET-DUCROCQ, FRANÇOISE, *Modalités de reproduction sociale et code de morale sexuelle des classes laborieuses à Londres dans la période victorienne*, Diss. Paris 1987; teilweise veröffentlicht unter dem Titel *Pauvreté, charité et morale à Londres au XIXe siècle. Une sainte violence*, Paris 1991
BASCH, FRANC'OISE (Hg.), *Theresa Malkiel. Journal d'une gréviste*, Paris 1980
BAXANDALL, ROSELYN, Women in American Trade Unions: an Historical Analysis, in: Mitchell/Oakley 1976, S. 256–270
BENSTOCK, SHARI, *Femmes de la Rive gauche, Paris 1900–1914*, Paris 1987
BIRKETT, DEA, *Spinsters Abroad: Victorian Lady Explorers*, Oxford 1989
BOSTON, SARAH, *Women Workers and the Trade Unions*, London 1987
BOWLBY, RACHEL, *Just Looking: Consumer Culture in Dreiser, Gissing, Zola*, New York/London/Methuen 1985
BRIDENTHAL, RENATE und CLAUDIA KOONZ (Hg.), *Becoming Visible. Women in European History*, Boston 1977; 21987
BROMBERT, BETH A., *Cristina. Portraits of a Princess*, New York 1977
BUHLE, MARI JO, *Women and American Socialism, 1870–1920*, Urbana 1981
BURMAN, SANDRA (Hg.), *Fit Work for Women*, London 1979
CAPLAN, JANE, Woman, The Workplace and Unions in International Perspective, in: *International Labor and Working Class History* 35, 1989
CHEW, DORIS NIELD, *Life and Writings of Ada Nield Chew*, London 1982
CHARLES-ROUX, Edmonde, *Un désir d'Orient. Jeunesse d'Isabelle Eberhardt*, Paris 1988
DRAKE, BARBARA, *Women in Trades Unions*, London 1920
DUPRAT, CATHERINE, *Charité et Philanthropie à Paris dans la première moité du XIXe siècle*, Diss. Paris 1991
EWEN, ELISABETH, *Immigrant Women in the Land of Dollars. Life and Culture on the Lower East Side, 1890–1925*, New York 1985
FAURÉ, CHRISTINE, *Terre, Terreur, Liberté*, Paris 1979
FAYET-SCRIBE, SYLVIE, *Associations féminines et catholicisme. De la charité à l'action sociale (XIXe–XXe siècles)*, Paris 1990
FRAISSE, GENEVIÈVE, *Muse de la raison. La démocratie exclusive et la différence des sexes*, Aix-en-Provence 1989
FRAISSE, GENEVIÈVE, La rupture révolutionnaire et l'histoire des femmes, in: *Actes du Colloque »Femmes et Pouvoirs«*, Paris 1989; Marseilles 1991
FREVERT, UTE, *Frauen-Geschichte. Zwischen Bürgerlicher Verbesserung und Neuer Weiblichkeit*, Frankfurt a. M. 1986
FRIEDLANDER, JUDITH (Hg.), *Stratégies des femmes*, Paris 1984 (engl. Ausgabe: *Women in Culture and Politics. A Century of Change*, Bloomington 1986)
GARRISON, DEA, The Tender Technicians. The Feminization of Public Librarianship, 1876–1905, in: *Mary Hartman und Lois W. Banner (Hg.), Clio's Consciousness Raised*, New York 1974, S. 158–178
GLUCKMAN, ROSE L., *Russian Factory Women. Workplace and Society 1880–1914*, Berkeley 1984

GORDON, ELEANOR, *Women and the Labour Movement in Scotland*, Oxford 1991

GRAN-AYMERIC, EVE und JEAN, *Jane Dieulafoy. Une vie d'homme*, Paris 1991

GRIMMETT, JENNIFER und MALCOLM I. THOMIS, *Women in Protest, 1800–1850*, London 1982

JANIEWSKI, DOLORES E., *Sisterhood Denied. Race, Gender and Class in a New South Community*, Philadelphia 1985

JEFFREY, JULIE ROY, *Frontier Women: the Trans-Mississipi West: 1840–1880*, New York 1979

KESSNER, T. und B. B. CAROLI, New Immigrant Women at Work: Italians and Jews in New York City, 1880–1905, in: *Journal of Ethnic Studies*, Winter 1978

KNIBIEHLER, YVONNE und RÉGINE GOUTALIER, *La femme au temps des Colonies*, Paris 1985

LAMPHERE, LOUISE, *From Working Daughters to Working Mothers: Immigrant Women in a New England Industrial Community*, Ithaca/New York/London 1987

LIDDINGTON, JILL und JILL NORRIS, One Hand tied Behind Us, London 1978

MITCHELL, JULIET und ANN OAKLEY (Hg.), *The Rights and Wrongs of Women*, New York 1976

NEWTON, JUDITH L., MARY P. RYAN und JUDITH R. WALKOWITZ (Hg.), *Sex and Class in Women's History. Essays from Feminist Studies*, London/Melbourne/Boston 1985

OWEN, ALEX, *The Darkened Room: Women Power and Spiritualism in Late Nineteenth Century England*, London 1989

POLASKY, JANET L., Women in Revolutionary Belgium. From stone throwers to hearth tenders, in: *History Workshop Journal*, Frühjahr 1986, Nr. 21, S. 87–104

POPP, ADELHEID, *Jugend einer Arbeiterin* (1909), hg. und eingel. von Hans J. Schütz, Berlin/Bonn 1977

PROCHASKA, F. K., *Women and Philanthropy in 19th Century England*, London/Oxford 1980

RILEY, GLENDA, *Frontierswomen: The Iowa Experience*, Ames 1981

ROSS, ELLEN, Survival network. Women's Neighbourhood sharing in London before World War I, in: *History Workshop Journal*, Frühjahr 1983, Nr. 15, S. 4–27

SAISSELIN, RÉMY G., *The Bourgeois and the Bibelot*, New Brunswick, NJ 1984

SMITH, BONNIE G., *Ladies of the Leisure Class. The Bourgeoises of Northern France in the Nineteenth Century*, Princeton 1981

SMITH-ROSENBERG, CARROLL, *Religion and the Rise of American City*, Ithaca/New York 1971

STRATTON JOANNA L., *Pioneer Women: Voices from the Kansas Frontier*, New York 1981

STUDER, MONICA, *L'organisation syndicale et les femmes. L'action de Margarete Faas-Hardegger à l'Union syndicale suisse (1905–1909)*, Genf 1975

THOMPSON, DOROTHY, Women and Nineteenth-Century Radical Politics: A Lost Dimension, in: Mitchell/Oakley 1976, S. 112–139 (dt.: Spurensicherung. Frauen in der frühen englischen Arbeiterbewegung, in: Claudia Honegger und Bettina Heintz [Hg.], *Listen der Ohnmacht. Zur Sozialgeschichte weiblicher Widerstandsformen*, Frankfurt a. M. 1981, S. 160–187)

TAX, MEREDITH, *The Rising of the Women Feminist Solidarity and Class Conflict, 1880–1917*, New York/London 1980

VICINUS, MARTHA (Hg.), *Suffer and Be Still. Women in the Victorian Age*, Bloomington/London 1972

VICINUS, MARTHA (Hg.), *A Widening Sphere. Changing Roles of Victorian Women*, Bloomington 1977

WARD, MARGARET, *Unmanageable Revolutionaries. Women and Irish Nationalism*, London 1983

WILKMAN, RUTH, *Women, Work and Protest. A Century of American Women's Labor History*, London/New York 1985

WILLIAMS, ROSALIND H., *Dream Worlds: Mass Consumption in Late Nineteenth-Century France, Berkeley/Los Angeles, London 1982*

Die feministische Szene / Anne-Marie Käppeli

ADLER, LAURE, *A l'aube du féminisme. Les premières journalistes (1830–1850)*, Paris 1979

ALBISTUR, MAÏTÉ und DANIEL ARMOGATHE, *Histoire du féminisme français*, Paris 1977

ALLEN, ANN T., Spiritual Motherhood. German Feminists and the Kindergarten Movement, 1848–1911, in: *History of Education Quarterly*, Bd. 22/3, Herbst 1982

ASCOLI, GIULIETTA u. a. (Hg.), *La questione femminile in Italia dal 900 ad oggi*, Mailand 1977

BANKS, OLIVE, *Becoming a Feminist. The Social Origins of »First Wave« Feminism*, Brighton 1986

BASCH, FRANÇOISE, *Rebelles américaines au XIXe siècle*, Paris 1990

BAUER, KARIN, *Clara Zetkin und die Proletarische Frauenbewegung*, Berlin 1978

BIDELMAN, PATRICK KAY, *Pariahs Stand up! The Founding of the Liberal Feminist Movement in France (1858–1889)*, Westport 1982

BORNEMANN, ERNEST (Hg.), *Arbeiterbewegung und Feminismus. Berichte aus vierzehn Ländern*, Frankfurt a. M. 1982

BORTOLOTTI, FRANCA P., *Alle origini del movimento femminile in Italia 1848–1892*, Rom 1963

BORTOLOTTI, FRANCA P., *La donna, la pace, l'Europa. L'associazione internazionale delle donne dalle origini alla prima guerra mondiale*, Mailand 1985

BOXER, MARILYN J. and JEAN H. QUATAERT (Hg.), *Socialist Women. European Socialist Feminism in the 19th and Early 20th Centuries*, New York 1978

BREHMER, ILSE u. a. (Hg.), *Frauen in der Geschichte IV*, »Wissen heißt leben«, Düsseldorf 1983

BUSSEMER, HERRAD-ULRIKE, *Frauenemanizpation und Bildungsbürgertum. Sozialgeschichte der Frauenbewegung in der Reichsgründungszeit*, Weinheim 1985

CLEMENS, BÄRBEL, *»Menschenrechte haben kein Geschlecht«: Zum Politikverständnis der bürgerlichen Frauenbewegung*, Pfaffenweiler 1988

CONTI, ODORISIO G., *Storia dell'idea femminista in Italia*, Turin 1980

DUBOIS, ELLEN C., *Feminism and Suffrage. The Emergence of an Independant Women's Movement in America, 1848–1869*, Ithaca 1978

ESCHER, NORA, *Entwicklungstendenzen der Frauenbewegung in der deutschen Schweiz, 1850–1918/19*, Zürich 1985

Essays on Sex Equality. John Stuart Mill, Harriet Taylor-Mill, Einleitung von Alice S. Rossi, Chicago 1970

EVANS, RICHARD J., *The Feminist Movements in Germany 1894–1944*, London 1976

EVANS, RICHARD J., *The Feminists. Women's Emancipation Movement in Europe, America and Australasia 1840–1920*, New York 1977

Evans, Richard J., *Sozialdemokratie und Frauenemanzipation im deutschen Kaiserreich*, Berlin 1979

EVANS, RICHARD J., *Comrades and Sisters. Feminism, Socialism, and Pacifism in Europe, 1870–1945*, New York 1987

FARINA, RACHELE u. a. (Hg.), *Esistere come donna*, Mailand 1983

Feministische Studien, »Die Radikalen in der alten Frauenbewegung", 3. Jg., Nr. 1, Mai 1984

FLEXNER, ELEANOR, *Hundert Jahre Kampf*, Frankfurt a. M. 1978

MICHAUD, STÉPHANE (Hg.), *Flora Tristan, un fabuleux destin*, Dijon 1985

FOLGUERA, PILAR (Hg.), *El Feminismo en España. Dos siglos de Historia*, Madrid 1988

FORSTER, MARGARET, *Significant Sisters. The Grassroots of Active Feminism 1839–1939*, New York 1984

FRAISSE, GENEVIÈVE, Du bon usage de l'individu féministe, in: *Vingtième siècle* 14, 1987

Fraisse, Geneviève, La constitution du sujet dans l'histoire de la pensée féministe, in: *Penser le sujet aujourd'hui*, Paris 1988

Frei, Annette, *Rote Patriarchen, Arbeiterbewegung und Frauenemanzipation in der Schweiz um 1900*, Zürich 1987

Frevert, Ute, *Frauen-Geschichte. Zwischen Bürgerlicher Verbesserung und Neuer Weiblichkeit*, Frankfurt a. M. 1986

Frevert, Ute (Hg.), *Bürgerinnen und Bürger – Geschlechterverhältnisse im 19. Jahrhundert*, Göttingen 1988

Gerhard, Ute, *Verhältnisse und Verhinderungen. Frauenarbeit, Familie und Rechte der Frauen im 19. Jahrhundert*, Frankfurt a. M. 1978

Greven-Aschoff, Barbara, *Die bürgerliche Frauenbewegung in Deutschland 1894–1933*, Göttingen 1981

Grubitzsch, Helga u. a. (Hg.), *Grenzgängerinnen. Revolutionäre Frauen im 18. und 19. Jahrhundert. Weibliche Wirklichkeit und männliche Phantasien*, Düsseldorf 1985

Hamer, T. L., *Beyond Feminism. The Women's Movement in Austrian Social Democracy 1890–1920*, Diss. Ohio State University 1973

Hause, Steven, *Women's Suffrage and Social Politics in the French Third Republic*, Princeton 1984

Hause, Steven, *Hubertine Auclert. The French Suffragette*, New Haven/London 1987

Hausen, Karin (Hg.), *Frauen suchen ihre Geschichte*, München 1983

Hervé, Florence (Hg.), *Frauenbewegung und revolutionäre Arbeiterbewegung. Texte zur Frauenemanzipation in Deutschland und in der BRD von 1848–1980*, Frankfurt a. M. 1981

Hervé, Florence, *Geschichte der deutschen Frauenbewegung*, Köln 1982

Joris, Elisabeth und Heidi Witzig (Hg.), *Frauengeschichte(n)*, Zürich 1986

Käppeli, Anne-Marie, *Le féminisme protestant de la Suisse romande à la fin du XIXe siècle et au début du XXe siècle*, Diss. Paris 1987

Kleinau, Elke, *Die freie Frau. Soziale Utopien des frühen 19. Jahrhunderts*, Düsseldorf 1987

Klejman, Laurence und Florence Rochefort, *L'égalité en marche. Le féminisme sous la Troisième République*, Paris 1989

Kokula, Ilse, *Weibliche Homosexualität um 1900 in zeitgenössischen Dokumenten*, München 1981

Leach, William, *True Love and Perfect Union. The Feminist Reform of Sex and Society*, New York 1980

Levine, Philippa, *Victorian Feminism 1850–1900*, London 1987

Lewis, Jane (Hg.), *Before the Vote was Won. Arguments for and against Women's Suffrage*, London 1987

Mayreder, Rosa, *Zur Kritik der Weiblichkeit*, Einleitung von H. Schnedl, München 1982

Meyer, Donald, *Sex and Power. The Rise of Women in America, Russia, Sweden and Italy*, Middletown 1987

Moses, Claire, *French Feminism in the 19th Century*, Albany 1984

Niggemann, Heinz, *Emanzipation zwischen Sozialismus und Feminismus*, Wuppertal 1981

Posthumus-van der Groot, W.-H. und Anna de Waal u. a. (Hg.), *Van Moeder op Dochter. De maatschappelijke positie van de vrouw in Nederland vanaf de franse tijd*, Nijmegen 1977

Pusch, Luise F. (Hg.), *Feminismus. Inspektion der Herrenkultur*, Frankfurt a. M. 1983

Quataert, Jean H., *Reluctant Feminists in German Social Democracy, 1885–1917*, Princeton 1979

Ravera, Camilla, *Breve storia del movimento femminile in Italia*, Rom 1978

Reys, Jeske u. a. (Hg.), *De eerst feministische golf, 6 de Jaarboek voor Vrouwengeschiedenis*, Nijmegen 1985

RICHEBÄCHER, SABINE, *Uns fehlt nur eine Kleinigkeit. Deutsche proletarische Frauenbewegung 1890–1914*, Frankfurt a. M. 1982

SACHSSE, CHRISTOPH, *Mütterlichkeit als Beruf. Sozialarbeit, Sozialreform und Frauenbewegung 1871–1929*, Frankfurt a. M. 1986

SCHNETZLER, BARBARA V., *Die frühe amerikanische Frauenbewegung und ihre Kontakte mit Europa (1836–1869)*, Bern 1971

SOWERWINE, CHARLES, *Les femmes et le socialisme*, Paris 1978

SPENDER, DALE, *Women of Ideas*, London 1982

SPENDER, DALE, *Feminist Theorists*, London 1983

STITES, RICHARD, *The Women's Liberation Movement in Russia. Feminism, Nihilism and Bolshevism 1860–1930*, Princeton 1978

SULLEROT, EVELYNE, *Histoire de la presse féminine en France des origines à 1848*, Paris 1966

SZAPOR, JUDITH, Les associations féministes en Hongrie XIXe–XXe siècles, in: *Penelope* 11, 1984, S. 169–173

TAYLOR, BARBARA, *Eve and the New Jerusalem. Socialism and Feminism in the Nineteenth Century*, London 1983

WEICKART, EVA, Zur Entwicklung der polnischen Frauenbewegung in der ersten Hälfte des 19. Jahrhunderts, in: Jutta Dalhoff, Uschi Frey und Ingrid Schöll (Hg.), *Frauenmacht in der Geschichte*, Düsseldorf 1986

WEILAND, DANIELA, *Geschichte der Frauenemanzipation in Deutschland und Österreich*, Düsseldorf 1983

WOODTLI, SUSANNA, *Du féminisme à légalité politique. Un siècle de luttes en Suisse 1868–1971*, Lausanne 1977

ZYLBERBERG-HOCQUARD, MARIE-HÉLÈNE, *Féminisme et Syndicalisme en France*, Paris 1978

Die neue Eva und der alte Adam / Annelise Maugue

BARRY, JOSEPH, *Infamous Woman. The Life of George Sand*, Garden City/New York 1977

BORIE, JEAN, *Le tyran timide. Le naturalisme de la femme au XIXe siècle*, Paris 1973

BORIE, JEAN, *Un siècle démodé*, Paris 1989

Collectif, *La femme dans la pensée espagnole*, Paris 1984

FERANDO, LLOYD, George Eliot, Feminism and Dorothea Brooke, in: *Review of English Literature*, Januar 1963

GREEN, MARTIN, *The Von Richthofen Sisters*, New York 1974 (dt.: *Else und Frieda, die Richthofen-Schwestern*, München 1976)

HIGONNET, MARGARET R., JANE JENSON, SONYA MICHEL, MARGARET G. WEITZ, *Behind the Lines. Gender and the Two World War*, New Haven/London 1987

LE RIDER, JACQUES, *Le cas Otto Weininger. Racines de l'antiféminisme et de l'antisémitisme*, Paris 1982

LE RIDER, JACQUES, *Modernité viennoise et crises de l'identité*, Paris 1990

MAUGUE, ANNELISE, *L'identité masculine en crise au tournant du siècle*, Paris/Marseille 1987

QUIGUER, CLAUDE, *Femmes et Machines de 1900. Lecture d'une obsession Modern Style*, Paris 1979

ROTH, MARIE-LOUISE und ROBERTO OLMI, Musil, *Cahiers de l'Herne*, 1982

THALMANN, RITA (Hg.), *Femmes et Fascismes*, Paris 1986

WILLEMSEN, ROGER, *Robert Musil. Vom intellektuellen Eros*, München 1985

Nachwort / Karin Hausen

ALLEN, ANN TAYLOR, *Feminism and Motherhood in Germany 1800–1914*, New Brunswick 1991

BAUMANN, URSULA, *Protestantismus und Frauenemanzipation in Deutschland 1850 bis 1920*, Frankfurt a. M./New York 1992

BEIER, ROSMARIE, *Frauenarbeit und Frauenalltag im Deutschen Kaierreich. Heimarbeiterinnen in der Berliner Bekleidungsindustrie 1880–1914*, Frankfurt a. M./New York 1983

BERGER, RENATE, *Künstlerinnen auf dem Weg ins 20. Jahrhundert. Kunstgeschichte als Sozialgeschichte*, Köln 1986

BERGMANN, ANNA, *Die verhütete Sexualität. Die Anfänge der modernen Geburtenkontrolle*, Hamburg 1992

BISCHOFF, CLAUDIA, *Frauen in der Krankenpflege: zur Entwicklung von Frauenrolle und Frauenberufstätigkeit im 19. und 20. Jahrhundert*, Frankfurt a. M./New York 1992

BLASIUS, DIRK, *Ehescheidung in Deutschland im 19. und 20. Jahrhundert*, Frankfurt a. M. 1992

BRAUN, KATHRIN, *Gewerbeordnung und Geschlechtertrennung: Klasse, Geschlecht und Staat in der frühen Arbeitsschutzgesetzgebung*, Baden-Baden 1993

BUDDE, GUNILLA, *Auf dem Weg ins Bürgerleben. Kindheit und Erziehung in deutschen und englischen Bürgerfamilien 1840–1914*, Göttingen 1994

BUSSEMER, HERRAD-ULRIKE, *Frauenemanzipation und Bildungsbürgertum. Sozialgeschichte der Frauenbewegung in der Reichsgründungszeit*, Weinheim 1985

ELLERKAMP, MARLENE, *Industriearbeit, Krankheit und Geschlecht. Zu den sozialen Kosten der Industrialisierung. Bremer Textilarbeiterinnen 1870–1914*, Göttingen 1991

FASSMANN, MAJA, *Jüdinnen in der deutschen Frauenbewegung 1865–1919*, Hildesheim 1993

FOUT, JOHN, C., *German Women in the Nineteenth Century. A Social History*, New York 1984

FRANZOI, BARBARA, *At the Very Least she Pays the Rent: Women and German Industrialization 1871–1914*, Westport 1985

FREVERT, UTE (Hg.), *Bürgerinnen und Bürger. Geschlechterverhältnisse im 19. Jahrhundert*, Göttingen 1988

GERHARD, UTE, *Unerhört. Die Geschichte der deutschen Frauenbewegung*, Reinbek 1990

GERHARD, UTE, *Gleichheit ohne Angleichung. Frauen im Recht*, München 1990

HARDACH-PINKE, IRENE, *Die Gouvernante. Geschichte eines Frauenberufs*, Frankfurt a. M./New York 1993

HAUSEN, KARIN (Hg.), *Geschlechterhierarchie und Arbeitsteilung. Zur Geschichte ungleicher Erwerbschancen von Männern und Frauen*, Göttingen 1993

JOERES, RUTH-ELLEN B. und MARY JO MAYNES (Hg.), *German Women in the Eighteenth and Nineteenth Centuries. A Social and Literary History*, Bloomington, Indiana 1986

JORIS, ELISABETH und HEIDI WITZIG, *Brave Frauen, Aufmüpfige Weiber. Wie sich die Industrialisierung auf Alltag und Lebenszusammenhang von Frauen auswirkte. 1820–1940*, Zürich 1992

KAPLAN, MARION, *The Making of the Jewish Middle Class. Women, Family, and Identity in Imperial Germany*, New York 1991

KERCHER, BRIGITTE, *Beruf und Geschlecht: Frauenberufsverbände in Deutschland 1848–1908*, Göttingen 1992

LIPP, CAROLA (Hg.), *Schimpfende Weiber und patriotische Jungfrauen*, Bühl-Moos 1986

LÜDTKE, HELGA (Hg.), *Leidenschaft und Bildung. Zur Geschichte der Frauenarbeit in Bibliotheken*, Berlin 1992

MEYER-RENSCHHAUSEN, ELISABETH, *Weibliche Kultur und soziale Arbeit. Eine Geschichte der Frauenbewegung am Beispiel Bremens 1810–1927*, Köln 1989

NIENHAUS, URSULA, *Berufsstand weiblich. Die ersten weiblichen Angestellten*, Berlin 1982

ORLAND, BARBARA, *Wäsche waschen. Technik- und Sozialgeschichte der häuslichen Wäschepflege*, Reinbek 1991

PALETSCHEK, SYLVIA, *Frauen und Dissens. Frauen im Deutschkatholizismus und in den freien Gemeinden 1841–1852*, Göttingen 1990

SCHISSLER, HANNA (Hg.), *Geschlechterverhältnisse im historischen Wandel*, Frankfurt a. M./ New York 1993

SCHMIDT-LINSENHOFF, VIKTORIA (Hg.), *Sklavin oder Bürgerin? Französische Revolution und Neue Weiblichkeit 1760–1830*, Frankfurt a. M. 1989

SCHMITT, SABINE, *Der Arbeiterinnenschutz im Kaiserreich. Zur Konstruktion der geschützten Arbeiterin*, Stuttgart 1995

SCHULTE, REGINA, *Das Dorf im Verhör. Brandstifter, Kindsmörderinnen und Wilderer vor den Schranken des bürgerlichen Gerichts. Oberbayern 1848–1910*, Reinbek 1989

WIERLING, DOROTHEE, *Mädchen für Alles. Arbeitsalltag und Lebensgeschichte städtischer Dienstmädchen um die Jahrhundertwende*, Berlin 1987

WEIGEL, SIGRID, *Topographien der Geschlechter. Kulturgeschichtliche Studien zur Literatur*, Hamburg 1990

WOBBE, THERESA, *Gleichheit und Differenz. Politische Strategien von Frauenrechtlerinnen um die Jahrhundertwende*, Frankfurt a. M./New York 1989

Sachregister

Personenregister

Autorinnen und Autoren

Nicole Arnaud-Duc ist promovierte Juristin, forscht am Centre National de Recherche Scientifique in Paris nach Notariats- und Gerichtsakten über Prozeßverhalten, Randgruppen und Geschlechterbeziehungen. Wichtigste Veröffentlichung zu Frauenfragen: *Droit, Mentalitées et Changement social en Provence occidentale. Stratégies et pratique notariale en matière de régime matrimonial* (1985).

Jean Baubérot Directeur d'Études an der École pratique des Hautes Études und Dekan der Sektion Religionswissenschaften. Spezialgebiet: Geschichte und Soziologie des Protestantismus, des Laizismus und generell Glaubens- und Morallehren. Zahlreiche Artikel und Monographien, darunter: *Histoire du protestantisme* (1987; 1990), *Le Protestantisme doit-il mourir?* (1988), *La Laicité: quel héritage de 1789 à nos jours?* (1990) und *Vers un nouveau pacte laique?* (1990).

Cécile Dauphin Ingénieur d'études am Centre National de Recherche Scientifique in Paris. Beteiligt an zahlreichen Forschungen im Rahmen des Centre de recherches historiques der École des Hautes Études en Sciences Sociales, Paris. Mitherausgeberin der *Cahiers Pénélope. Pour l'Histoire des Femmes* (1979–1984, 11 Ausgaben). Veröffentlichungen: La Vielle Fille. Histoire d'un stéréotype, in: *Madame ou Mademoiselle? Itinéraires de la solitude féminine au XIXe siècle*, hg. von A. Farge und Ch. Klapisch-Zuber (1984), L'enquête postale de 1847 und Les manuels épistolaires au XIXe siècle, in: *La Correspondance. Les usages de la lettre au XIXe siècle*, hg. von Roger Chartier (1991).

Michela De Giorgio ist Historikerin und lebt in Rom. Sie promovierte an der Universität Neapel mit einer Arbeit zur Geschichte der Frauen im modernen Italien und war eine der Gründerinnen der von ihr mitherausgegebenen Zeitschrift *Memoria. Rivista di storia delle donne.* Sie verfaßte u. a. die erste Geschichte der Italienerinnen, *Le italiane dall' unità ad oggi* (1992) und zahlreiche Beiträge in Zeitschriften und Sammelbänden.

Geneviève Fraisse forscht am CNRS im Bereich Philosophie. Pionierpublikationen zur Geschichte des französischen Feminismus, Gründung der Zeitschrift *Les Révoltes ligiques* (1975) und Beteiligung an zahlreichen Sammelwerken. Arbeiten über Vorstellungen zu geschlechtsspezifischen Unterschieden und verwandte philosophische Fragestellungen: *Femmes toutes mains, essai sur le service domestique* (1979), *Clémence Royer, philosophe et femme de sciences* (1985). Wichtigste Veröffentlichung: *Muse de la raison. La démocratie exclusive et la différence des sexes* (1988).

Dominique Godineau ist promovierte Historikerin. Spezialgebiet: Französische Revolution. Mitautorin zahlreicher Sammelwerke und Leiterin der Sektion »Frau und Familie« in *The French Revolution Research Collection.* Wichtigste Veröffentlichung: *Citoyennes Tricoteuses. Les femmes du peuple à Paris pendant la Révolution française* (1988).

Nancy Green Promotion an der Universität von Chicago und *Maître de conférences* an der École des Hautes Études en Sciences Sociales. Spezialgebiet: vergleichende Geschichte der Wanderungsbewegungen in Frankreich und in den USA. Wichtigste Veröffentlichung: *Les travailleurs immigrés juifs à la Belle Époque* (1985). Derzeit in Vorbereitung: »Immigrés et industrie du vêtement à Paris et New York (1880–1980)«.

Karin Hausen war bis 1994 Professorin für Wirtschafts- und Sozialgeschichte und ist jetzt Professorin für Interdisziplinäre Frauenforschung an der Technischen Universität Berlin.

Anne Higonnet Assistant Professor am Wellesley College, Department of Art. Spezialgebiet: Kunst des 19. Jahrhunderts mit Schwerpunkt Sozialgeschichte und Geschichte der Frauen. Veröffentlichungen u. a.: *Berthe Morisot's Images of Women* (1992).

Marie-Claire Hoock-Demarle Agrégée in Deutsch, Promotion über *Bettina Brentano von Arnim ou la mise en œuvre d'une vie 1785–1859* (1985), Professorin an der Universität von Paris VII-Jussieu. Veröffentlichungen u. a.: *La femme au temps de Goethe* (1987), *La rage d'écrire. Femmes-, écrivains en Allemagne de 1790 à 1815* (1990). Derzeitige Forschungen über »L'Europe des lettres. Le rôle des correspondances dans la prise de conscience de l'Europe au XIXe siècle«.

Juliane Jacobi Professorin für Allgemeine Pädagogik an der Universität Bielefeld. Ihr Forschungsschwerpunkt ist die Geschichte der Frauen- und Mädchenbildung. Veröffentlichungen zur Geschichte der Erziehung, besonders zur Geschichte der weiblichen Bildung, zuletzt: *Frauen zwischen Familie und Schule. Professionalisierungsstrategien bürgerlicher Fauen im internationalen Vergleich* (1994).

Anne-Marie Käppeli ist promovierte Historikerin, Mitarbeiterin beim Schweizer Nationalfonds für wissenschaftliche Forschung. Arbeiten zur Geschichte der Frauen in der Schweiz, insbesondere über Feministinnen und protestantische Pädagoginnen. Wichtigste Veröffentlichung: *Sublime Croisade. Éthique et politique du féminisme protestant (1875–1928)* (1990), im Druck: *Emancipation féminine et pédagogie (1845–1972)* und *Les pionnières suisses de la formation des mères et de l'éducation des filles.*

Yvonne Knibiehler ist emeritierte Professorin der Université de Provence. Spezialgebiet: Geistesgeschichte (Habil.: *Mignet et l'histoire philosophique du XIXe siècle,* 1973) und Geschichte der Frauen. Wichtigste Veröffentlichungen: *Histoire des mères* (zus. mit Catherine Fouquet, 1980), *Nous les assistantes sociales. Naissance d'une profession* (1980), *La femme et les médecins* (zus. mit Catherine Fouquet, 1983), *Cornettes et blouses blanches. Les infirmières dans la société française, 1880–1980* (1984), *La femme au temps des Colonies* (zus. mit Régine Goutalier, 1985) und *Les pères aussi ont une histoire,* Paris (1987).

Annelise Maugue Professeur agrégée am Lycée Rabelais in Paris, Promotion. Forschungen über die sexuelle Identität und ihren Ausdruck in der Literatur. Wichtigste Veröffentlichung: *La crise de l'identité masculine au tournant du siècle* (1987).

Françoise Mayeur Agrégée in Geschichte, Promotion, Professorin an der Universität von Paris IV-Sorbonne. Spezialgebiet: Bildungsgeschichte, besonders für Mädchen: Veröffentlichungen dazu: *L'enseignement secondaire des jeunes filles sous la troisième République* (1977), *L'éducation des filles au XIXe siècle* (1979), *Éducation et images de la femme chrétienne en France au début du XIXe siècle* (1980). Verfasserin von

Bd. 3 der *Histoire de l'enseignement et de l'éducation en France,* hg. von M. Parias (1981).

Stéphane Michaud Agrégé, Promotion, Professor für vergleichende Literatur an der Université Jean Monnet von Saint-Étienne, Mitherausgeber der Zeitschrift *Romantisme.* Spezialgebiet: Geschichte der Frauen und Frauenbilder in der französischen und deutschen Literatur des 19. Jahrhunderts. Mehrere Arbeiten über Flora Tristan: *Flora Tristan* (1985), *Flora Tristan (1803–1844)* (1984) usw. Wichtigste Veröffentlichung: *Muse et Madone. Visages de la femme de la Révolution française aux apparitions de Lourdes* (1985).

Michelle Perrot Professorin für vergleichende Geschichte an der Universität von Paris VII-Jussieu. Nach ersten Forschungen über die Arbeitswelt im 19. Jahrhundert (*Les ouviers en grève,* 1974) Orientierung auf Untersuchungen von Delinquenz und Strafjustiz. (*L'impossible prison,* 1980; *Écrits pénitentiaires* von Alexis de Toqueville, Bd. IV, 2 Bde. der *Œuvres complètes,* 1984, hg. von M. P.); *Geschichte des privaten Lebens,* Bd. 4 – 19. Jahrhundert – der von Ph. Ariès und G. Duby herausgegebenen Reihe (1992, frz. Orig. 1987); *Journal intime de Caroline B.* (zus. mit Georges Ribeill, 1985) und *Geschlecht und Geschichte. Ist eine weibliche Geschichtsschreibung möglich?* (1989, frz. Orig. 1984).

Joan Wallach Scott Lehrtätigkeit an verschiedenen amerikanischen Universitäten, derzeit Leiterin der Frauenforschung an der Brown University und Professorin für Sozialwissenschaften am Institute for Advanced Study in Princeton. Spezialgebiet: Sozialgeschichte Frankreichs (Habil. 1982 in Frankreich veröffentlicht: *Les Verriers de Carmaux*). Orientierung auf die Geschichte der Frauen und die Gender-Theorie. Wichtigste Veröffentlichungen: *Les femmes, le travail et la famille* (mit Louis Tilly, 1987) und *Gender and the Politics of History* (1988).

Élisabeth G. Sledziewski Agrégée in Philosophie. Promotion. Maître de conférences am Institut d'Études politiques in Straßburg *(Université Robert Schuman)*, assoziierte Professorin der Universität Erlangen–Nürnberg. Arbeiten über Formen der politischen Kultur in Osteuropa, Verhältnis der Frauen zur Politik, sowohl in der Französischen Revolution wie im Europa der Gegenwart. Wichtigste Veröffentlichungen: *Voies idéologiques de la Révolution française,* Paris (1986), *Révolutions du sujet* (1989) und zus. mit J. L. Vieillard-Baron *Penser le sujet aujourd'hui* (1988).

Judith Walkowitz Professorin für Geschichte und Director of Women's Studies an der Johns Hopkins University (Baltimore, USA). Spezialgebiet: Geschichte des Feminismus, der Sexualität, der Medizin in ihrem jeweiligen Verhältnis zu Gesellschaft und Kultur. Wichtigste Veröffentlichungen: *Prostitution and Victorian Society. Women Class and the State* (1980). Im Druck: *City of Dreadful Delight: Narratives of Sexual Danger in Late-Victorian London.*